Y0-BRA-065

DANIEL HÉRAUD

DLM

DIFFUSION DU LIVRE MIRABEL

5757, RUE CYPIHOT, SAINT-LAURENT (QUÉBEC) H4S 1X4
TÉLÉPHONE : (514) 334-2690 TÉLÉCOPIEUR : (514) 334-4720

Dépôt légal: 4e trimestre 1994
Bibliothèque nationale du Québec
Bibliothèque nationale du Canada

Imprimé et relié au Canada

ISBN 2-7613-0894-8 123456789ML987654
50509 MM14

SOMMAIRE

LE MOT DE L'AUTEUR

Amis lecteurs,

Je voudrais vous remercier en mon nom personnel et au nom de toute l'équipe de Carnet de Route/Road Report pour avoir fait de ce livre annuel un best seller en Amérique du Nord. J'apprécie vos témoignages d'intérêt et remercie tous les lecteurs qui nous ont renvoyé de tous les coins du continent leurs réponses aux sondages sur les voitures qu'ils conduisent et sur ce qu'ils pensent de ce livre. Grâce à vous, j'ai compris que loin de vouloir devenir la Barbara Cartland de l'automobile, mon seul souhait est de faire mon travail de journaliste, tout mon travail de journaliste et rien d'autre. Ceci en vous présentant des faits encore des faits et toujours des faits. J'ai réalisé que mes goûts et mes couleurs ne coïncidaient pas forcément avec les vôtres et que vous étiez capables de vous faire une idée à partir des données chiffrées dont j'accrois chaque année le nombre afin de vous permettre de faire des choix en toute connaissance de cause. Je ne travaille que pour vous, car c'est vous qui me payez pour faire de ce livre la référence qu'il est devenu. Durant l'année, vous nous avez signalé des petites erreurs qui s'étaient glissées dans nos bases de données et c'était exact. Nous avons donc engagé un collaborateur qui ne s'occupe que des chiffres afin que cela ne se reproduise plus. Les chiffres toujours les chiffres, eh oui... L'automobile n'est pas un domaine de rêveurs, de poètes ou de pisse-vinaigre qui pontifient à tort et à travers. Dans l'automobile, l'émotion ça commence par l'argent, le prix que vous devez payer et à ce propos Carnet de Route innove encore car en vous indiquant le prix minimum que vous pouvez payer pour un modèle donné nous vous permettons de connaître votre marge de manœuvre face aux commerçants, sans que cela porte préjudice à qui que ce soit. Le prix moyen indique la valeur moyenne des transactions effectuées dans la province et le prix maxi mum celui que vous ne devez absolument pas payer pour votre futur véhicule. L'automobile est une science exacte créée par des ingénieurs non par des pamphlétaires, et il faut avoir des bases de comparaison solides pour être en mesure de faire des jugements de valeur plutôt qu'à vue de nez. Il y a dans tous les métiers des amateurs et des professionnels et j'ai choisi de me ranger parmi ces derniers. De toute façon, la connivence qui existe entre vous et ce livre est unique et c'est ce qui fait notre force principale: je sais ainsi qui vous êtes et ce que vous désirez. Continuez à faire partie de notre équipe et nous continuerons à tenir compte de vos remarques pour le bénéfice de tous. Toutefois, ceux qui aiment aussi rêver, trouveront matière à se faire plaisir avec la mise à jour mondiale de nos premiers chapitres.

Je vous donne rendez-vous l'an prochain, même époque, même librairie pour partager une fois encore le plaisir de l'automobile et en attendant soyez prudent, méfiez-vous des imitations...

Daniel Héraud

CRÉDITS

Photo de couverture: PONTIAC Sunfire Speedster.
Les photographies des pages intérieures sont de: Benoit Charette, Michel Condominas, Gérard Héraud, Daniel Héraud, Jean D'Hugues et des services de presse des constructeurs.

Rédacteur en chef:	Daniel P. Héraud
Assistant:	Benoit Charette
Collaborateurs:	Michel Poirier-Defoy
	François Viau
Maquette de couverture:	ERPI
Conception des pages intérieures:	Daniel P. Héraud
Révision française:	Françoise Moreau
Pelliculage:	Scan Express
Impression:	Metropole Litho

COLLABORATEURS INTERNATIONAUX

États-Unis:	Alex Walordy
France:	Michel Condominas
	Gérard Héraud
Grande-Bretagne:	Nick Bennett
Allemagne:	Helmut Herke

REMERCIEMENTS

Pour réaliser ce *Carnet de Route*, nous avons dû compter sur le concours de nombreuses personnes œuvrant dans le domaine de l'automobile et de l'édition. Que tous ceux qui, de près ou de loin, ont participé à la réalisation de ce livre soient ici sincèrement remerciés et particulièrement : La Société mutuelle d'assurance générale du Haut St-Laurent en la personne de Mme Odette Schink.

Les spécifications techniques relatives aux automobiles présentées dans ce livre, de même que les données apparaissant sous les rubriques «Moteur», «Transmission», «Caractéristiques et Prix» ont été fournies par les constructeurs.

L'auteur, l'éditeur et le distributeur ne sauraient garantir que ces données sont exactes et complètes. Les commentaires et les recommandations de ce livre ont été formulées en toute bonne foi; cependant, l'auteur, l'éditeur et le distributeur déclinent toute responsabilité en ce qui a trait à l'usage qui pourrait en être fait.

INDEX

Identification du ou des modèles

Drapeau du pays du constructeur

Identification de la marque

TOYOTA **Tercel-Paseo**

Crise de croissance...

Comme les enfants, les automobiles n'arrêtent pas de grandir et la dernière Tercel n'échappe pas à ce phénomène, qui forcera un jour au l'autre les constructeurs à introduire des modèles plus petits pour constituer des bas de gammes de la classe des mini-compactes.

Si le coupé Paseo ne change pas en 1995, la Tercel adopte une nouvelle carrosserie et le moteur plus puissant qui équipait déjà le Paseo. Sans vouloir porter de jugement sur la ligne de la nouvelle venue, elle semble avoir toujours existé et fait plus penser à celle d'une ancienne Ford Escort qu'à celle d'une célèbre allemande... La Tercel est disponible en berline 3 volumes à 2 et 4 portes et un coupé 3 volumes à 2 portes le Paseo. Ce dernier est vendu dans un niveau de finition unique, alors que la Tercel existe en versions S et DX.

POINTS FORTS

• **Prix/équipement: T: 90%;P: 80%**
Bien qu'elles soient toujours plus chères que la moyenne, ces voitures justifient plus leur prix par l'excellente réputation de leur fiabilité et leur durabilité que par la richesse de leur équipement qui est pourtant en progrès.

Satisfaction 85%
Si le nombre de propriétaires très satisfaits est moins élevé que pour d'autres modèles de la marque, il fait pourtant des envieux chez les constructeur domestiques...

• **Sécurité: 80%**
La fourniture en série de deux coussins gonflables et de ceintures à rétracteur permet de compenser pour la vulnérabilité de structure de ces petites voitures qui ont toutefois été rigidifiées sur les dernières Tercel.

• **Consommation: 80%**
Bien que ces modèles ne soient pas les plus économiques du marché, leur rendement est honnête compte tenu de leur format qui est plus généreux et de leurs prestations satisfaisantes.

• **Qualité & finition: 70%**
La présentation intérieure s'est nettement améliorée car les matières plastiques ont une apparence plus riche et ne sentent plus mauvais. L'assemblage est demeuré rigoureux et la finition soignée, et l'ambiance de voiture économique à tout prix qui caractérisait le modèle précédent a disparu.

• **Poste de conduite: 70%**
Bien que la colonne de direction ne soit pas ajustable, le conducteur trouve rapidement une bonne position de conduite et le tableau de bord est simple mais bien présenté et bien organisé. L'instrumentation est facile à déchiffrer et les commandes, conventionnelles bien disposées. La visibilité est meilleure sur la Tercel que sur le Paseo dont la hauteur de la poupe et la présence de l'aileron réduisent la vue vers l'arrière.

• **Suspension: 70%**
L'amortissement plus consistant et l'amplitude plus généreuse des roues confèrent à ces petites voitures un confort de roulement plus caractéristique des compactes que des sous-compactes.

• **Accès: T: 70%; P: 50%**
Il est devenu plus facile d'accéder à la banquette arrière de la Tercel 2 portes que du Paseo qui manque de hauteur.

• **Niveau sonore: T: 60%; P: 50%**
Il a été amélioré sur la Tercel, car si le moteur se fait entendre lors des

DONNÉES

Catégorie: berlines et coupés sous-compacts tractés.
Classe : 3

HISTORIQUE

Inauguré en: 1978
Modifié en: 1982, 1987, 1991, 1995.
Fabriqué à: Takaoka, Japon.

INDICES

Sécurité: 90 %
Satisfaction: 85 %
Dépréciation: 53 %
Assurance: 7.0 % (740 $)
Prix de revient au km: 0.30 $

NOMBRE DE CONCESSIONNAIRES

Au Québec: 67

VENTES AU QUÉBEC

Modèle	1992	1993	Résultat	Part de marché
Tercel	10 612	8 029	- 20.0 %	9.2 %
Paseo	1 266	526	- 58.5 %	4.3 %

PRINCIPAUX MODÈLES CONCURRENTS

Tercel: DODGE Colt, HONDA Civic Hbk, GEO Metro (4p.) HYUNDAI Accent, MAZDA 323 Hbk, NISSAN Sentra, VW Golf.
Paseo: FORD Escort GT, HONDA Civic SI & Del Sol, HYUNDAI Scoupe, MAZDA MX-3(1.6L) 323, SATURN SC1.

ÉQUIPEMENT

TOYOTA Tercel	**S**	**DX**	
TOYOTA Paseo			**base**
Boîte automatique:	-	O	O
Régulateur de vitesse:	-	O	O
Direction assistée:	-	O	O
Freins ABS:	O	O	O
Climatiseur:	O	O	O
Coussins gonflables (2):	S	S	S
Garnitures en cuir:	-	-	-
Radio MA/MF/ K7:	O	O	O
Serrures électriques:	-	-	-
Lève-vitres électriques:	-	-	-
Volant ajustable:	-	-	-
Rétroviseurs ext. ajustables:	-	S	S
Essuie-glace intermittent:	S	S	S
Jantes en alliage léger:	-	-	O
Toit ouvrant:	-	-	O
Système antivol:	-	-	-

S : standard; O : optionnel; - : non disponible

COULEURS DISPONIBLES

Extérieur: Tercel: Blanc, Argent, Rouge, Vert, Rubis.
Paseo: Blanc,Rouge, Noir,Vert, Rubis.
Intérieur: Noir, Gris.

ENTRETIEN

Première révision: 6 000 km
Fréquence: 6 000 km
Prise de diagnostic: Oui

QUOI DE NEUF EN 1995 ?

- Plus que deux versions de la Tercel S et DX, la LS disparait.
- Moteur 1.5L plus puissant.

MOTEURS						TRANSMISSION		PERFORMANCES									
Modèles/ versions *: de série	Type / distribution soupapes / carburation	Cylindrée cc	Puissance ch @ tr/mn	Couple lb.pi @ tr/mn	Rapport volumét.	Roues motrices / transmissions	Rapport de pont	Accélér. 0-100 km/h s	400 m D.A. s	1000 m D.A. s	Freinage 100-0 km/h m	Vites. maxi. km/h	Accélér. latérale G	Niveau sonore dBA	Consommation l./100km Ville	Consommation l./100km Route	Carburant Octane
Tercel	L4* 1.5 DACT-16-IE	1497	93 @ 5400	100 @ 4400	9.4 :1	avant - M4*	3.52	11.5	18.2	34.1	42	160	0.75	68	7.0	5.4	R 87
						avant - M5*	3.72	11.0	18.0	33.7	44	165	0.75	68	7.6	5.5	R 87
						avant - A3/A4	2.82	13.5	18.6	36.5	45	160	0.75	68	7.6	6.3	R 87
Paseo	L4* 1.5 SACT-16-IE	1497	100 @ 6400	91 @ 3200	9.4 :1	avant - M5*	3.94	10.5	17.3	33.0	44	170	0.77	68	7.8	5.7	R 87
						avant - A4	2.82	10.8	17.7	33.5	46	165	0.77	68	9.2	6.5	R 87

362 Carnet de Route Québec 1995

Données historiques, statistiques de vente, concurrence, principales améliorations et équipement.

Dans «Données» les indices s'expliquent ainsi:

Le **Taux d'assurance** multiplié par le prix de détail suggéré du modèle concerné donne approximativement le montant de la prime. Il a été établi pour un individu âgé de 35 ans, marié, habitant une région métropolitaine, n'ayant pas eu d'accident au cours des 6 dernières années et pas de suspension de permis de conduire. Prime de base pour 1 million de responsabilité civile, déductibles: 250 $ pour collision; 50 $ pour risques multiples.

Le **Taux de dépréciation** est calculé à partir de notre «Guide des voitures usagées» sur une période de trois ans. Si le véhicule existe depuis moins de trois ans, le nombre d'années suit entre parenthèses.

Le **Prix de revient au kilomètre** a été calculé par catégorie. Il est basé sur l'usage du véhicule pendant une durée de trois ans à raison de 20 000 km par année, et comprend la prime d'assurance, l'immatriculation, les intérêts du financement, le carburant, l'usure des pneus, l'entretien et les réparations, la dépréciation et les frais de stationnement.

Principaux ensembles mécaniques disponibles, moteurs et transmissions ainsi que leurs performances.

BASES DE L'ÉVALUATION

CONCEPTION	
Sécurité	Résultat des tests de la NHTSA américaine
Aérodynamique	Selon le coefficient officiel du constructeur
Habitabilité	Selon la méthodologie de l'EPA américaine
Coffre	Selon la méthodologie de l'EPA américaine
Qualité/finition	Selon quatre critères (voir tableau ci-dessous)
CONDUITE	
Poste de conduite	Selon quatre critères (voir ci-dessous)
Performances	Moyenne de 6 accélérations de 0 à 100 km/h
Tenue de route	Mesures de dérapage sur un cercle d'asphalte de 75 m de diamètre mesuré en G.
Direction	Selon cinq critères (voir p.8)
Freinage	Moyenne de 6 arrêts de 100 à 0 km/h.

Dans *Carnet de Route* les véhicules sont répertoriés sous le nom de leur constructeur et non de leurs vendeurs. Ainsi, le Chevrolet Tracker est traité à la page du Suzuki Sidekick. Consultez toujours l'index qui vous permettra de trouver automatiquement la bonne page.

Texte d'évaluation en 20 points classés par ordre décroisssant de qualités et de défauts avec conclusion et valeur moyenne qui permettront de classer le véhicule lors du bilan comparatif.

Tercel-Paseo — TOYOTA

accélérations et des reprises, les bruits aérodynamiques et de roulement sont moins prononcés que sur le modèle précédent.

• Direction: 60%
La manuelle livrée en série est lourde à faible allure, elle s'allège quand la vitesse augmente mais sa démultiplication prononcée la rend floue au centre. Assistée en série, celle du Paseo est plus directe, plus précise et mieux dosée, bref plus agréable.

• Commodités: 60%
Peu nombreux, les rangements comprennent une boîte à gants, des vide-poches de porte et des évidements sur le tableau de bord sur les versions luxueuses.

• Sièges: 60%
Ils offrent un soutien et un maintien convenables car leur relief et leur rembourrage ont été améliorés.

• Technique: 60%
La carrosserie monocoque en acier, dont certaines parties sont galvanisées, possède une suspension de type McPherson à l'avant et un essieu de torsion à l'arrière. La direction est manuelle et le freinage est mixte en série et l'on est surpris de ne pas trouver de système ABS, même en option. Les lignes simples affichent désormais une bonne efficacité aérodynamique puisque le coefficient de la Tercel est de 0.32 et 0.33 pour le Paseo.

• Comportement: T: 55%; P: 60%
La Tercel est devenue beaucoup plus stable, car son roulis est moins marqué. Plus franche et plus prompte, elle est presque devenue si amusante à conduire qu'on se demande ce que le Paseo peut bien apporter de plus, si ce n'est son allure sportive.

• Assurance: 50%
Les Tercel-Paseo ne coûtent pas plus cher à assurer que les autres sous-compactes ce qui les désignent d'emblée comme un achat intéressant pour de jeunes automobilistes, toujours pénalisés par les compagnies d'assurances.

• Les performances: 50%
Elles sont désormais aussi intéressantes avec la boîte manuelle, qu'avec l'automatique, surtout en charge. Les quelques chevaux supplémentaires, font la différence mais on a pas encore affaire à des «dragsters». Les accélérations sont plus franches avec la boîte manuelle dont la sélection est aussi rapide que précise, qu'avec l'automatique dont la sélection et l'étagement sont satisfaisants.

POINTS FAIBLES

• Coffre: T: 30%; P: 20%
Logeable compte tenu de leur taille, il est possible d'améliorer leur contenance en abaissant le dossier de la banquette arrière. Toutefois l'ouverture étriquée de celui du Paseo rend difficile la manipulation des bagages.

• Habitabilité: T: 35%; P: 30%
Quatre adultes de bonne taille seront à l'aise dans la Tercel dont l'espace pour les jambes et la hauteur a été accru à l'arrière, ce qui n'est pas le cas du Paseo qui lui, n'accueillera que deux adultes et deux enfants.

• Freinage: 40%
Son dosage et son endurance sont adéquats, et son efficacité est en progrès malgré le fait que les roues avant bloquent rapidement et ce qui allonge les distances d'arrêt.

• Dépréciation: 45%
Elles conservent une bonne valeur de revente et les occasions sont aussi rares que coûteuses...

CONCLUSION

• Moyenne générale:
T: 61.0 %; P: 58.5 %
Plus étoffée, la Tercel monte tranquillement à l'assaut de la Corolla car elle n'est plus la petite voiture qu'elle a déjà été. Toutefois son confort et ses performances y gagnent beaucoup, de même que son agrément de conduite. 😐

SUGGESTIONS DES PROPRIÉTAIRES
(modèle précédent)
-Des sièges avant qui reculent plus loin et soutiennent mieux.
-Améliorer la visibilité vers l'arrière du Paseo, pour pouvoir mieux évaluer sa longueur.
-Des roues plus grosses.

CARACTÉRISTIQUES & PRIX

Modèles	Versions	Carrosseries/ Sièges	Volume cabine l.	Volume coffre l.	Cx	Empat. mm	Long x larg x haut. mm x mm x mm	Poids à vide kg	Poids Remorque max. kg	Susp. av/ar	Freins av/ar	Direction type	Diamètre braquage m	Tours volant b à b.	Réser. essence l.	Pneus d'origine	Mécaniques d'origine	PRIX $ CDN. 1994
TOYOTA		**Garantie générale: 3 ans / 60 000 km; mécanique: 5 ans / 100 000 km; corrosion: 6 ans / kilométrage illimité.**																
Tercel	S	ber.2 p.4/5	2277	263	0.32	2380	4120x1660x1350	889	NR	i/si	d/t	crém.	9.6	3.8	45.0	155/80R13	L4/1.5/M5	**9 618**
Tercel	DX	ber.2 p.4/5	2277	263	0.32	2380	4120x1660x1350	900	NR	i/si	d/t	crém.	9.6	3.8	45.0	155/80R13	L4/1.5/M5	**11 018**
Tercel	DX	ber.4 p.4/5	2294	263	0.32	2380	4120x1660x1350	914	NR	i/si	d/t	crém.	9.6	3.8	45.0	155/80R13	L4/1.5/M5	**11 218**
Paseo	man.	cpé.2 p.2+2	2186	218	0.33	2380	4145x1655x1275	939	NR	i/si	d/t	crém.ass.	9.9	2.7	45.0	185/65R14	L4/1.5/M5	**14 698**
Paseo	autom.	cpé.2 p.2+2	2186	218	0.33	2380	4145x1655x1275	980	NR	i/si	d/t	crém.ass.	9.9	2.7	45.0	185/65R14	L4/1.5/A4	**15 648**

Voir la liste complète des prix 1995 à partir de la page 393.

Carnet de Route Québec 1995 363

Le point final exprime:
😊 au-dessus de 65%,
😐 de 56% à 65%,
☹ en dessous de 55%.

Commentaires des propriétaires ayant répondu aux sondages publiés les années précédentes.

Principales caractéristiques techniques et prix de l'année précédente.

ET NOTATION DES VÉHICULES

ONFORT

ccès	Selon quatre critères (voir tableau p.8)
ièges	Selon cinq critères (voir tableau p.8)
uspension	Selon cinq critères (voir tableau p.8)
iveau sonore	Moyenne de 3 mesures relevées à 100 km/h.
ommodités	Selon cinq critères (voir tableau p.8)

UDGET

rix /équipement	Selon une échelle entre 10 et 50 000 dollars
ssurance	En pourcentage du prix de détail hors taxes.
onsommation	Mesures effectuées durant nos essais.
atisfaction	Tiré des sondages auprès de nos lecteurs.
épréciation	Moyenne sur trois ans selon notre «Guide des Autos Usagées.»

Carnet de Route étant écrit simultanément pour le Québec, le Canada et es États-Unis, il est possible que certains modèles illustrés ne soient pas tout à fait conformes à ceux effectivement commercialisés localement.

ABRÉVIATIONS

TYPES DE MOTEURS

H	cylindres disposés horizontalement
L	cylindres disposés en ligne
V	cylindres disposés en V
R	piston rotatif

ALIMENTATION

c	carburateur
IE(P)	injection électronique (programmée)
IEPM	injection électronique à points multiples
IM	injection mécanique
IESPM	injection électronique séquentielle à points multiples
IM	injection monopoint (1 seul gicleur)
IMCE	injection mécanique à commande électronique
PI	pompe à injection rotative de diesel
T ou Tbo	turbocompresseur
Tr	turbocompresseur avec refroidisseur (intercooler)
C.	compresseur volumétrique

TRANSMISSIONS

M4; M5	manuelle à 4 vitesses; à 5 vitesses
A3; A4	automatique à 3 rapports; à 4 rapports
x4 ou 2RM	2 roues motrices
4x4 ou 4RM	4 roues motrices ou traction intégrale

MODÈLES

cam.	camionnette
cpé.	coupé
déc.	décapotable ou cabriolet
ber.	berline
fam.	familiale
frg.	fourgonnette
lim.	limousine
tt	tout terrain
2 p.	2 portes
3 p.	3 portes
4 p.	4 portes
5 p.	5 portes

MESURES

Cyl.	cylindre
cc ou l	cylindrée en centimètres cubes ou litres
ch	chevaux-vapeur (norme SAE)
mm	millimètre
m	mètre
m-kg	couple exprimé en mètre-kilo
lb-pi	couple exprimé en livre-pied
dm3	volume en décimètre cube ou litre
kg	kilogramme
dBA	mesure de bruit en décibels sur l'échelle A
km/h	kilomètres à l'heure
l/100 km	litres aux 100 kilomètres

AUTRES

R 87	Essence régulière 87 octane
M 89	Essence moyenne 89 octane
S 91	Essence supérieure 91 octane
*	équipement d'origine ou standard
#	pas disponible avant d'imprimer
ND	non disponible
NR	non recommandé (remorquage)
R	renforcé (pour HD-Heavy-Duty)
Cx	coefficient aérodynamique
d	disque
t	tambour
ABS ou ALB:	système antiblocage de frein
ABA	antiblocage de frein des roues arrière
i	indépendante
si	semi-indépendante
r	pont rigide
crém.	direction à crémaillère
ass.	assistée
bil.	direction à billes
v/g	direction à vis et galets
4RD	quatre roues directrices

BARÊME D'ÉVALUATION 1995

Notes EN %	**0**	10	20	30	40	**50**	60	70	80	90	**100**
CONCEPTION											
Sécurité: NHTSA	structures		portes		environnement			ceintures	coussins		
Aérodynamique: Cx	0.48	0.46	0.44	0.42	0.40	0.38	0.36	0.34	0.32	0.30	0.28
Habitabilité: EPA L	1600	1800	2000	2200	2400	2500	2600	2800	3000	3200	3400
Coffre: EPA L	100	150	200	250	300	350	400	450	500	550	600
Qualité/finition		apparence		assemblage			matériaux			finition	
CONDUITE											
Poste de conduite:		siège		visibilité			commandes			contrôles	
Performances: 0/100 en s.	16	15	14	13	12	11	10	9	8	7	5
Tenue de route: lat. G	0.66	0.68	0.70	0.72	0.74	0.76	0.78	0.80	0.85	0.90	0.95
Direction:	démultiplication		précision		dosage		assistance		recentrage		
Freinage: 100/0 en m	65	60	55	50	45	40	38	36	34	32	30
CONFORT											
Accès:		avant			arrière			coffre		mécanique	
Sièges:	assise		maintien latéral		soutien lombaire			rembourrage		revêtement	
Suspension:	amortissement		amplitude		roulis			tangage		fréquence	
Niveau sonore: dBA	73	72	71	70	69	68	67	66	65	64	63
Commodités:	boîte à gants		vide-poches		coffret console			évidements		tablettes	
BUDGET											
Prix/équipement: $ CDN	50 000	45000	40000	35000	30000	25000	20000	17500	15000	12500	10000
Assurance % de prix HT	16	14	12	10	9	8	7	6	5	4	3
Consommation: l./100	20	18	16	15	14	13	12	11	10	8	6
Dépréciation: %	100	90	80	70	60	50	40	30	20	10	5
Satisfaction: %	5	10	20	30	40	50	60	70	80	90	100

GLOSSAIRE

ABS ou ALB. Initiales de «anti-blocking system» ou «anti-lock braking». Ce système a pour fonction de déceler et d'annuler d'éventuels blocages de roues lors de freinages violents. Des palpeurs situés à chaque disque ou tambour de freins détectent l'amorce d'un blocage et ordonnent à une centrale de diminuer la pression d'huile de frein par plusieurs pulsations par seconde jusqu'à ce que la roue retrouve sa vitesse de rotation. La sophistication de ces systèmes varie beaucoup entre les marques. Certains sont de type mécanique, d'autres plus complexes sont activés par des senseurs à inertie qui mesurent la décélération réelle et l'accélération latérale (ou force centrifuge en virage) pour éviter les tête-à-queue ou embardées toujours possibles avec les dispositifs plus simplistes.
Alésage/course. Dimensions qui permettent de calculer la cylindrée d'un moteur. L'alésage est le diamètre du piston et la course la distance parcourue par celui-ci. Formule: (A/2) au carré x x C x nombre de cylindres= volume en cm3. (A et C en cm).
Allumage électronique. Ce dispositif remplaçant l'allumeur et les vis platinées détermine le moment propice pour enflammer le mélange carburé par la bougie.
Alternateur. Accessoire entraîné par la courroie du moteur qui alimente le circuit électrique (allumage des bougies, charge de la batterie, climatisation et accessoires).
Amortisseur. Cet accessoire, contrôlant l'amplitude et la vitesse de débattement des roues dues aux inégalités de la route, participe dans une certaine mesure au contrôle des mouvements de caisse tels que le roulis, le tangage, les compressions et délestages. ***A. hydraulique***.Utilise une circulation interne d'huile.***A.à gaz***.Utilise une circulation interne de gaz (azoté). Sur certains modèles, la tension d'amortissement est ajustée soit automatiquement, soit par le conducteur grâce à une électrovanne contrôlant le débit hydraulique ou gazeux et permettant de faire varier la fermeté.
Arbre à cames. Pièce en acier pourvue de saillies permettant d'actionner les soupapes d'admission et d'échappement soit directement, soit par l'intermédiaire de culbuteurs. Elle est entraînée par courroie ou par chaîne. ***A. à c. central*** .Situé au centre du bloc du moteur à 6 ou 8 cylindres disposés en V, il actionne les soupapes par l'intermédiaire de renvois et de culbuteurs. Cette disposition qui est assez ancienne existe encore sur les moteurs d'origine américaine. ***A. à c. latéral*** Même principe que le précédent mais cette fois appliqué sur un moteur disposé en ligne de 4 ou 6 cylindres. ***A. à c. simple en tête*** L'arbre est situé dans la culasse directement au-dessus ou à côté des soupapes. Cette disposition plus moderne prévaut sur la quasi-totalité des moteurs d'origine européenne ou japonaise et peut actionner de deux à quatre soupapes par cylindre. ***A. à c. double en tête*** Cette fois-ci chaque arbre est spécialisé. Le premier actionne les soupapes d'admission des gaz et le deuxième les soupapes d'échappement. Cette disposition offre le plus souvent le meilleur rendement.
Barres antiroulis, antidévers ou stabilisatrices. Barre transversale reliant chaque paire de roues pour limiter l'inclinaison de la voiture en virage.
Bas de caisse. Partie inférieure de la carrosserie de la voiture.
Baudrier. Partie supérieure de la ceinture de sécurité retenant le tronc du corps.
Berline. Carrosserie à 2 ou 3 volumes, à 2, 3, 4 ou 5 portes, offrant 4 à 6 places.
Bielle. Pièce de métal reliant le piston au vilebrequin, la bielle transmet le mouvement alternatif rectiligne du premier en mouvement circulaire continu pour le second.
Boîte de transfert. Utilisée sur les véhicules tout terrain, pour coupler les trains avant et arrière qui, sinon, sont libres ou désengagés.
Boîte de vitesses à commande manuelle. Organe mécanique composé d'arbres sur lesquels sont montés deux trains d'engrenage, le primaire solidaire du moteur et le secondaire relié aux roues motrices. La sélection des rapports est commandée par le conducteur par l'intermédiaire d'une tringlerie et le désaccouplement moteur-transmission par la pédale d'embrayage.
Boîte de vitesses automatique. Mécanisme assurant le changement automatique des 3, 4 ou 5 rapports.
Cache-bagages. Toile ou couvercle couvrant habituellement le coffre des berlines ou coupés à deux volumes.
Calandre. Orifice du radiateur.
Carburateur. Élément qui sert à préparer le mélange combustible pour le moteur. Le carburant est admis par un orifice calibré (gicleur) qui le réduit en brouillard pour mieux le mélanger à l'air. ***C. à simple corps.*** possédant une chambre de carburation. ***C .à double corps*** ...à deux chambres.
Carrossage. Angle d'inclinaison des roues par rapport au plan vertical.
Carter d'huile. Compartiment étanche sous le moteur contenant l'huile et la pompe à huile. **Carter de transmission.** Compartiment contenant les arbres, les engrenages, les roulements et l'huile de lubrification.
Ceinture de caisse. Ligne formée par la partie inférieure de la surface vitrée.
Conduits ou collecteur d'admission ou d'échappement. Tuyauterie rassemblant les gaz en aval ou en amont du moteur. Leurs formes, longueur et diamètre déterminent le volume, la vitesse et la quantité d'air pour l'obtention soit du couple (formes courbes, étroites et longues), soit de la puissance (formes droites à plus grand diamètre).
Coupé. Carrosserie à 2 volumes, 2 places principales et 2 de dépannage, ayant une allure sportive et individualiste.
Couple moteur. Effort instantané développé par le moteur qui s'exprime en livres-pieds dans le système américain (SAE) et en mètres-kilos en métrique (DIN). Formule: 1 li-pi = 0,1382549 m-kg.
Colonne de direction ajustable. ***En hauteur***: pour favoriser l'angle et le maintien du volant; ***en longueur ou télescopique***: pour s'ajuster à la taille des conducteurs.
Compresseur. Élément de suralimentation destiné à augmenter le volume d'air à l'admission du moteur par opposition à l'aspiration normale. ***C. volumétrique***. On distingue 2 sortes de compresseurs: de Roots (sur Ford Thunderbird SC), ou à spirales (VW Corrado). Le compresseur est entraîné par une courroie reliée au vilebrequin du moteur. ***Turbocompresseur.*** Type de compresseur utilisant une turbine entraînée par la vitesse des gaz d'échappement. Courant sur les voitures sport et les véhicules à moteurs Diesel, il élève à la fois couple et puissance.
Compression. Deuxième temps du cycle durant lequel le piston comprime le mélange gazeux. S'emploie comme «Frein moteur» lorsque ce cycle est pauvre en carburant, en phase de décélération.
Convertisseur de couple. Accouplement hydraulique des boîtes automatiques assurant la fonction d'embrayage; est caractérisé par un effet de glissement car les parties engagées ne sont pas solidaires comme dans une boîte mécanique.
Couple conique. Engrenages utilisés pour transformer le mouvement longitudinal d'un arbre de transmission en un mouvement perpendiculaire; un moteur transversal ne possède pas de couple conique.
Culasse. Pièce coiffant la partie supérieure du bloc de cylindres d'un moteur comprenant avec le couvre-culasse, les arbres à cames, les soupapes, les conduits d'admission, d'échappement et le haut des chambres de combustion.
Custode. Panneaux de carrosserie latéraux encadrant la lunette arrière.
Cx. Cœfficient de résistance d'une carrosserie à la pénétration dans l'air. **SCx** est la mesure réelle du Cx compte tenu de la surface frontale du véhicule.
Cylindres. Chambre cylindrique fermée par la culasse, où se meut le piston. ***C. en ligne.*** Cylindres disposés longitudinalement. ***C. en V.*** Cylindres répartis également en deux rangées, réunies au niveau du vilebrequin. ***C. opposés.*** (ou Boxer) bancs de cylindres disposés horizontalement et réunis au centre au niveau du vilebrequin.
Déflecteur. Appendice servant à mieux canaliser le flux d'air autour d'un véhicule en mouvement. Habituellement situé à l'avant sous le pare-chocs et à l'arrière sur le couvercle de coffre, il peut être fixe ou mobile en fonction de la vitesse.
Déport négatif. Inclinaison légère mais progressive des roues directrices vers l'intérieur du virage au fur et à mesure qu'elles pivotent sur elles-mêmes. Aide à limiter le sous-virage.
Détecteur de cognement ou de cliquetis. Détecte et annihile le bruit, résultant du choc du piston sur son axe (bielle) dû à l'élévation de la température. Voir aussi Octane.
Diesel. Carburant lourd, par opposition à l'essence plus légère et plus volatile. ***Le moteur Diesel*** exige un taux de compression très élevé (22:1) pour enflammer spontanément le combustible par auto-allumage non commandé. Ce type de moteur ne comprend ni dispositif, ni bougie d'allumage.
Différentiel. Mécanisme contenu dans un carter et permettant aux roues motrices de tourner à des vitesses différentes tout en restant, l'une ou l'autre, soumises à l'action du couple-moteur. Il est aussi employé pour répartir le couple entre les essieux avant et arrière des voitures à transmission intégrale permanente. (Non permanente: voir boîtier de transfert) ***D. autobloquant.*** Dispositif mécanique complémentaire ayant pour but de solidariser la roue qui n'est pas soumise au couple-moteur à l'autre qui patine par manque d'adhérence. ***D. à glissement limité.*** Il

est semblable à l'autobloquant mais est fixé selon le manufacturier à un pourcentage prédéterminé: de 25 à 100 %. ***D. à viscocoupleur.*** Boîtier complémentaire où deux groupes de lamelles intercalées, chacun étant solidaire d'une roue, baignent dans un liquide à base de silicone qui, en s'échauffant, se fige et solidarise les deux demi-arbres de roues lorsqu'il y a différence de rotation.

Distribution par chaîne. L'arbre à cames est entraîné par une chaîne. ***D. par courroie.*** Par une courroie crantée. ***D. par pignons.*** Par un couple d'engrenage à roues dentées.

Dosage. (freinage) Voir Moduler.

Échangeur de température. Il est utilisé pour refroidir à l'aide de l'air ambiant, soit le liquide de refroidissement du moteur, soit l'air d'admission en aval du turbocompresseur.

Embrayage. Mécanisme situé entre le moteur et la boîte de vitesses, qui se compose de deux surfaces ou disques parallèles en rotation, entrant en contact par frottement. La séparation de ces disques permet le changement de vitesse et leur contact la transmission du couple moteur aux roues.

Frein à disque. Type de frein comportant un disque solidaire du moyeu de roue et sur lequel viennent s'appuyer des plaquettes pour provoquer une friction. **F. à disque ventilé.** Disque plus épais qui comporte en son centre des aubes pour y faire circuler l'air et pour y tempérer l'élévation de température du métal. **F. à tambour.** Type de frein comportant un tambour fixé à la surface interne de la roue et qui tourne avec elle; ces segments ou plaquettes viennent frotter contre sa face interne.

Injection directe. Pulvérisation du carburant sous pression dans les conduits d'admission du moteur où il se mélange à l'air. **I. indirecte.** Employée dans les moteurs Diesel, le carburant est injecté dans une pré-chambre avant d'être envoyé dans la chambre de combustion. **I. mécanique.** Le carburant est giclé par un mécanisme pré-réglé. **I. électronique.** Le dosage de carburant est déterminé par une centrale électronique. **I. monopoint.** Un seul gicleur pour tous les conduits d'admission. **I. à points multiples.** Un gicleur par conduit d'admission par cylindre. **I. séquentielle.** Par pulvérisation d'essence en pulsations.

Jambe de suspension, de force ou MacPherson. Suspension indépendante dans laquelle l'amortisseur est situé à l'intérieur d'un tube vertical où le ressort hélicoïdal est placé à la partie supérieure de ce tube. Ce dernier est relié au bras ou au triangle inférieur de suspension alors que l'extrémité supérieure est boulonnée au châssis.

Jante. Rebord de roue retenant celui du pneu.

Jupe. Comme le déflecteur, mais pour les soubassements latéraux.

Longerons. Parties longitudinales d'un cadre ou d'un châssis automobile par rapport aux traverses latérales. Ils peuvent être tubulaires, profilés en U ou en carré.

Maître-cylindre. Sorte de pompe de commande contenant un piston et alimentée par un réservoir rempli de liquide (huile) pour distribuer la pression de freinage aux quatre roues.

Manomètre. Appareil de mesure de pression d'un liquide (huile de frein, le plus souvent).

Moduler. Facilité avec laquelle un conducteur peut faire varier l'intensité du freinage.

Doser. Facilité avec laquelle le chauffeur peut déterminer la concentration ou la pression de freinage selon l'assistance du servofrein.

Monocoque. (Carrosserie m. ou caisse autoporteuse). Infrastructure formée par des longerons et des traverses, intégrée totalement par soudage dans la carrosserie de façon à former une plate-forme solide sur laquelle viennent se fixer les éléments mécaniques.

Moteur multisoupape. Moteur pourvu d'une culasse comprenant de trois à quatre soupapes par cylindre.

Moteur polycarburant. Actuellement au stade expérimental, ce moteur utilise plusieurs types de carburant.

Moteur rotatif. (ou Wankel). Moteur à explosion dans lequel le cylindre et le piston classiques sont remplacés respectivement par une chambre pratiquée dans un stator et par un rotor ou un piston rotatif.

Octane. (indice d'). **Capacité antidétonante d'une essence.** Plus il est élevé, plus elle est en mesure de résister à l'auto-allumage avant que s'effectue l'inflammation commandée par la bougie.

Pneu à taille ou profil bas ou haut. Déterminé par les dimensions d'un pneu (ex: 185/60R14). Le 60 indique la hauteur ou le profil en pourcentage, soit 60% de 185 mm, qui est la largeur. Inférieur à 60%, il favorise la tenue de route et, supérieur à 65%, le confort.

Porte-à-faux. Emplacement du moteur en avant du milieu du train avant ou derrière le milieu du train arrière.

Rapport de pont. Détermine la démultiplication finale en aval de la transmission. Il permet de faire varier la longueur de transmission en modifiant le rapport entre le nombre de dents des pignons. Un rapport de 2,9 à 1 est plus long qu'un autre de 3,4 à 1.

Rapport volumétrique. C'est le rapport entre le volume de la chambre de combustion (celle comprise entre le toit de la culasse et la surface du piston au sommet de sa course) et celui atteint par le piston au bas de sa course. Un rapport de 9,0 à 1 indique que le piston fait neuf fois l'équivalent en volume de celui de la chambre de combustion. Plus il est élevé, plus le mélange est comprimé et augmente ainsi les rendements de couple et puissance. Le rapp. vol. d'un moteur suralimenté est volontairement abaissé (8,0 à 1 par exemple) pour octroyer une chambre de combustion plus grande étant donné la charge supplémentaire provenant de la surpression. Une mécanique Diesel demande un rapport très élevé (22,0 à 1) pour enflammer sans intervention le mélange.

Servo. Pour servofrein et servodirection. Assistance qui remplace partiellement l'effort du conducteur par une source d'énergie auxiliaire pour le freinage et la direction.

Soupape. Obturateur mobile qui s'ouvre et se ferme en ne permettant que le passage du mélange air-essence à l'admission et des gaz brûlés à l'échappement. Elle est actionnée par les cames de l'arbre de distribution.

Soupape de décharge. Pour les moteurs suralimentés; une soupape libère le surplus de pression engendré par le compresseur du turbo et ne conserve que le nécessaire au bon fonctionnement du moteur. C'est elle qui détermine la pression maximale tolérée par le moteur. Moteur de tourisme turbo: environ 0,5 à 0,7 bar max., ...de Formule 1: jusqu'à 4,5 bars (4,5 fois la pression atmosphérique normale).

Sous-vireur. Tendance d'un véhicule en situation de courbe plus ou moins prononcée à aller tout droit ou à s'échapper vers l'extérieur de la courbe. À la limite, c'est le train avant qui décroche le premier.

Survireur. Se dit d'un véhicule qui, dans un virage, a tendance à virer plus que le braquage des roues directrices ne le sollicite. À la limite, c'est le train arrière qui décroche le premier.

Surmultiplicateur. Dans une boîte de vitesses manuelle ou automatique, le dernier rapport est surmultiplié par rapport aux autres qui sont démultipliés. Ainsi l'arbre de transmission tourne à une vitesse supérieure à celle du moteur.

Suspension à barre de torsion. La fonction de ressort est assurée par la torsion d'une barre en acier disposée parallèlement à l'axe du véhicule. À une extrémité, elle est ancrée (fixe) au cadre et, à l'autre, à un levier de suspension. Sa tolérance à la torsion détermine la hauteur du véhicule au repos. **Barre Panhard.** Elle guide habituellement de manière transversale l'essieu rigide. Elle est attachée près de la roue d'un côté et au châssis de l'autre. **S. indépendante.** Chaque roue dispose de ses propres leviers, barres ou bras tous reliés au châssis. **S. à ressorts à lames.** Série de lames en acier spécial de longueurs décroissantes et superposées les unes aux autres. Elle est surtout utilisée sur les véhicules de transport lourds dotés d'essieux rigides. **S. hydropneumatique.** Utilise une sphère remplie d'azote dont l'élasticité permet au véhicule d'avoir une garde-au-sol constante grâce à un dispositif d'appoint de fluide sous pression (ou correcteur d'assiette). **S. rigide.** L'axe entre les roues motrices est formé d'un seul bloc avec le différentiel. **S. semi-indépendante.** Chaque roue est reliée par un levier longitudinal à un tube transversal principal. Le tout est complété par des jambes de force.

Suspension pilotée. Les amortisseurs sont reliés à une centrale hydraulique qui fait varier le degré de fermeté de ceux-ci selon des niveaux définis d'avance.

Synchronisation. (...des rapports de boîte). Première étape du changement de vitesse qui consiste à faire tourner les pignons correspondants à la même vitesse pour faciliter le crabotage de ceux-ci.

Traction intégrale. Un différentiel central logé en sortie de boîte répartit le couple-moteur soit dans des proportions avant-arrière fixes (50-50 ou 40-60 etc), soit dans des proportions variables à l'aide d'un différentiel de type Torsen qui réagit en envoyant le couple au train ayant le plus de motricité. Ce type de traction fonctionne en permanence.

Tunnel. Cavité longitudinale au centre de la voiture permettant le passage de l'arbre de transmission entre le moteur avant et le train arrière.

Turbocompresseur. Voir rapport volumétrique.

Vilebrequin. Partie de la chaîne cinématique qui transforme avec les bielles le mouvement alternatif en un mouvement rotatif.

T E C H N I Q U E S

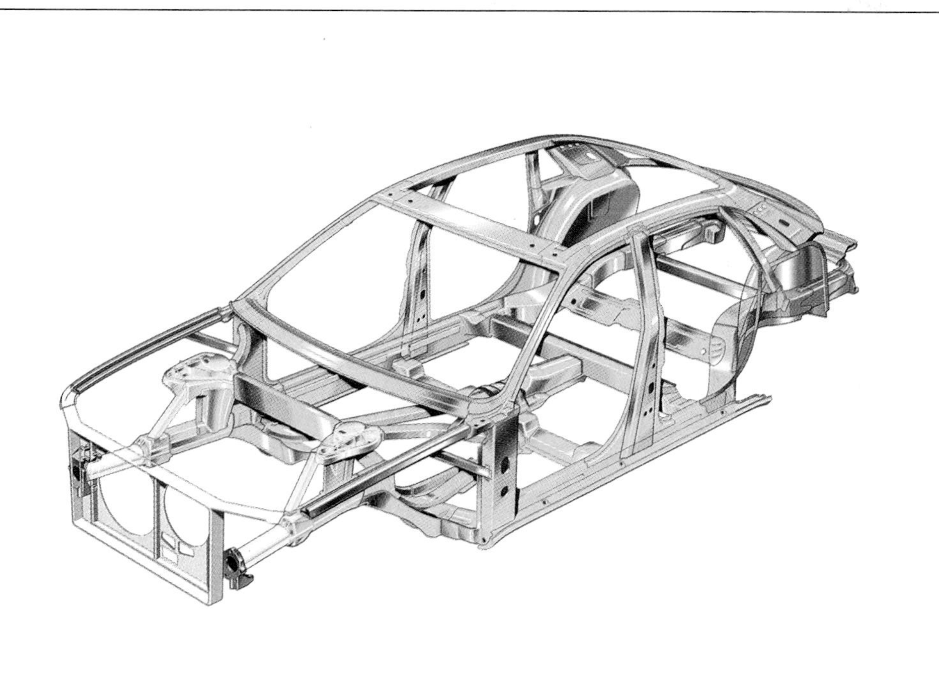

AUDI

La Audi A8 est la première voiture de série au monde dont la carrosserie est réalisée en aluminium. Cette technique, révolutionnaire à plus d'un titre, consiste non seulement à réaliser les principaux panneaux de carrosserie en aluminium, ce qui a déjà été fait sur certains modèles d'exception, mais aussi les structures portantes (Space Frame ci-dessous)) constituant l'ossature principale du véhicule.
L'aluminium est un métal noble et écologique, qui a la propriété d'être plus léger que l'acier, insensible à la corrosion et pratiquement recyclable à l'infini.
Le défi d'Audi consistait à assurer une rigidité et une protection optimales aux occupants , quand on sait que l'aluminium est considéré comme un matériau mou.

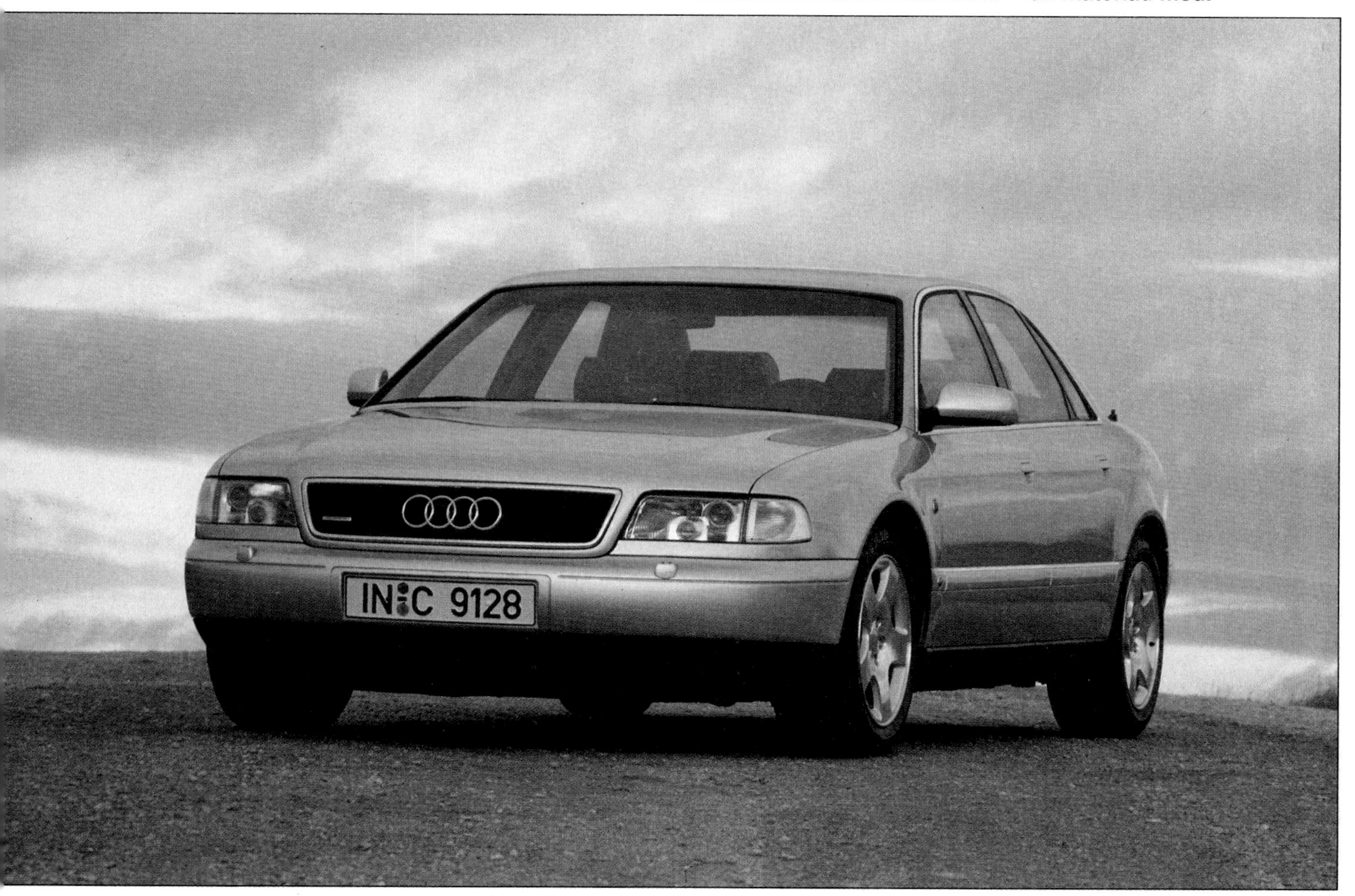

TECHNIQUES

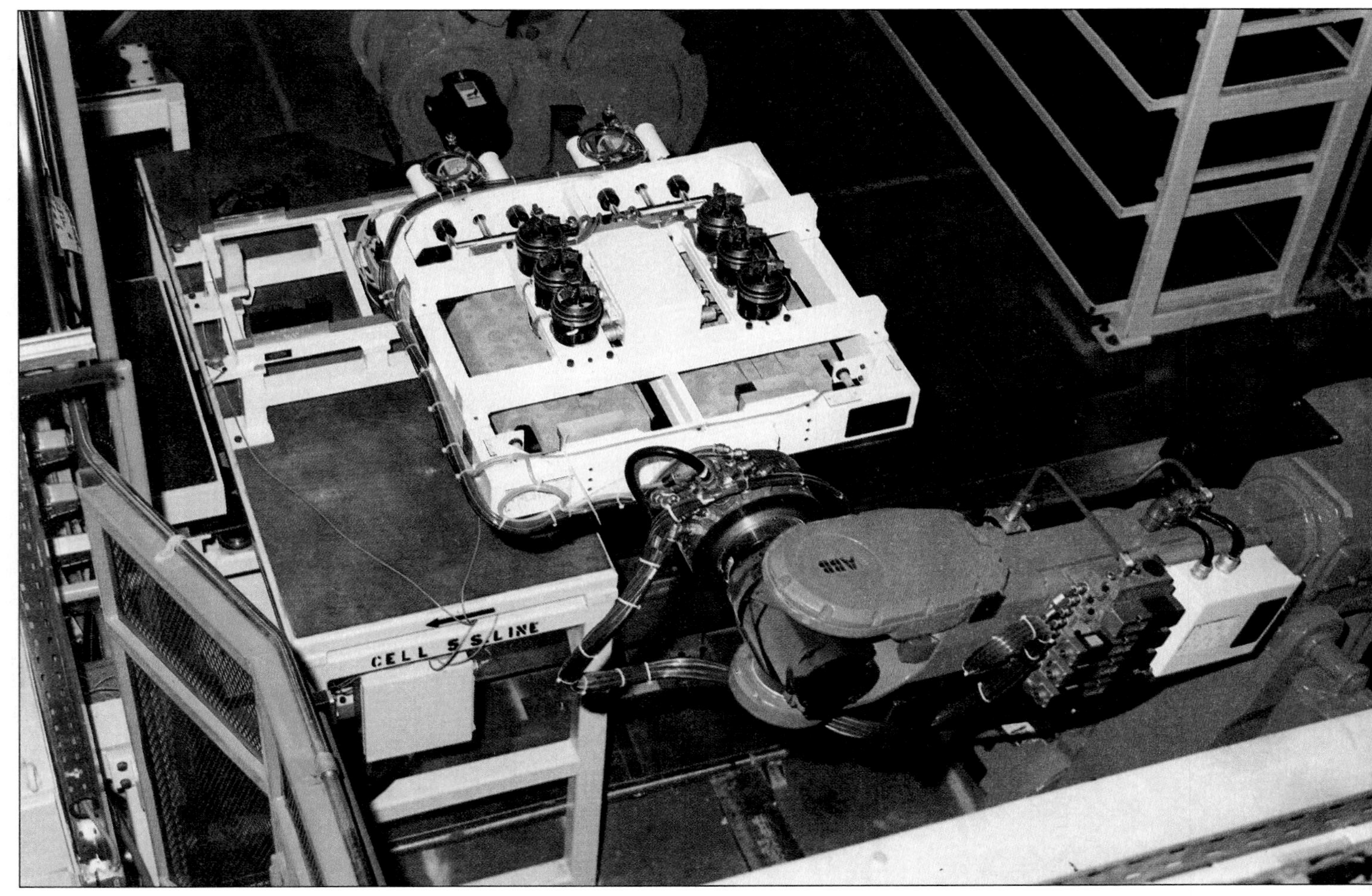

FORD

La recherche d'économies énergétiques et la vogue du recyclage des matériaux sont en train de donner à l'aluminium un rôle de premier plan dans l'industrie automobile. Avant les carrosserie, ce sont les moteurs qui en bénéficient les premiers de ce matériau. Ford a bâti à Windsor (Ontario) une usine ultra moderne employant 38 personnes et 80 robots pour couler selon le principe Cosworth, les blocs de la plupart des nouveaux moteurs V6 et V8 qui sont montés à Cleveland, Ohio et Romeo, Michigan L'usine de Windsor a une capacité annuelle d'un million d moulages. Ce travail s'effectue à partir d'un moule constitué d deux coquilles de sable thermique comprimé assemblées à l'aid d'un adhésif. Pendant le coulage de l'aluminium, le procéd implique le basculement du moule pour obtenir des pièces d haute qualité. Ford a réussi à adapter à la grande série ce procéd qui au départ permettait à Cosworth de couler un à un des bloc destinés à la compétition.

TECHNIQUES

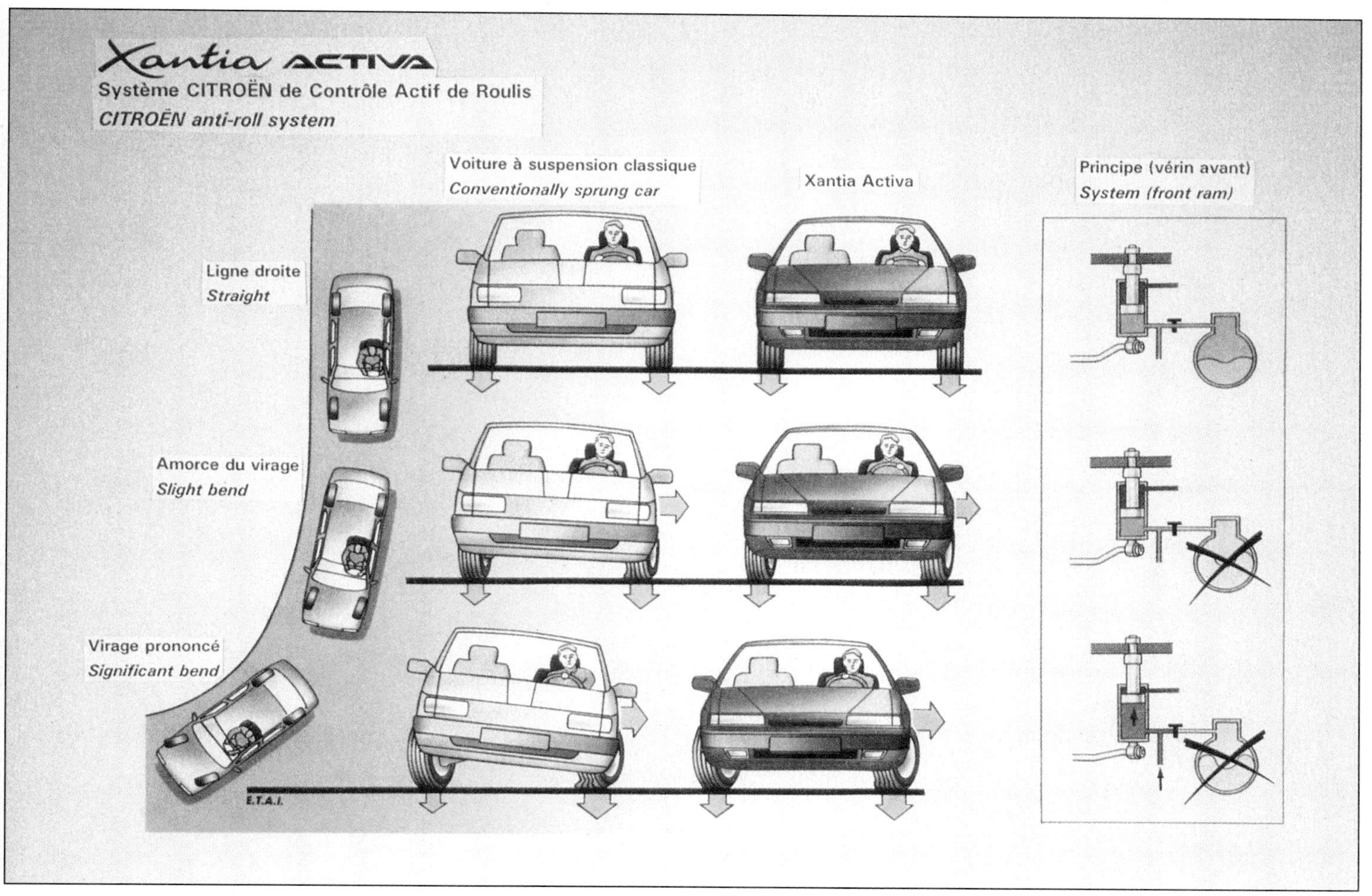

CITROËN

Le constructeur français bien connu pour ses réalisations originales en matière de suspension a présenté lors du dernier Salon de Paris un dispositif permettant un Contrôle Actif du Roulis (CAR) baptisé Activa. Celui-ci sera commercialisé dès 1995 sur un des modèles de la gamme: la Xantia Activa. Cette rationnalisation de la conduite s'effectue en associant l'électronique et l'hydraulique. Lorsque la voiture entre dans une courbe l'électronique détecte l'angle d'inclinaison de la carrosserie. Dès que celui-ci atteint 0.30º deux verrins entrent en action pour rétablir l'équilibre de la voiture et empêcher que les occupants ne subissent l'effet du roulis. Cette technique établit un nouveau standard en matière de tenue de route

TECHNIQUES

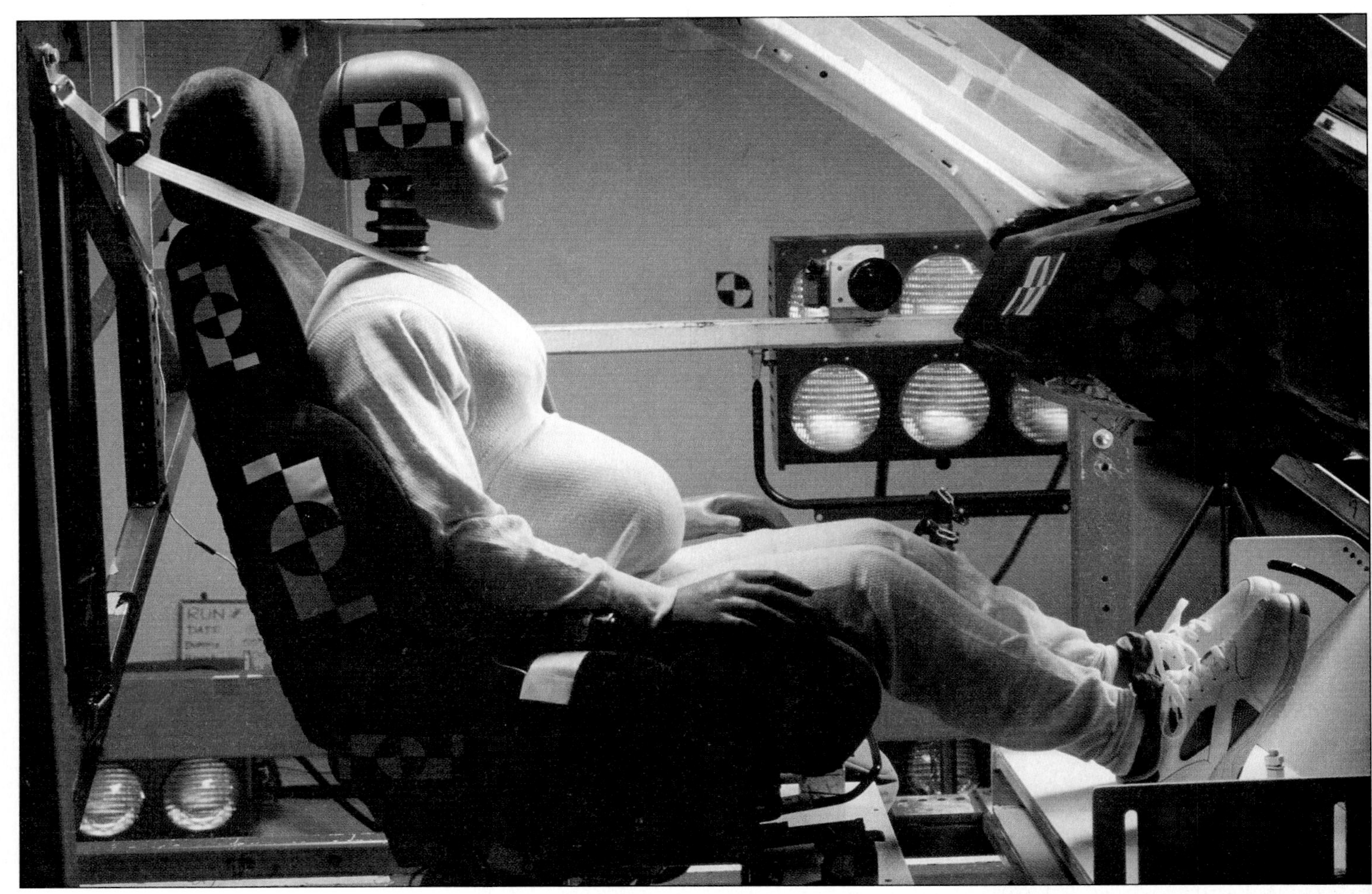

GM

General Motors a créé le premier mannequin enceinte afin de pouvoir étudier ses réactions et celles de son implant phœtal lors de simulations d'accidents. Développé conjointement avec l'Université du Michigan, le projet va déterminer si le port de la ceinture est sécuritaire pour les femmes enceintes, ou s'il sera nécessaire d'en étudier un modèle spécial capable de protéger à la fois la mère et l'enfant.

Le plus gros travail consiste actuellement à calibrer le mannequin et les instruments qui enregistrent ses réactions de même que celles du «bébé» afin de s'assurer que les données recueillies pourront permettre de trouver des solutions s'appliquant à la majorité des cas.

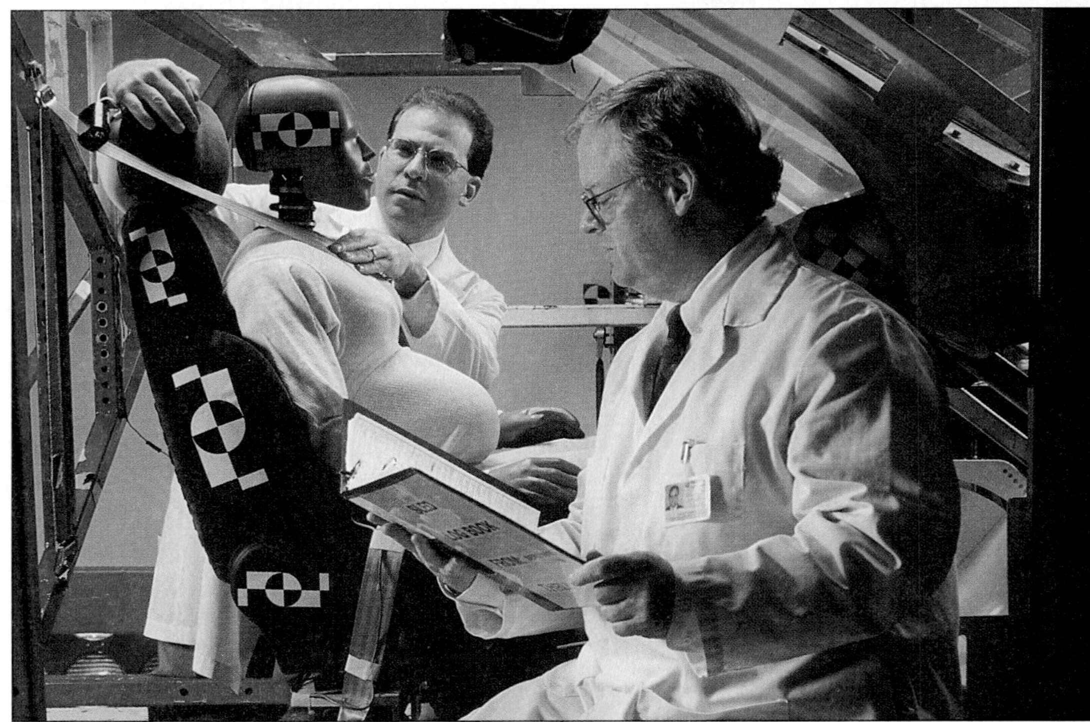

TECHNIQUES

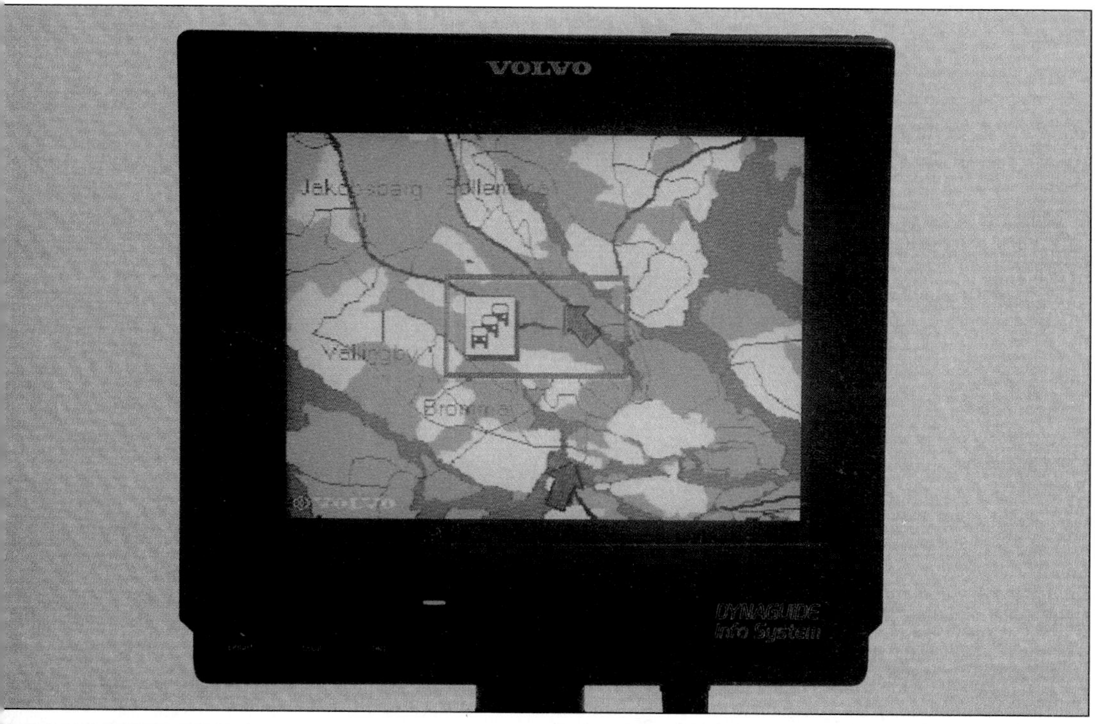

VOLVO

Tous les constructeurs sont prêts à commercialiser des systèmes de navigation par satellites qui vont changer la manière dont nous utilisons le réseau routier. Le Dynaguide de Volvo permet de lutter contre les embouteillages, en trouvant des déviations. Cela diminue le stress du conducteur et la consommation de carburant.

OLDSMOBILE

L'Oldsmobile Navigation/Information System utilise lui aussi les satellites du «Global Positioning System» pour faciliter la navigation. En pointant sur l'écran un endroit à rejoindre, l'ordinateur calcule la position du véhicule et le meilleur chemin à suivre pour s'y rendre. Le système pourra aussi fournir une foule d'autres informations pratiques.

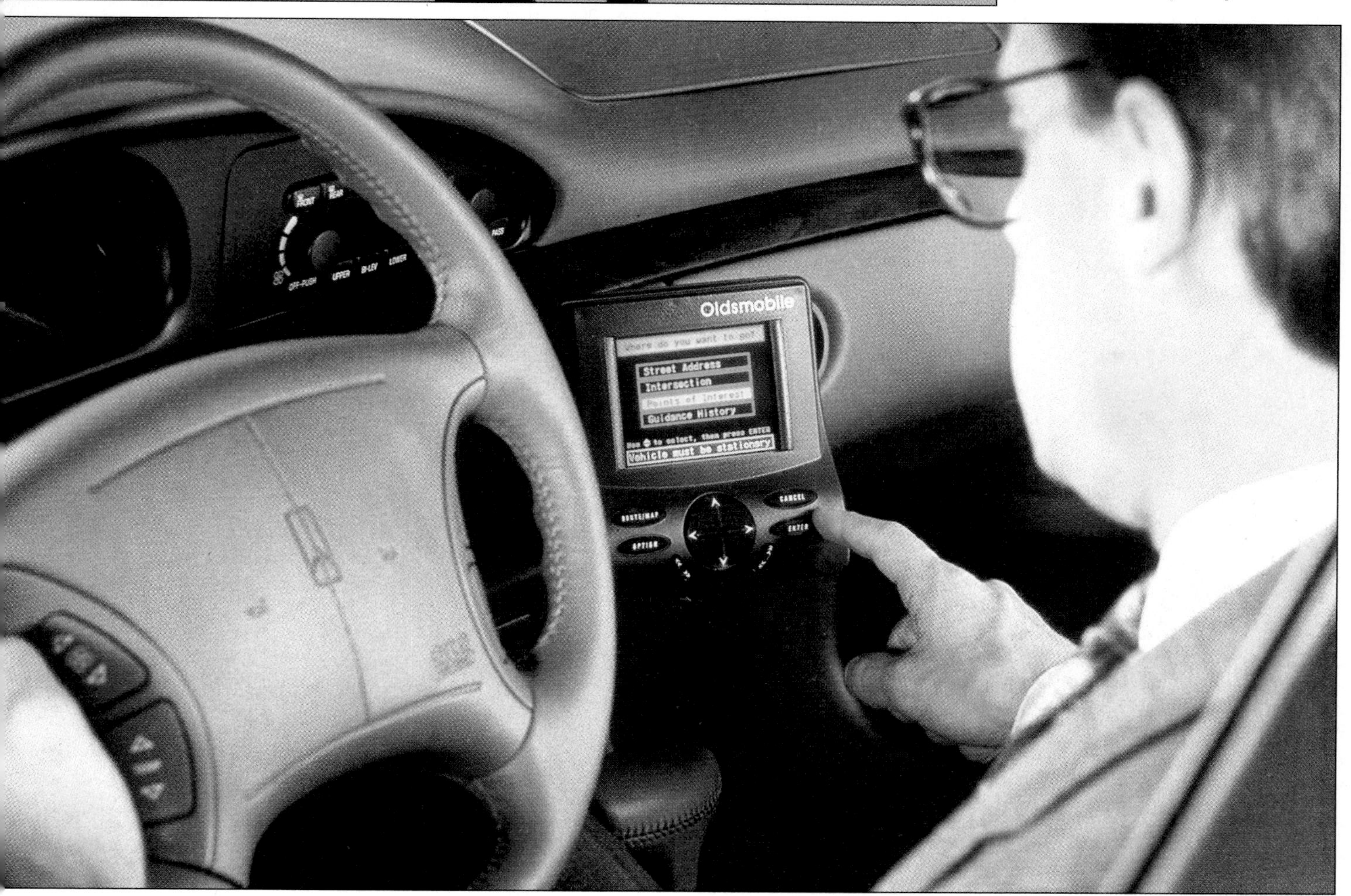

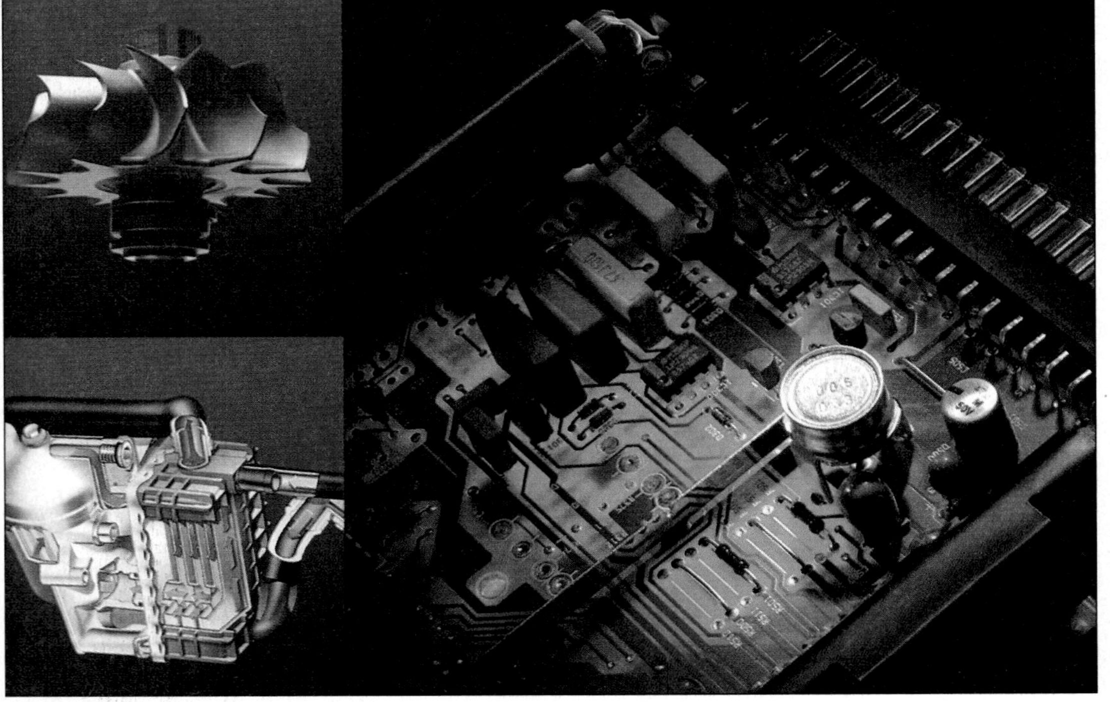

BMW

La firme de Munich vient de lancer sur le marché européen ce que plusieurs considèrent comme le meilleur moteur Diesel du moment. Il s'agit d'un 4 cylindres de 1665 cc délivrant une puissance de 90 ch grâce à un turbocompresseur. Il doit sa puissance au système d'injection indirecte à chambre de turbulence modifié par BMW qui a déposé un brevet sur la cavité en V qu'il a pratiquée sur les pistons, combiné à la technique de refroidissement des gaz d'échappement. La régulation électronique permet de maintenir le niveau de pollution au minimum en pilotant le début et le débit de l'injection et la pression de la suralimentation. Enfin BMW a développé un nouvel injecteur qui permet de doser le carburant avec plus de précision.

STYLES

STYLES

PONTIAC

C'est au dernier Salon de Détroit que Pontiac a dévoilé le concept «Sunfire». Bien que simpliste, cette étude qui n'a demandé que trois mois de travail, n'en est pas moins intéressante car très spectaculaire. Les stylistes de Pontiac se sont appliqués à créer un modèle qui soit le plus près possible de la production. Le moteur, placé à l'avant entre les roues motrices, est un 2.4L DACT turbocompressé produisant 225 ch.

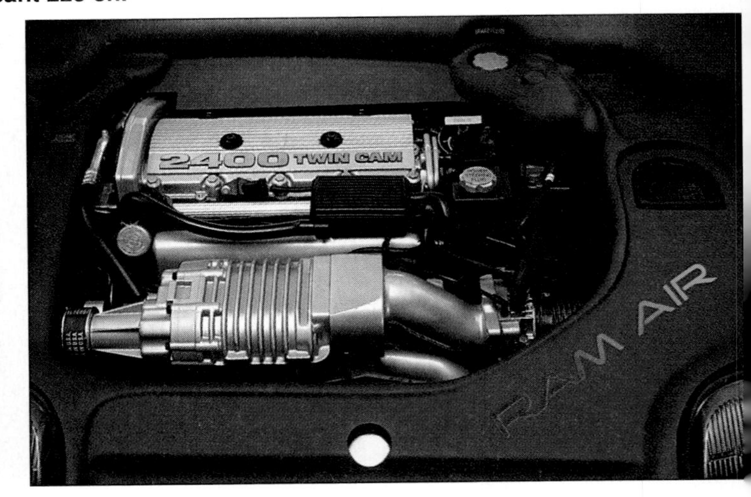

CADILLAC

Cette sage petite berline baptisée LSE constitue un test que la division de luxe de GM voulait soumettre aux commentaires du public des salons. Après l'échec de la Cimarron, Cadillac reste prudent à l'endroit des petites voitures de luxe, mais la poussée des japonais dans ce domaine est si forte, que GM se doit de retenter l'expérience. La LSE (pour Luxury Sedan Eurostyle) qui a un format proche de celui d'une Lumina, peut accueillir 5 passagers. C'est une propulsion à essieu rigide, dont le moteur V6 de 3.0L à DACT produit 200 ch et autant de lb/ft de couple. Elle est si «raisonnable» d'apparence, qu'elle pourrait entrer en production dans un avenir rapproché et permettre à Cadillac de donner la réplique à Lexus et Infiniti.

FORD

Cette Lincoln Contempra montrée au Salon de Détroit est une étude de style qui a mené au renouvellement de la Continental. Encore une fois, les créateurs américains ont serré au plus près la réalité dans le but d'économiser temps et argent. La ligne de la partie frontale s'inspire de celle inaugurée sur le coupé Mark VIII et l'aménagement intérieur n'a rien de très futuriste puisqu'il ne diffère du modèle de production que par la richesses de ses matériaux et de ses équipements.

Au bas de la page à gauche, la Ka: créée par le bureau de style de Ford-Europe, elle préfigure le mini-modèle que Ford proposera bientôt comme bas de gamme dans les pays de la CEE. À droite, la Profile, une extrapolation sportive à partir de la Mondeo.

FORD

Bien que spectaculaire, ce Ford Power Stroke qui annonce, dit-on, la prochaine refonte de la série F, manque par trop de bon goût avec son «regard» et un «sourire» plutôt inquiétants. On note toutefois certains détails imaginatifs, comme l'intégration des phares et des feux profilés à un véhicule utilitaire, le marchepieds précédant l'extension de l'aile arrière, le pare-choc posterieur et les lumières permettant d'éclairer la zone de chargement sont intéressants. Ce véhicule, expérimental est pourvu d'un moteur V8 Diesel bi-turbos capable d'en remontrer à ses homologues à essence.

STYLES

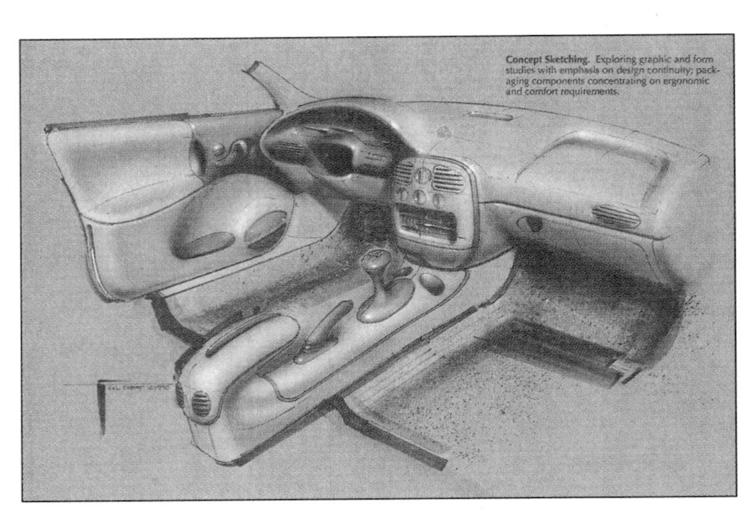

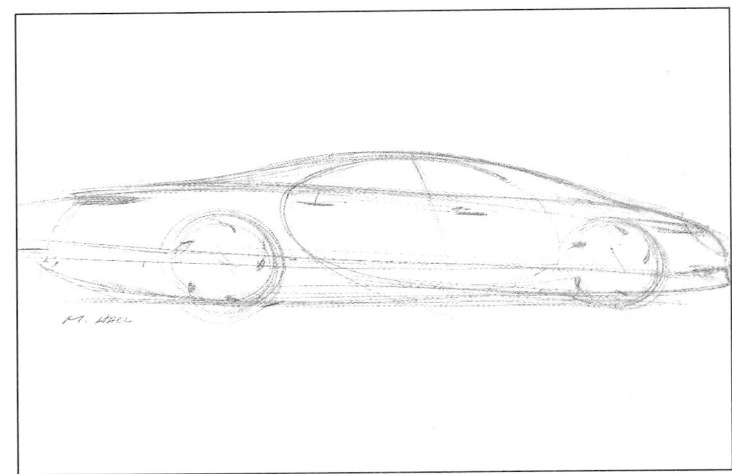

CHRYSLER

Ci-dessus, on peut admirer les dessins qui ont mené à la création des dernières Chrysler Cirrus et Dodge Stratus. Ci-dessous, l'Aviat est un concept où l'automobile emprunte beaucoup à l'avion, tandis qu'en bas l'Expresso est une voiture urbaine, pas forcément miniature, pouvant servir de taxi. La ville de New-York envahi d'Expresso serait plus drôle que rempli de Chevrolet Caprice...

STYLES

CHRYSLER

Pour les besoins de la série télévisée «Viper and the Defender» le célèbre modèle de Dodge (ci-dessus), déjà très impressionnant, a reçu quelques retouches cosmétiques qui le rendent, franchement monstrueux. Eagle a poussé la Vision (ci-dessous) à son paroxysme en créant l'Aerie, dont la sécurité et les performances sont supérieures au modèle actuel. Son moteur V6 de 3.5L développe 275 ch, sa suspension hydraulique est ajustable, ses pneus sont les derniers nés de Goodyear à profil bas pouvant continuer de rouler après une crevaison. À l'intérieur, la sécurité a été améliorée par la présence d'une cage de protection. Tous les rétroviseurs passent de la position jour à nuit automatiquement et un système de guidage par satellites permet de trouver son chemin, un hôtel ou un restaurant n'importe où en Amérique du Nord. Ceux qui auront des problèmes avec ce système pourront toujours utiliser le téléphone cellulaire à mains libres activé par la voix.

STYLES

TOYOTA

C'est au dernier Salon de Tokyo que ce constructeur japonais a présenté la AXV-V. Cette berline toute simple, aussi aérodynamique que réaliste, pourrait prendre place un jour dans la gamme Toyota. En dessous, le RAV-4, un véhicule de loisir tout terrain semblable au Suzuki Sidekick, n'a rien de futuriste, car il est déjà en production et fera son apparition sur certains marchés dans le courant de l'année.

SUBARU

Le concept Sagres, dévoilé au dernier Salon de Tokyo, n manque pas de charme, malgré sa ceinture de caisse haute et s cabine avancée qui lui donnent des proprotions particulières Cette étude mi-berline, mi-familiale reçoit, Subaru oblige, u moteur à 6 cylindres à plat, une transmission intégrale et un boîte de vitesses automatique à variation continue déjà connu sous le sigle ECV-T

STYLES

ISUZU

Le XU-1 illustre la vision futuriste d'un véhicule sportif-utilitaire. Basé sur le châssis du Trooper, sa carrosserie, qui s'inspire (de loin) des lignes d'un bombardier fantôme Stealth, possède 4 portes s'ouvrant vers le haut pour faciliter l'accès à bord. L'habitacle, très simple, possède 4 sièges baquet, installé le long d'une importante console centrale qui se prolonge à l'arrière. Détails intéressants, lorsque les portes s'ouvrent le bouclier de bas de caisse se transforme en un marchepied, et la roue de secours est incluse dans un logement intégré aux deux parties du hayon. Deux idées qui feront sans doute leur chemin... Un système de CD-ROM procure des repères topographiques holographiques de la vidéo et de la musique.

STYLES

RENAULT

La Zoom, déjà vue sous la griffe Matra ou Citroën, est une citadine électrique originale du fait que son train arrière peut se replier pour permettre de la garer dans un espace minimal. Ses portes à élytre décalée dégagent complément l'habitacle et facilitent l'accès même en cas de stationnement serré. Placé à l'avant, le moteur d'une puissance de 25 kW, est alimenté par des batteries nickel/cadmium disposées sous la banquette. Pesant 800 kg (dont 350 pour les batteries), la Zoom peut atteindre 120 km/h sur route et son autonomie est de 150 km en zone urbaine et 260 km sur route à une vitesse stabilisée de 50 km/h.

HEULIEZ

France Design a imaginé cette grande berline-familiale de voyage, baptisée Long Cours, à partir d'une Renault Safrane.

RENAULT

L'Argos est sans conteste le concept le plus original de l'année. Basé sur la plate-forme et la mécanique de la Twingo, la carrosserie de ce cabriolet à 3 places aux formes simples, s'inspire autant d'un bateau que d'un avion. Les panneaux réalisés en matériau composite sont satinés ou argentés fini mat. L'aspect technique de la coque est souligné par les boulons apparents, les nervures et le cache-moteur ouvragé. L'habitacle contraste par la douceur de ses lignes et des matériaux employés. Du cuir vert amande garnit les sièges et du bois cérusé le tableau de bord. Autre originalité, le capot du coffre à bagages s'ouvre de biais comme le couvercle d'un piano à queue. L'ensemble ne pèse que 750 kg.

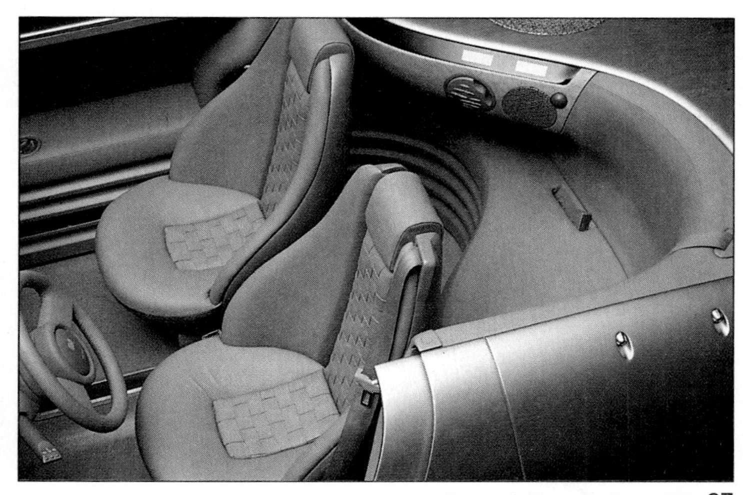

SBARRO

Ce gros coupé, très impressionnant, a été une des premières réalisations des élèves de l'Espace Sbarro, cette école où Franco Sbarro transmet à de jeunes passionnés d'automobile, son expérience et son savoir-faire. Isatis est un coupé de haute technologie, dont la coque en polyester armé de fibres de verre est assujétie au châssis par des verrins hydrauliques qui stabilisent son assiette en fonction de la force centrifuge exercée dans les quatre axes. Le moteur est un V12 de BMW 850 produisant 320 ch et la boîte-pont une ZF à 5 vitesses. La suspension est à effet de sol et l'ensemble ne pèse que 1250 kg.

SBARRO

Urbi n'est pas une automobile. C'est un véhicule destiné à circuler là où les voitures ne sont pas admises, c'est-à-dire, dans les zones piétonnes, les jardins publics, les parcs et les centres historiques. Elle n'est pas immatriculable, ne possède ni porte ni phare, mais un dispositif de location par carte magnétique. Écologique, elle est mue pas deux moteurs électriques de 0.8 kW situés dans les roues arrière et son autonomie, selon le terrain et le nombre de batteries varie de 30 et 60 km. Sa carrosserie monocoque en résine et son châssis minimaliste lui permettent de limiter son poids de 350 à 400 kg.

STYLES

SBARRO

Créé par les élèves de l'Espace Sbarro sous la houlette du «maestro», l'Oxalys est un cabriolet 2+2, à la fois simple et léger, ne pesant que 850 kg, dédié au plaisir de la conduite sportive, sans pour autant négliger les critères de confort de l'époque. Basé sur une mécanique BMW M5 développant 305 ch, sa coque en polyester armé de fibres de verre est à double paroi. Oxalys retient l'attention par l'espace disponible aux places avant, les sièges arrière, dont le panneau escamotable fait office de dossiers, son système de son digital expérimental et son train avant «maison», inspiré de ceux utilisés en compétition. Tel que présenté, l'Oxalys pourrait entrer en production en petite série, alors avis aux constructeurs amateurs...

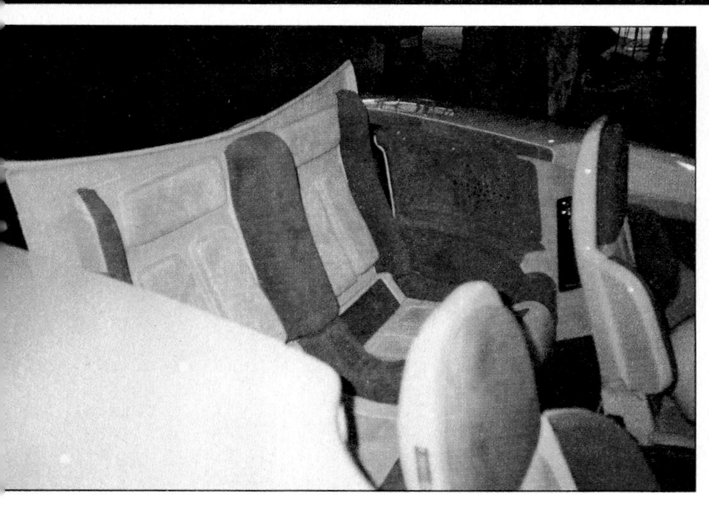

STYLES

BERTONE

Le Karisma présenté à Genève en mars 94 a été imaginé à partir de la plate-forme et de la mécanique d'une Porsche 911. Il s'agissait en fait de construire le coupé à 4 places équipé de cette fabuleuse mécanique disposée à l'arrière. L'intérêt de cette entreprise réside dans l'espace octroyé aux occupants des places arrière, qui disposent d'assez d'espace pour la tête et les jambes. De plus la vaste surface vitrée évite de les confiner dans un cubicule aveugle comme c'est souvent le cas dans ce genre de véhicule. Le Karisma commémore les 25 ans de collaboration entre Porsche et Bertone.

MERCEDES-BENZ

La célèbre et sérieuse firme allemande a surpris tout le monde en annonçant, au cours d'une conférence de presse improvisée, son association avec l'horloger suisse Hayek, plus connu comme l'inventeur et le promoteur des montres Swatch. La «Swatcedes» qui a en fait été baptisée Micro Compact Car sera offerte sous deux formes : Eco-Sprinter et Eco-Speedster. La première met l'accent sur l'aspect écologique alors que la seconde est une citadine jeune et maniable qui se transforme en cabriolet en quelques secondes. Plus de «marketing» que d'innovations techniques.

STYLES

ITAL DESIGN

Le génial Giorgio Giugiaro est d'humeur inégale. Pour preuve cette inventive Lucciola et cette insipide Lexus Landau. La première est une voiture urbaine jeune et polyvalente dont les astuces, nombreuses, ne manqueront pas d'être reprises ailleurs. Format compact, mécanique hybride, deux toits ouvrants, sièges modulables et allure sympathique tout y est. Pour la seconde réalisation, on dirait qu'Ital Design a essayé de faire entrer un intérieur de Lexus GS300 dans une petite Fiat, en y greffant le moteur V8 de la LS400. Un travail dont Sbarro s'acquitte généralement avec plus de panache, car hormis quelques détails intéressants, comme la calandre ou la transmission intégrale, l'ensemble laisse plutôt songeur...

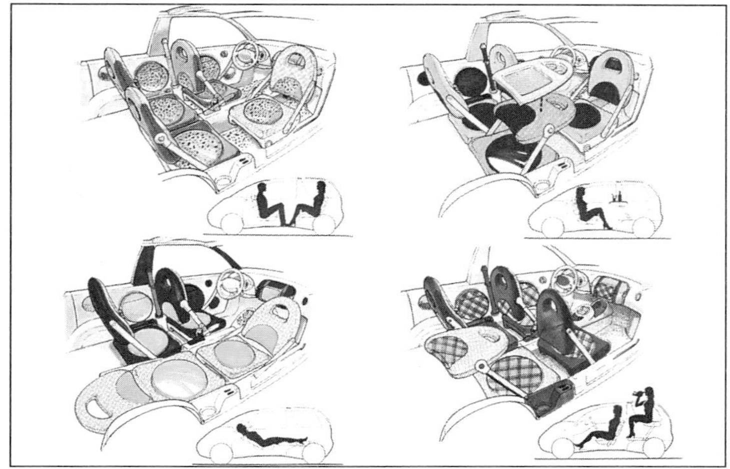

STYLES

VOLKSWAGEN

Le Concept 1 ressuscite la légendaire Coccinelle. C'est en Californie que ce projet a pris naissance au Volkswagen of America Design Center de Simi Valley. Impossible de ne pas reconnaître dès le premier coup d'oeil la source d'inspiration de cette adorable réalisation. Seule la ligne présente des similarités avec l'ancien modèle, car ici le moteur est placé à l'avant. Il peut s'agir soit d'un moteur Diesel de 2.0L, soit d'un moteur électrique de 37 kW, soit d'un ensemble hybride composé d'un 3 cylindres Diesel et d'un moteur électrique de 18 kW. Le moteur Diesel est secondé par une transmission Ecomatic (sans pédale d'embrayage) afin d'améliorer la consommation et le taux d'émission. Reste à en vendre, comme l'originale, 21 millions de copies...

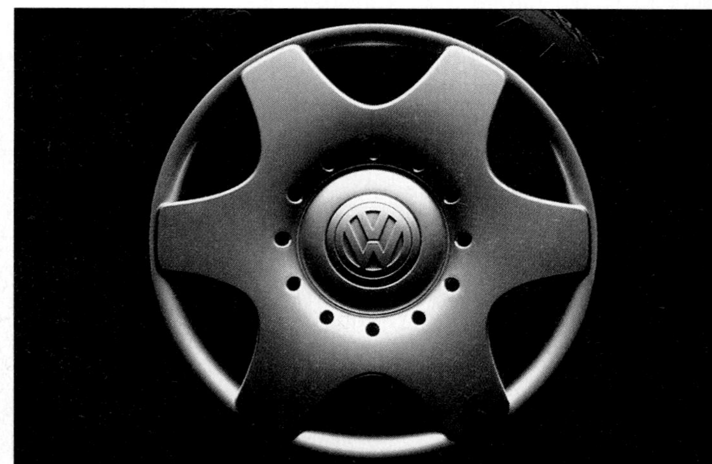

NOUVEAUTÉS 95

L'année 1995 est une année record en ce qui concerne le nombre de nouveaux modèles introduits sur le marché nord-américain. On en compte effectivement plus de trente, alors que pour une année normale la douzaine est une bonne moyenne. Bien entendu, tous ces véhicules ne sont pas entièrement nouveaux. On observe même, comme conséquence à la conjoncture économique difficile de notre époque, une tendance à conserver la plate-forme du modèle précédent et à redessiner la carrosserie et l'aménagement intérieur. Cela permet d'économiser près de la moitié du budget qui serait nécesssaire à financer une refonte complète du modèle concerné. Bien que la véritable reprise se fasse encore attendre, ce sont encore les voitures de luxe qui sont les plus nombreux, les économiques ne comptant que pour 1/6 des nouvelles entrées.

CHRYSLER Cirrus

ASTON MARTIN

Afin d'accélérer la remise sur pied et d'assurer l'avenir de la célèbre marque britannique, Ford, son dernier propriétaire, a opté pour la conception d'un produit plus «accessible». La nouvelle DB-7 s'oppose désormais aux Porsche 911 Turbo et 928 et à la Ferrari 355.

Sa carrosserie 2+2 monocoque est en acier zingué mais les capots avant/arrière, les ailes avant et les pare-chocs sont en matériaux composites. Son moteur 6 cylindres en ligne de 3.2L développe 355 ch grâce à la présence d'un turbocompresseur. Son équipement luxueux comprend cuir et bois précieux ainsi que tous les attributs du confort moderne ainsi et deux coussins gonflables...

AUDI

La A8, dernier porte-étendard de la marque d'Ingolstadt est une berline de grand luxe qui ne sera disponible en Amérique du Nord que dans le courant de l'année 1995. Elle y sera précédée par sa réputation de voiture techniquement la plus évoluée au monde puisqu'en plus de sa transmission intégrale Quattro, elle se distingue par son moteur V8 et sa boîte automatique «tiptronic» très évolués, mais surtout sa carrosserie entièrement réalisée en aluminium. En plus du gain de poids important et de l'excellente résistance à la corrosion que procure ce matériau, il offre l'avantage d'être recyclable, donc plus écologique que l'acier. Son équipement aussi complet que luxueux la place à l'égal des grosses BMW et Mercedes-Benz.

NOUVEAUTÉS 95

BMW

C'est au dernier Salon de Genève que BMW a révélé son modèle le plus compact. Il s'agit de la 316, dérivée de la plateforme de la série 3 raccourcie de 13 cm au niveau du coffre à bagages. Contrairement aux autres modèles BMW, ce dernier est muni d'un hayon. Elle est équipée en Europe d'un moteur 4 cylindres de 1.6L à deux soupapes par cylindre donnant 75 ch pour un poids total de 1215 kg. La direction assistée et le freinage antiblocage sont livrés en série sur ce modèle qui concurrence directement la Golf GTI. BMW ne prévoit pas, pour l'instant, de l'importer en Amérique du Nord.

BMW

La série 7 est entièrement renouvelée pour 1995, mais son allure demeure quasiment identique au modèle précédent. C'est «sous la peau» que les changements sont plus importants. Les puristes la reconnaîtront à sa calandre élargie et intégrée au capot-moteur. L'ensemble a été voulu moins massif et moins provoquant que la Mercedes de série S. La nouvelle suspension arrière améliore notablement la tenue de route et les performances des moteurs V8 de 4.0L et V12 de 5.0L demeurent remarquables. L'équipement peut recevoir un système de guidage par satellites.

NOUVEAUTÉS 95

CHRYSLER

Les nouvelles Chrysler Cirrus et Dodge Stratus remplaceront progressivement les Acclaim et Spirit en s'intercalant entre les Neon et les Intrepid-Concorde. Leur ligne s'inspire du principe de la cabine avancée, mais elle innove au niveau de la calandre originale qui les distingue du stéréotype actuel. Côté motorisation on retrouve à la base le 4 cylindres de 2.0L emprunté à la Neon et un nouveau V6 de 2.5L. De la classe des Honda Accord et Mazda 626, ces voitures permettront à Chrysler d'exporter vers l'Europe avec de sérieuses chances de succès.

CHRYSLER

Autres nouveautés attendues chez Chrysler cette année, la version deux portes de la Neon ainsi que la cabine allongée de la camionnette Ram. Toutefois la Eagle Talon a fait peau neuve. Plus trapue, elle emprunte elle aussi le moteur 2.0L de la Neon dans sa version de base, alors que la TSi à transmission intégrale reprend le 4 cylindres turbo d'origine Mitsubishi du modèle précédent. L'empattement et les voies ont été agrandis pour plus de confort et de stabilité, mais le freinage antiblocage reste optionnel sur toutes les versions. La version Laser vendue chez Plymouth disparaît du catalogue.

FORD

Les Ford Contour et Mercury Mystique remplacent les Tempo-Topaz qui prennent un retraite bien méritée. Ces dernières venues illustrent la nouvelle structure mondiale chère au dernier président de Ford, Alex Trotman, car elles dérivent de la Mondeo lancée en Europe l'année dernière. Elles sont à la fine pointe de la technologie moderne avec leurs moteurs multisoupapes 4 cylindres de 2.0L (Zeta) ou V6 de 2.5L, leur suspension indépendante et leurs freins à disque aux quatre roues (V6). Uniquement proposées en berlines à quatre portes, elles seront directement confrontées aux Chrysler Cirrus et Stratus de la page précédente.

NOUVEAUTÉS 95

FORD

L'Explorer et la Lincoln Continental ont subi une cure de jouvence. Le premier a vu ses extrémités redessinées dans un style plus moderne, et son contenu a été lui aussi remis au goût du jour par l'addition d'un deuxième coussin gonflable, de quatre freins à disque avec ABS, de baudriers ajustables en hauteur à l'avant et d'appuie-tête à toutes les places.

La Continental est entièrement nouvelle. Sa ligne s'inspire de celle du coupé Mark VIII dont elle reprend aussi la mécanique, soit le fameux moteur V8 4.6L, la suspension indépendante semi-active et le freinage à disque avec ABS aux quatre roues. Elle sera offerte dans une finition unique dont l'équipement sera très complet.

NOUVEAUTÉS 95

GM

Bien des améliorations chez GM qui greffe un changement de mentalité à sa restructuration profonde. La Buick Riviera a plus progressé dans le sens agrément-confort et présentation générale que sur le plan purement technique puisque son moteur date de plus de 35 ans...

La Chevrolet Lumina a été rafraîchie et sa version deux portes baptisée «Monte Carlo». Elles sont plaisantes à conduire et leur rendement efficace, mais la plate-forme comme les principaux composants mécaniques demeurent identiques à ceux de la version précédente.

GM

L'Oldsmobile Aurora est la seule authentique nouveauté de l'année chez GM qui a beaucoup pratiqué le rafraîchissement à partir de châssis et de mécaniques déjà connus. Cette berline de luxe, fabriquée dans une usine Cadillac, concurrence en terme de prix une bonne douzaine de berlines huppées de classe moyenne, avec des caractéristiques dignes de la catégorie supérieure. Bien conçue, bien présentée, bien finie et bien équipée, elle offre le nouveau visage de GM qui veut désormais livrer des produits honnêtes à des prix qui ne le sont pas moins. Enfin!

NOUVEAUTÉS 95

GM

Le Blazer et le Jimmy ont adopté les changements mécaniques et cosmétiques apportés à la gamme des utilitaires S-10 l'an dernier. Ils en ressortent, plus rigides donc tenant mieux la route et faisant meilleure figure en évolution tout-terrain que les modèles qu'ils remplacent. Leur habitabilité et l'ergonomie de leur aménagement intérieur y ont gagné quelques points au passage. La Geo Metro a, elle aussi, changé de visage, dans un style plus fuselé. Les voies ont été élargies pour plus de stabilité, mais les suspensions comme les mécaniques sont identiques à celles des modèles précédents.

GM

Les Cavalier-Sunbird voient leur carrosserie et leur intérieur redessinés afin de rajeunir leur présentation qui n'avait pas beaucoup évolué depuis les treize dernières années. Elles ne seront offertes en 1995 qu'en versions berline à 4 portes et coupé 2 portes, car la familiale et la décapotable (si décapotable il y a) ne se joindront à la gamme que l'an prochain.

Leur plate-forme et le moteur de base demeurent connus, mais le V6 sera remplacé dans le courant de l'année par un nouveau 4 cylindres multisoupape QuadFour.

HYUNDAI

Révélée au dernier Salon de Francfort, la plus récente évolution de la Sonata a vu sa ligne affinée, ses aménagements intérieurs redessinés et sa sécurité améliorée par une rigidification de la coque et le montage en série sur le modèle LS de deux coussins d'air aux places avant. La partie mécanique demeure toutefois très proche de celle du modèle qu'elle supplante. Les Accent (ci-dessous), prendront la place les Excel comme modèle le plus populaire de la gamme du constructeur coréen. Leur conception est 100% Hyundai et elles seront mues par des 4 cylindres à 12 soupapes de 1.3 et 1.5L.

SUBARU

Comme de nombreux nouveaux modèles 1995, la nouvelle Legacy n'est que l'ultime évolution de la précédente. Si la partie mécanique reste identique, la carrosserie a été reformulée dans un style plus international. L'aménagement intérieur a subi le même traitement, et la sécurité y gagne, là encore, deux coussins d'air et une structure plus rigide qui améliore autant l'intégrité de l'habitacle en cas d'impact que la tenue de route. Subaru remet l'emphase sur la traction intégrale qui l'a rendu célèbre et le diférencie de ses compétiteurs, mieux placés au chapitre de la traction avant.

NOUVEAUTÉS 95

MAZDA

Première Mazda 1995 a être dévoilée la Millenia s'intercale entre la 626 et la 929 à laquelle elle volera bien des clients. Elle se signale par sa ligne racée, le luxe de son équipement, mais surtout par le moteur V6 dit «à cycle de Miller», aussi puissant qu'économique. Les 323 et Protegé ont été rajeunies sous la forme d'un coupé aux allures sportives et d'une berline plus conventionnelle. Les mécaniques restent identiques, mais le volume intérieur a de quoi surprendre.

KIA

Ce constructeur coréen fait de plus en plus parler de lui dans l'arène internationale. Il a en effet commencé à investir le marché européen avec ses berlines Sephia et son véhicule sportif utilitaire Sportage.

SEPHIA

SPORTAGE

NOUVEAUTÉS 95

NISSAN

La grande nouveauté Nissan pour cette année est la dernière Maxima. Entièrement repensée, c'est une voiture superbe, qui se distance pourtant du style du modèle antérieur par un avant plus trapu et un style moins élitiste. Côté mécanique, elle inaugure un nouveau moteur V6 de 3.0L tout en aluminium qui développe 190 ch et un train arrière à bras multiple qui permet de maintenir les roues arrière perpendiculaires au sol pour un comportement encore plus rigoureux. Disponible en versions de base à prix populaire, de luxe ou sportive la Maxima continue d'en offrir pour tous les goûts.

FIAT

Le dernier coupé Fiat (ci-dessus), a une apparence peu orthodoxe, mais il ne manque pas d'efficacité puisque son moteur 4 cylindres turbo de 2.0L, placé de manière transversale à l'avant entre les roues motrices, produit 190 ch lui permettant de passer de 0 à 100 km/h en 6.7 s et d'atteindre la vitesse maximale de 238 km/h chrono en main.

NISSAN

Le dernier coupé 240SX (ci-contre), n'existe plus qu'en une seule version à deux portes toujours pourvue du 4 cylindres de 2.4L.

NOUVEAUTÉS 95

PEUGEOT

Après dix ans de réflexion le groupe Peugeot-Citroën a finalement accouché de son mono-volume tant attendu. Chez Peugeot il a pour nom 806, chez Citroën, Évasion. Le même véhicule est livré à Fiat et Lancia en Italie qui l'ont respectivement baptisé, Ulysse et X. Leur constitution et leur mécanique sont identiques et ils ne diffèrent que par le dessin de leur calandre, de leurs feux avant et arrière et leur aménagement intérieur. Leurs moteurs sont deux 4 cylindres de 2.0L, atmosphérique de base et turbo sur la version plus luxueuse. Peugeot a profité du dernier Salon de Genève pour lancer aussi son cabriolet 306.

RENAULT

La Laguna remplace la 21 avec beaucoup de brio. Non seulement sa ligne est superbe, mais elle est aussi performante que confortable. Son aménagement intérieur est de classe internationale, et pour l'avoir longuement testée sur les routes d'Europe, nous ne pouvons que regretter que Renault ne fasse plus affaire en Amérique de Nord. Elle peut recevoir plusieurs moteurs 4 cylindres de 1.8 à 2.2L et un V6 de 3.0L. Son niveau de sécurité est élevé et ses composants recyclables à 90%. Au milieu à gauche: la Renault 19 décapotable baptisée Camargue.

NOUVEAUTÉS 95

SSANGYONG

Ce constructeur coréen voit ses visées expansionnistes vers l'Europe et surtout l'Amérique du Nord freinées par ses collègues Hyundai et Kia qui ne veulent pas le voir grossir trop vite. Néanmoins Ssangyong présentait à Genève la dernière version de son Korando Family (oui c'est son nom!): le Musso. Il s'agit d'un véhicule à quatre roues motrices, à la fois sportif et utilitaire, de la classe et du format du Isuzu Trooper, équipé d'un six cylindres Mercedes-Benz à essence de 3.2L ou Turbo Diesel de 3.0L.

SUZUKI

On ne sait s'il faut prendre au sérieux la déclaration faite par Suzuki lors du dernier Salon de Détroit, qui affirmait vouloir commercialiser ce nouveau véhicule de loisirs, X90, une sorte de voiture de sport à quatre roues motrices. Né de l'union d'un Sidekick et d'une Swift, le X-90 est décapotable puisque le panneau de son toit est amovible et se remise dans le coffre. Son équipement de série comprendra deux coussins d'air, un freinage ABS, une suspension ajustable et un moteur 1.6L DACT développant 100 ch.

NOUVEAUTÉS 95

LEXUS

La dernière LS400 n'a plus rien à prouver en termes d'efficacité et de fiabilité. Si la ligne de sa partie avant ressemble moins à celle des Mercedes, c'est maintenant l'arrière qui s'inspire le plus du style de Stuttgart. Plus rigide, plus aérodynamique (Cx= 0.28) elle est aussi plus légère d'une centaine de kilos dont seulement 3 ont été gagnés sur la carrosserie. Elle conserve certains attributs du modèle qu'elle remplace comme son moteur V8 de 4.0L qui gagne 10 ch au passage, mais elle innove en proposant en option une suspension à correction pneumatique qui améliore encore le roulement et le comportement.

TOYOTA

La Tercel, dont les retouches plus en profondeur qu'en surface, offrira deux carrosseries pourvues d'un seul moteur, le 1.5L à 16 soupapes qui équipait déjà la Paseo.

L'Avalon remplace la défunte Cressida au sommet de la gamme Toyota. Issue de la plate-forme et de la mécanique de la Camry V6, elle offre six places, grâce à l'aménagement des sièges avant et au sélecteur de la boîte automatique placé sous le volant. Conçu et fabriqué en Amérique du Nord, ce modèle se classe par le volume de sa cabine et de son coffre, dans la catégorie des voitures de grand format.

NOUVEAUTÉS 95

SAAB

La 9000 CD connaît des retouches pour 1995 concernant le dessin des parties frontale et arrière et l'adoption d'un nouveau moteur V6 à 24 soupapes de 3.0L développant 210 ch.

Les versions cabriolet et coupé de la 900 viennent s'ajouter à la berline renouvelée l'an dernier. Le coupé peut être animé par les moteurs 2.0L ou 2.3L atmosphériques de 133 ch ou 150 ch, ou Turbo de 185 ch ou enfin le V6 de 2.5L et 170 ch. Le cabriolet dont la capote est électrique aura droit aux mêmes propulseurs, excepté le 2.0L de base.

VOLVO

Bien que cela ne soit pas évident au premier coup d'oeil, les 960 berline et familiale ont été l'objet d'un sérieux remaniement. Les trains avant et arrière, indépendants, ont été redéfinis en vue d'améliorer le comportement et diminuer le rayon de braquage. La partie frontale a été redessinée dans un style moins angulaire et la coque a été renforcée afin d'offrir une rigidité supérieure. La mécanique, proche de celle de l'ancien modèle, comprend un six cylindres en ligne de 2.9L avec une boîte automatique dont la douceur de sélection a été retravaillée. Le train arrière de la familiale est désormais semblable à celui de la berline.

DERNIÈRE HEURE

SPÉCIAL SALON DE PARIS

EN DIRECT DU SALON DE PARIS

De nos envoyés spéciaux

Gérard HÉRAUD & Michel CONDOMINAS

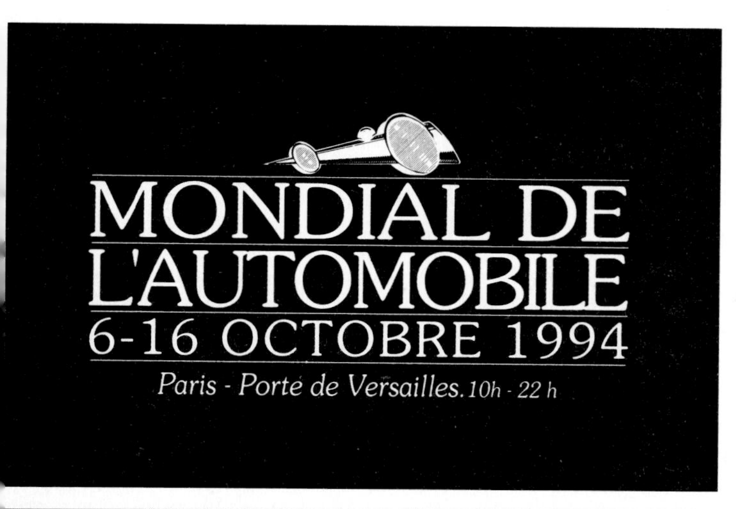

PARIS DEMAIN ? PEUT-ÊTRE...

Cette image de synthèse montre ce que sera la capitale française dans quelques années lorsque les véhicules futuristes peupleront les rues bordées de ces immeubles aux façades séculaires qui font le charme de Paris. On remarque que les concepteurs de cette image ont été fortement optimistes quant à la densité de la circulation, sachant à quel cauchemar et degré de pollution les habitants de cette ville sont confrontés chaque jour. Renault affirme que les véhicules urbains seront minimalistes et électriques comme les transports en commun, ce qui explique la fluidité, de même que la clarté et la propreté de l'ambiance qu'illustre cette photo.

C'est à Paris que vient de se tenir le «Mondial de l'Automobile», le plus important Salon de la Communauté Européenne en 1994.

SPÉCIAL SALON DE PARIS

DERNIÈRE HEURE

ALFA ROMÉO

Ci-dessus, les derniers Spider et Coupé GTV du célèbre constructeur milanais. Leur ligne très réussie résulte d'une collaboration entre les stylistes d'Alfa Roméo et ceux de Pininfarina. Passés à la traction, ces deux sportifs seront équipés pour l'exportation du V6 de 3.0L de 192 ch qui équipe déjà la 164. On ne compte pas les voir sur notre continent avant la fin de 1995.

ART CENTER

Ci-dessous, ce petit roadster, basé sur la même philosophie minimaliste que le célèbre Lotus VII a été réalisé par les élèves de Art Center, une école de design industriel basé à Pasadena en Californie et La Tour-du-Peilz en Suisse. L'automobile est un des sujets favoris des étudiant sde cette école qui apprennent l'esthétique de différents produits industriels.

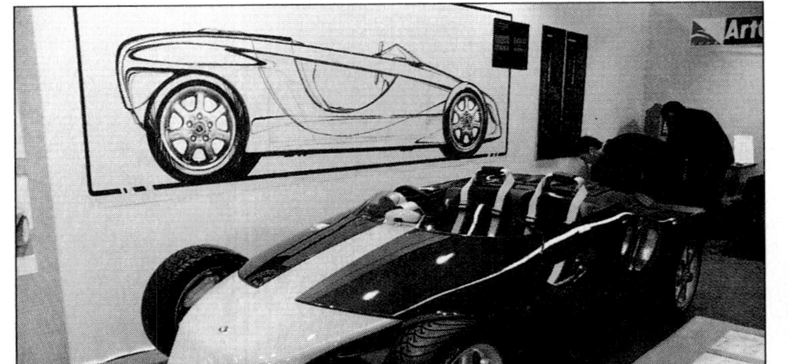

CITROËN

Avec la Xanae, le constructeur français veut apporter sa contribution à la recherche d'une nouvelle génération de véhicules offrant un fort aspect convivial. À mi-chemin entre une berline et un monovolume, Xanae offre un habitacle modulable pouvant accueillir 5 personnes dont l'accès est facilité par l'aménagement des portes sans pilier central; l'importante surface vitrée permet de rester en contact visuel avec l'environnement.

SPÉCIAL SALON DE PARIS

DERNIÈRE HEURE

DESIGN PERFORMANCE

Ci-dessus, la Barramunda est un prototype né de la passion de l'automobile et de la mer. Sa partie arrière est aménagée pour accueillir des planches à voile ou un scooter marin...

FORD

Ci-contre, la Galaxy est un véhicule soi-disant expérimental qui préfigure la future mini-fourgonnette que Ford a étudiée conjointement avec Volkswagen (voir page 64) et qui sera commercialisée en 1996. Les moteurs seront soit un 4 cylindres 2.0L, soit un V6 de 2.8L ou encore un turbo Diesel de 1.9L.

Ci-dessous, la Scorpio inaugure un style original imaginé à partir de ses phares poly-ellipsoïdaux.

DERNIÈRE HEURE

SPÉCIAL SALON DE PARIS

FERRARI

Première sortie officielle pour la nouvelle F355 (ci-dessous) qui remplace la 348 dont elle est issue. Offerte en versions berlinetta, GTB à toit targa ou spider 348, son moteur V8 de 4.0L possède maintenant 5 soupapes par cylindre (40 en tout) et sa puissance atteint 380 ch. Ses lignes et ses éléments mécaniques ont été révisés en vue d'améliorer ses performances et son comportement. La 512M (ci-contre) est la dernière évolution de la fameuse Testarossa. La partie avant a été retouchée, les phares ne sont plus escamotables et le bouclier a été réorganisé autour des prises d'air et des différents éclairages additionnels. Le moteur V12 de 5.0L développe désormais 440 ch lui permettant de passer de 0 à 100 km/h en 4.7 s et d'atteindre 315 km en pointe.

SPÉCIAL SALON DE PARIS

DERNIÈRE HEURE

LADA

Si la Russie bouge autant sur le plan politique qu' économique, du côté de l'automobile un certain dynamisme est en train de secouer cette industrie engourdie depuis plusieurs décennies. Suite à sa privatisation Autovaz/Lada s'est lancé dans l'étude de différents projets. Le premier concerne les coupés, berlines et familiales 110, 111 et 112 (ci-dessus) de ligne moderne qui seron lancés en 1995, animés par des moteurs 1.5L à 8 et 16 soupapes à injection et équipés de coussins gonflables.

La Oka (ci-contre) est une petite voiture urbaine proposée soi électrique, soit en version essence avec bi-cylindre de 750cc. C même moteur anime aussi le prototype de mini-véhicule sport loisir baptisé Elfe que l'on voit ci-dessous.

DERNIÈRE HEURE

SPÉCIAL SALON DE PARIS

RANGE ROVER

Le légendaire Range fait peau neuve. Les lignes de sa carrosserie deviennent plus aérodynamiques et sa cabine plus habitable et plus ergonomique. Ses moteurs sont deux V8 de 4.0L et 4.6L avec boîte automatique et la suspension est pneumatique.

HONDA

Comme les Européens sont friands de hatchback, Honda vient de révéler la dernière interprétation de sa Civic. Cette berline sportive est équipée du moteur 1.5L VTEC et sa finition luxueuse se pare de cuir et de bois vernis.

MEGA

Ce petit véhicule sport-utilitaire de fabrication française, baptisé Ranch a une carrosserie modulaire qui peut se transformer en camionnette, en décapotable ou en berline fermée à 4 portes. Tracté, ses moteurs 4 cylindres Citroën sont des 1.1L et 1.3L.

SPÉCIAL SALON DE PARIS

DERNIÈRE HEURE

LAMBORGHINI

La SE constitue la dernière évolution de la Diablo. Elle ne sera tirée qu'à 150 exemplaires à l'occasion du trentième anniversaire de la firme de Santa Agata Bolognese. La carrosserie a été retouchée au niveau des boucliers avant/arrière réalisés en matériau composite à base de fibres de carbone. Son moteur V12 de 5.7L a vu sa puissance passer à 492 ch ce qui permet un rapport poids/puissance exceptionnel de 2.9 kg/ch... Ainsi armée, la Diablo SE est capable d'accélérer de 0 à 100 km/h en 4 secondes et d'atteindre une vitesse maximale de 331 km/h. Pour la circonstance sa cabine est tendue de cuir et de daim, le tunnel central est en fibres de carbone et le pédalier, type compétition, réalisé en alliage léger.

DERNIÈRE HEURE

SPÉCIAL SALON DE PARIS

MERCEDES BENZ

Faisant suite au cabriolet SLK dévoilé au dernier Salon de Turin en mai dernier, Bruno Sacco, le styliste en chef du constructeur de Stuttgart a dessiné la version coupé «en hommage à la métropole parisienne»... Véhicule sportif compact développé à partir de la base mécanique de la classe C, ce coupé possède un toit dur en deux éléments, capable de s'escamoter complètement dans le coffre à bagages en moins de 30 secondes, grâce à une commande électro-hydraulique.

À la fois moderne et rétro l'habitacle, traité de manière bicolore, rappelle les roadsters des années 30. Ce prototype préfigure le modèle qui sera commercialisé dès 1996 et s'opposera à celui que prépare aussi BMW dont la philosophie est similaire.

SPÉCIAL SALON DE PARIS

DERNIÈRE HEURE

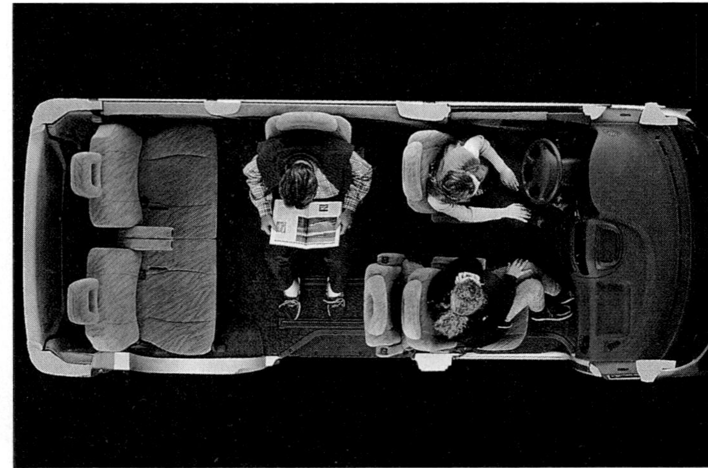

MITSUBISHI

Avec sa nouvelle mini-fourgonnette Space Gear, le constructeur japonais ne s'est toujours pas rallié aux roues avant motrices, mais a déplacé son moteur en avant de l'habitacle. Les lignes sont aérodynamiques puisque le Cx est de 0.36. Les sièges, dont certains sont montés sur rails et peuvent pivoter, permettent plusieurs configurations originales. Différents moteurs 4 cylindres de 2.0L à 2.4L sont disponibles, de même que la traction intégrale.

PROTON

Ci-dessous, la Proton 415 GLSi est le fruit d'une collaboration entre un conglomérat malais et Mitsubishi qui détient 30% du capital. La Proton dérive de la Mirage aussi connue en Amérique du Nord sous le nom de Colt.

OPEL

Présenté l'an dernier au Salon de Francfort sous la forme d'une étude de style due à Franck Saucedo, ce mini coupé sportif baptisé Tigra a tellement plu au public que la filiale européenne de GM a décidé de le mettre en production. Sa coque établie à partir de la plateforme de la Corsa, mini compacte très populaire en Europe, résiste très honorablement aux impacts, de plus il est pourvu de deux coussins d'air de grand volume et d'un ABS en série. Son coefficient aérodynamique de 0.31 est aussi remarquable que le fait qu'il est équipé en série d'un climatiseur possédant un filtre à pollens. Ses moteurs Ecotec 1.4L de 90 ch ou 1.6L de 106 ch sont propres grâce à un système de recirculation des gaz et à une injection d'air secondaire.

SPÉCIAL SALON DE PARIS

DERNIÈRE HEURE

PASSPORT

La firme Hobbycar, d'origine française (comme son nom l'indique!) déjà connue pour la production d'un véhicule tous usages amphibie, s'est donnée pour tâche de créer des véhicules «résolument innovants». La Passport se situe à mi-chemin entre une berline de luxe compacte et un monovolume. Elle attire l'attention par ses quatre portes coulissantes qui permettent d'accéder facilement à l'habitacle dont la finition luxueuse est tendue de cuir. Elle offre cinq places tout confort, un équipement aussi riche qu'un modèle haut-degamme sous un format très réduit puisque sa longueur est comparable à celle d'une Toyota Tercel! Dotée d'une transmission intégrale, son moteur est un 2.0L turbo d'origine Opel délivrant 200 ch.

DERNIÈRE HEURE

SPÉCIAL SALON DE PARIS

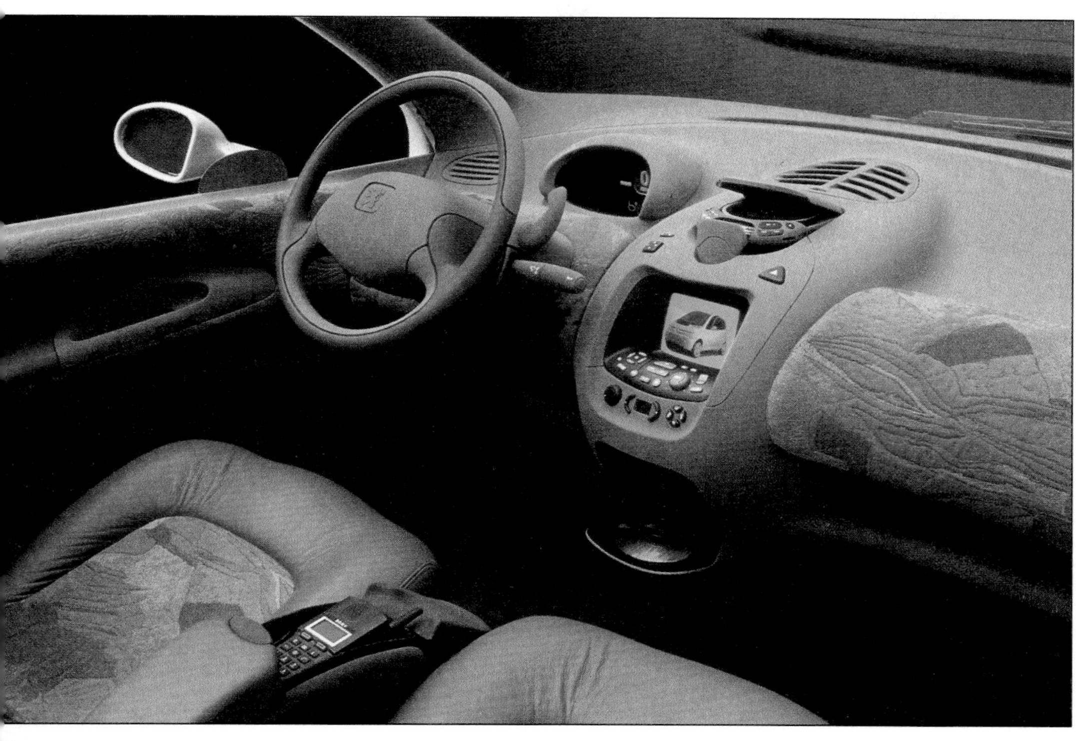

PEUGEOT

Ce constructeur français s'est depuis longtemps penché sur l'utilisation de l'énergie électrique. Comme c'est à un milieu urbain que ce type de motorisation s'adresse par excellence, Ion représente ce que pourrait être ce genre de véhicule, lorsqu'on aura trouvé un moyen acceptable de stocker l'énergie électrique. Ce prototype est innovateur, telles les poignées de portes remplacées par des zones sensibles de la carrosserie, le vitrage filtrant les UV, la régulation automatique de la température et filtrage de l'air sans parler de l'écran placé au centre du tableau de bord permettant au enfants d'utiliser leurs jeux vidéo, mais pas un mot sur le moteur, les batteries et leur autonomie. Serait-ce un Ion négatif?

SPÉCIAL SALON DE PARIS

DERNIÈRE HEURE

PININFARINA

- Une voiture peut-elle être à la fois logeable, pratique, amusante à conduire et écologique? Ethos 3 constitue la réponse du styliste turinois qui s'est allié à des partenaires prestigieux: Hydro aluminium pour le châssis, General Electric Plastics pour les panneaux de carrosserie, Orbital pour le moteur 2-temps, BBS pour les roues et PPG pour les peintures écologiques pour réaliser cette mini berline à quatre portes plus courte de 50 cm qu'une Geo Metro et pouvant loger six personnes. Son moteur 2-temps à 3 cylindres de 1.2L et 95 ch lui permet d'atteindre 180 km/h. Le plus inhabituel, c'est que le volant et les principales commandes se déplacent latéralement devant les trois places frontales à la recherche d'un conducteur...

DERNIÈRE HEURE

SPÉCIAL SALON DE PARIS

RENAULT

On voit ici deux aspects de la créativité du premier constructeur français. Ci-contre cette mini-fourgonnette Espace F1 sera conduite comme «Pace Car» sur certains circuits de Formule 1 la saison prochaine, avec Alain Prost à son volant. Il faut dire qu'elle est équipée du fameux V10, de la boîte de vitesse et du train arrière d'une Williams FW14. La puissance, inconnue, permet néanmoins de passer de 0 à 200 km/h en 6.3 secondes, et le moteur placé au milieu de la cabine tient musicalement compagnie aux trois passagers. Grâce à sa carrosserie en matériau composite le poids total n'est que de 1 100kg.

En bas, Modus, un concept d'utilitaire modulaire à turbine Diesel fournissant du courant à deux moteurs électriques.

DERNIÈRE HEURE

VOLKSWAGEN

Ci-dessus, Sharan illustre la prochaine mini-fourgonnette, dont VW partage la paternité avec Ford qui sera commercialisée courant 1995. Fidèle aux quatre portes à battant, elle accueillera 6 personnes sur des sièges individuels. Toutefois le modèle de série ne sera pas équipé du moteur Porsche 6 cylindres de 2.8L turbocompressé produisant 252 ch qui équipe ce prototype. Elle recevra des moteurs 4 cylindres à essence de 2.0L de 115 ch et Diesel de 90 ch ou V6 de 174 ch.

Ci-contre la dernière Polo fait son entrée sous une ligne qui rappelle beaucoup celle de sa grande sœur, la Golf. Bas de gamme européen, elle reçoit des moteurs 4 cylindres essence de 1.0L, 1.3L et 1.6L ou Diesel de 1.9L.

DERNIÈRE HEURE

SPÉCIAL SALON DE PARIS

LANCIA

Peu connue en Amérique du Nord, cette marque qui fait partie du consortium FIAT a su garder un cachet distinctif. En effet les Lancia sont des voitures raffinées tant sur le plan technique qu'esthétique ce qui leur donne une touche aristocratique. Le modèle K illustré a été révélé au Salon de Paris et il se situe en haut de la gamme. Il s'agit d'une berline de luxe à empattement long (2700 mm) et pouvant recevoir trois moteurs: deux 5 cylindres de 2.0L et 2.4L donnant respectivement 145 et 175 ch ou un V6 de 3.0L de 204 ch. C'est une traction dont la suspension est indépendante et les freins à disque sur les quatre roues avec ABS en série. Très complet pour l'Europe, son équipement comprend aussi deux coussins d'air, un climatiseur automatique et un ordinateur de bord.

DERNIÈRE HEURE

NISSAN

Une curiosité que cette Maxima baptisée QX pour le marché Européen où elle est affublée de moustaches à la Hercule Poirot. Pour le reste elle est identique à celle commercialisée en Amérique du Nord.

INFINITI

La I30, qui viendra s'intercaler entre la G20 et la J30, sera présentée lors des prochains Salons américains. Elle est basée sur la plate-forme et la mécanique de la dernière Maxima, c'est dire qu'il s'agit d'une traction avant animée par un V6 de 3.0L secondé par une boîte automatique à quatre rapports. Comme les autres modèles de la marque, la I30 posséder un équipement de série complet incluant deux coussins d'air et l'ABS.

DERNIÈRE HEURE

HONDA

Ce constructeur japonais est à la veille de dévoiler cette mini-fourgonnette conçue à partir de la base de la Honda Accord et baptisée Odyssey. Vendue entre 30 et 35 000 $ canadiens elle comprendra pour ce prix considérable, bon nombre d'équipements en série et sera nantie du moteur 2.2L de l'Accord gênérant 140 ch.

CHRYSLER

Contrairement à son habitude, c'est sans tambour ni trompette que Chrysler a annoncé la sortie prochaine de deux nouveaux sportifs, le Chrysler Sebring et le Dodge Avenger, identiques à quelques détails cosmétiques près, établis sur la base des Eagle Talon traction avant et fabriqués par Mitsubishi à Normal dans l'Illinois.

DERNIÈRE HEURE

LADA

Deuxième révolution en Russie, Lada améliore son Niva (ci-contre) en le dotant d'un moteur à injection, d'un hayon descendant jusqu'au plancher, d'un nouveau tableau de bord et de sièges inspirés de ceux de la Samara.

NEWSTREET

Destinée aux jeunes Français de 14 à 18 ans, la Newstreet (au milieu) fabriquée par le constructeur de bateaux Jeanneau, est un scooter à deux roues à moteur 49cc dont la particularité est d'être vendu avec un cours de conduite approuvé par la Prévention Routière gouvernementale.

TOYOTA

Cette Celica décapotable (ci-dessous) sera vendue aux États-Unis dans le courant de l'année 1995.

JEANNEAU Newstreet

JEANNEAU Newstreet

TOYOTA Celica décapotable

TOYOTA Celica décapotable

ANALYSES TECHNIQUES

★REPORTAGE★

ANALYSES

PONTIAC Sunfire Speedster

Pouvait-on rêver d'un meilleur sujet pour une couverture ?...

C'est au dernier Salon de Détroit que Pontiac a présenté l'étude de style d'un roadster, baptisé Speedster et qui préfigurait le dévoilement en août de la gamme Sunfire appelée à remplacer la Sunbird. Cet exercice de style avait donc pour but d'exciter la curiosité des gens et de recueillir leurs commentaires afin d'apporter les retouche nécessaires. Le Speedster Sunfire n'a pas manqué son but puisqu'à Carnet de Route nous avons décidé d'en illustrer notre couverture, pour souligner le travail des créateurs de General Motors.

«J'étais dans la foule de journalistes qui se pressaient comme des mouches autour du stand Pontiac, attendant le dévoilement de l'exercice de style qui devait préfigurer la ligne des futures remplaçantes des Sunbird.
Dès que le voile fut retiré je sus que cette Sunfire allait trôner sur la couverture de notre Carnet de Route 1995. Très Américaine dans sa définition, elle rappelait les Firebird des années passées sous un format plus réaliste. Si ce n'était pas un chef-d'œuvre d'esthétique, je lui trouvais immédiatement le mérite d'être populaire à voir l'intérêt de mes confrères et à entendre leurs commentaires élogieux. Avant que l'on mette en marche la table tournante sur laquelle le prototype était installé, je pus jeter un coup d'œil à l'habitacle et prendre quelques photos. Le premier contact avait eu lieu.»

Il est vrai que le premier sent ment qu'inspire le spectacle d Speedster Sunfire c'est de rappeler quelque chose de conn tout en y apportant quelque chos de neuf. La ligne rappelle effect vement d'autres véhicules plu ou moins connus, ayant des attr buts typiquement nord-amér cains comme les sorties d'échap pement latérales les roues sculp tées pour faire ressortir la largeu des voies, de même que les pr ses d'air sur le capot qui évo quent celles des Trans Am d des années 70. Sur le prototyp le système d'éclairage est inté ressant par la manière de comb ner les phares longue portée haute intensité et les antibrouillar ainsi que les feux clignotants ins tallés dans les rétroviseurs exté rieurs. Ces derniers sont placé plus haut qu'à l'habitude à caus de l'inclinaison du pare-brise qu doit paraître le plus bas possible On peut voir que le pare-brise es formé dans le prolongement du qui prend naissance au-dessu de la calandre et intègre la pris du RamAir. «Un pare-brise ba est la principale caractéristiqu visuelle qui permet d'identifier im médiatement un roadster», d Terry Henline le patron du desig chez Pontiac, «c'est la meilleur façon de faire paraître le véhicul plus bas, comme s'il faisait parti de la route en quelque sorte.»

On voit ci-dessus le Sunfire Speedster photographié sur une plage en Californie avec tout ce que cela peut avoir d'évocateur, de beau et bon temps.

Le tableau de bord ressemble étrangement à celui des Camaro-Firebird actuelles, hasard ou facilité d'adaptation?

Jn autre trait caractéristique de e type de véhicule vient du cou-re-tonneau qui créé l'illusion d'un places et qui peut être amé-agé de différentes manières elon la personnalité de son pro-riétaire. Il est solide et fixé entre es dossiers des sièges avant et e pontage qui prolonge le coffre bagages. Il peut être enlevé our faire place à des sièges, insi la voiture pourrait devenir ne décapotable 2+2. Mais en énéral, cet emplacement ser-ira a entreposer tout ce qui 'aura pu prendre place dans l offre.

'application de la peinture de ouleur Sunfire Mango a été mployée autant à l'extérieur qu'à intérieur où elle fait partie de la écoration. Aucun accent ne vient interrompre si ce ne ont les logos le Pontiac et de Sunfire.

Si le véhicule allait en produc-on tel quel, il faudrait souligner ertaines partie de la coque par es éléments de chrome qui onneraient plus de punch à l'en-emble. dit Jack Folden.

Mais le Sunfire Speedster, n'est pas qu'une maquette inanimée. Sous le capot avant les ingénieurs de Pontiac ont installé transversalement un quatre cylindres de 2.4L à double arbre à cames en tête et 16 soupapes équipé d'un compresseur Eaton, ainsi que d'un échangeur de température air-eau et d'un système d'alimentation RamAir. Toute cette quincaillerie permet d'en tirer 225 ch. Afin d'atténuer les vibrations ce moteur est pourvu d'un arbre d'équilibrage latéral pour réduire les bruits et les vibrations et l'intérieur du capot-moteur a été dessinée pour faciliter la circulation de l'air autour du groupe propulseur. L'organisation des points de contrôle a fait l'objet d'une attention toute particulière, afin de faciliter l'entretien, et les poignées des jauges, comme les bouchons des réservoirs devant recevoir des fluides, ont été peints de couleur Sunfire Mango...

La transmission automatique possède une gestion électronique qui synchronise son fonctionnement avec celui du moteur, ce qui permet d'optimiser la sélection des rapports pour les monter ou les descendre. La suspension avant est modulaire avec un amortissement à haute intensité alors qu'à l'arrière on trouve un essieu tubulaire associé à des ressorts hélicoïdaux. L'assistance de la direction varie en fonction de la vitesse et les freins sont à disque aux quatr roues avec un dispositif antiblo cage. Finalement, c'est une étud plus orientée vers le marketin que le style ou la technique.

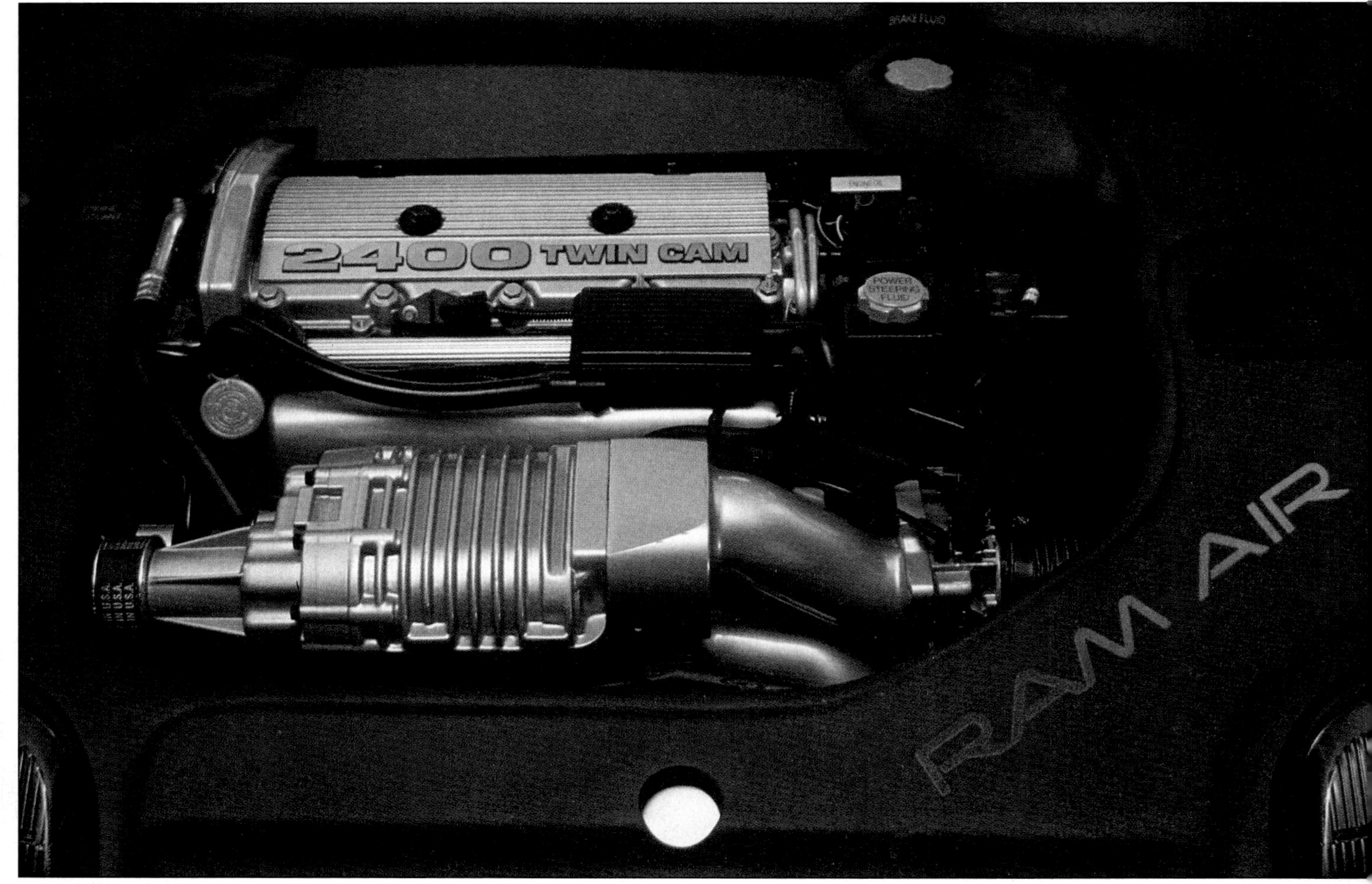

«IL FALLAIT UN LIEN AVEC LE MODÈLE DE SÉRIE...»

dit John G. Middlebrook, Directeur de Pontiac

«Cela fait deux fois en quatre ans que Pontiac utilise le nom Sunfire, qui est en train de devenir une sorte de leitmotiv pour la création de voiture pour jeunes ou jeunes de cœur. Cette étude conceptuelle tente de mélanger les valeurs de base de Pontiac et la création de prototypes qui accrochent l'œil du public.»

«Il n'a fallu que trois mois pour réaliser ce spider à partir de la maquette d'argile, ce qui constitue un record en soi. Son style agressif voulait faire le pont entre le premier concept Sunfire (1990) et les Pontiac du futur. Ce concept est très proche de la réalité afin que tout le monde puisse reconnaître certaines similarités avec le modèle de production. Cela nous a servi à exciter la curiosité du public dans les différents Salons où Sunfire a été présenté et dans les cliniques où nous avons reçu de nombreux commentaires de la part des personnes sondées. La carrosserie en polyester armé de fibres de verre peinte de cet orange «Sunfire Mango » en a fait sursauter plus d'un et c'était voulu, dans le sens où nous savons que le public auquel ce roadster est destiné, cherche à se faire remarquer.
C'est pourquoi nous avons donné au Sunfire cette allure musclée et que nous avons mis l'accent sur la mécanique qui, elle aussi, est agressive avec son moteur à DACT avec système d'alimentation RamAir lui permettant de donner 225 ch.
Nous avons voulu dès le départ associer une réminiscence des années 60 avec les voies élargies, et l'aspect massif avec la notion de maîtrise du conducteur des années 90 en créant un intérieur qui soit organique et fonctionnel. Le tableau de bord a des formes souples et basses pour donner une impression d'espace et de maîtrise de la route. Vous seriez surpris de voir combien on a l'impression d'être assis haut par rapport à la route simplement en abaissant le tableau de bord. Nous avons mélangé la couleur de la carrosserie avec du cuir Graphite pour confirmer le caractère jeune exprimé par la carrosserie.
Les deux principaux stylistes de Pontiac Jack Folden et Tim Greig ont commencé à travailler sur le projet en juin 1994 tout en participant à l'élaboration des modèles de série dont les lignes se sont inspirées.
Chez Pontiac les projets conceptuels débouchent toujours sur un véhicule de série. Ainsi le «Trans Sport» montré en 1986 préfigurait la mini-fourgonnette qui fut commercialisée quatre ans plus tard. La «Banshee» exposée en 1988 était le prélude à la transformation de la Firebird qui arriva sur le marché en 1992. On ne sait pas encore si le «ProtoSport 4» de 1991 et la «Salsa» de 1992 auront une suite en production, mais une chose est certaine, ces véhicules ne sont pas uniquement créés pour faire rêver et décorer nos expositions, mais bien pour préparer l'avenir de nos futurs modèles.»

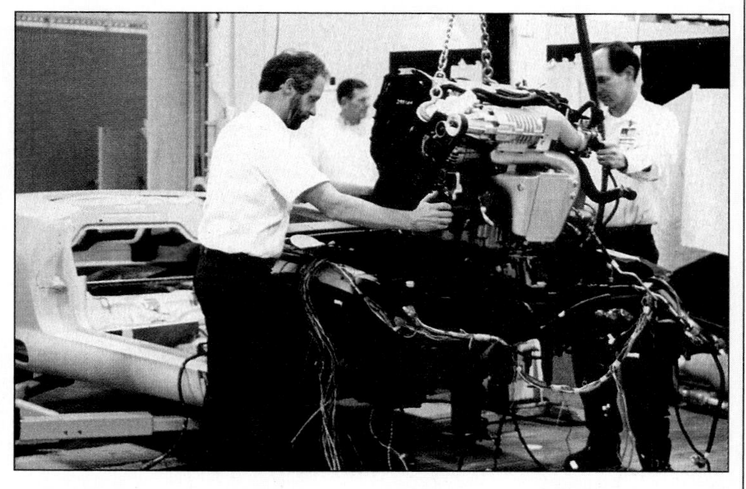

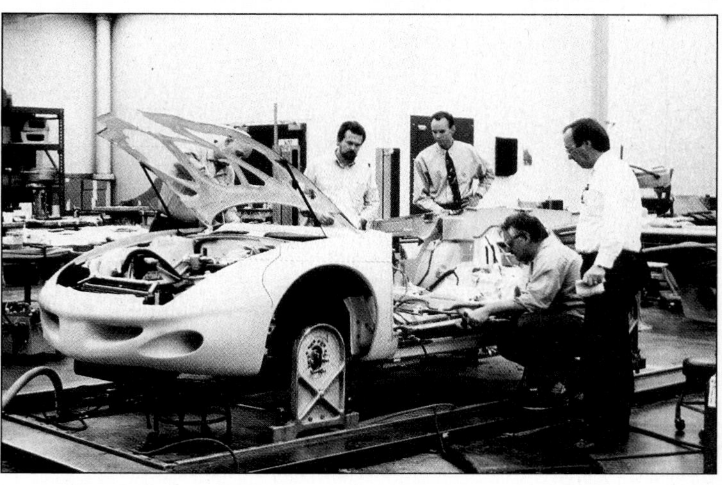

Un pari de 6 milliards de dollars...

FORD Contour

La suspension avant (ci-dessous) est basée sur le principe de McPherson avec un bras inférieur en forme de A, dont la barre antiroulis est fixée directement sur l'amortisseur. La géométrie incorpore un déport négatif procurant une meilleure stabilité au freinage.

Le moteur V6 Duratec de 2.5L à DACT est un nouveau moteur réalisé en aluminium qui offre l'avantage d'être léger et compact. Il est fabriqué à l'usine de Cleveland en Ohio, mais son cablage electrique, ses tubulures d'admission et d'échappement ont été mis au point par Ford Europe. Il produit une puissance de 170 ch et un couple de 165 lb/pi.

LES PERFORMANCES DES FORD-MERCURY Contour-Mystique FACE À CELLES DE LEURS RIVALES

	MOTEURS					TRANSMISSION		PERFORMANCES								
Modèles/ versions *: de série	Type / distribution soupapes / carburation	Cylindrée cc	Puissance ch @ tr/mn	Couple lb.pi @ tr/mn	Rapport volumét.	Roues motrices / transmissions	Rapport de pont	Accélér. 0-100 km/h s	400 m D.A. s	1000 m D.A. s	Freinage 100-0 km/h m	Vites. maxi. km/h	Accélér. latérale G	Niveau sonore dBA	Consommation moyenne l./100km	Carburant Octane
• FORD-MERCURY Contour-Mystique																
1)	L4* 2.0 DACT-16-IESPM	-	125 @ 5500	130 @ 4000	9.6 :1	avant- M5	3.82	10.2	16.8	31.8	44	165	0.76	67	10.0	8.0	R 87
						avant-A4	3.92	11.4	17.4	32.4	45	160	0.76	68	10.9	8.5	R 87
2)	V6 2.5 DACT-24-IESPM	2540	170 @ 6200	165 @ 4200	9.7 :1	avant-M5	4.06	8.0	16.2	29.0	47	180	0.78	67	11.0	8.8	R 87
						avant-A4	3.77	9.3	16.7	29.8	44	175	0.78	68	11.7	9.2	R 87
1) de base 2) * Contour SE option Contour LX et Mystique.																
• CHRYSLER Cirrus																
base	V6* 2.5-SACT-24-IESPM	2497	164 @ 5900	163 @ 4350	9.4 :1	avant-A4*	3.90	10.5	15.75	31.5	44	185	0.88	67	12.8	9.0	R 87
• GM séries L&N																
1)	L4* 2.2 SACL-8-IPM	2179	120 @ 5200	130 @ 4000	9.0 :1	avant - M5*	3.83	10.0	16.8	31.0	42	160	0.77	68	10.5	6.6	R 87
						avant-A3-A4	3.18	11.7	17.7	31.8	44	155	0.77	68	10.6	6.8	R 87
2)	L4* 2.3 DACT-16-IMP	2261	150 @ 6000	145 @ 4800	9.5 :1	avant - M5*	3.94	9.5	16.6	30.6	46	180	0.75	67	11.4	7.4	R 87
						avant - A3/A4	2.93	10.4							11.5	7.4	R 87
3)	V6* 3.1 ACC-12-IPM	3137	155 @ 5200	185 @ 4000	9.6 :1	avant-A3-A4	2.97	9.5	17.7	30.4	46	175	0.80	67	11.5	7.6	R 87
1) *Corsica/Beretta 2)* Grand Am & Achieva SC 3) * Beretta Z26 & Gran Sport, option sur les autres modèles.																
• HONDA Accord																
EX-LX	L4* 2.2 SAC T-16-IPM	2156	130 @ 5300	139 @ 4200	8.8 :1	avant - M5*	4.062	9.0	16.8	29.2	39	210	0.78	65	9.5	6.9	R 87
						avant - A4	4.133	10.2	17.6	30.8	41	200	0.78	65	10.4	7.3	R 87
EX-R	L4* 2.2 SACT-16-IPM	2156	145 @ 5600	147 @ 4500	8.8 :1	avant - M5	4.062	8.5	15.8	28.0	37	220	0.80	64	9.6	7.0	R 87
						avant - A4*	4.133	9.5e	16.5	31.0	38	210	0.80	64	10.4	7.3	R 87
• HYUNDAI Sonata																
base	L4* 2.0 DACT-16-IEPM	1997	137 @ 5800	129 @ 4000	9.0 :1	avant - M5*	4.322	11.0	17.4	31.2	52	190	0.78	68	10.8	7.5	R 87
						avant - A4	4.007	12.8	19.0	33.5	43	185	0.78	68	10.8	7.5	R 87
GLS V6	V6* 3.0 SACT-12-IEPM	2972	142 @ 5000	168 @ 2500	8.9 :1	avant - A4*	3.958	10.0	17.5	30.7	46	200	0.78	67	12.9	8.8	R 87
• MAZDA 626-Chronos																
DX-LX	L4*2.0 DACT-16-IEPM	1991	118 @ 5500	127 @ 4500	9.0 :1	avant - M5*	4.11	10.2	16.8	30.2	41	180	0.78	65	9.4	6.6	R 87
						avant - A4	3.77	11.3	17.6	30.8	44	175	0.78	65	10.7	7.3	R 87
ES	V6*2.5 DACT-24-IEPM	2497	164 @ 5600	160 @ 4800	9.2 :1	avant - M5*	4.11	8.0	16.0	29.5	38	200	0.80	64	11.8	8.6	M 89
• MITSUBISHI Galant																
S/ES/LS	L4* 2.4 SACT-16-IEPM	2350	141 @ 5500	148 @ 3000	9.5 :1	avant - M5*	4.32	8.8	16.6	30.2	43	185	0.79	66	9.9	7,2	R 87
						avant - A4	4.35	9.7	17.4	31.0	45	180	0.79	65	11.1	7.6	R 87
LS V6	V6* 2.5 SACT-24-IEPM	2497	155 @ 5500	161 @ 4400	10.0 :1	avant - A4	3.91	9.0	16.5	30.8	42	200	0.79	65	12.2	8.2	R 87
• NISSAN Altima																
base	L4* 2.4 DACT-16-ISPM	2389	150 @ 5600	154 @ 4400	9.2 :1	avant - M5*	3.650	8.9	16.6	29.7	39	200	0.82	65	9.9	7.2	R 87
						avant - A4	3.619	9.5	17.0	30.8	40	190	0.82	65	11.1	7.6	R 87
SE	L4* 2.4 DACT-16-ISPM	2389	150 @ 5600	154 @ 4400	9.2 :1	avant - M5	3.895	8.5	16.0	29.2	40	190	0.85	65	9.9	7.2	R 87
• SUBARU Legacy																
4x2	H4* 2.2 SACT-16-IESPM	2212	135 @ 5400	140 @ 4400	9.5 :1	avant - M5*	3.45	11.0	17.2	32.3	44	180	0.76	67	9.7	6.5	R 87
						avant - A4	3.45	12.2	18.7	34.8	45	175	0.76	67	10.4	7.0	R 87
4x4	H4* 2.2 SACT-16-IEPM	2212	135 @ 5400	140 @ 4400	9.5 :1	avant - M5*	3.90	11.0	17.2	32.3	44	180	0.76	67	11.0	7.7	R 87
						avant - A4	3.90	12.2	18.7	34.8	45	175	0.76	67	10.6	7.6	R 87
• TOYOTA Camry																
base	L4*2.2 DACT-16-IEPM	2164	125 @ 5400	145 @ 4400	9.5 :1	avant - M5	3.94	11.0	18.2	32.3	42	175	0.78	67	10.4	6.9	R 87
						avant - A4	3.73	11.8	18.6	32.8	44	170	0.78	67	11.3	7.9	R 87
V6	V6 3.0 DACT-24-IEPM	2995	188 @ 5200	203 @ 4400	9.6 :1	avant - A4	3.42	9.5	17.6	29.8	45	190	0.80	66	11.8	7.6	M 89
• VOLKSWAGEN Passat																
GLS diesel	L4* 1.9 SACT-16-IE	1896	75 @ 4400	100 @ 2400	22.5 :1	avant - M5*	3.94	17.8	23.1	37.6	40	165	0.80	68	7.9	5.9	D
GLX VR6	V6* 2.8 DACT-12-IES	2792	172 @ 5800	177 @ 4200	10.0 :1	avant - M5*	3.39	8.5	15.8	29.0	39	225	0.83	66	12.5	8.6	R 87
						avant - A4	3.70	10.3	16.7	30.0	40	220	0.83	66	14.4	8.7	M 89

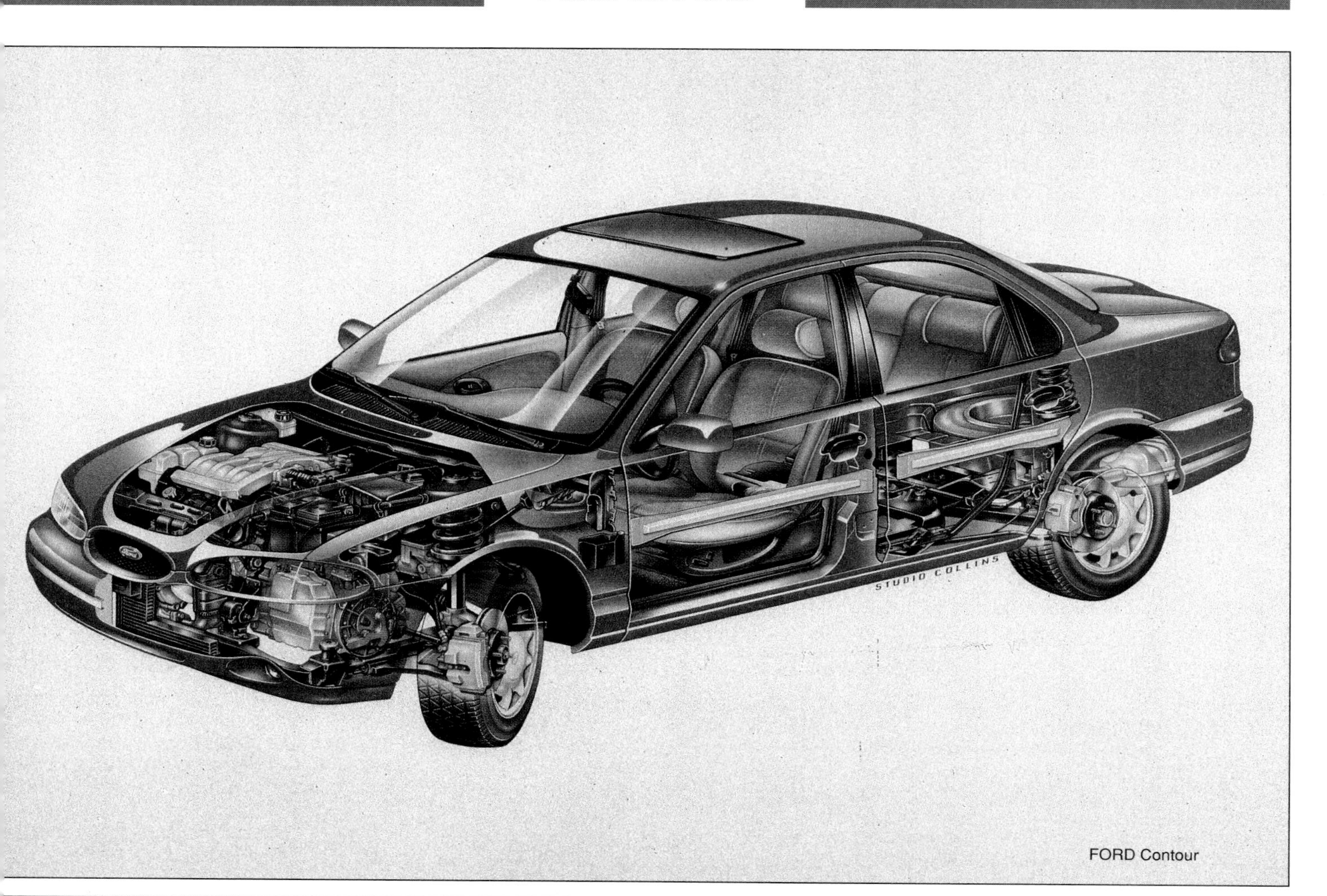

FORD Contour

LES CARACTÉRISTIQUES & PRIX DES FORD-MERCURY Contour-Mystique FACE À CEUX DE LEURS RIVALES

Modèles	Versions	Carrosseries/ Sièges	Volume cabine l.	Volume coffre l.	Cx	Empat. mm	Long x larg x haut. mm x mm x mm	Poids à vide kg	Capacité Remorq. max. kg	Susp. av/ar	Freins av/ar	Direction type	Diamètre braquage m	Tours volant b à b.	Réser. essence l.	Pneus d'origine	Mécaniques d'origine	PRIX $ CDN. 1994
FORD		Garantie totale et antipollution: 3 ans / 60 000 km;corrosion perforation: 5 ans / kilométrage illimité.																
Contour	GL	ber. 4 p. 5	2532	393	0.31	2705	4671x1755x1384	1256	454	i/i	d/t	crém.ass.	11.1	2.78	55	185/70R14	L4/2.0/M5	**16 395**
Contour	LX	ber. 4 p. 5	2532	393	0.31	2705	4671x1755x1384	1260	454	i/i	d/t	crém.ass.	11.1	2.78	55	185/70R14	L4/2.0/M5	**17 795**
Contour	SE	ber. 4 p. 5	2532	393	0.31	2705	4671x1755x1384	1285	454	i/i	d/d	crém.ass.	11.1	2.78	55	205/60R15	V6/2.5/M5	**19 795**
MERCURY		Garantie totale et antipollution: 3 ans / 60 000 km;corrosion perforation: 5 ans / kilométrage illimité.																
Mystique	GS	ber. 4 p. 5	2532	393	0.31	2705	4658x1750x1374	1281	454	i/i	d/t	crém.ass.	11.1	2.78	55	185/70R14	L4/2.0/M5	**17 295**
Mystique	LS	ber. 4 p. 5	2532	393	0.31	2705	4658x1750x1374	1281	454	i/i	d/t	crém.ass.	11.1	2.78	55	205/60R15	L4/2.0/M5	**18 995**
CHRYSLER		Garantie générale: 3 ans / 60 000 km; corrosion de surface: 1 an / 20 000 km; perforation: 7 ans / 160 000 km; assistance routière: 3 ans / 60 000 km.																
Cirrus	LX	ber. 4 p. 5	2715	445	0.31	2743	4750x1804x1374	1427	454	i/i	d/t/ABS	crém.ass.	11.3	3.09	60	195/65R15	V6/2.5/A4	**21 915**
Cirrus	LXi	ber. 4 p. 5	2715	445	0.31	2743	4750x1804x1374	1427	454	i/i	d/t/ABS	crém.ass.	11.3	3.09	60	195/65R15	V6/2.5/A4	**24 355**
BUICK		Garantie générale: 3 ans / 60 000 km; antipollution: 5 ans / 80 000km; perforation corrosion: 6 ans / 160 000 km.																
Skylark	Custom	ber. 4 p.5	2534	377	0.32	2626	4806x1745x1359	1334	454	i/si	d/t/ABS	crém.ass.	10.75	2.33	57.5	195/70R14	L4/2.3/A3	**16 598**
Skylark	Limited	ber. 4 p.5	2534	377	0.32	2626	4806x1745x1359	1334	454	i/si	d/t/ABS	crém.ass.	10.75	2.33	57.5	195/70R14	L4/2.3/A3	**19 598**
Skylark	Gran Sport	ber. 4 p.5	2534	377	0.32	2626	4806x1745x1359	1387	454	i/si	d/t/ABS	crém.ass.	10.75	2.33	57.5	205/55R16	V6/3.1/A4	**22 198**
CHEVROLET		Garantie générale: 3 ans / 60 000 km; antipollution: 5 ans / 80 000km; perforation corrosion: 6 ans / 160 000 km.																
Corsica	base	ber. 4 p.5	2594	379	0.36	2626	4658x1740x1377	1245	454	i/i	d/t/ABS	crém.ass.	10.76	2.33	57.5	195/70R14	L4/2.2/M5	**15 898**
OLDSMOBILE		Garantie générale: 3 ans / 60 000 km; antipollution: 5 ans / 80 000km; perforation corrosion: 6 ans / 160 000 km.																
Achieva	S	ber. 4 p.5	2542	396	0.33	2626	4805x1715x1326	1261	454	i/si	d/t/ABS	crém.ass.	10.76	2.88	57.5	205/55R16	L4/2.3/M5	**16 898**
Achieva	SL	ber. 4 p.5	2542	396	0.33	2626	4805x1715x1326	1305	454	i/si	d/t/ABS	crém.ass.	10.76	2.88	57.5	205/55R16	L4/2.3/M5	**20 898**
PONTIAC		Garantie générale: 3 ans / 60 000 km; antipollution: 5 ans / 80 000km; perforation corrosion: 6 ans / 160 000 km.																
Grand Am	SE	ber. 4 p.5	2568	377	0.34	2626	4747x1715x1351	1307	454	i/si	d/t/ABS	crém.ass.	10.76	2.5	57.5	195/70R14	L4/2.3/M5	**16 098**
Grand Am	GT	ber. 4 p.5	2568	377	0.34	2626	4747x1715x1351	1334	NR	i/si	d/t/ABS	crém.ass.	10.76	2.5	57.5	205/55R16	L4/2.3/M5	**19 298**
HONDA		Garantie générale: 3 ans / 60 000 km; mécanique: 5 ans / 100 000 km.																
Accord	LX	ber. 4 p.5	2682	368	0.33	2715	4675x1780x1400	1275	907	i/i	d/t	crém.ass.	11.0	3.11	64.5	185/70R14	L4/2.2/M5	**20 195**
Accord	EX	ber. 4 p.5	2682	368	0.33	2715	4675x1780x1400	1305	907	i/i	d/t	crém.ass.	11.0	3.11	64.5	185/70R14	L4/2.2/M5	**21 495**
Accord	EX-R	ber. 4 p.5	2682	368	0.33	2715	4675x1780x1400	1365	907	i/i	d/d/ABS	crém.ass.	11.0	3.11	64.5	195/60R15	L4/2.2/M5	**26 495**
HYUNDAI		Garantie générale: 3 ans / 60 000 km; mécanique: 5 ans / 100 000 km;perforation corrosion: 5 ans / kilométrage illimité.																
Sonata	GL	ber. 4 p.5	2868	373	0.32	2700	4700x1770x1405	1256	454	i/i	d/t	crém.ass.	10.54	3.1	65.0	195/70R14	L4/2.0/M5	**13 645**
Sonata	GL V6	ber. 4 p.5	2868	373	0.32	2700	4700x1770x1405	1325	454	i/i	d/d	crém.ass.	10.54	3.1	65.0	195/70R14	V6/3.0/A4	**15 495**
Sonata	GLS	ber. 4 p.5	2868	373	0.32	2700	4700x1770x1405	1279	454	i/i	d/t	crém.ass.	10.54	3.1	65.0	195/70R14	L4/2.0/A4	**16 895**
Sonata	GLS V6	ber. 4 p.5	2868	373	0.32	2700	4700x1770x1405	1348	454	i/i	d/d	crém.ass.	10.54	3.1	65.0	195/70R14	V6/3.0/A4	**17 595**
MAZDA		Garantie générale: 3 ans / 80 000 km; mécanique: 5 ans / 100 000 km; corrosion perforation: 5 ans / kilométrage illimité.																
626 Cronos	DX	ber. 4 p.5	2752	390	0.32	2610	4685x1750x1400	1244	454	i/i	d/t	crém.ass.	10.6	2.9	60.0	195/65R14	L4/2.0/M5	**18 415**
626 Cronos	LX	ber. 4 p.5	2752	390	0.32	2610	4685x1750x1400	1244	454	i/i	d/t	crém.ass.	10.6	2.9	60.0	195/65R14	L4/2.0/M5	**21 150**
626 Cronos	ES	ber. 4 p.5	2752	390	0.32	2610	4685x1750x1400	1318	454	i/i	d/d/ABS	crém.ass.	10.6	2.9	60.0	205/55VR15	V6/2.5/M5	**27 295**
NISSAN		Garantie générale: 3 ans / 80 000 km; mécanique: 6 ans / 100 000 km; perforation corrosion et antipollution: 6 ans / kilométrage illimité.																
Altima	XE	ber.4 p.5	2632	396	0.35	2619	4585x1704x1420	1283	454	i/i	d/t	crém.ass.	11.4	2.8	60.0	205/60R15	L4/2.4/M5	**18 190**
Altima	GXE	ber.4 p.5	2632	396	0.35	2619	4585x1704x1420	1333	454	i/i	d/t	crém.ass.	11.4	2.8	60.0	205/60R15	L4/2.4/M5	**20 790**
Altima	SE	ber.4 p.5	2632	396	0.34	2619	4585x1704x1420	1373	454	i/i	d/d/ABS	crém.ass.	11.4	2.8	60.0	205/60R15	L4/2.4/M5	**23 290**
Altima	GLE	ber.4 p.5	2632	396	0.34	2619	4585x1704x1420	1403	454	i/i	d/d/ABS	crém.ass.	11.4	2.8	60.0	205/60R15	L4/2.4/A4	**26 790**
SUBARU		Garantie: générale: 3 ans / 60 000 km; mécanique: 5 ans / 100 000 km; corrosion et antipollution: 5 ans / kilométrage illimité.																
Legacy	base 4x2	ber. 4 p.4/5	-	356	-	2630	4595x1715x1405	1166	907	i/i	d/d	crém.ass.	10.6	3.2	60.0	185/70HR14	H4/2.2/M5	**17 995**
TOYOTA		Garantie générale: 3 ans / 60 000 km; mécanique 5 ans / 100 000 km;corrosion:5 ans / kilométrage illimité; sans aucun déductible ou frais de transfert.																
Camry	Dx	ber.4 p.5	2755	419	0.32	2620	4770x1770x1400	1330	907	i/i	d/t	crém.ass.	10.8	3.06	70.0	195/70R14	L4/2.2/M5	**18 778**
Camry	LE	ber.4 p.5	2755	419	0.32	2620	4770x1770x1400	1400	907	i/i	d/t	crém.ass.	10.8	3.06	70.0	195/70R14	L4/2.2/A4	**23 058**
Camry	SE	ber.4 p.5	2755	419	0.33	2620	4770x1770x1400	1455	907	i/i	d/d/ABS	crém.ass.	11.2	2.98	70.0	205/60VR15	V6/3.0/A4	**24 398**
VOLKSWAGEN		Garantie générale: 3 ans / 60 000 km; mécanique: 5 ans / 100 000 km; antipollution: 5 ans / 80 000 km; corrosion perforation: 6 ans.																
Passat	GLX VR6	ber. 4 p.5	2705	495	0.32	2625	4605x1720x1430	1447	907	i/si	d/d/ABS	crém.ass.	10.4	3.08	70.0	215/50R15	V6/2.8/M5	**29 495**

Il y a cinq ans la compagnie Ford prit une décision d'importance stratégique vitale. Elle venait de décider de développer un véhicule global, c'est-à-dire une voiture qui pourrait être fabriquée et vendue des deux côtés de l'Atlantique de même que dans les pays asiatiques. Et il fallait que la voiture mondiale rassemble tout ce qui se fait de mieux en matière de technologie et de style au moment de son lancement.

Objectifs

Cette décision fut basée sur un certain nombre de constatations. Les goûts et les besoins des différents peuples auxquels on allait proposer cette voiture se sont sensiblement rapprochés au cours des dernières décennies. Les lois qui régissent les mesures de sécurité et les émissions de polluants sont en train de devenir très proches si ce n'est identiques. Les analyses de Ford montraient que des véhicules conçus de part et d'autre de l'Atlantique étaient suffisamment similaires pour que leurs études soient combinées. Cette combinaison permettait d'éliminer nombre de duplications et entre autres de réduire dans des proportions importantes les coûts de développement et d'opérations et de reporter ces économies sur la valeur du véhicule. Enfin cette orientation allait offrir la possibilitté d'améliorer les communications transocéaniques en branchant tous les ordinateurs ensemble afin de partager les talents et ressources de Ford où qu'il soient situés dans le monde. Il fut enfin décidé que le centre de décision devait être à un seul endroit et c'est à Ford Europe qu'il fut confié, pour sa grande expérience en matière de voitures compactes.

CONCEPTION

Carrosserie

Quand les stylistes commencèrent à travailler sur les Contour/Mystique, ils avaient pour mandat de donner une apparence neuve qui devait, non seulement anticiper l'évolution du style dans les années à venir, mais aussi refléter la haute qualité que Ford voulait mettre dans leur fabrication, c'est-à-dire comporter le moins possible d'éléments ornementaux.

Châssis

Au moment de définir la structure de ces modèles, les ingénieurs édifièrent avec un soin particulier ce qu'ils appellent la «Cellule Sécurité»: la cage qui protège l'habitacle fut solidement établie et les poutres installées dans les portes pour protéger des intrusions latérales furent conçues en acier à haute résistance et de manière à former une ceinture solide sur le pourtour de la coque. Après des milliers d'heures passées en soufflerie, la surface de la carrosserie fut débarrassée de tous les appendices pouvant réduire la traînée, afin d'atteindre un cœfficient aérodynamique de 0.31. Cela fut rendu possible en collant sur le métal tous les vitrages fixes, en intégrant parfaitement les phares à la calandre, en retouchant la forme des rétroviseurs latéraux et en intégrant un déflecteur au moulage du pare-chocs avant.

Bien que partageant la même plate-forme, les Contour/Mystique furent dessinées différemment afin de rejoindre un public spécifiquement ciblé. Si la Contour dégage une apparence plus sportive, la Mystique se veut plus luxueuse et plus raffinée.

Ainsi elles sont strictement identiques sauf en ce qui concerne leurs calandres, pare-chocs, phares, feux de direction, capots avant/arrière, feux arrière, le traitement des roues et l'aménagement intérieur qui sont différents pour chacune d'entre elles.

Suspension

La suspension des Contour/Mystique est indépendante aux quatre roues. À l'avant on a affaire à des jambes McPherson et des triangles inférieurs. La barre stabilisatrice est séparée du système auquel elle est rattachée par deux biellettes fixées à l'amortisseur. Le triangle, la barre stabilisatrice, et la crémaillère sont assujettis à un sous-châssis qui permet de réduire le transfert de bruits et de vibrations de la route à la coque. À l'arrière le système baptisé «Quadralink» utilise aussi des jambes McPherson et quatre biellettes par roue dont les deux principales sont disposées horizontalement. Les autres éléments travaillent dans le sens vertical pour maintenir la roue en position sous les forces d'accélération et de freinage. La suspension sportive de la Contour SE diffère par ses amortisseurs plus fermes et ses barres stabilisatrices plus grosses.

Direction

À crémaillère, elle utilise une pompe dérivée de celle qui équipant le coupé Lincoln Mark VIII, qui est compacte facile à entraîner et silencieuse.

Freinage

Il est mixte sur les versions équipées du moteur 4 cylindres et à quatre disques sur celles pourvues du V6, le système antiblocage est offert en option, au même titre que le contrôleur de traction fonctionnant à toutes les allures.

Moteurs

Ces nouveaux modèles sont équipés de moteurs tout neufs. Le quatre cylindres est connu sous le nom de Zetec. Il s'agit d'un 2.0L à DACT et 16 soupapes développant une puissance de 125 ch et un couple de 130 lb/pi. Entièrement réalisé en aluminium (même le couvercle de soupapes) il est alimenté par une injection électronique séquentielle gérée par le micro-processeur Ford EEC-IV. Le V6, appelé Duratec, est un 2.5L à 60º qui est compact et léger qui possède lui aussi deux arbres à cames par rangée de cylindres et 4 soupapes par cylindre. Il produit une puissance de 170 ch et un couple de 165 lb/pi. Il dérive du V8 modulaire installé dans le coupé Mark VIII. Comme le Zetec, le Duratec utilise un carter d'huile en aluminium nervuré qui consolide le bloc-moteur et réduit la propagation des bruits.

Transmission

Si la boîte manuelle à 5 vitesses MTX75 est conventionnelle, l'automatique à quatre rapports CD4E est remarquable par son format compact, sa gestion électronique intégrée et son faible cœfficient de friction. Les Ford Mondeo, Probe, les Mazda 626 et MX-6 en sont déjà équipées.

CONCLUSION

En investissant 8.5 milliards de dollars canadiens dans le développement de ces voitures, Ford vient de prendre le plus important pari de son histoire récente. Souhaitons qu'il le gagne...

(Voir l'essai, les performances et les caractéristiques p.156-157)

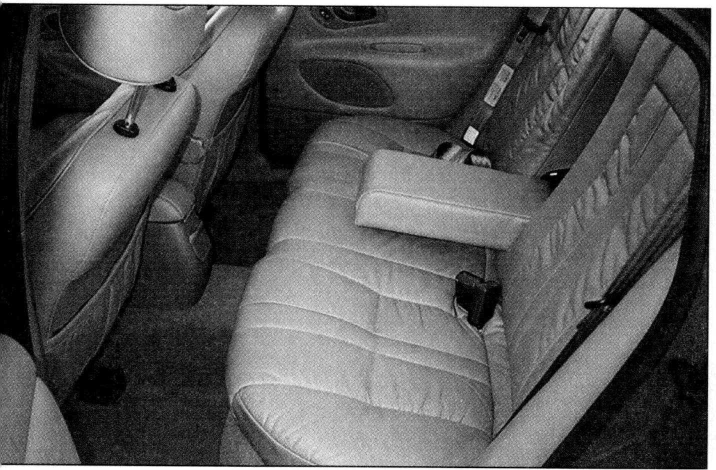

OLDSMOBILE Aurora
Un profond changement de culture..?

La suspension avant dérive de l'épure de McPherson. Elle comporte de nombreuses bagues de caoutchouc visant à isoler le train avant des bruits et vibrations en provenance des roues.

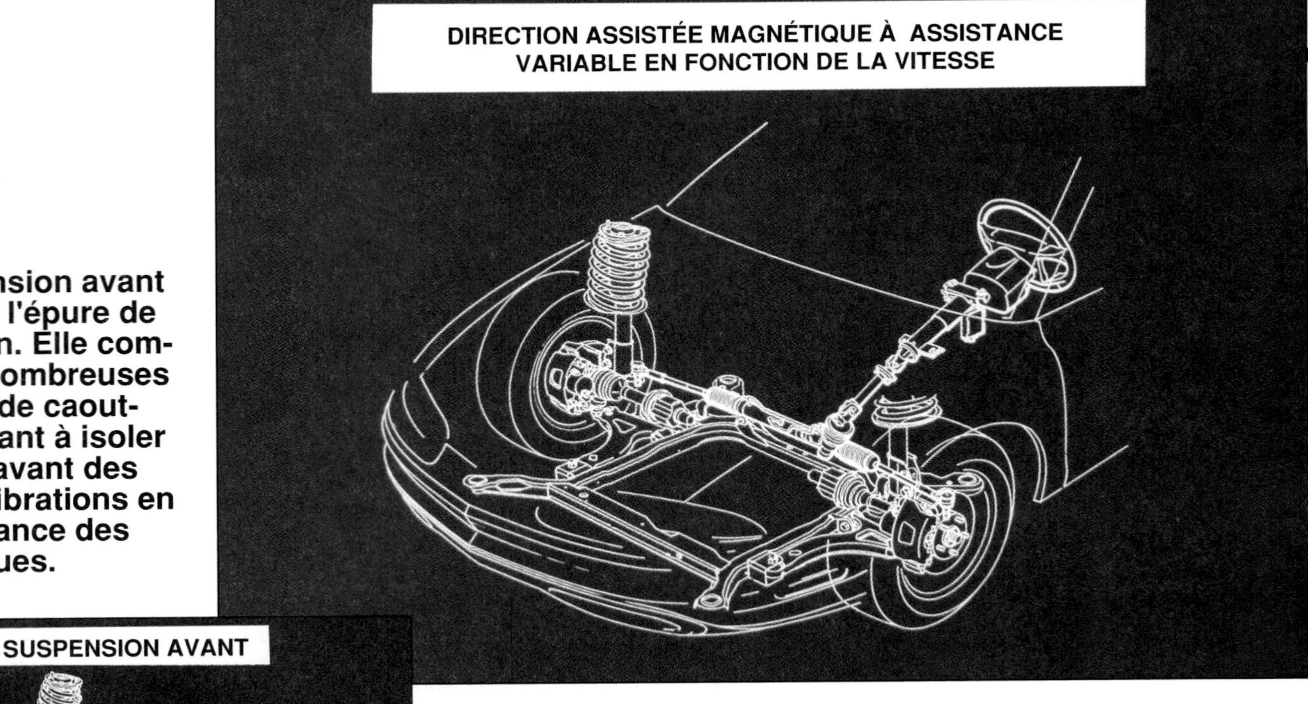

DIRECTION ASSISTÉE MAGNÉTIQUE À ASSISTANCE VARIABLE EN FONCTION DE LA VITESSE

SUSPENSION AVANT

L'assistance hydraulique de la direction à crémaillère varie en fonction de la vitesse, grâce à un dispositif magnétique qui, en contrôlant la valve de la pompe, augmente ou diminue la pression du fluide.

LES PERFORMANCES DE L'OLDSMOBILE Aurora FACE À CELLES DE SES RIVALES

	MOTEURS				TRANSMISSION			PERFORMANCES									
Modèles/ versions *: de série	Type / distribution soupapes / carburation	Cylindrée cc	Puissance ch @ tr/mn	Couple lb.pi @ tr/mn	Rapport volumét.	Roues motrices / transmissions	Rapport de pont	Accélér. 0-100 km/h s	400 m D.A. s	1000 m D.A. s	Freinage 100-0 km/h m	Vites. maxi. km/h	Accélér. latérale G	Niveau sonore dBA	Consommation moyenne l./100km		Carburant Octane
OLDSMOBILE Aurora																	
base	V8* 4.0 DACT-32-IES	3995	250 @ 5600	260 @ 4400	10.3 :1	avant - A4	3.48	9.5	16.7	30.6	48	215	0.80	65	14.3	8.7	M 89
ACURA																	
Legend LS	V6* 3.2 SACT-24-IEP	3206	200 @ 5500	210 @ 4500	9.6 :1	avant - A4*	4.37	9.0	16.7	30.2	44	200	0.80	67	12.6	8.9	S 91
Legend GS	V6* 3.2 SACT-24-IEP	3206	230 @ 6200	206 @ 5000	9.6 :1	avant - A4	4.787	8.5	16.2	29.5	45	200	0.85	66	13.0	9.3	S 91
AUDI																	
A6	V6*2.8 SACT-12-IE	2771	172 @ 5500	184 @ 3000	10.3 :1	avant - A4*	4.00	11.0	17.2	30.0	45	210*	0.78	65	12.7	9.0	S 91
S6	L5* 2.2 T SACT-10-IE	2226	227 @ 5900	258 @ 1950	9.3 :1	quatre -M5*	4.11	7.0	14.7	27.8	35	210*	0.85	66	13.3	9.3	S 91
BMW																	
525i/i	L6* 2.5 DACT-24-IE	2494	189 @ 5900	184 @ 4200	10.5 :1	arrière - M5*	3.23	9.0	16.8	28.8	34	206*	0.80	67	12.2	7.8	M 89
						arrière - A4	4.10	9.8	17.4	29.5	35	206*	0.80	67	12.7	8.5	M 89
540i	V8* 4.0 DACT-32-IE	3982	282 @ 5800	295 @ 4500	10.0 :1	arrière - M6	2.93	7.3	15.5	28.4	38	206*	0.85	66	14.8	9.5	S 91
CADILLAC																	
Concours	V8* 4.6 DACT-32-IE	4565	275 @ 5600	300 @ 4000	10.3 :1	avant - A4*	3.11	8.4	16.0	8.5	42	200	0.75	65	14.4	8.7	R 87
De Ville	V8* 4.9 ACC-16-ISPM	4893	200 @ 4100	275 @ 3000	9.5 :1	avant - A4*	2.73	9.5	16.3	30.0	48	180	0.76	64	14.8	8.3	R 87
INFINITI																	
J30	V6* 3.0 ACT-24-IESPM	2960	210 @ 6400	193 @ 4800	10.5 :1	arrière - A4*	3.917	8.7	16.3	29.5	42	210	0.78	65	12.9	9.3	M 89
J30t	V6* 3.0 ACT-24-IESPM	2960	210 @ 6400	193 @ 4800	10.5 :1	arrière - A4*	3.917	8.7	16.3	29.5	42	210	0.80	65	12.9	9.3	M 89
Q45	V8* 4.5 DACT-32-ISPM	4494	278 @ 6000	292 @ 4000	10.2 :1	arrière - A4*	3.538	7.5	15.0	25.5	40	240	0.79	65	13.9	9.8	M 89
LEXUS																	
GS300	L6* 3.0 DACT-24-IEPM	2997	220 @ 5800	210 @ 4800	10.0 :1	arrière - A4	4.083	9.7	17.7	31.7	38	220	0.80	65	13.5	9.4	M 89
LS 400	V8* 4.0 DACT-32-IE	3969	260 @ 5300	270 @ 4500	10.4 :1	arrière - A4*	3.615	8.5	16.5	29.0	37	220	0.78	65	12.8	9.1	S 91
LINCOLN																	
Continental	V6* 3.8 ACC-12-IESPM	3802	160 @ 4400	225 @ 3000	9.0 :1	avant - A4*	3.37	10.0	16.7	30.8	47	185	0.75	66	133	8.2	R87
MAZDA																	
Millenia	V6*2.5 DACT-24-IEPM	2497	170 @ 5800	160 @ 4800	9.2: 1	avant - A4	4.176	9.3	16.7	29.8	45	200	0.80	65	12.2	8.3	S 91
Millenia S	V6*2.3 DACT-24-IEPM	2255	210 2 5300	210 @ 3500	8.0: 1	avant - A4	3.805	8.2	16.1	28.7	41	220	0.80	67	12.2	8.0	S 91
MERCEDES BENZ																	
C280	L6* 2.8 DACT-24-IE	2799	158 @ 5800	162 @ 4600	10.0 :1	arrière - A4	2.87	9.0	16.4	29.3	40	230	0.80	64	12.0	8.5	M 89
E420	V8*4.2 DACT-32-IEM	4196	275 @ 5700	400 @ 3900	11.0 :1	arrière - A4*	2.65	7.5	15.4	27.8	41	240	0.83	66	13.5		
MITSUBISHI																	
Diamante ES	V6*3.0 SACT-12-IEPM	2972	175 @ 5500	185 @ 3000	10.0 :1	avant - A4*	3.958	10.6	17.8	30.5	44	190	0.72	65	13.2	9.5	R 87
Diamante LS	V6*3.0 DACT-24-IEPM	2972	202 @ 6000	201 @ 3000	10.0 :1	avant - A4*	3.958	9.2	17.0	29.8	46	210	0.74	65	13.2	9.9	M 89
SAAB																	
9000	L4* 2.3 DACT-16-IE	2290	150 @ 5500	156 @ 3800	10.1:1	avant - M5*	4.45	8.5	16.0	31.6	37	200	0.78	66	12.8	8.0	R 87
						avant - A4	4.28	9.8	16.9	32.0	39	190	0.78	66	13.8	8.1	R 87
9000Tbo	L4* 2.3T DACT-16-IE	2290	200 @ 5000	243 @ 2000	8.5:1	avant - M5*	4.45	7.8	15.0	28.4	36	220	0.82	67	12.4	7.8	R 87
				221 @ 2000	8.5:1	avant - A4	4.28	8.3	15.9	29.1	38	200	0.80	67	13.8	8.6	R 87
option	V6 3.0 ACC-16-IE	2962	210 @ 6200	200 @ 3300	10.8:1	avant - A4	ND										
VOLVO																	
960	L6* 3.0 DACT-24-IE	2922	181 @ 5200	199 @ 4100	10.7 :1	arrière - A4*	3.73	9.0	17.2	30.0	37	200	0.78	66	13.8	8.6	R 87

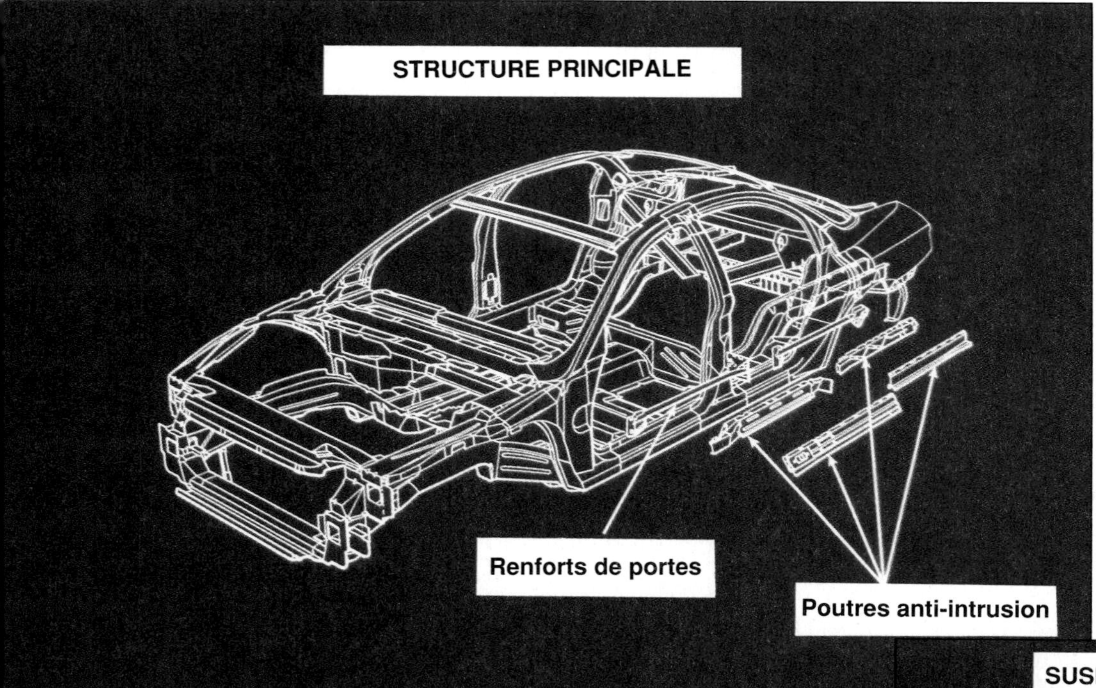

La suspension arrière à bras semi-tirés satisfai tant le confort que le comportement. Elle comprend des amortisseurs pneumatiques qui permettent de maintenir constante l'assiette du véhicule.

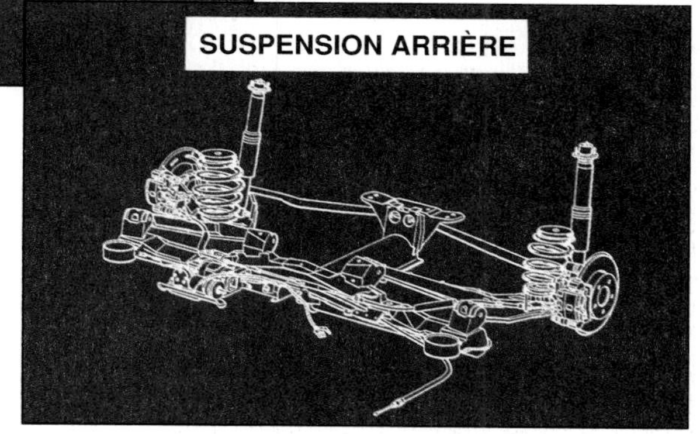

La coque de l'Aurora est extrêmement rigide grâce aux nombreux renforts disposés sur son pourtour qui protégent efficacement les occupants contre les collisions et permettent un comportement plus rigoureux et une bonne isolation des bruits et vibrations.

LES CARACTÉRISTIQUES DE L'OLDSMOBILE Aurora FACE À CELLES DE SES RIVALES

Modèles	Versions	Carrosseries/ Sièges	Volume cabine dm^3	Volume coffre dm^3	Cx	Empat. mm	Long x larg x haut. mm x mm x mm	Poids à vide kg	Poids Remorque max. kg	Susp. av/ar	Freins av/ar	Direction type	Diamètre braquage b à b. m	Tours volant	Réser. essence l.	Pneus d'origine	Mécaniques d'origine	PRIX $ CDN. 1994
OLDSMOBILE		**Garantie générale: 3 ans / 60 000 km; antipollution: 5 ans / 80 000km; perforation corrosion: 6 ans / 160 000 km.**																
Aurora	base	ber.4 p. 5	2896	456	0.32	2891	5217x1890x1407	1799	907	i/i	d/d/ABS	crém.ass.	12.5	3.1	75.7	235/60R16	V8/4.0/A4	**39 998**
ACURA		**Garantie générale: 4 ans / 80 000 km: mécanique: 5 ans / 100 000 km; corrosion de surface: 5 ans/ kilométrage illimité.**																
Legend	LS	ber.4p. 5	2647	419	0.34	2910	4950x1810x1400	-	907	i/i	d/d/ABS	crém.ass.	10.6	3.64	68.0	205/60R15	V6/3.2/A4	**51 400**
Legend	GS	ber.4p. 5	2647	419	0.34	2910	4950x1810x1400	-	907	i/i	d/d/ABS	crém.ass.	11.2	3.64	68.0	215/55VR16	V6/3.2/A4	**-**
AUDI		**Garantie générale: 4 ans / 100 000 km; système antipollution: 6 ans / kilométrage illimitée; perforation corrosion: 10 ans.**																
A6	CS	ber. 4p.5	2718	510	0.29	2687	4892x1777x1430	1535	-	i/i	d/ABS	crém.ass.	10.6	3.1	80	195/65HR15	V6/2.8/A4	**48 250**
S6	S6	ber. 4p.5	2718	510	0.29	2692	4892x1804x1435	1715	NR	i/i	d/ABS	crém.ass.	10.6	3.1	80	225/50ZR16	L5T/2.2/M5	**58 900**
BMW		**Garantie générale: 4 ans/ 80 000 km; corrosion: 6 ans / kilométrage illimité.**																
525	i/iA	ber. 4p. 5	2577	460	0.33	2761	4720x1751x1412	1580	460	i/i	d/d/ABS	bil.ass.	11.0	3.5	81.0	205/65HR15	L6/2.5/M5	**51 000**
540	i/iA	ber. 4p. 5	2577	460	0.33	2761	4720x1751x1412	1725	460	i/i	d/dABS	bil.ass.	11.0	3.5	81.0	225/60HR15	V8/4.0/A5	**64 900**
CADILLAC		**Garantie générale: 4 ans / 80 000 km; antipollution: 5 ans / 80 000km; perforation corrosion: 6 ans / 160 000km.**																
De Ville	Sedan	ber. 4 p.6	3327	566	0.35	2890	5326x1946x1431	1704	454	i/i	d/d/ABS	crém.ass.	12.4	2.97	75.7	215/70R15	V8/4.9/A4	**42 388**
De Ville	Concours	ber. 4 p.6	3327	566	0.35	2890	5326x1946x1431	1807	454	i/i	d/d/ABS	crém.ass.	12.4	2.97	75.7	225/60HR16	V8/4.6/A4	**49 898**
INFINITI		**Garantie: générale 4 ans / 100 000 km. Mécanique: 6 ans / 100 000 km; corrosion perforation:7 ans / kilométrage illimité .**																
J30	base	ber. 4p. 4	2449	286	0.35	2761	4859x1770x1389	1600	907	i/i	d/d/ABS	crém.ass.	11.0	2.93	72	215/60R15	V6/3.0/A4	**45 000**
J30	t	ber. 4p. 4	2449	286	0.34	2761	4859x1770x1389	1623	907	i/i	d/d/ABS	crém.ass.	11.0	2.93	72	215/60R15	V6/3.0/A4	**48 000**
Q45	base	ber. 4 p. 5	2718	411	0.30	2875	5075x1825x1430	1832	907	i/i	d/d/ABS	crém.ass.	11.4	2.6	85.2	215/65VR15	V8/4.5/A4	**72 000**
Q45	t	ber. 4 p. 5	2718	411	0.30	2875	5075x1825x1430	1852	907	i/i	d/d/ABS	crém.ass.	11.4	2.6	85.2	215/65VR15	V8/4.5/A4	**ND**
LEXUS		**Garantie générale: 4 ans / 80 000 km; mécanique: 6 ans / 110 000 km; corrosion perforation: 6 ans / kilométrage illimité & assistance routière.**																
GS300		ber. 4p. 4/5	2947	368	0.31	2780	4950x1795x1400	1660	907	i/i	d/d/ABS	crém.ass.	11.0	3.23	80.0	215/60VR16	L6/3.0/A4	**57 800**
LS400		ber. 4 p.5	2746	394	0.28	2850	4995x1830x1420	1675	907	i/i	d/d/ABS	crém.ass.	10.6	3.46	85.0	225/60VR16	V8/4.0/A4	**71 100**
LINCOLN		**Garantie générale: 3 ans / 80 000 km; corrosion perforation: 6 ans / 160 000 km.**																
Continental	Executive	ber.4 p.6	2945	538	0.34	2769	5210x1836x1407	1622	454	i/i	d/d/ABS	crém.ass.	11.7	2.84	69.6	205/70R15	V6/3.8/A4	**40 795**
Continental	Signature	ber.4 p.6	2945	538	0.34	2769	5210x1836x1407	1643	454	i/i	d/d/ABS	crém.ass.	11.7	2.84	69.6	205/70R15	V6/3.8/A4	**43 495**
MAZDA		**Garantie générale: 3 ans / 80 000 km; mécanique: 5 ans / 100 000 km; corrosion perforation: 5 ans / kilométrage illimité.**																
Millenia	base tissu	ber. 4 p. 5	2662	377	0.29	2750	4820x1770x1395	1459	NR	i/i	d/d/ABS	crém.ass.	11.4	2.9	68	205/65R15	V6/2.5/A4	**35 000**
Millenia	base cuir	ber. 4 p. 5	2662	377	0.29	2750	4820x1770x1395	1466	NR	i/i	d/d/ABS	crém.ass.	11.4	2.9	68	205/65R15	V6/2.5/A4	**38 000**
Millenia	S	ber. 4 p. 5	2662	377	0.29	2750	4820x1770x1395	1538	NR	i/i	d/d/ABS	crém.ass.	11.4	2.9	68	215/55R16	V6/2.3/A4	**40 000**
MERCEDES-BENZ		**Garantie totale: 4 ans / 80 000 km.**																
C 280		ber.4 p.5	2400	430	0.32	2690	4505x1720x1424	1493	454	i/i	d/d/ABS	bil.ass.	10.7	3.5	62.0	195/65R15	L6/2.8/A4	**47 650**
E420	Essence	ber.4 p.5	2633	414	0.31	2800	4755x1740x1431	1700	907	i/i	d/d/ABS	bil.ass.	11.3	3.1	70.0	195/65R15	V8/4.2/A4	**71 550**
MITSUBISHI		**Non commercialisée au Canada.**																
Diamante	LS	ber.4p. 4/5	2664	385	0.30	2720	4830x1775x1337	1635	454	i/i	d/d/ABS	crém.ass.	11.2	3.15	72.0	205/65R15	V6/3.0/A4	**ND**
SAAB		**Garantie générale: 3 ans / 60 000 km; mécanique 6 ans / 120 000 km; corrosion perforation: 6 ans / 160 000 km.**																
9000	CS	ber. 5 p.5	2916	510	0.36	2672	4761x1764x1420	1410	907	i/r	d/d/ABS	crém.ass.	10.9	3.0	66.0	195/65TR15	L4/2.3/M5	**32 095**
9000	CSE	ber. 5 p.5	2916	679	0.34	2672	4661x1764x1420	1460	907	i/r	d/d/ABS	crém.ass.	10.9	3.0	66.0	205/60ZR15	L4T/2.3/M5	**46 145**
9000	CDE	ber. 4 p.5	2916	679	0.34	2672	4780x1764x1420	1440	NR	i/r	d/d/ABS	crém.ass.	10.9	3.0	66.0	195/65VR15	L4T/2.3/M5	**45 995**
VOLVO		**Garantie générale: 4 ans / 80 000 km; corrosion: 8 ans / kilométrage illimité; antipollution: 5 ans / 80 000 km.**																
964	SE	ber.4 p.5	2662	470	0.35	2770	4872x1750x1438	1597	907	i/i	d/d/ABS	crém.ass.	9.7	3.5	80.0	205/55VR16	L6/3.0/A4	**40 995**

L'industrie n'en est pas encore revenue. Un an après le dévoilement de l'Aurora, tout le monde se demande encore si cette voiture est un accident de parcours ou si elle annonce le profond changement de culture dont General Motors a le plus grand besoin.
Il semble qu'Oldsmobile ait hérité ce modèpar hasard et qu'il aurait pu, avec un égal bonheur, être vendu par Buick ou même Chevrolet.

SITUATION

Intention

Dans le milieu des années 80, des études de marché faites par GM et Oldsmobile révélèrent qu'un des segments qui était appelé à prendre le plus d'expansion (75%) lors de la dernière décennie du vingtième siècle s'adressait à des acheteurs gagnant environ 75 000 dollars par année. D'ailleurs c'est aussi dans ce secteur que l'immobilier doit connaître sa plus forte hausse.

Objectifs

Les principaux objectifs furent finalement simples et clairs. Il fallait construire une voiture de classe mondiale, aussi fiable et durable que sa compétition, possédant une apparence très distinctive, une marque prestigieuse, capable de répondre aux besoins de cette clientèle très exigeante et finalement mettre l'emphase sur les besoins du conducteur, la sécurité des occupants, un ratio prix/valeur exceptionnel et une excellente valeur de revente. Durant le stage de la définition du nouveau véhicule, vingt cliniques d'évaluation par le public ont permis à 4 000 personnes de donner leur avis sur le projet. L'idée maîtresse derrière de l'Aurora était d'offrir véritablement aux client ciblés la voiture qu'ils désiraien

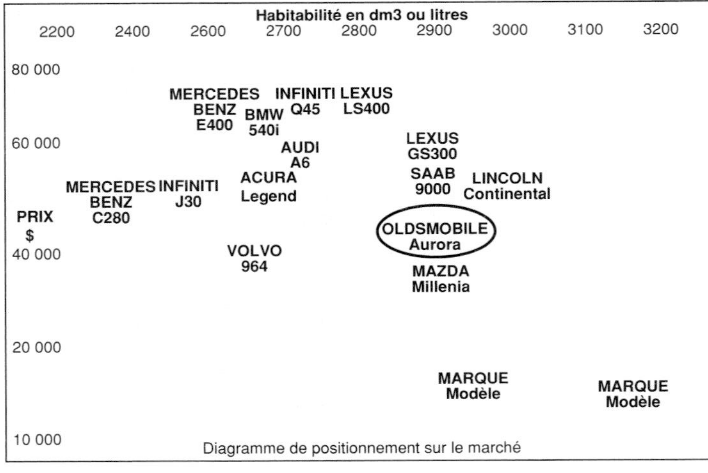

Diagramme de positionnement sur le marché

CONCEPTION

Carrosserie

C'est l'équipe d'ingénierie et d fabrication de Cadillac installée Flint dans le Michigan, qui fu chargée du développement d nouveau modèle.

Châssis

Dès le départ, l'idée de faire u véhicule de qualité dans cett catégorie où évoluent des com pétiteurs réputés de longue dat tels Mercedes et Lexus, oblige les concepteurs de l'Aurora à s'al gner sur leurs caractéristiques Ainsi la vibration naturelle d châssis chez ces constructeur est de 20 Hz (Hertz ou cycle pa seconde) et l'objectif fut fixé à 2 Hz afin d'améliorer cette marque Le véritable père de l'Aurora s'ap pelle Roger Masch. Il fut le ch

l'orchestre et le responsable de ous les aspect de la mise au oint de cette voiture maintenant abriquée à l'usine d'Orion à Pon- iac, Michigan.
Ceux qui ont dessiné l'Aurora ont oulu lui donner cette forme de uselage tubulaire qui offre l'im- ression d'une construction mas- ivement robuste, mais aussi très rofilée pour accomplir sa fonc- on. Il est amusant de savoir que une des voitures étudiées pour es qualités fut la Porsche 928. Chez Oldsmobile il fallait briser la radition. C'est pourquoi les par- es chromées furent réduites au ninimum et on évita les attributs raditionnels de cette marque omme la grille de calandre genre oîte à œufs. À l'intérieur, il fallait ue l'ergonomie du pilote soit arfaite, donc traiter le tableau e bord en véritable centre d'informations. Les sièges devaient être de la classe de ceux de la compétition que ce soit pour leur fonctionnalité ou pour leur apparence qui est cruciale dans ce segment. Enfin le niveau d'équipement devait comporter tous les asservissements usuels et quelques gadgets intéressants. Ainsi le rétroviseur intérieur passant automatiquement à la position nuit fut conservé, de même que l'accoudoir central arrière incluant un coffret et deux porte-gobelets. Comme sur les autres voitures de cette classe, les rétroviseurs extérieur sont chauffants, la climatisation fonctionne sur deux zones et des placages de bois véritable complètent la sellerie de cuir de belle apparence et de bonne qualité.

Moteur

L'Aurora et équipée d'un V8 de 4.0L qui dérive du fameux Northstar. Sa cylindrée fut déterminée pour procurer le meilleur rapport entre la puissance, le couple et l'économie. Il produit une puissance de 250 ch et un couple de 260 lb/pi, tandis que sa consommation moyenne s'établit autour de 13 l/100km soit celle de nombreux 6 cylindres concurrents.

Transmission

L'Aurora est une traction dont la boîte de vitesses automatique comporte 4 rapports à gestion électronique de concert avec celle du moteur.

Suspension

Elle est indépendante aux quatre roues, basée sur le principe de McPherson à l'avant et à bras tirés à l'arrière dont les amortisseurs assurent la mise à niveau automatique. Ce type de suspension permet de contrôler la plongée autant que le cabrage et maintient l'assiette stable durant les freinages d'urgence.

Direction

L'assistance hydraulique de la direction à crémaillère varie en fonction de la vitesse, grâce à un dispositif magnétique qui, en contrôlant la valve de la pompe, augmente ou diminue la pression du fluide dans le système.

Freins

L'Aurora est pourvue de quatre disques contrôlés par un dispositif antiblocage qui agit aussi comme contrôleur de traction lorsque l'adhérence des roues motrices devient précaire.

PARTICULARITÉS

Ce qui est vraiment particulier à l'Aurora c'est son prix, très compétitif pour une voiture de son calibre, équipée d'un moteur V8. La plupart de ses concurrentes ont un volume intérieur plus modeste et un six cylindres en ligne ou en V, et sont souvent plus chères que l'Aurora.

Ses concurrentes directes vont de l'Acura Legend à la Chrysler LHS, en passant par la BMW 540i la Mercedes Benz de classe C et la Lexus GS300. Quand on compare l'Aurora à des produits techniquement équivalents comme l'Audi A8, la Lexus LS400, l'Infiniti Q45 et la Mercedes 400E son prix se situe à pratiquement la moitié de celui de ses rivales.

CONCLUSION

Si la qualité et la fiabilité sont au rendez-vous avec l'Aurora, nous pourrons affirmer que quelque chose a véritablement changé chez General Motors, en espérant que cette nouvelle politique s'appliquera à tous les modèles du premier constructeur mondial.
(Voir l'essai, les performances et les caractéristiques p.190-191)

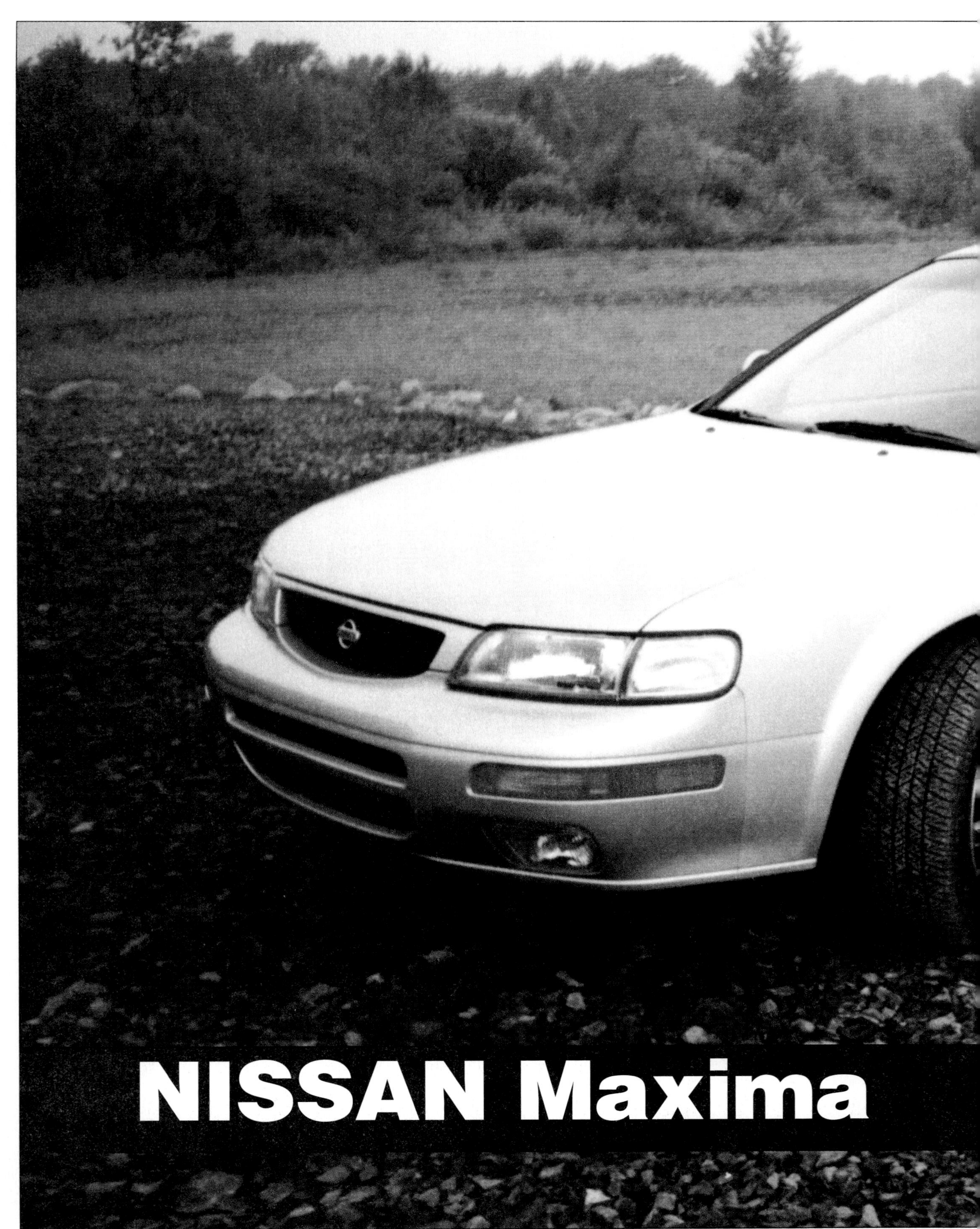

NISSAN Maxima

La meilleure recrue de l'année...

L'un des secrets du moteur de la Maxima réside dans l'entraînement des arbres à cames de la distribution. Dans le but d'obtenir une structure compacte et de réduire les vibrations et les bruits, il n'y a plus de pignons de renvoi intermédiaire, et les chaînes primaires comme secondaires sont simples et renforcées, ce qui permet aussi de diminuer la hauteur du moteur.

Le moteur de la Maxima est l'un des meilleurs de sa génération dans cette cylindrée. Il développe une puissance de 190 ch et un couple de 205 lb/pi. Sa consommation s'est améliorée de 10%, ses dimensions de 17%, son poids de 20% et il comporte 10% de pièces en moins. Nombre de ses composants ne demande aucun entretien et il est pratiquement recyclable à 100%.

LES PERFORMANCES DE LA NISSAN Maxima FACE À CELLES DE SES RIVALES

	MOTEURS					TRANSMISSION		PERFORMANCES								
Modèles/ versions *: de série	Type / distribution soupapes / carburation	Cylindrée cc	Puissance ch @ tr/mn	Couple lb.pi @ tr/mn	Rapport volumét.	Roues motrices / transmissions	Rapport de pont	Accélér. 0-100 km/h s	400 m D.A. s	1000 m D.A. s	Freinage 100-0 km/h m	Vites. maxi. km/h	Accélér. latérale G	Niveau sonore dBA	Consommation moyenne l./100km	Carbura Octane
NISSAN Maxima																
base	V6* 3.0 DACT-24-IESPM	2988	190 @ 5600	205 @ 4000	10.0 :1	avant - M5*	3.823	7.0	14.8	27.6	42	220	0.83	66	10.8	8.0	S 91
						avant - A4	3.619	7.7	15.4	28.5	45	210	0.83	66	11.4	7.8	S 91
ACURA Vigor																
base	L5 2.5 SACT-20 IEP	2451	176 @ 6300	170 @ 3900	9.0 :1	avant-M5	4.492	8.0	16.0	29.6	40	200	0.77	66	11.6	8.1	R 87
						avant-A4	4.480	8.6	16.5	30.1	38	190	0.77	66	11.8	8.4	R 87
AUDI A4																
A4 S	V6* 2.8 SACT-12-IE	2771	172 @ 5500	184 @ 3000	10.3 :1	avant - A4*	4.00	9.5	17.7	30.5	42	210	0.76	66	13.3	8.3	S 91
A4 Quattro	V6* 2.8 SACT-12-IE	2771	172 @ 5500	184 @ 3000	10.3 :1	toutes - A4*	4.29	9.7	18.0	31.0	44	210	0.76	66	12.7	9.0	S 91
A4 Sport	V6* 2.8 SACT-12-IE	2771	172 @ 5500	184 @ 3000	10.3 :1	toutes - M5*	3.89	8.5	16.5	29.8	40	210	0.79	66	12.7	9.0	S 91
HONDA Accord																
EX-LX	L4* 2.2 SAC T-16-IPM	2156	130 @ 5300	139 @ 4200	8.8 :1	avant - M5*	4.062	9.0	16.8	29.2	39	210	0.78	65	9.5	6.9	R 87
						avant - A4	4.133	10.2	17.6	30.8	41	200	0.78	65	10.4	7.3	R 87
EX-R	L4* 2.2 SACT-16-IPM	2156	145 @ 5600	147 @ 4500	8.8 :1	avant - M5	4.062	8.5	15.8	28.0	37	220	0.80	64	9.6	7.0	R 87
						avant - A4*	4.133	9.5e	16.5	31.0	38	210	0.80	64	10.4	7.3	R 87
LEXUS ES300																
base	V6*3.0 DACT-24-IEPM	2995	188 @ 5200	203 @ 4400	10.5:1	avant - A4	3.72	9.2	16.2	29.3	38	210	0.80	64	13.1	9.3	R 87
MAZDA Millenia																
base	V6*2.5 DACT-24-IEPM	2497	170 @ 5800	160 @ 4800	9.2: 1	avant- A4	4.176	9.3	16.7	29.8	45	200	0.80	65	12.2	8.3	S 91
S	V6*2.3 DACT-24-IEPM	2255	210 2 5300	210 @ 3500	8.0: 1	avant - A4	3.805	8.2	16.1	28.7	41	220	0.80	67	12.2	8.0	S 91
MITSUBISHI Diamante																
ES	V6*3.0 SACT-12-IEPM	2972	175 @ 5500	185 @ 3000	10.0 :1	avant - A4*	3.958	10.6	17.8	30.5	44	190	0.72	65	13.2	9.5	R 87
LS	V6*3.0 DACT-24-IEPM	2972	202 @ 6000	201 @ 3000	10.0 :1	avant - A4*	3.958	9.2	17.0	29.8	46	210	0.74	65	13.2	9.9	M 89
SAAB 900																
SE	V6 2.5 DACT-24-IE	2498	170 @ 5900	167 @ 4200	10.8 :1	avant - M5*	4.45	8.5	16.2	29.0	38	220	0.82	67	12.8	8.6	R 87
TOYOTA Avalon																
base	V6 3.0 DACT-24-IEPM	2995	192 @ 5200	210 @ 4400	10.5 :1	avant - A4	3.625	8.7	16.8	29.0	38	200	0.80	64	11.8	7.6	M 89
base	L4*2.2 DACT-16-IEPM	2164	125 @ 5400	145 @ 4400	9.5 :1	avant - M5	3.94	11.0	18.2	32.3	42	175	0.78	67	10.4	6.9	R 87
						avant - A4	3.73	11.8	18.6	32.8	44	170	0.78	67	11.3	7.9	R 87
V6	V6 3.0 DACT-24-IEPM	2995	188 @ 5200	203 @ 4400	9.6 :1	avant - A4	3.42	9.5	17.6	29.8	45	190	0.80	66	11.8	7.6	M 8
VOLVO 850																
Turbo	L5T* 2.3 DACT-20-IEPM	2319	222 @ 5200	221 @2100	8.5 :1	avant - M5	2.54	7.6	15.6	28.7	40	235	0.80	68	12.1	8.2	M 89
960	L6* 3.0 DACT-24-IE	2922	181 @ 5200	199 @ 4100	10.7 :1	arrière - A4*	3.73	9.0	17.2	30.0	37	200	0.78	66	13.8	8.6	R 87

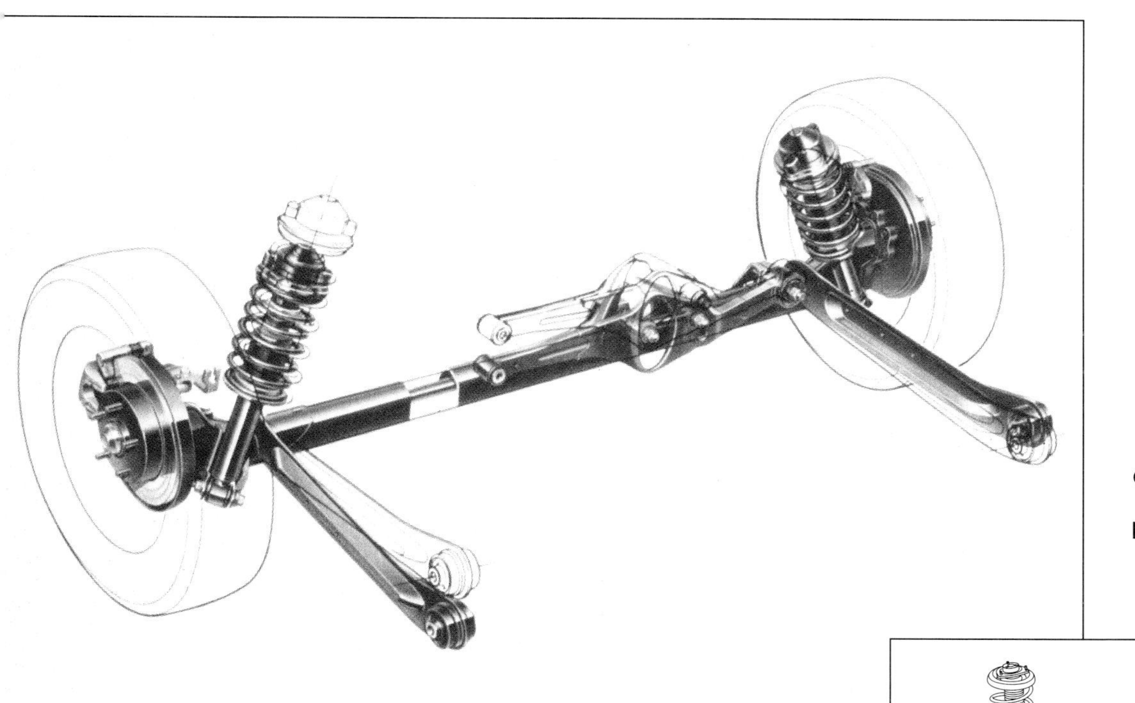

La suspension avant (ci-dessous) reprend le schéma de celle de l'Infiniti J30 avec un montage souple de la traverse principale qui élimine les vibrations et améliore le confort. La géométrie antiplongée et anticabrage améliore aussi la stabilité directionnelle.

La suspension arrière dite Multilink (ci-dessus) est basée sur le principe de l'essieu de torsion de Scott-Russell, qui est celui convenant le mieux à des voitures tractées. Les bras transversaux y ajoutent un meilleur contrôle de la tenue latérale. Les amortisseurs concourent eux aussi au maintien de l'essieu en éliminant l'effet de carrossage des roues qui a pour effet de remonter la carrosserie, des premiers essieux de torsion.

(Voir le comparatif p. 94)

LES CARACTÉRISTIQUES DE LA NISSAN Maxima FACE À CELLES DE SES RIVALES

lodèles	Versions	Carrosseries/ Sièges	Volume cabine dm³	Volume coffre dm³	Cx	Empat. mm	Long x larg x haut. mm x mm x mm	Poids à vide kg	Poids Remorque max. kg	Susp. av/ar	Freins av/ar	Direction type m	Diamètre braquage b à b.	Tours volant l.	Réser. essence	Pneus d'origine	Mécaniques d'origine	PRIX $ CDN. 1994
IISSAN		**Garantie générale: 3 ans / 80 000 km; mécanique: 6 ans / 100 000 km; perforation corrosion & antipollution: 6 ans / kilométrage illimité.**																
laxima	GXE	ber. 4 p.5	2820	411	0.32	2700	4768x1770x1422	1369	454	i/i	d/d	crém.ass.	10.6	2.9	70.0	205/65R15	V6/3.0/M5	**25 490**
laxima	SE	ber. 4 p.5	2820	411	0.32	2700	4768x1770x1422	1384	454	i/i	d/d	crém.ass.	10.6	2.9	70.0	215/65R15	V6/3.0/M5	**27 890**
laxima	SE	ber. 4 p.5	2820	411	0.32	2700	4768x1770x1422	1412	454	i/i	d/d	crém.ass.	10.6	2.9	70.0	215/65R15	V6/3.0/A4	**28 990**
laxima	GLE	ber. 4 p.5	2820	411	0.32	2700	4768x1770x1422	1403	454	i/i	d/d/ABS	crém.ass.	10.6	2.9	70.0	205/65R15	V6/3.0/A4	**29 990**
ACURA		**Garantie générale: 4 ans / 80 000 km: mécanique: 5 ans / 100 000 km; corrosion de surface: 5 ans/ kilométrage illimité.**																
/igor	LS	ber. 4 p. 5	2472	402	0.37	2805	4835x1780x1320	1370		i/i	d/dABS	crém. ass.	11.0	3.5	65.0	205/60HR15	L5/2.5/M5	**28 450**
/igor	GS	ber. 4 p. 5	2423	402	0.37	2805	4835x1780x1320	1370		i/i	d/dABS	crém. ass.	11.0	3.5	65.0	205/60HR15	L5/2.5/M5	**33 400**
AUDI		**Garantie générale: 4 ans / 100 000 km; système antipollution: 6 ans / kilométrage illimitée; perforation corrosion: 10 ans.**																
A4	S	ber.4p. 4/5	2435	400	0.30	2612	4605x1695x1410	1405	454	i/i	d/ABS	crém.ass.	11.2	3.11	66.0	195/65HR15	V6/2.8/A4	**30 000**
A4	CS	ber.4p. 4/5	2435	400	0.30	2612	4605x1695x1410	1565	454	i/i	d/ABS	crém.ass.	11.1	3.11	66.0	195/65HR15	V6/2.8/A4	**35 200**
A4	Quattro Sport	ber.4p. 4/5	2435	400	0.30	2612	4605x1695x1410	1495	454	i/i	d/ABS	crém.ass.	11.1	3.11	66.0	205/60VR15	V6/2.8/M5	**34 100**
HONDA		**Garantie générale: 3 ans / 60 000 km; mécanique: 5 ans / 100 000 km.**																
Accord	LX	ber. 4 p.5	2682	368	0.33	2715	4675x1780x1400	1275	907	i/i	d/t	crém.ass.	11.0	3.11	64.5	185/70R14	L4/2.2/M5	**20 195**
Accord	EX	ber. 4 p.5	2682	368	0.33	2715	4675x1780x1400	1305	907	i/i	d/t	crém.ass.	11.0	3.11	64.5	185/70R14	L4/2.2/M5	**21 495**
Accord	EX-R	ber. 4 p.5	2682	368	0.33	2715	4675x1780x1400	1365	907	i/i	d/d/ABS	crém.ass.	11.0	3.11	64.5	195/60R15	L4/2.2/M5	**26 495**
LEXUS		**Garantie générale: 4 ans / 80 000 km; mécanique: 6 ans / 110 000 km; corrosion perforation: 6 ans / kilométrage illimité & assistance routière.**																
ES300	base	ber. 4p.5	2690	405	0.32	2620	4770x1778x1369	1530	907	i/i	dv/d/ABS	crém.ass.	11.2	2.7	70.0	205/65R15	V6/3.0/A4	**41 300**
MAZDA		**Garantie: 3 ans / 80 000 km; mécanique: 5 ans / 100 000 km; corrosion perforation: 5 ans / kilométrage illimité.**																
Millenia	base tissu	ber. 4 p. 5	2662	377	0.29	2750	4820x1770x1395	1459	NR	i/i	d/d/ABS	crém.ass.	11.4	2.9	68	205/65R15	V6/2.5/A4	**35 000**
Millenia	base cuir	ber. 4 p. 5	2662	377	0.29	2750	4820x1770x1395	1466	NR	i/i	d/d/ABS	crém.ass.	11.4	2.9	68	205/65R15	V6/2.5/A4	**38 000**
Millenia	S	ber. 4 p. 5	2662	377	0.29	2750	4820x1770x1395	1538	NR	i/i	d/d/ABS	crém.ass.	11.4	2.9	68	215/55R16	V6/2.3/A4	**40 000**
MITSUBISHI		**Non commercialisée au Canada.**																
Diamante	LS	ber.4p. 4/5	2664	385	0.30	2720	4830x1775x1337	1635	454	i/i	d/d/ABS	crém.ass.	11.2	3.15	72.0	205/65R15	V6/3.0/A4	**-**
SAAB		**Garantie: 3 ans / 60 000 km; mécanique: 6 ans / 120 000 km; corrosion perforation: 6 ans / 160 000 km.**																
900	SE	ber. 5p.5	2577	451	0.30	2600	4637x1711x1436	1420	1600	i/sr	d/d/ABS	crém.ass.	11.1	3.0	68.0	195/60R15	V6/2.5/M5	**36 695**
900	SE	ber. 5p.5	2577	451	0.30	2600	4637x1711x1436	1495	1600	i/sr	d/d/ABS	crém.ass.	11.1	3.0	68.0	195/60R15	V6/2.5/A4	**39 155**
TOYOTA		**Garantie générale: 3 ans / 60 000 km; mécanique: 5 ans / 100 000 km; corrosion: 5 ans / kilométrage illimité; sans aucun déductible ou frais de transfert.**																
Avalon	XL	ber.4 p.5/6	2987	436	0.31	2720	4831x1785x1424	1480	907	i/i	d/d	crém.ass.	11.46	ND	70.0	205/65R15	V6/3.0/A4	**-**
Avalon	XLS	ber.4 p.5/6	2987	436	0.31	2720	4831x1785x1424	1490	907	i/i	d/d/ABS	crém.ass.	11.46	ND	70.0	205/65R15	V6/3.0/A4	**-**
VOLVO		**Garantie générale: 4 ans / 80 000 km; corrosion: 8 ans / kilométrage illimité; antipollution: 5 ans / 80 000 km.**																
850	Turbo	ber. 4p. 5	2747	416	0.32	2664	4661x1760x1415	1487	454	i/si	d/d/ABS	crém.ass.	10.51	3.2	73.0	205/50ZR16	L5T/2.3/A4	**40 095**
964	SE	ber.4 p.5	2662	470	0.35	2770	4872x1750x1438	1597	907	i/i	d/d/ABS	crém.ass.	9.7	3.5	80.0	205/55VR16	L6/3.0/A4	**40 995**
TOYOTA		**Garantie générale: 3 ans / 60 000 km; mécanique 5 ans / 100 000 km; corrosion: 5 ans / kilométrage illimité; sans aucun déductible ou frais de transfert.**																
Camry	DX	ber.4 p.5	2755	419	0.32	2620	4770x1770x1400	1330	907	i/i	d/t	crém.ass.	10.8	3.06	70.0	195/70R14	L4/2.2/M5	**18 778**
Camry	LE	ber.4 p.5	2755	419	0.32	2620	4770x1770x1400	1400	907	i/i	d/t	crém.ass.	10.8	3.06	70.0	195/70R14	L4/2.2/A4	**23 058**
Camry	SE	ber.4 p.5	2755	419	0.33	2620	4770x1770x1400	1455	907	i/i	d/d/ABS	crém.ass.	11.2	2.98	70.0	205/60VR15	V6/3.0/A4	**24 398**

C'est Nissan qui en dévoilant sa première Maxima dans les années 80 a inventé le segment bas des voitures de luxe. C'était une propulsion qui se convertit à la traction en 1984. Depuis, ce modèle a connu un beau succès commercial et a ouvert le chemin à tout ce qui constitue aujourd'hui le haut de gamme des généralistes nippons. Elle en est maintenant à sa quatrième génération.

SITUATION

Intention

En renouvelant son modèle porte-drapeau Nissan voulait qu'il conserve les bases qui ont fait la renommée des Maxima. C'est-à-dire améliorer les performances dynamiques, mais aussi le confort et le côté pratique, tout en offrant à la clientèle trois versions orientées différemment, dont une à prix populaire, tout en possédant les mêmes qualités de performances ou de sécurité.

Objectifs

En renouvelant la Maxima les dirigeants de Nissan ont décidé d'utiliser des technologies innovatrices afin de créer, comme ils le disent eux-mêmes, la prochaine dimension en matière de luxe et de performance.

CONCEPTION

Carrosserie

C'est du centre de style de Nissan à San Diego que sont venues les premières ébauches de la nouvelle carrosserie. Grâce à la connection par satellite, les dessinateurs du Centre Technique installé à Atsugi au Japon ont continué à faire progresser les formes du projet. La cabine et le coffre sont plus vastes grâce à l'allongement de l'empattement.

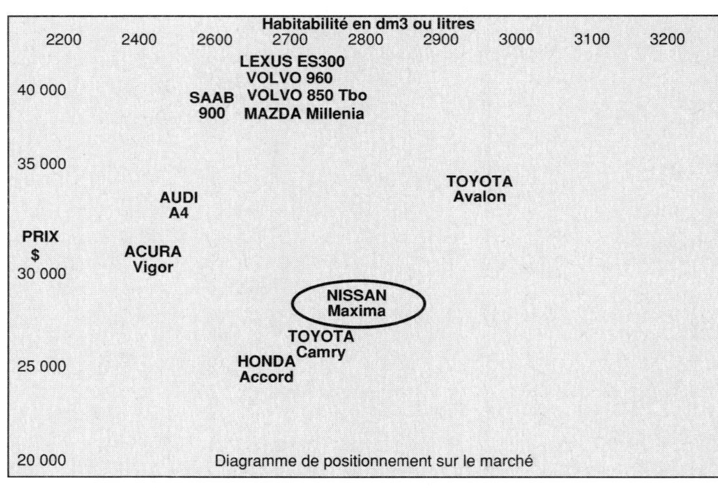

Bien que Nissan ne le publicis pas l'efficacité aérodynamique e excellente puisque son cœfficier est de 0.30 contre 0.32 préc demment. On s'est attaché à co server la forme caractéristiqu du pilier C qui personnalise à l seul ce modèle. La cabine a ét aérée pour permettre une visib lité tous azimuts. L'aménageme intérieur s'est attaché à des fo mes simples et douces et la di position des principaux élémen a respecté les règles de l'ergon mie.

Structure

La plate-forme a été complèt ment redéfinie pour accueillir nouveau moteur V6. L'ancien Maxima qui était déjà conn comme une des voitures les plu solides de sa génération a vu s rigidité améliorée de 10%. Côt sécurité les occupants des pl

PARTICULARITÉS

La Nissan Maxima doit son isolation des bruits et vibrations au travail considérable qui a été entrepris pour procurer un résultat optimal. Une mousse fusible a été appliquée en plusieurs points stratégiques de la coque afin d'amortir certaines fréquences, tandis que des triples joints ont été posés en haut des portes pour éviter tous sifflements et des éléments isolants sont montés à l'endroit où les amortisseurs sont fixés à la carrosserie. Rappelons que le groupe motopropulseur et le train avant sont montés sur un sous-châssis flottant afin de filtrer les chocs et vibrations en provenance tant de la route que de la mécanique.

MISE EN MARCHÉ

L'étude socio-démographique démontre que la Maxima est achetée à 80% par des hommes dont 80% sont mariés, dont la moyenne d'âge est de 50 ans (25% ayant moins de 40 ans) qui ont reçu une éducation supérieure et ayant un revenu moyen annuel de 70 000 dollars canadiens. Nissan prévoit vendre les différentes versions dans les proportions suivantes:
-50% de GXE, 25% de GLE, 25% de SE. Comme le rappelait Atsushi Fujii le responsable de ce modèle chez Nissan, avec ce véhicule le constructeur japonais poursuit sa lutte contre le dollar et le yen afin de mieux contrer la résurgence des modèles américains (dixit).

CONCLUSION

Après avoir longuement essayé les différentes versions de la dernière Maxima, on se doit d'admettre que, sans faire de bruit, elle constitue une arme redoutable dans son créneau.
(Voir l'essai, les performances et les caractéristiques p.314-315)

…s avant sont protégés par des …ussins gonflables et des ceintures à rétraction.

…uspension

…est à ce chapitre que Nissan a … plus travaillé. Pour éliminer les …éfauts des systèmes utilisés …uparavant (voir page 94) les in…énieurs ont mis au point et bre…eté l'essieu arrière dit Multilink …ont le principal avantage est de …aintenir l'angle de carrossage …es roues constant afin de gar…er la coque le plus près possible …u sol, lorsqu'elle est soumise au …ulis ou au rebond en virage. …ette suspension permet aussi … ménager suffisamment de …onfort sans gêner le comporte…ent. De plus l'aménagement de … nouveau train arrière a aussi …ermis de dégager plus d'espace …u niveau du siège arrière et dans … coffre. Quant à la suspension avant, elle est de type McPherson modifiée.

Moteur

Après la structure et la suspension arrière la troisième amélioration de taille touche le moteur V6. Il est tout nouveau et l'un des plus performants de sa génération dans cette cylindrée de 3.0L. Il développe une puissance de 190 ch et un couple de 205 lb/pi, sa consommation a été améliorée de 10% et son poids de 20%, il comporte 10% de pièces en moins et ses dimensions sont plus compactes de 17%. Nombre de ses composants ne demande aucun entretien et il est pratiquement recyclable à 100%. Pour qu'il ne produise pas de vibrations sept contrepoids équilibrent son vilebrequin, son volant est flexible et il est fixé à la coque par l'intermédiaire d'éléments de caoutchouc remplis de liquide et contrôlés électroniquement. À l'intérieur les gens de chez Nissan se sont attachés à réduire au maximum les frictions de toutes sortes afin d'améliorer le rendement et par là l'économie en carburant. Ils ont appliqué un procédé de micro-polissage au vilebrequin comme aux arbres à cames afin d'améliorer l'état de surface de 80%. Les pistons ont été redessinés et leur jupe revêtue de molybdène et les segments changés pour des plus minces. La distribution a été redessinée (voir page 90) pour permettre de réduire la hauteur du moteur et éliminer le pignon de tension intermédiaire des chaînes entraînant les arbres à cames. Ces mesures ont permis de combiner hautes performances et rendement économique.

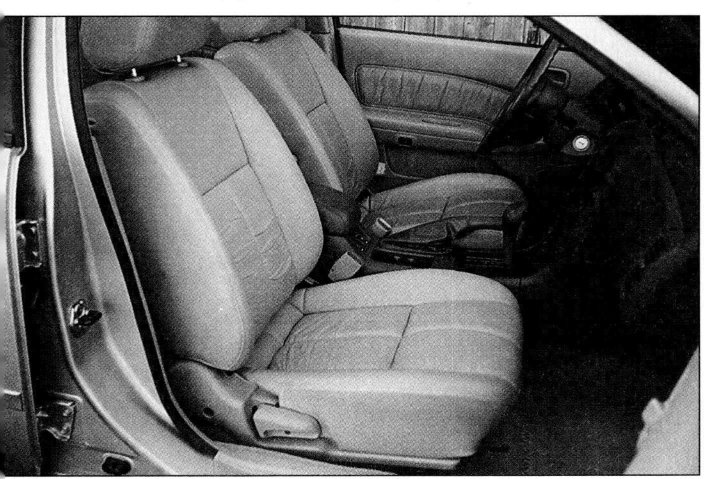

	Système à bras tirés	Système à double fourchette	Système à essieu de torsion
Rebonds dans la même direction			
Roulis dans différentes directions			
	Imposible de maintenir l'angle de carrossage sous le roulis	L'angle de carrossage varie encore beaucoup sous les rebonds	L'essieu de torsion contrôle à la fois le roulis et le rebond

LE MULTILINK: COMMENT ÇA FONCTIONNE...

L'adoption d'un essieu de torsion présentait pour Nissan plusieurs avantages. Ce type d'essieu maintient un angle de carrossage minimal dès que la carrosserie tend à rouler d'un côté ou de l'autre. Ce système permet de contrôler efficacement les mouvements de la caisse sans nécessité l'adoption d'ensembles ressort-amortisseur et barre stabilisatrice très fermes qui nuisent au confort. L'essieu de torsion est une structure flexible composée de deux bras longitudinaux qui déterminent la position de la roue et d'une plaque d'acier pour relier les deux roues. Celle-ci ayant une forme en U est très rigide lorsque les forces s'exercent de manière horizontale ou verticale, mais très flexible aux forces de torsion. Donc avec ce système il est possible de contrôler le pincement et le carrossage sur chacune des roues qui fonctionnent indépendamment l'une de l'autre.

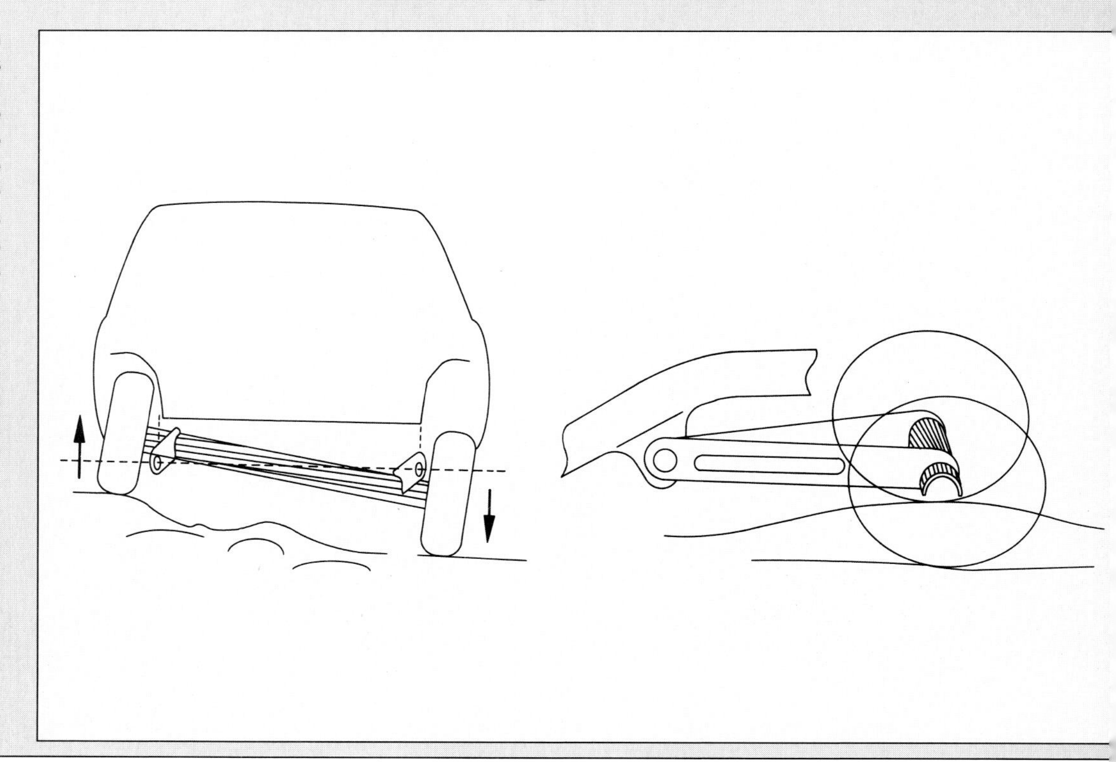

142 ESSAIS ROUTIERS

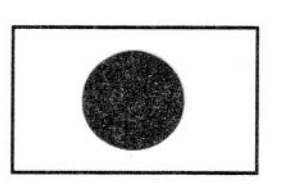

L'Acura la plus populaire...

L'Integra est, sans conteste, le véhicule de plus vendu par la marque de luxe de Honda, ce qui n'es pas difficile après l'effondrement des Legend, la Vigor qui n'a jamais décollé et la NSX qui pla très haut au-dessus du marché. Des deux modèles, c'est le coupé qui se vend en plus grand nombr

Rénovées l'an dernier à partir de la plate-forme des Honda Civic, les Integra sont vendues en berline 3 volumes à 4 portes ou coupé 2 volumes à 3 portes en finitions RS, LS et GS-R. Deux moteurs 4 cylindres de 1.8L à DACT et 16 soupapes restent proposés. Celui développant 142 ch équipe en série les RS et LS alors que celui possédant un contrôle d'admission de type VTEC et donnant 170 ch est monté dans la GS-R. Les transmissions sont manuelles à 5 vitesses en série ou automatiques à 4 rapports en option.

POINTS FORTS

• Satisfaction: 90%
Les Integra sont parmi les plus fiables, mais leur entretien et les pièces de rechange sont coûteux.

• Sécurité: 90%
La structure a été sérieusement rigidifiée et les occupants aux places avant sont protégés par deux coussins gonflables en série sur les LS et GS-R (celui de droite est en option sur la RS).

• Technique: 80%
La carrosserie des Integra est monocoque en acier, pourvue de suspensions indépendantes et freins à disque aux quatre roues et les versions LS et GS-R sont équipées en série d'un dispositif ABS. Malgré la ligne effilée de leur carrosserie, les Integra n'ont qu'un cœfficient aérodynamique conservateur qui varie de 0.32 à 0.34. La grande science de Honda concerne les mécaniques qui sont sophistiquées et brillantes. En parallèle au système VTEC, le moteur de la GS-R est doté d'une tubulure d'admission à deux étapes.

• Comportement: 80%
Il bénéficie de la meilleure rigidité de la caisse dont l'empattement est sensiblement plus long. L'excellent guidage de la suspension lui permet d'afficher un tempérament neutre en courbe sur terrain sec, mais la qualité des pneus fera la différence sous la pluie où l'Integra se révèle plus pointue à guider car elle est très sous-vireuse et sa motricité fait souvent défaut.

• Consommation: 80%
En usage normal elle correspond à celle d'autres moteurs de cylindrée équivalente, mais elle augmente rapidement en conduite sportive.

• Direction: 80%
Bien qu'un peu trop démultipliée pour des voitures à tendance sportive, elle est précise et bien dosée et ne souffre d'aucun effet de couple lors des fortes accélérations.

• Poste de conduite: 80%
Il est bien organisé car les principales commandes sont conventionnelles mais son ergonomie laisse à désirer, car la console centrale est loin et les commandes de la radio sont difficiles à atteindre. La visibilité est bonne vers l'avant, mais le pilier C obstrue de 3/4 arrière; sur le coupé la lunette est étroite, surtout si elle est encombrée de l'aileron, lorsqu'il pleut l'essuie-glace ne dégage pas grand chose. On trouve rapidement la meilleure position de conduite, grâce aux réglages combinés du siège et de la colonne de direction, mais on est assis bas et on ne dispose d'aucun ajustement pour relever le devant du coussin.

DONNÉES

Catégorie: berlines et coupés sportifs compacts tractés.
Classe : 3

HISTORIQUE

Inauguré en: 1985 (Honda Quint) importé en 1987 avec 1.6L.
Modifié en: 1989 et 1994 moteurs et carrosseries renouvelés.
Fabriqué à: Suzuka, Japon.

INDICES

Sécurité: 90 %
Satisfaction: 92 %
Dépréciation: 50 %
Assurance: 8 % (1 308 $)
Prix de revient au km: 0.43 $

NOMBRE DE CONCESSIONNAIRES

Au Québec: 14

VENTES AU QUÉBEC

Modèle	1992	1993	Résultat	Part de march
Integra	3 395	2 603	-23.3 %	4.0 %

PRINCIPAUX MODÈLES CONCURRENTS

Berline: HONDA Civic-Accord, HYUNDAI Elantra, MAZDA Protegé, TOYO Corolla, VOLKSWAGEN Golf-Jetta.
Coupé: EAGLE Talon, FORD Probe, HONDA Prelude, HYUNDAI Scoup MAZDA MX-6, NISSAN 240SX, TOYOTA Celica.

ÉQUIPEMENT

ACURA Integra	RS	LS	GS-R
Boîte automatique:	O	O	O
Régulateur de vitesse:	O	S	S
Direction assistée:	O	O	S
Freins ABS:	O	S	S
Climatiseur:	S	S	S
Coussin gonflable:	O	O	S
Garnitures en cuir:	O	O	O
Radio MA/MF/ K7:	S	S	S
Serrures électriques:	O	S	S
Lève-vitres électriques:	O	S	S
Volant inclinable:	O	S	S
Rétroviseurs ext. ajustables:	O	S	S
Essuie-glace intermittent:	S	S	S
Jantes en alliage léger:	O	O	S
Toit ouvrant:	-		
Système antivol:	-		

S : standard; O : optionnel; - : non disponible

COULEURS DISPONIBLES

Extérieur: Blanc, Gris métallisé, Rouge, Bleu, Vert, Noir, Beige métallisé
Intérieur: Noir, Bleu, Brun, Gris.

ENTRETIEN

Première révision: 5 000 km
Fréquence: 10 000 km
Prise diagnostic: Non

QUOI DE NEUF EN 1995 ?

- Non communiqué à temps par le constructeur.

Modèles/ versions *: de série	MOTEURS Type / distribution soupapes / carburation	Cylindrée cc	Puissance ch @ tr/mn	Couple lb.pi @ tr/mn	Rapport volumét.	TRANSMISSION Roues motrices / transmissions	Rapport de pont	PERFORMANCES Accélér. 0-100 km/h s	400 m D.A. s	1000 m D.A. s	Freinage 100-0 km/h m	Vites. maxi. km/h	Accélér. latérale G	Niveau sonore dBA	Consommation l./100km Ville	Route	Carbur. Octane
RS & LS	L4 * 1.8 DACT-16-IEP	1834	142 @ 6300	127 @ 5200	9.2 :1	avant - M5*	4.266	8.8	17.5	29.7	41	200	0.82	68	9.5		
						avant - A4	4.357	9.6	18.0	30.5	45	190	0.80	68	10.0		
GS-R	L4* 1.8 DACT-16-IEP	1797	170 @ 7600	128 @ 6200	10.0 :1	avant - M5	4.400	7.5	16.6	29.0	40	210	0.85	67	10.0		
						avant - M4	4.357	8.6	17.5	29.8	42	200	0.85	67	11.0		

ualité & finition: 70%
ssemblage est rigoureux mais tôlerie, comme la peinture, deure mince et la qualité de cerns matériaux (la matière plasue du tableau de bord) ou des cessoires, la radio par exem-, ne semble pas aussi bonne e celle de certains concurrents.

ièges: 70%
eux formés et rembourrés 'auparavant, leur galbe maint mieux, mais l'assise de la nquette manque de largeur.

uspension: 70%
amortissement de bonne qua- permet un contrôle efficace s mouvements de la carrosse-, et absorbe bien les inégalités la route. Pourtant elle ne fait s dans le moelleux et ses réacns sont parfois brutales au passge des joints de dilatation.

iveau sonore: 70%
st élevé par l'addition des bruits provenance de la mécanique, roulement, du vent et de l'exrieur, du fait de la minceur du rage et des toits ouvrants.

ommodités: 70%
Une grande boîte à gants, des coffrets de console, ainsi que de petits vide-poches de porte constituent les principaux rangements.

• Freinage: 60%
Facile à doser en conduite normale, il impressionne plus par sa stabilité que par son efficacité lors des arrêts subits dont les distances sont relativement longues. Quand l'ABS est installé, il occasionne un blocage intermittents des roues ce qui est plus agaçant que dangereux.

• Accès: 60%
Sans problème à l'avant, les gens de grande taille auront quelques difficultés à atteindre la banquette du coupé, où l'espace pour les jambes et la tête est plus compté que sur la berline.

• Performances: 60%

Le brio de leurs moteurs constitue le principal attrait de ces voitures. Si le punch de la GS-R est plus évident, il s'obtient à haut régime (entre 5000 et 7000 tr/mn), c'est-à-dire à des vitesses interdites car, tous les multisoupapes sont creux à bas régime. La transmission manuelle est efficace car bien échelonnée mais sa synchronisation donne parfois des signes de faiblesse.

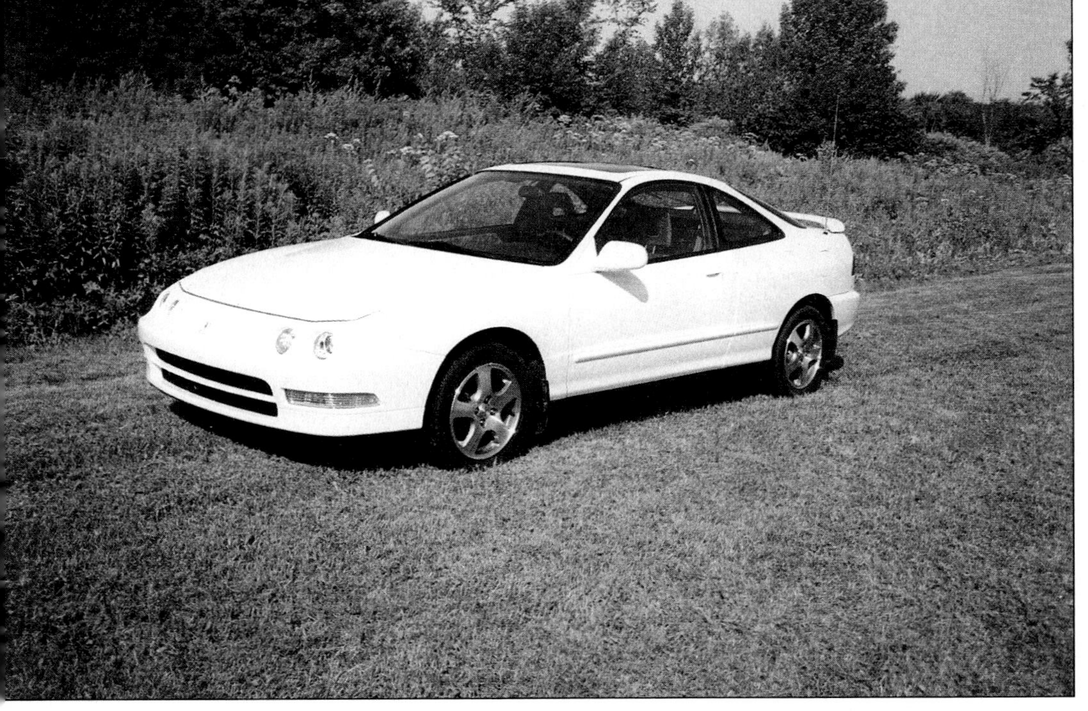

• Dépréciation: 50%
Les Integra perdent environ 50% de leur valeur après trois ans d'utilisation ce qui peut être considéré comme la normale des choses, mais les plus équipées se revendent mieux et plus cher.

POINTS FAIBLES

• Habitabilité: 40%
Deux adultes seront confortablement installés à l'avant tandis que les places arrière s'adresseront plutôt à des enfants car si la longueur est suffisante c'est la hauteur sous plafond qui ne l'est pas.

• Coffre: 40%
Il n'est pas plus haut, sur la berline que sur le coupé, mais peut être agrandi vers la cabine en abaissant le dossier de la banquette divisées 60-40.

• Prix/équipement: 40%
À mi-chemin entre les compactes et les sportives, les Integra ont de plus en plus de mal à justifier leur statut. Une chose est sûre, quand elles sont abordables elles sont peu équipées et vice-versa.

• Assurance: 40%
Classées comme luxueuses et sportives, leur prime est forte et le sera plus encore pour ceux qui ont moins de vingt-cinq ans.

CONCLUSION

• Valeur moyenne: 66.0 %
Bien présentée et offerte à un prix raisonnable, l'Integra a bien des concurrentes, mais jamais directes, car elle se situe dans une classe à part. ☺

CARACTÉRISTIQUES & PRIX

odèles	Versions	Carrosseries/ Sièges	Volume cabine l.	Volume coffre l.	Cx	Empat. mm	Long x larg x haut. mm x mm x mm	Poids à vide kg	Capacité Remorq. max. kg	Susp. av/ar	Freins av/ar	Direction type	Diamètre braquage m	Tours volant b à b.	Réser. essence l.	Pneus d'origine	Mécaniques d'origine	PRIX $ CDN. 1994
CURA		**Garantie générale: 4 ans / 80 000 km: mécanique: 5 ans / 100 000 km; corrosion de surface: 5 ans/ kilométrage illimité.**																
tegra	RS	cpé.3 p.4	2174	380	0.32	2570	4380x1710x1335	1147	NR	i/i	d/d	crém.ass.	10.6	2.98	50.0	195/60R14	L4/1.8/M5	**17 295**
tegra	RS	cpé.3 p.4	2174	380	0.32	2570	4380x1710x1335	1166	NR	i/i	d/d	crém.ass.	10.6	2.98	50.0	195/60R14	L4/1.8/A4	**18 295**
tegra	LS	cpé.3 p.4	2174	380	0.32	2570	4380x1710x1335	1199	NR	i/i	d/d	crém.ass.	10.6	2.98	50.0	195/60R14	L4/1.8/M5	**22 095**
tegra	LS	cpé.3 p.4	2174	380	0.32	2570	4380x1710x1335	1218	NR	i/i	d/d/ABS	crém.ass.	10.6	2.98	50.0	195/60R14	L4/1.8/A4	**23 095**
tegra	GS-R	cpé.3 p.4	2174	380	0.32	2570	4380x1710x1335	1210	NR	i/i	d/d/ABS	crém.ass.	10.6	2.98	50.0	195/55R15	L4/1.8/M5	**25 595**
tegra	RS	ber.4 p.4	2344	310	0.34	2620	4525x1710x1370	1187	NR	i/i	d/d	crém.ass.	10.8	2.98	50.0	195/60R14	L4/1.8/M5	**18 695**
tegra	RS	ber.4 p.4	2344	310	0.34	2620	4525x1710x1370	1206	NR	i/i	d/d	crém.ass.	10.8	2.98	50.0	195/60R14	L4/1.8/A4	**19 695**
tegra	LS	ber.4 p.4	2344	310	0.34	2620	4525x1710x1370	1224	NR	i/i	d/d/ABS	crém.ass.	10.8	2.98	50.0	195/60R14	L4/1.8/M5	**20 625**
tegra	LS	ber.4 p.4	2344	310	0.34	2620	4525x1710x1370	1243	NR	i/i	d/d/ABS	crém.ass.	10.8	2.98	50.0	195/60R14	L4/1.8/A4	**21 625**

Voir la liste complète des prix 1995 à partir de la page 393..

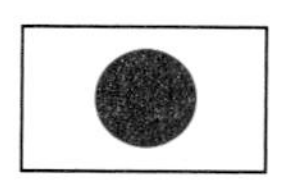

Histoire d'un naufrage...

Alors qu'elle était la référence en matière de voiture de luxe à la fin des années 80, la Legend n'e plus que l'ombre d'elle-même. Elle souffre du syndrome de Honda, c'est-à-dire qu'elle est le fr de mauvaises décisions, prises au mauvais moment. Nul n'est invulnérable...

La Legend est le modèle le plus prestigieux chez Acura. Bien qu'elle ne soit équipée que d'un moteur V6, elle concurrence les grosses Lexus et Infiniti V8. Elle est commercialisée sous la forme d'une berline 3 volumes à 4 portes ou d'un coupé 3 volumes à 2 portes basés sur la même plate-forme qui ne diffèrent que par la longueur de l'empattement. Elle est équipée d'un moteur V6 de 3.2L et d'une transmission manuelle à 5 vitesses livrée en série ou automatique à 4 rapports en option. Les deux carrosseries sont proposées en finitions de base, L et LS, seulement différentes au niveau de leur équipement.

POINTS FORTS

• Satisfaction: 95%
Un tel taux est gage de qualité et de fiabilité, alors comment se fait-il que les ventes baissent dans des proportions alarmantes?

• Sécurité: 90%
Les coques ont été renforcées afin d'améliorer la rigidité de leur structure et elles reçoivent en série deux coussins gonflables aux places avant (sauf la LS) , toutefois il est curieux que seul le coupé soit équipé de ceintures avant à tension automatique.

• Technique: 80%
Leur carrosserie monocoque en acier ont une ligne plus personnalisée qu'autrefois, mais dont l'efficacité aérodynamique n'est que moyenne. La géométrie de la suspension, indépendante aux quatre roues, a été calculée pour apporter une meilleure stabilité en ligne droite et plus de précision et d'agilité en virage. Les freins sont à quatre disques et le système antiblocage monté en série sur tous les modèles.

• Qualité & finition: 80%
L'assemblage, la finition et la qualité des différents matériaux sont excellents. Les garnitures de cuir sont agréables au toucher et plissées comme sur les voitures italiennes; les appliques de bois de

DONNÉES

Catégorie: berlines et coupés de luxe tractés.
Classe : 7

HISTORIQUE

Inauguré en: 1986 (berline) 1987 (coupé)
Modifié en: 1987 moteur 2.7L, 1991 moteur 3.2L
Fabriqué à: Sayama, Japon.

INDICES

Sécurité:	90 %
Satisfaction:	95 %
Dépréciation:	54 %
Assurance:	3.3 % (1 545 $)
Prix de revient au km:	0.94$

NOMBRE DE CONCESSIONNAIRES

Au Québec: 14

VENTES AU QUÉBEC

Modèle	1992	1993	Résultat	Part de march
Legend	417	ND	ND	

PRINCIPAUX MODÈLES CONCURRENTS

berline: ALFA ROMEO 164, AUDI A6, BMW série 5, INFINITI Q45, LEXU GS300 & LS400, MERCEDES classe E, SAAB 9000, VOLVO 960.
coupé: DODGE Stealth R/T Turbo, LEXUS SC400, LINCOLN Mark V NISSAN 300 ZX 2+2, PORSCHE 968, SUBARU SVX, TOYOTA Supra.

ÉQUIPEMENT

	Legend berline L	Legend berline LS	Legend berline GS	Legend coupé L	Legend coupé LS
Boîte automatique:	S	S	S	O	O
Régulateur de vitesse:	S	S	S	S	S
Direction assistée:	S	S	S	S	S
Freins ABS:	S	S	S	S	S(2)
Climatiseur:	S	S	S	S	S
Coussins gonflables (2):	S	S	S	S	S
Garnitures en cuir:	O	S	S	S	S
Radio MA/MF/ K7:	S	S	S	S	S
Serrures électriques:	S	S	S	S	S
Lève-vitres électriques:	S	S	S	S	S
Volant ajustable:	S	S	S	S	S
Rétroviseurs ext. ajustables:	S	S	S	S	S
Essuie-glace intermittent:	S	S	S	S	S
Jantes en alliage léger:	-	S	S	S	S
Toit ouvrant:	S	S	S	S	S
Système antivol:	S	S	S	S	S

S : standard; O : optionnel; - : non disponible

COULEURS DISPONIBLES

Extérieur: Blanc, Noir, Vert, Rouge, Gris, Argent, Bleu.
Intérieur: Noir, Ivoire, Taupe, Charbon.

ENTRETIEN

Première révision:	5 000 km
Fréquence:	10 000 km
Prise de diagnostic:	Oui

QUOI DE NEUF EN 1995 ?

- Pas communiqué à temps par le constructeur.

Modèles/ versions *: de série	MOTEURS Type / distribution soupapes / carburation	Cylindrée cc	Puissance ch @ tr/mn	Couple lb.pi @ tr/mn	Rapport volumét.	TRANSMISSION Roues motrices / transmissions	Rapport de pont	PERFORMANCES Accélér. 0-100 km/h s	400 m D.A. s	1000 m D.A. s	Freinage 100-0 km/h m	Vites. maxi. km/h	Accélér. latérale G	Niveau sonore dBA	Consommation l./100km Ville	Consommation l./100km Route	Carbur Octane
1)	V6* 3.2 SACT-24-IEP	3206	200 @ 5500	210 @ 4500	9.6 :1	avant - A4*	4.37	9.0	16.7	30.2	44	200	0.80	67	12.6	8.9	S 9
2)	V6* 3.2 SACT-24-IEP	3206	230 @ 6200	206 @ 5000	9.6 :1	avant - M6	4.49	7.8	15.6	28.2	42	210	0.85	66	13.4	8.4	S 9
						avant - A4	4.787	8.5	16.2	29.5	45	200	0.85	66	13.0	9.3	S 9

1) berline L, LS 2) berline GS, coupé

n goût, donnent à l'habitacle e ambiance chaleureuse et raf- ée.

ʾoste de conduite: 80%
tableau de bord est ergonomi- e car les commandes et les ntrôles y sont bien disposés. position du conducteur est ssi confortable que facile à trou- r, et la visibilité est sans repro- e sous tous les angles grâce x minces piliers du toit.

ʾerformances: 80%
algré une belle souplesse, le oteur n'est pas nerveux, et l'on peine à croire aux 200 ch an- ncés... Il s'accorde bien avec transmission automatique, ais seul le coupé manuel peut étendre à l'étiquette sportive âce à sa boîte à 6 vitesses. algré tous ses raffinements chniques ce moteur qui tourne mme une horloge, ne procure e peu d'agrément de conduite, r il manque de couple à bas gime, et ne commence à déli- er sa puissance qu'à très haut gime. Un petit V8 serait le bien- nu pour raviver l'intérêt sur de modèle.

Direction: 80%
le est encore un peu trop dé- ultipliée, mais sa précision, son osage et sa progressivité sont cellents.

Accès: 80%
es dimensions de l'habitacle et es portes permet de s'y installer nfortablement.

Comportement: 75%
est généralement neutre dans plupart des circonstances grâce un meilleur guidage des trains à un amortissement de bonne ualité. Il faut cependant se sou- nir du poids de la voiture au oment de négocier un virage rré, même avec le coupé qui ule moins et dont les mouve- ents de carrosserie sont mieux ntrôlés.

Commodités: 75%
es rangements se composent une grande boîte à gants, de ngs vide-poches de portière et un coffret inclus dans l'accou- oir central.

Niveau sonore: 70%
insonorisation très soignée et

la discrétion de la mécanique maintiennent le niveau sonore très bas, même sur petites routes en mauvais état.

• Assurance: 70%
Compte tenu de l'ampleur de son prix, la Legend ne coûte pas si cher à assurer.

• Sièges: 70%
À l'avant malgré leur apparence flatteuse, ils ne procurent ni main- tien latéral, ni soutien lombaire satisfaisants, alors qu'à l'arrière on a rogné sur l'assise de la ban- quette pour accentuer l'impres- sion d'espace pour les jambes.

• Suspension: 70%
Bien calibrée avec ses amortis- seurs pneumatiques aux roues arrière, elle absorbe bien les dé- fauts de la route et filtre les trépi- dations. Toutefois sa fermeté domine et dans certaines occa- sion elle se montre brutale, ce qui choque sur une voiture de cette classe .

• Habitabilité: 60%
L'habitacle est spacieux grâce à l'allongement de ses principales dimensions, surtout aux places arrière où la longueur est appré- ciable, mais il sera tout de même difficile d'y loger un troisième oc- cupant pour un long trajet à cause de la configuration du siège et du tunnel central.

• Coffre: 60%
Comme sur plusieurs voitures de luxe japonaises, le volume du coffre à bagages est limité, ce qui porte à croire que les Japonais voyagent avec presque rien...

• Freinage: 50%
S'il donne l'impression d'être puis- sant en usage normal, il manque d'efficacité lors des arrêts d'ur- gence dont les distances sont plus longues que la moyenne de cette catégorie. Pourtant, malgré la course limitée de la pédale, elle reste facile à doser.

• Consommation: 50%
En se maintenant aux alentours de 13 litres aux 100 km elle se place dans la moyenne de sa catégorie considérant le gabarit et la cylindrée de leur moteur.

POINTS FAIBLES

• Prix/équipement: 10%
Bien que leur équipement soit complet, même sur la Legend de base à laquelle ne manquent que les garnitures en cuir, un toit ouvrant et un coussin gonflable, les Legend ont de plus en plus de mal à justifier leur prix qui s'ap- proche dangereusement de ceux de BMW ou de Mercedes qui revendiquent une réputation de qualité et une valeur de revente plus élevée.

• Dépréciation: 45%
Leur valeur de revente chute de façon spectaculaire, ce qui indi- que que les Legend ne sont pas encore considérées comme des valeurs sûres dans leur segment.

CONCLUSION

• Valeur moyenne: 68.5 %
La Legend demeure figée depuis quelques années, alors que le marché a bougé et que bon nom- bre de concurrentes sont entrées en lice. L'aura dont elle était en- tourée lors de son apparition a bien pâli et c'est à peine si l'on se souvient d'elle lorsqu'on énumère les principales voitures de pres- tige japonaises. Elle a pourtant de beaux restes... ☺

CARACTÉRISTIQUES & PRIX

odèles	Versions	Carrosseries/ Sièges	Volume cabine l.	Volume coffre l.	Cx	Empat. mm	Long x larg x haut. mm x mm x mm	Poids à vide kg	Capacité Remorq. max. kg	Susp. av/ar	Freins av/ar	Direction type	Diamètre braquage m	Tours volant b à b.	Réser. essence l.	Pneus d'origine	Mécaniques d'origine	PRIX $ CDN. 1994
CURA		**Garantie générale: 4 ans / 80 000 km: mécanique: 5 ans / 100 000 km; corrosion de surface: 5 ans/ kilométrage illimité.**																
egend	L	ber.4p. 5	2647	419	0.34	2910	4950x1810x1400	1620	907	i/i	d/d/ABS	crém.ass.	10.6	3.64	68.0	205/60R15	V6/3.2/A4	**47 400**
egend	LS	ber.4p. 5	2647	419	0.34	2910	4950x1810x1400	-	907	i/i	d/d/ABS	crém.ass.	10.6	3.64	68.0	205/60R15	V6/3.2/A4	**51 400**
egend	GS	ber.4p. 5	2647	419	0.34	2910	4950x1810x1400	-	907	i/i	d/d/ABS	crém.ass.	11.2	3.64	68.0	215/55VR16	V6/3.2/A4	-
egend	LS	cpé.2p. 5	2404	399	0.32	2830	4890x1810x1360	1610	NR	i/i	d/d/ABS	crém.ass.	10.4	3.64	68.0	215/55VR16	V6/3.2/M5	-
egend	LS	cpé.2p. 5	2404	399	0.32	2830	4890x1810x1360	-	NR	i/i	d/d/ABS	crém.ass.	11.1	3.64	68.0	215/55VR16	V6/3.2/M6	**52 000**

Voir la liste complète des prix 1995 à partir de la page 393.

Opération prestige...

Acura est le seul constructeur nippon à avoir eu l'audace de commercialiser un modèle exotiqu rival des Ferrari et Lamborghini de bas de gamme. L'expérience n'a pas été concluante, car l tradition et la gloire ne s'achètent pas, même en investissant lourdement dans la compétition.

La NSX avait pour mission de symboliser auprès du public l'image hautement technologique que Honda tirait de la compétition internationale, dans laquelle il a investi pendant plusieurs années. Ce coupé exotique à hautes performances se présente sous la forme d'une berlinette 2 places à moteur V6 central avec transmission manuelle à 5 vitesses, ou automatique à 4 rapports.

POINTS FORTS

• Technique: 100%

Presque entièrement fabriquée en aluminium afin de l'alléger, la coque a gagné 140 kg par rapport à l'acier. Les éléments de suspension ont eux aussi été forgés en aluminium et seuls les ressorts, les amortisseurs et les demi-arbres de transmission sont en acier. La répartition du poids total qui approche 1350 kg est de 43% sur l'avant et 57% sur l'arrière. Cet équilibre a été réalisé en plaçant le moteur en position centrale-arrière. C'est dans le but de favoriser la stabilité à haute vitesse que les ingénieurs de Honda n'ont pas cherché à améliorer le cœfficient aérodynamique qui se situe entre 0.31 et 0.32. Le bloc du moteur V6 est celui de la Legend sur lequel on a adapté une culasse à double arbre à cames avec 12 soupapes par rangée de cylindres et un dispositif de distribution variable baptisé V-TEC que Honda a protégé par 350 brevets. Cette technique, déjà appliquée à d'autres modèles de la marque, comprend trois cames et trois culbuteurs du côté de l'admission.

Deux cames classiques au profil rond actionnent les soupapes jusqu'à 5000 tr/mn. Au-delà, la troisième came intercalée entre les deux premières prend le relais, actionnée par pression d'huile. Son profil pointu permet au moteur de mieux «respirer» à haut régime en donnant plus de puissance, sans sacrifier le couple à bas régime.

• Performances: 100%

Avec un rapport puissance-poids de 5 kg/ch et un rendement de 90 ch au litre, les performances de la NSX ne sont pas banales, car elle peut

DONNÉES

Catégorie: coupés exotiques propulsés.
Classe : GT

HISTORIQUE

Inauguré en: 1989
Modifié en: -
Fabriqué à: Tochigi, Japon.

INDICES

Sécurité: 90 %
Satisfaction: 95 %
Dépréciation: 49 %
Assurance: 3.0 % (2 578 $)
Prix de revient au km: 1.15 $

NOMBRE DE CONCESSIONNAIRES

Au Québec: 14

VENTES AU QUÉBEC

Modèle	1992	1993	Résultat	Part de march
NSX	25	ND	ND	

PRINCIPAUX MODÈLES CONCURRENTS

CHEVROLET Corvette ZR-1, DODGE Stealth R/T Turbo & Viper R/T1 FERRARI 355, NISSAN 300ZX Twin Turbo, PORSCHE 911.

ÉQUIPEMENT

NSX	base
Boîte automatique:	O
Régulateur de vitesse:	S
Direction assistée:	S
Freins ABS:	S
Climatiseur:	S
Coussins gonflables (2):	S
Garnitures en cuir:	S
Radio MA/MF/ K7:	S
Serrures électriques:	S
Lève-vitres électriques:	S
Volant ajustable:	S
Rétroviseurs ext. ajustables:	S
Essuie-glace intermittent:	S
Jantes en alliage léger:	S
Toit ouvrant:	-
Système antivol:	S

S : standard; O : optionnel; - : non disponible

COULEURS DISPONIBLES

Extérieur: Noir, Blanc, Rouge, Gris métallisé, Vert.
Intérieur: Cuir Noir ou Fauve.

ENTRETIEN

Première révision: 5 000 km
Fréquence: 10 000 km
Prise de diagnostic: Oui

QUOI DE NEUF EN 1995 ?

- **Pas communiqué à temps par le constructeur.**

Modèles/ versions *: de série	Type / distribution soupapes / carburation	MOTEURS Cylindrée cc	Puissance ch @ tr/mn	Couple lb.pi @ tr/mn	Rapport volumét.	TRANSMISSION Roues motrices / transmissions	Rapport de pont	PERFORMANCES Accélér. 0-100 km/h s	400 m D.A. s	1000 m D.A. s	Freinage 100-0 km/h m	Vites. maxi. km/h	Accélér. latérale G	Niveau sonore dBA	Consommation l./100km Ville	Consommation l./100km Route	Carbura Octane
NSX	V6 3.0 DACT-24-IPM	2977	270 @ 7100	210 @ 5300	10.2 : 1	arrière - M5*	4.062	5.8	13.9	24.5	38	250	0.90	68	12.7	9.2	S 91
			252 @ 6600	210 @ 5300	10.2 : 1	arrière - A4	4.428	6.5	14.8	25.0	37	240	0.90	68	13.3	9.3	S 91

ccélérer de 0 à 100 km/h en oins de 6 secondes et atteindre ne vitesse de pointe supérieure 250 km/h. Comme sur tout moeur Honda la puissance est très aut perchée dans les tours auelà de 4200 tr/mn. La puissance accélération n'a rien de bestial t on n'est jamais collé à son ège comme dans certaines vétables exotiques. Le sélecteur e la transmission manuelle, rade et précis, permet de tirer le eilleur de cette mécanique sohistiquée, car son étagement st idéal.

Satisfaction: 95%
a fiabilité ne pose absolument ucun problème particulier et est sans doute là la plus grande éussite de Honda que d'avoir émystifié le caractère frivole de e genre de voiture.

Sécurité: 90%
a coque de la NSX résiste bien l'impact et ses occupants sont ien protégés par deux coussins onflables.

Qualité & finition: 90%
a NSX est un produit de haute ualité dont l'assemblage, la finion et la qualité des matériaux ont au-dessus de tout soupçon.

Comportement: 90%
'extrême raffinement des épues de suspension autorise un omportement qui demeure neue en tout temps, pour afficher ne tendance au sous-virage faile à contrôler en conduite sporve. Sur revêtement dégradé avant a tendance à s'alléger forement, mais l'adhérence et la otricité sont exemplaires grâce l'équilibre de l'ensemble, à la résence d'un différentiel à visocoupleur et à la qualité et aux imensions des pneumatiques.

Poste de conduite: 80%
a position du pilote est excelente, bien que le siège soit de onception plutôt simpliste pour ne voiture de ce prix. La visibiié est bonne, car les angles morts nt été réduits au minimum, ce ui est rare sur ce genre d'engin. es commandes sont convenonnelles sauf les interrupteurs nstallés sur une espèce de naelle commandant les phares, les essuie-glace et le dégivrage de la lunette arrière. Enfin les instruments sont bien intégrés dans un ensemble très ergonomique.

• Direction: 70%
Elle est précise à allure moyenne et devient floue à haute vitesse, plus à cause de l'élasticité de la structure frontale que d'un défaut de conception. Toutefois le grand diamètre de braquage et la démultiplication pénalisent la maniabilité.

• Accès: 70%
Malgré la faible hauteur du toit on se glisse assez facilement dans les sièges de la NSX dont les portes sont bien dimensionnées.

• Sièges: 70%
Ils maintiennent et soutiennent bien, mais leur conception n'est pas à la hauteur de celle du reste du véhicule.

• Assurance: 70%
Si l'indice est faible, son prix élevé incite à ne l'assurer qu'à la demande.

• Freinage: 60%
Les ralentissements sont puissants, équilibrés et faciles à contrôler grâce au poids raisonnable de l'ensemble et l'endurance des plaquettes est suffisante.

• Suspension: 60%
Les éléments sophistiqués qui la composent, ont un débattement suffisant, mais la réponse des amortisseurs est ferme et renseigne bien les occupants sur la nature du revêtement.

• Dépréciation: 50%
La NSX n'a pas conquis ses lettres de noblesse, en conséquence sa valeur de revente fluctue beaucoup.

• Consommation: 50%
Elle se maintient à un niveau raisonnable pour ce genre de voitures compte des performances dont elle est capable.

POINTS FAIBLES

• Prix/équipement: 00%
Même s'il est moitié moins que celui d'une Italienne de même acabit, le prix est surestimé et l'équipement banal.

• Habitabilité: 10%
Bien qu'elle soit limitée, on n'éprouve pas de sentiment de claustrophobie parce que la largeur a été bien calculée. C'est sur la hauteur que les «grands jacks» trouveront à redire.

• Coffre: 10%
Minuscule, il n'accueillera que des sacs mous, et pas trop...

• Niveau sonore: 25%
Les bruits de roulement couvrent souvent le chant du moteur qui est assez mélodieux lors des fortes montées en régime.

• Commodités: 40%
Les rangements, réduits au minimum consistent en une boîte à gants et un coffret-accoudoir disposé sur la console centrale.

CONCLUSION

• Moyenne générale: 61.5%
Le coupé NSX a été conçu en sachant qu'il arpenterait plus le béton des autoroutes et des villes que celui des pistes de compétition. C'est pourquoi il est aussi civilisé et aussi dépourvu du caractère qui donne le grand frisson dans les véritables voitures exotiques. Malgré toutes ses qualités, il lui manque la petite étincelle qui ferait damner... ☺

CARACTÉRISTIQUES & PRIX

lodèles	Versions	Carrosseries/ Sièges	Volume cabine l.	Volume coffre l.	Cx	Empat. mm	Long x larg x haut. mm x mm x mm	Poids à vide kg	Capacité Remorq. max. kg	Susp. av/ar	Freins av/ar	Direction type	Diamètre braquage m	Tours volant b à b.	Réser. essence l.	Pneus d'origine	Mécaniques d'origine	PRIX $ CDN. 1994
\CURA		**Garantie générale: 4 ans / 80 000 km: mécanique: 5 ans / 100 000 km; corrosion de surface: 5 ans/ kilométrage illimité.**																
\SX	base	cpé. 2p. 2	1384	142	0.32	2530	4405x1810x1170	1370	NR	i/i	d/d/ABS	crém.ass,	11.6	3.24	70.0	215/45ZR16 245/40ZR17 (ar.)	V6/3.0/M5	**86 000**
\SX	base	cpé. 2p. 2	1384	142	0.32	2530	4405x1810x1170	1410	NR	i/i	d/d/ABS	crém.ass.	11.6	3.57	70.0	205/45ZR16 245/40ZR17 (ar.)	V6/3.0/A4	**86 000**

Voir la liste complète des prix 1995 à partir de la page 393.

Tout pour déplaire...

La Vigor constitue sans doute le meilleur exemple d'une voiture composé de bons éléments qui e finale n'a aucune personnalité et n'est pas plus agréable à conduire qu'à utiliser. Mal née, elle es venue boucher à la hâte le trou qui existait entre l'Integra et la Legend.

Pour séduire le marché américain, Honda a accumulé tant de compromis que la Vigor est devenue l'exemple type de la voiture incolore, inodore et sans saveur. Elle sera renouvelée dans le courant de 1995 et en attendant le modèle 94 continue d'être proposé sous la forme d'une berline 3 volumes 4 portes dans deux niveaux de finition : LS et GS qui se partagent une mécanique identique.

POINTS FORTS

• Satisfaction: 90%
Ce point constitue sans doute la seule, et maigre, consolation de ceux qui se sont risqués à en acquérir une.

• Sécurité: 80%
Malgré la bonne rigidité de la structure et la présence de coussins gonflables aux places avant, il reste à faire pour que la protection des autres occupants soit optimale.

• Qualité & finition: 80%
L'assemblage et la finition sont soignés et la plupart des matériaux ont une belle apparence. C'est le cas des garnitures de cuir ou des tissus des sièges. Par contre, le faux bois qui «pare» le tableau de bord n'est pas du meilleur goût.

• Poste de conduite: 80%
Le conducteur trouvera rapidement la meilleure position de conduite, en face d'un tableau de bord organisé de manière classique mais soignée. La visibilité est bonne grâce aux piliers du toit qui sont minces et à l'importante surface vitrée. Les instruments tombent sous les yeux, ce qui n'est pas le cas des interrupteurs placés au tableau de bord qui sont pratiquement invisibles.

• Assurance: 80%
Le ratio et le prix se combinent pour donner une prime abordable pour ce type de voiture.

• Technique: 80%
La Vigor a surtout été créée pour le marché japonais sous le nom de Inspire, pour jouer le rôle d'une Accord de luxe. Sa plate-forme en dérive directement à la différence que l'empattement a été allongé de 85 mm et les suspensions calibrées de manière différente, afin de lui procurer une stabilité digne de ses prétentions, et accessoirement un peu plus d'espace à l'intérieur. Sa carrosserie monocoque en acier a une ligne plutôt banale qui rappelle à la fois la Accord et la Legend. Sa finesse aérodynamique n'a pas donné de grands soucis à ses concepteur puisque son cœfficient affiche un médiocre 0.37 et son poids, particulièrement élevé, frise les 1 500 kg. La Vigor se différencie radicalement de l'Accord par son moteur 5 cylindres de 2.5L installé longitudinalement au-dessus du train avant, au-dessus de l'axe des roues motrices. Il est secondé soit par une boîte manuelle à 5 vitesses soit par une automatique à 4 rapports.

• Performances: 70%
Le 5 cylindres enlève aisément la voiture grâce aux deux premiers rapports courts qui permettent de franches accélérations et des reprises toniques jusqu'à environ 100 km/h. Au-delà, cette puissance s'estompe, car les rapports suivants, plus longs, s'accommodent moins bien du poids qui pénalise plus encore les versions équipées de

DONNÉES

Catégorie: berlines de luxe tractées.
Classe : 7

HISTORIQUE

Inauguré en: 1989 (Inspire au Japon); 1991 à New-York.
Modifié en: -
Fabriqué à: Sayama, Japon.

INDICES

Sécurité: 80 %
Satisfaction: 90 %
Dépréciation: 45 %
Assurance: 4.2 % (1 201 $)
Prix de revient au km: 0.62 $

NOMBRE DE CONCESSIONNAIRES

Au Québec: 14

VENTES AU QUÉBEC

Modèle	1992	1993	Résultat	Part de march
Vigor	502	ND	ND	

PRINCIPAUX MODÈLES CONCURRENTS

AUDI A4, BMW série 3, INFINITI J30, LEXUS ES300, MAZDA Milleni NISSAN Maxima, TOYOTA Avalon.

ÉQUIPEMENT

ACURA Vigor	LS	GS
Boîte automatique:	O	O
Régulateur de vitesse:	S	S
Direction assistée:	S	S
Freins ABS:	S	S
Climatiseur:	S	S
Coussin gonflable:	S	S
Garnitures en cuir:	-	S
Radio MA/MF/ K7:	S	S
Serrures électriques:	-	S
Lève-vitres électriques:	S	S
Volant ajustable:	O	O
Rétroviseurs ext. ajustables:	S	S
Essuie-glace intermittent:	S	S
Jantes en alliage léger:	S	S
Toit ouvrant:	-	S
Système antivol:	S	S

S : standard; O : optionnel; - : non disponible

COULEURS DISPONIBLES

Extérieur: Blanc, Noir, Brun, Bleu, Prune, Rouge.
Intérieur: Noir, Cognac, Gris.

ENTRETIEN

Première révision: -
Fréquence: -
Prise de diagnostic: -

QUOI DE NEUF EN 1995 ?

- Pas communiqué à temps par le constructeur.

MOTEURS					TRANSMISSION						PERFORMANCES							
Modèles/ versions *: de série	Type / distribution soupapes / carburation	Cylindrée cc	Puissance ch @ tr/mn	Couple lb.pi @ tr/mn	Rapport volumét.	Roues motrices / transmissions	Rapport de pont	Accélér. 0-100 km/h s	400 m D.A. s	1000 m D.A. s	Freinage 100-0 km/h m	Vites. maxi. km/h	Accélér. latérale G	Niveau sonore dBA	Consommation l./100km Ville	Consommation l./100km Route	Carbura Octane
Vigor	L5 2.5 SACT-20 IEP	2451	176 @ 6300	170 @ 3900	9.0 :1	avant-M5	4.492	8.0	16.0	29.6	40	200	0.77	66	11.6	8.1	R 87
						avant-A4	4.480	8.6	16.5	30.1	38	190	0.77	66	11.8	8.4	R 87

ı transmission automatique.

Consommation: 70%
lle est raisonnable compte tenu u poids élevé de cette voiture et épasse rarement 12 l aux 100 m en conduite normale.

Sièges: 70%
ɫu'ils soient garnis de cuir ou de ssu, ils procurent un soutien ›rme, un maintien évasif et l'as-ise des sièges est trop courte our donner une impression d'es-ace, là où il n'y en a pas.

Niveau sonore: 70%
, vitesse de croisière, le niveau onore se maintient très bas, car moteur, discret, ne manifeste a présence que lors des fortes ccélérations.

Dépréciation: 65%
lle est relativement forte car ce ıodèle n'est pas très répandu et es concurrentes semblent mieux rmées sur le plan pratique.

Freinage: 60%
manque de mordant car les istances d'arrêt ne sont pas mi-aculeuses et il est délicat à do-er la pédale étant particulière-ıent spongieuse.

Direction: 60%
rop démultipliée, son assistance st ou trop forte, ou trop faible, et lle n'est ni assez directe ni as-

sez précise pour satisfaire la conduite sportive.

• Coffre: 60%
Assez profond pour accueillir un volume de bagages respectable, il peut être agrandi côté cabine en abaissant le dossier de la banquette.

• Comportement: 60%
Il est équilibré, grâce aux pneus bien dimensionnés et aux amortisseurs sportifs qui contrôlent efficacement les débattements de la caisse, en limitant le roulis au minimum. Il reste neutre tant que le revêtement est favorable, mais dès qu'il se détériore, la caisse roule et tangue en affichant rapidement un caractère sous-vireur marqué. La surcharge de l'essieu avant se traduit par une perte de motricité dans les épingles, surtout sous la pluie.

• Accès: 60%
En reculant le pilier central on a réduit la largeur des portes arrière ce qui oblige à quelques contorsions pour s'installer sur la banquette.

• Commodités: 60%
Les différents rangements sont bien proportionnés à l'exception de la boîte à gants qui est ridiculement petite.

• Habitabilité: 50%
Suffisante aux places avant, elle pèche à l'arrière par l'insuffisance des dégagements qui ne favoriseront pas les personnes corpulentes, car l'espace pour les jambes y fait défaut. En hauteur le revêtement insonorisant alvéolé qui garnit le toit est très épais et limite l'espace pour la tête des occupants. Cette situation découle du fait que l'ensemble moteur-transmission tient beaucoup de place sur une plate-forme dont l'empattement n'a pas été suffisamment allongé.

• Suspension: 50%
Tout se passe bien sur autoroute où elle est confortable, mais ses réactions sont très sèches sur mauvais revêtements où son manque d'amplitude l'amène à talonner souvent de manière désagréable.

POINTS FAIBLES

• Prix/équipement: 35%
Pour n'avoir à offrir qu'un moteur à 5 cylindres, la Vigor est trop chère par rapport à ses concurrentes équipées d'un V6 de 3.0L. L'équipement est relativement complet mais à ce prix, c'est bien la moindre des choses.

CONCLUSION

• Moyenne générale: 66.5 %
Si sur le papier la Vigor s'en tire assez bien, à l'usage, elle a tout pour déplaire. Lourde, étriquée à l'arrière, pourvue d'un moteur dépassé, elle n'est à l'aise que sur les autoroutes américaines à vitesse légale. Trop de compromis douteux et faciles amènent cette voiture à se jouer de notre système de notation qui ne tient pas compte de l'agrément qui est une notion trop personnelle. ☺

CARACTÉRISTIQUES & PRIX

Modèles	Versions	Carrosseries/ Sièges	Volume cabine l.	Volume coffre l.	Cx	Empat. mm	Long x larg x haut. mm x mm x mm	Poids à vide kg	Capacité Remorq. max. kg	Susp. av/ar	Freins av/ar	Direction type	Diamètre braquage m	Tours volant b à b.	Réser. essence l.	Pneus d'origine	Mécaniques d'origine	PRIX $ CDN. 1994
ACURA		Garantie générale: 4 ans / 80 000 km: mécanique: 5 ans / 100 000 km; corrosion de surface: 5 ans/ kilométrage illimité.																
ʋigor	LS	ber. 4 p. 5	2472	402	0.37	2805	4835x1780x1320	1370		i/i	d/dABS	crém. ass.	11.0	3.5	65.0	205/60HR15	L5/2.5/M5	**28 450**
ʋigor	GS	ber. 4 p. 5	2423	402	0.37	2805	4835x1780x1320	1370		i/i	d/dABS	crém. ass.	11.0	3.5	65.0	205/60HR15	L5/2.5/M5	**33 400**

Voir la liste complète des prix 1995 à partir de la page 393.

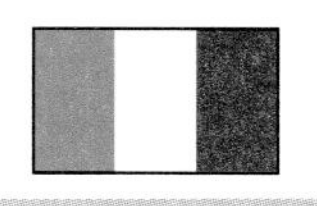

Antiquité...

La présentation du successeur du Spider d'Alfa Roméo, a aussitôt fait basculer celui que l'on connaît depuis bientôt trente ans au rang d'antiquité et de voiture de collection. Bien qu'il ait été modernisé plusieurs fois, il est le dernier témoin authentique de la grande époque des roadsters

L'organisation nord-américaine du constructeur milanais laisse plutôt à désirer et reste en marge des normes de l'industrie. Il semble donc normal de ne plus voir de concessionnaires s'installer et faire proliférer le nombre de ces voitures italiennes. Le cabriolet en est à sa dernière année puisque son remplaçant (que l'on peut admirer page 50) a été présenté au dernier Salon de Turin. Pour 1995 la gamme du cabriolet Spider demeurera réduite à sa plus simple expression, puisqu'elle n'offre qu'une seule carrosserie, un moteur et deux transmissions, une manuelle à 5 vitesses en série et une automatique à 3 rapports en option. Deux niveaux de finitions: Spider de base ou Veloce, sur lequel le toit rigide est en option.

POINTS FORTS

• Assurance: 70%
Son indice favorable et son prix raisonnable donnent une prime abordable qui peut aussi, selon le climat local, être saisonnière.

• Consommation: 70%
Elle demeure acceptable, puisqu'elle se maintient en moyenne autour de 10 à 11 l aux 100 km.

• Fiabilité: 70%
Elle s'est améliorée, mais la rareté des concessionnaires et des pièces détachées rend les longs voyages encore plus aventureux.

• Accès: 70%
Les portes étant assez longues et le hauteur du toit suffisante, on éprouve peu de difficulté à s'installer à bord.

• Qualité & finition: 70%
L'assemblage, la finition, et la qualité des matériaux et composants sont typiques de la fabrication italienne c'est-à-dire qu'ils sont irréguliers.

• Poste de conduite: 70%
Malgré quelques retouches, le tableau de bord fait encore roccoco, le volant offre une bonne prise de même que le sélecteur, toujours placé à un angle inhabituel. L'instrumentation est complète et lisible, regroupée dans un boîtier ovoïde incorporé à la planche de bord qui nuit, par sa hauteur, à la visibilité vers l'avant. Latéralement la capote génère un important angle mort, problème résolu sur le toit rigide dont la surface vitrée est plus grande. La pédale d'embrayage est aussi ferme que le sélecteur et la marche arrière n'est toujours pas synchronisée. Pour échapper au style de conduite macho de la transmission manuelle, on peut désormais opter pour l'automatique, qui n'est peut-être pas un modèle de douceur, mais dont les rapports sont bien échelonnés.

• Sièges: 60%
Étroits mais bien rembourrés, ils procurent un excellent maintien latéral et un soutien lombaire efficace qui donnent l'impression de faire corps avec la voiture.

• Performances: 60%
Malgré l'âge de sa conception, le moteur offre un bon rendement, car il est à la fois souple et puissant. Les accélérations et les reprises sont assez toniques pour procurer des sensations réservées aux modèles exotiques. La boîte automatique permet une conduite plus coulée, qui

DONNÉES

Catégorie: coupés sportifs propulsés.
Classe : 3S

HISTORIQUE

Inauguré en: 1966
Modifié en: 1971: mot. 2.0L;1985 & 1991 retouches cosmétiques.
Fabriqué à: Grugliasco, Turin, Italie.

INDICES

Sécurité:	60 %
Satisfaction:	70 %
Dépréciation:	60 %
Assurance:	5.0 % (1 429 $)
Prix de revient au km:	0.43 $

NOMBRE DE CONCESSIONNAIRES

Au Québec: 3

VENTES AU QUÉBEC

Modèle	1992	1993	Résultat	Part de marché
Spider	33	ND	ND	

PRINCIPAUX MODÈLES CONCURRENTS

MAZDA Miata, FORD Mustang.

ÉQUIPEMENT

ALFA ROMÉO Spider	base	Veloce
Boîte automatique:	O	O
Régulateur de vitesse:	-	O
Direction assistée:	-	-
Freins ABS:	-	-
Climatiseur:	S	S
Coussin gonflable:	-	-
Garnitures en cuir:	S	S
Radio MA/MF/ K7:	S	S
Serrures électriques:	-	-
Lève-vitres électriques:	-	S
Volant ajustable:	-	O
Rétroviseurs ext. ajustables:	S	S
Essuie-glace intermittent:	S	S
Jantes en alliage léger:	O	S
Toit ouvrant:	-	
Système antivol:	-	

S : standard; O : optionnel; - : non disponible

COULEURS DISPONIBLES

Extérieur: Rouge, Blanc, Noir, Gris métallisé, Bleu.
Intérieur: Beige, Noir.

ENTRETIEN

Première révision:	5 000 km
Fréquence:	12 000 km
Prise de diagnostic:	Non

QUOI DE NEUF EN 1995 ?

- **Aucun changement majeur.**

MOTEURS						TRANSMISSION		PERFORMANCES									
Modèles/ versions *: de série	Type / distribution soupapes / carburation	Cylindrée cc	Puissance ch @ tr/mn	Couple lb.pi @ tr/mn	Rapport volumét.	Roues motrices / transmissions	Rapport de pont	Accélér. 0-100 km/h s	400 m D.A. s	1000 m D.A. s	Freinage 100-0 km/h m	Vites. maxi. km/h	Accélér. latérale G	Niveau sonore dBA	Consommation l./100km Ville	Route	Carbura Octane
base	L4* 2.0 DACT-8-IEPM	1962	120 @ 5800	117 @ 2700	9.0 :1	arrière - M5	4.10	9.5	17.0	29.6	46	185	0.77	74	10.8	7.3	R 87
						arrière - A3	4.10	10.7	17.8	31.0	48	175	0.77	74	10.5		

éduira une clientèle féminine lus importante.

Technique: 60%

algré l'agressivité de ses lignes, cabriolet d'Alfa Roméo n'est as un champion de l'efficacité érodynamique, puisque son oefficient n'est que de 0.40, une aleur digne d'une mini fourgonette... Sa carrosserie, autoporeuse en acier, comporte une susension avant à triangle inférieur, vier supérieur et barre oblique, lors qu'à l'arrière l'essieu est gide, suspendu par des ressorts élicoïdaux, enfin une barre stailisatrice complète chaque train oulant. Le moteur est un 4 cylinres à double arbre à cames en ête actionnant huit soupapes. près bien des années d'attente lfa s'est finalement décidé à ofir une transmission automatiue, mais à 3 rapports seulenent, alors que le différentiel est utobloquant.

Comportement: 50%

ien que la carrosserie émette

e nombreux craquements, la riidité est suffisante pour procuer une tenue de route acceptale. Sans être aussi raffinée que elle des voitures plus récentes, lle est amusante avec son survi- age facile à contrôler, que ce oit avec le volant ou l'accéléraeur. Le centre de gravité placé as et la fermeté des suspenions permettent au Spider de irer bien à plat. La présence 'un différentiel autobloquant et e pneumatiques de bonne quaté permet de bénéficier d'une bonne motricité, mais la rusticité des suspensions provoque un tangage important, car le train avant s'écrase ou se cabre beaucoup lors des accélérations et des freinages.

• Sécurité: 50%

À ce chapitre, le Spider ne fait pas de prouesse, car la rigidité de sa carrosserie est plus que douteuse, les ceintures ordinaires et l'on ne trouve ni coussin gonflable, ni arceau de sécurité, ni renforts de portes.

• Direction: 50%

C'est l'un des derniers systèmes à vis et galet montés en série. Il se signale par une forte imprécision au centre, mais il est aussi bien assisté que démultiplié.

POINTS FAIBLES

• Niveau sonore: 00%

Les nombreux bruits de caisse, de vent et de pneus rendent toute conversation ou écoute de la radio inutile. Heureusement ils sont couverts par le ronronnement évocateur du moteur dont l'échappement est généreux...

• Habitabilité: 20%

Il y a peu de place entre le tunnel de transmission et la porte et on a les pieds enfoncés dans un tunnel étroit. Pourtant, il y a suffisamment d'espace en longueur comme en hauteur.

• Prix/équipement: 30%

Le Spider est cher pour ce qu'il a à offrir, et son entretien le réserve à des fanatiques aussi fortunés que bons mécaniciens. Son équipement n'est pas aussi complet que celui d'autres cabriolets plus récents, mais cela fait un peu partie de son charme désuet.

• Freinage: 40%

Il est pénalisé par sa trop forte assistance, le contact spongieux de la pédale qui ne permet pas un dosage précis et le blocage rapide des roues avant lors des arrêts subits.

• Coffre: 40%

Il ne pourra accueillir que deux petites valises ou des sacs mous, car il manque de hauteur.

• Commodités: 40%

Elles se limitent à la seule boîte à gants de petite taille, mais on peut utiliser l'espace situé derrière les sièges pour remédier à ce manque de rangements.

• Suspension: 40%

Elle n'aime pas les revêtements rugueux sur lesquels elle réagit sèchement en secouant copieusement les occupants.

• Dépréciation: 40%

Elle est forte car ce modèle s'adresse à une clientèle particulière, et rare.

CONCLUSION

• Moyenne générale: 50.0 %

Témoin d'une époque le Spider d'Alfa Roméo est depuis longtemps déjà une belle antiquité. Ceux qui en rêvent pourront ainsi l'acheter neuf pour le faire durer le plus longtemps possible... ☹

CARACTÉRISTIQUES & PRIX

odèles	Versions	Carrosseries/ Sièges	Volume cabine l.	Volume coffre l.	Cx	Empat. mm	Long x larg x haut. mm x mm x mm	Poids à vide kg	Capacité Remorq. max. kg	Susp. av/ar	Freins av/ar	Direction type	Diamètre braquage m	Tours volant b à b.	Réser. essence l.	Pneus d'origine	Mécaniques d'origine	PRIX $ CDN. 1994
LFA ROMEO		Garantie générale: 3 ans / 60 000 km; corrosion perforation: 6 ans / 100 000 km.																
pider	base	déc. 2p. 2	1056	292	0.40	2250	4258x1624x1262	1156	NR	i/r	d/d.	v&g.ass.	10.78	3.2	46.0	195/60HR15	L4/2.0/M5	**28 570**
pider	Veloce	déc. 2p. 2	1056	292	0.40	2250	4258x1624x1262	1160	NR	i/r	d/d.	v&g.ass.	10.78	3.2	46.0	195/60HR15	L4/2.0/M5	**33 340**

Voir la liste complète des prix 1995 à partir de la page 393.

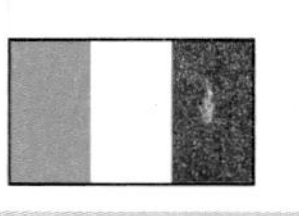

Passion coûteuse...

Ceux qui ont la voiture italienne dans le sang apprécieront cette 164 qui leur fera connaître les joie de la conduite nerveuse comme on la pratique dans la péninsule. Le malheur c'est que cett maîtresse exigeante consomme autant de billets verts que d'adrénaline.

Avec les Ferrari, les Alfa Roméo sont les seules représentantes de l'industrie automobile italienne en Amérique du Nord. Représentation très symbolique si l'on en juge par le nombre de voitures vendues. Il semble que les Européens éprouvent plus de problèmes que les Japonais à s'établir sur le marché américain. La 164 n'est vendue que sous la forme d'une berline 3 volumes à 4 portes en finitions L et S animées par le même moteur V6 qui équipait précédemment la Milano. Celui de la 164 S diffère de la L par sa gestion électronique Bosch Motronic dont la programmation est différente. Les transmissions sont manuelles à 5 vitesses et seule la L peut recevoir la boîte automatique à 4 rapports en option.

POINTS FORTS

• Performances: 85%

Les accélérations, comme les reprises, sont franches, surtout sur la version S qui atteint les 100 km/h en moins de 8 secondes, grâce à un rapport poids/puissance favorable et il fait aussi preuve de souplesse ce qui évite de jouer de la transmission. La boîte automatique à 4 rapports (d'origine ZF) est douce et mieux échelonnée que la manuelle dont les premier et le second rapports sont courts, alors que les suivants sont trop longs, afin de favoriser la consommation sur autoroute.

• Sièges: 80%

Plutôt fermes, ils maintiennent mieux aux places avant qu'à l'arrière où un cinquième passager sera mal installé au centre, car la banquette ne matérialise que deux places à l'aide de bourrelets proéminents.

• La suspension: 80%

Son amortissement est efficace et son débattement suffisant, car elle gomme efficacement les défauts de la route et le compromis entre le confort et le comportement est très réussi.

• Technique: 80%

Afin de réduire les coûts de mise au point de ce modèle, Alfa Roméo a partagé l'étude de l'ossature de la 164 avec Saab (9000), Fiat (Chroma) et Lancia (Théma). Chacun de ces constructeurs a ensuite dessiné la carrosserie dans son style et l'a équipée de sa propre mécanique. Le V6 3.0L tout en alliage qui équipe les 164 est un morceau de choix. Sur la version S, il fournit 17 ch et 5 lb/pi de plus que sur la L, par la modification du programme de gestion de l'allumage et de la carburation, Bosch Motronic. La S, qui n'est offerte qu'avec boîte manuelle, possède un rapport de différentiel plus court afin de favoriser les accélérations.

• Sécurité: 80%

La structure de la 164 a été renforcée afin qu'elle puisse satisfaire les normes d'homologation américaines. Le conducteur est protégé par un coussin gonflable et les passagers par des ceintures à trois points d'ancrage.

• Direction: 80%

Rapide, précise et bien démultipliée, elle permet une bonne maniabilité, mais ne renseigne pas vraiment sur la nature du revêtement.

• Accès: 80%

Il est aussi facile aux places avant qu'arrière, la longueur et l'angle

DONNÉES

Catégorie: berlines de luxe tractées.
Classe : 7

HISTORIQUE

Inauguré en: 1989
Modifié en: -
Fabriqué à: Arese, Milan, Italie.

INDICES

Sécurité: 90 %
Satisfaction: 75 %
Dépréciation: 66 %
Assurance: 4.3 % (1 655 $)
Prix de revient au km: 0.80 $

NOMBRE DE CONCESSIONNAIRES

Au Québec: 3

VENTES AU QUÉBEC

Modèle	1992	1993	Résultat	Part de march
164	85	ND	ND	

PRINCIPAUX MODÈLES CONCURRENTS

ACURA Legend, AUDI A6, BMW série 5, INFINITI J30, LEXUS ES30 MAZDA Millenia, MERCEDES classe C, NISSAN Maxima, SAAB 900 TOYOTA Avalon, VOLVO 960.

ÉQUIPEMENT

ALFA ROMÉO	164L	164S
Boîte automatique:	O	O
Régulateur de vitesse:	S	S
Direction assistée:	S	S
Freins ABS:	S	S
Climatiseur:	S	S
Coussin gonflable gauche:	S	S
Garnitures en cuir:	O	S
Radio MA/MF/ K7:	S	S
Serrures électriques:	S	S
Lève-vitres électriques:	S	S
Volant ajustable:	S	S
Rétroviseurs ext. ajustables:	S	S
Essuie-glace intermittent:	S	S
Jantes en alliage léger:	S	S
Toit ouvrant:	O	O
Système antivol:	O	S

S : standard; O : optionnel; - : non disponible

COULEURS DISPONIBLES

Extérieur: Rouge, Noir, Gris métallisé, Blanc.
Intérieur: Beige, Noir, Gris.

ENTRETIEN

Première révision: 5 000 km
Fréquence: 12 000 km
Prise de diagnostic: Non

QUOI DE NEUF EN 1995 ?

- Pas transmis à temps par le constructeur.

MOTEURS						TRANSMISSION					PERFORMANCES						
Modèles/ versions *: de série	Type / distribution soupapes / carburation	Cylindrée cc	Puissance ch @ tr/mn	Couple lb.pi @ tr/mn	Rapport volumét.	Roues motrices / transmissions	Rapport de pont	Accélér. 0-100 km/h s	400 m D.A. s	1000 m D.A. s	Freinage 100-0 km/h m	Vites. maxi. km/h	Accélér. latérale G	Niveau sonore dBA	Consommation l./100km Ville	Route	Carburant Octane
164 L	V6* 3.0 SACT-12-IEPM	2959	183 @ 5800	185 @ 4400	9.5 :1	avant - M5	3.11	8.7	16.4	29.2	37	220	0.76	67	13.7	8.9	M 89
						avant - A4	4.28	9.5	17.3	29.8	38	210	0.76	66	15.2	9.7	M 89
164 S	V6* 3.0 SACT-12-IEPM	2959	200 @ 5800	189 @ 4400	10.0 :1	avant - M5	3.41	7.5	15.6	27.0	36	230	0.78	67	13.7	8.9	M 89

'ouverture des portes ayant été ien calculés.

Assurance: 80%
'our une voiture à caractère exoque son indice est normal, et est son prix élevé qui fait grimer la prime.

Coffre: 80%
est vaste grâce à ses formes ɛgulières, mais la hauteur de on seuil, trop élevée, complique uelque peu son chargement.

Habitabilité: 75%
a cabine peut accueillir jusqu'à inq personnes et si les dégageıents sont satisfaisants en lonueur, c'est la hauteur sous plaınd qui est plus limitée.

Poste de conduite: 75%
a position de conduite est idéale, râce aux multiples réglages des ièges et de la colonne de direcon. Très dépouillé le tableau de ord est esthétique et fonctionel avec sa batterie d'interrupurs alignés à portée de la main. es principales commandes sont ien localisées, l'instrumentation imple et facile à déchiffrer.

Qualité & finition: 75%
a présentation intérieure frôle le énuement, et l'assemblage, omme la finition, s'inspire des chniques allemandes, un marhé qui a une grande importance our Alfa Roméo en Europe...

Comportement: 65%
'est lors des fortes accélérations que l'on constate les limites e la suspension, plus orientée ers le confort que vers la conuite sportive. Le train avant prouve quelques difficultés à enaisser le couple disponible, et ur revêtement bosselé ou en rage fermé, la motricité n'est as parfaite. Il en résulte des oubresauts disgracieux et des ajectoires qu'il faut contrôler vec précision, surtout sous la luie. Sur autoroute la stabilité st excellente en ligne droite omme en grande courbe. En rage serré, la 164 n'est pas cieuse, mais il faudra prudemıent doser la remise des gaz, ar l'importance de son poids nite son agilité.

Fiabilité: 60%
asés sur l'expérience de la lilano qui arborait la même méanique, l'entretien et la fiabilité

coûtent cher lorsque la garantie est terminée et les points de service sont peu nombreux.

• Commodités: 60%
Les rangements sont nombreux puisqu'en plus de la boîte à gants de bonne taille on découvre de nombreux vide-poches et logements pratiques.

• Freinage: 60%
Il est efficace et endurant et l'ABS permet des arrêts-surprise rectilignes et progressifs, toutefois la pédale spongieuse est difficile à moduler.

• Niveau sonore: 50%
L'insonorisation est si efficace qu'il faut baisser les vitres pour écouter les accents italiens du moteur dont les amateurs ne se lasseront pas. Au passage des saignées transversales, les pneus font entendre un bruit saccadé qui devient vite lassant.

POINTS FAIBLES

• Prix/équipement: 10%
Très élevé, il est l'une des raisons qui freinent sa diffusion, car le caractère latin de la 164 ne compense pas pour l'extrême faiblesse de son réseau et le prix élevé des pièces et de l'entretien. La version de base est mieux équipée, avec son climatiseur automatique et ses jantes en alliage léger qui ont remplacé les enjoliveurs en plastique...

• Consommation: 30%
La 164 est naturellement gourmande, et le style de conduite qu'elle impose n'arrange pas les choses.

• Dépréciation: 35%
Elle laissera des traces au cœur et au portefeuille des téméraires qui regretteront vite d'avoir cédé à une impulsion passionnelle...

CONCLUSION

• Moyenne générale: 66.0 %
La 164 est une enjôleuse de la pire espèce, car elle est passionnante à conduire malgré quelques défauts. Et si elle fait surtout souffrir au niveau du budget, il y a certains masochistes qui aiment ça. Tous les goûts sont dans la nature... ☺

CARACTÉRISTIQUES & PRIX

lodèles	Versions	Carrosseries/ Sièges	Volume cabine l.	Volume coffre l.	Cx	Empat. mm	Long x larg x haut. mm x mm x mm	Poids à vide kg	Capacité Remorq. max. kg	Susp. av/ar	Freins av/ar	Direction type	Diamètre braquage m	Tours volant b à b.	Réser. essence l.	Pneus d'origine	Mécaniques d'origine	PRIX $ CDN. 1994
LFA ROMEO		**Garantie générale: 3 ans / 60 000 km; corrosion perforation: 6 ans / 100 000 km.**																
64	L	ber.4 p. 4/5	2916	504	0.30	2660	4555x1760x1400	1508	907	i/i	d/d/ABS	crém.ass.	10.8	3.2	65.1	195/65VR15	V6/3.0/M5	**45 415**
64	S	ber.4 p. 4/5	2916	504	0.30	2660	4555x1760x1400	1520	907	i/i	d/d/ABS	crém.ass.	10.8	3.2	65.1	195/65VR15	V6/3.0/M5	-

Voir la liste complète des prix 1995 à partir de la page 393.

Le joujou d'Arnold...

La guerre du Golfe et Arnold Schwarzenegger ont fait le maximum pour la promotion de cet utilitair hors du commun baptisé Hummer. Le moins que l'on puisse dire c'est qu'il est aussi frappant de l rencontrer au détour d'un petit chemin que sur une autoroute où il tient beaucoup de place...

Le Hummer est la version civile du véhicule à tout faire dont l'armée américaine est équipée. Il est offert en version camionnette à 2 portes, cabine «équipe» à 4 portes avec une caisse courte ou encore en fourgon à cinq portes, tous avec toit souple ou rigide. Le moteur V8 Diesel 6.5L et la boîte automatique à 4 rapports viennent de chez GM, s'y ajoute une boîte de transfert à gammes haute et basse.

POINTS FORTS

Technique:
Le Hummer est construit à partir d'un châssis métallique en acier de forte épaisseur comportant à ses extrémités deux berceaux destinés à recevoir les éléments de suspension et les différentiels avant et arrière. La carrosserie est entièrement constituée de panneaux d'aluminium anodisés et assemblés à l'aide de 2 800 rivets en plus d'être collés à la colle Cybond. Le capot avant est fait de résine polyester armée de fibres de verre et les portes sont en acier. Catalogué comme camion de 3.5 tonnes, le Hummer ne comporte aucun pare-chocs. La suspension est indépendante aux quatre roues et le freinage constitué de quatre disques montés à la sortie des différentiels afin de les protéger et de permettre un entretien simplifié des garnitures. Les roues sont motrices à plein temps et les différentiels avant et arrière sont de type Torsen. Les énormes roues sont chaussées de pneus Goodyear Wrangler et on peut obtenir, contre supplément, des roues intérieures en caoutchouc plein visant à permettre au véhicule de rouler même après une crevaison. En option, outre un treuil de 6 tonnes de capacité, le Hummer peut être équipé d'un système permettant de contrôler la pression des pneus, et ce, même pendant que le véhicule roule, et de maintenir la pression après une crevaison.

Sécurité:
L'extrême rigidité du châssis et de la coque, qui comporte une cage tubulaire d'un diamètre impressionnant, permet de mettre les occupants à l'abri des collisions, mais hormis des ceintures à trois points d'ancrage, aucun coussin gonflable ni système antiblocage des roues n'est encore disponible.

L'habitabilité:
Malgré la taille énorme de cet engin dont la largeur est inhabituelle, la cabine du fourgon 5 portes que nous avons pu essayer en exclusivité l'an dernier, n'abrite que 4 places constituées par des sièges individuels séparés par la gigantesque console centrale.

Soute:
La hauteur limitée et l'importance des passages de roue n'empêche pas d'y remiser une quantité importante de bagages. Toutefois la forme primitive du hayon en deux parties et la garde-au-sol élevée pénalisent son accès.

Qualité & finition:
Bien que la construction soit très robuste et très soignée, l'apparence de la finition est très utilitaire.

Poste de conduite:
Le conducteur est enfermé dans l'un des quatre coins de la cabine définis par la largeur de la console centrale qui abrite la mécanique. La position de conduite est aussi bonne que la visibilité, malgré l'épaisseur des montants et la hauteur de la ceinture de caisse, mais

DONNÉES

Catégorie: Véhicules tous usages à quatre roues motrices.
Classe : utilitaires

HISTORIQUE

Inauguré en: 1985
Modifié en: 1992: version civile.
Fabriqué à: South Bend, Indiana, É-U.

INDICES

Sécurité: ND
Satisfaction: ND
Dépréciation: ND
Assurance: 2.1 % (1 201 $)
Prix de revient au km: ND

NOMBRE DE CONCESSIONNAIRES

Au Québec: Aucun

VENTES AU QUÉBEC

Modèle	1992	1993	Résultat	Part de marché
Hummer	ND	ND	ND	

PRINCIPAUX MODÈLES CONCURRENTS

CHEVROLET-GMC Suburban-Tahoe, camionnettes K, DODGE Ram 35 4x4. FORD 350 4x4, LAND ROVER Defender 90.

ÉQUIPEMENT

AM GENERAL Hummer	5p. fam.	2p. cam.	4p. cam
Boîte automatique:	S	S	S
Régulateur de vitesse:	O	O	O
Direction assistée:	O	O	O
Freins ABS:	-	-	-
Climatiseur:	S	S	S
Coussin gonflable:	-	-	-
Garnitures en cuir:	-	-	-
Radio MA/MF/ K7:	O	O	O
Serrures électriques:	O	O	O
Lève-vitres électriques:	O	O	O
Volant ajustable:	-	-	-
Rétroviseurs ext. ajustables:	O	O	O
Essuie-glace intermittent:	S	S	S
Jantes en alliage léger:	O	O	O
Toit ouvrant:	-		
Système antivol:	-		

S : standard; O : optionnel; - : non disponible

COULEURS DISPONIBLES

Extérieur: Rouge, Noir, Blanc, Vert militaire, Vert , Beige, Bleu, Jaune.
Intérieur: Beige-Noir, Beige-gris.

ENTRETIEN

Première révision: 6 000 km
Fréquence: 10 000 km
Prise de diagnostic: Non

QUOI DE NEUF EN 1995 ?

- Pas de changement majeur.

Modèles/ versions *: de série	Type / distribution soupapes / carburation	Cylindrée cc	Puissance ch @ tr/mn	Couple lb.pi @ tr/mn	Rapport volumét.	Roues motrices / transmissions	Rapport de pont	Accélér. 0-100 km/h s	400 m D.A. s	1000 m D.A. s	Freinage 100-0 km/h m	Vites. maxi. km/h	Accélér. latérale G	Niveau sonore dBA	Consommation l./100km Ville	Consommation l./100km Route	Carbura Octane
	MOTEURS					**TRANSMISSION**					**PERFORMANCES**						
base	V8* 6.2 ACC-16-IM	6211	150 @3600	250 @ 2000	21.3 :1	toutes- A3	2.73	20.0	22.0	42.0	60	125	0.67	74	16.1	12.3	D

es rétroviseurs sont grands et bien situés. Le volant et les principales commandes tombent bien en main et l'instrumentation est visible bien que les cadrans d'extrémités soient cachés par les mains du conducteur. Le frein à main et le climatiseur sont accessibles car finalement, tout est ergonomique.

Performances:
Si le Hummer bat des records, ils sont de lenteur car les accélérations, comme les reprises, prennent une éternité et sur route tout dépassement se fera avec beaucoup de précaution. Pourtant une fois lancé sur l'autoroute il maintient une vitesse de 120 km/h.

Comportement:
Malgré la largeur inusitée, la répartition minutieuse des masses et le centre de gravité, situé pas aussi haut qu'il y parait, font que l'équilibre du Hummer est surprenant car même lorsqu'il roule latéralement sur une pente de 40% il ne risque pas de se retourner. Il franchit les obstacles les plus impressionnants grâce au diamètre de ses roues et au couple de son moteur qui permet de manœuvrer au ralenti tout en disposant d'un couple optimal. Sur la route ce monstrueux véhicule se comporte comme une voiture de sport car son roulis est limité et il réagit avec beaucoup de précision. Le seul et unique problème de conduite vient de sa largeur extrême qui obligera à mesurer certains chemins avant de s'y aventurer.

Direction:
C'est à elle que le Hummer doit en grande partie la facilité enfantine de sa conduite. Elle est directe, précise et rapide car peu démultipliée et sa reversabilité est tout à fait convenable. Pourtant à cause du diamètre de braquage très important, la maniabilité est plutôt problématique.

Freinage:
Il est très efficace, du moins dans les limites des performances de ce véhicule. Les ralentissements ordinaires demandent un pied léger car l'attaque est brutale et le dosage sensible, mais c'est sur chaussée mouillée qu'un dispositif ABS serait très utile.

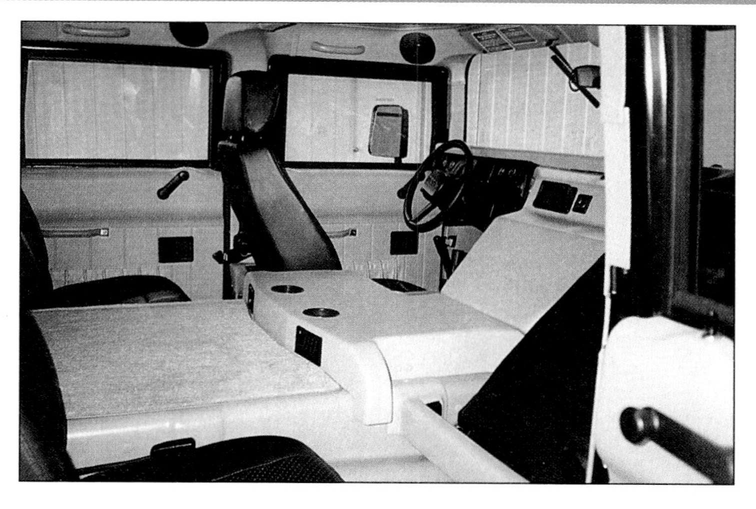

POINTS FAIBLES

Accès:
Malgré la hauteur de la coque et le fait que son fond forme une cuvette, il n'est pas trop compliqué de prendre place à bord, du moins si l'on est habillé en conséquence.

Sièges:
Ils sont surprenants car ils maintiennent assez bien et soutiennent le dos sans gêner les mouvements lors des évolutions hors route et leur rembourrage est consistant.

Suspension:
Bien qu'elle soit très chahuteuse en tout terrain (en fonction des obstacles à franchir) elle n'est pas trop dure sur route et semble même confortable sur autoroute où l'on ne sent presque pas les joints de dilatation.

Niveau sonore:
Malgré l'importance du travail d'insonorisation l'ambiance est très «musicale» et à certaines allures mieux vaut communiquer par signes...

Commodités:
Si l'on considère l'immense console centrale comme un espace de rangement, on peut y installer un bureau complet ou un lit à demeure...

Prix/équipement:
Le prix du Hummer est celui d'un outil de travail hautement spécialisé auquel il faut encore ajouter quelques options pour que son usage soit pleinement agréable.

Consommation:
Elle se maintient autour de 18 litres aux 100 km, mais peut aller jusqu'à 20 litres lorsqu'on évolue en terrain difficile.

CONCLUSION

La compagnie du Hummer n'est pas banale, parce qu'il déclenche chez ceux qui le voit passer de belles réactions de surprise. Avec lui on peut aller n'importe où, ce n'est qu'une question d'imagination. Demandez à Arnold! ☺

CARACTÉRISTIQUES & PRIX

Modèles	Versions	Carrosseries/ Sièges	Volume cabine l.	Volume coffre l.	Cx	Empat. mm	Long x larg x haut. mm x mm x mm	Poids à vide kg	Capacité Remorq. max. kg	Susp. av/ar	Freins av/ar	Direction type	Diamètre braquage m	Tours volant b à b.	Réser. essence l.	Pneus d'origine	Mécaniques d'origine	PRIX $ CDN. 1994
AM/GENERAL		**Garantie: 3 ans / 60 000 km.**																
Hummer	Recruit	cam. 4p.2				3302	4706x2451x1905	2631	4082	i/i	d/d	bil.ass.	16.14	3.0	95.0	37x12.5R16.5	V8/6.2/A3	**56 000**
		ber. 4p.4				3302	4706x2451x1905	2885	3900	i/i	d/d	bil.ass.	16.14	3.0	95.0	37x12.5R16.5	V8/6.2/A3	**60.200**
		fam. 4p.4				3302	4706x2451x1905	2903	3810	i/i	d/d	bil.ass.	16.14	3.0	95.0	37x12.5R16.5	V8/6.2/A3	**74 200**

Voir la liste complète des prix 1995 à partir de la page 393.

Virage-Volante

Réminiscences...

L'Angleterre, pays de traditions, est avec l'Italie celui où l'on fabrique les derniers monstres sacrés du monde automobile. Si les Rolls-Royce et les Bentley sont parmi les plus connues, Aston Martin évoque toute une époque de victoires en compétition et aussi certains films de James Bond.

Ces coupés et ces cabriolets de grand luxe, baptisés Virage et Volante, qu'Aston Martin fabrique à une centaine d'exemplaires par an, sont ce qui se fait de plus chic, de plus «classe» en Angleterre avec les Rolls Royce et les Bentley dont les prix sont sensiblement équivalents. Leur mécanique est composée d'un V8 de 5.3L développant 310 ch livré couplé à une boîte manuelle ou automatique.

POINTS FORTS

Technique:
Ces voitures exclusives sont construites à partir d'un châssis en tube d'acier rectangulaire, sur lequel est fixée une armature en tôle d'acier qui soutiendra plus tard les panneaux d'aluminium de la carrosserie. Malgré leurs impressionnantes proportions ces véhicules offrent une finesse aérodynamique acceptable, puisque leur cœfficient est de 0.35 sur le coupé et 0.39 sur le cabriolet. La suspension avant est basée sur des triangles inégaux alors qu'à l'arrière un pont De Dion, dont l'armature est située en arrière du différentiel, est relié à la coque par des bras tubulaires. Une barre de Watt garantit l'alignement longitudinal de l'ensemble auquel s'ajoute une barre stabilisatrice.

Sécurité:
La voiture essayée comportait un coussin gonflable dans le volant, et on nous a assurés que les modèles qui seront vendus en Amérique du Nord en auront un autre à droite. La structure de ces bolides a été conçue pour satisfaire aux normes en vigueur en matière de collision.

Habitabilité:
La cabine offre aux places avant un espace peu courant dû à la largeur importante de la carrosserie. Il n'en va pas de même à l'arrière où la place est réduite et seuls des petits gabarits pourront y séjourner sans encombre, et encore pas trop longtemps.

Coffre:
Celui de la Virage est plus vaste que celui de la Volante qui est amputé de l'espace servant à remiser la capote. L'excèdent de bagages pourra facilement trouver place sur la banquette arrière.

Qualité & finition:
Pour artisanale qu'elle soit la finition de ces modèles est impeccable. Le coupé semble plus homogène que le cabriolet dont le manque de rigidité est évident sur mauvais revêtement. Par contre la capote est remarquablement exécutée et très étanche.

Poste de conduite:
La plupart des commandes et instruments usuels sont regroupés autour du volant qui ressemble comme un frère à celui d'une ancienne Mustang. Sa présence s'explique par la nécessité pour Aston Martin d'offrir un coussin gonflable sans avoir à défrayer le coût de développement. Toutefois son moyeu massif cache les jauges et les voyants situés au bas du bloc d'instruments, tandis que ceux disposés sur la console centrale sont hors de vue. Les interrupteurs de phares et les dégivreurs avant-arrière, proviennent eux aussi de la grande série et cela se voit. Les commandes du climatiseur situées directement derrière le sélecteur de la transmission sont difficiles à atteindre.
Le siège s'ajuste rapidement et ses bourrelets latéraux proéminents maintiennent parfaitement les hanches et les cuisses, tandis que le

DONNÉES

Catégorie: coupés et cabriolets de grand tourisme propulsés.
Classe : GT

HISTORIQUE

Inauguré en: 1988: Virage; 1990: Volante.
Modifié en:
Fabriqué à: Newport Pagnell, Grande-Bretagne.

INDICES

Sécurité:	90 %
Satisfaction:	ND %
Dépréciation:	ND %
Assurance:	6.0 %
Prix de revient au km:	3.25 $

NOMBRE DE CONCESSIONNAIRES

Au Québec:

VENTES AU QUÉBEC

Modèle	1992	1993	Résultat	Part de marché
Aston Martin	ND			

PRINCIPAUX MODÈLES CONCURRENTS

BENTLEY Turbo R, BMW 850Ci, FERRARI 456GT, MERCEDES SC500 & SC600, PORSCHE 928GT.

ÉQUIPEMENT

ASTON MARTIN	Virage coupé	Volante cabriolet
Boîte automatique:	O	O
Régulateur de vitesse:	S	S
Direction assistée:	S	S
Freins ABS:	S	S
Climatiseur:	S	S
Coussins gonflables (2):	S	S
Garnitures en cuir:	S	S
Radio MA/MF/ K7:	S	S
Serrures électriques:	S	S
Lève-vitres électriques:	S	S
Volant ajustable:	S	S
Rétroviseurs ext. ajustables:	S	S
Essuie-glace intermittent:	S	S
Jantes en alliage léger:	S	S
Toit ouvrant:	-	
Système antivol:	-	

S : standard; O : optionnel; - : non disponible

COULEURS DISPONIBLES

Extérieur: Noir, Rouge, Gris métallique, Blanc, Champagne.
Intérieur: Noir, Rouge, Bleu.

ENTRETIEN

Première révision:	2 500 km
Fréquence:	5 000 km
Prise de diagnostic:	Non

QUOI DE NEUF EN 1995 ?

- **Aucun changement majeur.**

Modèles/ versions *: de série	Type / distribution soupapes / carburation	Cylindrée cc	Puissance ch @ tr/mn	Couple lb.pi @ tr/mn	Rapport volumét.	Roues motrices / transmissions	Rapport de pont	Accélér. 0-100 km/h s	400 m D.A. s	1000 m D.A. s	Freinage 100-0 km/h m	Vites. maxi. km/h	Accélér. latérale G	Niveau sonore dBA	Consommation l./100km Ville	Consommation l./100km Route	Carburant Octane
Virage & Volante	V8* 5.3 DACT-32-IES	5340	310 @ 6000	340 @ 3700	9.5 :1	arrière - M5	3.54	6.6	15.2	27.6	38	250	0.84	66	25.0	17.0	S 91
						arrière - A4	3.06	7.2	15.8	28.4	40	240	0.84	66	26.0	17.0	S 91

réglage lombaire s'effectue pneumatiquement. Contrairement à certains autres coupés ou cabriolets exotiques, la visibilité est bonne sur ces Aston Martin, mais meilleure sur le coupé que sur le cabriolet dont la capote crée de 3/4 des angles morts importants.

Performances:
Bien que l'accélérateur soit sensible on est surpris de ne pas être collé au siège lors d'une forte accélération. Il faut dire que la masse de près de deux tonnes a une forte inertie et ce n'est qu'une fois lancée que la puissance semble déborder. Cela n'a rien à voir avec les 500 ch de la conversion qu'Aston Martin propose aux propriétaires en mal d'émotions fortes contre la modique somme de 75 000 dollars.

Comportement:
Il n'y a pas de quoi se faire peur sur les versions «normales», si ce n'est que ces voitures sont beaucoup plus à l'aise sur autoroute que sur les petites routes anglaises étroites et tortueuses à souhait où la carrosserie prend toute la largeur du chemin et où un fort roulis se manifeste de manière surprenante. Il sera préférable d'aborder les courbes en épingle en ralentissant fortement à l'entrée pour ressortir en pleine accélération, sinon un abord trop rapide se terminera par un dérapage brutal et l'Aston s'échappera. Il faut souligner l'adhérence des pneus Goodyear Eagle qui aident à transmettre à l'asphalte la plupart des chevaux disponibles, mais sur mauvaise route la stabilité directionnelle devient moins bonne car l'essieu arrière rue sans vergogne.

Direction:
Elle est généralement trop assistée et inerte au centre, alors qu'elle durcit de manière inconsidérée lors de contre-braquages rapides, ce qui fait que la Virage est tout sauf agile et il faudra apprendre à doser chaque changement de trajectoire pour ne pas faire de faux-pas.

Freinage:
Les quatre gros disques ventilés alimentés par des circuits différents assurent un freinage à la hauteur des performances, car puissant et équilibré par l'action d'un dispositif antiblocage, il résiste à plusieurs arrêts-panique sans faiblir trop et récupère rapidement.

POINTS FAIBLES

Accès:
Il n'est pas très difficile de se glisser aux places arrière si l'on est d'un petit gabarit, alors que l'espace est somptueux à l'avant, plus en largeur qu'en longueur.

Sièges:
Leur galbe et leurs nombreux ajustements électriques permettent d'y passer de longues heures sans se fatiguer.

Suspension:
Elle se comporte mieux sur autoroute que sur des revêtements bosselés où elle oublie son flegme et ses bonnes manières et chahute les occupants sans façon.

Niveau sonore:
En promenade, l'échappement émet juste assez de sonorités pour ajouter au plaisir, mais dès que l'on commence à jouer avec l'accélérateur le confort disparaît.

Commodités:
Aussi bizarre que cela puisse paraître, on ne trouve pas de véritable boîte à gants sur ces voitures. Elle est remplacée par un coffret installé sur la console centrale et des petits vide-poches de portière.

Prix/équipement:
Tout ce qu'un honnête homme peut souhaiter est livré dans ces voitures dont le prix est à l'avenant.

Consommation:
Un détail en passant, les Aston Martin brûlent près de 23 litres au 100 km et cela peut être pire en conduite rapide...

CONCLUSION

Malgré leur mise à jour constante et tout le soin apporté à leur fabrication, ces modèles d'exception font déjà partie de l'histoire de l'automobile, car leur technique semble bien primitive comparée à celle des Mercedes SC ou SL ou encore des BMW de série 8 qui, à côté, font figure d'engins spatiaux...

CARACTÉRISTIQUES & PRIX

Modèles	Versions	Carrosseries/ Sièges	Volume cabine l.	Volume coffre l.	Cx	Empat. mm	Long x larg x haut. mm x mm x mm	Poids à vide kg	Capacité Remorq. max. kg	Susp. av/ar	Freins av/ar	Direction type	Diamètre braquage m	Tours volant b à b.	Réser. essence l.	Pneus d'origine	Mécaniques d'origine	PRIX $ CDN. 1994
ASTON MARTIN		**Garantie: 2 ans / kilométrage illimité.**																
Virage		cpé.2p. 2+2	ND	350	0.35	2611	4745x1856x1360	1920	NR	i/i	d/d/ABS	crém.ass.	12.0	3.2	114	255/60ZR17	V8/5.3/M5	**275 000**
Volante		cpé.2p. 2+2	ND	200	0.39	2611	4745x1856x1400	2000	NR	i/i	d/d/ABS	crém.ass.	12.0	3.2	95	255/60ZR17	V8/5.3/M5	**300 000**

Voir la liste complète des prix 1995 à partir de la page 393.

Confusion...

En appelant ses anciennes 90 A4, Audi ne fait preuve de logique que sur le marché européen où ces modèles sont majoritairement équipés de 4 cylindres, mais en Amérique du Nord ces voitures possèdent des 6 cylindres comme les A6 que sont devenues les anciennes 100. Quel fouillis!

Après sa refonte intervenue il y a deux ans (principales dimensions allongées, structure renforcée, suspensions redéfinies, et moteur V6 de 2.8L de la 100) voilà que la 90 change de nom. Elle s'appellera désormais A4. Cette berline à 4 portes sera proposée avec traction avant ou intégrale Quattro, Quattro Sport et CS et sous la forme d'un cabriolet. Les A4 sont toutes équipées en série d'une boîte automatique à 4 rapports, sauf la Quattro Sport qui bénéficie d'une manuelle à 5 rapports.

POINTS FORTS

• Satisfaction: 90%

Ces modèles bénéficient d'un assemblage très rigoureux et d'une qualité de matériaux très supérieure à la moyenne. Quant à la finition, certains détails se reconnaissent entre mille comme étant typiquement Audi.

• Technique: 90%

Les lignes massives de la carrosserie de la A4 n'altèrent pas sa finesse aérodynamique puisque son cœfficient oscille entre 0.31 et 0.32. De type monocoque, elle est entièrement réalisée en acier galvanisé par électrolyse au zinc, ce qui lui donne, sur le marché, la meilleure protection contre la corrosion. Les suspensions sont indépendantes aux quatre roues et la traction intégrale en permanence des Quattro comprend un différentiel central Torsen qui répartit automatiquement 78 % de la puissance en fonction de l'adhérence entre les deux trains de roues. Le moteur V6 de 2.8L est l'un des moins encombrants et des plus légers de sa catégorie et il produit 172 ch.

• Sécurité: 90%

La structure de la petite Audi possède une rigidité exemplaire qui lui permet une bonne résistance aux impacts. Le dispositif de rétraction des ceintures avant et de la colonne de direction, baptisé Procon-Ten ainsi que les deux coussins gonflables livrés en série avec des protège-genoux, complètent la protection des occupants.

DONNÉES

Catégorie: berlines de luxe tractées ou intégrales.
Classe : 7

HISTORIQUE

Inauguré en: 1987
Modifié en: 1988: mot. 20V; 1991: coupé.
Fabriqué à: Ingolstadt, en Allemagne.

INDICES

Sécurité: 90 %
Satisfaction: 88 %
Dépréciation: 50 % (90)
Assurance: 5.1 % (1 545 $) (90)
Prix de revient au km: 0.62 $

NOMBRE DE CONCESSIONNAIRES

Au Québec: 10

VENTES AU QUÉBEC

Modèle	1992	1993	Résultat	Part de marché
Audi 90	95	ND	ND	

PRINCIPAUX MODÈLES CONCURRENTS

ACURA Vigor, BMW Série 3, INFINITI J30, LEXUS ES300, MAZDA Millenia NISSAN Maxima, SAAB 900, TOYOTA Cressida, TOYOTA Avalon, VOLKSWAGEN Passat VR6, VOLVO 850.

ÉQUIPEMENT

AUDI	90 S 2RM	90 S Quattro	90 CS Quattro
Boîte automatique:	S	S	M5
Régulateur de vitesse:	S	S	S
Direction assistée:	O	O	O
Freins ABS:	S	S	S
Climatiseur:	S	S	S
Coussin gonflable:	O	O	O
Garnitures en cuir:	O	O	O
Radio MA/MF/ K7:	S	S	S
Serrures électriques:	S	S	S
Lève-vitres électriques:	O	O	O
Volant ajustable:	S	S	S
Rétroviseurs ext. ajustables:	S	S	S
Essuie-glace intermittent:	S	S	S
Jantes en alliage léger:	O	O	S
Toit ouvrant:	-		
Système antivol:		-	

S : standard; O : optionnel; - : non disponible

COULEURS DISPONIBLES

Extérieur: Noir, Argent, Blanc, Rouge, Mica, Titane, Émeraude.
Intérieur: Anthracite, Écru, Platine.

ENTRETIEN

Première révision: 12 000 km
Fréquence: 12 000 km
Prise de diagnostic: Oui

QUOI DE NEUF EN 1995 ?

- Les nouvelles A4, qui sont en fait des 90 améliorées, seront introduites début 1995.

	MOTEURS					TRANSMISSION			PERFORMANCES									
Modèles/ versions *: de série	Type / distribution soupapes / carburation	Cylindrée cc	Puissance ch @ tr/mn	Couple lb.pi @ tr/mn	Rapport volumét.	Roues motrices / transmissions	Rapport de pont	Accélér. 0-100 km/h s	400 m D.A. s	1000 m D.A. s	Freinage 100-0 km/h m	Vites. maxi. km/h	Accélér. latérale G	Niveau sonore dBA	Consommation l./100km Ville	Consommation l./100km Route	Carburant Octane
A4 S	V6* 2.8 SACT-12-IE	2771	172 @ 5500	184 @ 3000	10.3 :1	avant - A4*	4.00	9.5	17.7	30.5	42	210	0.76	66	13.3	8.3	S 91
A4 Quattro	V6* 2.8 SACT-12-IE	2771	172 @ 5500	184 @ 3000	10.3 :1	toutes - A4*	4.29	9.7	18.0	31.0	44	210	0.76	66	12.7	9.0	S 91
A4 Sport	V6* 2.8 SACT-12-IE	2771	172 @ 5500	184 @ 3000	10.3 :1	toutes - M5*	3.89	8.5	16.5	29.8	40	210	0.79	66	12.7	9.0	S 91

• Direction: 80%
La direction est très réussie et permet un contrôle précis et une maniabilité dans la bonne moyenne, mais son assistance prononcée la rend légère.

• Qualité & finition: 80%
Les matériaux, l'assemblage et la finition des Audi sont de grande qualité et se distinguent de BMW ou de Mercedes par une présentation d'une belle netteté dans les tons et les matériaux.

• Accès: 80%
Il est excellent car les portes s'ouvrent pratiquement à 90º et la découpe de la partie arrière abaisse le seuil du coffre.

• Sièges: 80%
Bien que résolument fermes, ils procurent un excellent soutien, car ils sont aussi bien sculptés à l'avant qu'à l'arrière et permettent de réaliser de long trajets sans fatigue.

• Commodités: 80%
Elles sont aussi généreuses que pratiques,car bien dimensionnées et en nombre suffisant. Sur la cabriolet, la capote s'escamote automatiquement dans un cycle robotisé impressionnant. Malheureusement la lunette est en plastique et ne dispose pas de dégivrage électrique, ce qui est inadmissible.

• Poste de conduite: 80%
Le conducteur est bien calé dans un siège bien galbé dont le réglage en hauteur n'est pas pratique, mais il y voit bien grâce aux troisièmes vitres latérales et aux appuie-tête ajourés. Bien que la colonne de direction soit fixe, l'ergonomie est soignée et les principaux instruments sont clairs et bien disposés. D'autre part les leviers commandant les phares et le régulateur de vitesse demandent une certaine habitude car ils ne sont pas disposés de manière conventionnelle.

• Suspension: 70%
Malgré une certaine sécheresse typiquement allemande, elle absorbe bien les défauts de la route grâce à la bonne amplitude des roues et à la consistance de l'amortissement.

• Performances: 70%
Le moteur V6 est plus à l'aise dans la A4 que la A6 dont le poids est plus élevé. Avec un rapport poids/puissance de 8.7 kg/ch le moteur offre une puissance constante à partir de 2000 tr/mn. S'il n'y a pas beacoup de chevaux en dessous de ce régime, les accélérations comme les reprises en bénéficient et les dépassements s'effectuent sans effort et il semble adorer révolutionner au-delà de 4000 tr/mn. L'excès de poids du cabriolet annihile toute vélléité sportive, ce qui est dommage.

• Niveau sonore: 70%
Grâce à la bonne insonorisation, la rigidité de la caisse ainsi qu'à la discrétion de la mécanique, il descend à l'égal des meilleures limousines. Les sportifs se plaindront même de l'excès de discrétion de l'échappement.

• Comportement: 70%
Hormis une légère perte de motricité lors des démarrages, la tenue de route de la traction avant est excellente, car le roulis est bien contrôlé. Celle des versions Quattro est toutefois plus impressionnante, surtout lorsque la chaussée est humide. À cause de son poids respectable, la 90 est plus à l'aise sur les autoroutes que sur les petites routes sinueuses où elle reste neutre parce que bien équilibrée.

• Coffre: 60%
Sa capacité a été singulièrement

améliorée par l'allongement de la plate-forme, la redéfinition de l'essieu arrière et le repositionnement du réservoir de carburant. Il offre désormais un volume de charge important qui peut être agrandi en rabattant le dossier de la banquette divisé en deux parties.

• Consommation: 50%
Le changement de moteur et de cylindrée n'a pas modifié le caractère relativement économique des modèles 90 dont l'appétit en carburant tourne en moyenne autour de 12.0 l aux 100 km.

• Dépréciation: 50%
Elle semble stabilisée à un niveau très honnête (50%), ce qui est peut-être le signe du retour de la confiance du public dans les produits de Audi.

• Freinage: 50%
C'est l'une des grandes qualités de la A4, car il est d'une efficacité redoutable, progressif et facile à doser, malgré une certaine fermeté de la pédale. L'ABS en série équilibre les arrêts d'urgence et il peut être annulé grâce à un interrupteur situé sur la console, lorsque l'on circule sur route glacée ou enneigée.

POINTS FAIBLES

• Prix/équipement: 30%
Réajusté à la baisse, le prix des A4 devient plus compétitif. Ainsi la S traction avant concurrence mieux certaines Japonaises et l'option Quattro ne coûte qu'environ 3 000 $ de plus.

• Habitabilité: 40%
Quatre personnes sont très à l'aise dans l'habitacle mais seul un jeune enfant pourra prendre place au milieu de banquette arrière, du fait de l'étroitesse de la carrosserie.

CONCLUSION

• Moyenne générale: 65.5%
Plus pratiques, plus performantes, plus fiables et moins chères, les Audi A4 ont de bien meilleures chances d'attirer l'attention et si ce n'est spécifiquement pour la traction intégrale, la traction avant fera très bien l'affaire. ☺

CARACTÉRISTIQUES & PRIX

Modèles	Versions	Carrosseries/ Sièges	Volume cabine l.	Volume coffre l.	Cx	Empat. mm	Long x larg x haut. mm x mm x mm	Poids à vide kg	Capacité Remorq. max. kg	Susp. av/ar	Freins av/ar	Direction type	Diamètre braquage m	Tours volant b à b.	Réser. essence l.	Pneus d'origine	Mécaniques d'origine	PRIX $ CDN. 1994
AUDI		**Garantie générale: 4 ans / 100 000 km; système antipollution: 6 ans / kilométrage illimitée; perforation corrosion: 10 ans.**																
A4	S	ber.4p. 4/5	2435	400	0.30	2612	4605x1695x1410	1405	454	i/i	d/ABS	crém.ass.	11.2	3.11	66.0	195/65HR15	V6/2.8/A4	**30 000**
A4	CS	ber.4p. 4/5	2435	400	0.30	2612	4605x1695x1410	1565	454	i/i	d/ABS	crém.ass.	11.1	3.11	66.0	195/65HR15	V6/2.8/A4	**35 200**
A4	Quattro Sport	ber.4p. 4/5	2435	400	0.30	2612	4605x1695x1410	1495	454	i/i	d/ABS	crém.ass.	11.1	3.11	66.0	205/60VR15	V6/2.8/M5	**34 100**
A4	Cabrio	déc.2p.2+2	ND	230	0.30	2555	4605x1695x1379	1586	NR	i/i	d/ABS	crém.ass.	11.1	3.11	66.0	195/65HR15	V6/2.8/A4	**54 900**

Voir la liste complète des prix 1994 à partir de la page 393.

De nouveau en selle...

Après une quinzaine d'années de mise à l'index pour cause de fiabilité douteuse et de problèmes d'accélération soudaines, Audi a bouclé la boucle. Après l'amélioration de ses produits et la restructuration de sa gamme, le constructeur allemand est de nouveau en affaire...

Selon la dernière nomenclature d'Audi, la 100 devient A6 ce qui est logique puisqu'elle est équipée d'un V6 de 2.8L développant 172 ch sauf en ce qui concerne la sportive S6 , dont la mécanique est celle de l'ancienne 200 Turbo, c'est-à-dire un moteur 5 cylindres turbocompressé développant 230 ch, couplé à une transmission manuelle à 5 rapports. On a le choix entre une berline ou une familiale baptisées Avant et qui sont mécaniquement identiques. Ces différentes versions ne sont pas faciles à identifier, car elles ne diffèrent que par un tout petit sigle situé à l'avant du véhicule. En changeant de nom elles ont reçu des améliorations cosmétiques au niveau des parties avant/arrière touchant les phares, la calandre les ailes, les jantes et les feux arrière.

POINTS FORTS

• Sécurité: **90%**
Audi a largement démontré l'apport sécuritaire de la traction intégrale permanente par ses gains en compétition. Même si cette option technique n'attire que 23 % des ventes aux États-Unis, 25% au Canada et seulement 6% en Europe, elle confère à Audi la palme de la sécurité active. Cependant, la sécurité passive n'a pas été négligée pour autant, puisque la rigidité de la structure a été améliorée, les ceintures des places avant et la colonne de direction se rétractent sous l'impact et deux coussins gonflables sont livrés en série.

• Technique: **90%**
Orienté en position longitudinale, le moteur V6 est à la fois léger et compact. Il se distingue par ses tubulures d'échappement de longueur variable commandées par un clapet à dépression. Le circuit long favorise le couple à bas régime et le court procure plus de puissance au dessus de 4000 tr/mn. La transmission des modèles A6 est seulement automatique à 4 rapports dont la sélection électronique dérivée du système Tiptronic mis au point par Porsche s'effectue en fonction du style de conduite et du profil de la route. La traction intégrale permanente comprend trois différentiels, un sur chaque train de roue et un central de type Torsen qui permet une répartition du couple sur le train qui manque d'adhérence. La suspension avant est du type McPherson, le train arrière à bras trapézoïdaux avec barres antiroulis.

• Satisfaction: **90%**
Après bien des années, Audi est parvenu à remonter sur le podium, puisque la fiabilité de ses véhicules équivaut à celle de modèles japonais très réputés.

• Qualité & finition: **90%**
L'assemblage rigoureux, la finition clinique et la qualité exceptionnelle des matériaux, confèrent une haute marque à ces voitures dont certaines matières plastiques ont une apparence plus noble que chez quelques voitures de Mercedes ou BMW.

• Coffre: **80%**
Il est aussi vaste que logeable avec ses formes régulières, et il est facile à charger car son seuil est situé bas. De plus il peut aussi être agrandi en abaissant le dossier de la banquette.

• Direction: **80%**

DONNÉES

Catégorie: berlines de luxe tractées ou intégrales.
Classe : 7

HISTORIQUE

Inauguré en: 1982 (5000)
Modifié en: 1988 & 1993
Fabriqué à: en Allemagne à Ingolstadt.

INDICES

Sécurité: 90 %
Satisfaction: 88 %
Dépréciation: 53 % (ancienne version)
Assurance: (1 655 $) A6 4.1 % (1 892 $) S6
Prix de revient au km: 0.93 $

NOMBRE DE CONCESSIONNAIRES

Au Québec: 10

VENTES AU QUÉBEC

Modèle	1992	1993	Résultat	Part de marché
Nouveau modèle sur le marché				

PRINCIPAUX MODÈLES CONCURRENTS

ACURA Legend, ALFA ROMEO 164, BMW de série 5, INFINITI J30, LEXUS GS300, MAZDA Millenia, MERCEDES Classe E, SAAB 9000, VOLVO 960

ÉQUIPEMENT

AUDI	A6 S 2RM	A6S Quat.	A6CS Quat.	S6 Quat.
Boîte automatique:	S	S	S	-
Régulateur de vitesse:	S	S	S	S
Direction assistée:	S	S	S	S
Freins ABS:	S	S	S	S
Climatiseur:	S	S	S	S
Coussins gonflables (2):	S	S	S	S
Garnitures en cuir:	O	O	O	S
Radio MA/MF/ K7:	S	S	S	S
Serrures électriques:	S	S	S	S
Lève-vitres électriques:	S	S	S	S
Volant ajustable:	S	S	S	S
Rétroviseurs ext. ajustables:	S	S	S	S
Essuie-glace intermittent:	S	S	S	S
Jantes en alliage léger:	S	S	S	S
Toit ouvrant:	S	S	S	S
Système antivol:	S	S	S	S

S : standard; O : optionnel; - : non disponible

COULEURS DISPONIBLES

Extérieur: Noir, Argent, Blanc, Mica, Minerve,Ragusa, Titane.
Intérieur: Anthracite, Écru, Platine, Saphir, Travertin.

ENTRETIEN

Première révision: 12 000 km
Fréquence: 12 000 km
Prise de diagnostic: Oui

QUOI DE NEUF EN 1995 ?

- Les Audi 100 deviennent les A6 et la S4 devient la S6.
- Nouvelle ligne de pare-chocs harmonisée aux couleurs de la voiture.
- Nouveau design des phares avant.
- Retouches esthétiques au niveau des ailes, des jantes de roue, de la calandre et des feux arrières.
- Système de climatisation automatique avec filtre pour la poussière et le pollen.

MOTEURS					TRANSMISSION			PERFORMANCES									
Modèles/ versions *: de série	Type / distribution soupapes / carburation	Cylindrée cc	Puissance ch @ tr/mn	Couple lb.pi @ tr/mn	Rapport volumét.	Roues motrices / transmissions	Rapport de pont	Accélér. 0-100 km/h s	400 m D.A. s	1000 m D.A. s	Freinage 100-0 km/h m	Vites. maxi. km/h	Accélér. latérale G	Niveau sonore dBA	Consommation l./100km Ville	Consommation l./100km Route	Carburant Octane
A6	V6*2.8 SACT-12-IE	2771	172 @ 5500	184 @ 3000	10.3 :1	avant-A4*	4.00	11.0	17.2	30.0	45	210*	0.78	65	12.7	9.0	S 91
A6 Quattro	V6*2.8 SACT-12-IE	2771	172 @ 5500	184 @ 3000	10.3 :1	quatre-A4*	3.97	12.0	18.0	30.0	49	210*	0.80	65	12.9	9.5	S 91
S6	L5* 2.2 T SACT-10-IE	2226	227 @ 5900	258 @ 1950	9.3 :1	quatre-M5*	4.11	7.0	14.7	27.8	35	210*	0.85	66	13.3	9.3	S 91
A6 CS fam	V6* 2.8 SACT-12 IE	2271	172 @ 5500	184 @ 3000	10.3:1	avant-A4*	3.97	11.5	18.0	30.0	42	210*	0.80	65	12.9	9.5	S 91

*Vitesse limitée électroniquement.

Le volant tombe bien en main, mais l'assistance, variable en fonction de la vitesse, est trop forte en toutes circonstances, ce qui la rend très sensible et nécessite de nombreuses corrections et une certaine habitude.

• Accès: 80%
Il est facilité par les portes qui s'ouvrent selon un angle voisin de 90º, ce qui est plutôt rare.

• Sièges: 80%
Toujours aussi fermes, ils soutiennent bien à tous les niveaux malgré l'absence d'un ajustement lombaire.

• Poste de conduite: 80%
Son ergonomie frise la perfection, car les instruments y sont nombreux, bien disposés et la visibilité est excellente sous presque tous les angles, bien que les appuie-tête arrière bouchent un peu l'espace de la lunette. La colonne de direction et les nombreux ajustements du siège permettent de trouver rapidement la meilleure position de conduite, mais certaines commandes demandent un temps d'adaptation. Un des interrupteurs permet de condamner l'antiblocage des freins, ce qui est fort appréciable lorsque l'on circule sur chaussée glacée ou enneigée. Un autre, placé entre les sièges, permet de verrouiller le différentiel arrière jusqu'à une vitesse de 25 km/h afin de maximiser l'adhérence.

• Suspension: 80%
Son amplitude et sa souplesse autorisent une meilleure absorption des défauts de la route et améliorent nettement le bien-être des occupants.

• Comportement: 70%
Contrairement aux anciens modèles la suspension des dernières A6 est très souple et engendre un certains roulis et des mouvements de caisse importants. La S6 ne souffre pas de cet inconvénient car sa suspension est plus rigide et sa caisse roule moins. Leur taille et leur poids font que ces voitures sont plus à l'aise sur autoroute que sur petites routes sinueuses où elles manquent d'agilité.

• Freinage: 70%
Si son équilibre et son endurance

sont au-dessus de toute critique, son efficacité est plus évidente sur la S6 que les A6.

• Niveau sonore: 70%
La rigidité de la coque, la qualité de l'insonorisation et la discrétion des moteurs maintiennent le niveau de bruit relativement bas.

• Commodités: 70%
Les rangements sont aussi nombreux que bien disposés.

• Habitabilité: 60%
La cabine des Audi A6/S6 accueille largement quatre personnes, car il y a suffisamment d'espace dans toutes les directions.

• Consommation: 50%
Malgré le poids considérable de ces véhicules elle reste raisonnable puisqu'elle dépasse rarement 13 litres aux 100 km en conduite normale.

• Dépréciation: 50%
On peut considérer la page comme tournée, puisque la valeur résiduelle de ces Audi se situe à nouveau dans la moyenne si ce n'est légèrement au-dessus.

POINTS FAIBLES

• Prix/équipement: 00%
Il est archi complet puisqu'on retrouve certains accessoires réservés aux limousines comme les série S de Mercedes ou 7 de BMW. Ce luxe d'équipement explique la gravité de la facture puisqu'il faut débourser autour de 50 000 $ pour monter dans l'une de ces voitures...

• Performances: 40%
Malgré sa douceur, le moteur n'est ni aussi souple, ni aussi puissant à bas régime qu'Audi le prétend. Avec un poids à vide frisant les 1700 kg le rapport puissance-poids s'établit à environ 10 kg/ch ce qui est très moyen. Il ne faut donc pas s'étonner que les accélérations et les reprises soient très molles. La S6 fait nettement mieux ce qui rend l'agrément de conduite plus évident et lui donne un caractère exceptionnel.

CONCLUSION

• Moyenne générale: 66.0%
À force de patience et d'application, Audi a fini par revenir en tête de la course à la qualité. Plusieurs signes positifs semblent indiquer que le public fait de nouveau confiance au constructeur d'Ingolstadt. ☺

CARACTÉRISTIQUES & PRIX

Modèles	Versions	Carrosseries/ Sièges	Volume cabine l.	Volume coffre l.	Cx	Empat. mm	Long x larg x haut. mm x mm x mm	Poids à vide kg	Capacité Remorq. max. kg	Susp. av/ar	Freins av/ar	Direction type	Diamètre braquage m	Tours volant b à b.	Réser. essence l.	Pneus d'origine	Mécaniques d'origine	PRIX $ CDN. 1994
AUDI A6 & S6		**Garantie générale: 4 ans / 100 000 km; système antipollution: 6 ans / kilométrage illimitée; perforation corrosion: 10 ans.**																
A6	CS	ber. 4p.5	2718	510	0.29	2687	4892x1777x1430	1535	-	i/i	d/ABS	crém.ass.	10.6	3.1	80	195/65HR15	V6/2.8/A4	**48 250**
A6	S Quattro	ber. 4p.5	2718	510	0.29	2692	4892x1777x1437	1665	-	i/i	d/ABS	crém.ass.	10.6	3.1	80	195/65HR15	V6/2.8/A4	**51 500**
A6	CS Q fam.	fam. 5p.7	2718	1054	0.29	2692	4892x1777x1448	1765	-	i/i	d/ABS	crém.ass.	10.6	3.1	80	195/65HR15	V6/2.8/A4	**59 900**
S6	S6	ber. 4p.5	2718	510	0.29	2692	4892x1804x1435	1715	NR	i/i	d/ABS	crém.ass.	10.6	3.1	80	225/50ZR16	L5T/2.2/M5	**58 900**

Voir la liste complète des prix 1995 à partir de la page 393.

Billet d'entrée au club...

Rouler en BMW reste pour certains une condition sine qua non, leur permettant d'affirmer leur mode de vie et leur statut social. BMW qui veut vendre toujours plus de voitures, élargit sans cesse sa gamme vers le bas pour permettre à plus d'économiquement faibles de joindre le club...

La série 3 a toujours été le billet d'entrée le plus abordable dans le club BMW. Les postulants ont le choix entre un coupé, un cabriolet et une berline à 4 portes qui peuvent être équipés soit du 4 cylindres de 1.8L, soit des 6 cylindres en ligne de 2.0L et 2.5L. Pour 1995 on note le départ du modèle sportif M3 et l'arrivée d'un modèle compact 318i établi sur la même base, mais plus court de l'arrière d'une trentaine de centimètres.

POINTS FORTS

• Sécurité: 90%
Les occupants des places avant sont protégés par des ceintures à tension automatique à l'avant et deux coussins gonflables , tandis que la structure de l'habitacle est extrêmement rigide, avec ses zones déformables programmées. Sur le cabriolet un arceau d'anticapotage est dissimulé derrière les appuie-tête des places arrière et il n'apparait que lorsque la carrosserie prend un angle d'inclinaison critique...

• Technique: 90%
Bien qu'ils partagent bon nombre d'éléments, ces modèles diffèrent tant au niveau de leur structure que de leur suspension qui est adaptée au tempérament de chacun d'eux. Les carrosseries monocoques en acier, dont 60% des tôles sont galvanisées et enduites d'un traitement spécial visant à retarder la corrosion, combinent efficacement les attributs traditionnels de la marque, avec les impératifs aérodynamiques de l'époque puisque leur coefficient de traînée est de 0.32. Le moteur des 318 est un 4 cylindres de 1.8L tandis que celui des 325 est un 6 cylindres en ligne. Leurs culasses comportent deux arbres à cames en tête avec 4 soupapes par cylindre. La transmission d'origine est manuelle à 5 vitesses, ou automatique à contrôle électronique en option, fonctionnant selon un mode normal ou sportif.

• Poste de conduite: 90%
L'habitacle de la dernière série 3 est un modèle en matière d'ergonomie, car les instruments analogiques y sont faciles à lire et les

DONNÉES

Catégorie: berlines de luxe propulsées.
Classe : 7

HISTORIQUE

Inauguré en: 1982 (320i 2 p.) 1991: dernier modèle.
Modifié en: 1992: 318; 1993: M3; 1994: cabriolet : 1995: 316
Fabriqué à: en Allemagne, à Din golfing, près de Münich.

INDICES

Sécurité: 90 %
Satisfaction: 80 %
Dépréciation: 55 %
Assurance: 5.5 % (1 430 à 1900 $)
Prix de revient au km: 0.62 $

NOMBRE DE CONCESSIONNAIRES

Au Québec: 7

VENTES AU CANADA

Modèle	1992	1993	Résultat	Part de marché
Série 3	3 321	3 478	+ 4.5 %	

PRINCIPAUX MODÈLES CONCURRENTS

ACURA Vigor, AUDI A4, INFINITI G-20 & J30, LEXUS ES300, MAZDA Millenia, NISSAN Maxima, SAAB 900, TOYOTA Camry XLE VOLVO 850.

ÉQUIPEMENT

BMW série 3	318i	318is	325i	325iS
Boîte automatique:	O	O	O	O
Régulateur de vitesse:	S	S	S	S
Direction assistée:	S	S	S	S
Freins ABS:	S	S	S	S
Climatiseur:	S	S	S	S
Coussins gonflables (2):	S	S	S	S
Garnitures en cuir:	O	O	O	S
Radio MA/MF/ K7:	S	S	S	S
Serrures électriques:	S	-	S	S
Lève-vitres électriques:	S	S	S	S
Volant ajustable:	S	S	S	S
Rétroviseurs ext. ajustables:	O	O	O	O
Essuie-glace intermittent:	S	S	S	S
Jantes en alliage léger:	O	S	S	S
Toit ouvrant:	O	O	S	S
Système antivol:	S	S	S	S

S : standard; O : optionnel; - : non disponible

COULEURS DISPONIBLES

Extérieur: Blanc, Noir, Bleu, Rouge, Gris, Argent, Violet, Vert.
Intérieur: Tissu: Anthracite, Gris argent, Turquoise. Cuirette: Noir, Beige. Cuir: Noir, Gris argent, Beige, Jaune.

ENTRETIEN

Première révision: 24 000 km
Fréquence: 24 000 km
Prise de diagnostic: Oui

QUOI DE NEUF EN 1995 ?

- **Nouvelle version compacte disponible au printemps 95.**
- **Partie frontale redessinée sur le cabriolet 318i.**
- **Version M3 retirée du catalogue.**

MOTEURS						TRANSMISSION			PERFORMANCES									
Modèles/ versions *: de série	Type / distribution soupapes / carburation	Cylindrée cc	Puissance ch @ tr/mn	Couple lb.pi @ tr/mn	Rapport volumét.	Roues motrices / transmissions	Rapport de pont	Accélér. 0-100 km/h s	400 m D.A. s	1000 m D.A. s	Freinage 100-0 km/h m	Vites. maxi. km/h	Accélér. latérale G	Niveau sonore dBA	Consommation l./100km Ville	Consommation l./100km Route	Carburant Octane
318 i	L4* 1.6 SACT-16-IE	1596	102 @ 5500	108 @ 3900	9.7 :1	arrière - M5*	3.38	12.3	-	33.6	-	185	0.80	-	9.4	5.6	M 89
						arrière - A4	4.45	13.8	-	35.1	-	180	0.80	-	10.5	5.9	M 89
318i/is	L4* 1.8 DACT-16-IE	1796	138 @ 6000	129 @ 4500	10.0 :1	arrière - M5*	3.45	10.2	17.0	31.6	37	200	0.80	68	10.9	7.2	S 91
320i	L6* 2.0 DACT-24-IE	1991	148 @ 5900	140 @ 4200	11.0 :1	arrière - M5*	3.45	10.0	16.2	30.5	37	200	0.80	68	11.8	7.6	S 91
						arrière - A5	3.45	10.8	16.8	31.1	39	195	0.80	67	11.8	7.6	S 91
325i/is	L6* 2.5 DACT-24-IE	2494	189 @ 5900	181 @ 4200	10.5 :1	arrière - M5*	3.15	8.0	15.3	28.0	39	210	0.80	66	12.2	7.8	S 91
						arrière - A4	3.91	8.8	16.0	28.4	40	200	0.80	66	11.9	7.8	S 91

BMW 318i «Compact»

ɔommandes, situées sur la con-
ɔole centrale légèrement orien-
ée vers le pilote, sont à portée de
a main. La présentation géné-
ale est moins sévère qu'aupara-
ant et les formes sont plus ar-
ondies. Le siège procure une
ɔosition de conduite efficace et le
hamp de vision comporte un
ninimum d'angles morts.

Qualité & finition: 80%
l est décevant de constater que
ur ce point les petites BMW ne
ont pas aussi bien finies que les
utres. Pour produire de grandes
uantités et demeurer très profi-
ables, une seule solution couper
es coins ronds. Que l'on se ras-
ure, l'assemblage et la finition
lemeurent rigoureux, mais les
ssus et les matières plastiques
nt une apparence moins riche
ue sur certains modèles japo-
ais et certaines techniques de
inition sont dignes de
'olkswagen... Mexico.

Satisfaction: 80%
es propriétaires restent toujours
n peu surpris de constater que
nême les BMW, ces voitures de
rande réputation, peuvent con-
aître de temps en temps des
etits problèmes agaçants
omme n'importe qu'elle voiture
rdinaire.

Sièges: 80%
ien galbés ils procurent un
neilleur soutien latéral que l'ap-
ui lombaire qui n'est pas ajusta-
le, et les garnitures de cuir ne sont pas le meilleur choix car elles sont trop glissantes.

• Comportement: 70%
Les 318 et 325 sont amusantes à conduire car leurs réactions sont plus saines que celles des anciens modèles surtout sur chaussée trempée. Moins survireurs que les anciens ils s'inscrivent bien dans des courbes de rayons très différents et leur stabilité en ligne droite est à toute épreuve, même celle du vent latéral.

• Performances: 70%
Si l'on excepte la 318i qui sur ce plan est très ordinaire, celles des 320 et 325 sont bonnes, mais pas exceptionnelles, car bien des modèles populaires obtiennent des résultats équivalents, sans faire de bruit. L'agrément provient surtout de la puissance et du couple du 6 cylindres en ligne qui sont pratiquement présents à tous les régimes.

• Direction: 70%
Ferme mais précise, elle fait pourtant preuve d'un manque flagrant de rapidité puisqu'il faut 3.4 tours de volant pour aller d'une butée à l'autre ce qui pénalise parfois la maniabilité lors de certaines manœuvres.

• Accès: 70%
Il est moins facile de prendre place à l'arrière des coupés et cabriolet, à cause de la faible hauteur du toit.

• Suspension: 70%
Sans être moelleuse, elle n'est pas inconfortable, car si elle réagit aux défauts de la route, elle le fait avec une certaine douceur due à la qualité de l'amortissement et aux roues bien dimensionnées.

• Consommation: 60%
Si elle est plus réaliste sur les 318, elle se maintient autour de 13 litres aux 100 km sur les 325, ce qui n'est pas particulièrement économique pour une voiture de ce format.

• Freinage: 55%
Bien qu'il soit progressif et facile à moduler, il n'a rien d'exceptionnel pour des voitures de ce calibre, car les distances d'arrêts sont moyennes, mais parfaitement rectilignes grâce à l'ABS.

• Niveau sonore: 50%
Il se maintient à un niveau raisonnable, mais là encore aucun exploit, nous sommes dans la grande moyenne des véhicules de ce format. Les amateurs de bel canto privilégieront le six cylindres nettement plus mélodieux que le quatre dont les accents sont roturiers.

• Commodités: 50%
Les rangements ne débordent pas car la boîte à gants, les vide-poches de portière et les évidements de la console centrale sont minimalistes. Quant à la climatisation, elle est puissante et munie d'un microfiltre empêchant poussières et pollens d'assaillir l'habitacle.

POINTS FAIBLES

• Prix/équipement: 30%
Pour ceux qui ne veulent qu'une BMW, l'équipement de série sera bien suffisant pour le prix, mais ceux qui recherchent un peu plus de confort devront jouer dans la liste des suppléments.

• Habitabilité: 30%
Le volume de la cabine ne permettra d'asseoir que 4 personnes mais avec suffisamment d'espace pour la tête et les jambes aux places arrière de la berline. Toutefois dans le coupé et le cabriolet celles-ci sont limitées en hauteur par la forme du toit.

• Coffre: 40%
Il n'est pas des plus généreux comparé à d'autres, mais ses formes sont régulières et sa découpe en facilite l'accès.

• Dépréciation: 45%
Les temps difficiles font fléchir quelque peu la valeur de revente de ces voitures dont les prix se tiennent mieux en temps normal.

CONCLUSION

• Moyenne générale: 61.0 %
Il faut vouloir faire partie du club à tout prix, c'est le cas de le dire, car nombre d'autres modèles sont capables d'offrir aussi bien pour un budget plus raisonnable, mais elles ne portent pas l'emblème du constructeur de Munich.

CARACTÉRISTIQUES & PRIX

Modèles	Versions	Carrosseries/ Sièges	Volume cabine l.	Volume coffre l.	Cx	Empat. mm	Long x larg x haut. mm x mm x mm	Poids à vide kg	Capacité Remorq. max. kg	Susp. av/ar	Freins av/ar	Direction type	Diamètre braquage m	Tours volant b à b.	Réser. essence l.	Pneus d'origine	Mécaniques d'origine	PRIX $ CDN. 1994
BMW		**Garantie: 4 ans/ 80 000 km; corrosion: 6 ans / kilométrage illimité: Antipollution: 8 ans / 130 000 km.**																
18	i	cpé.2 p.4	-	325	0.36	2700	4210x1710x1393	1190	NR	i/i	d/t/ABS	crém.ass.	10.4	-	52.0	185/65HR15	L4/1.6/M5	-
18	i	déc.2 p.4	2152	405	0.36	2700	4433x1710x1348	1415	NR	i/i	d/d/ABS	crém.ass.	10.4	3.4	65.0	205/60R15	L4/1.8/M5	**25 000**
18	is	cpé.2 p.4	2322	405	0.31	2700	4433x1710x1366	1330	NR	i/i	d/d/ABS	crém.ass.	10.4	3.4	65.0	205/60R15	L4/1.8/M5	**28 900**
18	i	ber.4 p.4	2435	435	0.31	2700	4433x1698x1393	1330	NR	i/i	d/d/ABS	crém.ass.	10.4	3.4	65.0	205/60R15	L4/1.8/M5	**29 900**
20	i	ber.4 p.4	2435	435	0.31	2700	4433x1698x1393	1375	NR	i/i	d/d/ABS	crém.ass.	10.4	3.4	65.0	205/60R15	L6/2.0/M5	**40 900**
25	is	cpé.2 p.4	2322	405	0.31	2700	4433x1710x1366	1370	NR	i/i	d/d/ABS	crém.ass.	10.4	3.4	65.0	205/60VR15	L6/2.5/M5	**34 900**
25	i	ber.4 p.4	2435	435	0.31	2700	4433x1698x1393	1370	NR	i/i	d/d/ABS	crém.ass.	10.4	3.4	65.0	205/60VR15	L6/2.5/M5	**43 900**
25	i	déc.2 p.4	2152	230	0.36	2700	4433x1710x1366	1520	NR	i/i	d/dABS	crém.ass.	10.4	3.4	65.0	205/60R15	L6/2.5/M5	**53 900**

Voir la liste complète des prix 1995 à partir de la page 393.

Le nombril de la gamme...

Pour beaucoup la série 5 est la première véritable BMW, exclusive tant par son prix que par ses performances, plus volumineuse que la seerie 3, mais moins que la 7, dont elle reprend pourtant certains attributs. Elle sera remplacée l'an prochain par un modèle plus habitable.

Point médian de la gamme de BMW, la série 5 en est à sa dernière année de production sous cette forme, puisqu'elle sera renouvelée l'an prochain. Nous avons affaire à une berline à 4 portes offerte en versions 525, 530 et 540 et d'une familiale 530 Touring.

POINTS FORTS

• **Sécurité:** **90%**
De nombreuses traverses ont été incorporées afin de maximiser la résistance aux torsions et aux flexions, de même que pour améliorer la résistance au niveau des bas de caisse et de la protection des occupants en cas de chocs latéraux et bien sûr deux coussins d'air protègent les occupants des places avant.

• **Technique:** **90%**
Pour une ligne qui date de plusieurs années et offre une certaine similitude avec celle de la série 7, son aérodynamique est efficace puisque les Cx se maintiennent autour de 0.32. La carrosserie monocoque en acier dont la majorité des tôles est galvanisée, possède une suspension indépendante et des freins à disque avec ABS aux 4 roues et l'assistance de la direction, de type Servotronic, varie en fonction de la vitesse. Trois moteurs peuvent équiper ces voitures, un 6 cylindres en ligne de 2.5L et deux V8 de 3.0L et 4.0L respectivement puissants de 189, 215 et 282 ch. Les berlines sont équipées d'origine de boîte manuelle à 5 et 6 vitesses, ou automatique à 4 ou 5 rapports selon le moteur.

• **Qualité & finition:** **90%**
Si la présentation intérieure est moins austère que par le passé, c'est en partie à cause des garnitures en cuir plissé de la 530i, plus latines que germaniques. Quant à la qualité de l'assemblage, de la finition et des matériaux elle a plus la classe de la série 7 que de la série 3.

• **Poste de conduite:** **80%**
La position du conducteur est idéale pour savourer le plaisir de la conduite, car son siège le soutient parfaitement, pourtant l'ergonomie du tableau de bord accuse son âge car certaines commandes sont difficiles à atteindre en roulant, et la colonne de direction n'est ajustable que de manière télescopique. La visibilité est bonne et instruments et commandes, bien disposés, mais celle du régulateur de vitesse est facile à confondre avec celle des essuie-glaces.

• **Sièges:** **80%**
Ils procurent un soutien lombaire et un maintien latéral très confortables malgré leur rembourrage dur, mais les garnitures de cuir sont particulièrement glissantes.

• **Direction:** **80%**
Subtilement dosée, elle pèche par sa démultiplication un peu forte qui nuit autant à sa précision qu'à la maniabilité selon les circonstances.

• **La suspension:** **80%**
Bien qu'elle ne soit pas souple, elle absorbe bien les défauts de la route, grâce à son débattement et à ses amortisseurs bien qualibrés.

• **Performances:** **80%**
Les séries 5 ne traînent pas sur la route, mais il y a un monde de différence entre les trois motorisations. La 525i concilie un usage quotidien économique avec des performances très suffisantes pour

DONNÉES

Catégorie: berlines de luxe propulsées.
Classe : 7

HISTORIQUE

Inauguré en: 1972
Modifié en: 1981 & 1988
Fabriqué à: en Allemagne, à Dingolfing, près de Münich.

INDICES

Sécurité: 100 %
Satisfaction: 80 %
Dépréciation: ND
Assurance: 3.1 % (1 900 à 2 000 $)
Prix de revient au km: 0.94 $

NOMBRE DE CONCESSIONNAIRES

Au Québec: 7

VENTES AU CANADA

Modèle	1992	1993	Résultat	Part de marché
Série 5	848	676	- 20.3 %	

PRINCIPAUX MODÈLES CONCURRENTS

ACURA Legend, ALFA ROMEO164, AUDI A6, CADILLAC STS, INFINITI J30t, LEXUS GS300, MERCEDES série E, SAAB 9000, VOLVO 960.

ÉQUIPEMENT

BMW série 5	525i berline	525i Touring	530i	540
Boîte automatique:	O	S	O	SF
Régulateur de vitesse:	S	S	S	S
Direction assistée:	S	S	S	S
Freins ABS:	S	S	S	S
Climatiseur:	S	S	S	S
Coussins gonflables (2):	S	S	S	S
Garnitures en cuir:	O	O	S	S
Radio MA/MF/ K7:	S	S	S	S
Serrures électriques:	S	S	S	S
Lève-vitres électriques:	S	S	S	S
Volant ajustable:	S	S	S	S
Rétroviseurs ext. ajustables:	S	S	S	S
Essuie-glace intermittent:	S	S	S	S
Jantes en alliage léger:	S	S	S	S
Toit ouvrant:	S	S	S	S
Système antivol:	S	S	S	S

S : standard; O : optionnel; - : non disponible; SF: sans frais

COULEURS DISPONIBLES

Extérieur: Blanc, Rouge, Vert, Noir, Argent, Bleu, Gris, Beige.
Intérieur: Noir, Gris, Ultramarine, Parchemin.

ENTRETIEN

Première révision: 24 000 km
Fréquence: 24 000 km
Prise de diagnostic: Oui

QUOI DE NEUF EN 1995 ?

- Version M5 retirée du catalogue.
- Boîte manuelle maintenant offerte sur toutes les berlines.
- Panneaux de bas de caisse de couleur harmonisée à la carrosserie.
- Nouveau volant style série 7.
- Double verrouillage et protection antidémarrage en fonction chaque fois que le système de verrrouillage centralisé est activé.

MOTEURS						TRANSMISSION		PERFORMANCES									
Modèles/ versions *: de série	Type / distribution soupapes / carburation	Cylindrée cc	Puissance ch @ tr/mn	Couple lb.pi @ tr/mn	Rapport volumét.	Roues motrices / transmissions	Rapport de pont	Accélér. 0-100 km/h s	400 m D.A. s	1000 m D.A. s	Freinage 100-0 km/h m	Vites. maxi. km/h	Accélér. latérale G	Niveau sonore dBA	Consommation l./100km Ville	Consommation l./100km Route	Carburant Octane
525i/iA	L6* 2.5 DACT-24-IE	2494	189 @ 5900	184 @ 4200	10.5 :1	arrière - M5*	3.23	9.0	16.8	28.8	34	206*	0.80	67	12.2	7.8	M 89
						arrière - A4	4.10	9.8	17.4	29.5	35	206*	0.80	67	12.7	8.5	M 89
530i	V8* 3.0 DACT-32-IE	2997	215 @ 5800	214 @ 4500	10.5 :1	arrière - M5*	3.08	9.0	16.6	29.0	39	206*	0.84	67	14.7	9.5	S 91
540i	V8* 4.0 DACT-32-IE	3982	282 @ 5800	295 @ 4500	10.0 :1	arrière - M6	2.93	7.3	15.5	28.4	38	206*	0.85	66	14.8	9.5	S 91
						arrière - A5	2.81	7.0	15.2	28.2	39	206*	0.85	66	14.8	9.4	S 91

* vitesse restreinte électroniquement

circuler en Amérique du Nord. Les V8 des 530 et 540 apportent plus de prestige que de puissance véritablement exploitable dans les limites de la loi. Plus faciles à conduire sur le sec que le mouillé où l'équipement pneumatique fera toute la différence. Il faut toutefois déplorer que les rapports des transmissions tirent trop long pour les limites de notre réseau routier.

• Satisfaction: 80%
Il n'est pas surprenant que cet indice ne soit pas plus élevé car l'entretien et les réparations sont souvent pratiquées à des prix indécents et la fiabilité de ces voitures n'est pas à toute épreuve.

• Équipement: 80%
Il est très complet, même sur le modèle le plus simple qui comprend en série un ordinateur de voyage.

• Comportement: 75%
La stabilité et la tenue de cap à haute vitesse sont les plus belles qualités de ces voiture. Il est devenu plus difficile de les faire décrocher de l'arrière en virage serré, et leur neutralité, comme leur motricité, est excellente. Toutefois le confort prime sur la performance et elles ont perdu un peu du caractère sportif de leurs prédécesseurs, sans que l'agrément de conduite en souffre véritablement, mais leur poids respectable leur ôte beaucoup d'agité sur tracé sinueux.

• Niveau sonore: 70%
Il est très bas à vitesse de croisière car la coque est bien insonorisée et les moteurs ne se manifestent (agréablement) que lors des fortes accélérations. Le toit ouvrant en deux parties, livré en série, permet tant aux occupants des places avant qu'arrière de prendre l'air et le soleil.

• Commodités: 70%
Les rangements comprennent une boîte à gants de bonne contenance, des vide-poches de portière et un coffret-accoudoir situé sur la console centrale.

• Coffre: 70%
Inférieur à celui de certaines concurrentes qui atteignent et dépassent les 400 l, il est toutefois facile à exploiter grâce à ses formes régulières et sur la familiale la soute peut s'agrandir en rabattant la banquette arrière.

• Accès: 60%
Les portes et leur angle d'ouverture sont suffisamment larges pour permettre de s'y installer sans grande difficulté, à moins d'être très corpulent.

• Freinage: 55%
Il impressionne, tant par son mordant que par son endurance ou sa stabilité, très rassurante lors des arrêts imprévus, grâce à un système ABS évolué.

POINTS FAIBLES

• Prix/équipement: 00%
Malgré leur équipement très complet les séries 5 sont très chères, dans un pays où l'on ne peut pas profiter de leurs performances et compte tenu que pour un prix voisin certaines Japonaises sont plus logeables, plus fiables et aussi raffinées.

• Consommation: 40%
Ces voitures ne marchent pas à l'eau bénite, et ceux qui voudront découvrir ce qu'elles ont dans le ventre devront payer pour...

• Habitabilité: 40%
Calculé au plus juste le volume habitable n'accueillera confortablement que quatre personnes. C'est surtout le manque de longueur qui limite l'espace pour les jambes à l'arrière.

• Dépréciation: 50%
Comme pour la plupart des voitures de luxe allemandes elle se maintient favorablement, mais les seconds acheteurs devront se méfier du coût exorbitant des pièces et de la main-d'œuvre.

CONCLUSION

• Moyenne générale: 68.0 %
À la veille d'être reconditionnée la série 5 reste pertinente quant à ses qualités dynamiques et c'est surtout sur le plan pratique que l'on s'attend à de plus significatives améliorations. ☺

CARACTÉRISTIQUES & PRIX

Modèles	Versions	Carrosseries/ Sièges	Volume cabine l.	Volume coffre l.	Cx	Empat. mm	Long x larg x haut. mm x mm x mm	Poids à vide kg	Capacité Remorq. max. kg	Susp. av/ar	Freins av/ar	Direction type	Diamètre braquage m	Tours volant b à b.	Réser. essence l.	Pneus d'origine	Mécaniques d'origine	PRIX $ CDN. 1994
BMW		Garantie: 4 ans/ 80 000 km; corrosion: 6 ans / kilométrage illimité.																
525	i/iA	ber. 4p. 5	2577	460	0.33	2761	4720x1751x1412	1580	460	i/i	d/d/ABS	bil.ass.	11.0	3.5	81.0	205/65HR15	L6/2.5/M5	**51 000**
530	i touring	fam.4p.5	2520	460	0.33	2761	4720x1751x1417	1760	460	i/i	d/d/ABS	bil.ass.	11.0	3.5	81.0	225/60VR15	V8/3.0/A4	**64 500**
530	i/iA	ber. 4p. 5	2577	460	0.32	2761	4720x1751x1412	1645	460	i/i	d/d/ABS	bil.ass.	11.0	3.5	81.0	225/60HR15	V8/3.0M5	**58 000**
540	i/iA	ber. 4p. 5	2577	460	0.33	2761	4720x1751x1412	1725	460	i/i	d/dABS	bil.ass.	11.0	3.5	81.0	225/60HR15	V8/4.0/A5	**64 900**

Voir la liste complète des prix 1994 à partir de la page 393.

Grandeur et discrétion...

Ceux que l'automobile ne passionnent pas vraiment ne verront absolument pas de différence entre l'ancienne et la nouvelle grosse BMW, à moins de les voir côte à côte et de les observer attentivement, pour la bonne raison que les principales améliorations se situent «sous la peau».

Au moment de renouveler son modèle de prestige, BMW a choisi de le faire avec discrétion et efficacité, s'attachant plus à améliorer qu'à innover. La série 700 se compose de berlines 4 portes sur deux empattements, un court pour la 740i et un long pour les 740 et 750iL.

POINTS FORTS

• Technique: 100%
Bien que le nouveau modèle ressemble étrangement au précédent, ses principales dimensions ont été augmentées, mais pas le poids qui a été maintenu. Pour gommer son embonpoint les stylistes de Münich ont adouci les angles, étiré les lignes et affiné la partie frontale pour atteindre une efficacité aérodynamique remarquable de 0.30 de cœfficient. La coque qui était déjà très rigide a été encore renforcée autant pour procurer un comportement plus rigoureux que pour protéger l'intégrité de la coque en cas d'accident. La suspension reste indépendante, avec des géométries antiplongée-anticabrage, et les freins sont à disque aux quatre roues, assistés par un système ABS faisant aussi office de régulateur de traction. L'amortissement variable, contrôlé électroniquement, incorpore un dispositif de mise à niveau automatique du train arrière et la 750 sera dotée dans le courant de 1995 d'un dispositif corrigeant son attitude en virage et tendant à le maintenir neutre en toutes circonstances. Les moteurs demeurent très proches de ceux de la première génération. Il s'agit d'un V8 de 4.0L et d'un V12 de 5.4L attelés à une transmission automatique à 5 rapports dont la sélection offre plusieurs modes.

• Sécurité: 100%
En plus de tout l'arsenal actif décrit plus haut, ces berlines possèdent les protections passives usuelles des voitures de notre époque, à savoir une cage de protection autour de l'habitacle et des coussins gonflables aux places avant.

• Qualité & finition: 90%
L'habitacle ne fait plus typiquement germanique, car le traitement des

DONNÉES

Catégorie: berlines de luxe propulsées.
Classe : 7

HISTORIQUE

Inauguré en: 1986 (6 cyl.); 1987(V12)
Modifié en: 1989:735iL;1992: moteur V8, 4.0L
Fabriqué à: en Allemagne, à Dingolfing, près de Münich.

INDICES

Sécurité: 100 %
Satisfaction: 93 %
Dépréciation: 50 %
Assurance: 3.2 % (2 450 à 3 228 $)
Prix de revient au km: 1.60 $

NOMBRE DE CONCESSIONNAIRES

Au Québec: 7

VENTES AU CANADA

Modèle	1992	1993	Résultat	Part de marché
Série 7 & 8	351	374	+ 6.2 %	

PRINCIPAUX MODÈLES CONCURRENTS

INFINITI Q45, JAGUAR XJ6, LEXUS LS400, MERCEDES série S.

ÉQUIPEMENT

BMW série 7	740i	740 iL	750 iL
Boîte automatique:	S	S	S
Régulateur de vitesse:	S	S	S
Direction assistée:	S	S	S
Freins ABS:	S	S	S
Climatiseur:	S	S	S
Coussin gonflable:	S	S	S
Garnitures en cuir:	S	S	S
Radio MA/MF/ K7:	S	S	S
Serrures électriques:	S	S	S
Lève-vitres électriques:	S	S	S
Volant ajustable:	S	S	S
Rétroviseurs ext. ajustables:	S	S	S
Essuie-glace intermittent:	S	S	S
Jantes en alliage léger:	S	S	S
Toit ouvrant:	S	S	S
Système antivol:	S	S	S

S : standard; O : optionnel; - : non disponible

COULEURS DISPONIBLES

Extérieur: Blanc, Rouge, Vert, Noir, Argent, Bleu.
Intérieur: Noir, Gris, Beige, Rouge, Anthracite, Turquoise.

ENTRETIEN

Première révision: 24 000 km
Fréquence: 24 000 km
Prise de diagnostic: Oui

QUOI DE NEUF EN 1995 ?

- Gamme de voitures redessinées avec un nouveau modèle la 740i.
- Boîte de vitesses automatique à 5 rapports à régulation électronique adaptative.
- Sièges électriques avec multi-réglages à l'arrière (740 iL et 750iL).
- Glaces latérales à double vitrage (750 iL).

	MOTEURS				TRANSMISSION						PERFORMANCES						
Modèles/ versions *: de série	Type / distribution soupapes / carburation	Cylindrée cc	Puissance ch @ tr/mn	Couple lb.pi @ tr/mn	Rapport volumét.	Roues motrices / transmissions	Rapport de pont	Accélér. 0-100 km/h s	400 m D.A. s	1000 m D.A. s	Freinage 100-0 km/h m	Vites. maxi. km/h	Accélér. latérale G	Niveau sonore dBA	Consommation l./100km Ville	Route	Carburant Octane
740i / iL	V8* 4.0 DACT-32-IEM	3982	282 @ 5800	295 @ 4500	10.0 :1	arrière - A5*	3.15	7.2	15.9	27.8	38	210*	0.78	65	14.8	9.4	S 91
750iL	V12* 5.4 SACT-24-IEM	5379	322 @ 5000	361 @ 3900	10.0 :1	arrière - A5*	3.15	6.4	15.2	28.4	40	210*	0.78	65	19.1	12.0	S 91

* vitesse restreinte électroniquement

ɪarnitures de cuir et des appli-ɪues de bois a un caractère plus ɪroche des Maserati que des ɪlercedes.

Niveau sonore: 90%
.a discrétion des moteurs, l'ex-ɪême rigidité de la coque et l'ef-cacité de l'insonorisation main-ennent une ambiance ouatée.

Satisfaction: 90%
est toujours surprenant de cons-ɪater que malgré l'extrême com-lexité de ce genre de voiture, le onstructeur parvient à assurer n niveau de fiabilité exception-ɪel durant le temps de vie normal u véhicule.

Poste de conduite: 90%
ɪrâce aux multiples réglages de on siège et de la colonne de irection, le conducteur est ɔyalement installé et son envi-ɔnnement très ergonomique. La ɪsibilité offre un minimum d'an-les morts, malgré l'étroitesse de ɪ lunette et la présence des ap-uie-tête des places arrière, les ɪstruments simples et lisibles et ɪs commandes sont bien dispo-ɪés, excepté celle du régulateur e vitesse, qui se confond sou-ɪent avec celle des feux de direc-on. Le volant est devenu très ɪchnique puisqu'il regroupe les ommandes à distance de la ra-io et celle du régulateur de vi-ɪsse. Il faut s'habituer à voir dé-ɪler sur le petit écran situé au bas u bloc d'instruments les messa-ɪes que la voiture vous destine.

Sièges: 80%
eur maintien a été amélioré par ɪne accentuation de leur galbe, n ajustement supplémentaire qui rticule le dossier des sièges ɪvant. Si l'assise est un peu courte n avant elle est normale à l'ar-ère où le dossier est bien sculpté.

Suspension: 80%
ɪavamment calibrée, elle esca-ɪote la plupart des fréquences arasites engendrées par les éfauts du revêtement.

Direction: 80%
ɪour limiter les changements 'assiette elle est un peu plus émultipliée et son assistance a ɪndance à s'alléger quand la vi-ɪsse augmente, et son court dia-ɪètre de braquage lui procure ɪne maniabilité surprenante.

• Performances: 80%
Nous avons eu l'occasion de tester l'une des premières versions nord-américaines de la 740i pour redécouvrir la puissance onctueuse des 282 ch du V8 de 4.0L qui procure à cet engin de près de deux tonnes des performances relevées, puisqu'il accélère de 0 à 100 km/h en un peu plus de 8 secondes. La boîte automatique à 5 rapports n'y est pas étrangère car elle est dotée d'un mode de sélection permettant des rétrogradages rapides facilitant des reprises qui ne le sont pas moins. Elle fonctionne aussi à la demande selon les modes économie, sport ou hiver.

• Habitabilité: 80%
Si cinq personnes peuvent s'y asseoir temporairement, c'est avec quatre occupants que le confort est optimal.

• Coffre: 80%
Accordé à celui de la cabine, son volume permettra d'accueillir de nombreux bagages et des objets longs, comme des skis, y trouveront place grâce à la trappe ménagée à travers l'accoudoir central de la banquette.

• Comportement: 70%
Il sera difficile au commun de mortels de connaître les limites de cette voiture, tant sa dynamique est raffinée dans les moindres détails. Tout concourt à rendre la série 7 stable, d'aplomb dans la plupart des situations de la route. Ce qui surprend c'est la relative agilité de ce mastodonte sur tracé sinueux de même que son aisance à passer les virages en épingle. Sur autoroute la tenue de cap est superbe en ligne droite comme en grande courbe où le vent latéral ne l'affecte pas.

• Freinage: 70%
Nos arrêts d'urgence se sont effectués en 36 m de moyenne à partir de 100 km/h ce qui est un excellent gage de sécurité, car la stabilité et l'endurance des garnitures demeuraient intactes après plusieurs tentatives.

• Accès: 70%
Il est aussi facile de s'installer à l'avant qu'à l'arrière vu les dimensions et les dégagements des portes qui s'ouvrent largement.

• Commodités: 70%
Les rangements sont à la fois nombreux, pratiques et également distribués entre l'avant et l'arrière de la cabine.

POINTS FAIBLES

• Prix/équipement: 00%
Celui qui investira dans un tel véhicule ne se demandera pas si tous ses équipements et ses raffinements sont vraiment nécessaires au confort ou à la sécurité, car à ce niveau de prix, c'est la notion de prestige qui prime.

• Consommation: 10%
Elle est très raisonnable compte tenu du poids et du potentiel de la 740i.

• Dépréciation: 50%
La revente des BMW réserve moins de mauvaises surprises que celle de certaines concurrentes japonaises.

CONCLUSION

• Moyenne générale: 69.0 %
Avec sa dernière série 7, BMW a réussi à relever la barre un peu plus haut, mais de la bonne manière, c'est-à-dire avec un brio et une discrétion exceptionnels, adjectifs qui vont comme un gant à ces voitures superbement raffinées. ☺

CARACTÉRISTIQUES & PRIX

ɪodèles	Versions	Carrosseries/ Sièges	Volume cabine l.	Volume coffre l.	Cx	Empat. mm	Long x larg x haut. mm x mm x mm	Poids à vide kg	Capacité Remorq. max. kg	Susp. av/ar	Freins av/ar	Direction type	Diamètre braquage m	Tours volant b à b.	Réser. essence l.	Pneus d'origine	Mécaniques d'origine	PRIX $ CDN. 1994
ɜMW		Garantie: 4 ans/ 80 000 km; corrosion: 6 ans / kilométrage illimité: Antipollution: 8 ans / 130 000 km.																
ɪ40	i	ber. 4p. 5	2860	500	0.31	2930	4984x1862x1435	1880	907	i/i	d/d/ABS	bil.ass.	11.6	3.5	85.0	235/60HR16	V8/4.0/A4	**79 900**
ɪ40	iL	ber. 4p. 5	2973	500	0.31	3070	5124x1862x1425	1905	907	i/i	d/d/ABS	bil.ass.	11.6	3.5	85.0	235/60HR16	V8/4.0/A4	**81 600**
ɪ50	iL	ber. 4p. 5	2973	500	0.31	3070	5124x1862x1425	2040	907	i/i	d/d/ABS	bil.ass.	11.6	3.5	85.0	235/60HR16	V12/5.0/A4	**112 050**

Voir la liste complète des prix 1995 à partir de la page 393.

Banc d'essais...

BMW et Mercedes se livrent une lutte fratricide pour savoir qui des deux possède la technologie la plus avancée. Cet exercice n'est pas aussi inutile qu'il y parait car cela permet de développer des systèmes qui équiperont demain des modèles moins prétentieux.

La série 8 de BMW donne la réplique aux Mercedes, Ferrari et Lamborghini sur un mode différent, car les Allemands ne sont pas friands de berlinettes sportives à 2 places auxquelles ils préfèrent les coupé 2+2. Le point commun entre ces véhicules au nom prestigieux est bien entendu le moteur V12 qu'elles arborent de toute la fierté de leur technologie. Si les productions italiennes restent relativement simples, les allemandes deviennent de plus en plus complexes et sophistiquées. La 850 est le modèle le plus prestigieux jamais construit en série par BMW. Mécaniquement le CSi dérive de la 750iL, dont il reprend le moteur V12 qui cette année passe à 5.4L. Il existe cependant une version plus populaire Ci,animée du V8 de 4.0L que l'on retrouve sur les 740i et la 540i qui sera importée dans le courant de 1995.

POINTS FORTS

• Technique: 100%

La carrosserie monocoque en acier affiche un remarquable Cx de seulement 0,29 malgré les ouvertures de refroidissement et la largeur des pneus. La suspension est indépendante et les freins à disque sur les quatre roues. A l'avant elle s'inspire du principe de McPherson tandis que le train arrière est maintenu par cinq barres atténuant le cabrage à l'accélération et dont les joints élastiques font varier le pincement afin de faciliter la mise en trajectoire en virage. L'amortissement électronique permet de programmer une attitude «confortable» ou «sportive» et, en option, une troisième permet d'abaisser la garde-au-sol de 1.5 cm et d'obtenir une réponse plus ferme des combinés ressorts-amortisseurs gérés électroniquement. Un système de contrôle de la traction (ASC) tend à éviter toute perte d'adhérence des roues motrices, qui doivent transmettre jusqu'à 322 ch sans patinage, quel que soit l'état du revêtement. Il fonctionne à partir du système de détection de l'antiblocage et agit sur l'alimentation, l'allumage et le freinage, afin de retrouver l'adhérence optimale.

• Sécurité: 100%

La structure extrêmement rigide de la série 8 résiste bien aux impacts. Les sièges intégrant les ensembles ceintures-enrouleurs ont fait l'objet de recherches poussées et deux coussins gonflables sont livrés en série ainsi qu'un protecteur pour les genoux et des ceintures qui s'adaptent d'elle-mêmes à la morphologie de chacun.

• Qualité & finition: 90%

La présentation, l'assemblage, la qualité des matériaux et le soin apporté aux détails de finition est quasi parfait sur ces BMW qui se situent très loin des productions italiennes sur ce point.

• Satisfaction: 90%

Elle est proche de celle des propriétaires de série 7 et prouve que les différents dispositifs de gestion compliqués sont étonnament fiables.

• Poste de conduite: 90%

Grâce aux multiples ajustements combinés le pilote trouve rapidement la position idéale. La visibilité est excellente latéralement surtout, en l'absence de pilier central et la conduite nocturne bénéficie de la puissance des phares de route ellipsoïdaux. Les commandes se manipulent facilement, mais l'on aimerait un peu plus d'instruments au

DONNÉES

Catégorie: coupés sportifs de grand luxe.
Classe : GT

HISTORIQUE

Inauguré en: 1990
Modifié en: -
Fabriqué à: en Allemagne - près de Münich.

INDICES

Sécurité: 100 %
Satisfaction: 91 %
Dépréciation: 57.2 %
Assurance: 3.0 % (3 860 $)
Prix de revient au km: 1.70 $

NOMBRE DE CONCESSIONNAIRES

Au Québec: 7

VENTES AU CANADA

Modèle	1992	1993	Résultat	Part de marché
Série 7 & 8	351	374	+ 6.2 %	

PRINCIPAUX MODÈLES CONCURRENTS

ACURA NS-X, LEXUS SC400, MERCEDES S 500 & S 600, JAGUAR XJR, PORSCHE 911 & 928.

ÉQUIPEMENT

BMW	840CiA	850 CSi
Boîte automatique:	S	S
Régulateur de vitesse:	S	S
Direction assistée:	O	S
Freins ABS:	S	S
Climatiseur:	S	S
Coussin gonflable:	S	S
Garnitures en cuir:	O	O
Radio MA/MF/ K7:	S	S
Serrures électriques:	S	S
Lève-vitres électriques:	S	S
Volant ajustable:	S	S
Rétroviseurs ext. ajustables:	S	S
Essuie-glace intermittent:	S	S
Jantes en alliage léger:	S	S
Toit ouvrant:	S	S
Système antivol:	S	S

S : standard; O : optionnel; - : non disponible

COULEURS DISPONIBLES

Extérieur: Noir, Blanc, Rouge, Bleu, Gris, Vert.
Intérieur: Noir, Beige, Rouge, Gris.

ENTRETIEN

Première révision: 24 000 km
Fréquence: 24 000 km
Prise de diagnostic: Oui

QUOI DE NEUF EN 1995 ?

- **Le moteur V12 passe de 5.0 L à 5.4 L (850).**
- **La boîte manuelle à six rapports n'est plus offerte (850).**

Modèles/ versions *: de série	MOTEURS Type / distribution soupapes / carburation	Cylindrée cc	Puissance ch @ tr/mn	Couple lb.pi @ tr/mn	Rapport volumét.	TRANSMISSION Roues motrices / transmissions	Rapport de pont	PERFORMANCES Accélér. 0-100 km/h s	400 m D.A. s	1000 m D.A. s	Freinage 100-0 km/h m	Vites. maxi. km/h	Accélér. latérale G	Niveau sonore dBA	Consommation l./100km Ville	Consommation l./100km Route	Carburant Octane
840CiA	V8* 4.0 DACT-32-IPM	3982	282 @ 5800	295 @ 4500	10.0:1	arrière - A5	2.93	7.8	15.8	28.8	36	250	0.83	66	15.7	9.9	S 91
850CSi	V12* 5.4 SACT-24-IPM	5379	322 @ 5000	361 @ 3900	10.0 :1	arrière - A5	3.64	6.7	15.4	28.5	38	250	0.85	66	19.1	12.0	S 91

* vitesse restreinte électroniquement

ableau de bord qui paraît un peu rop dépouillé.

Performances: 90%
.e moteur V12 parvient à propul-er la 850i de 0 à 100 km/h en noins de 7 secondes dans un onfort, un luxe et une sécurité ui sortent de l'ordinaire surtout orsqu'on réalise qu'elle pèse oute de même 1 900 kg! Puis-ance et souplesse sont remar-uables, mais les accélérations ont plus efficaces que les repri-es qui semblent parfois labo-ieuses, toutes proportions gar-lées. Pour préserver les précieux oints du permis de conduire de es clients sportifs, BMW limite olontairement la vitesse de ointe à 250 km/h...

Comportement: 80%
Ces coupés sont pénalisés par eur excès de poids sur tracé ortueux car ils ont été créés pour rpenter les autoroutes alleman-es qu'ils dévalent à des allures olles plutôt que les américaines

ù ils s'ennuient à mourir.

Sièges: 80%
s ne sont pas moelleux et ne aintiennent peut-être pas as-ez latéralement, mais leur sou-en lombaire est remarquable.

Suspension: 80%
Surprenante pour une voiture de e style, elle gomme les défauts e la route à la manière d'une erline sans rien perdre de son plomb.

Direction: 80%
En plus d'être bien dosée, elle st rapide et terriblement pré-ise, car elle permet de placer ce char de plaisance avec la préci-sion diabolique d'un missile.

• **Accès: 70%**
Les larges portes facilitent l'ins-tallation aux places avant plus aisément qu'à l'arrière où la garde-au-toit est plus limitée.

• **Freinage: 70%**
Il est à la hauteur des performan-ces puisque facile à moduler, très endurant et d'une grande préci-sion. Il parvient à arrêter cette masse lancée à 100 km/h en 37 m en moyenne.

• **Niveau sonore: 50%**
L'efficacité de l'insonorisation ne manque pas de surprendre, car on peine à percevoir le chant du 12 cylindres et ce sont finalement les filets d'air à haute vitesse et le frottement des pneus sur l'as-phalte qui dominent.

• **Commodités: 50%**
Malgré toutes sortes de raffine-ments, les rangements ne foi-sonnent pas autant sur les série 8 que sur les 7, surtout autour de la console centrale.

POINTS FAIBLES

• **Prix d'achat: 00%**
Il faut acquitter près de 100 000 dollars pour profiter de ce bolide «high-tech» qui comprend en série tout ce dont on peut rêver: mallette de premiers soins, télé-phone cellulaire et la fameuse trousse à outils pour millionnai-res bricoleurs, car les seules options sont la boîte manuelle à 6 rapports (sans frais), des jantes en alliage forgé, des sièges plus sportifs et des garnitures de ve-lours (sans frais).

• **Consommation: 10%**
Comme on ne peut faire plus de 450 km sur le plein du réservoir, le pompiste du coin deviendra votre ami, à moins que vous ne soyez vous-même propriétaire de la station-service...

• **Habitabilité: 35%**
Malgré le gabarit imposant de la carrosserie, l'habitacle n'est spa-cieux qu'aux places avant car à l'arrière l'espace pour les jambes fait défaut.

• **Coffre: 45%**
Sa faible capacité déçoit elle aussi car elle correspond à celle d'un Nissan 300ZX, mais la découpe de son ouverture en facilite l'ac-cès.

• **Dépréciation: 40%**
Perdre 60% de 100 000 $ au bout de trois ans ne fera plaisir à per-sonne, mais c'est le prix à payer pour être vu en compagnie de cette beauté exotique.

CONCLUSION

• **Moyenne générale: 62.5 %**
Les deux modèles de la série 8 sont des coupés GT qui illustrent parfaitement ce que BMW sait faire de mieux en matière de moyen de déplacement terres-tre... 😐

CARACTÉRISTIQUES & PRIX

Modèles	Versions	Carrosseries/ Sièges	Volume cabine l.	Volume coffre l.	Cx	Empat. mm	Long x larg x haut. mm x mm x mm	Poids à vide kg	Capacité Remorq. max. kg	Susp. av/ar	Freins av/ar	Direction type	Diamètre braquage m	Tours volant b à b.	Réser. essence l.	Pneus d'origine	Mécaniques d'origine	PRIX $ CDN. 1994
BMW		**Garantie: 4 ans/ 80 000 km; corrosion: 6 ans / kilométrage illimité: Antipollution: 8 ans / 130 000 km.**																
840	CiA	cpé. 3p. 4	2294	320	0.29	2684	4780x1855x1340	1870	NR	i/i	d/dABS	bil.ass.	11.5	2.7	90	235/50ZR16	V8/4.0/A5	**96 200**
850	CSi	cpé. 3p. 4	2294	320	0.29	2684	4780x1855x1340	1870	NR	i/i	d/dABS	bil.ass.	11.5	2.7	90	235/50ZR16	V12/5.4/A5	**119 900**

Voir la liste complète des prix 1995 à partir de la page 393.

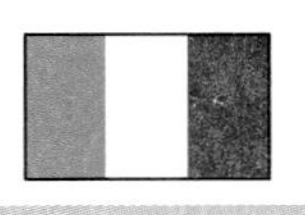

Le summum de l'exotisme..?

Bugatti n'était pas un nom inconnu du public lorsqu'on annonça sa résurrection voici quatre ans Non pas en France, qui était le berceau de la première fondation, mais en Italie à Campogaliano dans le triangle de Bologne qui abrite aussi Lamborghini et Ferrari.

Lorsqu'il décida de se lancer dans la fabrication de voitures exotiques Romano Artioli, savait très bien ce qu'il faisait puisqu'il avait déjà été concessionnaire Ferrari. Il fonda ensuite un groupement financier de compagnies renommées pour leur technologie de pointe, tels l'Aerospatiale française, le pétrolier Elf, l'avioneur Messier, les pneus Michelin , les roues BBS, le chimiste Schenck etc. pour acheter les droits et tout ce qui restait de Bugatti dont l'Aerospatiale avait hérité. À partir de là le projet de voiture rapide fut mis en chantier et déboucha trois ans plus tard sur le dévoilement de la EB110 à Paris le 14 septembre 1991 et la construction d'une magnifique usine en Italie.

POINTS FORTS

Technique:
L'idée au départ était de créer une berlinette qui soit à la fine pointe de la technologie actuelle et dépasse en performances les Lamborghini et Ferrari ses concurrentes. Ce n'est pas par hasard que l'entreprise fit bâtir à Campogaliano en banlieue de Bologne. C'est dans cette région que l'on trouve les meilleurs artisans pour tout ce qui touche à l'automobile, stylistes, ingénieurs, fondeurs de bloc-moteurs, fournisseurs d'accessoires spéciaux, selliers, tout est là, à portée de la main. La EB110 est une monocoque réalisée en panneaux de nids d'abeille Nomex pris en sandwich entre des couches de matériaux composites renforcés de fibres de carbone. Un procédé directement issu de la compétion. Ce qui la différencie de ses rivales c'est la transmission intégrale permanente dont le différentiel central est épicycloïdale, le différentiel arrière autobloquant à 43%, alors que la répartition du couple entre les essieux se fait comme suit: 27% à l'avant et 73 % à l'arrière. Le moteur, un V12 de 3.5L à 60 soupapes, devrait fournir en fin de développement 600 ch, mais plafonne actuellement à 560, grâce à la surcompression de 4 turbo. La suspension est basée à l'avant comme à l'arrière sur des quadrilatères transversaux à double amortisseur sur les roues arrière. Les quatre disques de frein autoventilés sont contrôlés par un dispositif antiblocage Bosch. Le poids de l'ensemble ressort à 1 620 kg dont 39% sur l'avant et 61 sur l'arrière. Les roues de 18 pouces ont des jantes BBS en magnésium et les pneus sont les Michelin MXX3 pouvant rouler à plat, ce qui explique l'absence de la roue de secours.

Qualité / finition:
Les critères de montage et de mise au point de cette voiture exceptionnelle sont calqués sur ceux utilisés dans la construction aéronautique, c'est dire le soin et la minutie avec lesquels elle est assemblée.

Poste de conduite:
Le cockpit, très dépouillé est sans doute le plus rationnel qui nous ait été donné d'observer sur ce genre de voiture. L'ergonomie y est parfaite, car les instruments sont situés dans le champ de vision du pilote et toutes les commandes tombent au bout des doigts. La visibilité habituellement critique est aussi bonne vers l'avant que sur les côtés et elle est satisfaisante (bien que l'on soit assis bas et que la ceinture de caisse soit haute) vers l'arrière malgré l'étroitesse de la lunette. Le siège baquet à réglage électrique, est du type que l'on rencontre dans les voitures de course. Très enveloppant il supporte

DONNÉES

Catégorie: coupés sportifs exotiques à traction intégrale.
Classe : GT

HISTORIQUE

Inauguré en: 1993
Modifié en: -
Fabriqué à: Campogaliano, Italie

INDICES

Sécurité: ND
Satisfaction: ND
Dépréciation: ND
Assurance: ND
Prix de revient au km: ND

NOMBRE DE CONCESSIONNAIRES

Au Québec: Aucun

VENTES AU QUÉBEC

Modèle	1992	1993	Résultat	Part de march
Bugatti EB110				

PRINCIPAUX MODÈLES CONCURRENTS

ASTON-MARTIN, Virage & Volante, BMW 850, FERRARI, 456, LAMBORGHIN Diablo.

ÉQUIPEMENT

BUGATTI- EB-110	GT
Boîte automatique:	-
Régulateur de vitesse:	-
Direction assistée:	S
Freins ABS:	S
Climatiseur:	S
Coussin gonflable:	S
Garnitures en cuir:	S
Radio MA/MF/ K7:	S
Serrures électriques:	S
Lève-vitres électriques:	S
Volant ajustable:	S
Rétroviseurs ext. ajustables:	S
Essuie-glace intermittent:	S
Jantes en alliage léger:	S
Toit ouvrant:	-
Système antivol:	S

S : standard; O : optionnel; - : non disponible

COULEURS DISPONIBLES

Extérieur: Argent, Noir, Jaune, Bleu & sur demande.
Intérieur: Gris & sur demande.

ENTRETIEN

Première révision: ND
Fréquence: ND
Prise de diagnostic: Oui

QUOI DE NEUF EN 1995 ?

- Bugatti est en train de compléter son réseau de distribution e Amérique du Nord qui commercialisera aussi Lotus que la firme a acqui de General Motors l'an dernier.

MOTEURS					TRANSMISSION			PERFORMANCES									
Modèles/ versions *: de série	Type / distribution soupapes / carburation	Cylindrée cc	Puissance ch @ tr/mn	Couple lb.pi @ tr/mn	Rapport volumét.	Roues motrices / transmissions	Rapport de pont	Accélér. 0-100 km/h s	400 m D.A. s	1000 m D.A. s	Freinage 100-0 km/h m	Vites. maxi. km/h	Accélér. latérale G	Niveau sonore dBA	Consommation l./100km Ville	Consommation l./100km Route	Carburar Octane
EB-110	V12T* 3.5 DACT-60-IEPM	3499	560 @ 8000	451 @ 3750	7.5:1	toutes - M6	3.182	3.46	11.4	20.7	36	342	0.95	74	22.0	13.6	S 91

ɔus les points du corps efficace-ɿent et est équipé d'un baudrier ı quatre sangles et verrouillage ꞉entral.

ᵖerformances:

.e jour où nous avons fait un brin le conduite à la première ꞉B110GT (qui s'appelait alors 10S Supersport) nous n'avons ıattu de record que de afouillages et de ratatouillages ar le moteur, qui venait tout juste l'être assemblé, n'était absolu-ɿent pas au point et vomissait eaucoup de gaz non brûlés, ce ui ne nous a pas empêchés 'apprécier tous les autres para-ɿètres de cette automobile hors u commun. C'est d'ailleurs la ɿême voiture qui, trois semaines ılus tard, battait sur le circuit de ɫardo le record de vitesse pour ne voiture de série en atteignant fficiellement 342 km/h aux mains u pilote-maison Jean-Pierre 'ittecocq. L'usine indique que la ꞉B110 GT accélère de 0 à 100 m/h en 3.46 secondes, temps ue personne n'a jamais pu ap-ɿrocher à ce jour à moins d'une econde. Il faut dire que le temps e réponse est un problème qui evra être résolu, car il n'entre en ction qu'à partir de 4000 tr/mn ur un régime maximal du dou-le, ce qui laisse une plage trop ourte pour tirer le meilleur parti e la puissance maximale.

꞉omportement:

a Bugatti surprend tout ceux qui ı conduisent pour la première ɔis par la facilité avec laquelle lle se conduit. Nul besoin d'être n champion pour rouler vite avec, ar elle tient toute seule et par-onnera bien des maladresses à n novice. Elle fait preuve de eutralité jusqu'à des vitesses ɿdécentes en absence totale de ɔulis et à la limite, elle finit par ous-virer. La motricité est aussi hénoménale que l'adhérence et n est souvent surpris qu'il ne se asse pas grand chose pendant ue le compteur de vitesse grimpe llègrement. Toute proportion ardée, elle rappelle la Dodge ꞉tealth, par le fait qu'elle permet e prendre des virages serrés à es vitesses ahurissantes, sans u'on ait besoin de se battre avec our la garder sur la route ou 'avoir le talent de Nigel Mansel.

Direction:

Superbement assistée elle est rapide et très précise, mais ne renseigne pas sur la nature du revêtement.

Freinage:

Aux vitesses atteintes il s'est toujours montré puissant, équilibré et facile à doser avec précision.

Accès:

Il n'est pas si acrobatique qu'il en a l'air et l'est infiniment moins que chez certaines concurrentes.

Sièges:

Ils sont superbes de maintien et de soutien, bien que leur rembourrage soit mince.

Suspension:

Malgré sa nature elle n'est pas inconfortable, ou alors c'est qu'on y fait pas attention...

Niveau sonore:

Copieux lors des accélérations et reprises, il permet néanmoins d'apprécier le magnifique système de son Makamichi à vitesse de croisière (200 km/h), soit à près de 60% de son potentiel...

Commodités:

Les rangements se résument à la boîte à gants dont la capacité est surprenante.

POINTS FAIBLES

Habitabilité:

Les deux occupants sont très à l'aise car la longueur et la largeur sont suffisantes et seule la hauteur manque.

Coffre:

Il est inexistant et il faut utiliser la valise faite sur mesures qui se place derrière les dossiers et ne contient pas grand chose.

Consommation:

Elle n'est pas si exorbitante puisqu'en dessous de 200 km/h, elle se maintient à 20 l /100km.

CONCLUSION

Tout sur cette voiture est surprenant mais par dessus tout sa facilité de la conduite, et ses réactions civilisées, trop civilisées peut- être qui ne provoquent pas les montées d'adrénaline que l'on éprouve dans une Diablo ou une M512. Toutefois une chose est sûre, les prochaines productions de Ferrari et Lamborghini devront tenir compte de la EB110 ne serait-ce qu'au niveau ergonomique. ☺

L'auteur et la BUGATTI EB110GT

CARACTÉRISTIQUES & PRIX

Modèles	Versions	Carrosseries/ Sièges	Volume cabine l.	Volume coffre l.	Cx	Empat. mm	Long x larg x haut. mm x mm x mm	Poids à vide kg	Capacité Remorq. max. kg	Susp. av/ar	Freins av/ar	Direction type	Diamètre braquage m	Tours volant b à b.	Réser. essence l.	Pneus d'origine	Mécaniques d'origine	PRIX $ CDN. 1995
BUGATTI																		
EB-110	GT	cpé. 2p. 2	1105	70	0.29	2550	4400x1960x1125	1620	NR	i/i	d/d/ABS	crém.ass.	12.2	2.8	2x60	240/40R18 325/30R18 (ar.)	V12T/3.5/M6	**500 000**

Voir la liste complète des prix 1995 à partir de la page 393.

Interim...

Les Acclaim et Spirit assureront l'interim avant que les nouvelles Cirrus Stratus soient prêtes à le remplacer, mais surtout parce leur différence de prix fera réfléchir un certain nombre d'acheteurs plus sensibles à l'aspect budgétaire qu'à l'attrait de la nouveauté.

Les Acclaim/Spirit seront encore vendues en 1995. Identiques à quelques détails cosmétiques ou d'équipement près, ces deux berlines à 4 portes sont offertes en version unique, équipée en série d'un moteur 4 cylindres de 2.5L avec boîte automatique à 3 rapports, tandis qu'un V6 de 3.0L est offert en option avec boîte automatique à 4 rapports.

POINTS FORTS

• Prix/équipement: 80%
Il est plus favorable que celui des concurrentes japonaises directes même avec moteur V6 et transmission automatique. Quant à l'équipement il a été encore enrichi, puisque les options se limitent aux vitres et serrures à commande électrique, aux freins à disque avec ABS, à une accentuation dorée de la présentation extérieure et des jantes en alliage léger.

• Satisfaction: 80%
Ces modèles ont connu peu de problèmes, la plupart de leurs composants étant éprouvés depuis longtemps, mais les propriétaires se plaignent encore de l'usure rapide des pneus, des amortisseurs et des garnitures de freins.

• Sécurité: 65%
La rigidité de la structure n'est pas parfaite, car sa conception commence à dater et l'on ne trouve pas de poutres de renfort dans les portes pour résister aux impacts latéraux et un seul coussin d'air est monté en série du côté du conducteur.

• Habitabilité: 60%
Elle constitue l'un des avantages de ces modèles où 5 peronnes seront à l'aise parce que les dégagements pour la tête et les jambes sont généreux aux places arrière.

• Coffre: 60%
Accessible grâce à la découpe de son ouverture, sa capacité n'est que moyenne car il manque de longueur. Toutefois en abaissant le dossier de la banquette on peut l'agrandir et y loger des objets encombrants.

• Comportement: 60%
Il n'est jamais dangereux dans le cadre d'une utilisation normale, mais la simplicité de la suspension commande de modérer l'allure en virage serré et sur route glissante à cause de sa souplesse excessive.

• Suspension: 60%
Ces voitures sont plus à l'aise sur l'autoroute que sur les petites routes sinueuses et mal pavées où la suspension trop souple roule dans les virages tandis que son débattement limité fait talonner le train arrière qui réagit sèchement.

• Technique: 60%
Héritières des fameuses voitures K les Acclaim et Spirit ne brillent pas par leur contenu technique qui est très ordinaire. La carrosserie monocoque en acier affiche une allure très conservatrice et sa finesse aérodynamique est médiocre avec un coefficient de 0.40. La suspension est de type McPherson à l'avant, à essieu déformant à l'arrière et le freinage mixte en série, les quatre disques et l'ABS étant offerts en option.

DONNÉES

Catégorie: berlines compactes tractées.
Classe : 4

HISTORIQUE

Inauguré en: 1988: Acclaim-Spirit; 1990: Le Baron.
Modifié en: -
Fabriqué à: Toluca, Mexique.

INDICES

Sécurité:	70 %
Satisfaction:	80 %
Dépréciation:	65 %
Assurance:	9.0 %
Prix de revient au km:	0.44 $

NOMBRE DE CONCESSIONNAIRES

Au Québec: 167 Chrysler-Dodge-Plymouth-Eagle-Jeep.

VENTES AU QUÉBEC

Modèle	1992	1993	Résultat	Part de marché
Acclaim	3 200	2 553	-20.2 %	3.9 %
Spirit	2 711	2 751	+1.45 %	4.2 %

PRINCIPAUX MODÈLES CONCURRENTS

ACURA Integra berline, CHEVROLET Corsica, FORD Contour , BUICK Skylarck, HONDA Accord, HYUNDAI Sonata, MAZDA 626, MERCURY Mystique, MITSUBISHI Galant, OLDSMOBILE Achieva, PONTIAC Grand Am, NISSAN Altima, SUBARU Legacy, TOYOTA Camry, VW Passat.

ÉQUIPEMENT

DODGE Spirit	base
PLYMOUTH Acclaim	base
Boîte automatique:	S
Régulateur de vitesse:	S
Direction assistée:	S
Freins ABS:	O
Climatiseur:	S
Coussin gonflable gauche:	S
Garnitures en cuir:	-
Radio MA/MF/ K7:	S
Serrures électriques:	O
Lève-vitres électriques:	O
Volant ajustable:	S
Rétroviseurs ext. ajustables:	S
Essuie-glace intermittent:	S
Jantes en alliage léger:	O
Toit ouvrant:	-
Système antivol:	-

S : standard; O : optionnel; - : non disponible

COULEURS DISPONIBLES

Extérieur: Noir, Bleu, Beige, Émeraude, Rouge, Mûre, Blanc.
Intérieur: Bleu, Champagne, Gris, Rouge.

ENTRETIEN

Première révision:	7 500 km
Fréquence:	6 mois
Prise de diagnostic:	Oui

QUOI DE NEUF EN 1995 ?

- Transmission automatique améliorée.
- Identification des points de service en jaune sous le capot-moteur.
- Équipement d'origine enrichi.

Modèles/ versions *: de série	Type / distribution soupapes / carburation	Cylindrée cc	Puissance ch @ tr/mn	Couple lb.pi @ tr/mn	Rapport volumét.	Roues motrices / transmissions	Rapport de pont	Accélér. 0-100 km/h s	400 m D.A. s	1000 m D.A. s	Freinage 100-0 km/h m	Vites. maxi. km/h	Accélér. latérale G	Niveau sonore dBA	Consommation l./100km Ville	Consommation l./100km Route	Carbura. Octane
MOTEURS						**TRANSMISSION**					**PERFORMANCES**						
base	L4 2.5 SACT-8-IE	2508	100 @ 4800	135 @ 2800	8.9 :1	avant-A3	3.02	12.6	18.0	35.2	43	160	0.78	67	10.5	8.0	R 87
option	V6*3.0 ACC-12-ISPM	2972	142 @ 5000	171 @ 2400	8.9 :1	avant-A3	2.28	11.0	17.0	33.8	41	185	0.80	66	11.2	8.0	R 87

Niveau sonore: 60%
est plus élevé avec le 4 cylinres nettement plus bruyant que
V6, auquel s'ajoute les bruits
e vent et de roulement que le
anque d'insonorisant laisse
asser.

Qualité & finition: 60%
a présentation intérieure est so-
re, l'assemblage et la finition
oignés et la qualité des matéaux acceptable, bien que les
astiques et les tissus aient des
flets utilitaires.

Poste de conduite: 55%
e tableau de bord est bien orga-
isé, l'instrumentation lisible et
s principales commandes con-
entionnelles. Toutefois la
eilleure position de conduite est
ngue à découvrir, car la dis-
nce séparant le volant des pé-
ales est trop longue. La visibilité
st satisfaisante sous tous les
ngles, malgré l'épaisseur du pi-
er C.

Accès: 50%
ans problème à l'avant, il est
oins aisé à l'arrière où l'angle
ouverture des portes est insuf-
sant.

Consommation: 50%
lle est normale compte tenu du
oids et de la cylindrée des mo-
urs mais sensible à la charge
omme à la vitesse.

POINTS FAIBLES

Sièges: 30%
s restent mal conçus, ne procu-
nt pas plus de maintien latéral
ue de soutien lombaire aux pla-
es avant comme à l'arrière où
assise de la banquette est trop
ourte, son rembourrage dur et
ans relief et aucun accoudoir
entral n'est là pour aider à se
aler.

Freinage: 40%
on usage n'est pas agréable
ar il est difficile à doser la pédale
ant spongieuse. Les arrêts d'ur-
ence sont plus hasardeux que
s ralentissements ordinaires,
ar les distances sont longues et
ur trajectoire incertaine en l'ab-
ence des quatre disques et de
ABS.

Assurance: 40%

PLYMOUTH Acclaim

DODGE Spirit

Par rapport à certaines de leurs concurrentes, leur prime est inexplicablement plus élevée.

• Dépréciation: 40%
Leur valeur de rachat baisse au fur et à mesure qu'elles approchent de leur fin, et parce qu'elles sont nombreuses sur le marché.

• Commodités: 40%
Les rangements se limitent à une minuscule boîte à gants et des évidements disposés sur la console centrale et la tablette aménagée sur le dessus du tableau de bord ne retient pas efficacement les menus objets, on aimerait trouver des vide-poches dans les portières et les dossiers des places avant.

• Performances: 45%
Avec le moteur 4 cylindres et la boîte automatique, le rapport poids-puissance ne favorise pas plus les accélérations que les reprises et le V6 s'impose pour un meilleur rendement et une conduite plus agréable.

• Direction: 45%
Le diamètre de braquage est trop grand pour que ces modèles soient maniables et la direction est bien dosée mais plutôt floue au centre.

CONCLUSION

• Moyenne générale: 54.0 %
À la veille de la retraite, ces compactes de fabrication domestique constituent encore des alternatives valables aux Japonaises qui font payer très cher leur sophistication. Banales et simplistes, elles réservent donc peu de mauvaises surprises. ☹

SUGGESTIONS DES PROPRIÉTAIRES

-Moins de bruits de courroies.
-Suspension butant moins durement à la moindre occasion.
-Améliorer le pédalier, la ventilation, le dégivrage et l'insonorisation des modèles de base.
-Plus de rangements.
-Améliorer la qualité des pneus, des amortisseurs, des freins et des essuie-glace.

CARACTÉRISTIQUES & PRIX

odèles	Versions	Carrosseries/ Sièges	Volume cabine l.	Volume coffre l.	Cx	Empat. mm	Long x larg x haut. mm x mm x mm	Poids à vide kg	Capacité Remorq. max. kg	Susp. av/ar	Freins av/ar	Direction type	Diamètre braquage m	Tours volant b à b.	Réser. essence l.	Pneus d'origine	Mécaniques d'origine	PRIX $ CDN. 1994
ODGE		**Garantie générale: 3 ans / 60 000 km; corrosion de surface: 1 an / 20 000 km; perforation: 7 ans / 160 000 km; assistance routière: 3 ans / 60 000 km.**																
pirit	base	ber. 4p.5	2747	408	0.40	2629	4602x1731x1358	1299	907	i/si	d/t	crém.ass.	11.3	2.6	61	185/70R14	L4/2.5/A3	**13 676**
LYMOUTH		**Garantie générale: 3 ans / 60 000 km; corrosion de surface: 1 an / 20 000 km; perforation: 7 ans / 160 000 km; assistance routière: 3 ans / 60 000 km.**																
cclaim	base	ber. 4p.5	2747	408	0.40	2629	4602x1731x1358	1298	907	i/si	d/t	crém.ass.	11.3	2.6	61	185/70R14	L4/2.5/A3	**13 575**

Voir la liste complète des prix 1995 à partir de la page 393.

Le Baron cabriolet

Souvenirs...

Le cabriolet Le Baron J a connu un certain succès à une époque où Chrysler a entrepris de relancer la mode des voitures décapotables qui avaient disparu des catalogues des constructeurs nord-américains. Ce fut une autre bonne idée de Lee A. Iaccoca.

Le cabriolet Le Baron demeurera fidèle à son poste en attendant que son remplaçant, issu des derniers Sebring et Avenger, fasse son entrée. Il est offert dans une seule version ayant l'apparence de l'ancien GTC équipée en série d'un V6 de 3.0L et d'une boîte automatique à 4 rapports à gestion électronique.
Bien que son équipement ait été enrichi, il reste encore nombre d'options importantes comme le volant et les rétroviseurs ajustables, le régulateur de vitesse ainsi que les serrures électriques qui pourraient être incluses dans le prix.

POINTS FORTS

• Sécurité: 80%
Rigidifiée l'an dernier, la coque satisfait aux normes anticollision et la présence de deux coussins gonflables assure une bonne protection aux occupants des places avant. Aucun arceau anticapotage n'est disponible.

• Satisfaction: 70%
Le nombre de clients très satisfaits diminue, ce qui est rare pour un modèle en fin de carrière sur lequel tous les problèmes devraient avoir été réglés. Les propriétaires se plaignent toujours de la médiocrité des amortisseurs, des pneus, des plaquettes de freins avant et du circuit électrique.

• Technique: 65%
Dérivée de l'ancienne plate-forme H, la structure monocoque en acier possède une suspension avant indépendante de type McPherson, alors qu'à l'arrière elle est semi-indépendante constituée d'un essieu déformable. Les freins sont mixtes en série et à quatre disques avec ABS en option. Les lignes sont efficaces puisque pour un cabriolet un cœfficient aérodynamique de 0.38 est remarquable.

• Qualité & finition: 60%
La construction est robuste et la finition plus soignée qu'auparavant, mais la qualité de certains accessoires laisse encore à désirer. Bien que motorisée, la capote n'est ni doublée ni isolée comme c'est le cas sur une simple Golf...

• Accès: 60%
Malgré des portes aussi longues que lourdes, il est plus facile de s'installer aux places avant quà l'arrière, où l'espace est très réduit.

• Poste de conduite: 60%
La position de conduite la plus confortable est relativement facile à trouver, mais la visibilité souffre de l'assise basse et des angles morts importants créés par la capote.
Bien dessiné, le tableau de bord offre une instrumentation suffisante et lisible et les principaux interrupteurs, placés sur le rebord de la visière, sont à portée de la main. Par contre les commandes du régulateur de vitesse situées au bas du moyeu du volant ne sont pas faciles à utiliser tant qu'on ne les a pas mémorisées.

• Niveau sonore: 60%
Le moteur V6 est somme toute discret, mais la capote non isolée laisse entrer les bruits de l'extérieur, particulièrement ceux de vent et de roulement.

DONNÉES

MEMO
- Entretien

Catégorie: cabriolets intermédiaires tractés.
Classe : 4

HISTORIQUE

Inauguré en: 1987
Modifié en: 1992: moteur V6 3.0L.
Fabriqué à: Newark, Delaware, É-U.

INDICES

Sécurité:	75 %
Satisfaction:	70 %
Dépréciation:	57 %
Assurance:	4.4 % (1 205 $)
Prix de revient au km:	0.47 $

NOMBRE DE CONCESSIONNAIRES

Au Québec: 167 Chrysler-Dodge-Plymouth-Eagle-Jeep.

VENTES AU QUÉBEC

Modèle	1992	1993	Résultat	Part de marché
Le Baron	106	122	+13.12 %	7.3 %

PRINCIPAUX MODÈLES CONCURRENTS

FORD Mustang V6, OLDSMOBILE Cutlass Supreme, VW Cabrio.

ÉQUIPEMENT

Le Baron décapotable	base
Boîte automatique:	S
Régulateur de vitesse:	O
Direction assistée:	S
Freins ABS & 4 disques:	O
Climatiseur:	S
Coussins gonflables (2):	S
Garnitures en cuir:	O
Radio MA/MF/ K7:	S
Serrures électriques:	O
Lève-vitres électriques:	S
Volant ajustable:	O
Rétroviseurs ext. ajustables:	O
Essuie-glace intermittent:	S
Jantes en alliage léger:	O
Toit motorisé:	S
Système antivol:	O

S : standard; O : optionnel; - : non disponible

COULEURS DISPONIBLES

Extérieur: Noir, Aqua, Bleu clair, Émeraude, Rouge, Blanc, Vert, Bleu.
Intérieur: Rouge, Bleu, Champagne, Gris foncé.

ENTRETIEN

Première révision:	7 500 km
Fréquence:	6 mois
Prise de diagnostic:	Oui

QUOI DE NEUF EN 1995 ?

- **Télécommande d'ouverture des portes et du coffre.**
- **Radio avec lecteur de disques au laser.**
- **Révision de l'apparence des jantes en alliage léger et des badges.**

MOTEURS						TRANSMISSION		PERFORMANCES										
Modèles/ versions *: de série	Type / distribution soupapes / carburation	Cylindrée cc	Puissance ch @ tr/mn	Couple lb.pi @ tr/mn	Rapport volumét.	Roues motrices / transmissions	Rapport de pont	Accélér. 0-100 km/h s	400 m D.A. s	1000 m D.A. s	Freinage 100-0 km/h m	Vites. maxi. km/h	Accélér. latérale G	Niveau sonore dBA	Consommation l./100km Ville	Consommation l./100km Route	Carbura Octane
base	V6 3.0 SACT-12-IESPM	2972	141 @ 5000	171 @ 2400	8.9 :1	avant-A4*	3.62	11.0	17.5	31.0	49	175	0.78	68	12.0	8.1	R 87

Le Baron cabriolet

'rix/équipement: 60%
• cabriolet Le Baron règne en-
ıre dans une niche bien délimi-
e où son prix est abordable en
gard de ce qu'il offre. Son équi-
ment s'est quelque peu enrichi
ais le freinage à disque avec
3S manque à l'équipement obli-
ıtoire.

\ssurance: 60%
ı prime du cabriolet Le Baron
t relativement raisonnable com-
ırée à celle d'une Miata.

.a consommation: 60%
le se maintient dans des limites
ıisonnables compte tenu du
ıids de ce modèle et de la cylinée de son moteur pour peu que
n ne force pas la chance à la
ulette du radar...

'erformances: 60%
• V6 apporte un certain agréent de conduite par sa sou-
esse et son silence de fonction-
ment, car le couple et l'étage-
ent judicieux de la transmison autorisent de bonnes pres-
tions.

Comportement: 60%
algré la rusticité de la suspenon la tenue de route est saine,
ais elle est sensible à la qualité
es pneus. La souplesse des res-
ırts et l'inconsistance des amor-
seurs provoquent des mouveents de caisse importants et le
anque de débattement amène
ıuvent la suspension avant en
ıtée.

Suspension: 60%
ı souplesse ne l'avantage que
ır autoroute sinon les amortis-
eurs inconsistants, les pneus
ıelconques et le manque de
débattement génèrent des réactions hostiles sur petites routes
mal entretenues.

• Sièges: 50%
Leur apparence très technique donne l'impression qu'ils ont été savamment étudiés pour maintenir les occupants comme un gant. Il n'en est rien puisqu'ils ne procurent qu'un maintien latéral et un soutien lombaire symboliques.

• Dépréciation: 50%
Le cabriolet perd un peu moins de sa valeur que le coupé et peut se négocier plus cher aux portes de la belle saison.

POINTS FAIBLES

• Freinage: 30%
Les ralentissements normaux ne posent aucun problème, si ce n'est que la pédale, spongieuse, ne permet pas de doser l'effort avec précision. Par contre en situation d'urgence, les distances sont longues, même avec les quatre disques et l'ABS offert en option. Ce dernier a au moins l'avantage de rendre les trajectoires sûres parce que rectilignes.

• Direction: 35%
Légère et floue au centre, son assistance est trop forte et la grandeur du diamètre de braquage pénalise la maniabilité.

• Habitabilité: 40%
Elle est plus spacieuse à l'avant qu'à l'arrière où l'espace réservé aux passagers est limité par la présence de la capote.

• Coffre: 40%
Ici encore la capote hypothèque le volume réservé aux bagages, mais la banquette arrière pourra abriter ce que le coffre ne pourra contenir.

• Commodités: 40%
Les rangements se résument à une modeste boîte à gants, un logement et un coffret intégrés à la console. Les vide-poches de portières ne sont pas pratiques car ils ne contiennent quasiment rien.

CONCLUSION

• Moyenne générale: 55.0 %
Destiné à faire profiter de la belle saison pour un budget raisonnable, le cabriolet Le Baron n'a aucune prétention sportive car sa conduite, son comportement et ses performances sont on ne peut plus ordinaires. 😐

SUGGESTIONS DES PROPRIÉTAIRES

- **Une meilleure autonomie.**
- **Assise de sièges plus longue.**
- **Freins à disque et système ABS en série.**
- **Une finition plus soignée.**
- **Une suspension plus efficace.**
- **Un côté pratique plus évident.**
- **Un caractère plus sportif.**
- **Un service plus courtois.**
- **Une capote isolée.**

CARACTÉRISTIQUES & PRIX

odèles	Versions	Carrosseries/ Sièges	Volume cabine l.	Volume coffre l.	Cx	Empat. mm	Long x larg x haut. mm x mm x mm	Poids à vide kg	Capacité Remorq. max. kg	Susp. av/ar	Freins av/ar	Direction type	Diamètre braquage m	Tours volant b à b.	Réser. essence l.	Pneus d'origine	Mécaniques d'origine	PRIX $ CDN. 1994
HRYSLER		**Garantie générale: 3 ans / 60 000 km; corrosion de surface: 1 an / 20 000 km; perforation: 7 ans / 160 000 km; assistance routière: 3 ans / 60 000 km.**																
e Baron	base	déc. 2p. 4	2378	283	0.38	2554	4694x1757x1331	1416	454	i/si	d/t	crém.ass.	11.7	2.48	53.0	205/60R15	V6/3.0/A4	**22 995**

Voir la liste complète des prix 1995 à partir de la page 393.

CHRYSLER Cirrus
DODGE Stratus

Les pieds sur terre...

Chez Chrysler une nouveauté n'attend pas l'autre. Avec les Cirrus et Stratus, le troisiè constructeur américain va tenter de conquérir une place de premier plan dans le segment d compactes supérieures, le plus vendeur de l'époque en Amérique et dans le monde entier.

Les Chrysler Cirrus et Dodge Stratus remplaceront progressivement les Le Baron-Acclaim-Spirit. Entièrement nouvelles, ces voitures ne reprennent rien des modèles précédents, car elle constituent une redéfinition de la voiture compacte dans les gammes de Chrysler. Le rapport qui suit concerne uniquement la Cirrus, la seule que nous ayons pu tester avant d'aller sous presse, car la Stratus arrivera un peu plus tard, de même que le modèle équivalent qui prendra place dans la gamme Plymouth. La Cirrus est offerte en deux versions LX et LXi pourvues d'un moteur V6 avec boîte automatique à 4 rapports.

POINTS FORTS

• Sécurité: 100%

Comme il se doit sur une automobile 1995, la coque des modèles à plate-forme JA est très rigide et comporte nombre de renforts lui permettant de résister aux impacts subits sous tous les angles possibles. Deux coussins d'air protègent les occupants des places avant dont les baudriers de ceintures de sécurité sont ajustables. Le freinage antiblocage est livré en série sur la Cirrus dont il est question ici. Un siège d'enfant intégré à la banquette est livrable en option.

• Technique: 80%

Chrysler n'a pas lésiné sur ce point car ce nouveau modèle bénéficie de ce qui se fait de mieux actuellement. Sa carrosserie monocoque en acier que de nombreux traitements mettent à l'abri de la corrosion, possède une bonne efficacité aérodynamique puisque son cœfficient est de 0.31. La suspension est indépendante aux quatre roues. À l'avant on a affaire à une évolution du principe McPherson avec des bras longs et courts, incorporant des articulations à bagues de caoutchouc permettant d'isoler le train avant des vibrations en provenance des roues, sans avoir recours à un berceau comme c'est le cas sur certaines concurrentes. À l'arrière on trouve un système à bras inégaux ajustables possédant un effet directeur induit. Des barres antiroulis sont montées sur les deux trains dont les freins sont mixtes, alors qu'on aurait pu s'attendre à trouver des disques à l'arrière du modèle le plus luxueux. L'assistance de la direction est variable en fonction de la vitesse et les pneus d'origine sont les Michelin MX4. La Cirrus pèse 1427 kg dont la répartition avant/arrière est de 64/36%.

• Direction: 80%

Elle est pratiquement idéale, aussi bien par le dosage précis de son assistance variant selon l'allure, que par sa démultiplication ou sa précision. Pourtant son diamètre de braquage supérieur à la moyenne pénalise la maniabilité.

• Sièges: 80%

À l'avant ils rappellent beaucoup ceux des voitures françaises qui ont toujours servi de référence en matière de confort, plus que les sièges allemands dont les constructeurs japonais s'inspirent trop souvent. Ils soutiennent et maintiennent efficacement, tant au niveau latéral que lombaire, sans réglage compliqué et leur rembourrage est mœlleux. À l'arrière l'assise de la banquette est un peu courte alors que le dossier manque de relief et n'est pas équipé d'un accoudoir central , alors que les occupants des places avant sont nettement plus choyés, ce qui est, à notre avis, un non-sens.

DONNÉES

Catégorie: berlines compactes tractées
Classe : 4

HISTORIQUE

Inauguré en: 1994
Modifié en: -
Fabriqué à: Sterling Heights, MI, É-U.

INDICES

Sécurité: 90 % Stratus, 100 % Cirrus
Satisfaction: ND
Dépréciation: ND
Assurance: 6.0 % (975 $)
Prix de revient au km: 0.40 $

NOMBRE DE CONCESSIONNAIRES

Au Québec: 167 Chrysler-Dodge-Plymouth-Eagle-Jeep.

VENTES AU QUÉBEC

Modèle	1992	1993	Résultat	Part de march
Acclaim	3 200	2 553	-20.2 %	3.9 %
Spirit	2 711	2 751	+4.28 %	4.8 %

PRINCIPAUX MODÈLES CONCURRENTS

ACURA Integra 4p., BUICK Skylark, CHEVROLET Corsica, DODGE Spir FORD Contour, HONDA Accord, HYUNDAI Sonata, MAZDA 626, ME CURY Mystique, MITSUBISHI Galant, NISSAN Altima, OLDSMOBIL Achieva, PLYMOUTH Acclaim, PONTIAC Grand Am, SUBARU Legac TOYOTA Camry, VW Passat.

CHRYSLER Cirrus	ÉQUIPEMENT			LX	LXi
DODGE Stratus	-	-	-		
Boîte automatique:	O	O	O	S	S
Régulateur de vitesse:	O	O	S	S	S
Direction assistée:	S	S	S	S	S
Freins ABS:	O	O	S	S	S
Climatiseur:	O	O	S	S	S
Coussin gonflable:	S	S	S	S	S
Garnitures en cuir:	-	-	O	O	O
Radio MA/MF/ K7:	O	O	S	S	S
Serrures électriques:	-	O	S	S	S
Lève-vitres électriques:	-	O	S	S	S
Volant ajustable:	S	S	S	S	S
Rétroviseurs ext. ajustables:	-	O	S	S	S
Essuie-glace intermittent:	S	S	S	S	S
Jantes en alliage léger:	-	O	S	O	S
Toit ouvrant:	-	-	-	-	-
Système antivol:	-	-	-	-	-

S : standard; O : optionnel; - : non disponible

COULEURS DISPONIBLES

Extérieur: Blanc, Noir, Iris, Pourpre, Vert, Argent, Rouge, Bleu.
Intérieur: Gris, Gris vert, Rouge.

ENTRETIEN

Première révision: 7 500 km
Fréquence: 6 mois
Prise de diagnostic: Oui

QUOI DE NEUF EN 1995 ?

- Nouveaux modèles remplaçant Acclaim-Spirit.

Modèles/ versions *: de série	Type / distribution soupapes / carburation	Cylindrée cc	Puissance ch @ tr/mn	Couple lb.pi @ tr/mn	Rapport volumét.	Roues motrices / transmissions	Rapport de pont	Accélér. 0-100 km/h s	400 m D.A. s	1000 m D.A. s	Freinage 100-0 km/h m	Vites. maxi. km/h	Accélér. latérale G	Niveau sonore dBA	Consommation l./100km Ville	Consommation l./100km Route	Carbu Octane
	MOTEURS					**TRANSMISSION**		**PERFORMANCES**									
1)	L4* 2.0-DACT-16-IESPM	1996	132 @ 6000	129 @ 5000	9.8 :1	avant- M5*	3.94	-	-	-	-	-	-	-	-	-	R 8
						avant-A4	3.90	-	-	-	-	-	-	-	-	-	R 8
2)	L4* 2.4-DACT-16-IESPM	2429	140 @ 5200	160 @ 4000	9.4 :1	avant- M5*	3.94	-	-	-	-	-	-	-	-	-	R 8
						avant-A4	3.90	-	-	-	-	-	-	-	-	-	R 8
3)	V6* 2.5-SACT-24-IESPM	2497	164 @ 5900	163 @ 4350	9.4 :1	avant-A4*	3.90	10.5	15.75	31.5	44	185	0.88	67	12.8	9.0	R 8

1) base Status 2) Option Status 3) base Cirrus, option Stratus

;uspension: 80%
encore l'inspiration française ngénieur en chef de Chrysler, ançois Castaing est français rigine) se fait positivement ntir. En effet Renault, Peugeot Citroën sont les seuls à parve- à mettre au point des suspen- ns dont la souplesse procure confort supérieur, sans que a nuise au comportement. Les tures penchent dans les vira- s sans que cela altère la qua- de leur trajectoire. Les Chrys- JA font de même et le confort rque un point majeur.

:ommodités: 80%
s rangements sont bien dispo- s. La boîte à gants est assez ande, de même que les vide- ches de portières dont l'ouver- e est limitée. Un vaste coffret console centrale, des souf- ts disposés au dos des sièges ant et des poignées de main- n au plafond complètent ce apitre.

'oste de conduite: 80%
'inspire plus de celui des Neon e les modèles LH. Simple et urvé, il contient le bloc des truments bien lisibles, mais la rtie centrale de la console est p basse et pas assez avancée ur offrir une ergonomie satis- sante. La vaste plage qui re- nt le bas du pare-brise se re- te beaucoup trop dans celui-ci point de gêner la vue vers vant quand le soleil brille ensément et la visibilité est ré- ite de 3/4 et vers l'arrière par la uteur et l'étroitesse de la lu- tte arrière. La position de con- ite idéale, facile et rapide à uver, permettra de longues ures de conduite sans fatigue. s différentes commandes sont groupées sur deux leviers pra- ues, les phares éclairent suffi- mment la nuit, mais la uxième vitesse des essuie- ace est trop lente.

:omportement: 75%
st excellent, car la voiture sem- tenir la route d'elle-même dans plupart des circonstances, ce i donne au conducteur un fort ntiment de sécurité. Comme entionné plus haut, le roulis est pas gênant, mais en virage rré les pneus sont fortement s à contribution pour assurer le

NOUVEAUTÉ 1995

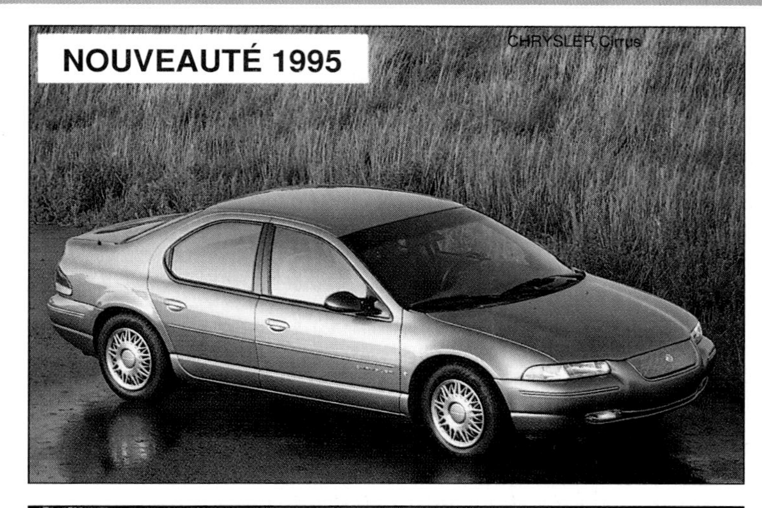

meilleur appui. La stabilité en ligne comme en grande courbe reste imperturbable quels que soient la qualité du revêtement et le souffle du vent.

• Qualité / finition: 70%
La présentation générale offre un meilleur coup d'œil avec les garnitures de cuir que de tissu qui font très ordinaire. Le placage de faux bois de la console centrale ne choque pas, mais la qualité des matières plastiques composant le tableau de bord n'est pas supérieure à celle de la Neon. Les tolérances d'ajustement sont relativement serrées et les principaux ajustements des voitures de pré-série que nous avons scrutés semblaient rigoureux.

• Accès: 70%
Il est plus aisé à l'avant où la longueur des portes et leur angle d'ouverture sont plus généreux qu'à l'arrière.

• Assurance: 70%
La prime de la Cirrus se situe dans la moyenne de cette catégorie très en vogue, au même niveau que les Toyota Camry et Honda Accord, mais moins chère que celle de la Mazda 626.

• Coffre: 70%
Il est vaste car aussi large que haut et peut être agrandi vers la cabine en abaissant le dossier de la banquette. Grâce à de nouvelles charnières le capot se relève haut dégageant une ouverture suffisamment large.

• Habitabilité: 65%
Les dégagements sont généreux surtout à l'arrière où les grands gabarits trouveront assez d'espace pour la tête et les jambes.

• Niveau sonore: 60%
Les bruits mécaniques et éoliens restant faibles, ce sont ceux résultant du roulement qui dominent. L'insonorisation est efficace grâce à l'injection de mousse plastique dans les piliers du toit.

• Prix/équipement: 60%
Nettement plus élevé que celui du modèle qu'elle remplace, le prix de la Cirrus est aligné juste au-dessous de celui des japonaises qu'elle vise, comme la Honda Accord qui demeure la meilleure référence de cette catégorie. Il est en partie justifié par l'équipement de série qui est assez fourni.

• Performances: 55%
Malgré le beau pedigree du moteur V6 d'origine Mitsubishi, les accélérations comme les reprises, nous ont quelque peu déçus. Bien que le rapport poids-puissance soit favorable, les résultats obtenus n'ont rien de renversant, surtout après ceux enregistrés sur la Neon plus modeste. Souhaitons que les modèles de série démontrent plus de punch, afin d'amener l'agrément de conduite au niveau d'une Mazda 626 difficile à battre sur ce point.

• Consommation: 50%
En se maintenant en moyenne aux alentours de 11 litres aux 100 km en conduite normale elle fait jeu égal avec celle de ses rivales en offrant toutefois des prestations légèrement inférieures.

POINTS FAIBLES

• Freinage: 45%
Avec l'ABS livré en série, les distances d'arrêt que nous avons observées se sont établies entre 44 et 51 m à partir de 100 km/h, ce qui semble très long pour une voiture aussi nouvelle, mais s'explique facilement par l'absence de disques aux roues arrière.

CONCLUSION

• Valeur moyenne: 70.0 %
La Cirrus est une superbe voiture qui manque un peu d'homogénéité car l'excellence de la suspension et de la direction contraste avec la médiocrité des performances et du freinage. Chrysler est peut-être allé un peu vite dans la définition et la mise au point de ce modèle qui mérite mieux. Espérons que la qualité si chère au président de Chrysler sera livrée en série... ☺

CARACTÉRISTIQUES & PRIX

ɔdèles	Versions	Carrosseries/ Sièges	Volume cabine l.	Volume coffre l.	Cx	Empat. mm	Long x larg x haut. mm x mm x mm	Poids à vide kg	Capacité Remorq. max. kg	Susp. av/ar	Freins av/ar	Direction type	Diamètre braquage m	Tours volant b à b.	Réser. essence l.	Pneus d'origine	Mécaniques d'origine	PRIX $ CDN. 1995
HRYSLER		Garantie générale: 3 ans / 60 000 km; corrosion de surface: 1 an / 20 000 km; perforation: 7 ans / 160 000 km; assistance routière: 3 ans / 60 000 km.																
rrus	LX	ber. 4 p. 5	2715	445	0.31	2743	4750x1804x1374	1427	454	i/i	d/t/ABS	crém.ass.	11.3	3.09	60	195/65R15	V6/2.5/A4	**21 915**
rrus	LXi	ber. 4 p. 5	2715	445	0.31	2743	4750x1804x1374	1427	454	i/i	d/t/ABS	crém.ass.	11.3	3.09	60	195/65R15	V6/2.5/A4	**24 355**

Voir la liste complète des prix 1995 à partir de la page 393.

CHRYSLER Concorde-Intrepid
EAGLE Vision

Raz-de-marée...

Les voitures de la série LH rencontrent un succès semblable à celui qu'ont connu les Taurus/Sab en leur temps. Chrysler ne fournit plus d'en produire et ne suffit pas à la demande, il sera sans dout nécessaire de construire d'autres usines pour profiter de la manne quand elle passe...

Les voitures de la série LH occupent sur le marché une position particulière. Intermédiaires par leur format et leur mécanique, ce sont des véhicules de grand format par le volume de leur cabine et de leur coffre, elles font la lutte à plusieurs modèles bien établis.

POINTS FORTS

• Sécurité: 100%
La coque des LH offre une bonne rigidité et des renforts ont été intégrés dans les portes pour mieux résister aux chocs latéraux, enfin deux coussins d'air protègent les occupants des places avant. Dommage que le freinage antiblocage ne soit installé en série que sur les Concorde et Vision, car pour cette raison la note des Intrepid n'est que de 90%.

• Satisfaction: 90%
Actuellement 90% des propriétaires se déclarent très satisfaits, ce qui est normal après une année pleine de commercialisation. La seconde sera sans doute plus déterminante.

• Technique: 80%
Le concept de la «cabine avancée» consiste à repousser les roues aux quatre coins de la cabine et non du véhicule comme le constructeur tend à le faire croire. Malgré la surface frontale importante la finesse aérodynamique est efficace puisque le cœfficient n'est que de 0.31. Ces tractions avant sont mues par des moteurs V6 de 3.3L de base développant 161 ch, et de 3.5L à DACT, 24 soupapes et 214 ch. La seule transmission offerte est automatique à 4 rapports dont la sélection électronique a été recalibrée. Un dispositif de répartition électronique de la traction couplé à l'ABS et aux quatre freins à disque est d'origine sur les Concorde et Vision TSi et en option ailleurs. La carrosserie monocoque en acier comporte un berceau portant le groupe propulseur. La suspension, de type McPherson, est indépendante aux quatre roues et un ajustement pneumatique est optionnel.

• Qualité & finition: 80%
Ces voitures ont des tolérances d'assemblage plus serrées, la finition est de calibre international et les matériaux ont une belle apparence. Quelques retouches étaient nécessaires, mais dans l'ensemble ces voitures permettent de mesurer la progression de Chrysler.

• Poste de conduite: 80%
La position la plus confortable est laborieuse à trouver, mais la visibilité est bonne malgré l'épaisseur des piliers. Il faut pourtant se plaindre du manque de largeur du rétroviseur intérieur, des formes du volant ou encore de la faiblesse des phares des Intrepid qui ont pourtant été améliorés. Le tableau de bord est bien conçu, les commandes des phares et de climatisation sont d'inspiration allemande, mais le frein de stationnement est archaïque.

• Direction: 80%
Elle est douce et précise avec une assistance bien dosée, toutefois on apprécierait qu'elle soit moins démultipliée (3.4 tr). La maniabilité est satisfaisante, le rayon de braquage étant raisonnable, mais il faut se méfier du porte-à-faux avant.

• Accès: 80%
Les grandes portières s'ouvrent largement et l'échancrure du couver-

DONNÉES

Catégorie: berlines tractées de grand format.
Classe : 6

HISTORIQUE

Inauguré en: 1993
Modifié en: 1994: 3.3L 161 ch.
Fabriqué à: Newark, Delaware, É-U. & Bramalea, Ontario, Canada.

INDICES

Sécurité:	90 % (100 % avec ABS std)
Satisfaction:	90 %
Dépréciation:	42 % (2 ans)
Assurance:	5.0 % (975 $)
Prix de revient au km:	0.44 $

NOMBRE DE CONCESSIONNAIRES

Au Québec: 167 Chrysler-Dodge-Plymouth-Eagle-Jeep.

VENTES AU QUÉBEC

Modèle	1992	1993	Résultat	Part de marc
Concorde/ Intrepid	430	4 754	-	18.3 %
Vision	79	587	-	2.9 %

PRINCIPAUX MODÈLES CONCURRENTS

Concorde: ACURA Legend, INFINITI J30, LEXUS ES300.
Intrepid: CHEVROLET Caprice, FORD Taurus-Crown Victoria, PONTIA Bonneville & Grand Prix, TOYOTA Camry.
Vision: AUDI 100, BMW 525, SAAB 9000, VOLVO 960.
-

ÉQUIPEMENT

CHRYSLER Concorde					**base**
DODGE Intrepid	**base**	**ES**			
EAGLE Vision			**ESi**	**TSi**	
Boîte automatique:	S	S	S	S	S
Régulateur de vitesse:	O	S	S	S	S
Direction assistée:	S	S	S	S	S
Freins ABS:	O	O	S	S	S
Climatiseur:	S	S	S	S	S
Coussins gonflables (2):	S	S	S	S	O
Garnitures en cuir:	-	-	-	O	O
Radio MA/MF/ K7:	S	S	S	S	S
Serrures électriques:	S	S	S	S	S
Lève-vitres électriques:	S	S	S	S	S
Volant ajustable:	S	S	S	S	S
Rétroviseurs ext. ajustables:	S	S	S	S	S
Essuie-glace intermittent:	S	S	S	S	S
Jantes en alliage léger:	-	O	S	S	O
Toit ouvrant:	O	O	O	O	O
Système antivol:	-	O	O	O	O

S : standard; O : optionnel; - : non disponible

COULEURS DISPONIBLES

Extérieur: Noir,Blanc, Bleu, Bois flottant, Émeraude, Rouge ,Sarcelle, Ve
Intérieur: Bois flottant, Quartz moyen, Agate-Bleu, Bleu Spruce.

ENTRETIEN

Première révision:	7 500 km
Fréquence:	6 mois
Prise de diagnostic:	Oui

QUOI DE NEUF EN 1995 ?

- Révision: transmission automatique, système antipollution, systèn de son, télécommande d'ouverture des portes.
- Nouvelle couleur et points de service de couleur jaune sous le capo moteur.

MOTEURS						TRANSMISSION		PERFORMANCES									
Modèles/ versions *: de série	Type / distribution soupapes / carburation	Cylindrée cc	Puissance ch @ tr/mn	Couple lb.pi @ tr/mn	Rapport volumét.	Roues motrices / transmissions	Rapport de pont	Accélér. 0-100 km/h s	400 m D.A. s	1000 m D.A. s	Freinage 100-0 km/h m	Vites. maxi. km/h	Accélér. latérale G	Niveau sonore dBA	Consommation l./100km Ville	Consommation l./100km Route	Carbur Octane
base	V6* 3.3 ACC-12-IEPM	3300	161 @ 5300	181 @ 3200	8.9 :1	avant - A4	3.66	11.0	17.6	30.5	46	180	0.78	66	12.4	7.9	R 8
option	V6 3.5 SACT-24-IEPM	3519	214 @ 5850	221 @3100	9.6 :1	avant - A4	3.66	8.8	16.4	29.7	44	200	0.80	65	13.3	8.7	M 8

e du coffre facilite la manipula-
›n des bagages.

Sièges: 80%
·ès réussis, leur maintien laté-
.l est toutefois plus évident que
soutien lombaire qui n'est ajus-
ble que sur les versions supé-
ɪures. À l'arrière l'assise de la
ınquette gagnerait à être plus
ngue, le dossier plus haut et les
›puis-tête fonctionnels.

Commodités: 70%
ı modestie de la boîte à gants
st compensée par le coffret de
nsole et des vide-poches de
›rtière et dossiers avant, qui
nt bien dimensionnés.

.'assurance: 70%
ı prime de ces modèles est
›rmale pour cette catégorie.

Performances: 70%
› rapport poids-puissance des
ɪux moteurs (9.3 kg/ch pour le
3L et de 7.5 kg/ch pour le 3.5L)
vorise les accélérations. Par
ntre les reprises sont plus mol-
s, avec le 3.3L lorsque le véhi-
ıle est en charge ou en altitude.
ı transmission, bien échelon-
ɛe, procure peu de frein-moteur
·s des rétrogradages et une
ılection manuelle permettrait de
lentir sans toucher aux freins.

.a suspension: 70%
› contrôle efficace du débatte-
ent des roues procure un con-
rt similaire à celui de certaines
ıropéennes de haut niveau.

Comportement: 60%
démontre un excellent équilibre
ıns la plupart des situations,
ır même d'importants défauts
› la route ne perturbent pas la
ajectoire. La vitesse de pas-
ıge en courbe est surprenante
assurance, la mise en appui
ant franche et progressive. L'ad-
ɛrence et la motricité sont diffi-
es à prendre en défaut et il faut
›usser très fort pour provoquer
ıe amorce de sous-virage.

Prix/équipement: 60%
ıs à part l'Intrepid de base, ces
›itures offrent un équipement
›mplet pour un prix alléchant
›mparé à ceux de certaines ja-
›naises pourtant situées dans
ıe classe inférieure.

Niveau sonore: 60%
L'insonorisation est efficace mais les bruits de roulement et de vent viennent troubler la quiétude de l'habitacle. Un joint défectueux dans le capot-moteur, qui produisait un sifflement a été remplacé.

• Habitabilité: 60%
Elle constitue le premier argument de ces voitures qui peuvent accueillir jusqu'à 6 personnes (Intrepid de base avec banquette pleine à l'avant). Les dégagements sont largement dimensionnés et les sièges avant peuvent reculer loin sans limiter l'espace des jambes à l'arrière.

• Coffre: 60%
Il est vaste et logeable car son plancher est plat, mais le dossier de la banquette ne s'abaisse pas pour permettre d'y loger des objets encombrants.

• Dépréciation: 60%
Après deux ans d'existence elle semble plus favorable que la moyenne des autres produits domestiques de même catégorie.

• Consommation: 50%
Elle s'établit en moyenne aux alentours de 12.5 litres aux 100 km ce qui est très raisonnable pour des voitures de ce format.

EAGLE Vision TSi

POINTS FAIBLES

• Freinage: 40%
Le meilleur résultat est acquis avec les modèles équipés des 4 disques et l'ABS dont les distances et l'équilibre sont satisfaisants. Toutefois dans tous les cas, la pédale spongieuse ne permet pas un dosage précis que ce soit pour les simples ralentissements ou les arrêts subits.

CONCLUSION

Moyenne générale: 70.0 %
En corrigeant rapidement les problèmes qui se sont présentés, Chrysler renforce la confiance du public et travaille à conquérir le label de qualité dont certains commençaient à douter. ☺

CARACTÉRISTIQUES & PRIX

odèles	Versions	Carrosseries/ Sièges	Volume cabine l.	Volume coffre l.	Cx	Empat. mm	Long x larg x haut. mm x mm x mm	Poids à vide kg	Capacité Remorq. max. kg	Susp. av/ar	Freins av/ar	Direction type	Diamètre braquage m	Tours volant b à b.	Réser. essence l.	Pneus d'origine	Mécaniques d'origine	PRIX $ CDN. 1994
HRYSLER		**Garantie générale: 3 ans / 60 000 km; corrosion de surface: 1 an / 20 000 km; perforation: 7 ans / 160 000 km; assistance routière: 3 ans / 60 000 km.**																
oncorde	base	ber. 4p. 5	2973	425	0.31	2870	5119x1891x1430	1531	907	i/i	d/d/ABS	crém.ass.	11.5	3.38	68.0	205/70R15	V6/3.3/A4	**23 590**
HRYSLER		**Garantie générale: 3 ans / 60 000 km; corrosion de surface: 1 an / 20 000 km; perforation: 7 ans / 160 000 km; assistance routière: 3 ans / 60 000 km.**																
tredid	base	ber.. 4p. 5	2973	425	0.31	2870	5124x1891x1430	1501	907	i/i	d/t	crém.ass.	11.5	3.38	68.0	205/70R15	V6/3.3/A4	**19 570**
trepid	GS	ber.. 4p. 5	2973	425	0.31	2870	5124x1891x1430	1530	907	i/i	d/d	crém.ass.	11.5	3.38	68.0	225/60R16	V6/3.3/A4	**22 065**
AGLE		**Garantie générale: 3 ans / 60 000 km; corrosion de surface: 1 an / 20 000 km; perforation: 7 ans / 160 000 km; assistance routière: 3 ans / 60 000 km.**																
ision	ESi	ber.. 4p. 5	2973	425	0.31	2870	5121x1891x1430	1546	907	i/i	d/d	crém.ass.	11.5	3.38	68.0	205/70R15	V6/3.3/A4	**21 785**
	TSi	ber.. 4p. 5	2973	425	0.31	2870	5121x1891x1430	1591	907	i/i	d/d/ABS	crém.ass.	11.5	3.38	68.0	225/60R16	V6/3.5/A4	**25 980**

Voir la liste complète des prix 1995 à partir de la page 393.

New Yorker & LHS

Une pierre, deux bons coups...

Issues des voitures LH, les New Yorker et LHS réussissent l'exploit de s'adresser, à partir des même carrosseries et mécaniques, à deux clientèles diamètralement opposées. La New Yorker est un américaine bon teint, alors que la LHS va jouer dans le terrain des importées de luxe.

Identiques dans leur forme, ces deux automobiles sont les plus grosses actuellement fabriquées par Chrysler. Elles s'adressent à deux clientèles bien différentes. La New Yorker est une classique nord-américaine qui concurrence les Chevrolet Caprice et Ford Crown Victoria, tandis que la LHS tente de s'imposer parmi les importées de luxe à budget moyen qui sont légion. Dans les deux cas elles ont affaire à forte partie, mais elles ne manquent pas d'arguments pour justifier qu'on les choisisse.

POINTS FORTS

• Sécurité: 100%
La rigidité de leur coque a été encore améliorée par la pose de renforts de carrosserie et de poutre dans les portes afin d'améliorer leur résistance aux chocs latéraux. Les occupants des places avant sont protégés par deux coussins montés en série et les baudriers des ceintures sont ajustables en hauteur.

• Technique: 80%
Les New Yorker et LHS dérivent des modèles LH dont elle reprennent la plate-forme et la mécanique. Elles partagent aussi certains éléments de carrosserie comme le capot avant, les portes et les ailes avant. Monocoque en acier leur carrosserie est aérodynamiquement efficace puisque leur cœfficient est de 0.31, malgré l'importance de leur surface frontale. Leur style ne laisse pas indifférent parce qu'il puise aux sources de modèles classiques comme les Jaguar et Bugatti du passé. La suspension est indépendante, les freins à disque aux quatre roues avec dispositif ABS livré en série et la direction est assistée en fonction de la vitesse. La seule mécanique disponible est composée d'un V6 de 3.5L développant 214 ch et d'une transmission automatique à 4 rapports dont le mode de gestion électronique a été révisé.

• Poste de conduite: 80%
Tout y est organisé comme sur les LH. Les instruments sont en

DONNÉES

Catégorie: berlines tractées de grand format.
Classe : 6

HISTORIQUE

Inauguré en: 1993
Modifié en: -
Fabriqué à: Bramalea, Ontario, Canada.

INDICES

Sécurité: 100 %
Satisfaction: 82 %
Dépréciation: 40 % (2 ans)
Assurance: 3.2 % (1 100 $)
Prix de revient au km: 0.45 $

NOMBRE DE CONCESSIONNAIRES

Au Québec: 167 Chrysler-Dodge-Plymouth-Eagle-Jeep.

VENTES AU QUÉBEC

Modèle	1992	1993	Résultat	Part de march
N Y/LHS	32	736	-	18.6 %

PRINCIPAUX MODÈLES CONCURRENTS

New Yorker: BUICK Le Cabre, Park Avenue, Roadmaster, CHEVROLE Caprice, FORD Crown Victoria, MERCURY Grand Marquis, OLDSMOBIL 98 Regency, PONTIAC Bonneville.
LHS: BUICK Aurora et Riviera, CADILLAC De Ville et Seville, BMW 53 JAGUAR XJ6, LINCOLN Continental, MERCEDES BENZ classe E, PON TIAC Bonneville SSEi, SAAB 9000, VOLVO 960.

ÉQUIPEMENT

CHRYSLER	New Yorker	LHS
Boîte automatique:	S	S
Régulateur de vitesse:	S	S
Direction assistée:	S	S
Freins ABS:	S	S
Climatiseur:	S	S
Coussins gonflables (2):	S	S
Garnitures en cuir:	O	S
Radio MA/MF/ K7:	S	S
Serrures électriques:	S	S
Lève-vitres électriques:	S	S
Volant ajustable:	S	S
Rétroviseurs ext. ajustables:	S	S
Essuie-glace intermittent:	S	S
Jantes en alliage léger:	O	S
Toit ouvrant:	O	S
Système antivol:	O	S

S : standard; O : optionnel; - : non disponible

COULEURS DISPONIBLES

Extérieur: Noir, Blanc , Rouge ,Épave, Sarcelle, Feu Radiant, Vert , Bleu, O
Intérieur: Quartz moyen, Bois flottant, Agate-Bleu, Gris foncé, Bleu Spruce

ENTRETIEN

Première révision: 7 500 km
Fréquence: 6 mois
Prise de diagnostic: Oui

QUOI DE NEUF EN 1995 ?

- Révision: transmission automatique, système antipollution, systèm de son, télécommande d'ouverture des portes.
- Nouvelle couleur intérieure et points de service de couleur jaune sou le capot-moteur.
- Fermeture assistée du capot du coffre à bagages.

Modèles/ versions *: de série	MOTEURS Type / distribution soupapes / carburation	Cylindrée cc	Puissance ch @ tr/mn	Couple lb.pi @ tr/mn	Rapport volumét.	TRANSMISSION Roues motrices / transmissions	Rapport de pont	PERFORMANCES Accélér. 0-100 km/h s	400 m D.A. s	1000 m D.A. s	Freinage 100-0 km/h m	Vites. maxi. km/h	Accélér. latérale G	Niveau sonore dBA	Consommation l./100km Ville	Consommation l./100km Route	Carbura Octane
base	V6* 3.5 SACT-24-IESPM	3518	214 @ 5850	221 @ 3100	9.6 :1	avant - A4*	3.66	8.6	16.2	29.5	38	200	0.80	66	13.3	8.7	M 8

CHRYSLER New Yorker

›mbre suffisant et lisibles et l'on rouve un rappel de la sélection la boîte de vitesses. Les prin- pales commandes sont faciles atteindre et disposées de ma- ère ergonomique, mais la forme volant n'est pas pratique, car ne peut poser les mains sur branches courtes et épais- s, et les interrupteurs du régu- eur de vitesse sont gênants. s phares sont puissants, mais essuie-glace laissent un an- mort important en haut à droite pare-brise.

Coffre: 80%
on volume qui le situe dans la oyenne de la catégorie de la ncurrence est facilement ex- oitable car son plancher est plat il est aussi haut que profond et ssède un filet destiné à retenir petits objets.

Qualité & finition: 80%
les sont de la même veine que lles de leurs cousines les voi- res LH. Un souci d'esthétique la qualité des ajustements mme des matériaux sont d'un libre international.

Satisfaction: 80%
s clients ne se plaignent pas grand chose et la plupart des oblèmes rapportés étaient liés a jeunesse de ces modèles.

Direction: 80%
l'on excepte sa démultiplication un peu plus forte que la moyenne, son dosage est idéal, sa précision excellente et la maniabilité très honorable pour des modèles de cette taille. Lors de certaines manœuvres de stationnement il sera bon de tenir compte de l'importance du porte-à-faux avant pour éviter d'accrocher le dessous du pare-chocs.

• Accès: 80%
Il est aussi aisé à l'avant qu'à l'arrière, car les portes sont bien dimensionnées et s'ouvrent largement.

• Sièges: 80%
Aussi bien rembourrés que galbés, ils maintiennent plus efficacement à l'avant qu'à l'arrière où l'on dispose toutefois d'un large accoudoir central. Les garnitures de cuir des LHS sont d'une qualité équivalente à certaines productions japonaises.

• Assurance: 80%
Son pourcentage est celui des voitures de luxe, mais comparée aux prix de détail, la prime des New Yorker et LHS n'est pas très élevée.

• Habitabilité: 80%
Ces voitures sont aussi logeables que les Bonneville-98-Park Avenue et légèrement moins que les Crown Victoria-Grand Marquis . Tous les dégagements sont généreux, surtout à l'arrière où la hauteur et l'espace pour les jambes sont dignes d'une limousine...

• Performances: 70%
En maintenant le poids dans des limites raisonnables, le rapport poids/puissance permet d'obtenir des temps d'accélération et de reprise surprenants pour un moteur V6 de cette cylindrée, alors que la consommation demeure économique. Le moteur est brillant et souple à la fois, mais la transmission ne procure pas suffisamment de frein-moteur lorsqu'on rétrograde et elle est lente à le faire d'elle-même.

• Suspension: 70%
D'inspiration européenne, sa réponse est plutôt ferme sur chaussée déformée, mais le débattement suffisant des roues permet d'absorber sans brutalité les défauts du revêtement tandis que sur autoroute le confort est royal.

• Commodités: 70%
La taille de la boîte à gants est réduite par la présence du coussin d'air droit, mais les vide-poches de portière, de dossiers des sièges avant et le bac de console compensent pour cet inconvénient. À l'arrière il aurait été astucieux d'inclure un coffret dans l'accoudoir central escamotable comme sur l'Oldsmobile Aurora.

• Comportement: 70%
Il est tout simplement superbe sur la LHS résultat d'une synthèse très réussie pour ce type d'automobile. L'attitude en virage est franche et assurée et il faut pousser très fort pour voir la fin de la neutralité et l'apparition d'un sous-virage inévitable, mais facile à maîtriser.

• Freinage: 55%
À cause d'une qualité de garnitures différente, les distances de freinage obtenues avec ces voitures étaient plus courtes que celles relevées sur leurs cousines les LH. On constate quelques petites amorces de blocage à l'ABS lors des arrêts brutaux qui ne dérangent pas l'équilibre des trajectoires et la résistance à l'échauffement est très bonne.

• Prix/équipement: 50%
Compte tenu de leur confort et de leurs prestations ces voitures sont vendues à un prix compétitif et leur équipement est aussi complet que leur statut l'exige.

• Niveau sonore: 50%
Curieusement il est d'un point plus élevé que sur les LH, sans doute à cause de la résonance de l'habitacle plus vaste.

• Consommation: 50%
Autre agréable surprise, elle n'est pas exagérée, vu le format et la qualité des performances de ces voitures.

• Dépréciation: 50%
Les New Yorker et LHS conserveront aussi une meilleure valeur de revente car elles se sont tellement améliorées qu'elles risquent de passer en tête de leur catégorie.

POINTS FAIBLES

Tout ce que l'on peut reprocher à ces deux modèles est d'ordre purement subjectif. On peut ne pas aimer le style de la calandre ou l'apparence du tableau de bord, sinon elles justifient le titre de meilleure recrue de l'année qu'elles se sont mérité l'an dernier.

CONCLUSION

Moyenne générale: 69.0 %
Chrysler a su allier une technique moderne et efficace à un format nord-américain dans le cas de la New Yorker, et international avec la LHS, faisant ainsi d'une pierre deux bon coups. ☺

CARACTÉRISTIQUES & PRIX

odèles	Versions	Carrosseries/ Sièges	Volume cabine l.	Volume coffre l.	Cx	Empat. mm	Long x larg x haut. mm x mm x mm	Poids à vide kg	Capacité Remorq. max. kg	Susp. av/ar	Freins av/ar	Direction type	Diamètre braquage m	Tours volant b à b.	Réser. essence l.	Pneus d'origine	Mécaniques d'origine	PRIX $ CDN. 1994
HRYSLER		Garantie générale: 3 ans / 60 000 km; corrosion de surface: 1 an / 20 000 km; perforation: 7 ans / 160 000 km; assistance routière: 3 ans / 60 000 km.																
ew Yorker		ber. 4p. 6	3058	510	0.36	2870	5268x1891x1420	1629	907	i/i	d/d/ABS	crém.ass.	11.5	3.38	68.0	225/60R16	V6/3.5/A4	**30 190**
HS		ber. 4p. 5	3058	510	0.36	2870	5268x1890x1420	1646	907	i/i	d/d/ABS	crém.ass.	11.5	3.38	68.0	225/60R16	V6/3.5/A4	**35 325**

Voir la liste complète des prix 1995 à partir de la page 393.

DODGE Dakota

Monopole...

Cela fait huit ans que la Dakota fait cavalier seul, en tant que camionnette intermédiaire, entre le compactes et les grands formats. Ses ventes sont satisfaisantes et ce n'est pas l'arrivée de l Toyota T100 qui viendra y changer quoi que ce soit...

Depuis cinq ans qu'elle existe, la camionnette Dakota n'a toujours pas de véritables concurrentes, puisque la Toyota T100 ne dispose pas d'un moteur V8 et son prix la met hors d'atteinte du grand public. En série sa charge utile peut atteindre 750 kg et elle peut tracter une remorque pesant jusqu'à 2.3t. Elle existe avec boîtes et carrosseries régulières ou allongées, la première offre une banquette à 3 places alors que la seconde peut accueillir, en plus des bagages, deux personnes sur des sièges escamotables. Les finitions de la cabine courte sont S, Sport, base, Special SLT alors que la Club Cab n'est disponible qu'en SLT.

POINTS FORTS

- **Technique: 70%**

La cabine monocoque en acier est fixée à un châssis en échelle du même métal comportant cinq traverses en acier. Le moteur de base des versions 4x2 est un 4 cylindres de 2.5L seulement offert avec boîte manuelle à 5 vitesses. Le moteur Magnum V6 de 3.9L est monté en série sur les 4RM et en option sur les 2RM alors que le V8 Magnum de 5.2L est optionnel avec les deux modes de traction et constitue un avantage pour ceux qui doivent transporter ou remorquer de lourdes charges nécessitant du couple à bas régime.

- **Satisfaction: 70%**

Les propriétaires considèrent que la Dakota est solide et durable, mais que son apparence se défraîchit rapidement.

- **Prix/équipement: 70%**

Si le prix des camionnettes Dakota semble abordable dans les versions de base, leur équipement est symbolique et les versions SLT sont plus chères sans qu'elles soient pour autant tout équipées.

- **Sécurité: 70%**

La structure ne résiste que moyennement aux impacts, mais le conducteur dispose d'un coussin d'air et les autres occupants sont relativement bien protégés.

- **Direction: 60%**

L'emploi de la direction manuelle montée en série est particulièrement désagréable et il vaut mieux recourir à l'assistée qui est rapide, précise, et aussi bien démultipliée que dosée. Le grand diamètre de braquage ne favorise pas la maniabilité des 4x4.

- **Suspension: 60%**

Si la souplesse du modèle de base est appréciable celle des modèles V6, V8 est plus raide. Les gros pneus des 4x4 provoquent des rebonds aussi importants qu'imprévisibles. Dans tous les cas le train arrière se promène beaucoup à vide sur mauvais revêtement.

- **Charge utile: 60%**

Intéressante en série, elle peut atteindre 2.7 t en option avec les moteurs V6 et V8, ce qui est inusité pour un véhicule de ce format. Côté pratique, la banquette de la cabine Club s'escamote pour libérer un volume cargo suffisant mais pas facile d'accès.

- **Assurance: 60%**

Ces véhicules utilitaires ne sont pas bon marché à assurer, surtout les modèles à 4 roues motrices.

- **Qualité & finition: 60%**

DONNÉES

Catégorie: camionnettes intermédiaires propulsées ou 4x4.
Classe : utilitaires

HISTORIQUE

Inauguré en: 1987
Modifié en: 1991: Club Cab. 1992: moteurs V6 et V8 Magnum.
Fabriqué à: Dodge City, Warren, Michigan & Toledo, Ohio, É-U.

INDICES

Sécurité: 80 %
Satisfaction: 68 %
Dépréciation: 57 %
Assurance: 7.0 % (865 $, 4x4: 975 $)
Prix de revient au km: 0.36 $

NOMBRE DE CONCESSIONNAIRES

Au Québec: 167 Chrysler-Dodge-Plymouth-Eagle-Jeep.

VENTES AU QUÉBEC

Modèle	1992	1993	Résultat	Part de march
Dakota	1 914	1 915	=	16.1 %

PRINCIPAUX MODÈLES CONCURRENTS

FORD Ranger, CHEVROLET S-10, GMC Sonoma, ISUZU, MAZDA B NISSAN Costaud, TOYOTA compact & T100.

ÉQUIPEMENT

DODGE Dakota	Cabine régulière Base	Sport	SLT	Club Cab SLT
Boîte automatique:	O	O	O	O
Régulateur de vitesse:	-	O	O	S
Direction assistée:	O	S	S	S
Freins ABS roues ar.:	S	S	S	S
Climatiseur:	O	O	O	S
Coussin gonflable gauche:	S	S	S	S
Garnitures en cuir:	-	-	-	-
Radio MA/MF/ K7:	O	S	S	S
Serrures électriques:	O	O	O	O
Lève-vitres électriques:	-	O	O	O
Volant ajustable:	O	O	O	S
Rétroviseurs ext. ajustables:	O	O	S	S
Essuie-glace intermittent:	S	S	S	S
Jantes en alliage léger:	-	S	O	O
Toit ouvrant:	-	-	-	-
Système antivol:	-	-	-	-

S : standard; O : optionnel; - : non disponible

COULEURS DISPONIBLES

Extérieur: Rouge, Bleu, Turquoise, Blanc, Beige, Noir.
Intérieur: Gris, Rouge, Beige.

ENTRETIEN

Première révision: 7 500 km
Fréquence: 6 mois
Prise de diagnostic: Oui

QUOI DE NEUF EN 1995 ?

- **Version carburant gaz naturel pour V8 5.2L.**
- **Boîte automatique à verrouillage de sécurité embrayage-démarreu**
- **Équipement de la version Sport révisé.**
- **Banquette divisée 60/40 révisée pour plus de confort.**
- **Modèle châssis-cabine retiré du catalogue.**

Modèles/ versions *: de série	MOTEURS Type / distribution soupapes / carburation	Cylindrée cc	Puissance ch @ tr/mn	Couple lb.pi @ tr/mn	TRANSMISSION Rapport volumét.	Roues motrices / transmissions	Rapport de pont	PERFORMANCES Accélér. 0-100 km/h s	400 m D.A. s	1000 m D.A. s	Freinage 100-0 km/h m	Vites. maxi. km/h	Accélér. latérale G	Niveau sonore dBA	Consommation l./100km Ville	Route	Carbura Octane
1)	L4* 2.5 SACT-8-IE	2507	99 @ 4500	132 @ 2800	9.0 :1	arrière - M5*	3.55	14.2	20.5	39.7	47	155	0.73	68	10.3	7.9	R 8
2)	V6 3.9 ACL-12-IESPM	3916	175 @ 4800	225 @ 3200	9.1 :1	arrière - M5*	3.21	12.0	18.2	35.3	44	165	0.75	68	14.6	9.9	R 8
						arrière - A4	3.55	13.3	19.4	37.4	46	160	0.75	68	14.4	10.6	R 8
3)	V6* 3.9 ACT-12-IEPM	3916	175 @ 4800	225 @ 3200	9.1 :1	quatre - M5*	3.55	13.0	18.7	36.9	46	165	0.75	68	15.4	10.9	R 8
						quatre - A4	3.55	13.8	20.5	37.8	47	160	0.75	68	15.1	11.4	R 8
4) 4x2	V8 5.2 ACC-16-IESPM	5211	220 @ 4400	295 @ 3200	9.1 :1	arrière - A4*	3.21	10.2	17.2	30.5	45	170	0.77	67	16.6	11.8	R 8
4x4	V8 5.2 ACC-16-IESPM	5211	220 @ 4400	295 @ 3200	9.1 :1	arrière - A4*	3.55	11.0	17.9	31.0	48	165	0.77	67	17.9	12.8	R 8

1) * 4x2 S & base 2) option 4x2 S & base 3) * 4x4 4) option

a construction générale est robuste, mais l'apparence et la qua-
té des matériaux, comme le soin
pporté à la finition, laissent à
ésirer.

Habitabilité: 60%
a banquette des cabines régu-
ères n'accueillera véritablement
n troisième occupant qu'à titre
emporaire, car le tunnel central
end la position du milieu incon-
ortable, surtout avec la trans-
ission manuelle. À l'arrière de
a cabine Club une seconde ban-
uette permettra d'installer deux
dultes ou trois enfants, dont l'es-
ace pour les jambes sera très
mité.

Performances: 60%
elles du moteur 4 cylindres 2.5L
ont anémiques, même pour des
avaux légers, et il faut recourir
u V6 pour disposer de plus de
uissance en charge. Le V8 op-
onnel est une alternative inté-
essante et unique dans cette
atégorie, car son couple et sa
uissance conviennent mieux
ux gros travaux.

Niveau sonore: 50%
e 4 cylindres est bruyant en
ccélération, tandis que le V8
git surtout à froid. Plus discret,
V6 laisse percevoir des bruits
e vent et de roulement.

Comportement: 50%
elui des versions de base est
op souple ce qui accélère le
urvirage et permet au train arère de se promener sur mau-
ais revêtement à vide. Celui des
ersions V6 et V8 et 4x4 est plus
gide et roule moins, mais dans
e dernier cas il faut compter
vec le rebond élastique des
neus tout terrain.

Accès: 50%
installer aux places avant ne
ose aucun problème même sur
s 4x4, mais il est moins facile de
endre place sur la banquette
rière de la cabine Club surtout
our les grands gabarits.

Poste de conduite: 50%
a position du conducteur est
us confortable avec le siège
dividuel de la cabine allongée
u'avec la banquette de la ca-
ne régulière, mais la colonne

de direction trop longue impose une posture fatigante. La visibilité est satisfaisante sous tous les angles et les principales commandes disposées à la mode américaine.

Réduite à sa plus simple expression sur les modèles de base, l'instrumentation est plus fournie et bien disposée sur les versions Sport et SLT.

POINTS FAIBLES

• Commodités: 30%
Les rangements sont symboliques car ils se composent d'une boîte à gants et d'une tablette incluse dans le tableau de bord.

• Consommation: 30%
Elle n'est jamais économique surtout avec les moteurs V6 et V8, et si la version fonctionnant au gaz naturel constitue une approche intéressante, certains propriétaires regrettent que le moteur Cummins ne soit pas offert dans ce véhicule.

• Freinage: 40%
Il ne constitue pas le point fort des Dakota, car les distances d'arrêt sont longues, l'ABS n'agissant que sur les roues arrière ce qui n'empêche pas les roues avant de bloquer rapidement.

• Sièges: 40%
La banquette d'origine est inconfortable, tant par l'absence de maintien que de soutien lombaire, mais les sièges individuels améliorent le sort des occupants.

• Dépréciation: 40%
Elle varie dans la moyenne de cette catégorie et dépend surtout de l'usage, de l'état et du kilométrage du véhicule.

CONCLUSION

• Moyenne générale: 52.0 %
Chrysler a eu raison de sortir des sentiers battus et de créer cette camionnette intermédiaire, qui se vend d'autant mieux qu'elle n'a pas de concurrentes et offre l'avantage d'un utilitaire à la fois puissant et compact.

CARACTÉRISTIQUES & PRIX

odèles	Versions	Carrosseries/ Sièges	Cx	Charge kg	Cd	Empat. mm	Long x larg x haut. mm x mm x mm	Poids à vide kg	Capacité remorq. max. kg	Susp. av/ar	Freins av/ar	Direction type	Diamètre braquage m	Tours volant b à b.	Réser. essence l.	Pneus d'origine	Mécaniques d'origine	PRIX $ CDN. 1994
ODGE		**Garantie générale: 3 ans / 60 000 km; corrosion de surface: 1 an / 20 000 km; perforation: 7 ans / 160 000 km; assistance routière: 3 ans / 60 000 km.**																
akota court 4x2		cam.2p.2	0.49	567	0.49	2843	4800x1763x1651	1384	1390	i/r	d/t/ABS.ar.	crém.	12.1	2.9	57	195/75R15	L4/2.5/M5	**12 385**
akota long 4x2		cam.2p.2	0.50	816	0.50	3147	5271x1763x1651	1556	1431	i/r	d/t/ABS.ar.	crèm.ass.	13.3	2.9	57	205/75R15	L4/2.5/M5	**13 585**
akota ClubCab 4x2		cam.2p.2+2	0.48	907	0.48	3326	5283x1763x1666	1627	1591	i/r	d/t/ABS.ar.	crém.ass.	14.2	2.9	57	215/75R15	V6/3.9/M5	**15 795**
akota court 4x4		cam.2p.2	0.56	657	0.56	2843	4800x1763x1709	1673	1648	i/r	d/t/ABS.ar.	bil.ass.	11.7	3.0	57	195/75R15	V6/3.9/M5	**17 085**
akota long 4x4		cam.2p.2	0.56	657	0.56	3147	5271x1763x1709	1699	1702	i/r	d/t/ABS.ar.	bil.ass.	12.8	3.0	57	205/75R15	V6/3.9/M5	**17 525**
akota ClubCab 4x4		cam.2p.2+2	0.52	816	0.52	3326	5283x1763x1740	1794	1434	i/r	d/t/ABS.ar.	bil.ass.	13.5	3.0	57	215/75R15	V6/3.9/M5	**17 745**

Voir la liste complète des prix 1995 à partir de la page 393.

Alerte rouge...

Jamais à notre époque un nouveau modele n'aura créé une psychose aussi forte parmi le constructeurs automobiles que la Neon. Il faut dire qu'elle ne manque pas d'arguments pou s'installer dans le segment le plus porteur des années 90, celui des compactes...

Après la Saturn, la Neon est la seconde véritable réplique de l'industrie nord-américaine à l'industrie japonaise en matière de voitures populaires. La berline à 4 portes proposée en version de base, Highline et Sport a été rejointe par un coupé deux portes Highline ou Sport. Les deux carrosseries sont pourvues au départ d'un moteur 2.0L à SACT de 132 ch, mais le coupé sport inaugure la version DACT qui produit 150 ch. La transmission manuelle est montée en série et une automatique à seulement 3 rapports offerte en option tout comme le freinage ABS.

POINTS FORTS

• Sécurité: 90%
La rigidité de la coque, les renforts latéraux des portes, les deux coussins gonflables protégeant les places avant et l'ajustement en hauteur des ceintures procurent un niveau élevé de sécurité. Dommage que le freinage antiblocage ne soit pas livré en série, ce qui aurait constitué une première intéressante.

• Technique: 85%
La Neon bénéficie des dernières techniques de l'heure puisqu'elle ne reprend rien des Shadow-Sundance qu'elle remplace avantageusement. Tout est moderne, du moteur à la conception de la suspension ou de la coque, dont l'aérodynamique est efficace et dont la ligne très sympathique compte pour beaucoup dans l'attrait de ce modèle. Sa carrosserie en acier est monocoque, ses suspensions indépendantes basées sur le principe McPherson et le freinage mixte.

• Consommation: 85%
Elle est normale pour un moteur de cette cylindrée et se compare à celle de modèles équipés de moteur 1.8L plus pesants.

• Prix/équipement: 80%
Le modèle de base au prix le plus populaire, n'a pas grand chose à offrir si ce n'est une alternative valable à certaines mini et sous-compactes moins intéressantes au niveau du format et de la sécurité, car le prix des versions mieux équipées se situe juste en dessous de modèles plus réputés et mieux établis

• Satisfaction: 70%
Les premiers propriétaires ne sont pas unanimes à propos de la qualité de fabrication, malgré le côté populaire du modèle. Certains problèmes de jeunesse n'ont pas toujours été résolus rapidement et certaines infiltrations d'eau sont demeurées mystérieuses...

• Poste de conduite: 70%
Il est plus spectaculaire que vraiment pratique, car la console centrale trop basse n'est pas aussi ergonomique que le constructeur l'affirme, les commandes qui y sont disposées étant loin de la main du pilote. De plus, celles de la radio sont situées sous celles de la climatisation, pourtant les commandes principales sont bien placées et l'instrumentation des versions Highline et Sport aussi fournie que lisible. La visibilité est bonne sous tous les angles et la position du conducteur, efficace et rapide à trouver.

• Comportement: 70%
Il est surprenant d'assurance dans la plupart des situations du fait que la suspension est indépendante aux quatre roues et des épures qui lui

DONNÉES

Catégorie: coupés et berlines compacts tractés
Classe : 3S

HISTORIQUE

Inauguré en: 1994
Modifié en: -
Fabriqué à: Belvidere, Illinois, É-U.

INDICES

Sécurité: 90 % (100 % avec ABS)
Satisfaction: ND
Dépréciation: ND
Assurance: 7.0 % (865 $)
Prix de revient au km: 0.30 $

NOMBRE DE CONCESSIONNAIRES

Au Québec: 167 Chrysler-Dodge-Plymouth.

VENTES AU QUÉBEC

Modèle	1992	1993	Résultat	Part de march
Neon	Nouveau modèle introduit en 1994.			

PRINCIPAUX MODÈLES CONCURRENTS

coupé : HONDA Civic SI & del sol,HYUNDAI Scoupe, MAZDA MX3, SATUR SC, TOYOTA Paseo
berline : CHEVROLET Cavalier, FORD Escort, HONDA Civic 4p., HYUNDA Elantra, INFINITI G20, NISSAN Sentra, PONTIAC Sunfire, SATURN SL SUBARU Impreza, TOYOTA Corolla, VW Golf.

ÉQUIPEMENT

DODGE-PLYMOUTH Neon cpé 2 p.		Hi-line	Sport
berline 4 p	**base**	**Hi-line**	**Sport**
Boîte automatique:	O	O	O
Régulateur de vitesse:	-	O	O
Direction assistée:	O	S	S
Freins ABS:	O	O	S
Climatiseur:	O	O	O
Coussins gonflables (2):	S	S	S
Garnitures en cuir:	-	-	O (cpé)
Radio MA/MF/ K7:	O	O	O
Serrures électriques:	O	O	S
Lève-vitres électriques:	-	O	O
Volant ajustable:	-	O	S
Rétroviseurs ext. ajustables:	-	S	S
Essuie-glace intermittent:	-	S	S
Jantes en alliage léger:	-	O	S
Toit ouvrant:	-	-	-
Système antivol:	-	-	-

COULEURS DISPONIBLES

Extérieur: Blanc, Bleu, Rouge, Noir, Jaune.
Intérieur: Gris.

ENTRETIEN

Première révision: 7 500 km
Fréquence: 6 mois
Prise de diagnostic: Oui

QUOI DE NEUF EN 1995 ?

- Nouveau coupé en version Highline avec moteur 2.0L SACT de 132 c ou Sport avec moteur 2.0L DACT de 150ch et freinage ABS en série.

	MOTEURS					TRANSMISSION		PERFORMANCES										
Modèles/ versions *: de série	Type / distribution soupapes / carburation	Cylindrée cc	Puissance ch @ tr/mn	Couple lb.pi @ tr/mn	Rapport volumét.	Roues motrices / transmissions	Rapport de pont	Accélér. 0-100 km/h s	400 m D.A. s	1000 m D.A. s	Freinage 100-0 km/h m	Vites. maxi. km/h	Accélér. latérale G	Niveau sonore dBA	Consommation l./100km Ville	Consommation l./100km Route	Carbur. Octane
base	L4* SACT-16-IESPM	1996	132 @ 6000	129 @ 5000	9.6 :1	avant-M5	3.55	9.5	16.6	30.4	45	185	0.80	68	9.0	6.5	R 8
						avant-A3	2.98	10.6	17.3	31.0	47	180	0.80	69	10.5	7.5	R 8
option	L4 DACT-16-IESPM	1996	150 @ 6800	131 @ 5600	9.8 :1	avant-M5	3.94	ND									
						avant-A3	3.24	ND									

›rocurent un débattement suffi-
ant. La présence d'amortisseurs
gaz assure une bonne qualité
l'amortissement et l'ensemble
irrive à un honnête compromis
ù la souplesse et le roulis sont
ien contrôlés.

Direction: 70%
Elle est agréable car suffisam-
nent précise, démultipliée et do-
ée lorsqu'elle est assistée, ce
ui n'est pas le cas avec la ma-
uelle du modèle le moins cher.

Sièges: 70%
s offrent un meilleur soutien tant
atéral que lombaire aux places
vant qu'à l'arrière où même le
ossier séparé des versions
ixueuses manque de relief et
on assise est plutôt courte.

Performances: 65%
In moteur plus volumineux que
moyenne dans une carrosse-
e plus compacte donne des
erformances intéressantes vu
rapport poids-puissance favo-
able (7.9 kg/ch). Elles sont en-
ore plus brillantes sur le coupé
port équipé du moteur à DACT
ont nous n'avons malheureuse-
ent pas pu chiffrer les presta-
ons.

Accès: 65%
est plus évident aux places
vant qu'à l'arrière où les portes
e dégagent pas suffisamment
espace en bas pour les pieds et
n haut pour la tête vu la forme de
carrosserie.

Suspension: 65%
on amplitude est intéressante
our un modèle de ce format et
le réagit bien aux défauts de la
oute, malgré une certaine fer-
ieté dictée par la recherche d'un
omportement efficace.

Qualité/finition: 65%
isons qu'elle ne nous a pas frap-
és outre mesure, dans le sens
les matériaux ont une appa-
nce ordinaire, même sur les
ersions supérieures et où la so-
orité des portes et capots in-
que que les matériaux insono-
sants ont été dispensés au plus
ste. La garniture du coffre est
gne de la plus vulgaire co-
enne...

Habitabilité: 60%
uatre personnes seront à l'aise

dans cette cabine dite avancée, car l'impression d'espace est plus perceptible en haut qu'en bas où la place manque un peu pour caser les pieds des occupants des places arrière.

• Assurance: 60%
La prime de ces nouvelles venues n'est pas spécialement bon marché. Cela s'explique par la nouveauté qui se traduit souvent par un approvisionnement irrégulier de pièces pouvant retarder une réparation en cas d'accident.

• Coffre: 50%
Sa contenance moyenne peut être améliorée en abaissant le dossier de la banquette d'un seul tenant en série et divisé 60/40 sur les autres versions. Son seuil descend aussi bas que son couvercle se relève haut, mais son ouverture n'acceptera pas certains bagages volumineux.

• Dépréciation: 50%
Comme pour toutes voitures nouvelles, nous attribuons la moyenne, en attendant de voir la réaction du marché aux premières Neon d'occasion.

POINTS FAIBLES

• Freinage: 30%
Les distances d'arrêt sont très longues pour une voiture de ce format et l'ABS qui stabilise les trajectoires lors des arrêts d'urgence n'est livré qu'en option. De plus la pédale, spongieuse, ne favorise pas un dosage précis des ralentissements.

• Niveau sonore: 40%
Acceptable avec la transmission automatique, il est la plupart du temps élevé avec la transmission automatique qui ne possède que 3 rapports, ce qui maintient la rotation du moteur élevée sur autoroute à vitesse de croisière.

• Commodités: 45%
Les rangements ne sont pas légion sur le modèle de base. La boîte à gants est minuscule, de même que les bacs des finitions supérieures. Les vide-poches de portière sont absents, mais on y trouve 2 porte-gobelet et un porte-monnaie en série.

CONCLUSION

• Valeur moyenne: 61.0%
Aussi attirante sur le plan technique que commercial, la Neon a connu un succès immédiat et a plongé le marché dans un état de choc qui se maintiendra, si la qualité promise par Chrysler est réellement au rendez-vous.

CARACTÉRISTIQUES & PRIX

odèles	Versions	Carrosseries/ Sièges	Volume cabine l.	Volume coffre l.	Cx	Empat. mm	Long x larg x haut. mm x mm x mm	Poids à vide kg	Capacité Remorq. max. kg	Susp. av/ar	Freins av/ar	Direction type	Diamètre braquage m	Tours volant b à b.	Réser. essence l.	Pneus d'origine	Mécaniques d'origine	PRIX $ CDN. 1994
ODGE-PLYMOUTH	Garantie générale: 3 ans / 60 000 km; corrosion de surface: 1 an / 20 000 km; perforation: 7 ans / 160 000 km; assistance routière: 3 ans / 60 000 km.																	
eon	Highline	cpé. 2 p. 4	2597	336	0.33	2642	4364x1715x1342	1081	454	i/i	d/t	crém.ass.	10.8	3.2	42.4	185/70R13	L4/2.0/M5	ND
eon	Sport	cpé. 2 p. 4	2597	336	0.33	2642	4364x1715x1342	1121	454	i/i	d/d//ABS	crém.ass.	10.8	2.8	42.4	185/65R14	L4/2.0/M5	ND
eon	base	ber. 4 p. 4	2508	334	0.33	2642	4364x1715x1391	1061	454	i/i	d/t	crém.	10.8	3.9	42.4	165/80R13	L4/2.0/M5	10 995
eon	Highline	ber. 4 p. 4	2508	334	0.33	2642	4364x1715x1391	1091	454	i/i	d/t	crém.ass.	10.8	3.2	42.4	185/70R13	L4/2.0/M5	12 665
eon	Sport	ber. 4 p. 4	2508	334	0.33	2642	4364x1715x1391	1110	454	i/i	d/tdABS	crém.ass.	10.8	3.2	42.4	185/65R14	L4/2.0/M5	14 545

Voir la liste complète des prix 1995 à partir de la page 393.

CHRYSLER Town & Country, DODGE Caravan-PLYMOUTH Voyager

Concurrencées...

Chrysler doit sincèrement remercier ses compétiteurs de manquer soit de jugement soit d'audac en ce qui concerne les produits qui jusqu'à présent ont essayé, mais en vain, de détrôner le Caravan-Voyager. Et le meilleur reste à venir, puisque la génération suivante arrivera bientôt...

Ces mini-fourgonnettes déjà améliorées l'an dernier ont encore été retouchées dans les moindres détails pour 1994. Les gammes Dodge et Plymouth offrent des Caravan-Voyager (court) de base, SE et LE et des Grand Caravan - Grand Voyager (long) SE et LE, tandis que Chrysler propose le Town & Country en version unique à carrosserie allongée. Cette année la traction intégrale n'est disponible en option que sur les versions allongées à moteur V6 de 3.3L. Un nouveau moteur 3.8L est livré en série sur les Town & Country et en option sur les LE-SE allongées et 4RM.

POINTS FORTS

• Accès: 100%
Il est facile quelle que soit la porte choisie, à l'arrière le hayon est bien assisté et la porte latérale coulisse toujours aussi facilement.

• Sécurité: 90%
Le montage de deux coussins d'air en série aux places avant, et l'installation de renforts dans les portes constituent de bons points, mais l'ABS est en recul car seules les versions LE et Town & Country en sont pourvues. Soulignons toujours l'absence inadmissible d'appuie-tête incorporés aux banquettes. C'est d'autant regrettable que ces accessoires, aussi sécuritaires que confortables, sont livrés en série sur les modèles européens. Y aurait-il deux sortes de clients chez Chrysler?

• Assurance: 80%
Ces véhicules ne sont pas chers à assurer comparés à d'autres, ce qui avantage les budgets familiaux.

• Habitabilité: 80%
La version allongée, véritable 7 places, est plus logeable que la courte qui est idéale pour 5 occupants. Les dégagements sont généreux, mais avec les 4 sièges «capitaine» il reste peu d'espace pour circuler.

• Satisfaction: 80%
Les propriétaires se plaignent encore de la qualité médiocre de certains composants, mais au chapitre de la fiabilité et de la corrosion, ils sont unanimes pour plébisciter ces véhicules comme les meilleurs de leur catégorie.

• Poste de conduite: 80%
Le tableau de bord est ergonomique, car les principales commandes sont encore plus accessibles et les instruments bien lisibles. Notons toutefois que les interrupteurs du régulateur de vitesse situés au bas du volant ne sont pas faciles à utiliser. La position de conduite et la visibilité sont idéales, le volant tombe bien en main et le sélecteur de vitesse peut être actionné sans effort, du bout des doigts, ce qui n'est pas le cas du frein de stationnement qui reste archaïque.

• Commodités: 85%
La console centrale recèle un coffret et un vide-poches pratiques tandis que le tiroir situé sous le siège avant droit compense pour la modestie de la boîte à gants. À l'arrière, le vide poche latéral et les coffrets situés au-dessus des passages de roues sont bien conçus et le nombre de porte-gobelet en nombre suffisant.

• Prix/équipement: 70%
En tenant compte du prix auquel ces véhicules sont proposés et de

DONNÉES

Catégorie: fourgonnettes compactes à traction avant ou intégrale.
Classe : utilitaires

HISTORIQUE

Inauguré en: 1984: court; 1988: long.
Modifié en: 1991: retouches cosmétiques, AWD & ABS,1994: V6 3.8L
Fabriqué à: Windsor, Ontario, Canada & St-Louis Missouri, É-U.

INDICES

Sécurité: 90 %
Satisfaction: 80 %
Dépréciation: 45 %
Assurance: 5.0 % (865 $, 4x4: 1090 $)
Prix de revient au km: 0.42 $

NOMBRE DE CONCESSIONNAIRES

Au Québec: 167 Chrysler-Dodge-Plymouth-Eagle-Jeep.

VENTES AU QUÉBEC

Modèle	1992	1993	Résultat	Part de march
Caravan	7 310	8 476	+13.73 %	19.9 %
Voyager	6 167	7 566	+18.39 %	18.3 %

PRINCIPAUX MODÈLES CONCURRENTS

FORD Aerostar & Windstar, GM Astro & Lumina-Trans Sport-Silhouette MAZDA MPV, MERCURY Villager, NISSAN Quest, TOYOTA Previa, VW Eurovan.

ÉQUIPEMENT

Caravan/ Voyager	base	SE	LE	
Town & Country				base
Boîte automatique:	S	S	S	S
Régulateur de vitesse:	O	S	S	S
Direction assistée:	O	O	S	S
Freins ABS:	-	-	S	S
Climatiseur:	O	O	S	S
Coussins gonflables (2):	S	S	S	S
Garnitures en cuir:	-	-	O	S
Radio MA/MF/ K7:	O	S	S	S
Serrures électriques:	O	S	S	S
Lève-vitres électriques:	O	O	O	S
Volant ajustable:	O	S	S	S
Rétroviseurs ext. ajustables:	O	S	S	S
Essuie-glace intermittent:	S	S	S	S
Jantes en alliage léger:	-	O	O	S
Toit ouvrant:	-	-	-	-
Système antivol:	-	-	-	-

S : standard; O : optionnel; - : non disponible

COULEURS DISPONIBLES

Extérieur: Bleu, Bois flottant, Vert, Rouge, Blanc, Sarcelle.
Intérieur: Tissu: Rouge, Bois flottant, Bleu Agate, Quartz.
Cuir: Bois flottant, Quartz.

ENTRETIEN

Première révision: 7 500 km
Fréquence: 6 mois
Prise de diagnostic: Oui

QUOI DE NEUF EN 1995 ?

- Révision: transmission automatique, télécommande d'ouverture de portes, freinage ABS en série sur LE.
- Moteur V6 3.3L fonctionnant au gaz naturel offert en option.
- La transmission manuelle est retirée du catalogue.

Modèles/ versions *: de série	MOTEURS Type / distribution soupapes / carburation	Cylindrée cc	Puissance ch @ tr/mn	Couple lb.pi @ tr/mn	Rapport volumét.	TRANSMISSION Roues motrices / transmissions	Rapport de pont	PERFORMANCES Accélér. 0-100 km/h s	400 m D.A. s	1000 m D.A. s	Freinage 100-0 km/h m	Vites. maxi. km/h	Accélér. latérale G	Niveau sonore dBA	Consommation l./100km Ville	Consommation l./100km Route	Carbura Octane
1)	L4* 2.5 SACT-8-IE	2507	100 @ 4800	135 @ 2800	8.9 :1	avant - A3*	3.22	14.5	19.6	38.6	43	150	0.71	68	11.7	8.9	R 87
2)	V6 3.0 SACT-12-IEPM	2972	142 @ 5000	173 @ 2400	8.9 :1	avant - A3*	3.02	11.8	18.5	35.4	46	170	0.73	68	12.9	9.2	R 87
3)	V6 3.0 SACT-12-IEPM	2972	142 @ 5000	173 @ 2400	8.9 :1	avant - A3*	3.02	12.5	18.8	35.8	45	165	0.73	68	12.9	9.2	R 87
4)	V6* 3.3 ACT-12-ISMP	3302	162 @ 4800	194 @ 3600	8.9 :1	avant - A4*	3.62	11.5	18.4	35.2	47	175	0.75	66	13.3	9.2	R 87
5)	V6* 3.3 ACT-12-ISMP	3302	162 @ 4800	194 @ 3600	8.9 :1	quatre - A4*	3.62	12.3	18.6	35.5	46	180	0.75	66	13.3	9.2	R 87
6)	V6* 3.8 ACT-12-ISMP	3794	162 @ 4400	213 @ 3600	9.0 :1	avant - A4*	3.45	11.3	18.0	35.0	43	180	0.75	66	15.3	10.2	R 87
7)	V6* 3.8 ACT-12-ISMP	3794	162 @ 4400	213 @ 3600	9.0 :1	quatre - A4*	3.45	11.6	18.4	35.5	45	175	0.77	66	15.6	10.7	R 87

1) base court 2) opt. base court 3) base. long 4) opt. long 5) std. long SE, LE & 4RM 6) std. Town & Country opt. long SE, LE & 7) 4RM

DODGE Caravan SE

CHRYSLER Town & Country

ur équipement de série, ils constuent encore une bonne affaire.

Technique: 70%
a coque autoporteuse en acier une suspension avant de type cPherson alors que le train arère est constitué d'un essieu gide fixé à des ressorts à lames. e freinage est mixte en série, ais seules les LE et Town & ountry peuvent disposer d'un ystème ABS, et les disques ne ont pas offerts aux roues arère. Le moteur de base des odèles courts est le 4 cylindres e 2.5L, le V6 de 3.0L est monté n série dans les versions allonées alors qu'un V6 de 3.3L et la oîte automatique à 4 rapports ont montés en série sur les fouronnettes longues SE et LE à eux ou quatre roues motrices. es dernières disposent d'une oîte de transfert et d'un viscooupleur qui répartit 10% de la uissance vers les roues arrière, rsque l'adhérence est précaire.

Direction: 75%
en dosée et bien démultipliée le permet un guidage précis et gréable, malheureusement le and diamètre de braquage nuit a maniabilité surtout sur la veron allongée.

Suspension: 65%
a douceur s'est encore amélioe et celle des modèles de série ule moins qu'auparavant, mais la suspension arrière reste un outrage aux techniques modernes car sa simplicité engendre des réactions désagréables au passage des saignées transversales et sur routes mal pavées.

• Qualité & finition: 65%
Alors que la qualité des matériaux, leur apparence et le soin apporté au montage progressent sans cesse, certains rossignols dans le tableau de bord, la qualité des pneus et celle des amortisseurs ou des garnitures de frein restent à améliorer.

• Soute: 65%
On peut faire varier sa capacité en avançant la dernière banquette. Si la version allongée offre amplement d'espace, il en reste peu sur la version courte lorsque les places arrière sont occupées et aucun couvre-bagages n'est offert, même en option.

• Consommation: 60%
Avec une moyenne générale de 12.5 litres aux 100 km, elle est raisonnable et il faut saluer la possibilité d'obtenir une version fonctionnant au gaz naturel, dans les régions où le prix de l'essence est élevé.

• Dépréciation: 55%
Les véhicules usagés se vendent aussi vite que les neufs pourvu qu'ils soient équipés de moteurs V6, de transmissions automatiques et d'un climatiseur.

• Niveau sonore: 50%
Les moteurs V6 sont discrets et l'insonorisation étouffe bien les bruit de roulement, toutefois les concessionnaires ont bien du mal à museler les «clochettes» qui sortent du tableau de bord...

• Comportement: 50%
La suspension sportive absorbe mieux les défauts de la route et contrôle plus efficacement les mouvements de caisse et le roulis, que la suspension d'origine, trop souple.

POINTS FAIBLES

• Freinage: 40%
Sans ABS et sans disque à l'arrière en série, son efficacité est moyenne et son équilibre incertain sur chaussée humide car les roues avant bloquent vite en cas d'arrêt brutal.

• Performances: 45%
Un rapport poids-puissance défavorable (15 kg/ch) confère des performances médiocres au 4 cylindres de base. Avec le V6 3.0L (10.6 kg/ch) les accélérations sont plus franches, mais les reprises plus laborieuses que celles des 3.3L et 3.8L dont le couple plus élevé permet aussi de tracter de lourdes remorques. Si la boîte automatique à 3 rapports procure un frein-moteur suffisant, la 4 vitesses donne la désagréable impression d'être en «roue libre» dès que l'on cesse d'accélérer.

• Sièges: 45%
Les sièges avant sont plus confortables que les banquettes qui sont bien rembourrées, mais sans grand relief et dont le dossier demeure trop bas. Elles restent lourdes et aussi difficiles à ôter qu'à manipuler, leur dossier ne s'incline pas vraiment et elles ne sont pas modulables.

CONCLUSION

• Moyenne générale: 67.5 %
En attendant l'arrivée de la prochaine génération de mini-fourgonnettes prévue pour le début de 1995, les modèles actuels sont encore parfaitement capables de continuer à monopoliser les ventes de ce segment que Chrysler a inventé voici dix ans. ☺

SUGGESTIONS DES PROPRIÉTAIRES

-Rendement plus économique.
-Des freins ABS en série.
-Une qualité de finition supérieure.
-Une suspension plus ferme.
-Des banquettes à dossier plus haut avec appuis-tête.
-Un frein de parc plus pratique.
-Pneus, garnitures de freins, balais d'essuie-glace et amortisseurs de meilleure qualité.

CARACTÉRISTIQUES & PRIX

odèles	Versions	Carrosseries/ Sièges	Volume cabine l.	Volume coffre l.	Cx	Empat. mm	Long x larg x haut. mm x mm x mm	Poids à vide kg	Capacité Remorq. max. kg	Susp. av/ar	Freins av/ar	Direction type	Diamètre braquage m	Tours volant b à b.	Réser. essence l.	Pneus d'origine	Mécaniques d'origine	PRIX $ CDN. 1994
HRYSLER	**Garantie générale: 3 ans / 60 000 km; corrosion de surface: 1 an / 20 000 km; perforation: 7 ans / 160 000 km; assistance routière: 3 ans / 60 000 km.**																	
own & Country	base	frg.4 p.7			0.39	3030	4896x1830x1748	1794	907	i/r	d/t.ABS	crém.ass.	13.1	2.96	75.0	205/70R15	V6/3.8/A4	**35 165**
own & Country	4x4	frg.4 p.7			0.39	3030	4896x1830x1722	1937	907	i/r	d/t.ABS	crém.ass.	13.1	2.96	68.0	205/70R15	V6/3.8/A4	**37 140**
ODGE-PLYMOUTH	**Garantie générale: 3 ans / 60 000 km; corrosion de surface: 1 an / 20 000 km; perforation: 7 ans / 160 000 km; assistance routière: 3 ans / 60 000 km.**																	
aravan-Voyager	base	frg. 4 p.5/7			0.39	2853	4525x1830x1676	1499	454	i/r	d/t	crém.ass.	12.5	2.96	75.0	195/75R14	L4/2.5/A3	**17 690**
aravan -Voyager	SE	frg. 4 p.5/7			0.39	2853	4525x1830x1676	1515	794	i/r	d/t	crém.ass.	12.5	2.96	75.0	195/75R14	V6/3.0/A3	**19 620**
aravan-Voyager	LE	frg. 4 p.5/7			0.39	2853	4525x1830x1676	1528	907	i/r	d/t	crém.ass.	12.5	2.96	75.0	205/70R15	V6/3.0/A3	**23 960**
d- Caravan-Voyager		frg. 4 p.7			0.39	3030	4896x1830x1693	1602	907	i/r	d/t/ABS	crém.ass.	13.1	2.96	75.0	205/70R15	V6/3.3/A4	**20 485**
d- Caravan-Voyager	SE	frg. 4 p.7			0.39	3030	4896x1830x1722	1797	907	i/r	d/t/ABS	crém.ass.	13.1	2.96	68.0	205/70R15	V6/3.3/A4	**21 860**
d- Caravan-Voyager	LE	frg. 4 p.7			0.39	3030	4896x1830x1693	1626	907	i/r	d/t/ABS	crém.ass.	13.1	2.96	75.0	205/70R15	V6/3.3/A4	**25 025**
d- Caravan-Voyager	LE 4x4	frg. 4 p.7			0.39	3030	4896x1830x1722	1797	907	i/r	d/t/ABS	crém.ass.	13.1	2.96	68.0	205/70R15	V6/3.3/A4	**29 175**

Voir la liste complète des prix 1995 à partir de la page 393.

DODGE Viper RT/10

Pas courageux s'abstenir...

Chrysler a créé la Viper pour plusieurs raisons. La première pour répondre à l'engouement que le public avait manifesté lors de la présentation du prototype, la seconde pour tester une nouvelle méthode de travail, enfin pour faire naître un mythe semblable à celui de la Corvette ZR-1...

Dodge a concrétisé le rêve de nombreux amateurs de voitures fabuleuses, relativement abordables comme seuls les américains osent en faire. La Viper est un cabriolet pur et dur à l'allure sauvage, aux proportions et aux possibilités monstrueuses, doté des derniers perfectionnements techniques. Coûtant le prix d'une Corvette ZR-1 il offre un côté unique et exclusif qui fait tout son charme. Cinq mille exemplaires devaient être construits, trois mille ont été vendus et on attend le coupé dans le courant de 1995.

POINTS FORTS

• Performances:
Le plaisir commence dès que l'on démarre l'énorme moteur dont le potentiel semble illimité comparé aux limites imposées sur le réseau routier nord-américain. Les accélérations comme les reprises sont très toniques et il faut une poigne de fer pour contrôler avec précision cette monture particulière. Les chiffres obtenus sont très exotiques, mais peu importants comparés aux sensations éprouvées dont le qualificatif de fortes est un euphémisme...

• Comportement:
Peu de pilotes connaîtront les limites de ce bolide, si ce n'est sur piste, tant les énormes pneus assurent l'adhérence et la motricité. La suspension qui ne fait pas dans la souplesse est rigoureuse et permet une excellente tenue en grande courbe comme en ligne droite. La Viper n'est pas facile à maîtriser car la puissance disponible s'exprime mieux en ligne droite qu'en virage serré où, à cause de son poids et de son encombrement, elle manque d'agilité et il sera bon d'avoir la voiture bien en main avant de tenter une remise des gaz sur chaussée humide.

• Technique:
La Viper est construite à partir d'un châssis en acier laminé rigidifié par une structure tubulaire. Le moteur V10 est identique à celui des camionnettes Ram, à la différence que son bloc est en aluminium au lieu d'être en fonte. Il a été retravaillé afin de fournir 400 ch à un régime pouvant atteindre 6000 tr/mn ce qui est rare pour une telle cylindrée. La seule transmission disponible est manuelle à 6 vitesses, la suspension indépendante et les freins à disque surdimensionnés et ventilés aux quatre roues, mais l'ABS n'est toujours pas disponible. Les panneaux de la carrosserie sont réalisés en matériau composite synthétique injecté sous pression et l'encadrement du pare-brise a fait l'objet d'un dépôt de brevet, car il englobe le dessus du tableau de bord afin d'offrir une bonne rigidité.

• Assurance:
La prime est à la démesure de l'engin, mais coûte 500 $ de moins que celle de la Corvette ZR-1, ce qui constitue une aubaine.

• Sièges:
Bien que spartiates, ils maintiennent et soutiennent efficacement et leur rembourrage est adéquat. Un système d'ajustement plus sophistiqué aiderait à trouver la meilleure position de conduite.

• Dépréciation:
Même en période de récession, un investisseur devrait pouvoir faire un peu d'argent avec ce modèle aussi rare qu'inusité.

DONNÉES

Catégorie: sportives exotiques propulsées.
Classe : GT

HISTORIQUE

Inauguré en: 1992
Modifié en: -
Fabriqué à: New Mack, Détroit, Michigan, États-Unis.

INDICES

Sécurité: 40 %
Satisfaction: ND
Dépréciation: ND
Assurance: 3.0 % (2 235 $)
Prix de revient au km: 1.35 $

NOMBRE DE CONCESSIONNAIRES

Au Québec: 167 Chrysler-Dodge-Plymouth-Eagle-Jeep.

VENTES AU CANADA

Modèle	1992	1993	Résultat	Part de marché
Viper	-	75	-	-

PRINCIPAUX MODÈLES CONCURRENTS

CHEVROLET Corvette ZR-1.

ÉQUIPEMENT

DODGE	Viper RT/10
Boîte automatique:	ND
Régulateur de vitesse:	-
Direction assistée:	S
Freins ABS:	-
Climatiseur:	O
Coussin gonflable:	-
Garnitures en cuir:	S
Radio MA/MF/ K7:	S
Serrures électriques:	-
Lève-vitres électriques:	-
Volant ajustable:	S
Rétroviseurs ext. ajustables:	S
Essuie-glace intermittent:	S
Jantes en alliage léger:	S
Toit ouvrant:	S
Système antivol:	S

S : standard; O : optionnel; - : non disponible

COULEURS DISPONIBLES

Extérieur: Vert Émeraude, Jaune, Rouge, Noir.
Intérieur: Noir, Gris, Noir & Tan.

ENTRETIEN

Première révision: 7 500 km
Fréquence: 6 mois
Prise de diagnostic: Oui

QUOI DE NEUF EN 1995 ?

- Aucun changement majeur.

	MOTEURS					TRANSMISSION		PERFORMANCES									
Modèles/ versions *: de série	Type / distribution soupapes / carburation	Cylindrée cc	Puissance ch @ tr/mn	Couple lb.pi @ tr/mn	Rapport volumét.	Roues motrices / transmissions	Rapport de pont	Accélér. 0-100 km/h s	400 m D.A. s	1000 m D.A. s	Freinage 100-0 km/h m	Vites. maxi. km/h	Accélér. latérale G	Niveau sonore dBA	Consommation l./100km Ville	Consommation l./100km Route	Carbura Octane
Viper	V10*8.0 ACC-20-IESPM	7997	400 @ 4600	465 @ 3600	9.1 :1	arrière - M6	3.07	4.8	13.2	21.8	39	265	0.97	75	15.6	9.3	M 89

Qualité & finition:
3ien qu'elle soit pratiquement aite «à la main», la finition tient ›lus du «kit-car» que de la grande série. La qualité des matériaux e fait pas de doute, mais la résentation intérieure est sans oriture.

Direction:
Elle demande du muscle pour enir la Viper sur la route, car nalgré sa précision et sa rapi- lité, son assistance est faible et equiert une certaine habitude.

Freinage:
ussi efficace qu'endurant, son ssistance est symbolique car il onctionne un peu en tout ou rien t il faut appuyer fermement sur a pédale pour obtenir le moindre alentissement.

POINTS FAIBLES

Niveau sonore:
es rugissements du moteur ajou- ent à l'excitation de la conduite ar ils évoquent l'ambiance de la ompétition, mais ne sont pas raiment propices aux conversa- ons sentimentales.

Prix/équipement:
Pour être fidèle à l'esprit sportif équipement est sommaire et oute notion de confort est ban- e. Il ne faut donc pas s'étonner e ne trouver ni poignée de porte, manivelle de vitres qui ont été upprimés. Quant au climatiseur, sert d'abord à protéger les oc- upants de la chaleur dégagée ar la mécanique.

Consommation:
omme on ne peut imaginer con- uire «normalement» un tel véhi- ule, il faut s'attendre à ce que la onsommation soit à la déme- ure de l'ensemble.

Commodités:
e mot ne signifie rien sur cette oiture dont la boîte à gants est ussi volumineuse que le cen- ier d'une automobile normale.

Habitabilité:
laustrophobe s'abstenir, car on l'impression d'être installé au nd d'une baignoire et de regar- er dehors à travers une fente, urtout lorsque la capote est en ace.

Coffre:
offre juste assez d'espace pour y remiser le toit et les rideaux latéraux temporaires, ainsi que quelques petits bagages mous...

• Accès:
Monter ou descendre de la Viper n'est pas chose aisée si la capote est en place. Les gens de grande taille ou corpulents devront pratiquer pour éviter tout accident musculaire et les plus petits pour éviter de se brûler les mollets sur les pots d'échappement latéraux.

• La suspension:
Malgré sa fermeté, elle est moins inconfortable qu'on pourrait s'y attendre, mais elle dissuade rapidement d'entamer un long voyage si l'on est pas au mieux de sa forme.

• Sécurité:
La Viper ne dispose pas encore de coussins gonflables que Chrysler installe pourtant dans ses autres véhicules. Si elle possède un arceau de sécurité et des ceintures à trois points d'ancrage, elle pourrait s'enrichir d'un système ABS ainsi que d'un toit et de vitres latérales permettant d'améliorer la visibilité.

• Poste de conduite:
Trouver la meilleure position de conduite n'est pas chose facile, car le siège est très bas, ses réglages limités, le pédalier est fortement décentré, la console centrale très haute. La direction et le sélecteur de vitesses demandent une force herculéenne. Les principaux instruments ne sont pas distrayants, car ils sont la plupart du temps cachés par les mains du conducteur.

• Fiabilité:
Malgré la promesse de Chrysler de soutenir le petit club de propriétaires, il faut s'attendre à certains délais d'approvisionnement pour des pièces spécifiques, et il serait sage de garder un peu d'argent pour une petite voiture ordinaire permettant de se rendre au travail.

CONCLUSION

Seule une violente passion peut conduire à acquérir une telle voiture qui nie tous les acquis des sportives modernes, car son budget, sa conduite, son confort et son côté pratique demandent décidément beaucoup d'abnégation... ☺

CARACTÉRISTIQUES & PRIX

odèles	Versions	Carrosseries/ Sièges	Volume cabine l.	Volume coffre l.	Cx	Empat. mm	Long x larg x haut. mm x mm x mm	Poids à vide kg	Capacité Remorq. max. kg	Susp. av/ar	Freins av/ar	Direction type	Diamètre braquage m	Tours volant b à b.	Réser. essence l.	Pneus d'origine	Mécaniques d'origine	PRIX $ CDN. 1994
ODGE		**Garantie générale: 3 ans / 60 000 km; corrosion de surface: 1 an / 20 000 km; perforation: 7 ans / 160 000 km; assistance routière: 3 ans / 60 000 km.**																
iper	RT/10	déc. 2p. 2	ND	216	0.55	2444	4448x1924x1116	1582	NR	i/i	d/d	crém.ass.	12.34	2.4	83	275/40ZR17 335/35ZR17	V10/8.0/M6	**72 000**

Voir la liste complète des prix 1995 à partir de la page 393.

DODGE Ram

Du sang neuf...

Dodge avait besoin d'un utilitaire neuf tant du point de vue technique qu'esthétique pour reconquérir le terrain qu'il avait progressivement perdu. L'arrivée d'une cabine allongée, va aider à maintenir la demande, si les petits problèmes de jeunesse finissent par se régler.

Les camionnettes Ram ont été entièrement renouvelées l'an dernier, dans un style qui ne laisse personne indifférent. Techniquement tout est nouveau hormis les mécaniques héritées des anciens modèles auxquelles s'est ajouté un moteur V10 permettant de véhiculer de très lourdes charges. Elles sont offertes en version 1500, 2500 et 3500 avec caisses et cabines courtes ou longues, cette dernière baptisée Club Cab constituant une nouveauté pour 1995. Les mécaniques de base sont constituées d'un moteur V6 de 3.9L et de deux V8 de 5.2 et 5.9L avec boîte manuelle à 5 vitesses et automatique en option de même que le moteur Diesel Cummins et le fameux V10 de 8.0L. Un système antiblocage des freins agissant sur les quatre roues est offert en option sur tous les modèles.

POINTS FORTS

• Technique
La coque en acier est boulonnée sur châssis en échelle comportant 5 traverses et de nombreux renforts et goussets visant à lui procurer une rigidité maximale. Si les éléments de la partie avant du châssis sont soudés, à l'arrière ils sont rivetés. La suspension avant est indépendante, alors qu'à l'arrière l'essieu est rigide et les ressorts à lames. Le cœfficient aérodynamique est plus favorable que celui des véhicules concurrents, grâce aux lignes efficaces de la cabine.

Suspension
Elle n'est jamais brutale, car son débattement est bien calibré, même en tout terrain où il est pratiquement impossible de les amener en butée. La liaison au sol est très bonne et les pertes d'adhérence sont rares sur revêtement ondulé l'amortissement étant efficace.

Sièges
Les Ram sont sans aucun doute les camionnettes les plus confortables du marché. La banquette de base comporte des appuis-tête et un léger creux soutenant les vertèbres lombaires, mais les sièges individuels (2+1) maintiennent mieux latéralement et leur rembourrage est un peu plus mœlleux. La banquette arrière des cabines Club déçoit par son manque de relief, qui permet toutefois d'accueillir 3 à 4 personnes selon leur gabarit...

Niveau sonore
L'insonorisation, qui a fait l'objet de soins particuliers, est plus efficace avec les moteurs à essence plus discrets que le turbo-Diesel qui est particulièrement bruyant. Les bruits de roulement dominent et certains sifflements venant de la compression de l'air dans la cabine deviennent vite agaçants.

Commodités
Si les rangements de base se limitent à une boîte à gant de taille moyenne et une tablette formée par le dessus de la planche de bord, on peut obtenir en option une console de plafond, un grand coffret-bureau contenu dans la partie centrale du dossier, qui peut contenir un ordinateur, un téléphone cellulaire et autres accessoires de bureau.

Habitabilité
La cabine régulière permet d'accueillir 3 personnes qui apprécieront les dégagements dans toutes les directions, tandis que la Club double

DONNÉES

Catégorie: camionnettes grand format propulsées ou 4x4.
Classe : utilitaires

HISTORIQUE

Inauguré en: 1972: camionnette; 1974: Ramcharger.
Modifié en: 1994: renouvellement complet; 1995: Club Cab.
Fabriqué à: Warren, MI, É-U & Largo Alberto & Saltillo, Mexique (Club Cab).

INDICES

Sécurité: 90 %
Satisfaction: 82 %
Dépréciation: 55 %
Assurance 6.5 % (975 $ & 1 095 $ 4x4)
Prix de revient au km: 0.55 $

NOMBRE DE CONCESSIONNAIRES

Au Québec: 167 Chrysler-Dodge-Plymouth

VENTES AU QUÉBEC

Modèle	1992	1993	Résultat	Part de marché
Ram	722	785	+8.0 %	6.5 %

PRINCIPAUX MODÈLES CONCURRENTS

Camionnettes: CHEVROLET-GMC, FORD série F.

ÉQUIPEMENT

DODGE camionnettes Ram	LT	WS	ST	Laramie SLT
Boîte automatique:	O	O	O	S
Régulateur de vitesse:	O	O	O	S
Direction assistée:	O	O	O	S
Freins ABS:	O	O	O	O
Climatiseur:	O	O	O	S
Coussin gonflable:	S	S	S	S
Garnitures en cuir:	-	-	-	-
Radio MA/MF/ K7:	O	O	O	S
Serrures électriques:	-	-	-	S
Lève-vitres électriques:	-	-	-	S
Volant ajustable:	O	O	O	S
Rétroviseurs ext. ajustables:	O	O	O	O
Essuie-glace intermittent:	S	S	S	S
Jantes en alliage léger:	-	-	S	S
Toit ouvrant:	-	-	-	-
Système antivol:	-	-	-	-

S : standard; O : optionnel; - : non disponible

COULEURS DISPONIBLES

Extérieur: Rouge, Beige, Vert , Bleu foncé & clair, Noir, Gris, Blanc.
Intérieur: Gris, Beige, Bleu, Rouge.

ENTRETIEN

Première révision: 7 500 km
Fréquence: 6 mois
Prise de diagnostic: Oui

QUOI DE NEUF EN 1995 ?

- Version à cabine allongée Club Cab sur châssis allongé, avec banquette avant 40/20/40, fenêtre arrière entrebaillante, banquette arrière
- Version à carburant gaz naturel compressé disponible en option.
- Couple plus élevé sur le moteur Diesel Cummins.
- Freinage antiblocage offert en option sur la série 3500.

	MOTEURS				TRANSMISSION			PERFORMANCES										
Modèles/ versions *: de série	Type / distribution soupapes / carburation	Cylindrée cc	Puissance ch @ tr/mn	Couple lb.pi @ tr/mn	Rapport volumét.	Roues motrices / transmissions	Rapport de pont	Accélér. 0-100 km/h s	400 m D.A. s	1000 m D.A. s	Freinage 100-0 km/h m	Vites. maxi. km/h	Accélér. latérale G	Niveau sonore dBA	Consommation l./100km Ville	Route	Carbura Octane
base 1500	V6* 3.9 ACC-12-IESPM	3916	170 @ 4400	230 @ 3200	9.1 :1	arrière - M5*	3.21	11.5	18.2	32.1	48	160	0.71	68	14.2	9.7	R 87
base 2500	V8* 5.2 ACC-16-IESPM	5212	220 @ 4400	300 @ 3200	9.1 :1	ar./4 - M5*	3.54	9.5	16.7	31.6	49	170	0.74	67	17.8	11.8	R 87
opt. GNC	V8 5.2 ACC-16-IESPM	5212	200 @ 4400	250 @ 3600	9.1 :1	ar./4 - M5*	3.54	ND									GNC
base 3500	V8 5.9 ACC16-IESPM	5899	230 @ 4000	330 @ 3200	8.9 :1	ar./4 - M5*	3.54	9.0	16.5	31.5	51	165	0.75	67	18.9	13.1	R 87
option	L6DT 5.9 ACL-12-IM	5883	175 @ 2500	430 @ 1600	17.5 :1	ar./4 - M5*	3.54	14.0	19.5	33.0	53	150	0.72	72	13.5	9.5	D
option	V10 8.0 ACC-20-IEPM	7997	300 @ 4000	450 @ 2400	8.6 :1	ar./4 - M5*	3.54	ND									R 87

le nombre de place, lui donnant un aspect familial intéressant.

• Sécurité

Elle est au niveau de celui d'une automobile grâce à la bonne rigidité de la structure, aux portes munies des renforts anti-intrusion, et au coussin gonflable placé en série au centre du volant.

• Coffre

L'espace disponible derrière la banquette avant n'est pas négligeable, car il est possible d'y remiser 2 bonnes valises et des sacs mous. De plus Dodge offre en option un astucieux système de bacs et de tablettes modulables permettant d'adapter le volume à la demande.

• Qualité/finition

Extérieurement l'impression de robustesse est indéniable et il suffit d'observer les dimensions du châssis pour s'en convaincre. À l'intérieur la présentation, la finition et la qualité des matériaux sont similaires à celles des automobiles, mais la fixation de certains éléments reste à améliorer.

• Poste de conduite

Le tableau de bord est très bien organisé, car les commandes y sont disposées de manière ergonomique. Excepté le frein de stationnement situé trop bas, les principales commandes tombent bien en main et les instruments bien disposés sont faciles à déchiffrer. La position du conducteur, comme son champs de vision, est satisfaisante, malgré l'épaisseur des piliers et les rétroviseurs latéraux de grande taille. Sur les versions à quatre roues motrices, le voyant indiquant le mode de traction est pratiquement invisible, mal placé au bas du bloc des instruments, de même les interrupteurs du régulateur de vitesse difficiles à différencier. L'efficacité de la suspension et l'insonorisation des versions luxueuses créent une ambiance si confortable que l'on a tendance à rouler plus vite que les limites permises.

• Performances

Chacun dans leur genre, les moteurs offrent un couple élevé. Les accélérations et les reprises sont pourtant franches, même avec le moteur diesel ou le V6 de base. Quant au V10, il se distingue des gros V8 concurrents par sa puissance et sa douceur de fonctionnement, difficiles à égaler dans ce domaine.

• Comportement

Il constitue l'une des améliorations les plus marquantes de cette nouvelle génération d'utilitaires, car malgré les solutions classiques utilisées, le raffinement de la mise au point parvient à un excellent compromis. Même à vide sur chaussé mouillée, ces véhicules se comportent de manière civilisée et sécuritaire.

• Prix/équipement

Ils sont compétitifs si l'on considère les possibilités de traction et de remorquage de ces utilitaires. Limité au minimum dans les versions de base, l'équipement s'enrichit à la demande sur les versions luxueuses car la liste d'options est généreuse. Regrettons toutefois que l'ABS et un second coussin d'air ne soient pas installés en série.

• Satisfaction

Les premiers propriétaires ne signalent pas de problèmes particuliers si ce n'est le niveau sonore intolérablement élevé du moteur Cummins, qui pénalise lourdement le confort.

• Assurance

La prime est raisonnable, considérant le caractère polyvalent et le prix de ces véhicules.

POINTS FAIBLES

• Direction

Sa démultiplication est normale, mais son assistance trop lente gêne certaines manœuvres. Sa précision est honnête mais le diamètre de braquage important complique la maniabilité surtout les versions Club Cab à empattement long.

• Freinage

La pédale, spongieuse, a une attaque parfois brutale, qui limite la précision du dosage et peut réserver quelques surprise si l'on doit freiner sur chaussée mouillée sans ABS. Lorsque ce dernier est installé (aux 4 roues), la stabilité est assurée même sur revêtement ondulé, mais les distances s'en trouvent allongées.

• Accès

La marche est plus haute sur les 4x4 où les ingénieurs de Dodge ont oublié de placer une poignée sur le pilier A afin d'aider à se hisser à bord.

• Consommation

Elle n'est jamais économique avec les moteurs à essence et seul le moteur diesel offre un rendement intéressant, mais il faut rouler beaucoup pour amortir le supplément de prix demandé.

CONCLUSION

Les camionnettes Ram ont immédiatement connu le succès auprès d'utilisateurs qui apprécient leurs capacités, leur robustesse et leur apparence originale. L'ajout de la cabine allongée ne fera qu'améliorer leur popularité bien méritée. ☺

CARACTÉRISTIQUES & PRIX

Modèles	Versions	Carrosseries/ Sièges	Volume cabine l.	Volume coffre l.	Cx	Empat. mm	Long x larg x haut. mm x mm x mm	Poids à vide kg	Capacité Remorq. max. kg	Susp. av/ar	Freins av/ar	Direction type	Diamètre braquage m	Tours volant b à b.	Réser. essence l.	Pneus d'origine	Mécaniques d'origine	PRIX $ CDN. 1994
DODGE	**Garantie générale: 3 ans / 60 000 km; corrosion de surface: 1 an / 20 000 km; perforation: 7 ans / 160 000 km; assistance routière: 3 ans / 60 000 km.**																	
Camionnettes 2x4																		
1500	WS/LT court	cam.2 p.3	1981	897	0.44	3015	5184x1991x1829	1829	1633	i/r	d/t/ABS ar.	bil.ass.	12.37	3.2	98	225/75R16	V6/3.9/M5	**14 880**
1500	LT long	cam.2 p.3	2438	828	0.44	3421	5697x1991x1829	1887	1905	i/r	d/t/ABS ar.	bil.ass.	13.77	3.2	132	225/75R16	V6/3.9/M5	**15 290**
2500	LT long	cam.2 p.3	2438	1315	0.44	3421	5697x1991x1839	2086	3357	i/r	d/t/ABS ar.	bil.ass.	13.88	3.9	132	225/75R16	V8/5.2/M5	**19 270**
2500	LT Club Cab	cam.2 p.6	2438	1710	0.44	3929	6197x1991x1839	2214	3357	i/r	d/t/ABS ar.	bil.ass.	15.78	3.9	132	245/75R16	V8/5.9/M5	**ND**
3500	LT	cam.2 p.3	2438	2400	0.44	3421	5697x2375x1864	2363	5398	i/r	d/t/ABS ar.	bil.ass.	14.14	3.7	132	215/85R16	V8/5.9/M5	**21 900**
Camionnettes 4x4																		
1500	LT court	cam.2 p.3	1981	844	0.48	3015	5184x1991x1928	2059	3039	r/r	d/t/ABS ar.	bil.ass.	12.37	3.0	98	225/75R16	V6/3.9/M5	**20 230**
1500	LT long	cam.2 p.3	2438	773	0.48	3421	5697x1991x1928	2129	3221	r/r	d/t/ABS ar.	bil.ass.	13.77	3.0	132	225/75R16	V6/3.9/M5	**20 840**
2500	LT long	cam.2 p.3	2438	1177	0.48	3421	5697x1991x1928	2225	3992	r/r	d/t/ABS ar.	bil.ass.	13.80	3.7	132	225/75R16	V8/5.2/M5	**21 995**
2500	LT Club Cab	cam.2 p.6	2438	1571	0.48	3929	6197x1991x1981	2353	3992	r/r	d/t/ABS ar.	bil.ass.	15 63	3.7	132	245/75R16	V8/5.9/M5	**ND**
3500	LT	cam.2 p.3	2438	2223	0.48	3421	5697x2375x1999	2551	5171	r/r	d/t/ABS ar.	bil.ass.	14.14	3.7	132	215/85R16	V8/5.9/M5	**24 165**

Voir la liste complète des prix 1995 à partir de la page 393.

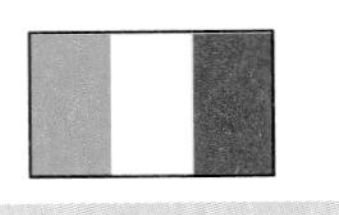

Plénitude...

En remettant sur le métier son ouvrage, Ferrari est arrivé à corriger sa copie imparfaite qu'était la 348 et à donner une âme à cette voiture qui en manquait. Bien qu'elle soit la plus modeste des voitures au cheval cabré, la F355 est devenue aussi agréable à pratiquer qu'à contempler.

La F355 remplace la 348 qui était la plus vendue des Ferrari, puisque il en sort chaque jour dix des ateliers de Maranello, contre sept 512 TR et deux 456 GT. Elle sera uniquement offerte cette année sous la forme d'un coupé dont la mécanique est constituée d'un moteur V8 de 3.5L à 40 soupapes avec transmission manuelle à 6 rapports.

POINTS FORTS

Technique:
Pininfarina a très habilement retouché la ligne de la 348 en gommant çà et là quelques arêtes vives ou les fanons qui ornaient les prises d'air latérales. L'empattement, la longueur et la largeur ont été augmentés et la structure monocoque munie de deux berceaux métalliques soutenant les trains avant/arrière a été rigidifiée. Le plancher comprend deux tunnels créant un effet de sol qui colle la voiture à la route tout en la dispensant d'appendices disgracieux. Le capot et les étriers de freins sont coulés en aluminium, alors que l'armature des portières est réalisée en matériaux composites. La suspension est pilotée électroniquement pour faire varier les valeurs de l'amortissement selon de la qualité du revêtement. Le moteur longitudinal a vu sa cylindrée, son nombre de soupapes et sa puissance augmenter pour atteindre 3.5L, 40 et 380ch, plaçant désormais la «petite» Ferrari hors d'atteinte de concurrentes moins nobles. La transmission manuelle est à 6 rapports, l'assistance de la direction variable en fonction de la vitesse et un dispositif antiblocage des freins peut être annulé à la demande. Enfin les pneus de profil 40 sont plus gros et les jantes en magnésium.

Performances:
Elles se sont encore améliorées, car le moteur est digne de la réputation de la célèbre marque italienne. Plus en puissance qu'en couple il est bien servi par les rapports courts de la transmission qui est moins rugueuse à froid et permet de propulser l'ensemble à près de 300 km/h en pointe et de passer de 0 à 100 km/h en 5.5 secondes.

Comportement:
C'est là que réside l'amélioration la plus significative, car si la 348 était pointue à piloter à haute vitesse comme sur chaussée mouillée, la F355 est devenue plus stable en toutes circonstances, grâce à la suspension active, aux pneus plus gros et à l'effet de sol.

Direction:
Si Ferrari a mis longtemps à se convertir à la direction assistée cet intervalle fut bénéfique puisque qu'il a parfaitement concilié le confort et l'efficacité du guidage, sans altérer le caractère de ce bolide. Toutefois la démultiplication, comme le diamètre de braquage, dessert un peu la maniabilité.

Sièges:
Leur rembourrage n'est toujours pas mœlleux, mais celui du conducteur dispose désormais d'un ajustement électrique de bourrelets latéraux permettant un maintien «à la carte».

Poste de conduite:
Le tableau de bord est bien disposé, mais l'instrumentation y est réduite au minimum. L'ergonomie pourrait être meilleure pour une voiture capable de telles performances, car la position de conduite est

DONNÉES

Catégorie: cabriolets exotiques propulsés.
Classe : GT

HISTORIQUE

Inauguré en: 1989 (308) 1975 (328 coupé), 1977 (328 décap.)
Modifié en: 1982 moteur V8 3.0L 32 soupapes, 3.2L en 1985, 1989 (348) 1994: F355 mot. 3.5/M6.
Fabriqué à: Maranello près de Modene en Italie.

INDICES

Sécurité: 100 %
Satisfaction: 75 %
Dépréciation: 35 %
Assurance: 3.7 % (5 995 $)
Prix de revient au km: 1.65 $

NOMBRE DE CONCESSIONNAIRES

Au Québec: 1

VENTES AU QUÉBEC

Modèle	1992	1993	Résultat	Part de marché
Ferrari	5	6	16.6 %	ND

PRINCIPAUX MODÈLES CONCURRENTS

ACURA NSX, BMW 840i, MERCEDES SL500, PORSCHE 928.

ÉQUIPEMENT

FERRARI F355	berlinetta
Boîte automatique:	-
Régulateur de vitesse:	S
Direction assistée:	S
Freins ABS:	S
Climatiseur:	S
Coussin gonflable:	S
Garnitures en cuir:	S
Radio MA/MF/ K7:	S
Serrures électriques:	S
Lève-vitres électriques:	S
Volant inclinable:	S
Rétroviseurs ext. ajustables:	S
Essuie-glace intermittent:	S
Jantes en alliage léger:	S
Toit ouvrant:	-
Système antivol:	-

S : standard; O : optionnel; - : non disponible

COULEURS DISPONIBLES

Extérieur: Rouge, Jaune, Blanc, Noir,Gris métallisé.
Intérieur: Noir, Tan, Blanc.

ENTRETIEN

Première révision: 500 km
Fréquence: 5 000 km
Prise de diagnostic: Non

QUOI DE NEUF EN 1995 ?

- **Carrosserie retouchée**
- **Moteur plus volumineux possédant 5 soupapes par cylindre de 380ch**
- **Système ABS annulable à la demande.**
- **Siège du conducteur ajustable en largeur (maintien).**

Modèles/ versions *: de série	MOTEURS Type / distribution soupapes / carburation	Cylindrée cc	Puissance ch @ tr/mn	Couple lb.pi @ tr/mn	Rapport volumét.	TRANSMISSION Roues motrices / transmissions	Rapport de pont	PERFORMANCES Accélér. 0-100 km/h s	400 m D.A. s	1000 m D.A. s	Freinage 100-0 km/h m	Vites. maxi. km/h	Accélér. latérale G	Niveau sonore dBA	Consommation l./100km Ville	Consommation l./100km Route	Carburant Octane
F355	V8* 3.5 4ACT-40 IEMP	3496	380 @ 8250	268 @ 4000	10.4 :1	arrière-M6*	3.56	5.5	13.8	24.7	41	295	0.95	77	26.0	20.0	S 91

oblique et la visibilité de 3/4 souffre d'un angle mort important. Toutefois, volant et sélecteur sont moins rébarbatifs.

Qualité/finition:
L'assemblage est rigoureux, mais certains éléments ou matériaux empruntés à la grande série font très utilitaires et des détails de finition détonnent sur des voitures de ce prix.

Sécurité:
Finalement la F355 devrait être la première Ferrari pourvue de coussins d'air qui, additionnés à la meilleure rigidité de la coque, devraient fournir une protection adéquate aux occupants. Il est curieux que ce soient des véhicules de hautes performances comme les bolides italiens qui traînent de l'arrière à ce chapitre primordial.

Satisfaction:
Les possesseurs de Ferrari se plaignent de moins en moins de la fragilité et des caprices de leur acquisition depuis que Ferrari a confié les gestions électroniques de ses modèles à des processeurs Bosch. L'entretien et les révisions sont des plus contraignants, mais directement liés à la fiabilité, souvent problématique.

Dépréciation:
La F355 se revendra sans doute aussi bien que la 348 mais le nombre d'acheteurs capables d'affronter un tel défi financier ne sont pas légion.

Freinage:
Bien que redoutablement efficace en termes de ralentissement et d'endurance, l'addition de l'ABS a eu pour effet d'allonger les distances d'arrêt jusqu'à une quarantaine de mètres en partant de 100 km/h tandis qu'elles se limitent à 35 m lorsqu'on annule son effet (non recommandé sur chaussée mouillée).

Accès:
Il n'est pas plus aisé de se glisser dans la F355 que ça l'était dans la 348, car le plafond et le plancher sont bas par rapport aux bordures de trottoir.

Assurance:
Bien que son pourcentage soit un des plus faibles, une fois multiplié par son prix il donne une prime annuelle assez copieuse frisant les 6 000 dollars.

Suspension:
Moins ferme qu'auparavant elle n'en demeure pas moins trépidante sur route bosselée, pour devenir presque confortable à haute vitesse sur un ruban d'asphalte neuve.

POINTS FAIBLES

Niveau sonore:
Certains crieront à l'insulte, mais nous considérons que si les envolées lyriques de l'échappement charment au premier abord, elle paraissent nettement moins mélodieuses après les 350 km d'autoroute qui constituent son autonomie moyenne.

Consommation:
La F355 avale le carburant aussi rapidement que les kilomètres, ce qui n'est pas peu dire puisqu'il lui en faut en moyenne 26 litres à chaque 100 km.

Coffre:
L'aspect pratique n'étant pas le premier critère de sélection de ce genre d'automobile, le volume du coffre a régressé des 200 litres qu'il contenait sur la 348 à 149 litres sur la F355. Une simple carte de crédit y tiendra à l'aise...

Prix/équipement:
Plus l'équipement de ces voitures s'enrichit et plus leurs propriétaires s'appauvrissent. Ce paradoxe n'empêche pas de vendre encore annuellement près de 1800 copies par année, ce qui fera sans doute augmenter le nombre de sans-abris.

Habitabilité:
La largeur comme la longueur est suffisante, mais la faible garde-au-toit gênera encore les conducteurs de grande taille.

Commodités:
Les rangements se limitent à une petite boîte à gants, un coffret de console et un peu d'espace derrière les sièges.

CONCLUSION

Moins ordinaire que la 348, la F355 a repris du galon afin de distancer toutes les roturières qui commençaient à la coller de près, afin de reconquérir le respect de tous. ☺

CARACTÉRISTIQUES & PRIX

Modèles	Versions	Carrosseries/ Sièges	Volume cabine l.	Volume coffre l.	Cx	Empat. mm	Long x larg x haut. mm x mm x mm	Poids à vide kg	Capacité Remorq. max. kg	Susp. av/ar	Freins av/ar	Direction type	Diamètre braquage m	Tours volant b à b.	Réser. essence l.	Pneus d'origine	Mécaniques d'origine	PRIX $ CDN. 1994
FERRARI		**Garantie totale : 2 ans / kilométrage illimité avec assistance routière.**																
F355	berlinetta	cpé. 2 p. 2	ND	149	0.32	2451	4251x1940x1171	1445	NR	i/i	d/d/ABS	crém.ass.	12.0	3.25	88	av.225/40ZR18 ar.265/40ZR18	V8/3.5/M6	**170 000**

Voir la liste complète des prix 1995 à partir de la page 393.

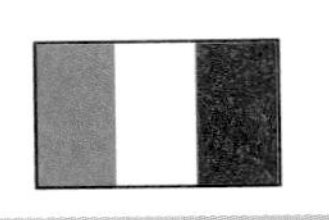

Elle renoue avec la tradition...

En reprenant dans la gamme la place laissée vacante par l'ancienne 512, la 456 GT va plus loin que d'offrir le traditionnel V12 propulsé agrémenté de 4 places. Sa ligne rappelle celle de la fameuse Daytona et rassemble tous les attributs traditionnels de la célèbre marque italienne.

La 456 GT est la berlinette 2+2 à moteur avant, roues arrière motrices, qui a pris la place de l'ancienne 512. Elle existe en une seule version et l'usine en fabrique 2 par jour soit 440 par an. La production est vendue d'avance jusqu'en 1995, ce qui signifie que les clients nord-américains qui voudraient mettre leur nom au bas de la liste, ne pourront être servis avant un an.

POINTS FORTS

Technique:
Malgré son architecture classique, la 456 GT ne manque pas de lettres de noblesse, car sa conception est particulièrement sophistiquée. Côté carrosserie, Pininfarina a fait du beau travail en y incorporant des réminiscences de la célèbre Daytona dans la partie arrière et un air de famille commun avec la F355 et la 512 TR dans l'avant. La carrosserie en alliage d'aluminium est fixée au châssis tubulaire en acier pour former un ensemble très rigide. Les portes et le couvercle du coffre sont aussi en alliage d'aluminium, tandis que les capots du moteur et des phares escamotables sont composés d'un panneau de «nids d'abeilles» recouvert d'une peau en matériau composite. La 456 GT est très efficace sur le plan aérodynamique grâce entre autres à un volet mobile intégré au pare-chocs arrière. Activé par un moteur électrique ce dernier réduit la portance du train moteur en fonction de la vitesse. La suspension indépendante aux quatre roues bénéficie d'un ajustement électronique à 3 modes: dur, moyen ou souple et un correcteur d'assiette maintient la garde-au-sol constante. L'assistance de la direction est variable en fonction de la vitesse et les quatre freins à disque possèdent des doubles pinces en aluminium et un système antiblocage ATE. Le moteur est un 12 cylindres en V à 65º tout en aluminium à 4 arbres à cames en tête et 48 soupapes et l'allumage, comme l'injection, est commandé par un système Motronic 2.7 de Bosch. La boîte manuelle à 6 vitesses est intégrée au différentiel à glissement limité situé entre les roues arrière pour un meilleur équilibre.

Performances:
Avec un rapport poids-puissance de 3.8 kg/ch le seul problème consiste à résister à la tentation de connaître les sensations exceptionnelles que procure cette voiture hors du commun. La puissance et le couple foisonnent à tous les régimes et il est possible de repartir en 5ième dès 50 km/h.

Comportement:
Typiquement Ferrari, les géométries sont très techniques, s'y s'ajoutent les différents ajustements des amortisseurs dont le choix n'appartient qu'au pilote, la suspension faisant toute la différence... Malgré son poids et son encombrement, la 456 est agile et précise en toutes circonstances, car elle est surtout bien équilibrée (56/44). La motricité est excellente même dans les virages les plus aigus, grâce au différentiel à glissement limité et à l'adhérence des pneus.

Direction:
Ultra-précise et bien démultipliée elle permet de placer la voiture au millimètre près. Chose rare, elle offre une sensibilité exceptionnelle sans transmettre de réactions du train avant.

DONNÉES

Catégorie: coupés exotiques propulsés.
Classe : GT

HISTORIQUE

Inauguré en: 1993
Modifié en: -
Fabriqué à: Grugliasco (carrosserie) & Maranello (mécanique), Italie.

INDICES

Sécurité: 80 %
Satisfaction: ND
Dépréciation: 35 %
Assurance: 3.2 % (7 800 $)
Prix de revient au km: 2.00 $

NOMBRE DE CONCESSIONNAIRES

Au Québec: 2

VENTES AU QUÉBEC

Modèle	1992	1993	Résultat	Part de marché
Ferrari	5	6	+ 16.6 %	ND

PRINCIPAUX MODÈLES CONCURRENTS

ASTON MARTIN Virage 6, BMW 850CSi, MERCEDES BENZ 600SEC, PORSCHE 928 GTS.

ÉQUIPEMENT

FERRARI	456 GT 2+2
Boîte automatique:	-
Régulateur de vitesse:	S
Direction assistée:	S
Freins ABS:	S
Climatiseur:	S
Coussins gonflables (2):	S
Garnitures en cuir:	S
Radio MA/MF/ K7:	S
Serrures électriques:	S
Lève-vitres électriques:	S
Volant inclinable:	S
Rétroviseurs ext. ajustables:	S
Essuie-glace intermittent:	S
Jantes en alliage léger:	S
Toit ouvrant:	S
Système antivol:	O

S : standard; O : optionnel; - : non disponible

COULEURS DISPONIBLES

Extérieur: Rouge, Blanc, Noir, Jaune, Bleu.
Intérieur: Noir,Bleu, Beige, Blanc, Rouge, Marron.

ENTRETIEN

Première révision: 500 km
Fréquence: 5 000 km
Prise de diagnostic: Non

QUOI DE NEUF EN 1995 ?

- Pas de changement majeur.

Modèles/ versions *: de série	Type / distribution soupapes / carburation	MOTEURS Cylindrée cc	Puissance ch @ tr/mn	Couple lb.pi @ tr/mn	TRANSMISSION Rapport volumét.	Roues motrices / transmissions	Rapport de pont	PERFORMANCES Accélér. 0-100 km/h s	400 m D.A. s	1000 m D.A. s	Freinage 100-0 km/h m	Vites. maxi. km/h	Accélér. latérale G	Niveau sonore dBA	Consommation l./100km Ville	Consommation l./100km Route	Carburant Octane
456 GT	V12* 5.5 DACT-48-IE	5474	442 @ 6250	403 @ 4500	10.6 :1	arrière-M6	3.63	5.8	13.6	23.5	42	300	0.92	68	30.0	13.0	S 91

Bien que le bruit du moteur fasse partie de l'agrément, l'insonorisation de la 456 GT est très efficace à vitesse de croisière.

Commodités:
Le côté pratique de cette 456 surprend agréablement, car les rangements sont aussi pratiques que bien situés.

POINTS FAIBLES

Prix/équipement:
Bien que l'équipement soit complet et luxueux, le prix atteint des sommets vertigineux qui réservent la 456 à de rares nantis.

Consommation:
Bien qu'accessoire sur une voiture de cette classe, son appétit en carburant est vorace puisqu'il faut compter en moyenne 25 litres par 100 km et 28 en ville, ce qui confère une autonomie moyenne de 450 km au mieux.

Coffre:
Trois petites valises faites sur mesure y trouveront de l'espace si l'on remplace la roue de secours par une cartouche vulcanisante, où si l'on utilise des pneus anticrevaison.

Freinage:
Élément important sur une voiture capable d'un tel niveau de performance, il est à la hauteur des prestations car les arrêts sont aussi faciles à doser que courts si l'on tient compte du poids et du dispositif antiblocage.

Sécurité:
La version nord-américaine sera pourvue de deux coussins d'air qui compléteront l'excellente rigidité de la coque pour offrir une bonne protection aux occupants en cas d'impact.

Qualité & finition:
La 456 GT 2+2 rompt avec la réputation de médiocrité qui affectait les modèles Ferrari depuis près de 20 ans. Une infinité de petits détails ont été améliorés et on ne trouve plus d'accessoires bon marché empruntés aux Fiat puisque la plupart des commandes et des contrôles ont été redéfinis.

Habitabilité:
Si à l'avant l'espace disponible est comparable à celui d'une berline, à l'arrière la longueur et de la hauteur disponibles surprennent et procurent un confort très honnête pour ce type de carrosserie.

Poste de conduite:
La position du conducteur est quasi parfaite et la visibilité excellente, sauf peut-être le pilier C qui «bouche» légèrement. Le volant tombe bien en main, car la colonne de direction est ajustable dans les deux axes et le sélecteur des vitesses reste prisonnier de sa grille de guidage en aluminium. Les gros cadrans situés dans le bloc principal sont plus lisibles que les jauges disposées sur la console centrale où les commandes de la radio, de la climatisation et de certains accessoires, sont bizarrement installées, en arrière du sélecteur, ce qui les rend peu accessibles au pilote. Le frein à main est situé au plancher à gauche du conducteur, de manière ergonomique.

Accès:
Grâce aux longues portes il est facile d'entrer ou de sortir de la 456, même aux places arrière, car lorsqu'on abaisse l'un des dossiers des sièges avant, le coussin avance électriquement pour libérer plus d'espace, comme sur la Lexus SC400...

Sièges:
Magnifiquement réalisés en cuir Connolly, ils sont équipés d'appuie-tête aux quatre places et maintiennent efficacement grâce à leurs bourrelets bien sculptés, toutefois à l'arrière la console centrale qui les sépare est parfois gênante.

Suspension:
Sur l'ajustement «souple» elle procure, sur autoroute, un roulement doux comparable à celui d'une berline de luxe. La position intermédiaire s'applique aux petites routes sinueuses en bon état, alors que la dure est obligatoire en conduite très rapide, pour assurer au véhicule une assiette optimale, mais dans ce cas tout confort est absent.

Niveau sonore:

CONCLUSION

La 456 est entrée dans le club très sélect des coupés de grand tourisme où trônent déjà Mercedes, BMW et Aston Martin. Inaccessible à la plupart, elle donnera une émotion forte à l'amateur chanceux qui en verra passer une et la reconnaîtra. ☺

CARACTÉRISTIQUES & PRIX

Modèles	Versions	Carrosseries/ Sièges	Volume cabine l.	Volume coffre l.	Cx	Empat. mm	Long x larg x haut. mm x mm x mm	Poids à vide kg	Capacité Remorq. max. kg	Susp. av/ar	Freins av/ar	Direction type	Diamètre braquage m	Tours volant b à b.	Réser. essence l.	Pneus d'origine	Mécaniques d'origine	PRIX $ CDN. 1994
FERRARI		FERRARI	Garantie totale : 2 ans / kilométrage illimité avec assistance routière.															
456 GT	base	cpé 2 p.2+2	-	-	0.34	2600	4730x1920x1300	1790	NR	i/i	d/d/ABS	crém.ass.	ND	3.1	110	255/45ZR17 285/40ZR17 (ar)	V12/5.5/M6	290 000

Voir la liste complète des prix 1995 à partir de la page 393.

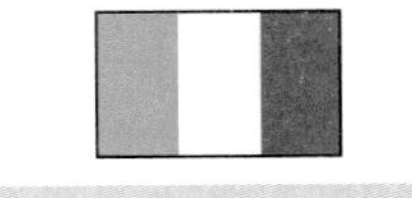

Monstre sacré sur le déclin...

La Testarossa a marqué son époque de manière magistrale, tant au niveau du style que des performances, mais dix ans après, malgré tout le respect que l'on peut avoir pour les choses réussies, elle a fait long feu et il est temps pour Ferrari de présenter le modèle qui lui succédera.

La 512 TR souffre autant du contexte économique défavorable aux voitures exotiques que du succès de la Lamborghini Diablo qui a amené Ferrari à limiter sa production. Elle a été remise au niveau de performances de sa concurrente en 1992, mais ne possède toujours pas la traction intégrale qui rend la conduite plus sécuritaire sous la pluie. Désormais elle attend sa relève qui devrait voir le jour en 1996.

POINTS FORTS

Performances:
La 512 TR n'est pas avare en émotions, grâce à la puissance et au bruit énormes de son fabuleux moteur qui est toutefois plus à l'aise dans les hauts régimes sur la route que dans les encombrements urbains. Bien qu'il ne soit plus exceptionnel d'accélérer de 0 à 100 km/h en 5 secondes ou moins, la vitesse de pointe de ce monstre atteint facilement 300 km/h.

Comportement:
Les énormes pneus favorisent la motricité et stabilisent la tenue en ligne droite comme en grande courbe où la suspension semble mieux guidée et plus précise grâce aux améliorations apportées au train avant. Bien qu'elle ait été allégée, elle manque encore d'agilité dans les parcours très sinueux où son maître-couple devient un handicap.

Technique:
La 512 TR est une Testarossa dont Ferrari a corrigé certains défauts. Elle a conservé l'ossature tubulaire dont la partie arrière, soutenant la mécanique, est démontable afin de faciliter les réparations. La carrosserie est en alliage d'aluminium, tandis que le capot et les portières sont en acier. Les suspensions sont indépendantes et le train arrière reçoit deux amortisseurs par roue. L'ensemble pèse 187 kg de moins et les roues sont passées de 16 à 18 pouces. Le moteur conserve la même cylindrée, mais a gagné une nouvelle centrale de gestion électronique qui permet un meilleur remplissage des cylindres, un régime de fonctionnement supérieur et fait passer la puissance au-delà de la barre des 400 ch!

DONNÉES

Catégorie: coupés exotiques propulsés à moteur central.
Classe : GT

HISTORIQUE

Inauguré en: 1984
Modifié en: 1992 la 512 TR remplace la Testarossa.
Fabriqué à: Grugliasco (carrosserie) & Maranello (mécanique), Italie.

INDICES

Sécurité: 70 %
Satisfaction: 72 %
Dépréciation: 45 %
Assurance: 3.5 % (9 660 $)
Prix de revient au km: 2.20 $

NOMBRE DE CONCESSIONNAIRES

Au Québec: 2

VENTES AU QUÉBEC

Modèle	1992	1993	Résultat	Part de marché
Ferrari	5	6	+ 16.6 %	ND

PRINCIPAUX MODÈLES CONCURRENTS

BUGATTI EB-110, LAMBORGHINI Diablo, MERCEDES BENZ 600 SL, VECTOR W8.

ÉQUIPEMENT

FERRARI	512 TR
Boîte automatique:	-
Régulateur de vitesse:	S
Direction assistée:	-
Freins ABS:	S
Climatiseur:	S
Coussins gonflables (2):	S
Garnitures en cuir:	S
Radio MA/MF/ K7:	S
Serrures électriques:	S
Lève-vitres électriques:	S
Volant inclinable:	S
Rétroviseurs ext. ajustables:	S
Essuie-glace intermittent:	S
Jantes en alliage léger:	S
Toit ouvrant:	-
Système antivol:	-

S : standard; O : optionnel; - : non disponible

COULEURS DISPONIBLES

Extérieur: Rouge, Blanc, Noir, Jaune, Bleu.
Intérieur: Noir,Bleu, Beige, Blanc, Rouge, Marron.

ENTRETIEN

Première révision: 500 km
Fréquence: 5 000 km
Prise de diagnostic: Non

QUOI DE NEUF EN 1995 ?

- Aucun changement majeur.

Modèles/ versions *: de série	MOTEURS Type / distribution soupapes / carburation	Cylindrée cc	Puissance ch @ tr/mn	Couple lb.pi @ tr/mn	Rapport volumét.	TRANSMISSION Roues motrices / transmissions	Rapport de pont	PERFORMANCES Accélér. 0-100 km/h s	400 m D.A. s	1000 m D.A. s	Freinage 100-0 km/h m	Vites. maxi. km/h	Accélér. latérale G	Niveau sonore dBA	Consommation l./100km Ville	Consommation l./100km Route	Carburar Octane
512 TR	H12* 4.9 DACT-48-IEPM	4943	421 @ 6750	360 @ 5500	10.0 :1	arrière - M5*	3.21	5.0	12.8	23.2	45	315	0.90	74	26.0	16.0	S 91

Direction:
Précise et sensible à haute vitesse, l'assistance lui fait cruellement défaut à faible allure, car avec des pneus de cette taille les manœuvres de stationnement sont plus efficaces qu'une séance de conditionnement physique.
Freinage:
Maintenant pourvu de l'ABS, il fait preuve d'une stabilité et d'une efficacité remarquables mais son endurance est tributaire de son poids élevé et la pédale est dure et difficile à doser.
Satisfaction:
Il semble anachronique d'écrire qu'avec le temps la fiabilité des Ferrari est moins capricieuse grâce à l'adoption d'éléments électronique allemands et à la robotisation de certaines phases du montage des moteurs.
Sécurité:
La 512 TR devrait recevoir des coussins d'air pour se conformer aux normes de sécurité nord-américaines, car il est difficile d'admettre qu'une voiture aussi sophistiquée sous certains aspects soit aussi en retard sur ce point vital.
Poste de conduite:
Le siège-baquet soutient et maintient bien et son rembourrage est satisfaisant. La visibilité reste médiocre de 3/4 et vers l'arrière où la lunette est très étroite. Les commandes sont réparties entre le tableau de bord et la console centrale, et le pédalier, décentré vers la droite à cause des énormes passages de roues, oblige à conduire de travers. Les principaux contrôles sont plus lisibles que ceux situées au-dessous des bouches de ventilation et qui ne servent pas à grand chose lorsqu'on a les yeux rivés sur la route. Le sélecteur guidé par une grille chromée, laisse entendre un son métallique particulier à chaque changement de vitesse, dont l'ordre n'est pas conventionnel.
Dépréciation:
Même si les temps ne permettent plus de gagner de l'argent en revendant une de ces voitures usagées plus cher qu'on l'avait achetée neuve, les Ferrari perdent moins que d'autres à cause du culte de la marque.
Sièges:
Mieux dessinés et mieux rembourrés que sur l'ancienne Testarossa, ils maintiennent et soutiennent plus efficacement.
Accès:
Il est relativement facile de se glisser dans la cabine puisque les portes s'ouvrent largement, mais c'est la faible hauteur de l'ensemble et de la garde-au-toit qui pénalisera les gens plus grands que la moyenne.
Assurance:
La 512TR est la Ferrari la plus chère à assurer, puisque la prime approche les 10 000 dollars canadiens.
Qualité/finition:
Les produits Ferrari n'ont pas encore atteint un standard de qualité pouvant rivaliser avec les produits de l'industrie allemande ou japonaise. Ici la plupart des accessoires du poste de conduite proviennent de chez Fiat et de nombreux détails de finition font toujours bon marché, contrairement au F355 et 456GT dont le mode de fabrication est plus récent. Seul le travail du cuir fait honneur à la réputation des artisans italiens.
Suspension:
Le confort ne fait pas partie de l'équipement de série de cette voiture entièrement sacrifiée sur l'autel des performances. Les éléments de suspension et les pneus transmettent et amplifient les défauts de la route et les promenades romantiques seront plus plaisantes sur autoroutes que sur les petites routes étroites et défoncées.

POINTS FAIBLES

Prix/équipement:
Certaines techniques de pointe héritées de la compétition, la production limitée et la finition artisanale expliquent l'indécence du prix demandé pour un de ces véhicules. L'équipement est heureusement complet mais certaines améliorations sont encore nécessaires pour rendre la 512 plus agréable et plus sécuritaire à utiliser.
Consommation:
Il faut compter brûler 25 litres de carburant aux 100 km en conduite «normale» et près de 28 litres lorsqu'on a le pied lourd.
Niveau sonore:
Les sonorités et la fréquence des vibrations produites par le moteur de la 512 TR constituent une mélopée mécanique dont les amateurs ne se lassent pas....
Coffre:
Il n'y en a tout simplement pas. Pour ranger les bagages faits sur mesure et facturés en option, on ne dispose que de l'espace anciennement réservé à la roue de secours (remplacée par une cartouche vulcanisante) et du peu d'espace restant derrière les sièges. Ce qui obligera madame à voyager «léger».
Habitabilité:
La largeur de la cabine est suffisante, mais c'est la longueur et la hauteur qui font le plus défaut, l'énorme groupe motopropulseur tenant beaucoup de place.
Commodités:
Elles sont rares car les rangements demeurent insuffisants. Les dames y trouveront au moins un vaste miroir de courtoisie qui leur permettra de vérifier leur coiffure et leur maquillage...

CONCLUSION

Moyenne générale:
En attendant d'être remplacée la 512TR revendique le titre de voiture de production la plus rapide, titre dont se pare également la Lamborghini Diablo, mais très peu seront capables de les départager. ☺

CARACTÉRISTIQUES & PRIX

Modèles	Versions	Carrosseries/ Sièges	Volume cabine l.	Volume coffre l.	Cx	Empat. mm	Long x larg x haut. mm x mm x mm	Poids à vide kg	Capacité Remorq. max. kg	Susp. av/ar	Freins av/ar	Direction type	Diamètre braquage m	Tours volant b à b.	Réser. essence l.	Pneus d'origine	Mécaniques d'origine	PRIX $ CDN. 1994
FERRARI		Garantie totale : 2 ans / kilométrage illimité avec assistance routière.																
512	TR	cpé. 2 p. 2	1274	198	0.32	2550	4480x1976x1135	1685	NR	i/i	d	crém.	12.0	3.25	100	235/40ZR18 295/35ZR18 (ar.)	H12/4.9/M5	**276 000**

Voir la liste complète des prix 1995 à partir de la page 393.

En sursis...

Condamnée à disparaître dès que la nouvelle Windstar montrerait le bout de son nez, l'Aerostar voit son mandat prolongé pour deux bonnes raisons: elle ne coûte pas cher à fabriquer, donc à vendre, et elle est devenue finalement plus fiable...

La gamme de l'Aerostar a été singulièrement simplifiée. Elle reste proposée avec 2 et 4 roues motrices, carrosserie courte ou allongée (sur empattement identique), avec un dispositif antiblocage des freins sur les roues arrière en série. Les moteurs sont deux V6, un 3.0L monté en série sur les versions à 2RM et un 4.0L standard sur les 4RM et optionnel sur la 2RM à carrosserie allongée. Seul le niveau de finition XLT demeure disponible.

POINTS FORTS

• **Sécurité:** 80%
Malgré le coussin d'air monté en série du côté du conducteur, les sièges d'enfant intégrés à la banquette médiane offerts en option, les poutres de renfort disposées dans les portes, il reste encore à faire pour que la sécurité soit optimale.

• **Accès:** 80%
S'il est aisé de pénétrer dans la cabine quelle que soit la porte choisie, à l'arrière le hayon est lourd et mal assisté.

• **Assurance:** 75%
L'Aerostar se situe dans la bonne moyenne, mais il faut souligner que la prime de la version 4x4 est moins élevée que celle de la 2 roues motrices, parce qu'elle offre un comportement hivernal plus sûr.

• **Suspension:** 70%
Très douce sur bon revêtement, elle devient frénétique sur tracé dégradé où l'essieu arrière bat la chamade. Mais en général elle offre un bon rendement si l'on considère la simplicité de sa conception.

• **Sièges:** 70%
S'ils ne sont pas réellement modulables ils permettent, comme sur la plupart des concurrents, plusieurs aménagements, dont un avec 2 ou 4 sièges individuels et même une banquette-lit, appréciable lors des voyages au long cours. Leur généreux rembourrage ne compense toutefois pas complètement leur manque de galbe et de maintien.

• **Poste de conduite:** 70%
Le conducteur est bien installé devant un tableau de bord de style futuriste dont l'ergonomie est soignée. L'instrumentation est lisible, les commandes bien localisées et la visibilité satisfaisante malgré la jonction compliquée entre les portes avant et le pare-brise.

• **Satisfaction:** 60%
Elle s'est améliorée comme la fiabilité mais certains propriétaires se plaignent encore de la transmission, des freins avant, du système électrique et de la crémaillère.

• **Habitabilité:** 60%
Légèrement limitée en hauteur, il n'est pas aisé de circuler à l'intérieur du fait de l'importance des sièges, et la mécanique empiète sur l'espace réservé aux jambes des occupants des places avant.

• **Soute:** 60%
Sur la version courte son volume dépend du nombre de places occupées, alors que celle de l'allongée est plus spacieuse en permanence.

• **Qualité/finition:** 60%
Si la coque et la plupart des composants donnent une forte impression de robustesse, la finition manque de raffinement et les plastiques et

DONNÉES

Catégorie: fourgonnettes propulsées & intégrales.
Classe : utilitaires

HISTORIQUE

Inauguré en: 1985
Modifié en: 1987: mot.3.0L, 1989: version allongée, 1990: V6 4.0L
Fabriqué à: St-Louis, Missouri, États-Unis.

INDICES

Sécurité:	100 %
Satisfaction:	60 %
Dépréciation:	50 %
Assurance:	5.5 % (975 $)
Prix de revient au km:	0.42 $

NOMBRE DE CONCESSIONNAIRES

Au Québec: 143 Ford-Lincoln-Mercury

VENTES AU QUÉBEC

Modèle	1992	1993	Résultat	Part de marché
Explorer	6 042	7 992	+24.4%	22.4%

PRINCIPAUX MODÈLES CONCURRENTS

CHEVROLET Astro & Lumina, DODGE-PLYMOUTH Caravan-Voyager, FORD Windstar, PONTIAC Trans Sport, MAZDA MPV, MERCURY Villager, NISSAN Quest, TOYOTA Previa, VOLKSWAGEN Eurovan.

ÉQUIPEMENT

FORD Aerostar XLT	Courte	Longue
Boîte automatique:	S	S
Régulateur de vitesse:	O	S
Direction assistée:	S	S
Freins ABS roues arrière:	S	S
Climatiseur:	S	S
Coussin gonflable gauche:	S	S
Garnitures en cuir:	-	-
Radio MA/MF/ K7:	O	O
Serrures électriques:	S	
Lève-vitres électriques:	O	O
Volant inclinable:	O	S
Rétroviseurs ext. ajustables:	O	O
Essuie-glace intermittent:	S	S
Essuie-glace arrière:	S	S
Jantes en alliage léger:	O	O
Toit ouvrant:	O	O
Système antivol:	O	O

S : standard; O : optionnel; - : non disponible

COULEURS DISPONIBLES

Extérieur: Moka, Rouge, Vert, Bleu, Émeraude, Platine, Noir, Argent, Blanc.
Intérieur: Bleu cristal, Rouge Rubis, Gris moyen, Moka.

ENTRETIEN

Première révision:	8 000 km
Fréquence:	6 mois
Prise de diagnostic:	Oui

QUOI DE NEUF EN 1995 ?

- Poutres de renfort dans les portes latérales.
- Seule finition disponible: XLT en 2 ou 4 roues motrices modèle norma ou allongé, avec transmission automatique à 4 rapports, le climatiseu et 7 places standard.

Modèles/ versions *: de série	Type / distribution soupapes / carburation	MOTEURS Cylindrée cc	Puissance ch @ tr/mn	Couple lb.pi @ tr/mn	Rapport volumét.	TRANSMISSION Roues motrices / transmissions	Rapport de pont	PERFORMANCES Accélér. 0-100 km/h s	400 m D.A. s	1000 m D.A. s	Freinage 100-0 km/h m	Vites. maxi. km/h	Accélér. latérale G	Niveau sonore dBA	Consommation l./100km Ville	Route	Carburant Octane
1)	V6* 3.0 SACC-12-IE	2982	135 @ 4600	160 @ 2800	9.2 :1	arrière - A4	3.45	14.5	18.7	35.5	56	150	0.70	68	13.9	9.4	R 87
2)	V6* 4.0 SACC-12-IE	4015	155 @ 4000	230 @ 2400	9.0 :1	arrière - A4*	3.73	11.5	17.0	33.5	54	165	0.71	68	14.9	10.5	R 87
						toutes - A4*	3.73	12.5	18.2	34.8	52	160	0.71	68	15.4	11.0	R 87

1) 2RM 2) * 4RM / option 2RM long.

es tissus font bon marché.

• **Prix/équipement: 55%**
Compte tenu de la rusticité de sa conception, l'Aerostar est chère, parce que le constructeur a augmenté son niveau d'équipement, une façon comme une autre de la endre plus attrayante.

• **Direction: 55%**
Rapide et assez précise, son assistance est bien dosée mais sa démultiplication et son diamètre de braquage pénalisent la maniabilité.

• **Dépréciation: 50%**
Depuis que la fiabilité s'est améliorée elle a rejoint la moyenne du groupe et la qualité de la traction de la version 4x4 fait encore quelques adeptes, la propulsée ayant un comportement précaire en conduite hivernale.

• **Technique: 50%**
L'architecture de l'Aerostar est archi-classique: moteur avant-roues arrière motrices via un essieu rigide, mais son empattement est plus long que celui de ses principales concurrentes. La suspension est à bras transversaux à l'avant et à ressorts hélicoïdaux à l'arrière. Les lignes incurvées de la partie avant lui procurent un cœfficient aérodynamique honorable de 0.37. Toutefois sa hauteur sur roues empêche l'Aerostar d'accéder aux garages résidentiels ou souterrains de dimensions normales. Contrairement aux autres fourgonnettes à traction avant, sa conception traditionnelle lui permet de tracter plus facilement de lourdes charges.

• **Niveau sonore: 50%**
Bien que l'insonorisation soit poussée, le niveau sonore demeure élevé car les moteurs manquent de discrétion dès qu'on les sollicite.

POINTS FAIBLES

• **Freinage: 30%**
Son efficacité et sa stabilité ne sont pas idéales en situations extrêmes, où les roues avant bloquent instantanément, puisque l'ABS ne contrôle que celles situées à l'arrière.

• **Comportement: 40%**
La souplesse de la suspension et la présence d'un essieu rigide à l'arrière limitent la tenue de route. En usage hivernal le manque de motricité de la version propulsée justifie la présence d'une intégrale plus stable, plus efficace mais plus coûteuse.

• **Performances: 40%**
Les deux V6 manquent de couple à bas régime, ce qui pénalise les reprises et il faut absolument recourir au 4.0L si l'on a l'intention de transporter ou de tracter de lourdes charges.

• **Consommation: 40%**
Elle est forte dans tous les cas de figure, car le rapport poids/puissance n'est pas des plus favorables.

• **Commodités: 40%**
Les rangements pratiques font défaut, car les vide-poches et la boîte à gants sont petits. Par contre les vitres arrière coulissantes permettent une ventilation efficace et peu bruyante.

CONCLUSION

• **Moyenne générale: 56.75 %**
L'Aerostar a encore ses fanatiques, qui lui reconnaissent surtout des mérites au niveau de son prix et de son confort de roulement sur autoroute. Pour nous elle fait déjà partie de l'histoire.

SUGGESTIONS DES PROPRIÉTAIRES

-Une tenue de route plus sûre sur chaussée glissante (4X2).
-Plus de rangements.
-Un freinage ABS intégral.
-Essuie-glace plus efficaces.
-Des banquettes avec appuie-tête en série.
- Moins de sensibilité au vent latéral.
-Un moteur de base plus puissant et plus économique.

CARACTÉRISTIQUES & PRIX

Modèles	Versions	Carrosseries/ Sièges	Long. boîte mm	Charge utile kg	Cd	Empat. mm	Long x larg x haut. mm x mm x mm	Poids à vide kg	Capacité Remorq. max. kg	Susp. av/ar	Freins av/ar	Direction type	Diamètre braquage b à b. m	Tours volant	Réser. essence l.	Pneus d'origine	Mécaniques d'origine	PRIX $ CDN. 1994
FORD		**Garantie totale et antipollution: 3 ans / 60 000 km;corrosion perforation: 5 ans / kilométrage illimité.**																
Aerostar XLT courte 4x2		frg. 4p.5/7			0.37	3020	4442x1821x1852	1545	885	i/r	d/t/ABS	crém.ass.	12.9	3.25	80	215/70R14	V6/3.0/A4	**21 695**
Aerostar XLT longue 4x2		frg. 4p.5/7			0.38	3020	4834x1829x1869	1655	848	i/r	d/t/ABS	crém.ass.	12.9	3.25	80	215/70R14	V6/3.0/A4	**22 595**
Aerostar XLT longue 4x4		frg. 4p.5/7			0.38	3020	4834x1829x1869	1695	748	i/r	d/t/ABS	crém.ass.	12.9	3.25	80	215/70R14	V6/4.0/A4	**23 995**

Voir la liste complète des prix 1995 à partir de la page 393.

Changer pour changer...

C'est une tentation à laquelle les constructeurs d'automobiles succombent trop souvent. La Festiva qui est la voiture-outil la plus pratique du marché nord-américain a mis quatre ans pour se faire un nom et une clientèle bien à elle, et voilà que Ford chamboule tout encore une fois...

L'Aspire a remplacé la Festiva comme modèle de bas de gamme de Ford en Amérique du Nord. Elle a radicalement changé de philosophie avec ses formes très arrondies, son choix de deux carrosseries et sa sécurité plus étoffée. Hérité de la Festiva le groupe motopropulseur demeure un 4 cylindres de 1.3L développant 63ch avec une boîte manuelle à 5 vitesses en série, ou automatique à trois rapports en option. La berline 3 portes est offerte de base ou SE alors que la 5 portes est uniquement disponible en finition de base. Sur cette dernière seule la version équipée de la transmission automatique peut recevoir une direction assistée.

POINTS FORTS

• Sécurité: 80%
La coque de l'Aspire a été calculée pour résister le mieux possible aux collisions, compte tenu de son format minimum et de la présence de deux coussins gonflables en série.

• Consommation: 80%
Sans battre de record à ce chapitre l'Aspire n'est pas très gourmande puisqu'elle se contente de 5.0 à 8.0 litres aux 100 km. C'est légèrement plus que la Festiva à cause de l'élévation du poids.

• Prix/équipement: 60%
Bien que son prix soit plus élevé que celui de l'ancienne Festiva, l'équipement ne s'est pas tellement enrichi puisque les seuls éléments qui soient livrés en série sont les coussins gonflables et les deux rétroviseurs extérieurs non ajustables. Les essuie-glace ne sont pas intermittents et celui de la lunette arrière est optionnel, cette pratique semble pour le moins mesquine.

• Technique: 60%
Les dessous de l'Aspire ne cachent rien de révolutionnaire. La carrosserie est monocoque en acier, la suspension avant est de type McPherson alors qu'à l'arrière elle est à essieu déformant semi-indépendante. Malgré ses formes profilées à outrance le cœfficient

DONNÉES

Catégorie: berlines mini-compactes tractées.
Classe : 2

HISTORIQUE

Inauguré en: 1994
Modifié en: -
Fabriqué à: Séoul, Corée du Sud par Kia.

INDICES

Sécurité: 90 %
Satisfaction: 82 % (Festiva)
Dépréciation: 62 % (Festiva)
Assurance: 7 % (740 $)
Prix de revient au km: 0.30 $

NOMBRE DE CONCESSIONNAIRES

Au Québec: 143 Ford-Lincoln-Mercury

VENTES AU QUÉBEC

Modèle	1992	1993	Résultat	Part de marché
Festiva	1 809	2 250	+19.6 %	2.6 %

PRINCIPAUX MODÈLES CONCURRENTS

GEO Metro, SUBARU Justy, SUZUKI Swift.

ÉQUIPEMENT

FORD Aspire	base 3-5 p.	SE 3 p.	
Boîte automatique:	O	O	
Régulateur de vitesse:	-	-	
Direction assistée:	S	-	sur 5 p. automatique
Freins ABS:	O	O	
Climatiseur:	-	-	
Coussins gonflables (2):	S	S	
Garnitures en cuir:	-	-	
Radio MA/MF/ K7:	O	0	
Serrures électriques:	-	-	
Lève-vitres électriques:	-	-	
Volant inclinable:	-	-	
Rétroviseurs ext. ajustables:	S	S	
Essuie-glace intermittent:	-	-	
Essuie-glace arrière:	-	-	
Jantes en alliage léger:	O	S	
Toit ouvrant:	-	-	
Système antivol:	-	-	

S : standard; O : optionnel; - : non disponible

COULEURS DISPONIBLES

Extérieur: Argent, Rouge, Bleu, Blanc, Vert, Iris.
Intérieur: Gris opale.

ENTRETIEN

Première révision: 8 000 km
Fréquence: 6 mois
Prise de diagnostic: Oui

QUOI DE NEUF EN 1995 ?

- Nouveau modèle introduit courant 1994 pour remplacer la Festiva et rebaptisé pour souligner le changement de philosophie.

Modèles/ versions *: de série	Type / distribution soupapes / carburation	Cylindrée cc	Puissance ch @ tr/mn	Couple lb.pi @ tr/mn	Rapport volumét.	Roues motrices / transmissions	Rapport de pont	Accélér. 0-100 km/h s	400 m D.A. s	1000 m D.A. s	Freinage 100-0 km/h m	Vites. maxi. km/h	Accélér. latérale G	Niveau sonore dBA	Consommation l./100km Ville	Consommation l./100km Route	Carburant Octane
base	L4* 1.3 SACT-8-IE	1327	63 @ 5000	74 @ 3000	9.7 :1	avant - M5*	4.06	12.5	18.6	35.6	53	150	0.70	70	6.5	5.1	R
						avant - A3	3.45	13.7	19.2	36.7	57	145	0.70	71	8.0	6.4	R

érodynamique ne fait pas mieux ue 0.36. Le freinage est mixte et ABS facturé en option.

Qualité/finition: 60%
a tôlerie est plus rigide que sur a Festiva et les tolérances d'as- emblage sont précises. La qua- té des matières plastiques et es tissus s'est améliorée et la résentation intérieure fait moins tilitaire.

Poste de conduite: 60%
e conducteur est bien installé, t l'importante surface vitrée lui rocure une excellente visibilité. e tableau de bord est on ne peut lus simple et fonctionnel car les rincipales commandes et les ontrôles sont réduits au strict ninimum. Toutefois l'instrumen- ation est plus lisible de jour que e nuit à cause des couleurs des hiffres et du cadran.

Suspension: 60%
lle n'est véritablement conforta- le que sur autoroute, mais elle éagit moins durement aux dé- auts de la route que le modèle récédent. Toutefois pour amé- orer encore le confort et la tenue e route, Ford aurait dû proposer es roues de 14 pouces.

Assurance: 60%
a prime de l'Aspire demeure un eu plus élevée que la moyenne, nalgré les éléments de sécurité ui lui ont été ajoutés, car les oitures de ce format restent plus ulnérables.

Accès: 60%
est plus aisé vers les places rrière sur la 3 portes que la 4 portes dont les portes arrière sont plutôt étroites.

• Direction: 60%
La manuelle qui équipe en série tous les modèles est floue au centre car trop démultipliée. Lorsqu'elle est assistée (avec l'option automatique) elle est plus précise et plus directe. Dans les deux cas son diamètre de braquage court et ses faibles dimensions la rendent maniable.

• Sièges: 50%
On est mieux maintenu à l'avant qu'à l'arrière où la banquette n'offre aucun relief, quant au rembourrage, il reste aussi mince que sur la Festiva.

• Satisfaction: 50%
Comme la plupart des principaux composants mécaniques sont connus, souhaitons que la fiabilité ne réserve pas de mauvaise surprise, dans le doute notre note est moyenne comme pour tout véhicule dont c'est la première année sur le marché.

• Niveau sonore: 50%
L'Aspire n'est pas plus reposante que la Festiva sur ce point car le bruit se maintient à un niveau inhabituel à notre époque, par manque d'insonorisant.

• Commodités: 50%
Les rangements se résument à peu de choses puisque la boîte à gants comme les vide-poches de portes sont minuscules et les baudriers des ceintures de sécurité ne sont pas ajustables aux places avant, le cendrier comme le briquet ont disparu.

POINTS FAIBLES

• Freinage: 20%
Son efficacité est très moyenne, puisqu'avec l'ABS il lui a fallu jusqu'à 57 m pour s'arrêter à partir de 100 km/h. Une chance que dans ces conditions la stabilité était parfaite.

• Habitabilité: 30%
Malgré ses dimensions restreintes, quatre adultes peuvent y prendre place et la hauteur sous le pavillon permet d'accueillir les plus grands gabarits.

• Performances: 30%
Bien qu'il soit nerveux, le moteur semble creux car le poids plus élevé et les transmissions aux rapports longs pénalisent autant les accélérations que les reprises. Enfin la berline à transmission automatique est plus sensible à la charge et aux élévations de la route.

• Comportement: 30%
Malgré ses petites roues et la hauteur de sa caisse, l'Aspire est moins sous-vireuse que l'était la Festiva. Dans certaines conditions son assurance étonne car le roulis est limité. Si elle est moins sensible au vent latéral et aux pertes d'adhérence qu'auparavant, sa motricité sur chaussée humide peut encore être prise en défaut.

• Coffre: 40%
Bien que son volume soit limité lorsque la banquette est utilisée, le repliage de son dossier libère un espace de chargement plus important. Sur les versions SE, il est divisé en deux parties égales.

• Dépréciation: 40%
Les mini-voitures ne constituant pas le gros du marché c'est sans doute pourquoi leur valeur de revente est plus faible que celle des sous-compactes ou des compactes.

CONCLUSION

• Moyenne générale: 57.5 %
Bien que pénalisée par son format, l'Aspire tire son épingle du jeu grâce à son aspect plus sécuritaire et au plus grand choix de versions et d'équipements qui lui permet d'attirer une clientèle plus large. 😐

SUGGESTIONS DES PROPRIÉTAIRES

- Moteur plus puissant.
- Équipement de série plus complet.
- Direction assistée en série ou en option avec boîte manuelle.
- Roues plus grandes.
- ABS en série.
- Transmission automatique disponible sur la 3 portes.
- Des rangements plus pratiques.
- Des sièges mieux rembourrés.

CARACTÉRISTIQUES & PRIX

odèles	Versions	Carrosseries/ Sièges	Volume cabine l.	Volume coffre l.	Cx	Empat. mm	Long x larg x haut. mm x mm x mm	Poids à vide kg	Capacité Remorq. max. kg	Susp. av/ar	Freins av/ar	Direction type	Diamètre braquage m	Tours volant b à b.	Réser. essence l.	Pneus d'origine	Mécaniques d'origine	PRIX $ CDN. 1994
ORD		**Garantie totale et antipollution: 3 ans / 60 000 km;corrosion perforation: 5 ans / kilométrage illimité.**																
spire	base	ber.3 p. 4	2262	422	0.36	2304	3881x1664x1412	909	NR	i/si	d/t	crém.	9.0	4.08	37.9	165/70SR13	L4/1.3/M5	**9 995**
spire	base	ber.5 p. 4	2333	481	0.36	2385	3960x1661x1412	931	NR	i/si	d/t	crém.ass.	9.4	2.8	37.9	165/70SR13	L4/1.3/A4	**12 095**
spire	SE	ber.3 p. 4	2262	422	0.36	2304	3881x1664x1412	909	NR	i/si	d/t	crém.	9.0	4.08	37.9	165/70SR13	L4/1.3/M5	**10 995**

Voir la liste complète des prix 1995 à partir de la page 393.

Graffiti européens...

En jetant dans la balance plus de six milliards de dollars, Ford a misé une grosse partie de son aveni mondial. En Europe la Mondeo a connu un début de carrière satisfaisant et c'est maintenant à se clones américains de se lancer dans la bataille des compactes sur le marché de la fin du siècle

Les Ford Contour et Mercury Mystique remplacent les Tempo-Topaz qui ont pris une retraite bien méritée. Ces deux modèles qui ne diffèrent que par des détails d'esthétique ou d'équipement dérivent de la Mondeo lancée l'an dernier sur le marché européen.

POINTS FORTS

• Sécurité: 90%
La structure a été particulièrement soignée. Elle se présente sous la forme d'une cage très rigide qui protège efficacement les occupants en cas de collision. Outre les deux coussins d'air installés en série aux places avant, les baudriers des ceintures sont ajustables en hauteur.

• Technique: 80%
Elle est moderne et d'inspiration européenne, avec ses suspensions indépendantes raffinées basées sur le principe McPherson aux quatre coins, isolé par des bagues de caoutchouc qui isolent des vibrations transmises par les roues motrices à l'avant et ont un effet directionnel passif à l'arrière dans les virages serrés. Les géométries qui sont autostables comprennent des barres antiroulis à l'avant et l'arrière, mais l'amortissement ajustable qui est offert en option sur la Mondeo n'est pas disponible sur les modèles américains. Une suspension sportive est offerte sur la Contour SE dont les amortisseurs sont plus fermes et les barres stabilisatrices plus grosses. La direction assistée est montée d'origine et les freins à disques et tambours sur tous les modèles à moteur V6 possèdent des disques dans les roues arrière, tandis que le dispositif antiblocage à quatre canaux est optionnel. Deux nouveaux moteurs font leur entrée. Un 4 cylindres de 2.0L délivrant 125 ch et un V6 de 2.5L et 170 ch. Une boîte manuelle est livrée en série et une automatique à quatre rapports et gestion électronique proposée contre supplément. La carrosserie offre une bonne efficacité aérodynamique grâce à un cœfficient de 0.31, mais on ne peut pas dire que son allure, bien qu'européenne, soit d'une originalité renversante.

• Poste de conduite: 80%
Il est bien organisé, constitué d'un mélange de style européen et américain. On reconnaît immédiatement la touche de Ford et une certaine parenté avec la planche de bord de la Taurus. Le siège procure une position de conduite confortable, parfois gênée par l'épaisseur exagérée des coussins. Les principales commandes ne sont pas dépaysantes et les cadrans sont faciles à déchiffrer.

• Consommation: 75%
Elle est normale quelle que soit la combinaison choisie compte tenu de la cylindrée et du poids raisonnable de ces compactes, puisqu'il faut compter en moyenne entre 9 et 10 litres aux 100 km.

• Sièges: 75%
Comme mentionné plus haut leur rembourrage est généreux ce qui n'est pas courant dans cette catégorie. Si le soutien lombaire est acceptable, le maintien latéral n'est pas assez efficace surtout pour les personnes de petite taille.

• Direction: 75%
Elle est agréable à tout point de vue car son assistance est bien dosée, et elle est aussi précise que bien démultipliée. Le diamètre de

DONNÉES

Catégorie: berlines compactes tractées.
Classe : 4

HISTORIQUE

Inauguré en: 1994
Modifié en: -
Fabriqué à: Kansas City, MI, États-Unis.

INDICES

Sécurité: 100 %
Satisfaction: 60 % (Tempo-Topaz)
Dépréciation: 60 % (Tempo-Topaz)
Assurance: 8 % (865 $)
Prix de revient au km: 0.41 $

NOMBRE DE CONCESSIONNAIRES

Au Québec: 143 Ford-Lincoln-Mercury

VENTES AU QUÉBEC

Modèle	1992	1993	Résultat	Part de marché
Tempo	6 116	5 544	- 9.35 %	8.6 %
Topaz	5 072	4 525	- 10.78 %	7.0 %

PRINCIPAUX MODÈLES CONCURRENTS

ACURA Integra 4p., BUICK Skylark, CHEVROLET Corsica, CHRYSLE Cirrus, DODGE Stratus, HONDA Accord, HYUNDAI Sonata, MAZDA 626 MITSUBISHI Galant, NISSAN Altima, OLDSMOBILE Achieva, PONTIA Grand Am, SUBARU Legacy TOYOTA Camry 4 cyl., VW Passat.

ÉQUIPEMENT

FORD Contour	GL	LX	SE
MERCURY Mystique		GS	LS
Boîte automatique:	O	O	O
Régulateur de vitesse:	O	O	O
Direction assistée:	S	S	S
Freins ABS:	-	O	O
Climatiseur:	O	O	O
Coussin gonflable:	S	S	S
Garnitures en cuir:	-	-	O
Radio MA/MF/ K7:	O	O	O
Serrures électriques:	-	O	O
Lève-vitres électriques:	-	O	O
Volant inclinable:	S	S	S
Rétroviseurs ext. ajustables:	S	S	S
Essuie-glace intermittent:	S	S	S
Jantes en alliage léger:	O	O	S
Toit ouvrant:	O	O	O
Système antivol:	O	O	O

S : standard; O : optionnel; - : non disponible

COULEURS DISPONIBLES

Extérieur: Champagne, Rouge, Corail, Bleu, Vert, Gris, Blanc.
Intérieur: Bleu, Gris, Rubis, Pierre ponce.

ENTRETIEN

Première révision: 8 000 km
Fréquence: 6 mois
Prise de diagnostic: Oui

QUOI DE NEUF EN 1995 ?

- Nouveaux modèles remplaçant les Tempo-Topaz.

MOTEURS						TRANSMISSION		PERFORMANCES										
Modèles/ versions *: de série	Type / distribution soupapes / carburation	Cylindrée cc	Puissance ch @ tr/mn	Couple lb.pi @ tr/mn	Rapport volumét.	Roues motrices / transmissions	Rapport de pont	Accélér. 0-100 km/h s	400 m D.A. s	1000 m D.A. s	Freinage 100-0 km/h m	Vites. maxi. km/h	Accélér. latérale G	Niveau sonore dBA	Consommation l./100km Ville	Consommation l./100km Route	Carbura Octane
1)	L4* 2.0 DACT-16-IESPM	-	125 @ 5500	130 @ 4000	9.6 :1	avant- M5	3.82	10.2	16.8	31.8	44	165	0.76	67	10.0	8.0	R 87
						avant-A4	3.92	11.4	17.4	32.4	45	160	0.76	68	10.9	8.5	R 87
2)	V6 2.5 DACT-24-IESPM	2540	170 @ 6200	165 @ 4200	9.7 :1	avant-M5	4.06	8.0	16.2	29.0	47	180	0.78	67	11.0	8.8	R 87
						avant-A4	3.77	9.3	16.7	29.8	44	175	0.78	68	11.7	9.2	R 87

1) de base 2) * Contour SE option Contour LX et Mystique.

raquage est toutefois légère-
nent supérieur à la moyenne.

Commodités: 72%
a boîte à gants, comme les ide-poches de portes ou le cof- et de la console, offre un vo- ıme de rangement suffisant.

Comportement: 70%
 est surprenant d'assurance râce à la sophistication des so- ıtion employées et particulière- nent efficace sur la SE dont le oulis est bien atténué. Modérément sous-vireuse en vi- ıge serré, les Contour-Mystique ont remarquablement stables en gne droite ou en grande courbe, t pardonnent facilement les pe- tes maladresses des conduc- eurs inexpérimentés.

Suspension: 70%
lle offre un excellent compro- nis entre l'efficacité et le confort, ar son amplitude est bien calcu- ée et a rarement des réactions ésagréables. Là encore on sent nfluence européenne dans le ıit que la voiture peut offrir une ertaine souplesse sans que elle-ci influence négativement ı tenue de route, car l'amortisse- nent est de bonne qualité.

Accès: 70%
est plus facile d'embarquer aux laces avant qu'à l'arrière où les ortes sont étroites et leur angle ouverture, comme l'espace pour s jambes, plus compté.

Qualité/finition: 70%
a qualité de l'assemblage omme celle des matériaux ou e la finition est stricte mais la résentation est sans fioriture.

Performances: 60%
lles sont surprenantes de viva- ité, surtout avec le moteur V6 ui procure des sensations rap- elant la Taurus SHO. Les accé- érations comme les reprises sont nusclées pour une voiture d'es- ence populaire. On pourrait pres- ue dire que les Contour-Mysti- ue sont plus «punchées» que eurs grandes rivales les Cirrus- tratus qui n'ont impressionné ersonne sur ce point.

Prix/équipement: 60%
ar leur position ciblée entre les ompactes de classe 3S et 4, les derniers modèles de Ford semblent plus abordables que certains de leurs rivaux. Il faut éplucher la liste de l'équipement de série et des options pour réaliser que tout se paie.

• Coffre: 60%
D'une bonne contenance il peut être agrandi en abaissant le dossier de la banquette, opération facilitée par la conception astucieuse de son verrou.

• Niveau sonore: 50%
Il se maintient dans la moyenne normale des voitures de ces cylindrées, mais le quatre cylindres est plus audible à certains régimes lors des fortes accélérations.

• Habitabilité: 50%
Si elle donne toute satisfaction aux places avant, elle est moins favorable à l'arrière où la longueur et la hauteur sont un peu moins généreuses que sur les Cirrus-Stratus qui marquent un point à ce sujet.

• Assurance: 50%
Les premiers chiffres indiquent que la prime sera relativement élevée ce qui est souvent le cas dans une catégorie qui rencontre du succès, comme c'est le cas pour les compactes depuis certaines années.

POINTS FAIBLES

• Freinage: 40%
S'il est plus stable avec l'ABS, les distances en sont d'autant allongées malgré la présence de 4 disques. La pédale est parfois difficile à doser avec précision, mais l'endurance des garnitures n'est pas critiquable.

CONCLUSION

• Moyenne générale: 66.5%
Par rapport aux Tempo-Topaz qu'elles remplacent, les Contour-Mystique apportent un monde de changements et de modernisme. Ford a tout misé pour s'installer en tête de cette catégorie, mais la concurrence est forte et l'issue du combat incertaine. ☺

CARACTÉRISTIQUES & PRIX

Modèles	Versions	Carrosseries/ Sièges	Volume cabine l.	Volume coffre l.	Cx	Empat. mm	Long x larg x haut. mm x mm x mm	Poids à vide kg	Capacité Remorq. max. kg	Susp. av/ar	Freins av/ar	Direction type	Diamètre braquage m	Tours volant b à b.	Réser. essence l.	Pneus d'origine	Mécaniques d'origine	PRIX $ CDN. 1994
FORD		**Garantie totale et antipollution: 3 ans / 60 000 km;corrosion perforation: 5 ans / kilométrage illimité.**																
Contour	GL	ber. 4 p. 5	2532	393	0.31	2705	4671x1755x1384	1256	454	i/i	d/t	crém.ass.	11.1	2.78	55	185/70R14	L4/2.0/M5	**16 395**
Contour	LX	ber. 4 p. 5	2532	393	0.31	2705	4671x1755x1384	1260	454	i/i	d/t	crém.ass.	11.1	2.78	55	185/70R14	L4/2.0/M5	**17 795**
Contour	SE	ber. 4 p. 5	2532	393	0.31	2705	4671x1755x1384	1285	454	i/i	d/d	crém.ass.	11.1	2.78	55	205/60R15	V6/2.5/M5	**19 795**
MERCURY		**Garantie totale et antipollution: 3 ans / 60 000 km;corrosion perforation: 5 ans / kilométrage illimité.**																
Mystique	GS	ber. 4 p. 5	2532	393	0.31	2705	4658x1750x1374	1281	454	i/i	d/t	crém.ass.	11.1	2.78	55	185/70R14	L4/2.0/M5	**17 295**
Mystique	LS	ber. 4 p. 5	2532	393	0.31	2705	4658x1750x1374	1281	454	i/i	d/t	crém.ass.	11.1	2.78	55	205/60R15	L4/2.0/M5	**18 995**

Voir la liste complète des prix 1995 à partir de la page 393.

Vestiges du passé...

Ces voitures aux noms évocateurs font partie du patrimoine américain. Elles séduisent encore ceu qui ont connu l'époque des dinosaures qui symbolisaient alors la supériorité américaine en matièr de consommation. Depuis ce temps beaucoup de choses ont bien changé...

Les plus gros modèles des gammes Ford et Mercury sont des berlines 3 volumes à 4 portes équipées du moteur V8 de 4.6L avec transmission automatique à 4 rapports à gestion électronique. La Crown Victoria est proposée en finitions S, de base, LX et la Grand Marquis en GS ou LS.

POINTS FORTS

• Assurance: 90%
Ces grosses voitures ne coûtent pas très cher à assurer, sans doute parce qu'elles sont moins vulnérables que de plus petites. Pourtant proportionnellement la prime du modèle de base est plus élevée.

• Satisfaction: 85%
Les propriétaires sont nombreux à être très satisfaits de ces modèles mais certains se plaignent encore de problèmes de frein avant, de fuites d'essence et de bruits de vent dans la porte avant droite

• Sécurité: 80%
Une structure imposante et deux coussins d'air aux places avant assurent à ces mastodontes le statut de tank de la route et le tableau serait complet si l'ABS était livré en série.

• Coffre: 80%
Il semble immense, mais ses formes irrégulières et l'emplacement de la roue de secours ne permettent pas d'exploiter pleinement sa capacité.

• Accès: 80%
Bien dimensionnées, les portes dégagent un espace satisfaisant qui serait meilleur encore si elles s'ouvraient plus largement à l'arrière. À l'avant le capot-moteur affiche «complet», mais les diverses opérations d'entretien s'effectuent aisément.

• Suspension: 80%
À vitesse de croisière sur autoroute le confort est impérial, car le roulement est velouté et les mouvements de caisse limités au minimum. Par contre sur mauvais revêtement le train arrière s'agite et rompt le charme.

DONNÉES

Catégorie: berlines de grand format propulsées.
Classe : 6

HISTORIQUE

Inauguré en: 1978
Modifié en: 1988, 1991.
Fabriqué à: St-Thomas, Ontario, Canada.

INDICES

Sécurité: 80 %
Satisfaction: 84 %
Dépréciation: 66 %
Assurance: 4.0 % (975 $)
Prix de revient au km: 0.52 $

NOMBRE DE CONCESSIONNAIRES

Au Québec: 143 Ford-Lincoln-Mercury

VENTES AU QUÉBEC

Modèle	1992	1993	Résultat	Part de march
Crown Vic.	936	811	-13.36 %	13.7 %
Gd Marquis	655	635	-3.0 %	10.7 %

PRINCIPAUX MODÈLES CONCURRENTS

BUICK Le Sabre, BUICK Roadmaster, CHEVROLET Caprice, CHRYSLE New Yorker,OLDSMOBILE 88, PONTIAC Bonneville.

ÉQUIPEMENT

Crown Victoria	**S**	**base**	**LX**
Grand Marquis	-	**GS**	**LS**
Régulateur de vitesse:	S	S	S
Direction assistée:	S	S	S
Freins ABS:	O	O	O
Climatiseur manuel:	S	S	S
Coussins gonflables (2):	S	S	S
Garnitures en cuir:	O	O	O
Radio MA/MF/ K7:	O	O	S
Serrures électriques:	O	O	O
Lève-vitres électriques:	O	O	O
Volant inclinable:	S	S	S
Rétroviseurs ext. ajustables:	S	S	S
Essuie-glace intermittent:	S	S	S
Jantes en alliage léger:	O	O	O
Toit ouvrant:	O	O	O
Système antivol:	O	O	O

S : standard; O : optionnel; - : non disponible

COULEURS DISPONIBLES

Extérieur: Moka, Bleu, Noir, Rouge, Vert saule, Opale, Blanc, Argent, Champagne.
Intérieur: Grenat, Vert saule, Brun sellerie, Graphite, Bleu Portofino.

ENTRETIEN

Première révision: 8 000 km
Fréquence: 6 mois
Prise de diagnostic: Oui

QUOI DE NEUF EN 1995 ?

- **Nouvelle apparence des parties avant et arrière.**
- **Nouvelle planche de bord avec appliques de simili-bois.**
- **Diverses commandes relocalisées.**
- **Nouveaux sièges et appuie-tête.**

MOTEURS					TRANSMISSION			PERFORMANCES									
Modèles/ versions *: de série	Type / distribution soupapes / carburation	Cylindrée cc	Puissance ch @ tr/mn	Couple lb.pi @ tr/mn	Rapport volumét.	Roues motrices / transmissions	Rapport de pont	Accélér. 0-100 km/h s	400 m D.A. s	1000 m D.A. s	Freinage 100-0 km/h m	Vites. maxi. km/h	Accélér. latérale G	Niveau sonore dBA	Consommation l./100km Ville	Consommation l./100km Route	Carbura Octane
base	V8* 4.6 SACT-16-IEPM	4604	190 @ 4250	260 @ 3250	9.0 :1	arrière - A4*	2.73	11.0	18.2	31.5	48	180	0.78	64	13.4	8.8	R
	idem avec échappement double:		210 @ 4250	270 @ 3250	9.0 :1	arrière - A4*	2.73	10.5	18.0	31.2	50	18 5	0.78	64	13.4	8.8	R

FORD Crown Victoria

MERCURY Grand Marquis

Niveau sonore: 80%
demeure très bas sur ce type 'automobile, du fait de la discré- on de la mécanique et de la résence massive de matériaux sonorisants.
Habitabilité: 70%
es automobiles sont parmi les lus vastes sur le marché, car lles peuvent accueillir 5 ou 6 ersonnes (selon la nature du iège avant). Malheureusement espace pour les jambes reste ompté à l'avant comme à l'ar- ère, compte tenu de la longueur e ces mastodontes.
Technique: 60%
e style de ces voitures a été gréablement mis au goût du jour t leurs cœfficients sont favora- les si l'on considère leur surface ontale importante. De type mo- ocoque la carrosserie en acier st fixée à un châssis périmétri- ue. La suspension avant est in- épendante à triangles superpo- és et à l'arrière, l'essieu rigide uidé par 4 bras a des ressorts élicoïdaux et une barre antirou- s. Les freins sont à disque sur s quatre roues mais l'ABS est otionnel sur toutes les finitions.
Comportement: 60%
est sain dans la plupart des tuations, mais le poids, le gaba- t et la souplesse de la suspen- on provoquent un roulis impor- nt qui accentue le survirage. e dernier apparaît plus tard et st plus facile à maîtriser sur la ouring dont la suspension renforcée est plus raide.
Sur route défoncée l'essieu rigide manifeste sa présence par des louvoiements caractéristiques au passage des saignées transversales et fait regretter que Ford n'ait pas doté ces modèles du train arrière à roues indépendantes des T-Bird-Cougar.

• Qualité / finition: 60%
La qualité de l'assemblage et de la finition est plus évidente à l'extérieur que dans la cabine où certains ajustements restent aléatoires et les matières plastiques d'apparence bon marché. Pourtant les propriétaires n'ont signalé aucun de ces «rossignols» qui nichent volontiers dans les voitures de fabrication américaine...

• Sièges: 60%
Ils sont décevants car leur forme ne soutient ni ne maintient assez. Vu l'âge moyen des clients de ces modèles, Ford aurait pu soigner davantage cet élément car l'orthopédie fait aussi partie de la haute technologie...

• Poste de conduite: 50%
Malgré tous les ajustements disponibles, la position de conduite la plus confortable est longue à découvrir sur le siège individuel et ce n'est rien à côté de la banquette pleine largeur. La visibilité est excellente, mais la présentation de la planche de bord demeure plutôt classique. Les commandes sont disposées «à l'ancienne» et la console centrale n'est aucunement ergonomique car hors d'atteinte. L'instrumentation est on ne peut plus simpliste, mais au moins elle est facile à déchiffrer.

• Performances: 50%
Compte tenu de leur poids et de leur encombrement, les accélérations et les reprises de ces mastodontes sont très honorables, comme ont pu le constater tous ceux qui se sont faits arrêter par des voitures de police de ce type...

POINTS FAIBLES

• Commodités: 20%
Les rangements de ces immenses voitures se limitent à la petite boîte à gants et aux deux vide-poches de portières. Une fois encore la montagne a accouché d'une souris...

• Freinage: 30%
Malgré les quatre gros disques qui équipent en série ces deux voitures les distances d'arrêts sont trop longues et le dosage délicat car son assistance est trop forte. L'ABS qui n'est offert qu'en option sur toutes les versions préviendrait le blocage alternatif des roues.

• Consommation: 30%
Elle se maintient facilement autour de 15 l aux 100 km en conduite normale, mais le style «poursuite effrénée» aggrave nettement ce résultat!

• Dépréciation: 35%
Elle reste plus forte que la moyenne pour ce type d'automobiles tributaires du prix du carburant et ce sont les modèles les mieux équipés qui se revendent plus rapidement.

• Direction: 40%
Elle est rapide malgré sa forte démultiplication et relativement précise, mais son assistance trop marquée la rend sensible à la moindre sollicitation et par fort vent latéral la tenue de cap devient délicate. Le gabarit et le diamètre de braquage importants rendent certaines manœuvres particulièrement laborieuses.

• Prix / équipement: 40%
Bien équipées ces grosses américaines ne sont pas données et à ces prix là l'ABS devrait être livré d'origine, ce qui serait la moindre des choses.

CONCLUSION

• Moyenne générale: 59.0 %
L'arrivée des dernières New Yorker et LHS de Chrysler a donné un coup de vieux à ces grosses voitures plus tellement logiques à notre époque si éprise d'efficacité et d'écologie...

SUGGESTIONS DES PROPRIÉTAIRES
-Une direction moins assistée.
-Plus d'espaces de rangement.
-Une finition plus soignée.
-Une insonorisation plus efficace sur les modèles S et de base.
-Plus d'espace pour les jambes.
-Suppression du dispositif de verrouillage automatique des portes.

CARACTÉRISTIQUES & PRIX

odèles	Versions	Carrosseries/ Sièges	Volume cabine l.	Volume coffre l.	Cx	Empat. mm	Long x larg x haut. mm x mm x mm	Poids à vide kg	Capacité Remorq. max. kg	Susp. av/ar	Freins av/ar	Direction type	Diamètre braquage m	Tours volant b à b.	Réser. essence l.	Pneus d'origine	Mécaniques d'origine	PRIX $ CDN. 1994
ORD		Garantie totale et antipollution: 3 ans / 60 000 km;corrosion perforation: 5 ans / kilométrage illimité.																
rown Victoria S		ber.4p.6	3149	583	0.34	2906	5385x1976x1443	1706	907	i/r	d/d	bil.ass.	11.9	3.4	75.7	215/70R15	V8/4.6/A4	**22 595**
rown Victoria base		ber.4p.6	3149	583	0.34	2906	5385x1976x1443	1720	907	i/r	d/d	bil.ass.	11.9	3.4	75.7	215/70R15	V8/4.6/A4	**22 395**
rown Victoria LX		ber.4p.6	3149	583	0.34	2906	5385x1976x1443	1750	907	i/r	d/d	bil.ass.	11.9	3.4	75.7	215/70R15	V8/4.6/A4	**24 895**
IERCURY		Garantie totale et antipollution: 3 ans / 60 000 km;corrosion perforation: 5 ans / kilométrage illimité.																
d Marquis GS		ber.4p.6	3095	594	0.36	2906	5380x1976x1443	1706	907	i/r	d/d	bil.ass.	11.9	3.4	75.7	215/70R15	V8/4.6/A4	**25 095**
d Marquis LS		ber.4p.6	3095	594	0.36	2906	5380x1976x1443	1712	907	i/r	d/d	bil.ass.	11.9	3.4	75.7	215/70R15	V8/4.6/A4	**26 495**

Voir la liste complète des prix 1995 à partir de la page 393.

Le bouche à oreille ne fonctionne pas...

Paradoxalement, plus la cote de satisfaction des propriétaires augmente, plus les vente diminuent. Le constructeur devrait investir plus pour assurer une fin de carrière honorable au Escort actuelles qui sont bien supérieures aux précédentes.

Lors de sa dernière définition son format est passé de sous-compact à compact. Les Escort existent en 4 carrosseries: berlines 3, 4 et 5 portes ou familiale 5 portes en finitions LX avec moteur Ford 1.9L et GT en 3 portes avec le moteur 1.8L d'origine Mazda. Les Mercury Tracer sont vendues seulement aux États-Unis en berline ou familiale de base à moteur 1.9L ou berline LTS à moteur 1.8L.

POINTS FORTS

• Sécurité: 90%
En 1995 tous les modèles reçoivent en série deux coussins gonflables aux places avant et la bonne rigidité de leur habitacle dont les zones absorbantes avant-arrière sont bien calculées, permet une bonne protection des occupants. Toutefois le freinage ABS n'est pas offert.

• Technique: 80%
Dérivées de la plate-forme des Mazda 323-Protegé, les Escort empruntent aussi la direction et les suspensions de leurs cousines japonaises. Toutefois le calibrage des suspensions, indépendantes aux quatre roues, a été adapté au marché américain. Les freins sont à disque et tambours sur les LX et à 4 disques sur les GT.

• Consommation: 80%
Elle demeure très raisonnable, même sur la GT dont les performances sont plus relevées.

• Satisfaction: 75%
Les propriétaires se plaignent de moins en moins du fonctionnement des Escort qui se sont améliorées au cours des années, au point que 87% referaient aujourd'hui le même achat. Seule la transmission et certains éléments du tableau de bord causent encore quelques problèmes.

• Prix/équipement: 75%
Face à leurs concurrentes japonaises et américaines les plus récentes, le prix de ces compactes est alléchant mais hormis les coussins gonflables de série, les options sont nombreuses.

DONNÉES

Catégorie: berlines et familiales compactes tractées.
Classe : 3

HISTORIQUE

Inauguré en: 1980, 1983 (GT) 1990
Modifié en: 1985: mot. 1.9L; 1990: mot. 1.8L Mazda
Fabriqué à: Wayne, Michigan, État-Unis & Hermosillo, Mexique.

INDICES

Sécurité:	100 %
Satisfaction:	78 %
Dépréciation:	60 %
Assurance:	10 % (857 $)
Prix de revient au km:	0.32 $

NOMBRE DE CONCESSIONNAIRES

Au Québec: 143 Ford-Lincoln-Mercury

VENTES AU QUÉBEC

Modèle	1992	1993	Résultat	Part de march
Escort	2 179	1 670	- 23.36 %	3.5 %
Tracer	Vendue seulement aux États-Unis.			

PRINCIPAUX MODÈLES CONCURRENTS

CHEVROLET Cavalier, DODGE-PLYMOUTH Neon, HONDA Civic 4p., HYU DAI Elantra, MAZDA Protegé, PONTIAC Sunbird, SATURN, SUBARU I preza, TOYOTA Corolla, VOLKSWAGEN Golf-Jetta.

ÉQUIPEMENT

FORD Escort	LX	GT
Boîte automatique:	O	O
Régulateur de vitesse:	O	O
Direction assistée:	O	O
Freins ABS:	-	-
Climatiseur:	O	O
Coussins gonflables (2):	S	S
Garnitures en cuir:	-	-
Radio MA/MF/ K7:	O	S
Serrures électriques:	O	O
Lève-vitres électriques:	O	O
Volant inclinable:	-	-
Rétroviseurs ext. ajustables:	O	S
Essuie-glace intermittent:	S	S
Jantes en alliage léger:	O	S
Toit ouvrant:	O	O
Système antivol:	O	O

S : standard; O : optionnel; - : non disponible

COULEURS DISPONIBLES

Extérieur: Vert , Rouge , Corail, Noir, Blanc, Argent, Bleu, Bronze, Iris.
Intérieur: Bleu Roi, Moka, Gris Opale.

ENTRETIEN

Première révision:	8 000 km
Fréquence:	6 mois
Prise de diagnostic:	Oui

QUOI DE NEUF EN 1995 ?

- Deux coussins gonflables en série aux places avant.
- Nouvelle présentation du tableau de bord.
- Volant gainé de cuir supprimé sur la GT.
- Siège d'enfant intégré offert en option.

Modèles/ versions *: de série	MOTEURS Type / distribution soupapes / carburation	Cylindrée cc	Puissance ch @ tr/mn	Couple lb.pi @ tr/mn	Rapport volumét.	TRANSMISSION Roues motrices / transmissions	Rapport de pont	PERFORMANCES Accélér. 0-100 km/h s	400 m D.A. s	1000 m D.A. s	Freinage 100-0 km/h m	Vites. maxi. km/h	Accélér. latérale G	Niveau sonore dBA	Consommation l./100km Ville	Consommation l./100km Route	Carbura Octane
GT/LTS	L4* 1.8 DACT-16-IE	1788	127 @ 6500	114 @ 4500	9.0 :1	avant - M5*	4.10	9.0	16.7	30.3	43	195	0.82	68	9.0	6.8	R 8
						avant - A4	3.74	10.2	17.7	31.7	45	190	0.82	68	10.0	7.2	R 8
LX/base	L4* 1.9 SACT-8-IES	1870	88 @ 4400	108 @ 3800	9.0 :1	avant - M5*	3.62	10.0	17.5	31.2	42	165	0.80	68	7.9	5.8	R 8
						avant - A4	3.55	11.2	18.2	32.8	46	160	0.80	68	9.2	6.1	R 8

MERCURY Tracer

FORD Escort LX

Comportement: 75%
a suspension moderne de l'Es-
rt lui procure un guidage pré-
s, mais la qualité des pneuma-
ues peut faire la différence sur
aussée humide. En courbe elle
t sous-vireuse, mais se conle facilement et reste prévisi-
e. C'est en ligne droite lorsque
revêtement n'est pas parfait
e la tenue de cap est aléatoire,
ême sur la version sportive.
Suspension: 65%
on débattement lui permet d'ab-
rber les défauts de la route
ns trop de dommages pour les
cupants, même sur les sporti-
s dont le compromis confort-
mportement est très réussi.
Performances: 62%
a GT équipée du moteur 1.8L
ocure un agrément de conduite
périeur, car ses performances
nt plus brillantes que celles
s versions ordinaires dont le
pport poids-puissance favora-
e est bien exploité par l'éche-
nnement judicieux des trans-
issions. Leurs accélérations et
urs reprises sont franches sans
énaliser la consommation. Le
oteur de base travaille honora-
ement, même avec la trans-
ission automatique, mais sa
ourbe de puissance est moins
ointue.
Poste de conduite: 60%
habitacle est dégagé et la visi-
lité excellente sous tous les angles. Dans le tableau de bord, les instruments sont moins nombreux sur les versions économiques que sur la sportive, mais ils sont lisibles, et les principaux interrupteurs ou commandes tombent bien sous la main. À noter cependant que les essuie-glace ont tendance à se soulever du pare-brise à partir de 100 km/h.

• Accès: 60%
Il est plus facile de s'installer à l'arrière des 4 portes que dans les 2 portes dont les sièges avant dégagent un espace insuffisant.

• Direction: 60%
Floue, car trop démultipliée quand elle est manuelle, elle est rapide et précise lorsqu'elle est assistée, mais elle escamote toute sensation de la route. Un effet de couple non négligeable, apparaît lors des fortes accélérations.

• Commodités: 60%
Les rangements ne sont pratiques que sur les versions bien équipées où l'on trouve des videpoches aux portières et au dossier du siège avant droit ainsi qu'un bac de console.

• Coffre: 50%
Il est aussi logeable sur les hatchbacks que sur les berlines, mais c'est la soute de la familiale qui est la plus vaste et la plus accessible.

• Freinage: 50%
Médiocre et instable sur les versions familiales, il démontre une efficacité, un équilibre et une endurance supérieurs sur les sportives, malgré un manque de mordant à l'attaque.

• Habitabilité: 50%
En changeant de format elles sont devenues plus spacieuses et les dégagements généreux permettent d'accueillir les plus grands gabarits, mais dans la GT le toit ouvrant empiète sur la hauteur disponible.

POINTS FAIBLES

• Qualité / finition: 40%
L'assemblage général est plus soigné que par le passé, mais l'apparence et la finition de certains éléments font encore bon marché comme la matière plastique noire du tableau de bord dont la surface brillante attire la poussière.

• Niveau sonore: 40%
Quelle que soit leur vocation, l'insonorisation de ces modèles est insuffisante et ce sont les bruits de roulement qui dominent.

• Assurance: 40%
Les Escort sont plus chères à assurer que la plupart de leurs concurrentes et la prime des modèles LX est aussi coûteuse que celle de la sportive GT.

• Dépréciation: 40%
Moins forte que celle des anciens modèles elle est tout de même supérieure à celle des modèles japonais de la même catégorie.

• Sièges: 48%
Mieux conçus que sur sur l'ancien modèle, leurs soutiens lombaire ou latéral sont encore insuffisants et leur rembourrage est dur, ce qui est inhabituel sur une voiture américaine.

CONCLUSION

• Moyenne générale: 60.0 %
Malgré des qualités certaines, l'intérêt du public régresse constamment vis-à-vis de cette voiture, dont la réputation paie encore un lourd tribut à celle du modèle précédent. 😐

SUGGESTIONS DES PROPRIÉTAIRES

-Pneus de meilleure qualité.
-Un freinage efficace avec ABS.
-Une meilleure insonorisation.
-Plus d'instruments (LX).
-Un chauffage-dégivrage plus puissant et moins bruyant.
-Une meilleure qualité générale.
-Climatiseur facile à ajuster.
-Carrosserie plus étanche.
-Peinture de meilleure qualité.
-Un volant réellement ajustable.
-Des essuie-glace efficaces.

CARACTÉRISTIQUES & PRIX

odèles	Versions	Carrosseries/ Sièges	Volume cabine l.	Volume coffre l.	Cx	Empat. mm	Long x larg x haut. mm x mm x mm	Poids à vide kg	Poids Remorque max. kg	Susp. av/ar	Freins av/ar	Direction type	Diamètre braquage m	Tours volant b à b.	Réser. essence l.	Pneus d'origine	Mécaniques d'origine	PRIX $ CDN. 1994
ORD		**Garantie totale et antipollution: 3 ans / 60 000 km;corrosion perforation: 5 ans / kilométrage illimité.**																
scort	LX	ber. 3 p. 4	2563	481	0.34	2500	4318x1694x1334	1068	454	i/i	d/t	crém.	9.60	4.3	45.0	175/65R14	L4/1.9/M5	**12 395**
scort	GT	ber. 3 p. 4	2563	481	0.34	2500	4318x1694x1334	1115	454	i/i	d/d	crém.ass.	9.60	3.1	50.0	185/60R15	L4/1.8/M5	**14 195**
scort	LX	ber. 4 p. 4	2585	340	0.35	2500	4341x1694x1339	1081	454	i/i	d/t	crém.	9.60	4.3	45.0	175/65R14	L4/1.9/M5	**13 195**
scort	LX	ber. 5 p. 4	2591	481	0.34	2500	4318x1694x1334	1090	454	i/i	d/t	crém.	9.60	4.3	45.0	175/65R14	L4/1.9/M5	**13 195**
scort	LX	fam. 5 p. 4	2619	878	0.36	2500	4351x1694x1361	1112	454	i/i	d/t	crém.	9.60	4.3	45.0	175/65R14	L4/1.9/M5	**13 195**
IERCURY		**Modèles vendus seulement aux États-Unis.**																
racer	base	ber. 4 p. 4	2585	340	0.35	2500	4341x1694x1339	1097	454	i/i	d/t	crém.	9.60	4.3	45.0	175/65R14	L4/1.9/M5	-
racer	LTS	ber. 4 p. 4	2585	340	0.35	2500	4341x1694x1339	1117	454	i/i	d/t	crém.	9.60	4.3	45.0	185/60R14	L4/1.8/M5	-
racer	base	fam. 5 p. 4	2619	878	0.36	2500	4351x1694x1361	1133	454	i/i	d/t	crém.	9.60	4.3	45.0	175/65R14	L4/1.9/M5	-

Voir la liste complète des prix 1995 à partir de la page 393.

FORD Explorer

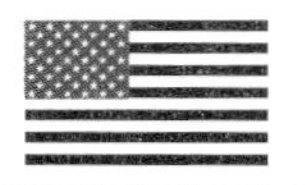

Mise à jour...

Il était grand temps de mettre l'Explorer à jour, car ce champion des ventes dans la catégorie d véhicules sportifs-utilitaires commençait à dater côté suspension, direction et freins. C'e désormais chose faite et en prime on a droit à une nouvelle allure plus «féminine»...

Sous une apparence rafraîchie, l'Explorer reste offert en carrosseries à 2 et 4 portes avec transmission à 4 roues motrices à la demande. Le seul moteur offert est le moteur V6 de 4.0L avec transmission manuelle à 5 rapports en série ou automatique à 4 vitesses en option (en série sur le Limited 4 portes). Les finitions sont XL, Sport et Expedition pour le deux portes, XL, XLT, Eddie Bauer et Limited pour le 4 portes. Le groupe propulseur demeure proche du précédent. Il s'agit d'un V6 de 4.0L et d'une transmission manuelle à 5 vitesses de base et automatique à 4 rapports en option sauf sur la version Limited, automatique en série. Le Navajo dérivé de l'Explorer, et vendu par Mazda uniquement aux États-Unis, n'est pas offert en 1995, ses dernières ventes n'ayant pas dépassé 3500 unités.

POINTS FORTS

• Sécurité: **100%**
Elle s'améliore, grâce à la meilleure rigidité de l'ensemble, la présence de deux coussins d'air aux places avant, d'appuie-tête à toutes les places, et d'un freinage à 4 disques avec ABS en série.

• Assurance: **80%**
La prime de ces véhicules diffère peu, qu'ils soient à 2 ou 4 roues motrices, et son coût est raisonnable.

• Technique: **70%**
Ces véhicules tout terrain sont réalisés à partir d'un châssis en échelle à six traverses dérivé de celui du Ranger sur lequel la carrosserie monocoque en acier est fixée par l'intermédiaire d'éléments en caoutchouc. L'aérodynamique s'est améliorée puisque le coefficient est passé de 0.43 à 0.41 grâce aux lignes plus fluides de la partie frontale. Toutefois c'est la suspension avant qui a le plus évolué. Ford a remplacé son système à bras transversaux par un dispositif McPherson dit à «bras longs et courts», typique de Ford, tandis qu'à l'arrière l'essieu rigide est porté par des ressorts à lames. Le freinage compte maintenant quatre disques et un système ABS en série.

DONNÉES

Catégorie: utilitaires tout terrain propulsés ou intégraux.
Classe : utilitaires

HISTORIQUE

Inauguré en: 1983: Bronco II
Modifié en: 1991: Explorer & Mazda Navajo, renouvelés en 1995.
Fabriqué à: Louisville, Kentucky, État-Unis.

INDICES

Sécurité: 100 %
Satisfaction: 60 %
Dépréciation: 50 %
Assurance: 5.5 % (975 $)
Prix de revient au km: 0.42 $

NOMBRE DE CONCESSIONNAIRES

Au Québec: 143 Ford-Lincoln-Mercury

VENTES AU QUÉBEC

Modèle	1992	1993	Résultat	Part de march
Explorer	6 042	7 992	+24.4%	22.4%

PRINCIPAUX MODÈLES CONCURRENTS

CHEVROLET Blazer, GMC Jimmy, JEEP Cherokee & Grand Cheroke LAND-ROVER Discovery, MITSUBISHI Montero, NISSAN Pathfind TOYOTA Land Cruiser & 4Runner.

ÉQUIPEMENT

FORD Explorer 4x4 2 p.	**XL**	**Sport**	**Expedition**	
FORD Explorer 4x4 4 p.	**XL**	**XLT**	**E.B.**	**Ltd**
Boîte automatique:	O	O	O	S
Régulateur de vitesse:	-	S	S	S
Direction assistée:	S	S	S	S
Freins ABS:	S	S	S	S
Climatiseur:	S	S	S	S
Coussins gonflables (2):	S	S	S	S
Garnitures en cuir:	-	-	-	S
Radio MA/MF/ K7:	O	O	O	S
Serrures électriques:	-	S	S	S
Lève-vitres électriques:	-	S	S	S
Volant inclinable:	-	S	S	S
Rétroviseurs ext. ajustables:	O	S	S	S
Essuie-glace intermittent:	S	S	S	S
Jantes en alliage léger:	O	O	O	S
Toit ouvrant:	O	O	O	O
Système antivol:	O	O	O	O

S : standard; O : optionnel; - : non disponible

COULEURS DISPONIBLES

Extérieur: Vert, Émeraude, Argent, Rouge, Bleu, Blanc, Noir, Iris, Gris.
Intérieur: Bleu roi, Vert saule, Brun sellerie, Graphite moyen.

ENTRETIEN

Première révision: 8 000 km
Fréquence: 6 mois/ 8000 km
Prise de diagnostic: Oui

QUOI DE NEUF EN 1995 ?

- **Nouvelle apparence, ailes, calandre et pare-chocs redessinés.**
- **Nouvelles jantes en acier et en alliage léger.**
- **Nouveau feu d'arrêt central arrière de type néon.**
- **Deux coussins gonflables en série aux places avant.**
- **Freins à disque aux quatre roues en série.**
- **Baudriers avant ajustables en hauteur.**
- **Appuie-tête aux places arrière.**
- **Tableau de bord redessiné.**

Modèles/ versions *: de série	MOTEURS Type / distribution soupapes / carburation	Cylindrée cc	Puissance ch @ tr/mn	Couple lb.pi @ tr/mn	Rapport volumét.	TRANSMISSION Roues motrices / transmissions	Rapport de pont	PERFORMANCES Accélér. 0-100 km/h s	400 m D.A. s	1000 m D.A. s	Freinage 100-0 km/h m	Vites. maxi. km/h	Accélér. latérale G	Niveau sonore dBA	Consommation l./100km Ville	Consommation l./100km Route	Carbur Octane
4x4	V6* 4.0 ACC-12-IEPM	4015	160 @ 4200	225 @ 2800	9.0 :1	arrière - M5*	3.45	12.0	17.6	32.0	40	175	0.65	68	14.1	10.1	R 8
						arrière - A4	3.45	12.5	18.0	32.5	42	170	0.65	68	15.4	11.0	R 8

;atisfaction: 60%
› taux reste relativement bas, qui indique qu'il restait à faire côté de la qualité et de la bilité. Souhaitons que la qua- › des transmissions, du fais- au électrique, de la peinture et certains accessoires ait été ›llement améliorée.

liveau sonore: 60%
mécanique discrète et l'inso- risation efficace rendent les rsions luxueuses confortables r ce point, mais on perçoit de nps à autre quelques bruits de nt et de roulement.

;oute: 60%
ste, car débarrassée de la roue secours (qui prend place sous plancher arrière), le volume de soute peut être agrandi en re- ant la banquette arrière, ce qui uble sa capacité.

lualité & finition: 60%
construction générale et la écanique sont robustes et la alité des matériaux semble oir positivement progressé. Les ıstements sont un peu plus rrés et les tissus, les cuirs et matières plastiques ont une parence plus riche.

)irection: 60%
écise bien que démultipliée, e procure une bonne maniabi- ›, mais son assistance trop forte clame beaucoup d'attention.

'oste de conduite: 60%
position de conduite est plus cile à trouver sur les versions urvues de sièges à multiples ıstements que sur les modèles base. La visibilité est satisfai- nte sous tous les angles et les troviseurs extérieurs sont lar- ment dimensionnés. Le ta- au de bord a une apparence oins utilitaire et son ergonomie t bonne car tout y est à portée la main. Sur la console cen- ıle les commandes de la radio rplombant celles de la climati- tion sont faciles à utiliser. Un mmutateur rond permet de sser de 2 à 4 roues motrices elle que soit la vitesse.

labitabilité: 60%
›lle de la cabine à quatre portes t plus généreuse grâce à son empattement et sa longueur plus importants. Quatre personnes s'installeront confortablement, car les dégagements sont bien calculés, particulièrement en hauteur, mais un cinquième passagers n'y sera à l'aise que pour un bref trajet.

• Comportement: 55%
La nouvelle suspension avant alliée à la direction à crémaillère a nettement amélioré la précision des trajectoires en virage comme en ligne droite et le louvoiement caractéristique des modèles précédents a quasiment disparu. On a pourtant l'impression que la rigidité structurelle aurait pu être meilleure encore. À surveiller la garde-au-sol un peu juste sur les versions 4x2 à pneus de 15 pouces.

• Freinage: 55%
Son dosage est devenu plus précis et son efficacité, comme son équilibre, a été améliorée par la présence de 4 disques et de l'ABS en série, mais l'endurance des garnitures reste le point à perfectionner.

• Suspension: 50%
Si le train avant absorbe mieux les trépidations de faible amplitude le train arrière marque toujours durement le passage des saignées transversales.

• Accès: 50%
Il demeure malaisé d'atteindre les places sur la version à 2 portes à cause de la garde-au-sol et de l'étroitesse des portes (4p.) ou du faible espace disponible (2p.).

• Sièges: 50%
Mieux proportionnés, formés et rembourrés, ils procurent un soutien supérieur à ceux de l'ancien modèle mais à l'avant, des appuie-tête ajustables seraient plus confortables.

• Dépréciation: 50%
Les Explorer à 4 portes sont plus populaires que les 2 portes et les 4x4 plus que les 4x2.

POINTS FAIBLES

• Consommation: 30%
Comparable à celle d'une grosse berline sur autoroute, elle s'élève rapidement en tout terrain comme en ville.

• Performances: 40%
Elles demeurent moyennes vu la cylindrée car le moteur manque de couple à bas régime et l'on parle d'une prochaine version à compresseur produisant 225 ch.

• Prix/équipement: 40%
Le prix moyen de ces véhicules tourne autour de 30 000 $ ce qui commence à représenter un budget considérable. Le meilleur achat se situe au niveau des finitions Sport (2 p.) et XLT (4 p.) dont l'équipement est complet.

• Commodités: 40%
Réduits au minimum sur les versions simples, les rangements sont plus complets et pratiques sur les versions les plus chères. Toutefois l'ajustement en hauteur du baudrier des ceintures des places avant est un élément de confort non négligeable.

CONCLUSION

• Moyenne générale: 56.5 %
Largement en tête des ventes de sa catégorie, l'Explorer va conserver son avance sur son plus proche concurrent, le Grand Cherokee. Toutefois, malgré sa mise à jour technique, il ne peut encore l'égaler totalement.

CARACTÉRISTIQUES & PRIX

odèles	Versions	Carrosseries/ Sièges	Volume cabine l.	Volume coffre l.max.	Cx	Empat. mm	Long x larg x haut. mm x mm x mm	Poids à vide kg	Poids Remorque max. kg	Susp. av/ar	Freins av/ar	Direction type	Diamètre braquage m	Tours volant b à b.	Réser. essence l.	Pneus d'origine	Mécaniques d'origine	PRIX $ CDN. 1994
ORD Explorer 4x4				Garantie totale et antipollution: 3 ans / 60 000 km;corrosion perforation: 5 ans / kilométrage illimité.														
xplorer	XL	fam.3p.4/5	-	1965	0.41	2583	4536x1783x1701	1805	2177	i/r	d/d/ABS	crém.ass.	10.54	3.5	66.2	225/70R15	V6/4.0/M5	**22 695**
xplorer	Sport	fam.3p.4/5	-	1965	0.41	2583	4536x1783x1701	1825	2177	i/r	d/d/ABS	crém.ass.	10.54	3.5	66.2	225/70R15	V6/4.0/M5	**23 595**
xplorer	Expedition	fam.3p.4/5	-	1965	0.41	2583	4536x1783x1701	1850	2177	i/r	d/d/ABS	crém.ass.	10.54	3.5	66.2	555/70R16	V6/4.0/M5	**26 195**
xplorer	XL	fam.5p.4/5	-	2310	0.41	2832	4788x1783x1701	1900	2268	i/r	d/d/ABS	crém.ass.	11.36	3.5	79.5	225/70R15	V6/4.0/M5	**24 495**
xplorer	XLT	fam.5p.4/5	-	2310	0.41	2832	4788x1783x1701	1920	2268	i/r	d/d/ABS	crém.ass.	11.36	3.5	79.5	225/70R15	V6/4.0/M5	**27 295**
xplorer	E. Bauer	fam.5p.4/5	-	2310	0.41	2832	4788x1783x1701	1945	2268	i/r	d/d/ABS	crém.ass.	11.36	3.5	79.5	255/70R16	V6/4.0/M5	**30 295**
xplorer	Limited	fam.5p.4/5	-	2310	0.41	2832	4788x1783x1701	1945	2268	i/r	d/d/ABS	crém.ass.	11.36	3.8	79.5	235/75R15	V6/4.0/M5	**35 195**

Voir la liste complète des prix 1995 à partir de la page 393.

Toujours en tête...

Une année-record pour Ford qui possède 6 véhicules dans les dix premiers au chapitre des vent sur le continent nord-américain. Les camionnettes de la série F se maintiennent en tête de le catégorie avec plus d'un demi-million de copies...

Dans la série F le choix est vaste puisque l'on compte 3 types de cabine: régulière, allongée et à 4 portes, 2 sortes de caisses: régulière ou à ailes sorties, en mode de traction 2 ou 4 roues motrices, dans les gammes de capacité F-150, 250 et 350. Côté mécanique le V6 de 4.9L à essence est le moteur de base et l'on a le choix entre 3 V8 à essence allant de 5.0L à 7.5L ou Diesel & turbo Diesel de 7.3L. La boîte manuelle à 5 vitesses est en série sur toutes les camionnettes, les automatiques à 3 ou 4 rapports étant en option. Le Bronco reste une familiale 4x4 à 3 portes, pouvant être équipée de 3 moteurs et 2 boîtes de vitesses et d'une boîte de transfert.

POINTS FORTS

• Technique
Ces utilitaires sont constitués d'un châssis en échelle en acier à 8 traverses pour la série F et 5 pour le Bronco, sur lequel la carrosserie en acier est boulonnée par l'entremise d'éléments en caoutchouc. La suspension avant est indépendante à leviers transversaux et à ressorts à lames et essieu rigide à l'arrière. Les freins sont mixtes et un dispositif antiblocage agit sur les roues arrière car seul le Bronco dispose d'un antiblocage intégral.

• Qualité & finition
Ford se maintient en tête dans le domaine des camionnettes grâce à la réputation de robustesse que ses modèles ont acquise avec le temps mais leur finition est typiquement américaine et les modèles de base n'ont pas une présentation aussi pimpante que celle des XLT.

• Sécurité
L'indice des camionnettes Ford s'améliore avec la présence d'un coussin d'air monté en série du côté du conducteur. Quant à la rigidité de la structure, elle est dans la moyenne supérieure, comme la protection des autres occupants.

• Habitabilité
Grâce aux généreuses dimensions de leurs cabines ces utilitaires

DONNÉES

Catégorie: camionnettes & tout terrain 4x2 & 4x4.
Classe : utilitaires

HISTORIQUE

Inauguré en: 1953: Série F; 1979: Bronco.
Modifié en: 1983: V8 diesel, 1987 & 1992: apparence.
Fabriqué à: Série F: Kansas-City, Missouri; Wayne, Michigan; Norfo Virginia; Twin Cities, Minnesota, États-Unis & Oakville, Ontario, Canac
Bronco: Wayne, Michigan, États-Unis.

INDICES

Sécurité: 75 %
Satisfaction: 68 %
Dépréciation: 55 %
Assurance: 5.0 % (de 865 à 1090 $)
Prix de revient au km: 0.48 $

NOMBRE DE CONCESSIONNAIRES

Au Québec: 143 Ford-Lincoln-Mercury

VENTES AU QUÉBEC

Modèle	1992	1993	Résultat	Part de marc
Série-F 4x2	2 339	2 213	- 5.4 %	18.5 %
Série F 4x4	2 396	1 969	-17.8 %	16.5 %
Bronco	42	40	- 4.7 %	16.4 %

PRINCIPAUX MODÈLES CONCURRENTS

Série F: Camionnettes CHEVROLET-GMC et DODGE Ram.
Bronco: CHEVROLET-GMC Tahoe-Yukon, DODGE Ramcharger.

ÉQUIPEMENT

Série F	S	XL	XLT	Ed.Bauer
Bronco		XL	XLT	Ed.Bauer
Boîte automatique:	O	O	O	O
Régulateur de vitesse:	O	O	S	S
Direction assistée:	S	S	S	S
Freins ABS roues arrière:	S	S	S	S
Climatiseur:	O	O	O	O
Coussin gonflable gauche:	S	S	S	S
Garnitures en cuir:	-	-	-	-
Radio MA/MF/ K7:	O	O	O	O
Serrures électriques:	O	O	O	O
Lève-vitres électriques:	O	O	O	O
Volant inclinable:	O	O	O	O
Rétroviseurs ext. ajustables:	O	O	O	O
Essuie-glace intermittent:	S	S	S	S
Jantes en alliage léger:	O	O	O	O
Toit ouvrant:	O	O	O	O
Système antivol:	O	O	O	O

S : standard; O : optionnel; - : non disponible

COULEURS DISPONIBLES

Extérieur: Cuivre, Rouge, Noir, Blanc, Bleu, Vert, Bronze.
Intérieur: Bleu Royal, Rouge Ruby, Gris Opale, Moka Médium.

ENTRETIEN

Première révision: 8 000 km
Fréquence: 6 mois/ 8000 km
Prise de diagnostic: Oui

QUOI DE NEUF EN 1995 ?

- Amélioration des freins des modèles F250/350.
- Nouvelle finition Eddie Bauer.
- Nouveau moteur turbo Diesel de 7.3L livrable avec boîte automatiqu
- Jantes en aluminium de 16 pouces livrables sur F250/350 et march pieds sur XLT.

Modèles/ versions *: de série	Type / distribution soupapes / carburation	Cylindrée cc	Puissance ch @ tr/mn	Couple lb.pi @ tr/mn	Rapport volumét.	Roues motrices / transmissions	Rapport de pont	Accélér. 0-100 km/h s	400 m D.A. s	1000 m D.A. s	Freinage 100-0 km/h m	Vites. maxi. km/h	Accélér. latérale G	Niveau sonore dBA	Consommation l./100km Ville	Consommation l./100km Route	Carbur Octane
1)	L6*4.9 ACL-12-IE	4916	145 @ 3400	265 @ 2000	8.8 :1	arrière - M5*	-	12.5	17.5	33.6	55	150	0.68	67	16.0	12.0	R 8
2)	V8 5.0 ACL-16-IE	5000	195 @ 4000	270 @ 3000	9.0 :1	arrière - A4	-	12.5	17.7	34.4	52	160	0.70	66	16.2	11.1	R 8
3)	V8 5.8 ACL-16-IE	5768	210 @ 3800	325 @ 2800	8.8 :1	arrière - A4	-	12.0	16.8	33.2	55	170	0.70	66	18.5	12.5	R 8
4)	V8TD 7.3 ACL-16-IM	7300	210 @ 3000	425 @ 2000	17.5 :1	arrière - A4	-	14.5	19.7	36.5	60	150	0.68	68	15.0	11.0	
5)	V8 7.5 ACL-16-IE	7500	245 @ 4000	390 @ 2200	8.5 :1	arrière - A4	-	12.5	17.0	34.0	60	165	0.68	69	20.0	13.0	R 8

1) base série F 2)base Bronco option série F3) option série F & Bronco 4-5) option série F.

FORD F-150

euvent accueillir 3 à 6 occu-ants, selon le nombre de portes de banquettes et le Bronco 5 à passagers selon la configura-on du siège avant.

Charge utile
lle peut varier de 454 et 2595 kg ntre la F-150 et la F-350 selon le pe de mécanique, la capacité l'essieu et le nombre de roues otrices simples ou jumelées.

Poste de conduite
tableau de bord est simpliste le peu d'instruments disponi-es est facile à consulter. Le nducteur est mieux installé sur s sièges individuels que sur la anquette de série qui maintient al. Les commandes sont con-entionnelles et la visibilité satis-isante dans toutes les direc-ons.

Performances
moteur V8 de 5.0L constitue minimum en matière de puis-ance et de couple pour des uti-aires de ce format. Pour les os travaux, le V8 de 7.5L à ssence est le plus gros que l'on uisse obtenir. Pour un meilleur ndement et une longévité ac-ue les V8 Diesel et turbo Diesel nstitueront un choix plus rentable, surtout en cas de kilométrage important.

• Comportement
Il découle de la longueur de l'empattement et de la qualité des pneumatiques. Pourtant l'on reste surpris de constater combien certaines versions se conduisent facilement en offrant un comportement sain, bien que survireur à la limite, alors que d'autres se conduisent de manière sportive en procurant un réel agrément.

• Freinage
Efficace et facile à doser lors des ralentissements normaux, il est moins convaincant dans les situations d'urgence, où les roues avant bloquent rapidement, de plus selon la qualité des pneus l'adhérence est précaire. Le Bronco est plus stable avec son ABS sur les quatre roues, mais ses distances d'arrêt sont encore trop longues.

• Niveau sonore
Il est faible en général, car les V8 à essence sont discrets et ce sont les bruits de pneus, de vent et de suspension, qui sont les plus présents. Les Diesel sont plus bruyants, malgré l'insonorisation supplémentaire, tant au démarrage que lors des fortes accélérations.

• Satisfaction
Peu de problèmes que le temps n'ait déjà réglés...

Dépréciation
Leur valeur de revente dépend de leur usage et de leur entretien.

POINTS FAIBLES

• Direction
Imprécise au centre car un peu trop démultipliée, elle provoque un certain louvoiement et son assistance est trop forte pour renseigner efficacement sur l'état de la chaussée, de surcroît la maniabilité n'est pas idéale car les diamètres de braquage sont grands.

• Accès
Il est plus facile d'embarquer dans les versions 4x2 que dans les 4x4 dont la garde-au-sol est plus haute et il est plus compliqué d'accéder aux places arrière des Supercab ou du Bronco, à cause du faible espace disponible, que dans la cabine-équipe.

• Sièges
La banquette de série est ce que l'on peut trouver de pire sur ce type de véhicule, et mieux vaudra acquitter un supplément pour obtenir un fauteuil plus étoffé.

• Suspension
Celle des véhicules à 2 roues motrices et empattement long sera plus confortable que celle des 4x4, qui est sautillante et dure sur mauvais revêtements.

• Commodités
Les rangements ne sont véritablement pratiques que sur les finitions supérieures.

• Prix/équipement
Selon l'usage, le prix de ces véhicules peut atteindre des sommets inattendus, car la liste des options et groupes d'options, offre un choix infini.

• Assurance
Un peu plus élevée que pour une voiture, elle est normale pour un utilitaire de ce type.

• Consommation
Elle n'a rien d'économique avec les moteurs à essence, et le Diesel s'impose pour son rendement.

CONCLUSION

Il semble que rien ne puisse altérer l'élan de succès que ces utilitaires rencontrent, pas même l'arrivée d'un nouveau concurrent comme la Dodge Ram... ☺

CARACTÉRISTIQUES & PRIX

odèles		Cabine	Versions	Carrosseries/ Sièges	Empat. mm	Long x larg x haut. mm x mm x mm	Poids à vide kg	Charge Utile max. kg	Susp. av/ar	Freins av/ar	Direction type	Diamètre braquage m	Tours volant b à b.	Réser. essence l.	Pneus d'origine	Mécaniques d'origine	PRIX $ CDN. 1994
ORD		**Garantie totale et antipollution: 3 ans / 60 000 km;corrosion perforation: 5 ans / kilométrage illimité.**															
-150	4x2	Régulière	S	cam. 2 p.3	2967	5006x2007x1798	1767	637	i/r	d/t/ABS	bil.ass.	12.16	-	131	215/75R15	L6/4.9/M5	**15 095**
-150	4x2	Super Cab	XLT	cam. 2 p.3	3526	5565x2007x1821	1899	785	i/r	d/t/ABS	bil.ass.	14.14	-	131	235/75R15	L6/4.9/M5	**17 295**
-250	4x2	Régulière	XL	cam. 2 p.3	3378	5418x2007x1864	1919	1885	i/r	d/t/ABS	bil.ass.	13.94	-	131	235/85R16	L6/4.9/M5	**18 795**
-250	4x2	Super Cab	XLT	cam. 2 p.3	3937	5977x2007x1821	2155	1826	i/r	d/t/ABS	bil.ass.	16.01	-	131	215/85R16	V8/5.0/M5	**20 695**
-350	4x2	Régulière	XL	cam. 2 p.3	3378	5418x2007x1887	2214	2318	i/r	d/t/ABS	bil.ass.	18.98	-	141	215/85R16	V8/5.0/M5	**21 595**
-350	4x2	Crew Cab	XL	cam. 4 p.6	4277	6317x2007x1902	2444	2091	i/r	d/t/ABS	bil.ass.	17.24	-	141	215/85R16	V8/5.0/M5	**22 695**
-150	4x4	Régulière	S	cam. 2 p.3	2967	5006x2007x1890	1833	953	r/r	d/t/ABS	bil.ass.	12.23	-	68	215/75R15	L6/4.9/M5	**17 595**
-150	4x4	Super Cab	XLT	cam. 2 p.3	3526	5565x2007x-	2006	977	r/r	d/t/ABS	bil.ass.	14.23	-	131	235/75R15	L6/4.9/M5	**21 795**
-250	4x4	Régulière	XL	cam. 2 p.3	3378	5418x2007x1890	2243	1778	r/r	d/t/ABS	bil.ass.	14.12	-	131	235/85R16	V8/5.0/M5	**22 995**
-250	4x4	Super Cab	XLT	cam. 2 p.3	3937	5977x2007x-	2373	1778	r/r	d/t/ABS	bil.ass.	16.17	-	131	215/85R16	V8/5.0/M5	**24 895**
-350	4x4	Régulière	XL	cam. 2 p.3	3378	5418x2007x1890	2289	1878	i/r	d/t/ABS	bil.ass.	15.36	-	141	215/85R16	V8/5.0/M5	**24 895**
-350	4x4	Crew Cab	XL	cam. 4 p.6	4277	6317x2007x-	2551	1878	i/r	d/t/ABS	bil.ass.	18.98	-	141	215/85R16	V8/5.0/M5	**25 395**
ronco	4x4	XL		fam. 2 p.5	2659	4663x2009x1890	2071	476	i/r	d/t/ABS	bil.ass.	11.15	3.3	121	235/75R15	V8/5.0/M5	**23 295**
ronco	4x4	XLT/Sport		fam. 2 p.5	2659	4663x2009x1890	2071	476	i/r	d/t/ABS	bil.ass.	11.15	3.3	121	235/75R15	V8/5.0/M5	**25 395**
ronco	4x4	Eddie Bauer		fam. 2 p.5	2659	4663x2009x1890	2071	476	i/r	d/t/ABS	bil.ass.	11.15	3.3	121	235/75R15	V8/5.8/A4	**28 595**

Voir la liste complète des prix 1995 à partir de la page 393.

Plus fringant que jamais...

Ford a bien fait de ne pas tuer son petit cheval au profit du Probe. En pariant sur deux monture bien différentes, il s'est assuré une position enviable dans la course des coupés sportifs. Le succè des coupés et cabriolets Mustang fait bien des envieux tous azimuts...

Le Mustang est offert en finitions de base ou GT sous la forme d'un coupé ou d'un cabriolet dont la capote se manœuvre électriquement. Un toit rigide optionnel en plastique, dont la ligne s'apparente à celui du coupé, s'adapte facilement à la décapotable, permettant un usage 4 saisons. Le moteur de base est un V6 de 3.8L alors que la GT et la Cobra possèdent un V8 de 5.0L dont la puissance diffère de 25 ch, avec boîte manuelle en série ou automatique en option.

POINTS FORTS

• Sécurité: 90%
La rigidité de la coque est plus évidente sur les coupés que sur les décapotables qui ne possèdent pas de barre anticapotage et les bruits et les vibrations de carrosserie sont nombreux sur mauvais revêtement. Deux coussins gonflables sont livrés en série aux places avant.

• Technique: 72%
Remise au goût du jour, la ligne de la Mustang est dynamique sans être trop agressive, et l'aérodynamique se targue d'un cœfficient de 0.34. Le plus gros travail a consisté à redessiner la coque en partant de la plate-forme du modèle précédent, mais 85% de l'ensemble est totalement neuf. La rigidification a demandé des renforts ou des pièces nouvelles, visant à améliorer le comportement, particulièrement sur la version décapotable. La suspension avant est de type McPherson modifié tandis qu'à l'arrière on retrouve ce bon vieil essieu rigide maintenu par 4 tirants. Les deux modèles sont équipés de barres antiroulis, mais la GT diffère par la présence de 4 amortisseurs sur le train arrière. Des roues de 15 pouces équipent les modèles de base, tandis que les GT ont des 16 pouces équipés de pneus d'indice Z. Les freins sont à disque aux quatre roues pour tous les modèles, mais l'ABS n'est disponible qu'en option.

• Prix/équipement: 70%
La Mustang reste populaire par son prix qui se situe en dessous de 20 000 $ et se compare favorablement à celui des vedettes de cette

DONNÉES

Catégorie: coupés et cabriolets sportifs propulsés.
Classe : 3S

HISTORIQUE

Inauguré en: 1964, 1976 (Mustang II), 1979, 1994 (modèle actuel).
Modifié en: 1982: moteur V8 5.0L; 1983: 4 cylindres Turbo; 1983: version décapotable; 1994: renouvellement.
Fabriqué à: Dearborn, Michigan, États-Unis.

INDICES

Sécurité: 90 %
Satisfaction: 72 %
Dépréciation: 60 %
Assurance: 9-11 % (de 1 100 à 1 430 $)
Prix de revient au km: 0.47 $

NOMBRE DE CONCESSIONNAIRES

Au Québec: 143 Ford-Lincoln-Mercury

VENTES AU QUÉBEC

Modèle	1992	1993	Résultat	Part de march
Mustang	635	425	-33.0 %	3.5 %

PRINCIPAUX MODÈLES CONCURRENTS

ACURA Integra, EAGLE Talon, CHEVROLET Camaro, FORD Probe, HOND Prelude, MAZDA MX-6, NISSAN 240SX, PONTIAC Firebird, TOYOT Celica, VW Corrado.

ÉQUIPEMENT

FORD Mustang	LX	GT
Boîte automatique:	O	O
Régulateur de vitesse:	O	O
Direction assistée:	S	S
Freins ABS:	O	O
Climatiseur:	O	O
Coussins gonflables (2):	S	S
Garnitures en cuir:	-	-
Radio MA/MF/ K7:	O	O
Serrures électriques:	S(1)	S
Lève-vitres électriques:	S(1)	S
Volant inclinable:	S	S
Rétroviseurs ext. ajustables:	S	S
Essuie-glace intermittent:	S	S
Jantes en alliage léger:	O	S
Toit rigide amovible:	O (1)	O (1)
Système antivol:	O	S

(1) décapotable

S : standard; O : optionnel; - : non disponible

COULEURS DISPONIBLES

Extérieur: Rouge, Noir, Blanc, Bleu, Vert , Jaune, Argent, Gris, Iris.
Intérieur: Rouge vif, Brun sellerie, Gris opale, Noir, Blanc.

ENTRETIEN

Première révision: 8 000 km
Fréquence: 6 mois/ 8000 km
Prise de diagnostic: Oui

QUOI DE NEUF EN 1995 ?

- Nouvelles teintes de carrosserie: Rouge éclatant et Argent givré.
- Antivol en série sur la version GT.
- Version Cobra non disponible au Canada.

MOTEURS						TRANSMISSION		PERFORMANCES									
Modèles/ versions *: de série	Type / distribution soupapes / carburation	Cylindrée cc	Puissance ch @ tr/mn	Couple lb.pi @ tr/mn	Rapport volumét.	Roues motrices / transmissions	Rapport de pont	Accélér. 0-100 km/h s	400 m D.A. s	1000 m D.A. s	Freinage 100-0 km/h m	Vites. maxi. km/h	Accélér. latérale G	Niveau sonore dBA	Consommation l./100km Ville	Consommation l./100km Route	Carbura Octane
LX	V6* 3.8 ACL-8-IES	3801	145 @ 4000	215 @ 2500	9.0 :1	arrière-M5*	2.73	10.5	16.8	32.4	40	175	0.80	67	11.6	7.3	R 8
						arrière-A4	2.73	11.6	17.5	33.1	42	170	0.80	67	12.1	7.5	R 8
GT	V8* 5.0 ACC-16-IES	4949	215 @ 4200	285 @ 3400	9.0 :1	arrière-M5*	2.73	7.0	14.5	28.6	38	200	0.83	68	14.1	8.6	R 8
						arrière-A4	2.73	8.0	15.0	29.5	40	190	0.83	68	13.7	8.8	R 8
Cobra	V8* 5.0 ACC-16-IES	4949	240 @ 4800	285 @ 4000	9.5 :1	arrière-M5*	3.08	6.8	14.2	28.4	37	210	0.85	68	14.0	9.0	R 8

ıtégorie. Le progrès le plus évi-
ənt touche l'équipement de sé-
ə qui est plus généreux que
əlui de l'ancien modèle.
Poste de conduite: 70%
a position la plus confortable est
cile à trouver grâce à la com-
ande électrique de son siège
ontée en série. Plus technique
ue celui du modèle de base, le
ège de la GT offre un maintien
téral et un soutien exemplaires.
əs instruments, nombreux, sont
en regroupés et faciles à dé-
iffrer, le volant bien dessiné et
sélecteur, comme le frein, à
ain bien situé.
Performances: 70%
ntre la Cobra très musclée et la
K très placide, mais néanmoins
gréable à conduire, la GT sem-
e de trop. Si les chiffres obte-
us à son volant sont respecta-
es, on cherche en vain le carac-
re sportif.
Suspension: 70%
ə confort de roulement s'est
əaucoup amélioré même sur
naussée déformée où l'on a
əine à reconnaître le comporte-
ent habituel de l'essieu rigide.
a réponse de celle des GT et Cobra est plus ferme sans toutefois être trop inconfortable.

• Direction: 70%
Elle est désormais douce car son assistance est mieux dosée et aussi rapide que précise, ce qui renforce l'agrément de conduite. Toutefois, un diamètre de braquage un peu grand pénalise parfois sa maniabilité.

• Satisfaction: 70%
Elle se maintenait déjà à un niveau satisfaisant avec l'ancien modèle, ce qui fait augurer qu'il en sera de même avec son remplaçant dont de nombreux composants sont connus.

• Accès: 60%
Les longues et lourdes portes permettent de s'installer aisément à l'avant et relativement facilement à l'arrière selon le gabarit de l'individu.

• Qualité & finition: 60%
Il y a encore à faire du côté de la finition et de l'apparence de certains éléments de finition, qui rappellent par trop la construction américaine du passé. À ce chapitre, les prix compétitifs ne semblent pas être une excuse valable.

• Comportement: 60%
Le coupé est plus stable que le cabriolet qui caracole sur mauvais revêtement à cause de son manque de rigidité, mais il faut travailler plus fort qu'auparavant pour faire décrocher l'arrière lorsque les pneus sont de bonne qualité. Sous la pluie on n'éprouve pas de problème particulier car la puissance n'est jamais assez brutale pour rompre l'équilibre et l'adhérence des roues motrices s'est aussi améliorée.

• Commodités: 60%
Les rangements pratiques sont plus nombreux sur la GT que sur le modèle de base, mais le point d'ancrage des ceintures avant n'est pas ajustable en hauteur. Le toit souple de la décapotable est motorisé, tandis que le rigide se manipule facilement à deux.

• Sièges: 60%
Bien rembourrés, ils sont confortables mais ceux de la GT maintiennent mieux que ceux, peu galbés, du modèle de base.

• Freinage: 50%
Les distances d'arrêt d'urgence se situent autour des 45 m pour le modèle de base et 40 m pour la GT ce qui semble plus normal. Malheureusement l'ABS n'est disponible qu'en option.

• Niveau sonore: 50%
Il se maintient à un niveau confortable tant sur les coupés que les cabriolets car les systèmes d'échappement sont bien ajustés pour préserver le caractère sportif sans devenir fatigants à la longue.

POINTS FAIBLES

• Assurance: 28%
Ce genre de jouet coûte plus cher à assurer, surtout pour les jeunes qui devront s'enquérir de l'importance de la prime avant de signer leur contrat.

• Habitabilité: 30%
Plus limitée par vocation sur ce genre de voiture, elle est suffisante à l'avant malgré l'importance de la console centrale, et surprenante à l'arrière où la longueur et la hauteur sont acceptables pour des enfants.

• Coffre: 40%
Malgré l'allure «hatchback» du coupé, son coffre est séparé de l'habitacle, mais il peut être agrandi en repliant le dossier de la banquette, divisé en deux parties. Il est large et profond, mais manque de hauteur et son ouverture est étroite et peu pratique; il contient encore moins sur le cabriolet

• Consommation: 40%
Plus raisonnable sur le V6 que sur le V8, elle dépendra surtout de l'humeur du pilote et du poids de son pied droit...

• Dépréciation: 40%
Gageons qu'elle sera moins forte que précédemment grâce à l'amélioration de la qualité de leur fabrication des nouveaux modèles.

CONCLUSION

• Moyenne générale: 65.0 %
Le Mustang connaît de nouveau un franc succès grâce à son allure provocante, son prix compétitif et ses éléments mécaniques connus qui ne font pas trop craindre pour sa fiabilité. Un pari conservateur dont Ford semble détenir le secret. ☺

CARACTÉRISTIQUES & PRIX

lodèles	Versions	Carrosseries/ Sièges	Volume cabine l.	Volume coffre l.	Cx	Empat. mm	Long x larg x haut. mm x mm x mm	Poids à vide kg	Poids Remorque max. kg	Susp. av/ar	Freins av/ar	Direction type	Diamètre braquage m	Tours volant b à b.	Réser. essence l.	Pneus d'origine	Mécaniques d'origine	PRIX $ CDN. 1994
ORD		**Garantie totale et antipollution: 3 ans / 60 000 km;corrosion perforation: 5 ans / kilométrage illimité.**																
lustang		cpé. 2 p.4	2353	306	0.34	2573	4610x1824x1344	1390	454	i/r	d/d	crém.ass.	11.7	2.38	58.3	205/55R15	V6/3.8/M5	**15 695**
lustang		déc. 2 p.4	2152	241	0.38	2573	4610x1824x1341	1472	454	i/r	d/d	crém.ass.	11.7	2.38	58.3	205/65R15	V6/3.8/M5	**24 195**
lustang	GT	cpé. 2 p.4	2353	306	0.35	2573	4610x1824x1344	1450	454	i/r	d/d	crém.ass.	11.7	2.38	58.3	225/55ZR16	V8/5.0/M5	**20 395**
lustang	GT	déc. 2 p.4	2152	241	0.39	2573	4610x1824x1341	1492	454	i/r	d/d	crém.ass.	11.7	2.38	58.3	225/55ZR16	V8/5.0/M5	**26 395**
lustang	Cobra	cpé. 2 p.4	2353	306	0.35	2573	4610x1824x1344	1462	454	i/r	d/d	crém.ass.	11.7	2.38	58.3	245/45ZR17	V8/5.0/M5	**ND**

Voir la liste complète des prix 1995 à partir de la page 393.

Une autre machine à se faire plaisir...

Ford en offre décidément pour tous les goûts. À côté de son Mustang classique et fidèle à l légende, il offre aux amateurs de coupés sportifs le moyen d'exprimer leur passion dans un styl différent. Ligne pure, traction avant et moteur V6 font passer par une autre gamme d'émotions

Le Probe dérive des Mazda 626/MX-6 avec lesquelles elle partage sa plate-forme et la chaîne d'assemblage. Mazda s'est chargé de la mécanique, de l'ingénierie et de la fabrication, et Ford du style de la carrosserie et de l'intérieur. Il est offert en versions de base équipé d'un 4 cylindres de 2.0L ou GT d'un V6 de 2.5L avec transmission manuelle ou automatique. Au chapitre des équipements, on peut voir à droite que la liste d'options est longue même sur le GT.

POINTS FORTS

• Sécurité: 90%
La structure générale a été renforcée pour permettre un comportement efficace et une bonne résistance aux impacts, et la présence de deux coussins gonflables livrés en série maximise l'aspect sécuritaire.

• Satisfaction: 85%
Les clients sont très satisfaits de ce coupé sportif populaire qui donne peu de soucis, au point que 80% de ses propriétaires referaient le même achat, car le seul point à surveiller reste le faisceau électrique.

• Niveau sonore: 80%
Bas en usage normal, même avec le 4 cylindres, il se tinte d'agréables sonorités sportives dès que l'on sollicite le V6.

• Technique: 75%
Le coupé Probe est de conception moderne. Sa carrosserie monocoque en acier possède une ligne spectaculaire dont la finesse aérodynamique est moyenne, mais son poids s'est allégé d'environ 80 kg (176 lb). La suspension de type McPherson a été compactée à l'avant pour abaisser la hauteur du capot tandis qu'à l'arrière, le même principe est assaisonné de quatre barres de traction. Les roues arrière ont un effet directeur induit, proportionnel à la force latérale mais le diamètre des barres antiroulis est identique sur les deux versions. Les freins sont mixtes sur la Probe et à disque sur la Probe GT, mais l'ABS n'est livré dans les deux cas que contre supplément.

• Performances: 75%
Si le V6 est un moteur exceptionnel, le 4 cylindres n'est pas désagréable à l'usage car le rapport poids-puissance reste favorable. Le V6 remplace avantageusement l'ancien turbo qui manquait de couple à bas régime et se montrait brutal en accélération. Il offre de la puissance à tous les régimes et les accélérations, comme les reprises, sont particulièrement musclées au dessus de 4500 tr/mn.

• Comportement: 75%
Depuis sa dernière refonte, le Probe est devenu plus amusant et plus sûr à conduire. En virage serré son comportement reste neutre longtemps, alors qu'en ligne droite ou en grande courbe il demeure très stable. Ces remarques valent plus pour le GT que le modèle de base, moins puissant et moins bien chaussé.

• Consommation: 75%
Elle est raisonnable, même avec le V6 car elle se maintient autour de 11 litres aux 100 km en moyenne.

• Suspension: 70%
Bien que sportive, son confort est civilisé et malgré sa fermeté, elle absorbe efficacement les petits défauts de la route mais réagit plus sèchement aux saignées transversales.

DONNÉES

Catégorie: coupés sportifs tractés.
Classe : 3S

HISTORIQUE

Inauguré en: 1988
Modifié en: 1990: moteur V6 3.0L;1993: carrosserie.
Fabriqué à: Flat Rock, Michigan, États-Unis.

INDICES

Sécurité:	90 %
Satisfaction:	85 %
Dépréciation:	54 %
Assurance:	7.0 % (1 150 $)
Prix de revient au km:	0.47 $

NOMBRE DE CONCESSIONNAIRES

Au Québec: 143 Ford-Lincoln-Mercury

VENTES AU QUÉBEC

Modèle	1992	1993	Résultat	Part de march
Probe	750	1 169	+35.8 %	9.6 %

PRINCIPAUX MODÈLES CONCURRENTS

EAGLE Talon, CHEVROLET Camaro, DODGE Stealth base, FORD Mustang, HONDA Prelude, MAZDA MX-6, NISSAN 240 SX, PONTIAC Firebird TOYOTA Celica, VOLKSWAGEN Corrado.

ÉQUIPEMENT

FORD Probe	base	GT
Transmission automatique:	O	O
Régulateur de vitesse:	O	O
Direction assistée:	S	S
Freins ABS:	O	O
Climatiseur:	O	O
Coussins gonflables (2):	S	S
Garnitures en cuir:	-	-
Radio MA/MF/ K7:	O	O
Serrures électriques:	O	O
Lève-vitres électriques:	O	O
Volant inclinable:	O	O
Rétroviseurs ext. ajustables:	O	O
Essuie-glace intermittent:	O	O
Jantes en alliage léger:	-	S
Toit ouvrant:	O	O
Système antivol:	O	O

S : standard; O : optionnel; - : non disponible

COULEURS DISPONIBLES

Extérieur: Noir, Blanc, Mandarine, Rouge, Bleu, Vert.
Intérieur: Vert,Gris Opale, Noir, Sellerie

ENTRETIEN

Première révision: 8 000 km
Fréquence: 6 mois/ 8000 km
Prise de diagnostic: Oui

QUOI DE NEUF EN 1995 ?

- **Feux et pare-chocs arrière redessinés.**
- **Nouvelle jantes directionnelles en aluminium.**
- **Garnitures de portes retouchées.**
- **Nouveaux rapportx de différentiel avec le moteur 2.0L.**

Modèles/ versions *: de série	MOTEURS Type / distribution soupapes / carburation	Cylindrée cc	Puissance ch @ tr/mn	Couple lb.pi @ tr/mn	Rapport volumét.	TRANSMISSION Roues motrices / transmissions	Rapport de pont	PERFORMANCES Accélér. 0-100 km/h s	400 m D.A. s	1000 m D.A. s	Freinage 100-0 km/h m	Vites. maxi. km/h	Accélér. latérale G	Niveau sonore dBA	Consommation l./100km Ville	Consommation l./100km Route	Carbura Octane
base	L4* 2.0 DACT-16-IE	1999	118 @ 5500	127 @ 4500	9.0 :1	avant - M5*	4.11	9.9	17.0	31.2	44	180	0.80	65	9.2	6.5	R 87
						avant - A4	3.77	11.0	17.8	32.1	45	175	0.80	65	10.5	7.0	R 87
GT	V6* 2.5 DACT-24-IE	2507	164 @ 5600	160 @ 4000	9.2 :1	avant - M5*	4.39	7.9	15.8	28.2	45	210	0.86	64	11.4	8.2	R 87
						avant - A4	4.16	9.0	16.3	29.4	47	200	0.86	64	11.8	8.3	R 87

Commodités: 70%
n plus d'une grande boîte à ants, on trouve de longs vide-oches de portières et un coffret-ccoudoir sur la console centrale. ar contre il faut déplorer que les tres arrière ne s'ouvrent pas et ue les baudriers de ceintures ne oient pas ajustables.

Qualité & finition: 70%
es tolérances de l'assemblage : le soin apporté à la finition emblent supérieurs à ceux des utres produits de la marque, ais l'apparence des tissus et es matières plastiques fait bon arché dans certains coloris.

Coffre: 70%
est vaste et peut être agrandi en aissant le dossier de la ban-uette, mais, pour des raisons de gidité de la partie arrière, son euil élevé en complique l'accès.

Prix/équipement: 60%
e modèle de base ne coûte pas ner, mais son équipement est duit au minimum, et il manque ussi pas mal de commodités ans le GT dont le prix est pour-nt plus élevé.

Poste de conduite: 60%
a meilleure position de conduite est pas facile à découvrir, mais le est confortable, la visibilité st excellente tout autour sauf à avers la lunette qui est étroite. e style du tableau de bord laisse désirer, mais l'instrumentation est aussi complète que facile à échiffrer et les principales com-andes sont typiques des voitu-s japonaises.
le sélecteur de la boîte ma-uelle est rapide et précis tandis ue le pédalier permet l'opéra-on «talon-pointe», le volant a un ontact pour le moins désagréa-e.

Assurance: 60%
a prime sera plus raisonnable our des gens mariés de plus de 5 ans que pour les amateurs us jeunes qui seront lourde-ent pénalisés.

Accès: 60%
est plus délicat de s'installer à rrière où le toit est bas et l'es-ace pour les jambes symboli-ue.

Sièges: 50%
algré leur apparence flatteuse, ne maintiennent pas suffisam-ment car leurs bourrelets laté-raux ne sont pas assez proémi-nents.

• **Dépréciation: 50%**
À peine plus forte que la moyenne pour la V6, les 4 cylindres per-dent 5% de plus et sont un peu plus longs à revendre.

POINTS FAIBLES

• **Habitabilité: 20%**
Comme dans toutes sportives 2+2, il y a plus d'espace à l'avant qu'à l'arrière où la place manque autant pour la tête que les jam-bes et seuls de jeunes enfants s'y sentiront à l'aise.

• **Freinage: 40%**
Il est décevant, car il manque à la fois de mordant et d'efficacité. Les longues distances d'arrêt ne sont pas dignes d'une véritable sportive et en situation d'urgence les arrêts ne sont linéaires qu'avec l'ABS offert en option. D'ailleurs ce dernier est affublé de soubresauts aussi bizarres qu'inquiétants.

• **Direction: 45%**
Son assistance est bien dosée et rapide, mais elle est floue au cen-tre. Sur chaussée humide on constate un léger effet de couple qui n'est pas aussi prononcé que sur l'ancien modèle.

CONCLUSION

• **Moyenne générale: 64.0 %**
Depuis son renouvellement le coupé Probe a retrouvé la faveur des sportifs puisque ses ventes ont augmenté de 35% en un an. Attirant par sa ligne et son mo-teur V6, c'est une machine à se faire plaisir, égoïstement... ☺

SUGGESTIONS DES PROPRIÉTAIRES

- Une peinture plus résistante.
- Des vitres AR ouvrantes.
- Moins d'options.
- Plus de place à l'arrière.
- Coffre plus accessible.
- Une meilleure finition.
- Un volant mieux dessiné.
- Un tableau de bord plus typé.
- Des sièges avant plus techni-ques genre «Recaro».

CARACTÉRISTIQUES & PRIX

odèles	Versions	Carrosseries/ Sièges	Volume cabine l.	Volume coffre l.	Cx	Empat. mm	Long x larg x haut. mm x mm x mm	Poids à vide kg	Poids Remorque max. kg	Susp. av/ar	Freins av/ar	Direction type	Diamètre braquage m	Tours volant b à b.	Réser. essence l.	Pneus d'origine	Mécaniques d'origine	PRIX $ CDN. 1994
ORD		**Garantie totale et antipollution: 3 ans / 60 000 km;corrosion perforation: 5 ans / kilométrage illimité.**																
robe	base/SE	cpé.3p.2+2	2288	509	0.33	2611	4539x1773x1311	1220	NR	i/i	d/t	crém.ass.	10.9	2.9	58.7	195/65R14	L4/2.0/M5	**16 595**
robe	GT	cpé.3p.2+2	2288	509	0.34	2611	4539x1773x1316	1300	NR	i/i	d/d	crém.ass.	10.9	2.9	58.7	225/50VR16	V6/2.5/M5	**20 295**

Voir la liste complète des prix 1995 à partir de la page 393.

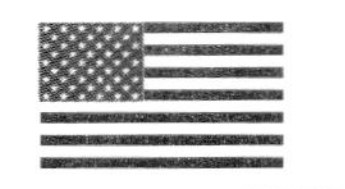

Un autre fleuron au palmarès de Ford...

La Ranger est de loin la camionnette compacte la plus populaire sur le territoire nord-américai puisqu'avec son clone chez Mazda, elle totalise plus de 400 000 copies vendues. Pourtant elle es très conventionnelle et il faut l'étudier avec soin pour comprendre les motivations d'achat.

MAZDA série B

Fabriquées par Ford, ces camionnettes identiques se différencient par leur apparence, leurs versions et leurs équipements. Elles existent en 2 et 4 roues motrices avec caisse courte ou longue à cabine simple ou allongée. Chez Ford les degrés de finition sont XL,XL Sport, Splash, XLT et STX et chez Mazda B2300, B3000, B4000 de base ou SE. Trois moteurs: un 4 cylindres de 2.3L et deux V6 de 3.0 et 4.0L. Le 4 cylindres équipe en série les versions 4x2, et le V6 de 4.0L les 4x4. La transmission manuelle à 5 vitesses est standard et l'automatique à 4 rapports optionnelle. Le freinage ABS sur les roues arrière est en série sur tous les modèles.

POINTS FORTS

• Sécurité: 80%
La présence d'un coussin gonflable et de poutres de renfort dans les portes, ainsi que l'amélioration de l'intégrité de la structure sous impact assurent une bone protection des occupants.

• Satisfaction: 80%
Elle demeure élevée malgré les fuites d'huile du différentiel, de certains cylindres ou la faiblesse des modules électroniques régissant allumage et carburation.

• Charge utile: 70%
Avec 748 kg de capacité maximale ces camionnettes ne peuvent prétendre se substituer à une série F, mais leurs capacités de remorquage sont supérieures à celles de la plupart de leurs concurrentes japonaises. La largeur entre les puits de roues ne permet pas de transporter des feuilles de 4x8 autrement qu'en installant des madriers dans des trous prévus à cet effet.

• Prix/équipement: 70%
Ces camionnettes ne sont pas les moins chères de leur catégorie mais leur prix se justifie par une robustesse et une fiabilité honnêtes et leur équipement qui est correct même sur les modèles de base.

• Qualité & finition: 65%

DONNÉES

Catégorie: camionnettes compactes propulsées ou intégrales.
Classe : utilitaires

HISTORIQUE

Inauguré en: 1983
Modifié en: 1986: Supercab et moteur V6 2.9L; 1990: V6 4.0L.
Fabriqué à: Louisville, Kentucky, Twin Cities, Minnesota, Edison, New Jersey, États-Unis.

INDICES

Sécurité: 75 %
Satisfaction: 80 %
Dépréciation: 55 %
Assurance: 9 % (1 091 $)
Prix de revient au km: 0.36 $

NOMBRE DE CONCESSIONNAIRES

Au Québec: 143 Ford-Lincoln-Mercury

VENTES AU QUÉBEC

Modèle	1992	1993	Résultat	Part de march
Ranger	2 313	2 728	+15.22%	23.8%
Série B	2 357	1 559	- 33.86%	13.7%

PRINCIPAUX MODÈLES CONCURRENTS

DODGE Dakota, CHEVROLET-GMC S-10 Sonoma, ISUZU, MITSUBISH Mighty Max, NISSAN Costaud, TOYOTA camionnette et T100.

ÉQUIPEMENT

FORD Ranger MAZDA série B	XL base	XL Sport SE	XLT	STX	Splash
Boîte automatique:	O	O	O	O	O
Régulateur de vitesse:	O	O	O	O	O
Direction assistée:	O	S	S	S	S
Freins ABS roues arrière:	S	S	S	S	S
Climatiseur:	O	O	O	O	O
Coussin gonflable:	S	S	S	S	S
Garnitures en cuir:	-	-	-	-	-
Radio MA/MF/ K7:	O	O	O	O	O
Serrures électriques:	-	O	O	O	O
Lève-vitres électriques:	-	O	O	O	O
Volant inclinable:	O	O	O	O	O
Rétroviseurs ext. ajustables:	O	O	O	O	O
Essuie-glace intermittent:	S	S	S	S	S
Jantes en alliage léger:	O	O	O	O	S
Toit ouvrant:	O	O	O	O	O
Système antivol:	O	O	O	O	O

S : standard; O : optionnel; - : non disponible

COULEURS DISPONIBLES

Extérieur: Bleu , Rouge , Gris , Moka, Jaune, Vert , Noir, Blanc.
Intérieur: Vert , Rouge, Graphite, Bleu, Blanc, Noir, Argent, Brun sellerie

ENTRETIEN

Première révision: 8 000 km
Fréquence: 6 mois/ 8000 km
Prise de diagnostic: Oui

QUOI DE NEUF EN 1995 ?

- Calandre et planche de bord redessinées.
- Coussin d'air ajouté du côté gauche.
- Style différent des garnitures intérieures.
- Baudriers de ceintures avant ajustables en hauteur.

MOTEURS						TRANSMISSION		PERFORMANCES									
Modèles/ versions *: de série	Type / distribution soupapes / carburation	Cylindrée cc	Puissance ch @ tr/mn	Couple lb.pi @ tr/mn	Rapport volumét.	Roues motrices / transmissions	Rapport de pont	Accélér. 0-100 km/h s	400 m D.A. s	1000 m D.A. s	Freinage 100-0 km/h m	Vites. maxi. km/h	Accélér. latérale G	Niveau sonore dBA	Consommation l./100km Ville	Route	Carbura Octane
1)	L4* 2.3 SACT-8-IES	2295	112 @ 4800	135 @ 2400	9.2 :1	arrière - M5*	-	12.6	19.0	33.5	42	155	0.69	70	10.5	8.1	R 87
						arrière - A4	-	13.2	19.4	34.2	45	150	0.69	69	11.2	8.7	R 87
2)	V6* 3.0 SACC-12-IES	2982	145 @ 4800	165 @ 3000	9.3 :1	arrière - M5	-	9.5	17.3	31.2	48	160	0.71	68	12.2	8.7	R 87
						arrière - A4	-	10.8	18.0	32.0	51	155	0.71	68	12.8	9.3	R 87
3)	V6* 4.0 SACC-12-IES	4015	160 @ 4200	220 @ 3000	9.0 :1	arrière- M5	-	ND									
						arrière - A4	-	ND									

1) * Cab. reg. 4x2, 4x4 et Cab de base. 2)* 4x4 auto et 4x4. 3) option tous modèles.

FORD Ranger

a robustesse et la durabilité de es utilitaires les placent en tête e leur catégorie en tant que fa- rication domestique. Il resterait n effort à faire pour que la qua- té de la finition se rapproche de elle des automobiles.

Technique: 60%
es camionnettes sont bâties ur un châssis en échelle en acier sept traverses (six sur le 4x4) ur lequel est fixée la carrosserie n acier. La suspension avant, lentique avec les deux modes e traction, est indépendante à outres croisées, tandis qu'à l'ar- ère l'essieu est rigide suspendu ar des ressorts à lames. L'anti- locage des freins ne s'applique u'aux roues arrière et l'engage- ent du train avant des versions x4 est commandé par un simple terrupteur. Sans différentiel entral, cette traction de type artiel, ne peut être utilisée que ur des surfaces glissantes.

Accès: 60%
est assez facile d'embarquer, ême sur les 4x4 dont la garde- u-sol est plus haute.

Suspension: 60%
lutôt souple sur les 4x2 et plus aide sur les 4x4, elle n'offre un onfort acceptable que lorsque le véhicule est bien chargé.

• Poste de conduite: 60%
La visibilité est meilleure que la position de conduite, car la banquette ne recule pas assez et la colonne de direction avance trop vers le conducteur. Le tableau de bord est complet et les instruments, comme les commandes, sont bien disposés à l'exception des interrupteurs de lève-vitres placés trop bas.

• Performances: 55%
Le moteur de base n'est recommandé qu'à ceux qui utilisent ces utilitaires comme seconde voiture, car seuls les V6 permettent de porter ou tracter de lourdes charges, mais leur rendement n'est pas économique. Les versions luxueuses équipées du 4.0L offrent des prestations dignes de voitures sportives.

• Sièges: 50%
La banquette ou les strapontins de la cabine allongée sont inconfortables, et seuls les sièges-baquets offrent un confort décent.

• Direction: 50%
Bien dosée, elle est légèrement floue au centre ce qui complique un peu la tenue de cap sur autoroute, surtout lorsque le vent souffle latéralement.

• Dépréciation: 50%
La valeur de revente se maintient à un niveau raisonnable, étant donné la bonne réputation de solidité et de fiabilité de ces véhicules. Toutefois elle variera selon l'état dû à l'usage.

• Consommation: 50%
Relativement économique avec le 4 cylindres à boîte manuelle, elle atteint des chiffres considérables avec les moteurs V6 selon la charge et le terrain sur lequel le véhicule est utilisé.

POINTS FAIBLES

• Comportement: 20%
Comme sur la plupart de ces utilitaires, le train arrière est instable à vide et amorce des mouvements de lacet à la moindre imperfection de la route, à cela s'ajoute un effet de rebond sur les versions 4x4 chaussées de gros pneus. L'empattement long apporte plus de stabilité mais au détriment de la maniabilité.

• Commodités: 20%
On ne peut pas dire que les rangements abondent puisqu'ils se résument à la boîte à gants...

• Habitabilité: 40%
La cabine régulière n'accueille que deux personnes, auxquelles peuvent s'ajouter deux enfants à l'arrière des cabines allongées, où l'espace vraiment limité est plus utile pour transporter des bagages.

• Niveau sonore: 40%
Raisonnable avec les moteurs V6, il est moins confortable avec le 4 cylindres qui travaille fort et manque de discrétion.

• Freinage: 40%
Les ralentissements ordinaires ne posent pas de problèmes, mais les arrêts subits sous la pluie peuvent réserver de mauvaises surprises car les roues avant, privées d'ABS, bloquent rapidement et les trajectoires deviennent incertaines.

• Assurance: 40%
La prime de ces camionnettes est élevée dans le meilleur des cas, puisque pour les modèles les plus simples elle est le double de celle d'une petite voiture familiale.

CONCLUSION

• Moyenne générale: 53.0 %
Le succès de la camionnette Ranger et de son homologue chez Mazda n'est pas un hasard. Valeur est le mot-clé qui explique ce résultat.

CARACTÉRISTIQUES & PRIX

odèles	Versions	Carrosseries/ Sièges	Empat. mm	Long x larg x haut. mm x mm x mm	Poids à vide kg	Charge Utile max. kg	Susp. av/ar	Freins av/ar	Direction type	Diamètre braquage m	Tours volant b à b.	Réser. essence l.	Pneus d'origine	Mécaniques d'origine	PRIX $ CDN. 1994
ORD		Garantie totale et antipollution: 3 ans / 60 000 km;corrosion perforation: 5 ans / kilométrage illimité.													
anger 4X2	court	cam. 2p.2	2741	4679x1763x1623	1319	748	i/r	d/t/ABS	bil.	-	-	62	195/70R14	L4/2.3/M5	**12 295**
anger 4X2	long	cam. 2p.2	2893	4983x1763x1626	1338	748	i/r	d/t/ABS	bil.ass.	-	-	62	195/70R14	L4/2.3/M5	**13 095**
anger 4X2	Supercab	cam. 2p.2+2	3178	5034x1763x1628	1456	703	i/r	d/t/ABS	bil.ass.	-	-	75	195/70R14	L4/2.3/M5	**15 395**
anger 4X4	court	cam. 2p.2	2748	4681x1763x1712	1475	694	i/r	d/t/ABS	bil.ass.	-	-	62	215/75R15	L4/2.3/M5	**17 395**
anger 4X4	long	cam. 2p.2	2901	4986x1763x1717	1487	694	i/r	d/t/ABS	bil.ass.	-	-	62	215/75R15	L4/2.3/M5	**18 395**
anger 4X4	Supercab	cam. 2p.2+2	3186	5034x1763x1715	1613	648	i/r	d/t/ABS	bil.ass.	-	-	75	215/75R15	V6/3.0/M5	**20 495**
AZDA		Garantie générale: 3 ans / 60 000 km;perforation corrosion: 5 ans / 60 000 km; composants antipollution: 6 ans / 160 000 km.													
32300 4X2	court	cam. 2p.2	2741	4679x1763x1623	1319	748	i/r	d/t/ABS	bil.	-	-	62	195/70R14	L4/2.3/M5	**10 795**
32300 4X2	long	cam. 2p.2	2896	4983x1763x1626	1338	748	i/r	d/t/ABS	bil.ass.	-	-	62	195/70R14	L4/2.3/M5	**12 205**
33000 4X2	Cab Plus SE	cam. 2p.2+2	3178	5034x1763x1628	1456	703	i/r	d/t/ABS	bil.ass.	-	-	75	195/70R14	V6/3.0/M5	**14 315**
33000 4X4	court	cam. 2p.2	2748	4986x1763x1717	1487	694	i/r	d/t/ABS	bil.ass.	-	-	62	215/75R15	L4/2.3/M5	**15 195**
33000 4X4	Cab Plus SE	cam. 2p.2+2	3186	5034x1763x1715	1613	648	i/r	d/t/ABS	bil.ass.	-	-	75	215/75R15	V6/3.0/M5	**18 035**

Voir la liste complète des prix 1995 à partir de la page 393.

Championnes toutes catégories...

Depuis 1986 le tandem Taurus-Sable a grimpé tous les échelons de la popularité avant de s'installe en tête du hit parade des ventes en Amérique du Nord depuis deux ans. Pour une fois Ford a pri le risque de bousculer sa clientèle traditionnelle et a brillamment gagné son pari.

En attendant la relève prévue pour 1996 les Taurus/Sable évoluent peu. Elles restent proposées en berlines et familiales à 4 portes, à moteurs V6 de 3.0 et 3.8L et boîte automatique à 4 rapports, en finitions GL, SE et LX pour les Taurus et GS, LS pour les Sable. La sportive SHO, une exclusivité de Ford, est proposée avec moteur à double arbre à cames en tête de 3.0L avec la boîte manuelle et 3.2L avec l'automatique.

POINTS FORTS

• Sécurité: 80%
Malgré la présence de deux coussins gonflables, la protection du conducteur reste perfectible en cas d'impact, tout comme la rigidité de la coque qui commence à dater. L'ABS n'est offert qu'en option sauf sur la SHO.

• Satisfaction: 80%
Avec le temps, elle a atteint un niveau très enviable qui explique en partie le succès obtenu au niveau des ventes. Ces modèles inspirent confiance.

• Assurance: 80%
Proportionnellement, elles ne sont pas chères à assurer, surtout la SHO qui constitue une véritable aubaine.

• Coffre: 80%
Bien proportionné, il peut recevoir beaucoup de bagages, mais son seuil élevé en complique l'accès.

• Accès: 80%
S'il ne pose pas de problèmes aux places avant, les personnes corpulentes trouveront moins aisé de s'installer à l'arrière où les portes sont plus étroites.

• Technique: 75%
La ligne n'a pas vieillie, contrairement à son rendement aérodynamique qui n'est plus au goût du jour. Leur structure monocoque en acier possède une suspension indépendante aux quatre roues et un freinage mixte avec antiblocage optionnel, alors que les quatre disques et l'ABS sont standard sur la SHO.

• Poste de conduite: 70%
La position de conduite la plus confortable n'est pas facile à trouver car le dessin de la partie basse du siège n'est pas idéal. La visibilité est satisfaisante, sauf vers l'arrière de la familiale où la lunette est étroite. Le tableau de bord est ergonomique mais l'instrumentation analogique est préférable à la digitale, illisible au soleil. Les différentes commandes sont bien disposées à l'exception de celles de la radio, trop basses, et de celles situées sur les accoudoirs, invisibles la nuit.

• Suspension: 70%
Son amplitude lui permet d'absorber facilement les gros défauts de la route, mais elle manque du moelleux qui fait le charme des voitures américaines, car son amortissement a plutôt la fermeté d'une européenne.

• Sièges: 65%
Ceux de la SHO sont exemplaires car on peut en ajuster le maintien et le soutien avec beaucoup de précision, alors que sur les autres versions, ils manquent de galbe et leur rembourrage est plutôt ferme.

DONNÉES

Catégorie: berlines et familiales intermédiaires tractées
Classe : 6

HISTORIQUE

Inauguré en: 1986
Modifié en: 1988: V6 3.8L. 1989: SHO; 1991: carrosserie.
Fabriqué à: Atlanta, Georgie & Chicago, Illinois, États-Unis.

INDICES

Sécurité: 80 %
Satisfaction 78 %
Dépréciation: 66 %
Assurance: 5.0 % (975 $, SHO: 1 308 $)
Prix de revient au km: 0.45 $

NOMBRE DE CONCESSIONNAIRES

Au Québec: 143 Ford-Lincoln-Mercury

VENTES AU QUÉBEC

Modèle	1992	1993	Résultat	Part de march
Taurus	3 560	3 905	+8.84 %	10.9 %
Sable	1 522	1 369	-10.0	3.8 %

PRINCIPAUX MODÈLES CONCURRENTS

BUICK Regal, CHEVROLET Lumina, DODGE Intrepid, EAGLE Vision CHRYSLER Concorde, HYUNDAI Sonata, OLDSMOBILE Cutlass Supreme PONTIAC Grand Prix, TOYOTA Camry.

ÉQUIPEMENT

FORD Taurus	GL	LX	SE	SHO
MERCURY Sable	GS	LS	-	
Boîte automatique:	S	S	S	O
Régulateur de vitesse:	O	O	O	O
Direction assistée:	S	S	S	S
Freins ABS:	O	O	O	S
Climatiseur manuel:	S	S	S	S
Coussins gonflables (2):	S	S	S	S
Garnitures en cuir:	O	O	O	S
Radio MA/MF/ K7:	O	S	S	S
Serrures électriques:	-	S	S	S
Lève-vitres électriques:	O	S	S	S
Volant inclinable:	S	S	S	S
Rétroviseurs ext. ajustables:	S	S	S	S
Essuie-glace intermittent:	S	S	S	S
Jantes en alliage léger:	-	O	S	S
Toit ouvrant:	-	O	O	O
Système antivol:	O	O	O	O

S : standard; O : optionnel; - : non disponible

COULEURS DISPONIBLES

Extérieur: Moka, Argent, Prune, Bleu, Vert, Noir, Émeraude.
Intérieur: Gris opale, Bleu cristal, Canneberge, Moka, Noir.

ENTRETIEN

Première révision: 8 000 km
Fréquence: 6 mois/ 8000 km
Prise de diagnostic: Oui

QUOI DE NEUF EN 1995 ?

- Nouvelle version SE destinée à concurrencer des véhicules importés
- Jauge de bas niveau de carburant en série sur GL.
- Moteur 3.0L et transmission AX4N améliorés.

Modèles/ versions *: de série	MOTEURS Type / distribution soupapes / carburation	Cylindrée cc	Puissance ch @ tr/mn	Couple lb.pi @ tr/mn	Rapport volumét.	TRANSMISSION Roues motrices / transmissions	Rapport de pont	PERFORMANCES Accélér. 0-100 km/h s	400 m D.A. s	1000 m D.A. s	Freinage 100-0 km/h m	Vites. maxi. km/h	Accélér. latérale G	Niveau sonore dBA	Consommation l./100km Ville	Route	Carbura Octane
1)	V6* 3.0 SACC-12-IES	2982	140 @ 4800	165 @ 3250	9.3 :1	avant - A4	3.37	11.8	18.2	36.5	42	175	0.76	67	11.9	7.3	R 87
2)	V6* 3.0 DACT-24-IES	2982	220 @ 6200	200 @ 4800	9.8 :1	avant - M5	3.74	7.5	15.5	28.9	45	220	0.82	67	12.9	8.2	S 91
3)	V6* 3.2 DACT-24-IES	3195	220 @ 6000	215 @ 4800	9.8 :1	avant - A4	3.77	8.4	16.0	29.2	48	210	0.82	67	13.3	8.3	S 91
4)	V6* 3.8 SACC-12-IES	3802	140 @ 3800	215 @ 2200	9.0 :1	avant - A4	3.19	9.6	17.0	34.1	43	190	0.76	68	12.6	7.9	R 87

1) * base 2) * SHO manuelle 3) *SHO Automatique, opt. SHO manuelle 4) option sauf SHO.

Comportement: 60%
ʌoins souple que celle de la noyenne des voitures américaiпes, la suspension des Taurus-Sable génère un roulis qui afecte moins les modèles équipés le roues de 15 pouces, ou d'une suspension renforcée comme celle de la SHO. La motricité de cette dernière est parfois prise en léfaut en virage serré ou sur chaussée glissante où les fortes accélérations provoquent des efets de couple importants.

Commodités: 60%
nsuffisants sur la GL, ils sont plus nombreux sur la LX et la SHO et la partie arrière de la amiliale, aménageable façon pique-nique, est un gadget intéressant.

Performances: 60%
.e 3.8L est le moteur le mieux adapté aux Taurus-Sable surtout pour ceux qui voyagent chargés u qui tractent une remorque. La ransmission est efficace mais lle ne procure pas un frein-moeur suffisant. Quant à la SHO, lle constitue un cas intéressant e berline familiale de hautes erformances. La transmission utomatique inaugurée l'an dernier avec le V6 de 3.2L élargit singulièrement la clientèle de ce nodèle.

Qualité & finition: 60%
Son niveau est très honnête car assemblage donne une impression de robustesse et les détails e finition semblent plus soignés. outefois certains propriétaires entendent encore quelques rossignols...

Direction: 60%
lle est précise et bien démultiliée, mais son assistance trop orte la rend sensible et le diamèe de braquage n'aide pas la naniabilité.

Niveau sonore: 50%
reste des progrès à faire du ôté de l'insonorisation car, pour ne voiture de cette classe, on entend beaucoup les bruits de oulement.

FORD Taurus

MERCURY Sable

• Habitabilité: 50%
Il est difficile de considérer ces voitures comme des six places, car trois personnes ne seront pas plus à l'aise sur une banquette à l'avant qu'à l'arrière. Disons que 4 adultes ou 2 adultes et 3 enfants y seront confortables.

• Prix/équipement: 50%
Légèrement plus chers que leurs rivaux chez GM ou Chrysler, ces modèles ont l'avantage d'une version familiale et d'un équipement honnête en LX et LS.

POINTS FAIBLES

• Freinage: 40%
Les distances d'arrêt sont longues, l'endurance moyenne et la stabilité douteuse sans ABS, sur tous les modèles sauf dans le cas de la SHO qui se comporte de manière très sécuritaire lors des arrêts imprévus.

• Dépréciation: 40%
Elle demeure plus forte que la moyenne, du fait du grand nombre de véhicules sur le marché.

• Consommation: 45%
Elle se maintient dans la moyenne de la catégorie, mais demeure plus forte que celle des dernières Chrysler LH pourtant plus logeables.

CONCLUSION

• Moyenne générale: 62.75 %
Malgré la vive concurrence qui règne dans cette catégorie, les Taurus/Sable ont toutes les chances de traverser l'année 95 sans encombre en attendant le dévoilement des modèles qui les remplaceront. ☺

SUGGESTIONS DES PROPRIÉTAIRES

-Des freins plus puissants et ABS en série.
-Des moteurs plus brillants (sauf SHO) plus économiques.
-Un confort général amélioré.
-Des pneus plus efficaces.
-Une finition supérieure.

CARACTÉRISTIQUES & PRIX

lodèles	Versions	Carrosseries/ Sièges	Volume cabine l.	Volume coffre l.	Cx	Empat. mm	Long x larg x haut. mm x mm x mm	Poids à vide kg	Poids Remorque max. kg	Susp. av/ar	Freins av/ar	Direction type	Diamètre braquage m b à b.	Tours volant	Réser. essence l.	Pneus d'origine	Mécaniques d'origine	PRIX $ CDN. 1994
'ORD		**Garantie totale et antipollution: 3 ans / 60 000 km;corrosion perforation: 5 ans / kilométrage illimité.**																
'aurus	GL	ber.4p.5	2840	510	0.32	2692	4877x1808x1374	1414	907	i/i	d/t	crém.ass.	11.8	2.7	60.6	205/65R15	V6/3.0/A4	**19 395**
'aurus	GL	fam.4p.5	2843	1082	0.36	2692	4905x1808x1410	1490	907	i/i	d/t	crém.ass.	11.8	2.7	60.6	205/65R15	V6/3.8/A4	**19 395**
'aurus	SE	ber.4p.5	2840	510	0.32	2692	4877x1808x1374	1414	907	i/i	d/t	crém.ass.	11.8	2.7	60.6	205/65R15	V6/3.0/A4	**ND**
'aurus	LX	ber.4p.5	2840	510	0.32	2692	4877x1808x1374	1448	907	i/i	d/t	crém.ass.	11.8	2.7	60.6	205/65R15	V6/3.0/A4	**23 595**
'aurus	LX	fam.4p.5	2843	1082	0.36	2692	4905x1808x1410	1537	907	i/i	d/t	crém.ass.	11.8	2.7	60.6	205/65R15	V6/3.8/A4	**23 595**
'aurus	SHO	ber.4p.5	2840	510	0.32	2692	4877x1808x1374	1500	907	i/i	d/d	crém.ass.	12.2	2.5	69.6	215/60R16	V6/3.0/M5	**30 195**
IERCURY		**Garantie totale et antipollution: 3 ans / 60 000 km;corrosion perforation: 5 ans / kilométrage illimité.**																
iable	GS	ber.4p.5	2820	510	0.33	2692	4882x1808x1374	1426	907	i/i	d/t	crém.ass.	11.8	2.7	60.6	205/65R15	V6/3.0/A4	**21 095**
iable	GS	fam.4p.5	2843	1082	0.36	2692	4910x1808x1410	1493	907	i/i	d/t	crém.ass.	11.8	2.7	60.6	205/65R15	V6/3.8/A4	**21 095**
iable	LTS	ber.4p.5	2820	510	0.33	2692	4882x1808x1374	1418	907	i/i	d/t	crém.ass.	11.8	2.7	60.6	205/65R15	V6/3.0/A4	**21 095**
iable	LS	ber.4p.5	2820	510	0.33	2692	4882x1808x1374	1445	907	i/i	d/t	crém.ass.	11.8	2.7	60.6	205/65R15	V6/3.0/A4	**24 295**
iable	LS	fam.4p.5	2843	1082	0.36	2692	4910x1808x1410	1511	907	i/i	d/t	crém.ass.	11.8	2.7	60.6	205/65R15	V6/3.8/A4	**24 295**

Voir la liste complète des prix 1995 à partir de la page 393.

Thunderbird - Cougar XR7

Spécialisés...

Ces coupés d'inspiration purement américaine atteignent encore des ventes de plus de 120 000 unités par an. Leur format est cependant difficile à exporter car il implique des mécaniques gourmandes et leur comportement, pas vraiment sportif, ne procure pas grand agrément de conduite.

MERCURY Cougar XR7

À partir d'une plate-forme et d'une mécanique identiques, ces deux coupés offrent un visage différent et opposé. Le Thunderbird est sportif, tandis que le Cougar est cossu. Le premier est vendu en versions LX et SC (Super Coupe) et le second uniquement en XR7. Le V6 de 3.8L atmosphérique équipe le Cougar et le T-Bird de base, alors que celui de le SC est muni d'un compresseur de Roots. Le moteur V8 4.6L est offert en option sur les LX et XR7.

POINTS FORTS

• **Sécurité:** 90%
La rigidité de la structure qui absorbe bien l'impact et la fourniture de deux coussins d'air montés en série aux places avant, procurent une bonne protection aux occupants.

• **Satisfaction:** 80%
Les T-Bird et Cougar ne sont pas des voitures à problèmes et les défauts dont se plaignaient les premiers acquéreurs ont été corrigés. Le système d'échappement reste fragile, mais 85% des propriétaires referaient le même achat.

• **Assurance:** 75%
La prime de ces voitures est moins élevée que celle d'autres sportives plus exotiques et plus épicées.

• **Poste de conduite:** 70%
Assis bas, le conducteur y voit mieux dans la Thunderbird que dans la Cougar dont le pilier C est plus massif. La présentation du tableau de bord a été améliorée l'an dernier par l'intégration d'une console centrale plus ergonomique. Les instruments sont lisibles et certaines commandes ont été redessinées pour rendre leur usage plus pratique.

• **Comportement:** 70%
La suspension à 4 roues indépendantes permet une tenue de route saine mais aucun agrément sur le modèle de base dont les pneus sont quelconques. Avec sa suspension ajustable et ses barres antiroulis plus grosses, le SC vire plus à plat, mais son poids et son encombre-

DONNÉES

Catégorie: coupés intermédiaires propulsés.
Classe : 6

HISTORIQUE

Inauguré en: 1955
Modifié en: 1988: modèle actuel;1991: moteur V8 5.0L.
Fabriqué à: Lorain, Ohio, États-Unis.

INDICES

Sécurité: 90 %
Satisfaction: 80 %
Dépréciation: 56 %
Assurance: 5.5 % (1201 $)
Prix de revient au km: 0.45 $

NOMBRE DE CONCESSIONNAIRES

Au Québec: 143 Ford-Lincoln-Mercury

VENTES AU QUÉBEC

Modèle	1992	1993	Résultat	Part de marché
T-Bird	382	470	+18.72 %	28.3 %
Cougar	237	239	+1.0 %	14.4 %

PRINCIPAUX MODÈLES CONCURRENTS

BUICK Regal, CHEVROLET Lumina & Camaro, OLDSMOBILE Cutlass Supreme, PONTIAC Grand Prix & Firebird.

ÉQUIPEMENT

FORD Tunderbird MERCURY Cougar	LX XR7	SC
Boîte automatique:	S	O
Régulateur de vitesse:	S	S
Direction assistée:	S	S
Freins ABS:	O	S
Climatiseur:	S	S
Coussins gonflables (2):	S	S
Garnitures en cuir:	-	S
Radio MA/MF/ K7:	S	S
Serrures électriques:	S	S
Lève-vitres électriques:	S	S
Volant inclinable:	S	S
Rétroviseurs ext. ajustables:	S	S
Essuie-glace intermittent:	S	S
Jantes en alliage léger:	O	S
Toit ouvrant:	O	O
Système antivol:	O	O

S : standard; O : optionnel; - : non disponible

COULEURS DISPONIBLES

Extérieur: Vert, Rouge, Prune, Moka, Bleu, Noir, Gris, Argent, Blanc, Rose Iris, Vert joyau.
Intérieur: Titane, Bleu cristal, Groseille, Moka, Noir.

ENTRETIEN

Première révision: 8 000 km
Fréquence: 6 mois/ 8000 km
Prise de diagnostic: Oui

QUOI DE NEUF EN 1995 ?

- Ajout de nouvelles couleurs extérieures.
- La direction à assistance variant en fonction de la vitesse n'est installée qu'avec le moteur V8 de 4.6L.

MOTEURS						TRANSMISSION		PERFORMANCES									
Modèles/ versions *: de série	Type / distribution soupapes / carburation	Cylindrée cc	Puissance ch @ tr/mn	Couple lb.pi @ tr/mn	Rapport volumét.	Roues motrices / transmissions	Rapport de pont	Accélér. 0-100 km/h s	400 m D.A. s	1000 m D.A. s	Freinage 100-0 km/h m	Vites. maxi. km/h	Accélér. latérale G	Niveau sonore dBA	Consommation l./100km Ville	Consommation l./100km Route	Carburant Octane
base	V6* 3.8 ACC-12-IES	3801	140 @ 3800	215 @ 2400	9.0 :1	arrière - A4*	3.27	11.5	18.1	32.8	48	170	0.78	66	12.5	8.5	R 87
SC/XR7	V6* 3.8C ACC-12-IES	3801	230 @ 4400	330 @ 2500	8.5 :1	arrière - M5*	2.73	7.6	15.7	29.2	51	220	0.82	66	13.4	8.8	S 91
						arrière - A4	3.27	8.8	16.4	31.0	50	210	0.82	66	13.4	8.8	S 91
option	V8* 4.6 ACC-16-IES	4565	205 @ 4500	265 @ 3200	9.0 :1	arrière - A4	3.08	9.0	16.8	30.3	55	185	0.78	66	13.4	8.8	R 87

ment le privent autant d'agilité que de spontanéité.

• Direction: 70%
Elle est précise et assez rapide et son assistance convenablement dosée, mais la maniabilité est pénalisée par la longueur de l'empattement et du diamètre de braquage.

• Suspension: 70%
Elle est plus confortable sur les modèles de base que celle de la SC qui «téléphone» fidèlement l'état de la chaussée.

• Niveau sonore: 70%
La plupart des bruits mécaniques sont bien étouffés par l'insonorisation, et ce sont ceux causés par le vent et le roulement qui prédominent.

• Technique: 65%
Très classiques, ces gros coupés possèdent une carrosserie monocoque en acier dont la suspension est indépendante aux 4 roues. Les freins sont mixtes sur les modèles de base, mais les 4

FORD Thunderbird

disques et l'ABS montés d'origine sur la SC, sont en option sur la Cougar XR7. Sur la SC l'amortissement est ajustable en mode «automatique» ou «ferme», selon le type de conduite. De proportions harmonieuses les lignes de ces coupés sont efficaces car leur cœfficient aérodynamique est favorable, malgré leur surface frontale importante.

• Performances: 60%
Il faut le couple et la puissance du V6 compressé ou du V8 pour donner vie à ces mastodontes très pesants. Dommage que Ford n'ait pas jugé bon de remplacer le moteur du SC par la version DACT, 32 soupapes du V8 4.6L qui équipe la Mark VIII développant près de 300 ch...

• Coffre: 60%
Son volume est suffisant, mais il manque de hauteur, surtout si l'amplificateur du système de son ou le changeur de disques compacts y est installé à demeure.

• Qualité & finition: 60%
La robustesse de construction de ces modèles ne fait aucun doute, mais ce sont les détails de finition et d'apparence ainsi que la qualité de certains matériaux qui laissent à désirer.

• Sièges: 60%
Bien rembourrés, ils maintiennent convenablement, mais sur les modèles de base, le maintien latéral et le soutien lombaire ne sont pas aussi efficaces que sur la SC dont les bourrelets latéraux sont motorisés.

• Commodités: 55%
Les rangements sont constitués de vide-poches de portes, d'un coffret de console et d'une boîte à gants de bonne contenance.

• Prix/équipement: 50%
Le prix de ces coupés n'est pas déraisonnable si l'on se contente d'un modèle de base avec moteur V8, car l'équipement d'origine est intéressant. La SC s'adresse à une clientèle plus soucieuse d'image que des performances pures que la Taurus SHO peut procurer pour un prix voisin avec, en prime, un côté pratique plus évident.

• Habitabilité: 50%
Elle n'a rien à voir avec l'encombrement de ces véhicules. Les places avant sont très logeables, mais l'espace fait défaut pour les jambes et la tête aux places arrière de la T-Bird dont le toit est plus incliné que celui de la Cougar.

POINTS FAIBLES

• Freinage: 30%
Son efficacité et son endurance sont médiocres quand il est mixte car le poids est important et les roues avant bloquent rapidement lors des arrêts d'urgence. Il est plus efficace et plus stable avec les 4 disques et l'ABS montés en série sur le SC qui rendent son usage plus sécuritaire.

• Consommation: 30%

MERCURY Cougar XR7

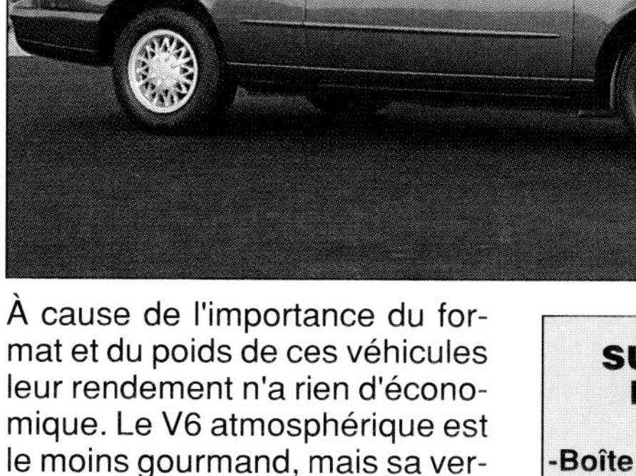

À cause de l'importance du format et du poids de ces véhicules leur rendement n'a rien d'économique. Le V6 atmosphérique est le moins gourmand, mais sa version compressée consomme autant que le V8.

• Accès: 40%
Il est difficile de s'installer aux places arrière du fait du manque d'espace disponible et les longues et lourdes portes sont difficiles à fermer.

• Dépréciation: 45%
Elle est relativement forte car la chute des ventes des neuves a entraîné celle des usagées qui perdent plus que la moyenne...

CONCLUSION

• Moyenne générale: 60.0 %
Plus le temps avance et plus ces modèles souffrent de leur format dépassé, ainsi que du manque d'agrément de conduite et de rendement des moteurs qui en découle. ☺

SUGGESTIONS DES PROPRIÉTAIRES

-Boîte manuelle 5 vitesses en option sur modèle de base.
-Rapport de pont plus favorable aux accélérations.
-Sièges soutenant mieux.
-Consommation moins élevée.
-Freinage plus équilibré.
-Format, poids et prix plus réalistes.
-De meilleures performances.

CARACTÉRISTIQUES & PRIX

Modèles	Versions	Carrosseries/ Sièges	Volume cabine l.	Volume coffre l.	Cx	Empat. mm	Long x larg x haut. mm x mm x mm	Poids à vide kg	Poids Remorque max. kg	Susp. av/ar	Freins av/ar	Direction type	Diamètre braquage m	Tours volant b à b.	Réser. essence l.	Pneus d'origine	Mécaniques d'origine	PRIX $ CDN. 1994
FORD			**Garantie totale et antipollution: 3 ans / 60 000 km;corrosion perforation: 5 ans / kilométrage illimité.**															
Thunderbird	LX	cpé.2p.5	2860	428	0.31	2870	5088x1847x1334	1701	907	i/i	d/t	crém.ass.	11.2	2.75	68.1	205/70R15	V6/3.8/A4	**21 995**
Thunderbird	LX	cpé.2p.5	2860	428	0.31	2870	5088x1847x1334	1721	907	i/i	d/t	crém.ass.	11.2	2.75	68.1	205/70R15	V8/4.6/A4	**22 535**
Thunderbird	SC	cpé.2p.5	2860	428	0.34	2870	5088x1847x1346	1706	907	i/i	d/d/ABS	crém.ass.	11.2	2.75	68.1	225/60ZR16	V6C/3.8/M5	**27 495**
MERCURY			**Garantie totale et antipollution: 3 ans / 60 000 km;corrosion perforation: 5 ans / kilométrage illimité.**															
Cougar	XR7	cpé.2p.5	2891	428	0.36	2870	5077x1847x1334	1616	907	i/i	d/t	crém.ass.	11.2	2.75	68.1	205/70R15	V6/3.8/A4	**21 495**
Cougar	XR7	cpé.2p.5	2891	428	0.36	2870	5077x1847x1334	1645	907	i/i	d/t	crém.ass.	11.2	2.75	68.1	205/70R15	V8/4.6/A4	**22 035**

Voir la liste complète des prix 1995 à partir de la page 393.

Villager-Quest

Une niche à part...

Pressés de mettre sur le marché un produit plus compétitif que l'Aerostar ou l'Axxess pour tenter d'endiguer le succès des fourgonnettes Chrysler, Ford et Nissan se sont alliés pour donner naissance à cet hybride qui s'est créé une niche plus automobile qu'utilitaire...

La Mercury Villager et la Nissan Quest sont deux fourgonnettes identiques à des détails d'équipement et de présentation près. La Villager à empattement court a été complétée par la Windstar à empattement long pour offrir une gamme de produits presque équivalente à celle de Chrysler. La Villager est offerte en versions GS et LS et la Quest en XE et GXE. Toutes deux sont équipées d'un V6 Nissan de 3.0L et d'une transmission automatique à 4 rapports à gestion électronique.

POINTS FORTS

• **Sécurité:** 90%
La structure très rigide pénalise malheureusement le poids total très élevé et les performances. Un seul coussin gonflable est installé du côté du conducteur, mais les ceintures motorisées demeureront tant que le deuxième coussin n'aura pas été installé à l'avant droit. L'ABS est livré en série sur tous les modèles sauf sur la Quest XE.

• **Assurance:** 85%
À ce chapitre, les Villager-Quest sont des aubaines car leur prime n'est pas plus élevée que celle d'autres fourgonnettes, moins coûteuses, mais ayant un taux plus élevé.

• **Satisfaction:** 80%
Quelques problèmes de jeunesse subsistaient en 1993, touchant surtout le moteur, le système d'injection, la transmission, la carrosserie et certains équipements. Toutefois 80% des propriétaires interrogés ont affirmé être prêts à refaire le même achat.

• **Qualité & finition:** 80%
La participation japonaise n'est pas étrangère à la qualité des matériaux et des tolérances serrées de l'assemblage, qui donnent aux Villager-Quest une apparence flatteuse et soignée, en même temps qu'une forte impression de robustesse.

• **Suspension:** 80%
Grâce à une amplitude bien calculée, elle absorbe efficacement les

DONNÉES

Catégorie: fourgonnettes compactes tractées.
Classe : utilitaires

HISTORIQUE

Inauguré en: 1993
Modifié en: -
Fabriqué à: Avon Lake, Ohio, États-Unis.

INDICES

Sécurité: 90 %
Satisfaction: 82 %
Dépréciation: 30 % (2 ans)
Assurance: 4.5 % (975 $)
Prix de revient au km: 0.42 $

NOMBRE DE CONCESSIONNAIRES

Au Québec: 143 Ford-Lincoln-Mercury

VENTES AU QUÉBEC

Modèle	1992	1993	Résultat	Part de marché
Villager	134	971	+ 724 %	2.7 %
Quest	236	1 193	+ 505 %	3.3 %

PRINCIPAUX MODÈLES CONCURRENTS

CHEVROLET Astro, CHRYSLER Town & Country, DODGE Caravan, DODGE Colt familiale, EAGLE Summit, FORD Aerostar, PLYMOUTH Voyager, MAZDA MPV, NISSAN Axxess, TOYOTA Previa.

ÉQUIPEMENT

MERCURY Villager / NISSAN Quest	GS	LS	Nautica	XE	GXE
Boîte automatique:	S	S	S	S	S
Régulateur de vitesse:	O	S	S	S	S
Direction assistée:	O	S	S	S	S
Freins ABS:	S	S	S	S	S
Climatiseur:	S	S	S	S	S
Coussin gonflable gauche:	S	S	S	S	S
Garnitures en cuir:	-	O	S	-	O
Radio MA/MF/ K7:	S	S	S	S	S
Serrures électriques:	-	S	S	S	S
Lève-vitres électriques:	-	S	S	S	S
Volant inclinable:	S	S	S	S	S
Rétroviseurs ext. ajustables:	O	S	S	S	S
Essuie-glace intermittent:	S	S	S	S	S
Jantes en alliage léger:	-	-	S	O	S
Toit ouvrant:	-	O	O	-	O
Système antivol:	O	O	O	O	O

S : standard; O : optionnel; - : non disponible

COULEURS DISPONIBLES

Extérieur: Argent, Noir, Granit, Blanc, Bleu, Vert, Brun, Rouge, Cordouan, Champagne, Bronze.
Intérieur: Gris, Beige, Bleu, Grenat.

ENTRETIEN

Première révision: 8 000 km
Fréquence: 6 mois/ 8000 km
Prise de diagnostic: Oui

QUOI DE NEUF EN 1995 ?

- Ajout de nouvelles teintes de carrosserie et combinaisons différentes.

MOTEURS					TRANSMISSION				PERFORMANCES									
Modèles/ versions *: de série	Type / distribution soupapes / carburation	Cylindrée cc	Puissance ch @ tr/mn	Couple lb.pi @ tr/mn	Rapport volumét.	Roues motrices / transmissions	Rapport de pont	Accélér. 0-100 km/h s	400 m D.A. s	1000 m D.A. s	Freinage 100-0 km/h m	Vites. maxi. km/h	Accélér. latérale G	Niveau sonore dBA	Consommation l./100km Ville	Consommation l./100km Route	Carburant Octane
base	V6 3.0 SACT-8-IESPM	2960	151 @ 4800	174 @ 4400	9.0 :1	avant - A4	3.861	12.0	18.6	34.7	45	180	0.75	68	13.5	9.4	R 87

Villager-Quest

MERCURY Villager

défauts de la route et c'est curieusement l'avant qui marque le plus durement le passage des saignées transversales.

• Commodités: 80%
Les rangements sont aussi nombreux que volumineux et bien distribués dans la cabine. Les dossiers des sièges arrière forment des tablettes lorsqu'ils sont repliés et un filet limite le déplacement des petits objets dans la soute. Pour ceux qui n'utilisent pas les 7 places, un ingénieux système permet de moduler le volume de la partie arrière et de l'aménager de 14 manières différentes. La dernière banquette est installée sur deux rails qui courent sur toute la longueur de la cabine. Cela permet de l'avancer à la demande et elle peut se replier sur elle-même pour prendre le moins d'espace possible.

• Accès: 70%
Il est aisé de pénétrer par les portes avant ou latérales tandis que vers l'arrière, le hayon se manipule facilement car son assistance est bien calculée. Toutefois il est moins évident de circuler entre les sièges et les banquettes très rapprochés.

• Sièges: 70%
Leur rembourrage est adéquat mais ils sont peu enveloppants et manquent autant de hauteur que de longueur. Par contre ils sont équipés d'appuie-tête à toutes les places, ce qui est assez rare pour être mentionné.

• Technique: 70%
La plate-forme et les principaux éléments mécaniques dérivent de ceux de la Maxima, mais le groupe propulseur est le seul élément importé du Japon. La suspension est de type McPherson à l'avant et Hotchkiss à l'arrière composée d'un essieu rigide et deux ressorts à lames. Le freinage est mixte sur toutes les versions sauf la Quest GXE qui dispose de quatre disques et d'ABS Bosch. L'antiblocage est en série chez Ford-Mercury, mais avec tambours à l'arrière.

• Le poste de conduite: 65%
Le siège du conducteur n'offre pas un maintien latéral suffisant mais la visibilité est bonne et les rétroviseurs bien dimensionnés. Moderne, le tableau de bord possède une instrumentation complète et lisible, qu'elle soit digitale ou analogique. Toutefois son ergonomie n'est pas idéale car certains interrupteurs, situés de part et d'autre du bloc-instrument, sont difficiles à atteindre et confus tandis que les commandes de la radio et de la climatisation sont trop basses sur la console centrale.

• Direction: 50%
Elle est légèrement floue au centre et son assistance un peu forte la rend sensible. Sa démultiplication est normale mais son diamètre de braquage un peu long limite, malgré l'empattement court, sa maniabilité.

• Comportement: 50%
Il est honnête malgré la simplicité du train arrière et la souplesse des ressorts-amortisseurs. Les Villager-Quest s'inscrivent facilement dans les courbes où ils manifestent un certain roulis et un sous-virage facile à contrôler, tandis que leur stabilité est satisfaisante en ligne droite. Les deux marques proposent l'option d'une suspension plus sportive.

• Niveau sonore: 50%
Les bruits de vent, de roulement, de même que les plaintes du moteur qui travaille fort, maintiennent un niveau sonore moyen.

NISSAN Quest

• Dépréciation: 50%
Elle est dans la moyenne puisqu'elle se situe aux alentours de 30% pour la seconde année.

POINTS FAIBLES

• Consommation: 30%
Atteignant en moyenne 13 litres aux 100 km en conduite normale, elle n'est pas particulièrement économique à cause du poids important de la coque et la modeste puissance du moteur qui donne un rapport poids/puissance défavorable de 12.3 kg/ch.

• Soute: 30%
Lorsque les 7 sièges sont occupés il ne reste de la place que pour 2 petites valises derrière la dernière banquette.

• Freinage: 40%
Son manque d'efficacité et d'endurance en situation d'urgence donne des distances d'arrêts très longues, que l'ABS rend toutefois rectilignes, mais les garnitures se mettent à fumer rapidement si l'on insiste.

• Performances: 40%
Elles sont molles, compte tenu du rapport poids/puissance élevé et certaines manœuvres de dépassement demandent beaucoup d'espace. La dernière version du moteur de la Maxima, qui développe 190 ch au lieu des 151, améliorerait ce point.

• Prix/équipement: 45%
Ces fourgonnettes sont chères, mais leur équipement de série est relativement complet.

• Habitabilité: 45%
Grâce à son empattement légèrement plus long que celui de leurs concurrentes, ces fourgonnette offrent théoriquement plus d'espace à l'intérieur. Malheureusement l'épaisseur des sièges réduit le volume utile et l'on s'y sent à l'étroit, particulièrement avec les sièges «capitaine».

CONCLUSION

• Moyenne générale: 60.0 %
Intéressantes par leur allure originale et leur connotation luxueuse, ces fourgonnettes semblent avoir découvert une nouvelle niche du marché car leur prix les destine à des clients qui recherchent plus un véhicule spacieux et luxueux qu'utilitaire.

CARACTÉRISTIQUES & PRIX

Modèles	Versions	Carrosseries/ Sièges	Volume cabine l.	Volume coffre l.	Cx	Empat. mm	Long x larg x haut. mm x mm x mm	Poids à vide kg	Capacité Remorq. max. kg	Susp. av/ar	Freins av/ar	Direction type	Diamètre braquage m	Tours volant b à b.	Réser. essence l.	Pneus d'origine	Mécaniques d'origine	PRIX $ CDN. 1994
MERCURY			**Garantie totale et antipollution: 3 ans / 60 000 km;corrosion perforation: 5 ans / kilométrage illimité.**															
Villager	GS	frg. 4p. 7	3051	399	0.36	2850	4823x1872x1717	1810	1588	i/r	d/t/ABS	crém.ass.	12.2	3.0	76.0	205/75R15	V6/3.0/A4	**21 395**
Villager	LS	frg. 4p. 7	3051	399	0.36	2850	4823x1872x1717	1848	1588	i/r	d/t/ABS	crém.ass.	12.2	3.0	76.0	205/75R15	V6/3.0/A4	**26 295**
Villager	Nautica	frg. 4p. 7	3051	399	0.36	2850	4823x1872x1717	1848	1588	i/r	d/t/ABS	crém.ass.	12.2	3.0	76.0	205/75R15	V6/3.0/A4	**28 095**
NISSAN			**Garantie totale et antipollution: 3 ans / 60 000 km;corrosion perforation: 5 ans / kilométrage illimité.**															
Quest	XE	frg. 4p. 7	3051	399	0.36	2850	4823x1872x1717	1756	1588	i/r	d/t	crém.ass.	12.2	3.0	76.0	205/75R15	V6/3.0/A4	**23 490**
Quest	GXE	frg. 4p. 7	3051	399	0.36	2850	4823x1872x1717	1798	1588	i/r	d/d/ABS	crém.ass.	12.2	3.0	76.0	215/70R15	V6/3.0/A4	**27 290**

Voir la liste complète des prix 1995 à partir de la page 393.

Dix ans plus tard...

Dix ans après l'avènement des fourgonnettes Chrysler, Ford a finalement accouché d'un produit véritablement concurrent. Pourtant malgré ses qualités la Windstar semble déjà bien dépassée par rapport à la génération suivante qui est sur le point de faire son entrée.

Dévoilée au Salon de Détroit en janvier 94 la fourgonnette Windstar va permettre à Ford de figurer plus honorablement dans cette catégorie qu'avec l'Aerostar qui ne laissera pas que de bons souvenirs. Elle est disponible sous une seule carrosserie à empattement long offerte en version GL à moteur V6 3.0L ou LX à moteur 3.8L avec transmission automatique à 4 rapports.

POINTS FORTS

• **Sécurité:** **90%**
La rigidité de la structure comportant de nombreux renforts se paie par un poids élevé, mais les coussins gonflables et le freinage ABS livré en série, permettent d'offrir une bonne protection aux occupants.

• **Habitabilité:** **90%**
La vaste cabine accueille 7 personnes sur des sièges et banquettes disposés de manière conventionnelle. À part les banquettes que l'on peut enlever, l'aménagement n'est pas modulable à la manière du Villager et c'est dommage, car ce système est original et astucieux. On note cependant que le dossier de la banquette médiane se rabat pour former une tablette sur la version LX.

• **Assurance:** **90%**
La Windstar ne coûte pas cher à assurer ce qui renforcera son attrait auprès des familles nombreuses pour qui le budget est un élément primordial.

• **Accès:** **90%**
Il est facile de prendre place à bord, quelle que soit la porte choisie, car la garde-au-sol est plus faible que la moyenne et les larges portes ont un angle d'ouverture suffisant. Toutefois il n'y a pas assez d'espace entre les différents sièges pour permettre de circuler aisément.

• **Suspension:** **80%**
Son confort s'apparente plus à celui d'une voiture que d'un utilitaire car elle est souple et bien amortie et surclasse celle des modèles concurrents en matière d'efficacité, en ne réagissant jamais violemment aux imperfections de la route.

• **Technique:** **75%**
La constitution de la Windstar n'a rien de révolutionnaire, car sa plateforme dérive de celle de la Taurus. Bien charpentée, la coque est rigide mais pesante. La suspension avant est de type McPherson modifié pour permettre un diamètre de braquage inférieur d'un mètre à celui de la concurrence. À l'arrière on a affaire à des ressorts hélicoïdaux et un essieu tiré déformant constitué de deux lames longitudinales coiffées d'un longeron faisant office de barre stabilisatrice intégrée. Le système ABS est du type à 3 canaux et quatre senseurs et la direction assistée est une version dérivée de celle de la Lincoln Continental. Si sa ligne n'offre aucune originalité, elle est harmonieuse et surtout efficace du point de vue aérodynamique puisque son cœfficient de 0.35 est comparable à celui de plusieurs automobiles.

• **Qualité/finition:** **70%**
L'assemblage général est aussi soigné que la finition, mais certains matériaux n'offrent pas la meilleure apparence. Ainsi les tapis et tissus sont pelucheux et semblent bon marché.

DONNÉES

Catégorie: fourgonnettes compactes tractées.
Classe : utilitaires

HISTORIQUE

Inauguré en: 1994
Modifié en: 1995: GL V6 3.0L.
Fabriqué à: Oakville, Ontario, Canada.

INDICES

Sécurité: 90 %
Satisfaction: ND
Dépréciation: ND
Assurance: 4.0 % (975)
Prix de revient au km: 0.42 $

NOMBRE DE CONCESSIONNAIRES

Au Québec: 143 Ford-Lincoln-Mercury

VENTES AU QUÉBEC

Modèle	1992	1993	Résultat	Part de marché
Windstar	Nouveau modèle			

PRINCIPAUX MODÈLES CONCURRENTS

CHEVROLET Astro & Lumina, DODGE-PLYMOUTH Caravan-Voyager, FORD Aerostar, PONTIAC Trans Sport, MAZDA MPV, MERCURY Villager, NISSAN Quest, TOYOTA Previa, VOLKSWAGEN Eurovan.

ÉQUIPEMENT

FORD Windstar	GL	LX
Transmission automatique:	S	S
Régulateur de vitesse:	O	S
Direction assistée:	S	S
Freins ABS:	S	S
Climatiseur:	O	S
Coussins gonflables (2):	S	S
Garnitures en cuir:	-	-
Radio MA/MF/ K7:	O	O
Serrures électriques:	O	O
Lève-vitres électriques:	-	S
Volant ajustable:	O	O
Rétroviseurs ext. ajustables:	O	O
Essuie-glace intermittent:	S	S
Essuie-glace arrière	S	S
Jantes en alliage léger:	-	S
Toit ouvrant:	O	O
Système antivol:	O	O

S : standard; O : optionnel; - : non disponible

COULEURS DISPONIBLES

Extérieur: Vert, Prune, Indigo, Bleu, Blanc, Opale, Champagne, Bronze Cramoisi.
Intérieur: Bleu roi, Gris opale, Moka.

ENTRETIEN

Première révision: 8 000 km
Fréquence: 6 mois
Prise de diagnostic: Oui

QUOI DE NEUF EN 1995 ?

- Nouveau modèle introduit courant 1994.
- Version de base GL à moteur V6 3.0L à équipement simplifié.

Modèles/ versions *: de série	Type / distribution soupapes / carburation	Cylindrée cc	Puissance ch @ tr/mn	Couple lb.pi @ tr/mn	Rapport volumét.	Roues motrices / transmissions	Rapport de pont	Accélér. 0-100 km/h s	400 m D.A. s	1000 m D.A. s	Freinage 100-0 km/h m	Vites. maxi. km/h	Accélér. latérale G	Niveau sonore dBA	Consommation l./100km Ville	Consommation l./100km Route	Carburant Octane
GL	V6*3.0 ACC-12-IESPM	2982	147 @ 5000	170 @ 3250	9.2 :1	avant-A4	ND										
LX	V6*3.8 ACC-12-IESPM	3801	155 @ 4000	220 @ 3000	9.0 :1	avant-A4	3.37	10.8	17.6	31.8	39	175	0.73	68	15.0	10.0	R 87

• **Sièges: 70%**
Ils sont mieux conçus à l'avant où le maintien latéral, le soutien lombaire et le rembourrage sont excellents, qu'à l'arrière où l'assise et le dossier des banquettes sont courts et les appuie-tête absents.

• **Soute: 70%**
Il reste suffisamment d'espace derrière la dernière banquette pour accueillir un volume raisonnable de bagages, mais en faisant coulisser celle-ci vers l'avant on peut en libérer davantage.

• **Poste de conduite: 60%**
La colonne de direction trop longue complique un peu la recherche de la meilleure position de conduite et la planche de bord est plus esthétique qu'ergonomique surtout au niveau de la console centrale qui est trop basse. La visibilité est satisfaisante, mais l'essuie-glace arrière est décentré et ne possède pas de balayage intermittent. Les commandes et contrôles, typiquement Ford sont d'un usage facile, particulièrement le frein à main bien disposé car peu encombrant.

• **Comportement: 60%**
Il est plus stable en ligne droite et en grande courbe, qu'en virage serré où le roulis important complique la manœuvre. Toutefois sur mauvais revêtement l'essieu arrière ne sautille pas comme sur la plupart des modèles concurrents, au passage des saignées transversales.

• **Direction: 60%**
Rapide et bien dosée, elle manque de précision au centre, mais son diamètre de braquage raisonnable permet une bonne maniabilité malgré l'empattement allongé.

• **Freinage: 50%**
Son efficacité est remarquable puisque la plupart des arrêts s'effectuent sur des distances inférieures à 40 m avec ABS, ce qui n'est pas banal.

• **Performances: 50%**
Elles sont plus favorables avec le 3.8L qu'avec le 3.0L de base à cause du poids non négligeable de ce véhicule. Les accélérations sont plus franches que les reprises du fait que les rapports supérieurs de la transmission sont plutôt longs.

• **Prix/équipement: 50%**
Si le modèle de base à moteur 3.0L possède tout juste ce qu'il faut, le LX à moteur 3.8L est mieux équipé et ne coûte finalement pas plus cher que ses homologues chez Chrysler, ce qui devrait aider à sa diffusion.

• **Consommation: 50%**
Avec une moyenne s'établissant aux alentours de 12.5 litres aux 100 km pour le moteur 3.8L, elle est moins élevée que celle de ses concurrentes de même cylindrée.

POINTS FAIBLES

• **Commodités: 30%**
La boîte à gants n'est pas très vaste et on ne trouve aucun vide-poches de portières ou latéraux à l'arrière. Toutefois les dossiers des sièges avant disposent de soufflets et la version LX d'un coffret disposé entre les sièges.

• **Niveau sonore: 40%**
Comme la plupart des véhicules monocorps, le niveau sonore reste élevé à cause des résonances qui se propagent dans la cabine, surtout au niveau du train arrière.

CONCLUSION

• **Moyenne générale: 62.5 %**
Dommage que la Windstar arrive si tard, puisque dans quelques mois, Chrysler dévoilera son nouveau modèle qui ,selon la rumeur, fera vieillir ses concurrents de dix ans. Par sa philosophie plus que par sa constitution, elle s'adresse à ceux qui recherchent une grande familiale confortable plutôt qu'une mini-fourgonnette polyvalente. 😐

SUGGESTIONS DES PROPRIÉTAIRES

- **Ligne moins anonyme.**
- **Plus de rangements pratiques.**
- **Des appuie-tête de banquettes.**
- **Direction moins floue.**
- **Essuie-glace ar. intermittent.**

CARACTÉRISTIQUES & PRIX

Modèles	Versions	Carrosseries/ Sièges	Volume cabine l.	Volume coffre l.	Cx	Empat. mm	Long x larg x haut. mm x mm x mm	Poids à vide kg	Capacité Remorq. max. kg	Susp. av/ar	Freins av/ar	Direction type	Diamètre braquage m	Tours volant b à b.	Réser. essence l.	Pneus d'origine	Mécaniques d'origine	PRIX $ CDN. 1994
FORD		**Garantie totale et antipollution: 3 ans / 60 000 km;corrosion perforation: 5 ans / kilométrage illimité.**																
Windstar	GL	frg. 4 p. 7	-	456	0.35	3006	5 110x1915x1727	1678	907	i/r	d/t/ABS	crém.ass.	12.4	2.8	75.7	215/70R15	V6/3.0L/A4	**22 095**
Windstar	LX	frg. 4 p. 7	-	456	0.35	3006	5 110x1915x1727	1678	907	i/r	d/t/ABS	crém.ass.	12.4	2.8	75.7	215/70R15	V6/3.8L/A4	**25 495**

Voir la liste complète des prix 1995 à partir de la page 393.

La force de l'habitude...

Depuis douze ans que ces deux modèles font partie du paysage quotidien, ils sont si bien intégrés qu'on ne les remarque plus. Pourtant lorsqu'on se prend à les détailler, on réalise que malgré le bon service qu'ils sont encore capables d'offrir, ils ont bien vieilli...

La longévité de ces modèles témoigne de leur popularité puisque cela fait dix ans qu'ils sont commercialisés sous la même apparence. Bien que leur gamme se simplifie à l'extrême, ils continuent d'être proposés sous la forme de berlines et familiales 4 portes en finitions Spécial ou Custom pour la Century et SL pour la Ciera. Le moteur de base est devenu un 4 cylindres de 2.2L, alors que les versions mieux équipées bénéficient du V6 de 3.1L. Dans le premier cas la boîte automatique est à 3 rapports et à 4 dans le second, régie par une centrale électronique.

POINTS FORTS

• **Satisfaction:** 80%
Les années et quelques campagnes de rappel aidant, leur fiabilité a fini par atteindre un niveau satisfaisant, mais les propriétaires se plaignent d'un manque de soin dans le montage, générateur de petits problèmes agaçants.

• **Habitabilité:** 70%
Le volume intérieur des Century/Ciera permet d'accueillir, selon le type de sièges, jusqu'à six personnes alors que les familiales vont jusqu'à huit places réparties sur trois banquettes. Ce point et le prix constituent les arguments majeurs de ces modèles.

• **Accès:** 70%
Il est facile de s'installer dans ces voitures dont les portes sont bien dimensionnées et s'ouvrent suffisamment.

• **Suspension:** 70%
La suspension «Dynaride» des Buick Century absorbe mieux les défauts de la route que celle des Ciera, trop souple, qui réagit brutalement.

• **Coffre:** 70%
Vaste et facile d'accès, il n'est pas aisément exploitable car son fond qui n'est pas plat ne facilite pas la disposition des bagages. La soute des familiales est immense, mais il faut souvent la charger en hauteur, au détriment de la visibilité.

• **Prix/équipement:** 60%
Si les modèles de base constituent de véritables voitures-outils, les Custom et SL II jouissent d'un équipement plus étoffé qui rend leur usage plus agréable.

• **Assurance:** 60%
Vu leur format, la prime de ces modèles n'est pas plus élevée que celle de voitures de taille inférieure, et constitue une aubaine pour les familles nombreuses.

• **Consommation:** 60%
Les deux moteurs ont un excellent rendement malgré leur âge, car leur consommation demeure souvent inférieure à celle de certaines concurrentes plus modernes.

• **Technique:** 60%
Monocoque en acier, la carrosserie de ces voitures simplistes a une suspension avant de type McPherson et un essieu rigide à l'arrière. Les freins sont mixtes mais l'ABS est livré en série. Très classiques, leurs lignes ne sont plus tout à fait au goût du jour, ce que confirme leur

DONNÉES

Catégorie: berlines et familiales intermédiaires tractées.
Classe : 6

HISTORIQUE

Inauguré en: 1982
Modifié en: -
Fabriqué à: Oklahoma City, États-Unis.

INDICES

Sécurité:	80 %
Satisfaction:	82 %
Dépréciation:	65 %
Assurance:	5.0 % (975 $)
Prix de revient au km:	0. 45 $

NOMBRE DE CONCESSIONNAIRES

Au Québec: 90 Buick-Oldsmobile.

VENTES AU QUÉBEC

Modèle	1992	1993	Résultat	Part de marché
Century	1 987	1 915	- 0.6 %	1.9 %
Ciera	2 220	1 941	-12.57 %	2.0 %

PRINCIPAUX MODÈLES CONCURRENTS

CHRYSLER Concorde-Intrepid, EAGLE Vision, FORD Taurus, GM série W: Regal-Lumina-Cutlass-Grand-Prix, HONDA Accord, HYUNDAI Sonata, MAZDA 626, MERCURY Sable, TOYOTA Camry.

ÉQUIPEMENT

BUICK Century OLDSMOBILE Ciera	Special	Custom SL
Boîte automatique:	S	S
Régulateur de vitesse:	S	S
Direction assistée:	S	S
Freins ABS:	S	S
Climatiseur manuel:	S	S
Coussin gonflable gauche:	S	S
Garnitures en cuir:	-	-
Radio MA/MF/ K7:	O	S
Serrures électriques:	S	S
Lève-vitres électriques:	O	O
Volant ajustable:	S	S
Rétroviseurs ext. ajustables:	O	S
Essuie-glace intermittent:	S	S
Jantes en alliage léger:	O	O
Toit ouvrant:	O	O
Système antivol:	O	O

S : standard; O : optionnel; - : non disponible

COULEURS DISPONIBLES

Extérieur: Bleu, Blanc, Argent, Bois-flottant, Noir, Gris, Cerise, Améthyste.
Intérieur: Bleu, Taupe, Rouge, Gris.

ENTRETIEN

Première révision:	5 000 km
Fréquence:	10 000 km
Prise de diagnostic:	Oui

QUOI DE NEUF EN 1995 ?

- Moteur V6 3.1L et transmission 4 vitesses standard sur Custom.
- Verrouillage de sécurité entre le frein et le sélecteur des vitesses.
- Lubrifiant de transmission Dexron bon pour 160 000 km.
- Nouvelles couleurs extérieures/intérieures, nouveaux couvre-roues.

Modèles/ versions *: de série	MOTEURS Type / distribution soupapes / carburation	Cylindrée cc	Puissance ch @ tr/mn	Couple lb.pi @ tr/mn	Rapport volumét.	TRANSMISSION Roues motrices / transmissions	Rapport de pont	PERFORMANCES Accélér. 0-100 km/h s	400 m D.A. s	1000 m D.A. s	Freinage 100-0 km/h m	Vites. maxi. km/h	Accélér. latérale G	Niveau sonore dBA	Consommation l./100km Ville	Consommation l./100km Route	Carburant Octane
base	L4*2.2 SACT-8-IE	2179	120 @ 5200	130 @ 4000	9.0 :1	avant - A3	3.06	12.8	18.8	34.6	42	160	0.76	68	10.6	6.8	R 87
option	V6 3.1 ACC-12-IEPM	3130	160 @ 5200	185 @ 4000	9.6 :1	avant - A4*	2.97	11.5	17.6	33.3	44	180	0.78	66	11.7	7.6	R 87

cœfficient aérodynamique qui s'établit à 0.38.

• Niveau sonore: 60%
Il est généralement bas à vitesse constante et ne s'élève que lors des fortes accélérations ou sur mauvais revêtement. Au-dessus des limites légales, les bruits de vent s'installent autour du pare-brise et des rétroviseurs latéraux.

• Sécurité: 60%
Malgré la présence d'un coussin gonflable côté conducteur, la structure n'offre pas une rigidité suffisante pour résister aux impacts et les portes ne sont pas munies de poutres de renfort. Heureusement l'ABS stabilise le freinage et les occupants disposent de ceintures à trois points d'ancrage.

• Qualité & finition: 60%
Bien qu'il n'ait pas la rigueur des derniers modèles sortis, l'assemblage est honnête et la finition simple et ordinaire. Les nouvelles garnitures intérieures font moins bon marché que les précédentes, mais les matières plastiques ne font pas riche du tout.

• Comportement: 55%
La suspension «Dynaride» de la Buick contrôle mieux le roulis et les mouvements de caisse que celle de l'Oldsmobile qui est vraiment trop souple. Ces voitures sont principalement sous-vireuses lorsque poussées en virage où le train avant devient lourd, le guidage flou et les pneus d'origine, sous dimensionnés, sont beaucoup sollicités.

• Direction: 50%
Rapide et précise, son assistance trop forte la rend légère et sensible et elle réclame une certaine attention pour tenir son cap. La maniabilité est normale à l'image du diamètre de braquage.

• Sièges: 50%
Leurs maintien latéral et soutien lombaire sont meilleurs sur les nouveaux sièges de la Century que sur ceux sans grand relief de la Ciera. Pourtant leur rembourrage, comme la dimension des coussins et dossiers, est adéquat.

BUICK Century

BUICK Century

OLDSMOBILE Ciera SL

POINTS FAIBLES

• Commodités: 30%
Les rangements sont réduits à leur plus simple expression, c'est-à-dire une mini boîte à gant.

• Dépréciation: 35%
Ces modèles se revendent assez rapidement lorsqu'ils sont bien équipés, mais leur valeur de revente souffre de leur âge et de leur allure démodée.

• Performances: 40%
Les accélérations et les reprises du moteur V6 permettent un usage moins frustrant qu'avec le quatre cylindres de base très anémique, dont le rapport poids-puissance est nettement moins favorable.

• Freinage: 40%
Son assistance trop forte complique le dosage des simples ralentissements mais les arrêts d'urgence sont plus stables depuis que l'ABS est fourni en série. Si les distances demeurent longues, par manque de mordant des garnitures, leur résistance à l'échauffement est normale.

CONCLUSION

• Moyenne générale: 54.0 %
Ces modèles resteront le choix de ceux qui les connaissent déjà et n'ont pas besoin de plus pour des déplacements à moindre coût, mais nécessitant de l'espace et un certain confort. Pour le reste, ces voitures ont les défauts de leurs qualités... ☹

SUGGESTIONS DES PROPRIÉTAIRES

-Une finition plus soignée.
-Une meilleure protection anti-rouille.
-Barres stabilisatrices plus grosses sur la Ciera.
-Moins de fuites d'huile.
-Éviter le moteur 4 cylindres.

CARACTÉRISTIQUES & PRIX

Modèles	Versions	Carrosseries/ Sièges	Volume cabine l.	Volume coffre l.	Cx	Empat. mm	Long x larg x haut. mm x mm x mm	Poids à vide kg	Capacité Remorq. max. kg	Susp. av/ar	Freins av/ar	Direction type	Diamètre braquage m	Tours volant b à b.	Réser. essence l.	Pneus d'origine	Mécaniques d'origine	PRIX $ CDN. 1994
BUICK		**Garantie générale: 3 ans / 60 000 km; antipollution: 5 ans / 80 000km; perforation corrosion: 6 ans / 160 000 km.**																
Century	Special	ber. 4p.6	2747	453	0.38	2664	4803x1762x1377	1354	907	i/r	d/t	crém.ass.	11.7	3.04	62.5	185/75R14	L4/2.2/A3	**20 673**
Century	Special	fam. 4p.6/8	2718	1161	0.40	2664	4851x1762x1377	1419	907	i/r	d/t	crém.ass.	11.7	3.04	62.5	185/75R14	L4/2.2/A3	**21 873**
Century	Custom	ber. 4p.6	2747	453	0.38	2664	4803x1762x1377	1358	907	i/r	d/t	crém.ass.	11.7	3.04	62.5	185/75R14	V6/3.1/A4	**22 573**
OLDSMOBILE		**Garantie générale: 3 ans / 60 000 km; antipollution: 5 ans / 80 000km; perforation corrosion: 6 ans / 160 000 km.**																
Ciera	SL	ber. 4p.6	2747	453	0.38	2664	4834x1766x1375	1329	907	i/r	d/t	crém.ass.	11.6	3.05	62.5	185/75R14	L4/2.2/A3	**20 873**
Ciera	Cruiser SL	fam. 4p.6/8	2718	1161	0.37	2664	4937x1766x1385	1463	907	i/r	d/t	crém.ass.	11.6	3.05	62.5	185/75R14	V6/3.1/A4	**21 773**

Voir la liste complète des prix 1995 à partir de la page 393.

Coffre-forts routiers...

Par le passé ces grosses voitures témoignaient de l'aisance de leur propriétaire et de la bonne santé de l'Amérique. Les temps ont changé et le symbole n'est plus tout à fait le même car la Caprice sert aujourd'hui à la collection d'impôts supplémentaires sous forme de contraventions...

Malgré le temps, les lignes des Roadmaster et Caprice continuent de déranger le public et Chevrolet a encore retouché son modèle en vue d'alléger l'apparence de la cabine et d'améliorer la visibilité. La Cadillac Fleetwood offerte en berline 4 portes de base ou Brougham, dérive de la même plate-forme et de la même mécanique. Les Caprice et Roadmaster sont offertes en berline 4 portes en finitions Classic, Classic LS pour la Caprice dont la version sportive est l'Impala SS. La Roadmaster peut être de base ou Limited et comme chez Chevrolet la familiale n'existe qu'en une seule version.

POINTS FORTS

• **Coffre:** 100%
Son volume théorique est énorme, mais il n'est pas facile d'en tirer parti tant ses formes sont tourmentées, par la présence du châssis périmétrique et de la roue de secours qui trône au beau milieu.

• **Habitabilité:** 90%
Pas vraiment proportionnelle à l'encombrement, elle permet d'asseoir 6 personnes lorsqu'une banquette est montée à l'avant.

• **Sécurité:** 80%
Malgré certains renforts, la structure de ces voitures n'offre pas la meilleure protection en cas de collision, mais la présence de deux coussins gonflables aux places avant, d'un freinage antiblocage et de ceintures à trois points d'ancrage en série améliore la marque.

• **Niveau sonore:** 80%
Il est très bas à vitesse stabilisée, particulièrement sur les Fleetwood et Roadmaster mieux insonorisées. Toutefois au dessus de 100 km/h les bruits de vent et de roulement prennent de l'ampleur.

• **Satisfaction:** 80%
Curieusement la cote de la Buick est moins flatteuse que celle des Caprice et surtout Fleetwood qui est supérieure.

• **Assurance:** 80%
Nantie du même cœfficient, leur prime varie en fonction de leur prix de

BUICK Roadmaster Estate

DONNÉES

Catégorie: grandes berlines et familiales de luxe propulsées.
Classe : 6 & 7

HISTORIQUE

Inauguré en: 1969
Modifié en: 1977, 1990: Brougham, 1993: Fleetwood.
Fabriqué à: Arlington, Texas & Lakewood, GA, É-U.

INDICES

Sécurité: 70 %
Satisfaction: 80 % (75% Roadmaster)
Dépréciation: 65 % 60 % (Buick &Cadillac)
Assurance: 4.0 %(975 $-1 090 $-1 450 $)
Prix de revient au km: 0.54 $ 0.64 $ (Cadillac)

NOMBRE DE CONCESSIONNAIRES

Au Québec: 90 Buick, 99 Chevrolet, 49 Cadillac.

VENTES AU QUÉBEC

Modèle	1992	1993	Résultat	Part de marché
Roadmaster	260	268	+2.98 %	1.4 %
Fleetwood	90	171	+47.37 %	2.8 %
Caprice	952	779	-18.17 %	4.2 %

PRINCIPAUX MODÈLES CONCURRENTS

Caprice & Roadmaster: BUICK le Sabre, CHRYSLER New Yorker, FORD Crown Victoria / MERCURY Grand Marquis, OLDSMOBILE 88 PONTIAC Bonneville. Fleetwood: Lincoln Town Car. Impala SS: CHRYSLER LHS

ÉQUIPEMENT

BUICK Roadmaster	base	Ltd		
CHEVROLET Caprice	Clasic	LS		
CHEVROLET Impala			SS	
CADILLAC Fleetwood				base
Boîte automatique:	S	S	S	S
Régulateur de vitesse:	-	S	S	S
Direction assistée:	S	S	S	S
Freins ABS:	S	S	S	S
Climatiseur:	S	S	S	S
Coussins gonflables (2):	S	S	S	S
Garnitures en cuir:	-	-	S	S
Radio MA/MF/ K7:	O	S	S	S
Serrures électriques:	S	S	S	S
Lève-vitres électriques:	O	S	S	S
Volant ajustable:	S	S	S	S
Rétroviseurs ext. ajustables:	S	S	S	O
Essuie-glace intermittent:	S	S	S	S
Jantes en alliage léger:	-	O	O	S
Toit ouvrant:	-	-	O	O
Système antivol:	S	S	S	S

S : standard; O : optionnel; - : non disponible

COULEURS DISPONIBLES

Extérieur: Argent, Améthyste, Bleu, Noir, Blanc, Jaune, Rouge, Gris, Cerise
Intérieur: Gris, Bleu, Beige, Rouge, Blanc, Noir, Antilope,

ENTRETIEN

Première révision: 5 000 km
Fréquence: 10 000 km
Prise de diagnostic: Oui

QUOI DE NEUF EN 1995 ?

- **Nouveau dessin de la 3ième vitre latérale (Caprice-Impala).**
- **Nouveaux rétroviseurs extérieurs, nouvelles teintes de carrosseries et de garnitures intérieures.**
- **Huile à transmission Dexron durant 160 000 km.**
- **Nouveaux sièges (Roadmaster & Caprice Classic)**

	MOTEURS					TRANSMISSION		PERFORMANCES									
Modèles/ versions *: de série	Type / distribution soupapes / carburation	Cylindrée cc	Puissance ch @ tr/mn	Couple lb.pi @ tr/mn	Rapport volumét.	Roues motrices / transmissions	Rapport de pont	Accélér. 0-100 km/h s	400 m D.A. s	1000 m D.A. s	Freinage 100-0 km/h m	Vites. maxi. km/h	Accélér. latérale G	Niveau sonore dBA	Consommation l./100km Ville	Route	Carburant Octane
1)	V8* 4.3 ACC-16-IES	4342	200 @ 5200	235 @ 2400	9.9 :1	arrière-A4*	2.93	11.0	17.8	32.0	43	180	0.78	65	13.4	8.2	R 87
2)	V8* 5.7 ACC-16-IES	5735	260 @ 4800	330 @ 3200	10.0 :1	arrière-A4*	2.56	9.5	16.8	30.5	45	200	0.80	65	14.0	8.6	R 87
3)	V8* 5.7 ACC-16-IES	5735	260 @ 4800	330 @ 3200	10.5 :1	arrière-A4*	3.08	7.5	15.6	28.5	40	220	0.82	66	14.4	9.2	R 87
4)	V8* 5.7 ACC-16-IMP	5735	260 @ 5000	335 @ 2400	10.5 :1	arrière-A4*	2.56	10.4	17.6	32.3	48	180	0.76	64	14.0	8.6	R 87

1) base Caprice 2) base Roadmaster & Caprice Wagon, opt. Caprice. 3) Impala SS 4)Cadillac Fleetwood

CHEVROLET Impala SS

CADILLAC Fleetwood

975 à 1 450 dollars.

• **Suspension: 75%**
Trop souple, celle de la Caprice est affligée de mouvements de caisse importants alors que celle des Fleetwood et Roadmaster est mieux coordonnée et plus stable. C'est celle de l'Impala SS (issue de l'option police) qui représente selon nous le meilleur compromis, mais son train arrière rigide la fait réagir durement aux gros défauts de la route.

• **Accès: 75%**
Les portières sont suffisamment longues et l'espace disponible généreux, mais leur angle d'ouverture reste insuffisant.

• **Performances: 70%**
Le V8 de 4.3L de base sur la Caprice berline est moins pertinent que le 5.7L qui confère à ces énormes véhicules des performances surprenantes vu leur poids. Les accélérations et les reprises de l'Impala SS sont assez exotiques pour enthousiasmer les amateurs de «pony cars».

• **Qualité & finition: 60%**
Le mode d'assemblage et de finition de ces modèles n'a pas assez progressé, car certains ajustements sont approximatifs et la qualité des matériaux moyenne.

• **Sièges: 60%**
Ils maintiennent mieux sur les Roadmaster, Impala SS et Fleetwood, grâce à leurs nombreux ajustements que sur la Caprice de base où ils sont aussi insipides qu'inconfortables.

• **Poste de conduite: 50%**
La position est plus difficile à trouver pour les conducteurs de petit gabarit à cause de la longueur de la colonne de direction. La visibilité de la Caprice s'est améliorée de 3/4 arrière contrairement aux Roadmaster et Fleetwood. Cette année les rétroviseurs extérieurs sont mieux dimensionnés, mais les tableaux de bord sont toujours aussi dépouillés.

• **Technique: 50%**
Leur coque en acier est fixée à un châssis périmétrique qui date de l'antiquité. Pourtant malgré leur taille elles offrent une finesse aérodynamique satisfaisante (0.32). Indépendante à l'avant, la suspension est à essieu rigide à l'arrière, de type Salisbury maintenu par quatre bras avec ressorts hélicoïdaux. Le moteur de base de la Caprice est un V8 de 4.3L de 200 ch tandis que le 5.7 L de 260 ch équipe d'origine les Impala SS, la Roadmaster et la Fleetwood associé à une transmission automatique à quatre rapports. L'ABS est monté d'origine, mais seule l'Impala SS possède des disques aux roues arrière. Enfin la direction est à crémaillère, sauf celle de la Fleetwood qui est à billes.

• **Comportement: 50%**
La suspension «Dynaride» de la Roadmaster donne un meilleur résultat que celle des Caprice et Fleetwood qui fait rouler et tanguer généreusement ces monstres qui manquent plus de motricité que d'aplomb dans les virages fermés. L'Impala SS se tire vraiment bien d'affaire, grâce à ses ressorts et ses amortisseurs plus fermes et à ses barres stabilisatrices d'un diamètre supérieur.

POINTS FAIBLES

• **Direction: 40%**
Moins forte que par le passé son assistance sensible requiert toujours une certaine attention, mais sa précision et sa stabilité directionnelle sont satisfaisantes. Elle ne renseigne pas beaucoup sur l'état de la route et sa reversibilité est insuffisante. Malgré un diamètre de braquage et une démultiplication raisonnables, la maniabilité de ces modèles est délicate surtout en conduite urbaine.

• **Freinage: 40%**
La surpuissance de son assistance rend son dosage délicat, l'antiblocage se déclenche très tôt en situation d'urgence et doit travailler fort pour stabiliser des masses aussi importantes. Si les distances d'arrêt sont remarquables, compte tenu de leur poids, le train avant plonge exagérément et la résistance à l'échauffement est médiocre.

• **Prix/équipement: 40%**
Moins chères que d'autres, si elles étaient vendues au poids, ces automobiles sont bien pourvues, même la Caprice de base dont l'équipement s'est étoffé.

• **Commodités: 40%**
Les rangements sont un peu plus généreux que par le passé, mais ils ne sont toujours pas proportionnels à leur gabarit.

• **Consommation: 40%**
Acceptable en usage normal, elle s'élève rapidement dès qu'on les charge ou qu'elles tractent de lourdes remorques.

• **Dépréciation: 40%**
La Caprice de base perd plus de sa valeur que les luxueuses Roadmaster et Fleetwood plus prestigieuses.

CONCLUSION

• **Moyenne générale: 62.0 %**
Ces modèles s'adressent à une clientèle bien spécifique qui ne veut pas céder à la mode des mini-fourgonnettes, offrant un espace, un confort et un équipement comparables, pour un rendement plus économique et une maniabilité supérieure.

CARACTÉRISTIQUES & PRIX

Modèles	Versions	Carrosseries/ Sièges	Volume cabine l.	Volume coffre l.	Cx	Empat. mm	Long x larg x haut. mm x mm x mm	Poids à vide kg	Capacité Remorq. max. kg	Susp. av/ar	Freins av/ar	Direction type	Diamètre braquage m	Tours volant b à b.	Réser. essence l.	Pneus d'origine	Mécaniques d'origine	PRIX $ CDN. 1994
BUICK		**Garantie générale: 3 ans / 60 000 km; antipollution: 5 ans / 80 000km; perforation corrosion: 6 ans / 160 000 km.**																
Roadmaster		ber. 4 p.6	3248	595	0.33	2944	5481x1984x1420	1910	2258	i/r	d/t/ABS	bil. ass.	11.85	3.17	87.1	235/70R15	V8/5.7/A4	**30 098**
Roadmaster Limited		ber. 4 p.6	3248	595	0.33	2944	5481x1984x1420	1925	2268	i/r	d/t/ABS	bil. ass.	11.85	3.17	87.1	235/70R15	V8/5.7/A4	**31 498**
Roadmaster Estate		fam. 4 p.6/8	3259	1549	0.35	2944	5524x2029x1532	2270	2268	i/r	d/t/ABS	bil. ass.	12.03	3.17	79.4	225/75R15	V8/5.7/A4	**32 098**
CADILLAC		**Garantie générale: 4 ans / 80 000 km; antipollution: 5 ans / 80 000 km; perforation corrosion: 6 ans / 160 000 km.**																
Fleetwood base		ber. 4p.6	3534	597	0.36	3085	5717x1982x1451	1981	3175	i/r	d/t/ABS	bil. ass.	13.0	3.2	87.1	235/70R15	V8/5.7/A4	**42 198**
Fleetwood Brougham		ber. 4p.6	3534	597	0.36	3085	5717x1982x1451	1981	3175	i/r	d/t/ABS	bil. ass.	13.0	3.2	87.1	235/70R15	V8/5.7/A4	**43 898**
CHEVROLET		**Garantie générale: 3 ans / 60 000 km; antipollution: 5 ans / 80 000km; perforation corrosion: 6 ans / 160 000 km.**																
Caprice	Classic	ber. 4 p.6	3233	578	0.32	2944	5448x1968x1415	1842	2258	i/r	d/t/ABS	bil. ass.	12.16	3.17	87.1	215/75R15	V8/4.3/A4	**22 898**
Caprice	Classic LS	ber. 4 p.6	3233	578	0.32	2944	5448x1968x1415	1842	2258	i/r	d/t/ABS	bil. ass.	12.16	3.17	87.1	215/75R15	V8/4.3/A4	**26 398**
Caprice	Wagon	fam. 4 p.6/8	3268	1549	0.35	2944	5519x2022x1547	2029	2258	i/r	d/t/ABS	bil. ass.	12.16	3.17	79.4	225/75R15	V8/5.7/A4	**26 998**
Impala	SS	ber. 4 p.5	3234	578	0.33	2944	5438x1968x1389	1831	2258	i/r	d/d/ABS	bil. ass.	13.38	3.06	87.1	255/50ZR17	V8/5.7.A4	**26 398**

Voir la liste complète des prix 1995 à partir de la page 393.

BUICK Park Avenue, CADILLAC DeVille, OLDSMOBILE 98

Menacées ?

Si les Cadillac arrivent encore à maintenir leur statut de voitures de luxe typiquement américaines, les Buick et Oldsmobile semblent perdre du terrain face au déferlement de modèles en provenance du Japon, dont les prix élevés freinent énergiquement la progression...

BUICK Park Avenue

Ces grosses berlines à quatre portes illustrent encore ce que GM sait faire de mieux. Si l'Oldsmobile 98 Regency n'est disponible qu'en version Elite, la Buick Park Avenue est offerte de base ou Ultra et la Cadillac De Ville de base ou Concours. Cette année c'est la Buick qui a droit à quelques retouches esthétiques alors que les autres demeurent pratiquement inchangées. Un nouveau moteur V6 de 3.8L plus puissant est installé en série sur la Park Avenue et la 98.

POINTS FORTS

• Sécurité: 90%
Si la structure de la Buick et de l'Oldsmobile ne résiste pas aussi efficacement aux collisions que celle de la Cadillac, elle bénéficie d'un cœfficient élevé grâce au montage d'origine de deux coussins gonflables et d'un dispositif antiblocage des freins.

• Coffre: 90%
Leur énorme capacité n'est pas vraiment utilisable, du fait de la position gênante de la roue de secours et de leurs formes compliquées.

• Habitabilité: 85%
Ces modèles offrent beaucoup d'espace, surtout la De Ville où cinq, voire six, personnes séjourneront très à l'aise, les dégagements étant généreux dans toutes les directions.

• Satisfaction: 85%
Avec le temps et le surcroît d'attention que GM a apporté à certains détails, la cote de ces voitures atteint et dépasse même celle de certaines japonaises.

• Assurance: 80%
Même si la prime est rondelette, surtout dans le cas des De Ville, son pourcentage est favorable comparé à leur prix.

• Suspension: 80%
Sa mollesse berce gentiment les occupants sur autoroutes, mais les bouscule sans ménagement sur les petits chemin mal entretenus.

DONNÉES

Catégorie: berlines de luxe tractées.
Classe : 7

HISTORIQUE

Inauguré en: 1972:Park Avenue-98; 1970: De Ville.
Modifié en: 1976:Park Avenue-98; 1984: De Ville.
Fabriqué à: Pontiac, MI (Cadillac) Lake Orion, MI (Oldsmobile) Wentzville, MO (Buick).

INDICES

	Buick	Cadillac	Oldsm.
Sécurité:	90 %	90 %	90 %
Satisfaction:	82 %	86 %	87 %
Dépréciation:	70 %	65 %	62.5 %
Assurance:	3.6 % (1 200 $)	4.0 % (1 545 $)	3.8 % (1 200 $)
Prix de revient au km:	0.52 $	0.62 $	0.52 $

NOMBRE DE CONCESSIONNAIRES

Au Québec: 90 Buick, 49 Cadillac, 99 Oldsmobile.

VENTES AU QUÉBEC

Modèle	1992	1993	Résultat	Part de marché
Park Avenue	761	995	+23.5 %	12.0 %
De Ville	753	666	-11.5 %	9.0 %
98	559	346	-38.1 %	4.4 %

PRINCIPAUX MODÈLES CONCURRENTS

CHRYSLER New Yorker & LHS, LINCOLN Continental.

ÉQUIPEMENT

	BUICK Park Avenue base	BUICK Park Avenue Ultra	CADILLAC De Ville base	CADILLAC De Ville Concours	OLDSMOBILE 98 Elite
Boîte automatique:	S	S	S	S	S
Régulateur de vitesse:	S	S	S	S	S
Direction assistée:	S	S	S	S	S
Freins ABS:	S	S	S	S	S
Climatiseur:	S	S	S	S	S
Coussins gonflables (2):	S	S	S	S	S
Garnitures en cuir:	O	O	O	O	O
Radio MA/MF/ K7:	S	S	S	S	S
Serrures électriques:	S	S	S	S	S
Lève-vitres électriques:	S	S	S	S	S
Volant ajustable:	S	S	S	S	S
Rétroviseurs ext. ajustables:	S	S	S	S	S
Essuie-glace intermittent:	S	S	S	S	S
Jantes en alliage léger:	S	S	S	S	S
Toit ouvrant:	O	O	O	O	O
Système antivol:	S	S	S	S	S

S : standard; O : optionnel; - : non disponible

COULEURS DISPONIBLES

Extérieur: Gris, Moka,Vert, Bleu, Blanc, Noir, Cerise, Beige, Rouge. Améthyste.
Intérieur: Graphite, Beige, Rouge, Blanc, Noir, Neutre, Taupe, Gris clair.

ENTRETIEN

Première révision: 5 000 km
Fréquence: 10 000 km
Prise de diagnostic: Oui

QUOI DE NEUF EN 1995 ?

- **Nouveau moteur V6 de 3.8L donnant 205 ch.**
- **Fluide de transmission automatique Dexron III bon pour 160 000 km.**
- **Retouches cosmétiques des parties avant-arrière (Park Avenue).**
- **Contrôleur de traction en série (Cadillac).**
- **Jantes en aluminium, moteur plus puissant et nouveaux ajustements de la suspension (Concours).**

Modèles/ versions *: de série	MOTEURS Type / distribution soupapes / carburation	Cylindrée cc	Puissance ch @ tr/mn	Couple lb.pi @ tr/mn	Rapport volumét.	TRANSMISSION Roues motrices / transmissions	Rapport de pont	PERFORMANCES Accélér. 0-100 km/h s	400 m D.A. s	1000 m D.A. s	Freinage 100-0 km/h m	Vites. maxi. km/h	Accélér. latérale G	Niveau sonore dBA	Consommation l./100km Ville	Consommation l./100km Route	Carburant Octane
1)	V6* 3.8 ACC-12-ISPM	3785	205 @ 5200	230 @ 4000	9.4 :1	avant - A4*	2.97	10.5	17.0	31.2	46	180	0.75	66	12.7	8.0	R 87
2)	V6* C 3.8 ACC-12-ISPM	3785	225 @ 5000	275 @ 3200	8.5 :1	avant - A4*	2.97	8.0	15.8	29.3	44	200	0.77	65	14.3	8.7	M 89
3)	V8* 4.6 DACT-32-IE	4565	275 @ 5600	300 @ 4000	10.3 :1	avant - A4*	3.11	8.4	16.0	8.5	42	200	0.75	65	14.4	8.7	R 87
4)	V8* 4.9 ACC-16-ISPM	4893	200 @ 4100	275 @ 3000	9.5 :1	avant - A4*	2.73	9.5	16.3	30.0	48	180	0.76	64	14.8	8.3	R 87

1) * Park Avenue, 98. 2) option 98 Elite, Ultra 3) * De Ville Concours 4) * De Ville

OLDSMOBILE 98 Regency Elite

celle des De Ville dont les amorsseurs sont contrôlés électroniuement ou celle de l'Elite qui est n peu plus ferme, présente des nouvements de carrosserie noins prononcés.

Accès: 80%
es longues portes et les sièges eu galbés permettent de s'insaller à bord sans contorsion nême pour les personnes de rande taille.

Technique: 80%
ssues d'une plate-forme quasi dentique, ces tractions avant diférent par l'empattement plus long t les moteurs V8 des De Ville lors que les 98 et Park Avenue ont équipées d'un nouveau V6 e 3.8L donnant 30 ch de plus ue l'ancien qui peut, en option ur la 98 Elite, être muni d'un ompresseur Roots donnant 20 h de plus mais surtout un couple lus élevé. La De Ville de base tilise le 4.9L alors que la Conours a le Northstar de 4.6L prourant 270 ch. Leur suspension st indépendante aux quatre oues, mais le carrossage de la e Ville varie en fonction de l'état e la route et sa garde-au-sol est naintenue constante par un corecteur d'assiette. Les freins sont nixtes sur les Buick et Oldsmoile et à 4 disques sur les De Ville t l'ABS est en série. Leur carroserie monocoque en acier a une nesse aérodynamique intéresante si l'on considère leur format puisque leur cœfficient tourne autour de 0.34. Un régulateur de traction couplé à l'ABS fait aussi partie de l'équipement de série des De Ville et est offert en option sur la Park Avenue.

• Performances: 70%
Grâce au nouveau moteur V6 les accélérations et les reprises des Park Avenue et 98 sont plus franches, tandis qu'elles sont plus pimentées avec le compresseur. Bien que le V8 de 4.9L de la De Ville offre un rapport poids-puissance favorable (8.52 kg/ch), le Northstar de la Concours lui donne des ailes (6.68 kg/ch).

• Qualité & finition: 70%
En constante amélioration elle n'arrive toujours pas au niveau des standards japonais ou allemands pour les tolérances ou l'apparence des matériaux.

• Niveau sonore: 70%
Bas à vitesse stabilisée où les moteurs sont discrets, seul le martèlement des roues et le vent audelà d'une certaine vitesse viennent troubler la quiétude de leur cocon. Le Northstar est bruyant lors des reprises, sans que cela soit vraiment désagréable.

• Poste de conduite: 60%
Le siège du conducteur n'offre pas une position de conduite confortable à cause de son manque de maintien et de la longueur de la colonne de direction. L'instrumentation est très simple, mais distrayante lorsqu'elle est digitale et certaines commandes sont difficiles à atteindre derrière le volant dont la jante n'offre pas toujours une bonne prise.

• Sièges: 60%
Malgré un rembourrage généreux leur maintien latéral est nul et le soutien lombaire n'est ajustable qu'en option.

• Direction: 60%
Variable en fonction de la vitesse, son assistance encore un peu forte réclame une certaine attention, bien que le guidage soit précis et la démultiplication normale. Toutefois en ville la maniabilité souffre du diamètre de braquage

CADILLAC De Ville Concours

plus grand que la moyenne et de leurs dimensions importantes.

Comportement: 50%
Le roulis et le tangage de ces voitures ont excessifs, exception faite de l'Elite à compresseur et de la Concours dont les ensembles ressorts-amortisseurs sont ajustables et les barres stabilisatrices d'un diamètre plus important.

POINTS FAIBLES

• Prix/équipement: 20%
Chères, mais bien équipées ces voitures ont vu leur vente baisser du fait d'une concurrence plus forte. Seule la Cadillac semble offrir assez de classe et de technicité pour justifier son choix.

• Commodités: 30%
Les rangements ne sont pas nombreux, et consistent le plus souvent en une boîte à gants, un coffret de console centrale ou un vide-poches peu logeables.

• Freinage: 40%
Stabilisé par l'ABS, il travaille fort lorsqu'il est mixte, vu le poids important de ces voitures et les 4 disques des Cadillac ne sont pas de trop pour raccourcir les distances d'arrêt. Dans les deux cas leur résistance à l'échauffement n'est que moyenne.

• Consommation: 40%
Elle n'est économique qu'avec le V6 de base des Buick-Oldsmobile, car le V6 compressé et les V8 sont plus gourmands, particulièrement le Northstar qui sanctionne lourdement les hautes performances.

• Dépréciation: 40%
Si la Buick perd plus de valeur que la Cadillac, c'est l'Oldsmobile qui se revend le plus favorablement, sans que l'on puisse vraiment expliquer pourquoi.

CONCLUSION

• Moyenne générale: 65.5 %
GM commence a rencontrer un peu de concurrence dans ce segment où elle régnait depuis longtemps. Les nouvelles venues de toute provenance sont autant de tentations pour cette clientèle exigeante. ☺

CARACTÉRISTIQUES & PRIX

Modèles	Versions	Carrosseries/ Sièges	Volume cabine l.	Volume coffre l.	Cx	Empat. mm	Long x larg x haut. mm x mm x mm	Poids à vide kg	Capacité Remorq. max. kg	Susp. av/ar	Freins av/ar	Direction type	Diamètre braquage m	Tours volant b à b.	Réser. essence l.	Pneus d'origine	Mécaniques d'origine	PRIX $ CDN. 1994
BUICK		**Garantie générale: 3 ans / 60 000 km; antipollution: 5 ans / 80 000km; perforation corrosion: 6 ans / 160 000 km.**																
Park Ave.	base	ber. 4 p.6	3084	574	0.34	2814	5230x1882x1400	1629	907	i/i	d/t/ABS	crém.ass.	12.2	2.97	68.1	205/70R15	V6/3.8/A4	**34 198**
Park Ave.	Ultra	ber. 4 p.6	3084	574	0.34	2814	5230x1882x1400	1652	907	i/i	d/t/ABS	crém.ass.	12.2	2.97	68.1	2125/70R15	V6C/3.8/A4	**38 898**
CADILLAC		**Garantie générale: 4 ans / 80 000 km; antipollution: 5 ans / 80 000km; perforation corrosion: 6 ans / 160 000km.**																
De Ville	Sedan	ber. 4 p.6	3327	566	0.35	2890	5326x1946x1431	1704	454	i/i	d/d/ABS	crém.ass.	12.4	2.97	75.7	215/70R15	V8/4.9/A4	**42 388**
De Ville	Concours	ber. 4 p.6	3327	566	0.35	2890	5326x1946x1431	1807	454	i/i	d/d/ABS	crém.ass.	12.4	2.97	75.7	225/60HR16	V8/4.6/A4	**49 898**
OLDSMOBILE		**Garantie générale: 3 ans / 60 000 km; antipollution: 5 ans / 80 000km; perforation corrosion: 6 ans / 160 000 km.**																
98 Regency Elite		ber. 4 p.5/6	3086	572	0.34	2814	5226x1896x1393	1594	907	i/i	d/t/ABS	crém.ass.	12.2	2.97	68.1	205/70R15	V6/3.8/A4	**32 898**

Voir la liste complète des prix 1995 à partir de la page 393.

BUICK Riviera

Coupé bourgeois...

Il n'y a pas foule dans cette catégorie de coupés intermédiaires, majoritairement d'origine américaine. Suffisamment luxueux sans coûter trop cher et assez performant sans être vraiment sportif, le coupé Riviera occupe une niche particulière où il est finalement unique en son genre.

Après une année d'absence sur le marché, le coupé Riviera est de retour sous une forme entièrement renouvelée que ce soit à l'extérieur ou à l'intérieur. Pourtant la mécanique n'a que peu évolué puisque le vénérable V6 de 3.8L vient de fêter ses 35 ans. Une version de base à moteur atmosphérique donnant 205 ch est commercialisée aux États-Unis, mais pas au Canada qui n'importe que la version compressée à 225 ch.

POINTS FORTS

• Sécurité: 90%
Toutes les voitures récemment remises à jour ont vu leur structure bénéficier d'une sérieuse rigidification, afin de satisfaire aux exigences du bureau des autoroutes américain (NHTSA). De plus la fourniture en série de coussins d'air aux places avant et d'un dispositif antiblocage des freins, porte la note près du maximum.

• Assurance: 90%
Compte tenu de son prix le Riviera coûte moins cher à assurer que certains modèles plus modestes, grâce à son taux de 3.6 % du prix d'achat.

• Satisfaction: 80%
Si l'on se fie à la cote de l'ancien modèle, et tenant compte que la mécanique en est dérivée on ne devrait pas trop craindre pour sa fiabilité, mais comme d'habitude il convient de rester prudent la première année de commercialisation.

• Performances: 80%
C'est la version compressée qui procure les meilleures accélérations et reprises, grâce à un rapport poids/puissance favorable (7.6 kg/ch), toutefois le caractère de ce coupé se prête mal à une utilisation sportive et c'est en conduite normale que l'on apprécie le mieux la puissance et la souplesse du moteur qui est très «soyeux», ainsi que le bon échelonnement de la transmission.

• Direction: 80%
Normalement démultipliée, elle bénéficie d'une assistance bien dosée, variant en fonction de la vitesse grâce à un dispositif magnétique, et d'une bonne rapidité d'intervention. Toutefois, malgré un diamètre de braquage raisonnable, la maniabilité est gênée par son imposant gabarit.

• Coffre: 80%
L'utilisation de son vaste volume est pénalisée par la hauteur de son seuil et l'étroitesse de son ouverture.

• Accès: 80%
Il est aussi facile de prendre place à l'avant qu'à l'arrière grâce aux longues portes qui s'ouvrent largement et à la hauteur suffisante sous le pavillon.

• Habitabilité: 75%
Elle permet d'accueillir facilement quatre personnes en tout confort et une cinquième en dépannage, grâce à ses dimensions intérieures bien proportionnées.

• Qualité/finition: 75%
Comme l'Aurora, la Riviera bénéficie de la nouvelle politique de GM qui a notablement amélioré les critères d'assemblage, de finition et de

DONNÉES

Catégorie: coupés intermédiaires tractés.
Classe : 7

HISTORIQUE

Inauguré en: 1962
Modifié en: 1966, 1976, 1978, 1986: traction avant & moteur V6, 1995.
Fabriqué à: Hamtramck-Détroit, Michigan, États-Unis.

INDICES

Sécurité: 90 %
Satisfaction: 80 % (ancien modèle)
Dépréciation: 65 % (ancien modèle)
Assurance: 3.6 % (1 430 $)
Prix de revient au km: 0.45 $

NOMBRE DE CONCESSIONNAIRES

Au Québec: 90 Buick.

VENTES AU QUÉBEC

Modèle	1992	1993	Résultat	Part de marché
Riviera	43	17	-60.4 %	1.8 %

PRINCIPAUX MODÈLES CONCURRENTS

ACURA Legend coupé, FORD Thunderbird SC, MERCURY Cougar XR7.

ÉQUIPEMENT

BUICK Riviera	Supercharged
Boîte automatique:	S
Régulateur de vitesse:	S
Direction assistée:	S
Freins ABS:	S
Climatiseur automatique:	S
Coussins gonflables (2):	S
Garnitures en cuir:	O
Radio MA/MF/ K7:	S
Serrures électriques:	S
Lève-vitres électriques:	S
Volant ajustable:	S
Rétroviseurs ext. ajustables:	S
Essuie-glace intermittent:	S
Jantes en alliage léger:	S
Toit ouvrant:	O
Système antivol:	S

S : standard; O : optionnel; - : non disponible

COULEURS DISPONIBLES

Extérieur: Beige, Améthyste, Vert, Noir, Blanc, Rouge, Cerise, Bleu, Gris.
Intérieur: Graphite, Rouge, Beige, Jade, Bleu.

ENTRETIEN

Première révision: 5 000 km
Fréquence: 10 000 km
Prise de diagnostic: Oui

QUOI DE NEUF EN 1995 ?

- Esthétique extérieure et intérieure entièrement renouvelée.
- Deux coussins gonflables en série.
- Réfrigérant sans CFC.
-Traction assistée disponible en option.

	MOTEURS				TRANSMISSION			PERFORMANCES									
Modèles/ versions *: de série	Type / distribution soupapes / carburation	Cylindrée cc	Puissance ch @ tr/mn	Couple lb.pi @ tr/mn	Rapport volumét.	Roues motrices / transmissions	Rapport de pont	Accélér. 0-100 km/h s	400 m D.A. s	1000 m D.A. s	Freinage 100-0 km/h m	Vites. maxi. km/h	Accélér. latérale G	Niveau sonore dBA	Consommation l./100km Ville	Consommation l./100km Route	Carburant Octane
1993	V6* 3.8 ACC-12-ISPM	3785	170 @ 4800	220 @ 3200	8.5 :1	avant - A4*	3.06	9.5	16.8	30.7	38	195	0.79	67	12.4	7.7	R 87
1995	V6* 3.8 ACC-12-IES	3785	205 @ 5200	230 @ 4000	9.4 :1	avant - A4	3.05	ND									
option	V6C 3.8 ACC-12-IES	3785	225 @ 5000	275 @ 3200	8.5 :1	avant - A4	3.05	8.0	16.4	29.5	44	200	0.79	66	14.3	8.7	M 89

qualité des composants. À la limite, on a parfois l'impression que ses créateurs se sont inspirés de leurs rivales allemandes...Il faut toutefois noter que le système audio de marque prestigieuse est très moyen, car le son manque de relief malgré les nombreux ajustements disponibles.

Poste de conduite: 75%
Grâce aux nombreux ajustements du siège, le conducteur trouve rapidement la position de conduite la plus confortable. L'absence de pilier B l'améliore latéralement, mais il est difficile de situer les extrémités, les capots avant et arrière étant longs et invisibles du poste de conduite.

Technique: 75%
Conservatrice, elle a repris nombre d'éléments du modèle précédent, à commencer par le moteur dont la dernière version est un peu plus puissante. La suspension est indépendante et les freins à disque aux quatre roues avec un système antiblocage livré en série. Malgré son allure très fuselée, la coque n'affiche qu'un coefficient aérodynamique moyen de 0.34.

Sièges: 75%
Ils sont supérieurs à ceux qui équipaient l'ancien modèle, par leur galbe qui permet un meilleur maintien et par leur rembourrage moins mou qui soutient mieux et retarde la fatigue sur les longs trajets.

Commodités: 75%
Les rangements, en nombre suffisant, consistent en une boîte à gant, un coffret de console et des vide-poches de portes de bonne contenance.

Suspension: 70%
Elle dispense un meilleur confort sur autoroute à vitesse constante que sur les revêtements en mauvais état où elle réagit de manière peu civilisée.

Niveau sonore: 70%
Il se maintient très bas dans la plupart des circonstances grâce à la discrétion de la mécanique, la rigidité et la bonne insonorisation de la coque.

Comportement: 65%
La souplesse de la suspension s'accommode mieux des lignes droites ou des grandes courbes, que des petits virages fermés où la Riviera se vautre littéralement et perd la majeure partie de sa motricité à cause de son poids et de son encombrement qui lui ôtent toute agilité.

• Consommation: 60%
Raisonnable à vitesse de croisière, elle grimpe rapidement si l'on s'est donné pour mission d'explorer les limites du moteur.

POINTS FAIBLES

• Prix/équipement: 30%
Malgré l'originalité de son dessin et la richesse de son équipement, la Riviera n'est pas donnée car il n'y a pas foule dans ce segment où les japonais ne sont pas actifs et les américains représentés uniquement par Ford. L'équipement est relativement complet, car les garnitures de cuir, le chargeur de disques compacts et les sièges chauffants sont les seules options.

• Dépréciation: 35%
Basée sur celle de l'ancien modèle, elle est aussi forte que la décote des berlines intermédiaires et plus forte que celle de ses concurrents. Nous verrons l'an prochain si le dernier modèle améliore ou non cette tendance.

• Freinage: 40%
S'il est relativement efficace et rectiligne, son endurance n'est pas à toute épreuve car l'efficacité des plaquettes part en fumée dès qu'on en abuse.

CONCLUSION

• Valeur moyenne: 62.5%
Plus fidèle à son style toujours particulier et à son confort douillet, qu'aux performances et comportement très sportifs, le Riviera continuera d'être un grand coupé bourgeois... ☺

CARACTÉRISTIQUES & PRIX

Modèles	Versions	Carrosseries/ Sièges	Volume cabine l.	Volume coffre l.	Cx	Empat. mm	Long x larg x haut. mm x mm x mm	Poids à vide kg	Capacité Remorq. max. kg	Susp. av/ar	Freins av/ar	Direction type	Diamètre braquage m	Tours volant b à b.	Réser. essence l.	Pneus d'origine	Mécaniques d'origine	PRIX $ CDN. 1994
BUICK		Garantie générale: 3 ans / 60 000 km; antipollution: 5 ans / 80 000km; perforation corrosion: 6 ans / 160 000 km.																
Riviera	1994 base	cpé. 2p.5	2803	396	0.36	2743	5034x1857x1344	1589	907	i/i	d/dABS	crém.ass.	12.0	2.81	71.2	205/70R15	V6/3.8/A4	30 798
Riviera	1995 base	cpé. 2p.5	2818	493	0.34	2890	5263x1905x1402	1700	907	i/i	d/dABS	crém.ass.	11.9	3.05	75.7	225/60R16	V6/3.8/A4	ND
Riviera	Supercharged	cpé. 2p.5	2818	493	0.34	2890	5263x1905x1402	1718	907	i/i	d/dABS	crém.ass.	11.9	3.05	75.7	225/60R16	V6C/3.8/A4	38 025

Voir la liste complète des prix 1995 à partir de la page 393.

CHEVROLET Camaro
PONTIAC Firebird

Danseurs Sumo...

Ces coupés populaires aux lignes très spectaculaires perpétuent la tradition du nom qu'ils portent mais ne connaissent pas autant de succès que leurs prédécesseurs. Ils demeurent en effet les seuls dans leur segment à avoir un gabarit, un poids et des moteurs aussi imposants.

Les coupés Camaro et Firebird ont été rafraîchis en 1993. Ils sont pratiquement identiques à quelques détails cosmétiques près. Les modèles de base sont équipés d'un moteur V6 de 3.4L de 160 ch avec boîte manuelle à 5 rapports, alors que les Z28-Formula disposent du V8 de 5.7L de 275 ch avec transmission manuelle à 6 vitesses. Le même moteur équipe la Firebird Trans Am uniquement disponible avec boîte manuelle et un rapport de pont plus court. En 1994 chaque coupé a été doublé d'un cabriolet dont la mécanique est identique.

POINTS FORTS

• Sécurité: 80%
Bien que leur carrosserie monocoque en acier ait été rigidifiée afin d'améliorer le comportement routier et la résistance en cas de collision, elle n'est pas encore suffisante car on décèle des bruits de carrosserie aux passages de certains défauts de la route surtout avec les modèles décapotables. Heureusement, deux coussins gonflables et un dispositif antiblocage des freins sont livrés en série.

• Comportement: 75%
La meilleure rigidité de la caisse, l'amortissement plus efficace et les pneus bien calibrés procurent une bonne tenue en virage, même très serré où la motricité reste satisfaisante sur revêtement humide. Sinon la suspension devient sautillante, saccadée et très difficile à guider de manière linéaire.

• Performances: 75%
La majorité des clients se contentera du moteur V6 dont les accélérations et les reprises sont aussi ordinaires que son rapport poids-puissance (9.37 kg/ch), mais qui procure de belles sensations à moindre frais. Le V8 nettement plus musclé (5.81 kg/ch) amènera les autres du Nirvanha à l'enfer selon les contrôles de vitesse.

• Satisfaction: 75%
Souhaitons que cette nouvelle génération offre une meilleure qualité que la précédente plutôt médiocre.

DONNÉES

Catégorie: coupés sportifs propulsés.
Classe : S

HISTORIQUE

Inauguré en: 1966 (Camaro) 1967 (Firebird)
Modifié en: 1979, 1981, 1993.
Fabriqué à: Ste-Thérèse, Québec, Canada.

INDICES

Sécurité: 90 %
Satisfaction: 75 %
Dépréciation: 65 %
Assurance: 9.1 % (1 545 $) V8: 8.3 % (1 656 $)
Prix de revient au km: 0.47 $

NOMBRE DE CONCESSIONNAIRES

Au Québec: 99 Chevrolet, 90 Pontiac.

VENTES AU QUÉBEC

Modèle	1992	1993	Résultat	Part de marché
Camaro	60	64	+6.25 %	0.8 %
Firebird	60	76	+21.0 %	0.8 %

PRINCIPAUX MODÈLES CONCURRENTS

ACURA Integra, CHRYSLER Sebring, DODGE Avenger & Stealth, EAGLE Talon, FORD Mustang et Probe, HONDA Prelude, MAZDA MX-6, NISSAN 240SX, TOYOTA Celica et VOLKSWAGEN Corrado.

ÉQUIPEMENT

CHEVROLET Camaro / PONTIAC Firebird	base / base	Z28 / Formula	Trans AM
Boîte automatique:	O	O	O
Régulateur de vitesse:	O	O	S
Direction assistée:	S	S	S
Freins ABS:	S	S	S
Climatiseur:	O	S	S
Coussins gonflables (2):	S	S	S
Garnitures en cuir:	O	O	O
Radio MA/MF/ K7:	S	S	S
Serrures électriques:	O	O	S
Lève-vitres électriques:	O	O	S
Volant ajustable:	S	S	S
Rétroviseurs ext. ajustables:	S	S	S
Essuie-glace intermittent:	S	S	S
Jantes en alliage léger:	O	S	S
Toit ouvrant:	-	-	-
Système antivol:	O	O	O

S : standard; O : optionnel; - : non disponible

COULEURS DISPONIBLES

Extérieur: Pourpre, Blanc, Argent, Tilleul,Vert, Rouge, Noir, Bleu .
Intérieur: Tissu: Beige, Graphite, Gris moyen; Cuir: Rouge, Blanc.

ENTRETIEN

Première révision: 5 000 km
Fréquence: 10 000 km
Prise de diagnostic: Oui

QUOI DE NEUF EN 1995 ?

- Contrôleur de traction offert avec les deux transmissions (Pontiac).
- Pneus 4 saisons P245/50ZR16 sur Trans-Am.
- Antenne électrique.
- Couvre-roues et jantes en alliage léger de 16" d'un style nouveau.
- Nouvelles teintes de carrosserie.
- Changeur de disques compacts en option (Pontiac).

MOTEURS						TRANSMISSION		PERFORMANCES									
Modèles/ versions *: de série	Type / distribution soupapes / carburation	Cylindrée cc	Puissance ch @ tr/mn	Couple lb.pi @ tr/mn	Rapport volumét.	Roues motrices / transmissions	Rapport de pont	Accélér. 0-100 km/h s	400 m D.A. s	1000 m D.A. s	Freinage 100-0 km/h m	Vites. maxi. km/h	Accélér. latérale G	Niveau sonore dBA	Consommation l./100km Ville	Consommation l./100km Route	Carburant Octane
1)	V6* 3.4 ACL-12-IES	3392	160 @ 4600	200 @ 3600	9.0 :1	arrière - M5*	3.23	9.8	16.7	30.5	42	175	0.80	68	12.8	7.8	R 87
						arrière - A4	3.23	10.5	17.2	31.2	44	170	0.80	68	12.1	7.6	R 87
2)	V8 5.7 ACL-16-IES	5735	275 @ 5000	325 @ 2000	10.5 :1	arrière - M6*	3.42	6.7	15.0	26.5	45	210	0.85	70	13.9	8.1	R 87
						arrière - A4	3.23	7.8	15.7	27.2	47	200	0.85	70	14.4	9.2	R 87
3)	V8 5.7 ACL-16-IEPM	5735	275 @ 5000	325 @ 2400	10.5 :1	arrière - M6*	3.42	6.7	14.9	25.6	42	210	0.85	70	14.4	9.2	R 87

1) base Camaro-Firebird 2) Camaro Z28 &Firebird Formula 3) Firebird Trans Am

Poste de conduite: 70%
.e conducteur trouve rapidement ne position de conduite acceptable, mais la colonne de direcon est longue et le sélecteur de ı boîte manuelle placé trop en rrière, mais le frein de stationement est pratique. Les instruıents sont nombreux et lisibles. a visibilité est médiocre, car on st assis bas, le tableau de bord st haut et massif, il est difficile 'évaluer les dimensions du véicule et le pilier C crée un angle ıort important surtout sur les cariolets dont la lunette est plus troite. Enfin les rétroviseurs laıraux sont très petits.

Direction: 70%
lle est suffisamment rapide, diecte, précise et bien dosée pour endre la conduite inspirée. Quant u volant il est d'un usage agréale car sa jante épaisse permet ne prise efficace.

Suspension: 70%
elle des modèles de base surrend par ses bonnes manières ur bon revêtement, sinon celle es Z28-Formula-Trans Am est ettement plus instable malgré la ualité des amortisseurs de arbon montés d'origine.

Technique: 60%
lentiques ces coupés possèdent xactement les mêmes dimenions de base que l'ancienne verion, mais leur carrosserie est lus longue, plus large et plus aute. La suspension est indéendante à l'avant, tandis qu'à arrière l'essieu rigide est mainenu par des bras multiples, genre alisbury.

es freins de base sont mixtes lors que quatre disques équient les modèles à moteur V8 et ABS est monté en série dans us les cas. La direction est à rémaillère assistée et les roues e 16 pouces équipées de pneus oodyear Eagle GA.

Qualité & finition: 60%
lalgré une certaine amélioration, n est encore loin de la qualité es concurrents japonais. L'apparence du nouveau tableau de bord est plus technique, mais il est réalisé dans une matière plastique à l'apparence bon marché. Quant aux garnitures, elles sont moins ternes que par le passé, mais ne font toujours pas très riches. La finition intérieure de la capote est simplifiée à l'extrême et ne comporte aucun isolant, juste un tissu de garniture.

• Sièges: 60%
À l'avant ils procurent un maintien latéral et un soutien lombaire suffisants et leur rembourrage est presque moelleux. Toutefois la bosse que fait le convertisseur catalytique dans le plancher côté passager, sera à l'origine de crampes et de chaleurs sur longs trajets. Les places arrière ne maintiendront efficacement que des bambins tant l'espace disponible est réduit, le dossier trop vertical et l'accès acrobatique.

• Commodités: 60%
Les rangements consistent en une boîte à gants d'un volume acceptable, d'un évidement dans la console centrale et de petits vide-poches de portes placés trop en arrière. La capote des cabriolets est aussi facile à ôter qu'à mettre en place grâce à son assistance électrique.

• Prix/équipement: 50%
Bien que proposés à des prix populaires, compte tenu de leurs performances et de leur équipement de base, ces coupés trop volumineux ne rencontrent pas un aussi grand succès que leur concurrent direct le Ford Mustang qui est plus compact.

• Accès: 50%
On parvient à entrer sans encombre grâce aux longues portes s'ouvrant largement et au plafond qui est relativement haut.

• Consommation: 50%
Elle n'est pas si exagérée si l'on considère le gabarit de ces coupés et de leurs moteurs, mais comparée à l'appétit d'un Eagle Talon elle n'est pas très économique...

PONTIAC Formula décapotable

POINTS FAIBLES

• Niveau sonore: 30%
Les sonorités du moteur V6 sont plus discrètes que celles du V8 qui gronde sourdement et transmet autant de décibels que de vibrations. Pourtant à vitesse de croisière il se montre plus discret et supportable.

• Habitabilité: 35%
Elle est loin d'être proportionnelle à l'encombrement, mais l'espace y est mieux organisé que par le passé. Cependant seuls deux adultes et deux jeunes enfants pourront y prendre place.

• Dépréciation: 35%
Elle est forte et comparable à l'ensemble des produits américains, quand leur gabarit et leur consommation ne sont plus tout à fait adaptés à notre époque.

• Freinage: 40%
Efficace et plus facile à doser, il est parfois brutal à l'attaque mais l'ABS le stabilise bien en cas d'urgence. Pourtant les distances d'arrêts sont longues et les roues sont le siège de petits blocages intempestifs.

• Coffre: 40%
Il est constitué d'un trou et d'une plate-forme située derrière la banquette dont le dossier s'escamote pour l'agrandir. Toutefois il n'est pas facile d'accès, car son seuil est relativement haut et sa télécommande, placée dans la boîte à gants, difficile à atteindre pour le conducteur.

• Assurance: 40%
Les jeunes trouveront la note très salée, même avec le modèle de base car la prime des V6 est aussi forte que celle des V8.

CONCLUSION

• Moyenne générale: 56.0%
Ces coupés ont rencontré un meilleur succès aux États-Unis qu'au Canada où l'essence est plus chère et le marché plus dirigé vers les modèles compacts comme le Ford Mustang que l'on voit partout... 😐

SUGGESTIONS DES PROPRIÉTAIRES

- **-Un format plus compact.**
- **-Une finition supérieure.**
- **-Une coque beaucoup plus rigide (décapotable).**
- **-Un coffre plus pratique comme d'autres coupés sportifs.**
- **-Rapports de boîte manuelle à 6 vitesses différents.**
- **-Des places arrière utilisables.**
- **-Un réservoir d'essence plus volumineux.**

CARACTÉRISTIQUES & PRIX

Modèles	Versions	Carrosseries/ Sièges	Volume cabine l.	Volume coffre l.	Cx	Empat. mm	Long x larg x haut. mm x mm x mm	Poids à vide kg	Capacité Remorq. max. kg	Susp. av/ar	Freins av/ar	Direction type	Diamètre braquage m	Tours volant b à b.	Réser. essence l.	Pneus d'origine	Mécaniques d'origine	PRIX $ CDN. 1994
CHEVROLET		**Garantie générale: 3 ans / 60 000 km; antipollution: 5 ans / 80 000km; perforation corrosion: 6 ans / 160 000 km.**																
Camaro	base	cpé.3p. 2+2	2319	365	0.32	2568	4907x1882x1303	1434	454	i/r	d/t/ABS	crém.ass.	12.40	2.67	58.7	215/60R16	V6/3.4/M5	**16 798**
Camaro	base	déc.2p. 2+2	2282	215	0.36	2568	4967x1882x1320	1508	454	i/r	d/t/ABS	crém.ass.	12.40	2.67	58.7	215/60R16	V6/3.4/M5	**23 498**
Camaro	Z28	cpé.3p. 2+2	2319	365	0.32	2568	4967x1882x1303	1494	454	i/r	d/d/ABS	crém.ass.	12.22	2.28	58.7	235/55R16	V8/5.7/M6	**20 798**
Camaro	Z28	déc.2p. 2+2	2282	215	0.36	2568	4967x1882x1320	1588	454	i/r	d/d/ABS	crém.ass.	12.22	2.28	58.7	235/55R16	V8/5.7/M6	**26 798**
PONTIAC		**Garantie générale: 3 ans / 60 000 km; antipollution: 5 ans / 80 000km; perforation corrosion: 6 ans / 160 000 km.**																
Firebird	base	cpé.3p. 2+2	2319	365	0.32	2568	4968x1892x1320	1465	454	i/r	d/t/ABS	crém.ass.	11.55	2.67	58.7	215/60R16	V6/3.4/M5	**17 498**
Firebird	base	déc.2p. 2+2	2282	215	0.36	2568	4968x1882x1339	1517	454	i/r	d/t/ABS	crém.ass.	11.55	2.67	58.7	215/60R16	V6/3.4/M5	**25 698**
Firebird	Formula	cpé.3p. 2+2	2319	365	0.32	2568	4968x1892x1320	1529	454	i/r	d/d/ABS	crém.ass.	11.50	2.28	58.7	235/55R16	V8/5.7/M6	**22 398**
Firebird	Formula	déc.2p. 2+2	2282	215	0.36	2568	4968x1882x1339	1583	454	i/r	d/d/ABS	crém.ass.	11.50	2.28	58.7	235/55R16	V8/5.7/M6	**29 498**
Firebird	Trans Am	cpé.3p. 2+2	2319	365	0.32	2568	5004x1892x1312	1518	454	i/r	d/d/ABS	crém.ass.	11.50	2.28	58.7	245/50ZR16	V8/5.7/M6	**25 898**
Firebird	Trans Am	déc.2p. 2+2	2282	215	0.36	2568	5004x1882x1339	1637	454	i/r	d/d/ABS	crém.ass.	11.50	2.28	58.7	245/50ZR16	V8/5.7/M6	**31 798**

Voir la liste complète des prix 1995 à partir de la page 393.

Oldsmobile Aurora

Révolution de palais...

«Pas d'excuse» fut le leitmotiv qui a présidé à la création de cette berline de luxe capable d comparer sans rougir ses caractéristiques à celles de ses concurrentes japonaises ou allemandes Partie dans la bonne direction, GM va constater combien la qualité est payante à long terme...

L'Aurora est la première automobile d'une nouvelle époque de General Motors. Après la monstrueuse réorganisation, un changement de mentalité inéluctable se met en place lentement mais sûrement. Étudiée par les ingénieurs de Cadillac sans label particulier, l'Aurora a finalement été attribuée à Oldsmobile. D'un calibre international, cette berline de luxe à quatre portes entend faire la lutte à des voitures japonaises ou allemandes équipées de moteurs 6 cylindres et d'un format légèrement inférieur à prix plus compétitif.

POINTS FORTS

• Sécurité: 90%
Sous cet aspect l'Aurora béneficie d'une coque très solide offrant une bonne résistance aux impacts frontaux ou latéraux et deux coussins gonflables protègent les occupants des places avant, dont les baudriers de ceinture sont ajustables en hauteur. Toutefois il est curieux de constater que pour une voiture de ce calibre les boucles de ceinture ne sont pas mieux intégrées au siège surtout à l'arrière. Côté actif l'ABS et le contrôleur de traction livrés en série stabilisent les départs comme les arrêts quel que soit l'état de la chaussée.

• Assurance: 90%
L'Aurora ne coûte pas plus cher à assurer qu'une Mustang GT décapotable et sa prime est inférieure à celle d'une simple BMW 318.

• Technique: 80%
Partis d'une plate-forme très proche de celle de la De Ville, les ingénieurs de Cadillac ont créé un véhicule inédit dont la devise était «pas d'excuse». Le moteur est placé transversalement entre les roues avant motrices, la suspension est indépendante et les freins sont à disque aux 4 roues et un contrôleur de traction est couplé à l'antiblocage des freins. Formée d'une cage tubulaire protégeant l'habitacle, la structure a été conçue pour vibrer à une fréquence naturelle de 25 Hz . Monocoque, la carrosserie en acier a une efficacité aérodynamique moyenne (0.34) malgré ses lignes tendues. Pour limiter le poids le capot-moteur est en aluminium, et le réservoir de carburant en nylon. Le nouveau V8 de 4.0L développant 250 ch a été créé pour l'Aurora et sa conception a entraîné le dépôt de 14 brevets.

• Direction: 80%
Précise et rapide, son assistance un peu forte la rend légère et réclame une certaine attention. Sa maniabilité est honnête si l'on tient compte de son grand diamètre de braquage, de sa démultiplication moyenne et de ses porte-à-faux importants.

• Qualité/finition: 80%
Surprenante chez GM, elle atteint pratiquement le standard international. Le cuir des garnitures, le bois des appliques et les tapis sont de bonne facture, les ajustements semblent plus rigoureux et la présentation du tableau de bord ne mérite aucun reproche.

• Commodités: 80%
Ici encore GM nous surprend par le nombre et la capacité des rangements, qui sont de surcroît astucieux, tel l'accoudoir central arrière remarquablement aménagé avec des porte-gobelets intégrés. Malheureusement le bouchon du réservoir d'essence est moins gâté car il n'est vraiment pas pratique.

DONNÉES

Catégorie: berlines de luxe tractées.
Classe : 7

HISTORIQUE

Inauguré en: 1994
Modifié en: -
Fabriqué à: Orion Township, MI, États-Unis.

INDICES

Sécurité:	90 %
Satisfaction:	ND %
Dépréciation:	ND %
Assurance:	4.0 % (1 545 $)
Prix de revient au km:	0.61 $

NOMBRE DE CONCESSIONNAIRES

Au Québec: 99 Oldsmobile

VENTES AU QUÉBEC

Modèle	1992	1993	Résultat	Part de marché
Aurora	pas en vente à cette époque			

PRINCIPAUX MODÈLES CONCURRENTS

AUDI A8, BMW 540, INFINITI Q45, LEXUS LS400, MERCEDES BENZ 400E

ÉQUIPEMENT

ODLSMOBILE Aurora	base
Boîte automatique:	S
Régulateur de vitesse:	S
Direction assistée:	S
Freins ABS:	S
Climatiseur:	S
Coussins gonflables (2):	S
Garnitures en cuir:	S
Radio MA/MF/ K7:	S
Serrures électriques:	S
Lève-vitres électriques:	S
Volant ajustable:	S
Rétroviseurs ext. ajustables:	S
Essuie-glace intermittent:	S
Jantes en alliage léger:	S
Toit ouvrant:	S
Système antivol:	S

S : standard; O : optionnel; - : non disponible

COULEURS DISPONIBLES

Extérieur: Gris, Blanc, Vert, Argent, Bleu, Noir, Grenat, Cerise, Champagne Moka, Pourpre.
Intérieur: Graphite, Bleu, Sarcelle, Champignon.

ENTRETIEN

Première révision:	5 000 km
Fréquence:	10 000 km
Prise de diagnostic:	Oui

QUOI DE NEUF EN 1995 ?

- Nouveau modèle vendu par Oldsmobile, mais fabriqué par Cadillac.
- Traction avant, moteur V8 4.0L, transmission automatique et régulateu de traction, quatre freins à disques avec ABS.

MOTEURS					TRANSMISSION			PERFORMANCES									
Modèles/ versions *: de série	Type / distribution soupapes / carburation	Cylindrée cc	Puissance ch @ tr/mn	Couple lb.pi @ tr/mn	Rapport volumét.	Roues motrices / transmissions	Rapport de pont	Accélér. 0-100 km/h s	400 m D.A. s	1000 m D.A. s	Freinage 100-0 km/h m	Vites. maxi. km/h	Accélér. latérale G	Niveau sonore dBA	Consommation l./100km Ville	Consommation l./100km Route	Carbura Octane
Aurora	V8* 4.0 DACT-32-IES	3995	250 @ 5600	260 @ 4400	10.3 :1	avant - A4	3.48	9.5	16.7	30.6	48	215	0.80	65	14.3	8.7	M 89

POINTS FAIBLES

• **Prix/équipement: 22%**
Même si elle est nettement moins chère que la plupart de ses concurrentes, elle reste hors d'atteinte de la majorité. Son équipement est très complet, mais nous avons décelé de petits détails qui font penser que GM a puisé dans son grand magasin de pièces pour équiper cette voiture et certains éléments démodés (ceintures de sécurité etc.) tranchent sur le modernisme de l'ensemble.

• **Freinage: 30%**
Son efficacité n'est que très moyenne car les distances d'arrêt sont longues, en partie à cause de l'ABS qui réagit de manière désagréable en faisant durcir et remonter brutalement la pédale en fin d'arrêt, tandis que la résistance à l'échauffement est faible, les garnitures fumant et dégageant rapidement des odeurs nauséabondes caractéristiques.

Poste de conduite: 75%
i son style manque un peu de mplicité, son ergonomie est ef- :ace. La plupart des commanes principales sont bien situées l'exception des interrupteurs acés au bas du tableau des struments et qui sont difficiles à :teindre, même de jour. La conle centrale est bien orientée ers le conducteur et les cadrans ont lisibles malgré leur forme habituelle. On trouve peu d'élecronique à ce niveau puisque les domètres sont mécaniques et un style vieillot. Il est inadmissie que sur une voiture de cette asse on ne trouve pas un rapel de la position du sélecteur armi les instruments, ce qui blige à quitter la route des yeux.

Habitabilité: 75%
lle permet à cinq personnes de installer à l'aise dans la cabine ui offre assez d'espace, notamment pour les jambes à l'arrière ais la hauteur est limitée pour s grands gabarits.

Accès: 75%
râce à la bonne longueur et angle obtus d'ouverture des pors il est facile d'y prendre place ans contorsion disgracieuse.

Coffre: 70%
est vaste et profond, mais l'étroitesse de son ouverture complique un peu son usage, car certains bagages encombrants seront difficiles à manipuler.

• **Comportement: 70%**
L'Aurora fait preuve d'une bonne stabilité dynamique en ligne droite comme en courbe large et son roulis modéré ne perturbe pas la prise de virage serré où elle se met franchement en appui.

• **Niveau sonore: 70%**
La discrétion du moteur, jointe à l'excellente insonorisation ne laisse filtrer que des bruits de roulement qui prennent de l'importance au fur et à mesure que le pavé se dégrade, tandis que les filets d'air sur la carrosserie ne se font entendre qu'à des vitesses élevées et interdites.

• **Sièges: 70%**
Leur assise et leur dossier sont bien proportionnés, mais ils manquent de galbe pour offrir un maintien latéral adéquat, alors que le soutien lombaire et les appuie-tête sont satisfaisants à l'avant comme à l'arrière.

• **Suspension: 70%**
Elle réagit la plupart du temps avec beaucoup de douceur et de bonnes manières, toutefois le débattement des roues avant est limité sur de gros obstacles, car

la suspension va en butée.

• **Performances: 65%**
Malgré un rapport poids/puissance favorable (7.2 kg/ch) les reprises sont plus favorables que les accélérations qui devraient descendre sous les 9 s pour passer de 0 à 100 km/h qui est le standard de la catégorie.

• **Consommation: 50%**
Elle est très raisonnable pour une voiture de ce poids et de cette cylindrée puisque nous avons enregistré des chiffres inférieurs à ceux des agences gouvernementales, notamment en ville.

CONCLUSION

• **Valeur moyenne: 69.0%**
Bien ciblée, l'Aurora change la perception que nous avions des produits GM, car la technique, l'assemblage, la finition et la valeur même du produit sont réellement compétitifs et de classe internationale. Souhaitons simplement que beaucoup d'autres suivent en s'inspirant de cette nouvelle philosophie... ☺

CARACTÉRISTIQUES & PRIX

lodèles	Versions	Carrosseries/ Sièges	Volume cabine l.	Volume coffre l.	Cx	Empat. mm	Long x larg x haut. mm x mm x mm	Poids à vide kg	Capacité Remorq. max. kg	Susp. av/ar	Freins av/ar	Direction type	Diamètre braquage m	Tours volant b à b.	Réser. essence l.	Pneus d'origine	Mécaniques d'origine	PRIX $ CDN. 1994
LDSMOBILE		**Garantie générale: 3 ans / 60 000 km; antipollution: 5 ans / 80 000km; perforation corrosion: 6 ans / 160 000 km.**																
urora	base	ber.4 p. 5	2896	456	0.32	2891	5217x1890x1407	1799	907	i/i	d/d/ABS	crém.ass.	12.5	3.1	75.7	235/60R16	V8/4.0/A4	**39 998**

Voir la liste complète des prix 1995 à partir de la page 393.

Classiques...

Ces grosses berlines recrutent encore bon nombre de clients qui ont rétrogradé des grosse américaines classiques. Bien qu'elles ne soient pas techniquement dépassées, elles ne sont plu aussi affûtées que leurs concurrentes japonaises et un rafraîchissement leur ferait grand bien

Situées entre les intermédiaires et les luxueuses, ces berlines à quatre portes sont offertes chez Buick comme Le Sabre Custom ou Limited, chez Oldsmobile comme 88 Royale de base ou LS et chez Pontiac comme Bonneville SE ou SSE. Si la Le Sabre et la 88 sont équipées de l'ancien V6 de 3.8L de 170 ch, la Bonneville SE hérite de sa dernière mouture donnant 205 ch et la SSE de la version compressée de 225 ch.

POINTS FORTS

• Sécurité: 90%
Bien que la structure de ces voitures commence à dater et ne bénéficie pas des dernières techniques de rigidification des modèles les plus récents, leur indice de protection est excellent grâce aux deux coussins gonflables et à l'antiblocage des freins montés d'origine.

• La satisfaction: 80%
Elle est plus élevée sur les Pontiac qui atteignent un pourcentage «japonais» que sur les Buick ou les Oldsmobile.

• Coffre: 80%
Dommage que leurs formes tourmentées et la roue de secours mal placée ne permettent pas d'en tirer la quintescence, mais leur capot s'ouvre largement pour faciliter l'accès.

• Technique: 75%
Ces trois modèles partagent la même plate-forme et certains composants mécaniques alors que les Le Sabre et 88 Royale se partagent en plus des éléments de carrosserie et le vitrage. Côté style, la Bonneville fait bande à part ce qui lui a jusqu'ici bien réussi. Leur carrosserie monocoque en acier a une suspension indépendante aux quatre roues, mais le freinage reste mixte, même sur la Bonneville SSE dont les performances sont pourtant relevées.

• Suspension: 75%
C'est à vitesse de croisière sur autoroute que ces voitures sont à leur avantage, sinon la suspension trop souple secoue les occupants dès que le revêtement se dégrade. Le roulis et le tangage ne sont pas avares et il n'est pas rare qu'elle aille en butée car son débattement est limité. La sportive proposée en option est plus ferme et elle permettra un guidage nettement plus précis.

• Qualité & finition: 70%
Malgré les modifications apportées au montage ou à la présentation de certains détails, ces voitures portent les stigmates de leur époque et ne sont pas comparables à d'autres plus récentes.

• Habitabilité: 70%
La cabine de ces voitures permet à cinq occupants de s'y installer en tout confort et un sixième pourra même embarquer en dépannage pour un court trajet.

• Poste de conduite: 70%
La position de conduite la plus efficace est facile à trouver malgré la longueur excessive de la colonne de direction, et la visibilité comme l'instrumentation est satisfaisante même sur les modèles de base. Sur les Pontiac, les jauges placées sur la droite du tableau de bord sont quasi invisibles, cachées par les mains du conducteur sur le volant.

DONNÉES

Catégorie: berlines tractées de grand format.
Classe : 6

HISTORIQUE

Inauguré en: 1969
Modifié en: 1976: taille réduite; 1986, 1987: traction avant.
Fabriqué à: Lake Orion MI, É-U.

INDICES

Sécurité: 80 %
Satisfaction: 85 % Bonneville : 75 %
Dépréciation: 65 % Bonneville : 60 %
Assurance: Le Sabre : 4.5 % (1 090 $) 88 : 5.5 % (1 200 $) Bonneville SSE :4.0 % (1 308 $)
Prix de revient au km: 0.52 $ Bonneville SSE: 0.55 $

NOMBRE DE CONCESSIONNAIRES

Au Québec: 90 Buick, 99 Oldsmobile, 90 Pontiac.

VENTES AU QUÉBEC

Modèle	1992	1993	Résultat	Part de march
Le Sabre	1 336	1 201	-10.11 %	20.2 %
88	707	590	-16.55 %	9.9 %
Bonneville	1 025	990	- 3.41 %	15.3 %

PRINCIPAUX MODÈLES CONCURRENTS

CHEVROLET Caprice, CHRYSLER Concorde, Intrepid, New Yorker, EAGL Vision, FORD Crown Victoria, MERCURY Grand Marquis.

ÉQUIPEMENT

BUICK Le Sabre	Custom	Limited
OLDSMOBILE 88 Royale	base	LS
PONTIAC Bonneville	SE	SSE
Boîte automatique:	S	S
Régulateur de vitesse:	O	S
Direction assistée:	S	S
Freins ABS:	S	S
Climatiseur manuel:	S	S
Coussins gonflables (2):	S	S
Garnitures en cuir:	-	O
Radio MA/MF/ K7:	O	S
Serrures électriques:	S	S
Lève-vitres électriques:	S	S
Volant ajustable:	S	S
Rétroviseurs ext. ajustables:	S	S
Essuie-glace intermittent:	S	S
Jantes en alliage léger:	S	S
Toit ouvrant:	-	O
Système antivol:	S	S

S : standard; O : optionnel; - : non disponible

COULEURS DISPONIBLES

Extérieur: Gris, Beige, Vert, Bleu, Rouge, Noir, Blanc, Cerise, Améthyste
Intérieur: Rouge, Beige, Bleu, Gris.

ENTRETIEN

Première révision: 5 000 km
Fréquence: 10 000 km
Prise de diagnostic: Oui

QUOI DE NEUF EN 1995 ?

- **Lubrifiant de boîte automatique Dexron III bon pour 160 000 km.**
- **Nouveau moteur V6 de 3.8L de 205 ch sur Bonneville SE.**
- **Climatiseur automatique sur Bonneville SE.**

	MOTEURS				TRANSMISSION			PERFORMANCES									
Modèles/ versions *: de série	Type / distribution soupapes / carburation	Cylindrée cc	Puissance ch @ tr/mn	Couple lb.pi @ tr/mn	Rapport volumét.	Roues motrices / transmissions	Rapport de pont	Accélér. 0-100 km/h s	400 m D.A. s	1000 m D.A. s	Freinage 100-0 km/h m	Vites. maxi. km/h	Accélér. latérale G	Niveau sonore dBA	Consommation l./100km Ville	Route	Carbura Octane
1)	V6* 3.8 ACC-12-IES	3785	170 @ 4800	225 @ 3200	9.0 :1	avant - A4*	2.84	10.5	17.5	31.2	44	180	0.78	67	12.4	7.7	R 87
2)	V6* 3.8 ACC-12-IES	3785	205 @ 5200	230 @ 4000	9.4 :1	avant - A4	2.84	9.0	16.7	30.0	45	190	0.78	67	12.5	7.8	R 87
3)	V6C*3.8 ACC-12-ISPM	3785	225 @ 5000	275 @ 3200	9.0 :1	avant - A4*	3.06	8.0	16.2	29.6	48	200	0.78	67	14.3	8.7	R 87

1) * Le Sabre, 98 2) * Bonneville 3) * Bonneville SSEi

BUICK Le Sabre, OLDSMOBILE 88 Royale PONTIAC Bonneville

:omportement: 70%
est neutre la plupart du temps un conducteur moyen ne sera ıs souvent confronté au phéno-ène de sous-virage qui se ma-feste si l'on pousse trop loin en ›urbes fermées où le poids et le ulis jouent un rôle important.

)irection: 70%
le ne renseigne pas beaucoup ır l'état de la route et demeure gère par excès d'assistance. en que sa démultiplication soit en calculée, la maniabilité souf-ɘ du long empattement et d'un amètre de braquage important.

Accès: 70%
ıcun problème pour embarquer ıns ces voitures aux propor-›ns généreuses, même pour les ɜrsonnes corpulentes, car les ›rtes sont bien dimensionnées s'ouvrent largement.

Sièges: 70%
en proportionnés et rembour-s, ils manquent de galbe pour aintenir efficacement sauf ceux ɘ la Bonneville SSE qui sont de pe baquet à l'avant.

Niveau sonore: 70%
énéralement silencieux, l'an-en moteur des Le Sabre et 88 net des vibrations désagréa-es à certains régimes, les pneus artèlent lourdement les joints ɘ dilatation d'autoroutes et le ɛnt révèle sa présence au-delà ɘ 100 km/h.

Assurance: 70%
a prime des Le Sabre et 88 ›ûte moins cher que celle des onneville considérées plus exo-ɿues et plus à risques par les ssureurs.

Consommation: 60%
lle est favorable compte tenu du ›ids et de la cylindrée de ces ›itures.

Commodités: 60%
a boîte à gants n'est pas gigan-sque, mais elle est complétée ar un coffret et un évidement tués sur la console centrale.

Performances: 60%
ɘ rapport poids-puissance qui ait très moyen avec l'ancien oteur est supérieur avec le nou-ɛau V6 ou sa version compres-sée, dont les accélérations sont un peu plus exotiques sans que le rendement en souffre trop. Les accélérations et les reprises sont franches, mais la conduite reste aseptisée, même sur la SSE qui manque de caractère.

OLDSMOBILE 88

PONTIAC Bonneville SLE

BUICK Le Sabre

• Freinage: 50%
Malgré leur poids élevé, ces voitures conservent des tambours sur les roues arrière, même la Bonneville SSE dont les performances sont plus brillantes mais la pédale spongieuse ne permet pas de moduler les ralentissements avec précision. Si les arrêts à froid sont relativement courts, à chaud la résistance des garnitures part en fumée...

POINTS FAIBLES

• Dépréciation: 30%
Elle est importante car ce créneau perd des adeptes chaque année au profit des véritables intermédiaires souvent plus efficaces, plus logeables et moins encombrantes.

• Prix/équipement: 40%
À mi-chemin entre les voitures compactes et les luxueuses, le prix de ces modèles semble justifié par leur volume, leur équipement relativement complet et leur présentation soignée.

CONCLUSION

• Moyenne générale: 66.5 %
Les dernières New Yorker de Chrysler gagnent du terrain sur ces GM vieillissantes qui auraient besoin d'être renouvelées rapidement. La Bonneville a notre faveur pour sa qualité supérieure et son esthétique plus personnalisée... ☺

SUGGESTIONS DES PROPRIÉTAIRES

-Des freins à disque à l'arrière.
-Une caisse plus rigide.
-Moins de problèmes d'injecteurs et d'électronique.
-Un catalyseur plus fiable.
-Une meilleure maniabilité.
-Une allure plus moderne.

CARACTÉRISTIQUES & PRIX

odèles	Versions	Carrosseries/ Sièges	Volume cabine l.	Volume coffre l.	Cx	Empat. mm	Long x larg x haut. mm x mm x mm	Poids à vide kg	Capacité Remorq. max. kg	Susp. av/ar	Freins av/ar	Direction type	Diamètre braquage m	Tours volant b à b.	Réser. essence l.	Pneus d'origine	Mécaniques d'origine	PRIX $ CDN. 1994
UICK		**Garantie générale: 3 ans / 60 000 km; antipollution: 5 ans / 80 000km; perforation corrosion: 6 ans / 160 000 km.**																
e Sabre	Custom	ber. 4p.6	3092	484	0.32	2814	5081x1902x1415	1561	907	i/i	d/t/ABS	crém.ass.	12.4	2.97	68.1	205/70R15	V6/3.8/A4	**25 848**
e Sabre	Limited	ber. 4p.6	3092	484	0.32	2814	5081x1902x1415	1561	907	i/i	d/t/ABS	crém.ass.	12.4	2.97	68.1	205/70R15	V6/3.8/A4	**28 748**
LDSMOBILE		**Garantie générale: 3 ans / 60 000 km; antipollution: 5 ans / 80 000km; perforation corrosion: 6 ans / 160 000 km.**																
8	Royale	ber. 4p.6	3058	481	ND	2814	5091x1882x1414	1542	907	i/i	d/t/ABS	crém.ass.	12.4	2.97	68.1	205/70R15	V6/3.8/A4	**25 948**
8	Royale LS	ber. 4p.6	3058	481	ND	2814	5091x1882x1414	1555	907	i/i	d/t/ABS	crém.ass.	12.4	2.97	68.1	205/70R15	V6/3.8/A4	**29 148**
ONTIAC		**Garantie générale: 3 ans / 60 000 km; antipollution: 5 ans / 80 000km; perforation corrosion: 6 ans / 160 000 km.**																
onneville	SE	ber. 4p.6	3087	510	ND	2814	5067x1892x1415	1563	907	i/i	d/t/ABS	crém.ass.	11.8	2.79	68.1	215/65R15	V6/3.8/A4	**25 648**
onneville	SSE	ber. 4p.6	3087	510	ND	2814	5108x1892x1415	1627	454	i/i	d/d/ABS	crém.ass.	12.3	2.86	68.1	215/60R16	V6/3.8/A4	**30 648**

Voir la liste complète des prix 1995 à partir de la page 393.

CHEVROLET Cavalier PONTIAC Sunfire

Les modèles T de notre époque...

Si elles ne sont pas les plus vendues en Amérique du Nord, les Cavalier/Sunbird-Sunfire se classent très haut en terme de popularité, car elles sont plus abordables que de nombreux modèles importés souvent plus modestes. Leur apparence renouvelée va relancer leur chance.

Pour 1995 les Cavalier et Sunfire voient leur carrosserie et leur aménagement intérieur entièrement redessinés à partir de la plate-forme et de la mécanique de base de l'ancien modèle. Leur gamme comprend chez Chevrolet un coupé de base ou Z24, une berline de base ou LS et un cabriolet Z24. Chez Pontiac la Sunfire est berline, coupé ou cabriolet de finition SE plus un coupé GT. Les versions familiales feront leur entrée en 1996. Le moteur de base est un 4 cylindres de 2.2L couplé à une boîte manuelle à 5 vitesses ou automatique à 3 rapports. Contre supplément un moteur 4 cylindres de 2.3L à DACT Quadfour de 145 ch remplacera l'ancien V6 de 3.1L avec boîte manuelle à 5 vitesses ou automatique à 4 rapports.

POINTS FORTS

• Sécurité: 90%
Les Cavalier/Sunfire se sont mises au goût du jour puisqu'elles sont désormais équipées de deux coussins d'air aux places avant et d'un dispositif antiblocage des freins. La nouvelle structure qui a été notablement renforcée satisfait déjà les normes de résistance de 1997.

• Prix/équipement: 90%
Le prix constituera de constituer le premier avantage de ces voitures populaires, toutefois l'équipement succinct s'en tient à l'essentiel et il faut aller chercher les petites gâteries figurant sur la liste des options.

• Direction: 80%
Avec le moteur de base l'effet de couple qui se manifestait sur l'ancien modèle semble voir disparu, mais comme nous n'avons pas pu conduire le modèle animé du Quadfour, ce point reste en suspens. Précise et bien démultipliée, elle permet une bonne maniabilité grâce à un diamètre de braquage normal.

• Satisfaction: 70%
Souhaitons que ces nouveaux modèles soient plus fiables que ceux qu'ils remplacent et dont la côte était typique des véhicules américains des années 80.

• Consommation: 70%
Elle est raisonnable, malgré la cylindrée du moteur ce qui confère à ces véhicules un caractère économique appréciable.

• Suspension: 70%
Le confort qu'elle procure est remarquable, car celle du modèle essayé n'avait pas de réactions brutales sur mauvais revêtement du fait de la plus grande amplitude du débattement des roues.

• Qualité & finition: 60%
Les ajustements semblent plus précis à l'extérieur et dans l'habitacle dont la présentation est plus soignée et dont l'apparence des garnitures fait moins bon marché que sur certaines importées.

• Poste de conduite: 60%
Il est agréable par le dessin réussi de la planche de bord qui englobe celui de la console centrale. Les commandes, disposées de manière plus internationale, sont plus rationnelles qu'auparavant (tels le sélecteur de la boîte automatique, aussi original que pratique, ainsi que le volant à jante épaisse tenant bien en main). S'il faut s'habituer à la position des interrupteurs de vitres électriques située sur la console

DONNÉES

Catégorie: coupés, décapotables et berlines compactes tractés.
Classe : 3

HISTORIQUE

Inauguré en: 1981
Modifié en: 1982: décapotable; 1985: moteur V6.1995: carrosseries
Fabriqué à: Lansing, MI, Lordstown, OH, É-U.

INDICES

	Cavalier	Sunbird
Sécurité:	90 %	
Satisfaction:	74 %	70 %
Dépréciation:	62 %	55.5 %
Assurance:	7.5 % (864-1 308 $)	
Prix de revient au km:	0.32 $	

NOMBRE DE CONCESSIONNAIRES

Au Québec: 99 Chevrolet, 90 Pontiac.

VENTES AU QUÉBEC

Modèle	1992	1993	Résultat	Part de march
Cavalier	9 622	9 401	-2.3 %	14.5 %
Sunbird	6 518	6 615	+1.46 %	10.2 %

PRINCIPAUX MODÈLES CONCURRENTS

CHEVROLET Corsica, DODGE-PLYMOUTH Neon, FORD-MERCURY Escort-Tracer, FORD-MERCURY Tempo-Topaz, HONDA Civic, HYUNDAI Elantra, MAZDA Protegé, SATURN, SUBARU Impreza, TOYOTA Corolla, VOLKSWAGEN Golf/Jetta.

ÉQUIPEMENT

CHEVROLET Cavalier **PONTIAC Sunfire**	**base** **SE**	**LS**	**Z24** **GT**
Boîte automatique:	O	S	O
Régulateur de vitesse:	O	O	O
Direction assistée:	S	S	S
Freins ABS:	S	S	S
Climatiseur:	O	S	S
Coussins gonflables (2):	S	S	S
Garnitures en cuir:	-	-	-
Radio MA/MF/ K7:	O	O	S
Serrures électriques:	O	O	O
Lève-vitres électriques:	O	O	O
Volant ajustable:	O	S	S
Rétroviseurs ext. ajustables:	O	S	S
Essuie-glace intermittent:	S	S	S
Jantes en alliage léger:	-	O	S
Toit ouvrant:	O	O	O
Système antivol:	-	-	-

S : standard; O : optionnel; - : non disponible

COULEURS DISPONIBLES

Extérieur: Bleu Aqua, Blanc, Rouge, Noir, Vert, Bois d'automne, Orchidée
Intérieur: Bleu Aqua, Rouge, Neutre, Graphite, Blanc.

ENTRETIEN

Première révision: 5 000 km
Fréquence: 10 000 km
Prise de diagnostic: Oui

QUOI DE NEUF EN 1995 ?

- **Extérieur/intérieur entièrement redessinés.**
- **Deux coussins gonflables montés en série.**
- **Serrures à une seule clé,**

MOTEURS						TRANSMISSION		PERFORMANCES										
Modèles/ versions *: de série	Type / distribution soupapes / carburation	Cylindrée cc	Puissance ch @ tr/mn	Couple lb.pi @ tr/mn	Rapport volumét.	Roues motrices / transmissions	Rapport de pont	Accélér. 0-100 km/h s	400 m D.A. s	1000 m D.A. s	Freinage 100-0 km/h m	Vites. maxi. km/h	Accélér. latérale G	Niveau sonore dBA	Consommation l.0%0km Ville	Consommation l.0%0km Route	Carbura Octane
base	L4* 2.2 SACT-8-IEPM	2179	120 @ 5200	120 @ 4000	9.0 :1	avant - M5*	3.58	11.0	17.7	35.2	42	165	0.73	68	9.9	6.2	R 87
						avant - A3	3.18	12.2	18.5	36.0	44	160	0.73	68	10.4	6.9	R 87
option	L4* 2.3 DACT-16-IEPM	2261	150 @ 6000	145 @ 4800	9.5 :1	avant - M5*	3.91	ND									
						avant - A4	3.94	ND									

ntrale, les instruments grou-
s sous une importante visière,
nt simples à déchiffrer.

ccès: 60%
st assez aisé de prendre place
'arrière des coupés et décapo-
bles pourvu que l'on ne soit pas
p corpulent, tandis que c'est
us simple sur la berline dont les
rtes arrière ont une longueur et
angle d'ouverture suffisants.

ièges: 60%
ur rembourrage pourrait être
peu plus généreux, mais leur
lbe maintient efficacement et
soutien lombaire est plus ac-
ptable à l'avant qu'à l'arrière
malgré trois bourrelets la ban-
ette manque plutôt de relief.

erformances: 60%
les sont décevantes avec le
oteur de base, dont le rapport
ids/puissance affiche un mé-
ocre 10 kg/ch car les reprises
nt plus laborieuses que les
célérations. Le moteur reste
gueux, bruyant et vibrant par
anque d'arbres d'équilibrage
éraux, dont le moteur Quad-
ur sera pourvu.

echnique: 60%
ur carrosserie monocoque en
ier possède une suspension
ant de type McPherson et un
sieu semi-indépendant à l'ar-
re. Les freins sont mixtes, mais l'ABS et la direction assistée sont montés en série.

• Le coffre: 50%
Plus large que profond on peut l'agrandir par l'escamotage du dossier de la banquette, mais son accès est gêné par l'étroitesse de son ouverture.

• Freinage: 50%
Son efficacité n'est que moyenne car les distances d'arrêt sont assez longues avec l'ABS monté en série. Si les arrêts d'urgence sont désormais rectilignes, on constate certains mini-blocages intermittents et la pédale est plus ferme et moins facile à doser.

• Niveau sonore: 50%
Le moteur de base, le seul que nous ayons pu essayer, émet encore pas mal de bruits et de vibrations, surtout avec la boîte automatique.

• Commodités: 50%
Les rangements consistent en une grande boîte à gants, un coffret de console profond, tandis que les vide-poches de portes ne sont pas très volumineux.

• Comportement: 50%
Il semble avoir progressé, dans le sens où les dernières Cavalier/Sunfire semblent plus stables en virage aigu, le roulis étant moins prononcé que sur les anciens modèles et le sous-virage apparaissant un peu plus tardivement. Il nous tarde de mettre la main sur les versions sportives pour juger de leur évolution.

• L'habitabilité: 50%
La berline est plus logeable que le coupé ou la décapotable, surtout aux places arrière où l'espace pour les jambes est limité si les sièges avant sont reculés loin.

NOUVEAUTÉ 1995

CHEVROLET Cavalier

POINTS FAIBLES

• Assurance: 40%
Compte tenu de leur prix ces voitures coûtent relativement cher à assurer, car les assureurs savent qu'elles se vendent en quantité industrielle, ce qui les assure d'un pactole confortable.

• Dépréciation: 40%
Les Cavalier perdent plus que les Sunbird/Sunfire, mais c'est surtout leur grand nombre sur le marché qui augmente leur dépréciation.

CONCLUSION

• Moyenne générale: 60.5 %
On ne peut pas reprocher grand chose à ces voitures, qui constituent pour un grand nombre d'automobilistes, un moyen de transport honnête pour un budget raisonnable.

PONTIAC Sunfire

CARACTÉRISTIQUES & PRIX

odèles	Versions	Carrosseries/ Sièges	Volume cabine l.	Volume coffre l.	Cx	Empat. mm	Long x larg x haut. mm x mm x mm	Poids à vide kg	Capacité Remorq. max. kg	Susp. av/ar	Freins av/ar	Direction type	Diamètre braquage m	Tours volant b à b.	Réser. essence l.	Pneus d'origine	Mécaniques d'origine	PRIX $ CDN. 1994
HEVROLET		**Garantie générale: 3 ans / 60 000 km; antipollution: 5 ans / 80 000km; perforation corrosion: 6 ans / 160 000 km.**																
avalier		cpé. 2 p.4	2379	351	0.39	2644	4580x1712x1351	1187	NR	i/si	d/t/ABS	crém.ass.	10.85	2.88	57.5	195/70R14	L4/2.2/M5	**11 148**
avalier		ber. 4p.5	2492	373	0.38	2644	4580x1712x1392	1214	454	i/si	d/t/ABS	crém.ass.	10.85	2.88	57.5	195/70R14	L4/2.2/M5	**11 648**
avalier	LS	ber. 4p.5	2492	373	0.38	2644	4580x1712x1392	1241	454	i/si	d/t/ABS	crém.ass.	10.85	2.88	57.5	195/65R15	L4/2.2/A3	**14 598**
avalier	Z24	cpé. 2 p.5	2379	351	0.39	2644	4580x1712x1351	1265	NR	i/si	d/t/ABS	crém.ass.	10.85	2.88	57.5	205/55R16	L4/2.2/M5	**17 448**
avalier	Z24	déc. 2 p.4	2152	294	0.42	2644	4580x1712x1369	1287	NR	i/si	d/t/ABS	crém.ass.	10.85	2.88	57.5	195/65R15	L4/2.3/A3	**24 648**
ONTIAC		**Garantie générale: 3 ans / 60 000 km; antipollution: 5 ans / 80 000km; perforation corrosion: 6 ans / 160 000 km.**																
unfire	SE	déc. 2 p.4	2152	294	0.42	2644	4622x1738x1369	1285	NR	i/si	d/t/ABS	crém.ass.	10.85	2.88	57.5	195/70R14	L4/2.2/A3	**20 648**
unfire	SE	cpé. 2 p.5	2486	351	0.39	2644	4622x1738x1351	1215	NR	i/si	d/t/ABS	crém.ass.	10.85	2.88	57.5	195/70R14	L4/2.2/M5	**11 648**
unfire	SE	ber. 4p.5	2608	371	0.38	2644	4616x1725x1393	1235	454	i/si	d/t/ABS	crém.ass.	10.85	2.88	57.5	195/70R14	L4/2.2/M5	**12 148**
unfire	GT	cpé. 3p.5	2486	351	0.39	2644	4622x1738x1351	1283	NR	i/si	d/t/ABS	crém.ass.	10.85	2.88	57.5	195/70R14	L4/2.3/M5	**15 848**

Voir la liste complète des prix 1995 à partir de la page 393.

Un nouveau statut...

Plus que l'Eldorado qui demeure très américaine, la Seville a donné du galon à Cadillac qui troqu tranquillement son image de fabricant de voitures de retraités, de limousines et de corbillard pour accéder au statut de constructeur de voitures de luxe d'un gabarit international.

CADILLAC Seville

Ces deux Cadillac connaissent un succès qui a permis à leur constructeur de changer d'image et de prétendre concurrencer les ténors européens en matière de voitures de luxe capables de hautes performances. L'Eldorado et la Seville sont offertes en versions de base et Touring équipées du fameux V8 Northstar de 4.6L à 32 soupapes fournissant 270 ch, alors qu'il en délivre 295 sur les versions Touring.

POINTS FORTS

• Technique: 90%
Ces modèles partagent la même plate-forme et les mêmes éléments mécaniques. Leur carrosserie monocoque en acier a une suspension indépendante et des freins à disque aux 4 roues avec un système ABS et un contrôleur de la traction et une suspension auto-ajustable sur les versions de base SLS qui reçoivent des pneus Michelin, les STS étant pourvues de Goodyear Eagle GA. La sobriété de leurs lignes, inspirées de ce que Pininfarina avait dessiné pour l'Allanté, permet un cœfficient aérodynamique efficace vu l'importance de leur gabarit.

• Sécurité: 90%
Les occupants des places avant semblent mieux protégés que les autres occupants en cas de collision, c'est pourquoi l'indice n'atteint pas le maximum, malgré la présence de deux coussins d'air et une rigidité structurelle convenable.

• Satisfaction: 80%
Elle devra encore s'améliorer afin de pouvoir égaler celle de Lexus qui constitue, selon les études de J.D. Power, la meilleure référence actuelle en matière de qualité perçue par les clients.

• Poste de conduite: 80%
Ces voitures s'adressent à une clientèle différente, plus familière avec les importées de luxe, qui ne sera pas déçue par le caractère sobre de la planche de bord rappelant beaucoup celle des Audi. L'instrumentation analogique est bien lisible avec ses cadrans éclairés par l'arrière, mais les commandes sont celles d'une voiture américaine, avec toute

DONNÉES

Catégorie: coupés et berlines de luxe tractés.
Classe : 7

HISTORIQUE

Inauguré en: 1966: Eldorado; 1979: Seville.
Modifié en: Eldorado: 1971, 1975, 1979, 1986, 1991.
Seville: 1985, 1988, 1991.
Fabriqué à: Hamtramck, Détroit, MI, É-U.

INDICES

Sécurité: 90 %
Satisfaction: 82 %
Dépréciation: 65 %
Assurance: 3.7 % (1 665 - 1 775 $)
Prix de revient au km: 0.94 $

NOMBRE DE CONCESSIONNAIRES

Au Québec: 49

VENTES AU QUÉBEC

Modèle	1992	1993	Résultat	Part de march
Eldorado	116	98	-15.5 %	1.3 %
Seville	175	465	+271 %	6.35 %

PRINCIPAUX MODÈLES CONCURRENTS

BMW 540, CADILLAC De Ville, INFINITI Q45, LEXUS LS400 & SC40 LINCOLN Continental & Mark VIII, MERCEDES BENZ E420.

ÉQUIPEMENT

CADILLAC Eldorado CADILLAC Seville	base SLS	Touring Cpe STS
Boîte automatique:	S	S
Régulateur de vitesse:	S	S
Direction assistée:	S	S
Freins ABS:	S	S
Climatiseur:	S	S
Coussin gonflable:	S	S
Garnitures en cuir:	S	S
Radio MA/MF/ K7:	S	S
Serrures électriques:	S	S
Lève-vitres électriques:	S	S
Volant ajustable:	S	S
Rétroviseurs ext. ajustables:	S	S
Essuie-glace intermittent:	S	S
Jantes en alliage léger:	S	S
Toit ouvrant:	O	O
Système antivol:	S	S

S : standard; O : optionnel; - : non disponible

COULEURS DISPONIBLES

Extérieur: Vert, Blanc, Noir, Beige, Grenat, Rouge, Moka, Améthyste, Bl Argile.
Intérieur: Noir, Taupe, Beige, Capuccino, Cerise, Bleu, Argile.

ENTRETIEN

Première révision: 5 000 km
Fréquence: 10 000 km
Prise de diagnostic: Oui

QUOI DE NEUF EN 1995 ?

- Quelques détails cosmétiques et d'équipement différents.
- Fluide de transmission automatique Dexron III garanti 160 000 km.

	MOTEURS					TRANSMISSION		PERFORMANCES									
Modèles/ versions *: de série	Type / distribution soupapes / carburation	Cylindrée cc	Puissance ch @ tr/mn	Couple lb.pi @ tr/mn	Rapport volumét.	Roues motrices / transmissions	Rapport de pont	Accélér. 0-100 km/h s	400 m D.A. s	1000 m D.A. s	Freinage 100-0 km/h m	Vites. maxi. km/h	Accélér. latérale G	Niveau sonore dBA	Consommation l./100km Ville	Route	Carbur Octane
1)	V8* 4.6 DACT-32-IE	4572	275 @ 5600	300 @ 4000	10.3 :1	avant - A4*	3.11	8.0	16.4	29.0	47	200	0.80	66	14.4	8.7	S 9
2)	V8* 4.6 DACT-32-IE	4572	300 @ 6000	295 @ 4400	10.3 :1	avant - A4*	3.71	7.7	16.0	28.6	48	220	0.80	66	14.4	8.7	S 9

1) * Eldorado & Seville SLS 2) * Eldorado Touring & Seville STS

complexité de réglage des dé-
›is de phares ou de lumières
‹térieures. La visibilité serait
eilleure de 3/4 arrière si le pilier
était moins épais et les rétrovi-
›urs extérieurs plus grands.
Qualité & finition: 80%
aménagement intérieur est so-
›e, nettement inspiré des Audi.
›utefois les appliques de bois
›brano sont un peu voyantes et
qualité de certains éléments
› la finition fait encore bon mar-
›é ou manque de la sobriété
dispensable dans cette caté-
›rie, et dans ce sens, quelques
touches seront nécessaires.
Direction: 80%
›n assistance varie en fonction
› la vitesse et sa démultiplica-
›n comme sa précision est celle
› modèles sportifs. Toutefois
s généreuses dimensions de la
ırrosserie, jointes à celles du
yon de braquage, limitent sa
aniabilité.
Assurance: 80%
›n taux est très raisonnable,
ais l'importance du prix donne
›e prime cossue.
Suspension: 80%
La suspension de la SLS est douce sur bon revêtement, mais elle devient plus chahuteuse dès que l'asphalte se dégrade. Celle des STS est plus ferme dans toutes les circonstances et elle peut devenir inconfortable si l'on ne modère pas le rythme.

• Performances: 80%
L'arrivée du moteur Northstar bouscule l'image tranquille que Cadillac s'était bâtie au cours des années. Les accélérations comme les reprises du V8 4.6L sont musclées, car il est aussi nerveux que puissant et fournit des chevaux et du couple tout au long de sa courbe de puissance quasi linéaire.

• Niveau sonore: 70%
L'insonorisation est impressionnante et la mécanique généralement discrète. Si le moteur se fait entendre lors des fortes accélérations ce n'est pas forcément désagréable. Mais il arrive que l'on perçoive de temps à autre, quelques filets d'air autour du pare-brise ou du toit ouvrant.

• Commodités: 70%
L'efficacité de la climatisation est redoutable, mais les rangements sont peu nombreux. Il manque des vide-poches au bas des portes et un coffret qui pourrait prendre place dans l'accoudoir central arrière, comme sur l'Aurora.

• Accès: 70%
Il n'est pas plus facile d'atteindre les places arrière de la Seville que celles de l'Eldorado, car les portes sont relativement étroites et l'espace limité.

• Comportement: 70%
La suspension de la version SLS est plus onctueuse que celle de la STS qui est plus ferme. Dans les deux cas les mouvements de caisse sont bien contrôlés par un dispositif automatique, qui permet toutefois à la seconde d'enregistrer une accélération latérale plus élevée que la première grâce à son adhérence et à sa motricité supérieures.

• Sièges: 70%
Ils maintiennent efficacement car ils sont mieux galbés et rembourrés que par le passé, et l'ajustement du soutien lombaire est assez sophistiqué pour permettre de s'adapter à la multitude. Malheureusement, le cuir qui les garnit est très glissant.

• Habitabilité: 70%
Seules 4 personnes pourront apprécier le charme de la cabine où les dégagements ne sont pas tout à fait en rapport avec le gabarit extérieur de ces véhicules, surtout en hauteur lorsque le véhicule est pourvu d'un toit ouvrant.

• Coffre: 60%
Sans être immense, il abritera un nombre suffisant de bagages que son seuil placé bas permet de manipuler sans difficulté.

POINTS FAIBLES

• Prix/équipement: 20%
Le moteur Northstar donne une autre dimension à ces voitures qui se comparent plus facilement à leurs concurrentes japonaises ou allemandes. C'est la version STS qui est la mieux équipée puisqu'elle comprend jusqu'à des rétroviseurs à coloration électrochimique.

• Consommation: 30%
Le poids et les performances respectables de l'ensemble se traduisent par une consommation qui ne l'est pas moins puisque qu'elle descend rarement en dessous des 16 litres aux 100 km.

• Freinage: 30%
Les arrêts brutaux provoquent d'importantes plongées du capot avant, et malgré l'ABS on constate de légers blocages des roues tandis que l'effort sur la pédale est difficile à doser. Sinon les arrêts sont très rectilignes et l'endurance des garnitures, au-dessus de la moyenne.

• Dépréciation: 30%
Elle demeure toujours un peu plus forte que celle de leurs concurrentes car la réputation de Cadillac n'a pas encore rejoint celle de Lexus ou de Mercedes.

CONCLUSION

• Moyenne générale: 66.5 %
Cadillac a pris le bon chemin pour rajeunir sa clientèle et intéresser des acheteurs qui cherchaient ailleurs des voitures luxueuses et performantes. ☺

CADILLAC Eldorado

CARACTÉRISTIQUES & PRIX

›odèles	Versions	Carrosseries/ Sièges	Volume cabine l.	Volume coffre l.	Cx	Empat. mm	Long x larg x haut. mm x mm x mm	Poids à vide kg	Capacité Remorq. max. kg	Susp. av/ar	Freins av/ar	Direction type	Diamètre braquage m	Tours volant b à b.	Réser. essence l.	Pneus d'origine	Mécaniques d'origine	PRIX $ CDN. 1994
›ADILLAC		Garantie générale: 4 ans / 80 000 km; antipollution: 5 ans / 80 000km; perforation corrosion: 6 ans / 160 000 km.																
›ldorado	base	cpé. 2 p.5	2838	433	0.33	2743	5136x1918x1361	1712	454	i/i	d/d/ABS	crém.ass.	12.3	2.65	75.7	225/60R16	V8/4.6/A4	**46 898**
›ldorado	Touring	cpé. 2 p.5	2838	433	0.33	2743	5136x1918x1361	1732	454	i/i	d/d/ABS	crém.ass.	12.3	2.65	75.7	225/60ZR16	V8/4.6/A4	**48 898**
›eville	SLS	ber. 4 p.5	2987	407	0.33	2819	5183x1884x1384	1765	454	i/i	d/d/ABS	crém.ass.	12.7	2.65	75.7	225/60R16	V8/4.6/A4	**42 398**
›eville	STS	ber. 4 p.5	2987	407	0.33	2819	5183x1884x1384	1765	454	i/i	d/d/ABS	crém.ass.	12.7	2.65	75.7	225/60ZR16	V8/4.6/A4	**49 898**

Voir la liste complète des prix 1995 à partir de la page 393.

CHEVROLET Astro / GMC Safari

Entre-deux...

General Motors est le seul constructeur à proposer des fourgonnettes de format intermédiair Pour plus de commodité, seule la version allongée a été conservée et le nouveau dessin de la parti frontale donne à ces véhicules une allure plus nette et plus sympathique.

Les Astro/Safari sont les seules fourgonnettes intermédiaires offertes sur le marché. Elles s'intercalent entre les Sportvan/Rally et les Lumina/Trans Sport. Le seul moteur disponible est un V6 de 4.3L offert en deux versions 165 et 200 ch avec boîte automatique à 4 rapports à pilotage électronique, avec transmission 2 ou 4 roues motrices. Cette année la seule carrosserie disponible est l'ancienne allongée dans les niveaux de finition CS, CL et LT chez Chevrolet et SL, SLE, SLT chez GMC.

POINTS FORTS

• Habitabilité: 90%
Elle n'est pas vraiment proportionnelle à l'encombrement de ces véhicules, car si la largeur est intéressante, la hauteur manque et il y a peu de place pour circuler entre les sièges et bien peu d'espace pour les jambes à l'avant.

• Direction: 80%
Aussi précise, bien dosée que bien démultipliée, elle ne renseigne toutefois pas beaucoup sur l'état de la route et la maniabilité est supérieure sur la version propulsée que sur l'intégrale dont le diamètre de braquage est plus important.

Satisfaction: 75%
Avec le temps et quelques retouches nécessaires elle a gagné des points, mais il reste à faire car un certain nombre d'utilisateurs ne rachèteraient pas le même véhicule.

• Accès: 70%
Les portes ne s'ouvrent pas suffisamment pour faciliter l'accès aux places avant, mais le pare-chocs arrière formant marchepied et les portes arrière façon «ranch», sont des aménagement originaux et pratiques.

• Sièges: 70%
Ce n'est qu'à partir des finitions CL/SLE que l'on peut prétendre être bien assis dans ces véhicules, car ceux qui équipent le modèle de

DONNÉES

Catégorie: fourgonnettes intermédiaires propulsées ou intégrales.
Classe : utilitaires

HISTORIQUE

Inauguré en: 1985
Modifié en: 1990: version allongée et 4RM; 1995: version courte retiré
Fabriqué à: Baltimore, MD, É-U.

INDICES

Sécurité: 70 %
Satisfaction: 75 %
Dépréciation: 67 %
Assurance: 5.5 % (975- 1 090 $)
Prix de revient au km: 0.42 $

NOMBRE DE CONCESSIONNAIRES

Au Québec: 99 Chevrolet

VENTES AU QUÉBEC

Modèle	1992	1993	Résultat	Part de march
Astro/Safari	1796	1730	-3.68 %	4.8 %

PRINCIPAUX MODÈLES CONCURRENTS

CHEVROLET Lumina, CHRYSLER Town & Country, DODGE Carava Grand Caravan, FORD Aerostar, Villager & Windstar, PONTIAC Trans Spo MAZDA MPV, NISSAN Quest, PLYMOUTH Voyager/ Grand Voyage TOYOTA Previa, VW Eurovan.

ÉQUIPEMENT

CHEVROLET Astro	CS	CL	LT
GMC Safari	SL	SLE	SLT
Boîte automatique:	S	S	S
Régulateur de vitesse:	O	O	S
Direction assistée:	S	S	S
Freins ABS:	S	S	S
Climatiseur:	S	S	S
Coussin gonflable:	S	S	S
Garnitures en cuir:	-	-	O
Radio MA/MF/ K7:	O	O	S
Serrures électriques:	O	O	S
Lève-vitres électriques:	O	O	S
Volant ajustable:	O	O	S
Rétroviseurs ext. ajustables:	O	S	S
Essuie-glace intermittent:	S	S	S
Jantes en alliage léger:	O	S	S
Toit ouvrant:	-	-	-
Système antivol:	-	-	-

S : standard; O : optionnel; - : non disponible

COULEURS DISPONIBLES

Extérieur: Blanc, Argent, Gris, Bleu, Sarcelle, Noir, Brun, Beige, Rouge.
Intérieur: Gris, Bleu, Grenat, Beige.

ENTRETIEN

Première révision: 5 000 km
Fréquence: 10 000 km
Prise de diagnostic: Oui

QUOI DE NEUF EN 1995 ?

- **Uniquement disponible en version allongée.**
- **Nouveau dessin de la partie avant (calandre, ailes, capot).**
- **Moteur V6 de 4.3L de 190 ch en série.**
- **Équipement enrichi.**
- **Réfrigérant de climatiseur sans CFC.**
- **Fluide de transmission automatique Dexron III garanti 160 000 km.**

MOTEURS					TRANSMISSION			PERFORMANCES									
Modèles/ versions *: de série	Type / distribution soupapes / carburation	Cylindrée cc	Puissance ch @ tr/mn	Couple lb.pi @ tr/mn	Rapport volumét.	Roues motrices / transmissions	Rapport de pont	Accélér. 0-100 km/h s	400 m D.A. s	1000 m D.A. s	Freinage 100-0 km/h m	Vites. maxi. km/h	Accélér. latérale G	Niveau sonore dBA	Consommation l.0%0km Ville	Route	Carbura Octane
base	V6 4.3 ACC-12-IJC	4293	190 @ 4400	260 @ 3400	9.1 :1	ar./4 - A4*	3.73	11.0	17.9	32.3	48	170	0.67	68	15.3	10.8	R 87

se sont aussi mal galbés que
mbourrés.

;uspension: 70%
est chargé et sur autoroute en
n état que ces véhicules pro-
rent le meilleur confort car
eurs et à vide ils sautillent beau-
up et leur trajectoire peut en
e affectée.

'oste de conduite: 60%
ssis haut, le conducteur bénéfi-
d'une excellente visibilité vers
vant comme les côtés où les
troviseurs latéraux sont bien
nensionnés. Elle est cepen-
nt plus limitée vers l'arrière,
r les petites vitres et le manque
dégivreur et d'essuie-lave-
ace des portes battantes, tan-
s que l'option des portes
anch» corrige ces problèmes.
nstrumentation, qui conserve
présentation gadget, manque
précision et reste difficile à lire
us faible éclairage.

\ssurance: 60%
ur prime n'est pas beaucoup
us élevée que celle des modè-
s compacts, compte tenu de
ur capacité de charge et de
ction supérieure.

Sécurité: 60%
structure de ces utilitaires ré-
ste assez bien aux collisions et
conducteur dispose d'un cous-
gonflable. Toutefois les autres
cupants sont moins protégés.

Soute: 60%
reste suffisamment d'espace
rrière la dernière banquette
ur y entasser un volume suffi-
nt de bagages.

Technique: 50%
coque des Astro/Safari est
alisée en acier et fixée à un
âssis en échelle dérivé de
lui des camionnettes S-15.
en que la partie avant ait été
dessinée avec des lignes moins
vantes le cœfficient aérodyna-
que n'en a pas trop souffert. La
spension avant est indépen-
nte, même sur la 4x4 alors
'à l'arrière l'essieu rigide est
utenu par deux ressorts à laes. Le freinage, mixte, est muni
un système antiblocage sur les
atre roues.

Qualité & finition: 50%

Elles laissent à désirer car après quelque temps d'utilisation, les garnitures et les matières plastiques se défraîchissent rapidement et la carrosserie est le siège de nombreux rossignols.

• **Performances: 50%**
Le couple du gros moteur V6 est bien exploité par la transmission intégrale dont la motricité dépend aussi de la qualité des pneumatiques. Les accélérations sont plus vives (brutales même dans certains cas) que les reprises, car l'accélérateur est très sensible ce qui peut réserver quelques surprises sur la version à 2 roues motrices en conduite hivernale...

• **Niveau sonore: 50%**
À vide, la caisse résonne et les pneus martèlent sourdement au passage des joints de dilatation.

POINTS FAIBLES

• **Consommation: 30%**
Elle est forte en toutes circonstances à cause du poids et de la cylindrée élevés.

• **Freinage: 35%**
L'ABS sur les 4 roues rend les arrêts linéaires, mais les distances sont relativement longues et la pédale, qui durcit rapidement, empêche de doser les ralentissements avec précision.

• **Prix/équipement: 40%**
Plus chers que les fourgonnettes compactes, ces véhicules ne sont pas mieux équipés et leur investissement ne se justifie que pour transporter ou remorquer de lourdes charges.

• **Dépréciation: 40%**
Elle est plus forte que la moyenne car le budget est plus proche de celui d'un utilitaire que d'un véhicule familial.

• **Comportement: 40%**
La version propulsée est nettement sous-vireuse surtout à vide et l'adhérence est faible même sur chaussée sèche. Le transfert de 35% du couple sur les roues avant équilibre plus sainement la traction intégrale et rend l'utilisation hivernale plus sûre dans les régions fortement enneigées.

• **Commodités: 40%**
L'habitacle ne comporte que très peu de rangements qui se résument à l'aménagement du capot-moteur. On aimerait trouver par exemple des vide-poches de portes, ou une console de plafond réellement pratique.

CONCLUSION

• **Moyenne générale: 56.0 %**
Les fourgonnettes Astro/Safari restent des véhicules plus utilitaires que familiaux qui s'adressent surtout à des professionnels cherchant un format plus compact et moins coûteux que celui des grandes fourgonnettes conventionnelles. 😐

SUGGESTIONS DES PROPRIÉTAIRES

-Un moteur Diesel économique.
-Meilleur comportement à vide.
-Accélérateur moins sensible.
-Conduite hivernale plus sûre.
-Plus d'espace à l'avant.
-Meilleure qualité de fabrication et de finition.

CARACTÉRISTIQUES & PRIX

odèles Versions	Carrosseries/ Sièges	Cx	Empat. mm	Long x larg x haut. mm x mm x mm	Poids à vide kg	Capacité Remorq. max. kg	Susp. av/ar	Freins av/ar	Direction type	Diamètre braquage m	Tours volant b à b.	Réser. essence l.	Pneus d'origine	Mécaniques d'origine	PRIX $ CDN. 1994
HEVROLET / GMC	**Garantie générale: 3 ans / 60 000 km; antipollution: 5 ans / 80 000km; perforation corrosion: 6 ans / 160 000 km.**														
stro / Safari 2x4 long CS / SL	frg.4p.2/8	0.38	2819	4821x1968x1928	1813	2495	i/r	d/t/ABS	bil.ass.	12.04	3.10	102	215/75R15	V6/4.3/A4	**21 048**
stro / Safari 2x4 long CL / SLE	frg.4p.5/8	0.38	2819	4821x1968x1928	1870	2495	i/r	d/t/ABS	bil.ass.	12.04	3.10	102	215/75R15	V6/4.3/A4	**22 048**
stro / Safari 2x4 long LT / SLT	frg.4p.5/8	0.38	2819	4821x1968x1928	1894	2495	i/r	d/t/ABS	bil.ass.	12.04	3.10	102	215/75R15	V6/4.3/A4	**25 648**
stro / Safari 4x4 long CS / SL	frg.4p.2/8	0.38	2819	4821x1968x1928	1955	2268	i/r	d/t/ABS	bil.ass.	12.34	2.67	102	215/75R15	V6/4.3/A4	**23 748**
stro / Safari 4x4 long CL / SLE	frg.4p.5/8	0.38	2819	4821x1968x1928	2010	2268	i/r	d/t/ABS	bil.ass.	12.34	2.67	102	215/75R15	V6/4.3/A4	**24 748**
stro / Safari 4x4 long LT / SLT	frg.4p.5/8	0.38	2819	4821x1968x1928	2028	2268	i/r	d/t/ABS	bil.ass.	12.34	2.67	102	215/75R15	V6/4.3/A4	**28 448**

Voir la liste complète des prix 1995 à partir de la page 393.

BUICK Skylark, CHEVROLET Beretta/Corsica, PONTIAC Grand Am, OLDSMOBILE Achieva

Tape à l'œil...

GM a toujours misé sur l'apparence de ses véhicules pour aller chercher des acheteurs moi sensibles aux prestations routières ou à la qualité tout court. Cette philosophie a fait long feu c aujourd'hui ce sont les résultats qui comptent et ceux de ces modèles sont plutôt mitigés.

Ces voitures partagent le même format et la majeure partie de leurs éléments mécaniques. Les Chevrolet sont fabriquées dans une usine différente des trois autres marques qui partagent la même ligne d'assemblage. La Skylark est vendue en finitions Custom, Limited (berline) ou Gran Sport, tandis que l'Achieva est S ou SC (coupé) et SL (berline), la Grand AM est SE ou GT et les Chevrolet, de base ou Z26 pour la Beretta. Le moteur de base est un 2.3L avec boîte manuelle à 5 rapports ou automatique à 4 rapports. Les versions plus excitantes sont pourvues d'un nouveau moteur QuadFour de 150 ch (Grand Am & Achieva SC) ou en option d'un V6 de 3.1L de 160 ch.

POINTS FORTS

• Technique: 70%
Leur carrosserie monocoque en acier possède une suspension indépendante à l'avant de type McPherson et semi-indépendante à l'arrière à essieu de torsion. Les freins sont mixtes, mais équipés en série d'un dispositif ABS, et d'une direction à assistance variable. Si la ligne de la Grand Am est la plus spectaculaire, celle de la Skylark est plus controversée, tandis que l'Achieva et la Corsica passent totalement inaperçues. Sans battre de record leur cœfficient aérodynamique est acceptable.

• Sièges: 70%
Ils ne soutiennent et ne maintiennent efficacement que sur les versions sportives, où leur galbe et leur rembourrage sont suffisants.

• Direction: 70%
Rapide et directe sur bonne route, elle devient imprécise sur chaussée dégradée, à cause du mauvais guidage du train avant. La réduction du diamètre de braquage et du nombre de tours de volant a amélioré la maniabilité.

• Suspension: 70%
À cause de sa souplesse le confort de roulement des modèles de base est supérieur sur autoroute à celui des coupés sportifs, dont la fermeté

CHEVROLET Corsica

DONNÉES

Catégorie: berlines et coupés compacts tractés.
Classe : 4

HISTORIQUE

Inauguré en: N: 1985 (2 portes),1986 (4 portes) L: 1988.
Modifié en: 1990: moteur 2.2L & V6 3.1L. 1991: Achieva.
Fabriqué à: L: Wilmington DE & N: Lansing, MI, É-U.

INDICES

	berlines	coupés
Sécurité:	90 %	
Satisfaction:	65 %	72%
Dépréciation:	60 %	62 %
Assurance:	6.6 % (865 $)	7.5 % (1 100-1 200 $)
Prix de revient au km:	0.40 $	0.46 $

NOMBRE DE CONCESSIONNAIRES

Au Québec: 99 Chevrolet-Oldsmobile, 90 Buick-Pontiac.

VENTES AU QUÉBEC

Modèle	1992	1993	Résultat	Part de march
Skylark	984	1 025	+4.0 %	1.5 %
Beret/Cors.	3 656	1 925	-189.0 %	3.0 %
Achieva	474	1 709	+360 %	2.6 %
Grand Am	3 217	4 251	+24.33 %	6.5 %

PRINCIPAUX MODÈLES CONCURRENTS

<u>berlines</u>: CHRYSLER Cirrus, DODGE-Stratus, FORD Contour, HONE Accord, HYUNDAI Sonata, MAZDA 626, MERCURY Mystique, NISSA Altima, SUBARU Legacy, TOYOTA Camry, VOLKSWAGEN Passat.
<u>coupés</u>: CHRYSLER Sebring, DODGE-Avenger, FORD Probe, HONE Prelude, MAZDA MX-6, NISSAN 240SX,TOYOTA Celica, VOLKSWAGE Corrado.

ÉQUIPEMENT

BUICK Skylark	Cust.	Ltd	Gran Sport	
CHEVROLET Corsica/Beret.	base			Z26
OLDS. Achieva	S	SC	SL	
PONTIAC Grand Am	-		SE	GT
Boîte automatique:	O	S	S	O/S
Régulateur de vitesse:	O	O	S	S
Direction assistée:	S	S	S	S
Freins ABS:	S	S	S	S
Climatiseur:	O	S	S	S
Coussin gonflable gauche:	S	S	S	S
Garnitures en cuir:	-	-	-	-
Radio MA/MF/ K7:	O	O	S	S
Serrures électriques:	S	S	S	S
Lève-vitres électriques:	O	O	O	S
Volant ajustable:	O	O	S	S
Rétroviseurs ext. ajustables:	S	S	S	S
Essuie-glace intermittent:	S	S	S	S
Jantes en alliage léger:	-	O	S	S
Toit ouvrant:	-	-	O	O
Système antivol:	-	-	-	-

S : standard; O : optionnel; - : non disponible

COULEURS DISPONIBLES

Extérieur: Argent, Blanc, Bleu, Noir, Vert, Rouge, Gris.
Intérieur: Graphite, Beige, Rouge, Bleu.

ENTRETIEN

Première révision: 5 000 km
Fréquence: 10 000 km
Prise de diagnostic: Oui

QUOI DE NEUF EN 1995 ?

- **Nouveau moteur QuadFour 2.3L 150 ch avec arbres d'équilibrage.**
- **Fluide de transmission Dexron bon pour 160 000 km.**
- **Nouvelle pompe de servodirection.**
- **Essieu arrière tubulaire à ressorts centrés sur l'axe des roues.**

MOTEURS						TRANSMISSION		PERFORMANCES									
Modèles/ versions *: de série	Type / distribution soupapes / carburation	Cylindrée cc	Puissance ch @ tr/mn	Couple lb.pi @ tr/mn	Rapport volumét.	Roues motrices / transmissions	Rapport de pont	Accélér. 0-100 km/h s	400 m D.A. s	1000 m D.A. s	Freinage 100-0 km/h m	Vites. maxi. km/h	Accélér. latérale G	Niveau sonore dBA	Consommation l./100km Ville	Consommation l./100km Route	Carbur. Octane
1)	L4* 2.2 SACL-8-IPM	2179	120 @ 5200	130 @ 4000	9.0 :1	avant - M5*	3.83	10.0	16.8	31.0	42	160	0.77	68	10.5	6.6	R 8
						avant-A3-A4	3.18	11.7	17.7	31.8	44	155	0.77	68	10.6	6.8	R 8
2)	L4* 2.3 DACT-16-IMP	2261	150 @ 6000	145 @ 4800	9.5 :1	avant - M5*	3.94	9.5	16.6	30.6	46	180	0.75	67	11.4	7.4	R 8
						avant - A3/A4	2.93	10.4							11.5	7.4	R 8
3)	V6* 3.1 ACC-12-IPM	3137	155 @ 5200	185 @ 4000	9.6 :1	avant-A3-A4	2.97	9.5	17.7	30.4	46	175	0.80	67	11.5	7.6	R 8

1) *Corsica/Beretta 2)* Grand Am & Achieva SC 3) * Beretta Z26 & Gran Sport, option sur les autres modèles.

OLSDMOBILE Achieva

PONTIAC Grand Am

ʼasse les occupants sur mau-ıises routes.

Sécurité: 70%
a structure des modèles à 4 ɔrtes résiste mieux aux impacts ıe celle des 2 portes et la pro-ction du conducteur a été amé-ɔrée par le montage d'un cous-n gonflable, mais celle des ıtres occupants est aléatoire.

Consommation: 65%
elle du moteur de base est nor-ale, alors que le QuadFour ne ıanque pas d'appétit lorsqu'on cravache.

Satisfaction: 60%
ʼès moyenne, parce que la plu-ırt des propriétaires sont déçus ı manque de qualité et des pe-s problèmes qui pénalisent ıssi la valeur de revente.

Niveau sonore: 60%
ɛs moteurs 4 cylindres restent uyants et vibrants lors des ac-ɛlérations et c'est le V6 qui de-eure le plus silencieux. Une eilleure insonorisation permet-ait de diminuer les bruits de ulement.

Prix/équipement: 60%
ɛs prix sont alléchants, mais ɛquipement n'est pas toujours ɔmplet, et la qualité souvent mise en question.

• **Coffre: 60%**
Plus profond et plus long qu'auparavant, son seuil élevé ne permet pas une manipulation facile des bagages.

• **Qualité & finition: 60%**
La qualité des matériaux est aussi médiocre que le soin apporté à la finition et la présentation intérieure de la Skylark est la plus délirante jamais rencontrée.

• **Accès: 60%**
Il est plus aisé aux places avant qu'arrière, soit parce que les portes sont étroites, soit parce que le siège avant libère peu d'espace.

• **Poste de conduite: 60%**
La position du conducteur est vieillotte à cause des pédales décentrées et de la colonne de direction trop longue. La visibilité est meilleure vers l'avant que de 3/4 ou vers l'arrière, à cause de l'épaisseur des montants de la lunette et des petits rétroviseurs.

• **Performances: 60%**
Le rapport poids-puissance des modèles de base ne leur permet d'afficher que des performances médiocres. Elles sont plus relevées avec le QuadFour et le V6 dont le couple séduira les amateurs de confort. La transmission manuelle n'est pas très bien échelonnée et sa sélection est encore rugueuse. Heureusement, la nouvelle boîte automatique à 4 rapports offre une alternative plus séduisante.

• **Comportement: 50%**
Il a progressé, à cause du nouveau dessin de la suspension arrière, mais reste généralement très souple en série. Elle génère des mouvements de caisse proportionnels au roulis, mais celle des GT et SC est plus ferme donc plus stable.

• **Habitabilité: 50%**
Le volume de leur cabine ne permet d'y asseoir que quatre personnes et les places arrière des coupés sont peu agréables à utiliser, car l'on y souffre de claustrophobie.

POINTS FAIBLES

• **Freinage: 40%**
Les distances d'arrêt sont encore longues car les garnitures manquent de mordant, mais l'ABS permet d'équilibrer les arrêts d'urgence malgré quelques petits blocages intempestifs.

• **Commodités: 40%**
Les rangements pratiques ne sont pas nombreux et sur les versions riches les coffrets de console compensent pour la petitesse de la boîte à gants.

• **Dépréciation: 40%**
Les Grand Am perdent moins et se revendent plus rapidement que les Skylark, Achieva et Corsica.

Assurance: 45%
Ces voitures coûtent relativement cher à assurer, surtout la Grand Am perçue comme une sportive.

CONCLUSION

• **Moyenne générale: 58.0 %**
Séduits par leur allure, les utilisateurs de ces modèles déchantent vite à l'usage...

SUGGESTIONS DES PROPRIÉTAIRES

-Freinage plus efficace.
-Meilleure qualité générale.
-Pneus plus performants.
-Un meilleur comportement.
-Plus de rangements.
-Une allure plus moderne (Corsica)

CARACTÉRISTIQUES & PRIX

ɔdèles	Versions	Carrosseries/ Sièges	Volume cabine l.	Volume coffre l.	Cx	Empat. mm	Long x larg x haut. mm x mm x mm	Poids à vide kg	Capacité Remorq. max. kg	Susp. av/ar	Freins av/ar	Direction type	Diamètre braquage m	Tours volant b à b.	Réser. essence l.	Pneus d'origine	Mécaniques d'origine	PRIX $ CDN. 1994
UICK	Garantie générale: 3 ans / 60 000 km; antipollution: 5 ans / 80 000km; perforation corrosion: 6 ans / 160 000 km.																	
ᴋylark	Custom	cpé. 2 p.5	2534	377	0.32	2626	4806x1745x1359	1310	454	i/si	d/t/ABS	crém.ass.	10.75	2.33	57.5	195/70R14	L4/2.3/A3	**16 598**
ᴋylark	Custom	ber. 4 p.5	2534	377	0.32	2626	4806x1745x1359	1334	454	i/si	d/t/ABS	crém.ass.	10.75	2.33	57.5	195/70R14	L4/2.3/A3	**16 598**
ᴋylark	Limited	cpé. 2 p.5	2534	377	0.32	2626	4806x1745x1359	1310	454	i/si	d/t/ABS	crém.ass.	10.75	2.33	57.5	195/70R14	L4/2.3/A3	**ND**
ᴋylark	Limited	ber. 4 p.5	2534	377	0.32	2626	4806x1745x1359	1334	454	i/si	d/t/ABS	crém.ass.	10.75	2.33	57.5	195/70R14	L4/2.3/A3	**19 598**
ᴋylark	Gran Sport	cpé. 2 p.5	2534	377	0.32	2626	4806x1745x1359	1363	454	i/si	d/t/ABS	crém.ass.	10.75	2.33	57.5	205/55R16	V6/3.1/A4	**22 198**
ᴋylark	Gran Sport	ber. 4 p.5	2534	377	0.32	2626	4806x1745x1359	1387	454	i/si	d/t/ABS	crém.ass.	10.75	2.33	57.5	205/55R16	V6/3.1/A4	**22 198**
HEVROLET	Garantie générale: 3 ans / 60 000 km; antipollution: 5 ans / 80 000km; perforation corrosion: 6 ans / 160 000 km.																	
ɔrsica	base	ber. 4 p.5	2594	379	0.36	2626	4658x1740x1377	1245	454	i/i	d/t/ABS	crém.ass.	10.76	2.33	57.5	195/70R14	L4/2.2/M5	**15 898**
ɛretta	base	cpé. 2 p.5	2546	382	0.36	2626	4757x1733x1346	1250	454	i/i	d/t/ABS	crém.ass.	10.76	2.33	57.5	195/70R14	L4/2.2/M5	**15 498**
ɛretta	Z26	cpé. 2 p.5	2546	382	0.33	2626	4757x1733x1346	1356	NR	i/i	d/t/ABS	crém.ass.	11.76	2.33	57.5	205/60R15	V6/3.1/A4	**18 598**
LDSMOBILE	Garantie générale: 3 ans / 60 000 km; antipollution: 5 ans / 80 000km; perforation corrosion: 6 ans / 160 000 km.																	
ɔhieva	S	cpé. 2 p.5	2576	396	0.33	2626	4805x1715x1326	1232	454	i/si	d/t/ABS	crém.ass.	10.76	2.88	57.5	205/70R14	L4/2.3/M5	**16 898**
ɔhieva	S	ber. 4 p.5	2542	396	0.33	2626	4805x1715x1326	1261	454	i/si	d/t/ABS	crém.ass.	10.76	2.88	57.5	205/55R16	L4/2.3/M5	**16 898**
ɔhieva	SC	cpé. 2 p.5	2576	396	0.33	2626	4805x1715x1326	1290	454	i/si	d/t/ABS	crém.ass.	10.76	2.88	57.5	205/55R16	L4/2.3/M5	**21 098**
ɔhieva	SL	ber. 4 p.5	2542	396	0.33	2626	4805x1715x1326	1305	454	i/si	d/t/ABS	crém.ass.	10.76	2.88	57.5	205/55R16	L4/2.3/M5	**20 898**
ONTIAC	Garantie générale: 3 ans / 60 000 km; antipollution: 5 ans / 80 000km; perforation corrosion: 6 ans / 160 000 km.																	
ʼand Am	SE	cpé. 2 p.5	2568	377	0.34	2626	4747x1715x1351	1281	454	i/si	d/t/ABS	crém.ass.	10.76	2.5	57.5	195/70R14	L4/2.3/M5	**15 998**
ʼand Am	SE	ber. 4 p.5	2568	377	0.34	2626	4747x1715x1351	1307	454	i/si	d/t/ABS	crém.ass.	10.76	2.5	57.5	195/70R14	L4/2.3/M5	**16 098**
ʼand Am	GT	cpé. 2 p.5	2568	377	0.34	2626	4747x1715x1351	1310	NR	i/si	d/t/ABS	crém.ass.	10.76	2.5	57.5	205/55R16	L4/2.3/M5	**19 198**
ʼand Am	GT	ber. 4 p.5	2568	377	0.34	2626	4747x1715x1351	1334	NR	i/si	d/t/ABS	crém.ass.	10.76	2.5	57.5	205/55R16	L4/2.3/M5	**19 298**

Voir la liste complète des prix 1995 à partir de la page 393.

Mission accomplie...

Avec le temps les Saturn confirment ce que leur constructeur annonçait lorsqu'elles ont fait leu apparition voici bientôt trois ans. Pour des américaines, elles sont originales, fiables et suffisa ment économiques pour semer le doute chez les inconditionnels des voitures japonaises.

Les Saturn continuent leur mission qui est de permettre à General Motors de donner la réplique aux modèles compacts japonais. La gamme se compose de 3 modèles: un coupé à 2 portes SC 1 et SC2, une berline à 4 portes vendue en trois versions SL, SL1 et SL2 et une familiale à 4 portes SW1 et SW2. Le moteur des versions 1 est un 4 cylindres de 1.9L développant 85 ch et celui des versions 2 le même 1.9L mais coiffé d'une culasse à double arbre à cames en tête développant 125 ch. La transmission de série est manuelle à 5 vitesses et une automatique à 4 rapports est proposée en option.

POINTS FORTS

• Satisfaction: 90%
Excellent résultat. Les propriétaires sont les premiers surpris de la fiabilité des Saturn, qui ne donnent pas beaucoup de problèmes.

• Sécurité: 90%
Elle s'améliore avec la fourniture en série d'un second coussin d'air à l'avant, tandis que leur structure résiste bien aux collisions.

• Prix/équipement: 80%
Les prix des modèles de base sont plus attrayants que ceux des plus luxueux qui flirtent dangereusement avec ceux de la concurrence, offrant une fiabilité plus éprouvée et un réseau plus dense. Beaucoup d'équipements vitaux sont optionnels ce qui est décourageant.

• Technique: 80%
Bien que controversées, leurs lignes sont originales, et leur aérodynamique efficace, puisque leur cœfficient varie entre 0.32 et 0.33. Les Saturn intriguent surtout par leur mode de construction, semblable à celui inauguré sur la Fiero et repris sur les fourgonnettes APV. La plate-forme est équipée d'un châssis-cage en acier dont certaines parties sont galvanisées. Cette structure sert de support à la carrosserie constituée de panneaux d'acier pour les capots avant/arrière pour le toit, et de panneaux de matière plastique thermoformée pour les ailes et les portes. Sur la familiale le toit et le hayon sont eux aussi en plastique. La suspension est indépendante aux quatre roues et le freinage est mixte, car les 4 disques et l'ABS sont optionnels.

• Dépréciation: 70%
Elle est plus forte que la moyenne sans doute à cause de l'originalité de ces modèles, de la marque et du réseau qui n'est pas dense.

• Consommation: 70%
Elle se maintient aux alentours de 10 litres aux 100 km en conduite normale, mais peut atteindre 12 l si l'on a le pied lourd sur la SC2.

• Suspension: 70%
Sa fermeté rappelle celle de certaines Volkswagen par la rigueur de son amortissement et le manque de débattement qui l'amènent souvent en butée sur mauvais revêtement.

• Qualité & finition: 70%
La présentation générale est flatteuse tant à l'extérieur qu'à l'intérieur et l'assemblage comme la finition est soigné. Les panneaux de plastique de la carrosserie sont bien ajustés et leur fini est très brillant.

• Poste de conduite: 70%
Le conducteur trouve une position convenable grâce aux ajustements combinés du siège et de la colonne de direction, mais cette dernière

DONNÉES

Catégorie: berlines et coupés compacts tractés.
Classe : 3

HISTORIQUE

Inauguré en: 1990: États-Unis; 1991: Canada.
Modifié en: 1993: familiale et coupé de base.
Fabriqué à: Spring Hill, Tennessee, États-Unis.

INDICES

Sécurité: 90 %
Satisfaction: 90 %
Dépréciation: 30 % (SC), 44 % (SL) 2 ans
Assurance: SL/SC:12.0 % (865 $) SL2/SC2: 7.7 % (975 $)
Prix de revient au km: 0.32 $

NOMBRE DE CONCESSIONNAIRES

Au Québec: 19

VENTES AU QUÉBEC

Modèle	1992	1993	Résultat	Part de march
coupés	597	383	-35.8 %	3.0 %
berlines	3 827	2 819	-26.3 %	3.0 %

PRINCIPAUX MODÈLES CONCURRENTS

Saturn SL: ACURA Integra, CHEVROLET Cavalier, DODGE-PLYMOUT Neon, EAGLE Summit, FORD-MERCURY Escort-Tracer, HONDA Civi HYUNDAI Elantra, MAZDA Protegé, PONTIAC Sunfire, SUBARU Impreza TOYOTA Corolla, VOLKSWAGEN Jetta.
Saturn SC: HONDA del Sol, HYUNDAI Scoupe, MAZDA MX-3,TOYOT Paseo.

ÉQUIPEMENT

SATURN	SL/SC1SL1/SW1	SL2/SW2	SC2
Boîte automatique:	O	O	O
Régulateur de vitesse:	O	O	O
Direction assistée:	O	S	S
Freins ABS:	S	S	S
Climatiseur:	O	S	S
Coussins gonflables (2):	S	S	S
Garnitures en cuir:	-	O	O
Radio MA/MF/ K7:	O	O	O
Serrures électriques:	O	S	S
Lève-vitres électriques:	O	S	S
Volant ajustable:	O	O	O
Rétroviseurs ext. ajustables:	S	S	S
Essuie-glace intermittent:	O	S	S
Jantes en alliage léger:	O	O	S
Toit ouvrant:	-	O	O
Système antivol:	-	-	-

S : standard; O : optionnel; - : non disponible

COULEURS DISPONIBLES

Extérieur: Blanc, Bleu marine, Prune, Vert, Noir, Rouge, Or.
Intérieur: Tan, Gris, Noir.

ENTRETIEN

Première révision: 5 000 km
Fréquence: 10 000 km
Prise de diagnostic: Oui

QUOI DE NEUF EN 1995 ?

- **Deux coussins gonflables et ABS livrés en série.**
- **Nouvelle apparence de la partie frontale des coupés SC1 et SC2.**
- **Tableau de bord redessiné.**
- **Colonne de direction ajustable et deux coussins gonflables livrés e série.**

MOTEURS						TRANSMISSION						PERFORMANCES						
Modèles/ versions *: de série	Type / distribution soupapes / carburation	Cylindrée cc	Puissance ch @ tr/mn	Couple lb.pi @ tr/mn	Rapport volumét.	Roues motrices / transmissions	Rapport de pont	Accélér. 0-100 km/h s	400 m D.A. s	1000 m D.A. s	Freinage 100-0 km/h m	Vites. maxi. km/h	Accélér. latérale G	Niveau sonore dBA	Consommation l./100km Ville	Route	Carbura Octane
1)	L4* 1.9 SACT-8-IMP	1901	100 @ 5000	115 @ 2400	9.3 :1	avant - M5*	4.06	11.6	18.0	31.9	44	160	0.76	68	8.7	5.8	R 8
						avant - A4	4.06	12.5	18.6	32.6	46	150	0.76	68	9.2	6.1	R 8
2)	L4* 1.9 DACT-16-IPM	1901	124 @ 5600	122 @ 4800	9.5 :1	avant - M5*	4.06	8.0	16.0	29.0	45	190	0.80	68	9.9	6.4	R 8
						avant - A4	4.06	8.8	16.7	29.8	43	180	0.80	68	10.1	6.7	R 8

1) SL,SL1,SC1 2) SC2 & SL2

st encore trop longue pour être arfaite. La visibilité est bonne nalgré l'épaisseur des montants lu pare-brise et le tableau de ord, qui a été redessiné, est lus ergonomique que précédem-nent.

omportement: 70%
 est sain, car le roulis est mo-léré et les mouvements de la aisse bien contrôlés par un mortissement simple, mais effi-ace. Le caractère sous-vireur, ui ne se révèle que lorsque l'on ousse trop loin en virage serré, este facile à contrôler.

Direction: 70%
elle qui est assistée est plus gréable par sa précision, son osage et sa rapidité, tandis que a manuelle est lourde, démulti-liée et pénible lorsqu'il faut sta-onner en zone urbaine.

Commodités: 70%
es rangements comprennent ne boîte à gant de bonne taille, es vide-poches de portes, un offret de console centrale et une ablette sous le tableau de bord es versions 2. Les baudriers de einture ne sont pas ajustables n hauteur et l'on ne trouve aucun appel de la sélection de la boîte utomatique au tableau de bord.

Accès: 60%
es places arrières seront plus ifficiles à atteindre pour des per-onnes corpulentes car les por-s arrière sont étroites, et les ossiers des siège avant ne libè-ent pas assez d'espace.

Sièges: 60%
eu enveloppants sur les modè-s de base, ils sont mieux galbés ur les autres versions et main-ennent bien, malgré leur rem-ourrage germanique.

Performances: 60%
elles du moteur de base sont némiques, mais le couple est uffisant pour assurer des repri-es décentes, alors que celles du ultisoupape sont plus enjouées râce à un rapport poids-puis-ance équilibré et les accéléra-ons ainsi que les reprises sont anches. Toutefois ces deux mo-urs partagent la particularité de evenir rugueux, vibrants et bruyants à haut régime.

SATURN SW1

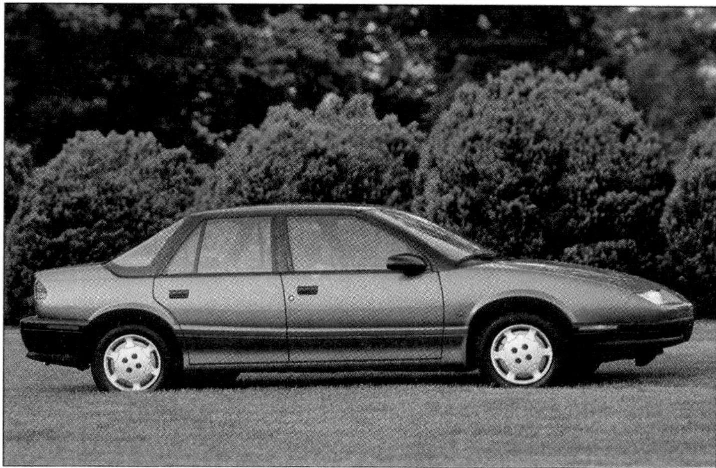

SATURN SC1

• Coffre: 50%
Bien que l'on puisse l'agrandir en abaissant le dossier de la banquette il n'est pas très volumineux et ce, même sur la familiale. L'accès en est toutefois facilité par le seuil qui descend au ras du pare-chocs.

POINTS FAIBLES

• Assurance: 30%
Les Saturn sont plus chères que d'autres à assurer, à cause de leur structure, coûteuse à réparer lors d'un choc sérieux.

• Habitabilité: 40%
La cabine accueille quatre adultes dans la berline et la familiale, mais la hauteur limitée aux places arrière du coupé le destinera à des enfants.

• Niveau sonore: 40%
L'insonorisation est l'un des points à améliorer sur ces modèles dont les bruits mécaniques et de roulement sont élevés.

• Freinage: 40%
Bien qu'il soit progressif et facile à doser en conditions normales, il se révèle brutal lors des arrêts d'urgence car les roues avant bloquent rapidement et les trajectoires deviennent aléatoires. L'ABS et les 4 disques optionnels sont indispensables pour arrêter les SL2 et SC2 aux performances plus élevées, mais les amorces de blocage et les tressautements de la pédale sont plus désagréables que dangereux.

CONCLUSION

• Moyenne générale: 64.0 %
L'arrivée des Neon de Chrysler, dont les points de vente sont plus nombreux va donner du fil à retordre aux Saturn qui demeurent des choix valables si l'on peut doser leur équipement. ☺

SUGGESTIONS DES PROPRIÉTAIRES

-Moins d'options.
-Une nouvelle apparence.
-Freinage ABS standard.
-Volume cargo plus important dans les familiales.
-Moteurs plus performants, moins vibrants et bruyants.
-Une meilleure insonorisation.

CARACTÉRISTIQUES & PRIX

odèles	Versions	Carrosseries/ Sièges	Volume cabine l.	Volume coffre l.	Cx	Empat. mm	Long x larg x haut. mm x mm x mm	Poids à vide kg	Capacité Remorq. max. kg	Susp. av/ar	Freins av/ar	Direction type	Diamètre braquage m	Tours volant b à b.	Réser. essence l.	Pneus d'origine	Mécaniques d'origine	PRIX $ CDN. 1994
ATURN		**Garantie générale: 3 ans / 60 000 km; antipollution: 5 ans / 80 000km; perforation corrosion: 6 ans / 160 000 km.**																
C1		cpé. 3p. 4	2163	309	0.32	2520	4400x1716x1286	1035	454	i/i	d/t/ABS	crém.ass.	11.0	3.0	48.5	175/70R14	L4/1.9/M5	**13 895**
C2		cpé. 3p. 4	2163	309	0.31	2520	4434x1716x1286	1070	454	i/i	d/t/ABS	crém.ass.	11.0	2.67	48.5	195/60R15	L4/1.9/M5	**16 650**
L		ber. 4p. 5	2512	337	0.33	2601	4478X1718X1334	1054	454	i/i	d/t/ABS	crém.	11.3	4.0	48.5	175/70R14	L4/1.9/M5	**11 595**
L1		ber. 4p. 5	2512	337	0.33	2601	4478X1718X1334	1055	454	i/i	d/t/ABS	crém.ass.	11.3	3.0	48.5	175/70R14	L4/1.9/M5	**12 825**
L2		ber. 4p. 5	2512	337	0.33	2601	4478X1718X1334	1091	454	i/i	d/t/ABS	crém.ass.	11.3	2.67	48.5	195/60R15	L4/1.9/M5	**14 510**
W1		fam. 4p. 5	2551	679	0.32	2601	4478X1718X1364	1076	454	i/i	d/t/ABS	crém.ass.	11.3	3.0	48.5	175/70R14	L4/1.9/M5	**13 645**
W2		fam. 4p. 5	2551	679	0.32	2601	4478X1718X1364	1110	454	i/i	d/t/ABS	crém.ass.	11.3	2.67	48.5	195/60R15	L4/1.9/M5	**15 485**

Voir la liste complète des prix 1995 à partir de la page 393.

CHEVROLET Lumina, OLDSMOBILE Silhouette
PONTIAC Trans Sport

Surtout le style...

Très spectaculaires par leur ligne audacieuse, les mini-fourgonnettes de GM plaisent surtout à cause de leur style, car côté pratique, d'autres font mieux en proposant des versions allongées qui permettent d'asseoir 7 personnes et de disposer d'assez d'espace pour des bagages.

Les mini-fourgonnettes Chevrolet Lumina, Pontiac Trans Sport et Oldsmobile Silhouette partagent les mêmes éléments mécaniques que les voitures de la famille W. Elles ne diffèrent entre elles que par des détails de présentation ou d'équipement. La Chevrolet Lumina est offerte de base ou LS et la Pontiac Trans Sport SE et la Silhouette n'existe qu'en version unique, vendue seulement aux États-Unis. Le moteur d'origine est un V6 de 3.1 L avec boîte automatique à 3 rapports alors qu'un V6 de 3.8L et une boîte à 4 rapports sont offerts en option.

POINTS FORTS

• **Sécurité:** 80%
La structure de ces véhicules résiste bien aux impacts, le conducteur est désormais protégé par un coussin d'air et les portes ont été renforcées par des poutres. Le positionnement des feux arrière au-dessus de la zone de collision, bien à la vue des autres usagers, reste l'une des innovations intéressantes de ces fourgonnettes.

• **Satisfaction:** 80%
Elle s'est améliorée et fait jeu égal avec celle des Caravan-Voyager, qui sont la référence en la matière.

• **Technique:** 80%
Ces fourgonnettes compactes se distinguent par leur structure constituée d'une plate-forme en acier galvanisé surmontée d'une cage métallique servant de support à la carrosserie constituée de panneaux de matière plastique thermoformée. La suspension avant est indépendante, tandis qu'à l'arrière on trouve un essieu rigide maintenu par des bras tirés et contrôlé par une barre transversale Panhard. Les freins sont mixtes, mais le système ABS est standard. Leur finesse aérodynamique est efficace et les retouches apportées à la partie avant l'an dernier ont diminué le porte-à-faux avant.

• **Assurance:** 80%
Malgré leur constitution particulière, plus délicate à réparer, leur prime est comparable à celle des autres fourgonnettes compactes.

OLDSMOBILE Silhouette

DONNÉES

Catégorie: fourgonnettes compactes tractées.
Classe : utilitaires

HISTORIQUE

Inauguré en: 1990
Modifié en: 1992: moteur V6 3.8L. 1994:apparence.
Fabriqué à: North Tarrytown, NY, États-Unis.

INDICES

	Lumina	Trans Sport
Sécurité:	80 %	
Satisfaction:	82 %	
Dépréciation:	58 %	53 %
Assurance:	5.0 % (975 $)	
Prix de revient au km:	0.42 $	

NOMBRE DE CONCESSIONNAIRES

Au Québec: 99 Chevrolet, 90 Pontiac.

VENTES AU QUÉBEC

Modèle	1992	1993	Résultat	Part de marché
Lumina/ Trans Sport	4 901	6 788	+27.8 %	18.8 %
Silhouette	Non commercialisée au Canada			

PRINCIPAUX MODÈLES CONCURRENTS

CHEVROLET Astro, CHRYSLER Town & Country, DODGE Caravan, FORD Aerostar & Windstar, PLYMOUTH Voyager, MAZDA MPV, MERCURY Villager, NISSAN Quest, TOYOTA Previa, VW Eurovan.

ÉQUIPEMENT

	CHEVROLET Lumina base	LS / PONTIAC Trans Sport SE	OLDSMOBILE Silhouette base
Boîte automatique:	S	S	S
Régulateur de vitesse:	O	O	O
Direction assistée:	S	S	S
Freins ABS:	S	S	S
Climatiseur manuel:	O	O	S
Coussin gonflable gauche:	S	S	S
Garnitures en cuir:	-	O	O
Radio MA/MF/ K7:	O	O	O
Serrures électriques:	O	O	S
Lève-vitres électriques:	O	O	S
Volant ajustable:	O	O	S
Rétroviseurs ext. ajustables:	O	S	S
Essuie-glace intermittent:	S	S	S
Jantes en alliage léger:	S	S	S
Toit ouvrant:	O	O	O
Système antivol:	O	O	O

S : standard; O : optionnel; - : non disponible

COULEURS DISPONIBLES

Extérieur: Argent, Blanc, Bleu, Noir, Rouge.
Intérieur: Gris clair, Bleu, Rubis.

ENTRETIEN

Première révision: 5 000 km
Fréquence: 10 000 km
Prise de diagnostic: Oui

QUOI DE NEUF EN 1995 ?

- **Verrouillage de sécurité entre la pédale de frein et le sélecteur.**
- **Fluide de transmission automatique Dexron bon pour 160 000 km.**
- **Nouvelle teinte de carrosserie.**
- **Traction asservie disponible sur Trans Sport SE & Lumina.**

MOTEURS					TRANSMISSION			PERFORMANCES									
Modèles/ versions *: de série	Type / distribution soupapes / carburation	Cylindrée cc	Puissance ch @ tr/mn	Couple lb.pi @ tr/mn	Rapport volumét.	Roues motrices / transmissions	Rapport de pont	Accélér. 0-100 km/h s	400 m D.A. s	1000 m D.A. s	Freinage 100-0 km/h m	Vites. maxi. km/h	Accélér. latérale G	Niveau sonore dBA	Consommation l./100km Ville	Consommation l./100km Route	Carburant Octane
base	V6* 3.1 ACC-12-IE	3137	120 @ 4200	175 @ 2200	8.5 :1	avant - A3*	3.06	12.9	18.6	36.8	44	150	0.70	68	12.7	9.5	R 87
option	V6* 3.8 ACC-12-IES	3791	170 @ 4800	225 @ 3200	9.0 :1	avant - A4*	3.06	11.5	18.4	35.6	47	175	0.72	68	14.0	8.8	R 87

PONTIAC Trans Sport

Qualité & finition: 70%
lle s'est améliorée, mais l'immense tableau de bord demeure eu rigide, et les portes émettent les bruits agaçants.

Suspension: 70%
'amortissement offre un bon ompromis entre le confort et le omportement et le train arrière, ien guidé, sautille moins que elui des Caravan-Voyager.

Commodités: 70%
a boîte à gants est minuscule, nais l'on dispose de plusieurs utres rangements, et il y a plus le porte-tasses (16) qu'il peut y voir d'occupants; une fois repliés, les dossiers des sièges arère forment en tablette.

Habitabilité: 70%
lle est supérieure aux places vant qu'à l'arrière où l'espace st compté. La hauteur intérieure écroît en allant vers l'arrière et a faible distance entre les sièes, qui sont bas, n'est pas suffiante pour assurer une position onfortable, on y est au coude-àoude car ils sont serrés et étroits.

Poste de conduite: 60%
a position du conducteur denande une certaine habitude et end quelques manœuvres déliates par manque d'appréciation es distances du à l'éloignement xcessif du pare-brise. La visibiité n'est pas parfaite malgré la rande surface vitrée, car elle st limitée en hauteur par l'inclinaison du pare-brise et la surface de balayage des essuie-glace. De plus par mauvais temps, les vitres latérales triangulaires se salissent rapidement et ne peuvent être nettoyées que de l'extérieur. Latéralement l'épaisseur du pilier central crée un angle mort important mais les rétroviseurs extérieurs ont été agrandis. Vers l'arrière, les dossiers des sièges obstruent la lunette et l'essuie-glace n'est pas centré. Le tableau de bord est toujours aussi tarabiscoté et l'instrumentation située au fond d'un trou noir. Certaines commandes sont peu pratiques à utiliser, comme le sélecteur des vitesses, trop court, et les interrupteurs localisés autour du bloc des instruments.

• Sièges: 60%
Petits mais bien formés, ils ne comportent pas d'appuie-tête mais sont aussi faciles à ajuster qu'à manipuler, car leur poids est raisonnable et leur système de fixation assez simple. Leur modularité est limitée et la banquette, d'origine sur les 5 places, est plus pratique, les enfants pouvant s'y étendre confortablement.

• Prix/équipement: 60%
Après certaines ventes de feu de modèles peu équipés, le tarif est comparable à ceux de la concurrence directe.

• Dépréciation: 60%
Elle est moins forte que la normale par suite du maintien de la demande.

• Performances: 60%
Lymphatiques avec le 3.1L d'origine qui a fort à faire pour entraîner le poids élevé de ces engins, le 3.8L optionnel permet des accélérations et des reprises plus décentes.

• Direction: 50%
Aussi bien démultipliée que dosée, elle est imprécise au centre et manque de rappel. De plus la maniabilité est pénalisée par le grand diamètre de braquage.

• Comportement: 50%
C'est l'un des plus sains parmi les fourgonnettes domestiques, car le roulis et les mouvements de caisse sont bien contrôlés.

CHEVROLET Lumina

• Niveau sonore: 50%
L'effet de résonance des trains de roulement maintient dans la cabine un bruit plus élevé que sur des véhicules plus compartimentés et le 3.8L est beaucoup plus discret que le 3.1L.

• Consommation: 50%
Le 3.8L offre le meilleur rendement puisqu'il consomme moins que le 3.1L.

POINTS FAIBLES

• Accès: 40%
Les portes sont lourdes et difficiles à manipuler surtout l'hiver où la porte coulissante est exaspérante. Sa manœuvre électrique offerte en option est intéressante, mais sa sécurité n'est pas absolue et il est facile de s'y faire coincer les doigts. Pour accéder plus facilement à l'arrière, il est plus facile de condamner le siège central de la rangée médiane.

• Soute: 40%
Elle est inexistante lorsque tous les sièges sont en place et il faut sacrifier les deux derniers pour disposer d'un peu d'espace.

• Freinage: 40%
La pédale spongieuse n'aide pas à doser les ralentissements, et lors des arrêts brutaux les distances sont longues car les garnitures manquent de mordant. Toutefois grâce à l'ABS, les trajectoires sont linéaires et stables.

CONCLUSION

• Moyenne générale: 61.0 %
Ces véhicules connaissent un franc succès autant pour leur conception et leur ligne originales, que pour le prix compétitif auquel les modèles de base peu équipés sont vendus. 😐

SUGGESTIONS DES PROPRIÉTAIRES

- **Freinage plus résistant.**
- **Portes moins dangereuses.**
- **Porte coulissante électrique plus sécuritaire.**
- **Sièges plus confortables et pivotants à l'avant.**
- **Appuie-tête aux places ar.**

CARACTÉRISTIQUES & PRIX

odèles	Versions	Carrosseries/ Sièges	Cx	Empat. mm	Long x larg x haut. mm x mm x mm	Poids à vide kg	Capacité Remorq. max. kg	Susp. av/ar	Freins av/ar	Direction type	Diamètre braquage m	Tours volant b à b.	Réser. essence l.	Pneus d'origine	Mécaniques d'origine	PRIX $ CDN. 1994
HEVROLET		**Garantie générale: 3 ans / 60 000 km; antipollution: 5 ans / 80 000km; perforation corrosion: 6 ans / 160 000 km.**														
umina	base/Cargo	frg. 4 p.2/7	0.34	2789	4864X1877X1669	1595	907	i/r	d/t/ABS	crém.ass.	13.14	3.05	75.7	205/70R15	V6/3.1/A3	**19 798**
umina	LS	frg. 4 p.5/7	0.34	2789	4864X1877X1669	1630	1361	i/r	d/t/ABS	crém.ass.	13.14	3.05	75.7	205/70R15	V6/3.8/A4	**24 888**
ONTIAC		**Garantie générale: 3 ans / 60 000 km; antipollution: 5 ans / 80 000km; perforation corrosion: 6 ans / 160 000 km.**														
rans Sport	LE	frg. 4 p.5/7	0.34	2789	4882x1894X1669	1598	907	i/r	d/t/ABS	crém.ass.	13.14	3.05	75.7	205/70R15	V6/3.1/A3	**20 498**
rans Sport	LE	frg. 4 p.5/7	0.34	2789	4882x1894X1669	1660	1361	i/r	d/t/ABS	crém.ass.	13.14	3.05	75.7	205/70R15	V6/3.8/A4	**24 928**
LDSMOBILE		**Garantie générale: 3 ans / 60 000 km; antipollution: 5 ans / 80 000km; perforation corrosion: 6 ans / 160 000 km.**														
ilhouette	base	frg. 4 p.5/7	0.34	2789	4945x1877X1669	1648	1361	i/r	d/t/ABS	crém.ass.	13.14	3.05	75.7	205/70R15	V6/3.8/A4	**ND**

Voir la liste complète des prix 1995 à partir de la page 393.

Usurpation d'identité

Les patronymes de ces coupés rappellent une période glorieuse de l'automobile américaine, d temps où les moteurs avaient du cœur, et pas de système antipollution. Aujourd'hui leurs héritier font piètre figure et ne sont plus que l'ombre d'eux-mêmes, il ne leur reste que leur nom.

CHEVROLET Monte Carlo

Ces coupés aux noms prestigieux perpétuent la tradition automobile nord-américaine d'une époque où les compétitions du dimanche influençaient directement les ventes du lundi matin. Si cela reste vrai dans certaines parties des États-Unis, ailleurs la loi du marché joue plus durement. Le Buick Regal est vendu Custom ou Gran Sport, le Pontiac Grand Prix SE ou GTP et l'Oldsmobile Cutlass Supreme S ou SL ou en version cabriolet. La nouveauté de l'année, c'est le retour du Monte Carlo chez Chevrolet basé sur l'ancien Lumina et dont les finitions sont LS ou Z34.

POINTS FORTS

• **Sécurité:** **90%**
Elle est appréciable grâce à la présence en série de deux coussins gonflables, à la structure résistant bien aux impacts et à l'arceau de sécurité qui équipe le cabriolet Cutlass Supreme.

• **Direction:** **70%**
Elle est plus directe, sauf sur le Regal, son assistance est plus positive qu'auparavant et sa précision honnête. Malgré leur taille ces coupés sont maniables, grâce à leur diamètre de braquage raisonnable.

• **Suspension:** **70%**
De base elle est souple et confortable sur bon revêtement, mais elle est plus raide et plus trépidante sur les versions sportives qui réagissent séchement dès que l'asphalte se détériore.

• **Satisfaction:** **70%**
À ce chapitre le Regal garde son avance sur ses confrères, mais sa marge s'est amenuisée de 8%.

• **Technique:** **70%**
Les coupés partagent la plate-forme et les mécaniques des berlines du même nom. Leur carrosserie monocoque en acier a des suspensions indépendantes et des freins à disque aux quatre roues. Leurs lignes plus ou moins personnalisées ne brillent pas par leur efficacité aérodynamique puisque le cœfficient moyen est 0.37. Le moteur de

DONNÉES

Catégorie: coupés intermédiaires tractés.
Classe : 5

HISTORIQUE

Inauguré en: 1988 & 1989: Lumina; 1995: Monte Carlo
Modifié en: -
Fabriqué à: Kansas City, Kansas, É-U. & Oshawa,Ont., Canada.

INDICES

Sécurité: 90 %
Satisfaction: Lumina/G-Prix: 75 % Regal/Cutlass: 80 %
Dépréciation: 60 % Regal: 52 %
Assurance: 5.5 % (975-1 090-1 308 $)
Prix de revient au km: 0.46 $

NOMBRE DE CONCESSIONNAIRES

Au Québec: 90 Buick, 99 Chevrolet, 99 Oldsmobile, 90 Pontiac.

VENTES AU QUÉBEC

Modèle	1992	1993	Résultat	Part de marche
Regal	2 919	2 527	-13.43 %	5.1 %
Lumina	3 335	2 316	-30.56 %	4.7 %
Cutlass	2 344	1 992	-15.02 %	4.0 %
Grand Prix	2 381	2 041	-14.28 %	4.1 %

PRINCIPAUX MODÈLES CONCURRENTS

FORD Thunderbird, MERCURY Cougar XR7, TOYOTA Camry.

ÉQUIPEMENT

BUICK Regal		**Cust.**	**Gran Sport**
CHEVROLET Monte Carlo	**LS**	**Z34**	
OLDS. Cut. Supreme		**SL**	**Décap.**
PONTIAC Grand Prix		**SE**	**GTP**
Boîte automatique:	S	S	S
Régulateur de vitesse:	S	S	S
Direction assistée:	S	S	S
Freins ABS:	S	S	S (en option chez Pontiac
Climatiseur:	S	S	S
Coussins gonflables (2):	S	S	S
Garnitures en cuir:	-	O	O
Radio MA/MF/ K7:	O	S	S
Serrures électriques:	S	S	S
Lève-vitres électriques:	S	S	S
Volant ajustable:	S	S	S
Rétroviseurs ext. ajustables:	S	S	S
Essuie-glace intermittent:	S	S	S
Jantes en alliage léger:	O	S	S
Toit ouvrant:	-	O	O
Système antivol:	S	S	S

S : standard; O : optionnel; - : non disponible

COULEURS DISPONIBLES

Extérieur: Argent, Noir, Blanc, Bleu, Bois flottant, Gris, Vert, Rouge,
Intérieur: Bleu, Gris, Beige, Rouge.

ENTRETIEN

Première révision: 5 000 km
Fréquence: 10 000 km
Prise de diagnostic: Oui

QUOI DE NEUF EN 1995 ?

- **Coupé Lumina remplacé par le nouveau Monte Carlo.**
- **Nouvelles couleurs de carrosserie et détails d'aménagement.**
- **Nouveau tableau de bord incluant deux coussins d'air (Regal-Cutlas**
- **Direction assistée en fonction de la vitesse avec V6 3.4L.**

	MOTEURS					TRANSMISSION			PERFORMANCES									
Modèles/ versions *: de série	Type / distribution soupapes / carburation	Cylindrée cc	Puissance ch @ tr/mn	Couple lb.pi @ tr/mn	Rapport volumét.	Roues motrices / transmissions	Rapport de pont	Accélér. 0-100 km/h s	400 m D.A. s	1000 m D.A. s	Freinage 100-0 km/h m	Vites. maxi. km/h	Accélér. latérale G	Niveau sonore dBA	Consommation l.0%0km Ville	Consommation Route	Carbura Octane
1)	V6* 3.1 ACT-12-IEPM	3130	160 @ 5200	185 @ 4000	9.6 :1	avant - A4*	3.33	9.8	17.2	31.0	42	175	0.78	67	12.7	7.7	R 87
3)	V6 3.4 DACT-24-IES	3352	210 @ 4000	215 @ 4000	9.2 :1	avant - M5*	3.43	8.8	16.4	29.3	43	200	0.80	66	13.8	8.2	R 87
3)	V6 3.8 ACT-12-IES	3791	170 @ 4800	225 @ 3200	9.0 :1	avant - A4*	3.06	9.5	17.0	31.4	44	185	0.79	66	12.4	7.7	R 87

1) base 2) * Grand Prix GTP & Monte Carlo Z34 3) Regal Gran Sport

OLDSMOBILE Cutlass Supreme cabriolet

base est un V6 de 3.1L auquel peut se substituer un 3.4L à double arbre à cames en tête ou un 3.8L très peu sportif chez Buick. Une boîte automatique à 4 rapports équipe en série tous ces modèles.

• **Assurance: 70%**
Il existe une différence importante entre la prime du modèle de base et celle de la version la plus luxueuse. (50%)

• **Commodités: 70%**
Les rangements sont en nombre suffisant, tant sur les modèles simples que luxueux.

• **Coffre: 70%**
Son volume est honnête bien qu'il manque de hauteur, mais son fond plat et régulier permet de l'utiliser pleinement.

• **Qualité & finition: 70%**
La finition s'améliore constamment, et les matériaux font moins bon marché, mais il reste encore quelques détails à corriger.

• **Performances: 65%**
C'est le V6 3.4L à 24 soupapes qui procure les meilleures performances, tandis que le 3.1L de base a un rendement honnête mais il est très tranquille. Le 3.8L de la Buick n'est pas beaucoup plus puissant mais son couple est plus élevé.

• **Habitabilité: 65%**
Quatre adultes seront à l'aise dans ces coupés même si l'espace pour la tête est plus limité à l'arrière, par la forme du toit ou en largeur sur le cabriolet à cause du logement de la capote.

CHEVROLET Monte Carlo

• **Sièges: 65%**
Bien rembourrés, leur galbe n'est malheureusement pas aussi enveloppant que celui du Grand Prix GTP.

• **Niveau sonore: 65%**
Les mécaniques sont silencieuses, (sauf lors des fortes accélérations) et ce sont les bruits de roulement et de vent qui prennent le dessus, par manque de matériau insonorisant.

• **Poste de conduite: 60%**
Les tableaux de bord ne sont pas très évocateurs avec leurs instruments digitaux pas faciles à lire selon le degré de luminosité. Il faut s'habituer à la plupart des commandes qui sont particulières ou peu accessibles comme celles du climatiseur. La visibilité est bonne, sauf avec la capote du cabriolet Cutlass Supreme, et la position de conduite est confortable, bien que basse.

• **Comportement: 60%**
La souplesse de la suspension des modèles engendre un roulis et un tangage prononcés. Ceux qui recherchent un comportement plus sportif opteront pour la suspension renforcée qui équipe les Z34 et GTP et leur permet de virer plus à plat, de s'inscrire plus facilement dans les courbes et d'être plus stables en droite ligne.

• **Accès: 50%**
Facile à l'avant, il est plus compliqué de se glisser à l'arrière, les sièges avant ne dégageant pas assez d'espace.

• **Prix/équipement: 50%**
Mieux équipés que par le passé, les modèles simples constituent un meilleur choix que les gros canons comme la GTP.

Consommation: 50%
Elle est raisonnable compte tenu de la cylindrée et du poids.

POINTS FAIBLE

• **Dépréciation: 40%**
Celle du Buick Regal est moins importante de 8% que celle des autres modèles.

• **Freinage: 40%**
Les distances d'arrêt sont longues, malgré la présence de disque aux quatre roues, mais l'ABS permet des arrêts rectilignes.

CONCLUSION

• **Moyenne générale: 63.0 %**
Logeables et pratiques, ces coupés n'ont de sportif que le nom, car ils ne suscitent finalement aucune passion.

PONTIAC Grand Prix GTP

CARACTÉRISTIQUES & PRIX

Modèles	Versions	Carrosseries/ Sièges	Volume cabine l.	Volume coffre l.	Cx	Empat. mm	Long x larg x haut. mm x mm x mm	Poids à vide kg	Poids Remorque max. kg	Susp. av/ar	Freins av/ar	Direction type	Diamètre braquage m	Tours volant b à b.	Réser. essence l.	Pneus d'origine	Mécaniques d'origine	PRIX $ CDN. 1994
BUICK		**Garantie générale: 3 ans / 60 000 km; antipollution: 5 ans / 80 000km; perforation corrosion: 6 ans / 160 000 km.**																
Regal	Custom	cpé. 3 p.5/6	2699	442	0.36	2730	4925x1842x1354	1479	454	i/i	d/d/ABS	crém.ass.	11.19	3.05	64.7	205/70R15	V6/3.1/A4	**22 148**
Regal	Gran Sport	cpé. 3 p.5	2690	442	0.34	2730	4925x1842x1354	1510	454	i/i	d/d/ABS	crém.ass.	11.19	3.05	64.7	225/60R16	V6/3.8/A4	**25 348**
CHEVROLET		**Garantie génér9le: 3 ans / 60 000 km; antipollution: 5 ans / 80 000km; perforation corrosion: 6 ans / 160 000 km.**																
Monte Carlo	LS	cpé. 3 p.5/6	2721	445	0.34	2730	5098x1842x1367	1500	454	i/i	d/d/ABS	crém.ass.	11.19	2.60	64.7	205/70R15	V6/3.1/A4	**21 548**
Monte Carlo	Z34	cpé. 3 p.5/6	2721	445	0.33	2730	5098x1842x1367	1559	454	i/i	d/d/ABS	crém.ass.	11.19	2.26	64.7	225/60R16	V6/3.4/A4	**23 648**
OLDSMOBILE		**Garantie générale: 3 ans / 60 000 km; antipollution: 5 ans / 80 000km; perforation corrosion: 6 ans / 160 000 km.**																
Cutlass Supreme	SL	cpé. 3 p.5/6	2721	439	0.35	2730	4926x1804x1353	1490	454	i/i	d/d/ABS	crém.ass.	11.19	2.60	64.7	205/70R15	V6/3.4/A4	**21 648**
Cutlass Supr	Convt.	déc. 3 p.5	2875	343	ND	2730	4926x1804x1379	1646	454	i/i	d/d/ABS	crém.ass.	11.19	2.30	64.7	225/60R16	V6/3.4/A4	**30 548**
PONTIAC		**Garantie générale: 3 ans / 60 000 km; antipollution: 5 ans / 80 000km; perforation corrosion: 6 ans / 160 000 km.**																
Grand Prix	SE	cpé. 3 p.5/6	2696	422	0.35	2730	4948x1826x1341	1471	454	i/i	d/d	crém.ass.	11.19	2.60	64.7	215/60R16	L4/3.1/A4	**18 398**
Grand Prix	GTP	cpé. 3 p.5/6	2696	422	0.33	2730	4948x1826x1341	1471	454	i/i	d/d	crém.ass.	11.19	2.60	64.7	225/60R16	V6/3.4/A4	**28 708**

Voir la liste complète des prix 1995 à partir de la page 393.

BUICK Regal / CHEVROLET Lumina
OLDSMOBILE Cutlass Supreme
PONTIAC Grand Prix berlines

Sclérosés...

Depuis six ans que les Taurus/Sable ratissent le marché et depuis deux ans que les voitures LH séduisent à tour de bras, la famille w de GM dort à poings fermés, se permettant de perdre de précieuses parts de marché. Il est temps que le vent du renouveau souffle sur ces dormeurs.

BUICK Regal LTD

Ces modèles perdent du terrain face à l'agressivité de la concurrence, car ils n'ont pas été renouvelés depuis près de 6 ans. La mécanique de base de toutes ces berlines à 4 portes est un V6 de 3.1L avec boîte automatique à 4 vitesses. Les finitions sont Custom, Limited et Gran Sport chez Buick, de base, LS chez Chevrolet et S, SL chez Oldsmobile enfin SE, GT chez Pontiac.

POINTS FORTS

• Sécurité: 90%
Grâce à la pose de renforts leur structure résiste mieux aux tests de collision et la présence de deux coussins d'air en série leur confère un excellent cœfficient, malgré leur âge.

• Assurance: 80%
Raisonnable sur les modèles de base, la prime des versions sportives équivaut à celle des coupés.

• Satisfaction: 75%
Comme pour les coupés, les berlines Buick semblent satisfaire plus de propriétaires que les trois autres marques.

• Direction: 70%
Directe avec une assistance positive, elle est précise et permet une bonne maniabilité grâce à un diamètre de braquage normal.

• Suspension: 70%
Très souple lorsqu'elle n'est pas sportive, elle ondule sur mauvais revêtements, sinon elle est ferme et réagit plus durement aux défauts de la route.

• Habitabilité: 70%
La cabine de ces voitures accueille confortablement 4 à 5 personnes, disposant à l'arrière d'assez d'espace pour les jambes et la tête.

• Accès: 70%
Il ne pose aucun problème à l'avant, tandis qu'à l'arrière les portes plus étroites compliqueront l'installation des personnes corpulentes.

DONNÉES

Catégorie: berlines intermédiaires tractées.
Classe : 5

HISTORIQUE

Inauguré en: 1988: Regal, Cutlass Sup., & 1989-1995 (Lumina).
Modifié en: 1994: ABS et coussin d'air standard.
Fabriqué à: Kansas City, Kansas États-Unis & Oshawa,Ont., Canada.

INDICES

Sécurité: 90 %
Satisfaction: Lumina/G-Prix: 75 % Regal/Cutlass: 80 %
Dépréciation: 60 % Regal: 52 %
Assurance: 5.5 % (975-1 090-1 308 $)
Prix de revient au km: 0.46 $

NOMBRE DE CONCESSIONNAIRES

Au Québec: 90 Buick, 99 Chevrolet, 99 Oldsmobile, 90 Pontiac.

VENTES AU QUÉBEC

Modèle	1992	1993	Résultat	Part de marché
Regal	2 919	2 527	-13.43 %	5.1 %
Lumina	3 335	2 316	-30.56 %	4.7 %
Cutlass	2 344	1 992	-15.02 %	4.0 %
Grand Prix	2 381	2 041	-14.28 %	4.1 %

PRINCIPAUX MODÈLES CONCURRENTS

BUICK Century, CHRYSLER Concorde & Intrepid, EAGLE Vision, FORD Taurus, HONDA Accord, MAZDA 626, MERCURY Sable, OLDSMOBILE Ciera, SUBARU Legacy, TOYOTA Camry.

ÉQUIPEMENT

BUICK Regal	Custom	Ltd	Gran Sport
CHEVROLET Lumina	base	LS	
OLDS. Cut. Supreme	S	SL	
PONTIAC Grand Prix	SE	GT	
Boîte automatique:	S	S	S
Régulateur de vitesse:	S	S	S
Direction assistée:	S	S	S
Freins ABS:	S	S	S
Climatiseur:	S	S	S
Coussins gonflables (2):	S	S	S
Garnitures en cuir:	-	O	O
Radio MA/MF/ K7:	O	S	S
Serrures électriques:	S	S	S
Lève-vitres électriques:	S	S	S
Volant ajustable:	S	S	S
Rétroviseurs ext. ajustables:	S	S	S
Essuie-glace intermittent:	S	S	S
Jantes en alliage léger:	O	S	S
Toit ouvrant:	-	O	O
Système antivol:	S	S	S

S : standard; O : optionnel; - : non disponible

COULEURS DISPONIBLES

Extérieur: Argent, Noir, Blanc, Bleu, Bois flottant, Gris, Vert, Rouge,
Intérieur: Bleu, Gris, Beige, Rouge.

ENTRETIEN

Première révision: 5 000 km
Fréquence: 10 000 km
Prise de diagnostic: Oui

QUOI DE NEUF EN 1995 ?

- **Lumina redessinée à partir d'une base mécanique identique.**
- **Nouvelles couleurs de carrosserie et détails d'aménagement.**
- **Nouveau tableau de bord incluant deux coussins d'air (Regal-Cutlass)**
- **Direction assistée en fonction de la vitesse avec V6 3.4L.**

MOTEURS					TRANSMISSION			PERFORMANCES									
Modèles/ versions *: de série	Type / distribution soupapes / carburation	Cylindrée cc	Puissance ch @ tr/mn	Couple lb.pi @ tr/mn	Rapport volumét.	Roues motrices / transmissions	Rapport de pont	Accélér. 0-100 km/h s	400 m D.A. s	1000 m D.A. s	Freinage 100-0 km/h m	Vites. maxi. km/h	Accélér. latérale G	Niveau sonore dBA	Consommation l./100km Ville	Consommation l./100km Route	Carburant Octane
1)	V6* 3.1 ACT-12-IEPM	3130	160 @ 5200	185 @ 4000	9.6 :1	avant - A4*	3.33	9.8	17.2	31.0	42	175	0.78	67	12.7	7.7	R 87
3)	V6 3.4 DACT-24-IES	3352	210 @ 4000	215 @ 4000	9.2 :1	avant - M5*	3.43	8.8	16.4	29.3	43	200	0.80	66	13.8	8.2	R 87
3)	V6 3.8 ACT-12-IES	3791	170 @ 4800	225 @ 3200	9.0 :1	avant - A4*	3.06	9.5	17.0	31.4	44	185	0.79	66	12.4	7.7	R 87

1) base 2) option 3) Regal Gran Sport

• Technique: 70%
Ces voitures partagent avec les coupés précédents la même plate-forme et les principaux organes mécaniques. Seuls leur carrosserie et leurs aménagements intérieurs diffèrent. Ce sont des monocoques en acier dont la suspension est indépendante et les freins à disque aux 4 roues. Leurs lignes ne sont pas déplaisantes mais elles commencent à dater, car on les a beaucoup vues.

• Sièges: 60%
Ceux des versions de base n'offrent ni soutien ni maintien adéquats et il est difficile d'installer une troisième personne au centre des banquettes, car les boucles de ceinture y sont gênantes. À l'arrière, l'assise est basse et le coussin trop court.

• Niveau sonore: 60%
Bas à vitesse de croisière, il s'amplifie lors des accélérations et les pneus marquent fortement le passage des joints d'autoroute quand la vitesse augmente.

• Coffre: 60%
Il est vaste et ses formes régulières le rendent très logeable malgré un seuil un peu élevé sur la Lumina.

• Qualité & finition: 70%
Les rossignols ne sont pas absents après quelques milliers de kilomètres et le faux bois des Lumina manque de classe. Pourtant, les autres matières plastiques et les garnitures ont une apparence plus flatteuse que par le passé. L'assemblage pourrait être plus soigné car certains éléments ne sont pas toujours parfaitement alignés.

• Poste de conduite: 60%
Bien qu'un peu bas, le conducteur est bien installé, et la visibilité bonne sous tous les angles. Toutefois les tableaux de bord sont inutilement compliqués, leur instrumentation digitale pas toujours lisible et certaines commandes toujours hors d'atteinte.

• Performances: 60%
Ordinaires avec le 3.1L, elles sont plus pimentées avec le 3.4L qui procure un rapport poids-puissance plus favorable. Quant au 3.8L son couple permet de tracter des charges plus lourdes.

OLDSMOBILE Cutlass Supreme

NOUVEAUTÉ 1995

CHEVROLET Lumina

PONTIAC Grand Prix

• Comportement: 55%
Il est typique des voitures américaines car la suspension de base est trop molle. Il faut recourir aux groupes d'options offrant des pneus et des amortisseurs de meilleure qualité pour maîtriser le roulis et obtenir une conduite plus rigoureuse et plus inspirée.

• Consommation: 50%
Elle est économique avec le 3.1L, mais les tentations du 3.4L aggravent la facture...

• Prix/équipement: 50%
Avec un équipement de série quasi complet le prix de ces modèles se justifie mieux et constitue un argument positif.

POINTS FAIBLES

• Freinage: 40%
En série sur tous les modèles, l'ABS stabilise les arrêts subits, mais les distances sont encore trop longues.

• Commodités: 40%
Peu nombreux, les rangements ne sont présents que sur les versions les plus luxueuses.

• Dépréciation: 40%
Elle est moins forte que celle des coupés, car la demande est plus soutenue.

CONCLUSION

Moyenne générale: 60.0 %
Ces berlines, qui ont connu un beau succès, sont toutes sur le déclin et auraient besoin de se refaire une beauté...

SUGGESTIONS DES PROPRIÉTAIRES

- **Meilleures qualité/finition.**
- **Chauffage plus puissant.**
- **Une suspension ar. plus ferme.**
- **Pneus de meilleure qualité.**
- **Essuie-glace résistant à l'hiver.**

CARACTÉRISTIQUES & PRIX

Modèles	Versions	Carrosseries/ Sièges	Volume cabine l.	Volume coffre l.	Cx	Empat. mm	Long x larg x haut. mm x mm x mm	Poids à vide kg	Poids Remorque max. kg	Susp. av/ar	Freins av/ar	Direction type	Diamètre braquage m	Tours volant b à b.	Réser. essence l.	Pneus d'origine	Mécaniques d'origine	PRIX $ CDN. 1994
BUICK		**Garantie générale: 3 ans / 60 000 km; antipollution: 5 ans / 80 000km; perforation corrosion: 6 ans / 160 000 km.**																
Regal	Custom	ber. 4 p.5/6	2835	445	0.35	2730	4920x1842x1384	1513	454	i/i	d/d/ABS	crém.ass.	11.19	3.05	64,7	205/70R15	V6/3.1/A4	**22 548**
Regal	Limited	ber. 4 p.5/6	2835	445	0.35	2730	4920x1842x1384	1571	454	i/i	d/d/ABS	crém.ass.	11.19	3.05	64.7	205/70R15	V6/3.1/A4	**24 448**
Regal	Gran Sport	ber. 4 p.5	2835	445	0.34	2730	4920x1842x1384	1545	454	i/i	d/d/ABS	crém.ass.	11.19	3.05	64.7	225/60R16	V6/3.8/A4	**25 748**
CHEVROLET		**Garantie générale: 3 ans / 60 000 km; antipollution: 5 ans / 80 000km; perforation corrosion: 6 ans / 160 000 km.**																
Lumina	base	ber. 4 p.5/6	2846	445	0.33	2730	5103x1826x1402	1510	454	i/i	d/d/ABS	crém.ass.	11.19	2.60	64.7	205/70R15	V6/3.1/A4	**20 148**
Lumina	LS	ber. 4 p.5/6	2846	445	0.33	2730	5103x1826x1402	1530	454	i/i	d/d/ABS	crém.ass.	11.19	2.26	64.7	225/60R16	V6/3.4/A4	**21 548**
OLDSMOBILE		**Garantie générale: 3 ans / 60 000 km; antipollution: 5 ans / 80 000km; perforation corrosion: 6 ans / 160 000 km.**																
Cutlass Supreme S		ber. 4 p.5/6	2831	439	0.36	2730	4921x1803x1391	1528	454	i/i	d/d/ABS	crém.ass.	11.4	2.60	62.7	205/70R15	V6/3.1/A4	**21 848**
Cutlass Supreme SL		ber. 4 p.5	2831	439	0.36	2730	4921x1803x1391	1550	454	i/i	d/d/ABS	crém.ass.	11.4	2.26	62.7	225/60R16	V6/3.4/A4	**25 423**
PONTIAC		**Garantie générale: 3 ans / 60 000 km; antipollution: 5 ans / 80 000km; perforation corrosion: 6 ans / 160 000 km.**																
Grand Prix SE		ber. 4 p.5/6	2817	439	0.34	2730	4950x1826x1392	1505	454	i/i	d/d/ABS	crém.ass.	11.19	2.60	62.5	205/70R15	V6/3.1/A4	**21 048**
Grand Prix GT		ber. 4 p.5/6	2817	439	0.33	2730	4950x1826x1392	1505	454	i/i	d/d/ABS	crém.ass.	11.88	2.26	62.5	225/60R16	V6/3.4/A4	**26 983**

Voir la liste complète des prix 1995 à partir de la page 393.

Mégalomania...

Adulée ou décriée, la Corvette nourrit la même polémique année après année. Moins populaire par son prix et moins raffinée que ses rivales japonaises, elle a vu ses ventes augmenter de manière significative, ce qui tendrait à prouver que le mythe n'est pas mort puisqu'il bouge encore...

La Corvette fait partie intégrante de l'histoire des valeur américaines. Avec le temps elle est devenue une sorte d'institution que tout le monde conteste, mais que personne ne veut remettre en question de peur de provoquer l'irréparable. Ce modèle représentait ce que General Motors savait faire de mieux en matière de bolide. La Corvette reste proposée de base en coupé ou cabriolet LT1, auxquels s'ajoute pour la dernière année, le super coupé ZR-1. Ils sont équipés d'un V8 de 5.7L et d'une boîte automatique à 4 rapports en série ou manuelle à 6 vitesses sans frais, la seule qui soit disponible sur la ZR-1.

POINTS FORTS

• Les performances: 100%

La puissance, le couple généreux du gros V8 et la boîte manuelle d'origine allemande permettent d'atteindre de beaux chiffres en ligne droite. La petite clé au tableau de bord de la ZR-1 ouvre la porte au pays des merveilles et des contraventions car son moteur offre un rendement encore bien supérieur qui ne semble pas avoir de fin. Pourtant l'embrayage peu progressif et la sélection rébarbative retranchent un peu de plaisir à la recherche de l'absolu.

• Comportement: 90%

Les pneumatiques unidirectionnels et la suspension rigide permettent à la Corvette de virer bien à plat et de rester neutre longtemps. Pour cela il vaut mieux que la route soit sèche et l'asphalte parfaite, sinon l'adhérence se dégrade et les trajectoires deviennent incertaines.

• La sécurité: 80%

Il reste à faire pour qu'elle soit optimale car malgré la faculté d'absorption de la carrosserie en fibres de verre, l'arceau de sécurité du coupé s'écrase facilement, et il est absent sur le cabriolet. Heureusement deux coussins d'air protègent les occupants.

• La technique: 80%

Les Corvette sont toujours constituées d'un châssis «périmétrique» surmonté d'une ossature métallique destinée à soutenir les éléments de la carrosserie en résine de polyester armée de fibres de verre. La suspension est indépendante aux quatre roues et l'amortissement du train arrière (ajustable en option) est constitué d'un ressort à lames transversal en fibres de verre. Les freins sont à disques ventilés assistés d'un ABS Bosch qui sert aussi de contrôleur de traction en freinant légèrement (10%) si la roue qui manque d'adhérence. Le contenu électronique de ce modèle augmente sans cesse, et la gestion de l'alimentation et de l'allumage du moteur est très sophistiquée, de même que le dispositif surveillant la pression des pneus.

• Sièges: 70%

Ils maintiennent et soutiennent parfaitement et accueillent désormais avec un égal bonheur des occupants de gabarits très différents.

• Assurance: 70%

Les Corvette ne sont pas une aubaine à assurer, surtout le modèle de base dont le montant de la prime reflète nettement l'angoisse des assureurs.

• Satisfaction: 70%

Des petits problèmes persistent malgré toutes ces années d'expérience, mais cela ne semble pas décourager les fanatiques puisque

DONNÉES

Catégorie: coupés et cabriolets sportifs et GT propulsés.
Classe : S & GT

HISTORIQUE

Inauguré en: 1953, 1962, 1967, 1983.
Modifié en: 1986: décapotable; 1990: ZR-1.
Fabriqué à: Bowling Green, Kentucky, États-Unis.

INDICES

		LT1	ZR-1	
Sécurité:		90 %	90 %	
Satisfaction:		78 %	76 %	
Dépréciation:		49 %	62 %	
Assurance:	(2 232 $)	5.4 %	3.4 %	(2 674 $)
Prix de revient au km:		0.83 $	1.00 $	

NOMBRE DE CONCESSIONNAIRES

Au Québec: 99 Chevrolet

VENTES AU QUÉBEC

Modèle	1992	1993	Résultat	Part de marché
Corvette	64	92	+29.3	1.2 %

PRINCIPAUX MODÈLES CONCURRENTS

Corvette LT1: ACURA Legend cpé, DODGE Stealth R/T Turbo, MAZDA RX-7, NISSAN 300 ZX, SUBURU SVX, TOYOTA Supra.
Corvette: ZR-1: ACURA NS-X, BMW 850i, JAGUAR XJS, MERCEDES BENZ SL350 & 500, PORSCHE 911& 928.

ÉQUIPEMENT

CHEVROLET Corvette	cpé	cabriolet	ZR1
Boîte automatique:	O/SF	O/SF	S
Régulateur de vitesse:	S	S	S
Direction assistée:	S	S	S
Freins ABS:	S	S	S
Climatiseur:	S	S	S
Coussins gonflables (2):	S	S	S
Garnitures en cuir:	O	O	S
Radio MA/MF/ K7:	S	S	S
Serrures électriques:	S	S	S
Lève-vitres électriques:	S	S	S
Volant ajustable:	S	S	S
Rétroviseurs ext. ajustables:	S	S	S
Essuie-glace intermittent:	S	S	S
Jantes en alliage léger:	S	S	S
Toit ouvrant:	-	-	-
Système antivol:	S	S	S

S : standard; O : optionnel; - : non disponible; SF: sans frais.

COULEURS DISPONIBLES

Extérieur: Blanc, Jaune, Noir, Vert, Rose, Rouge, Bleu, Violet.
Intérieur: Gris, Noir, Beige, Rouge, Blanc, Jaune.

ENTRETIEN

Première révision: 5 000 km
Fréquence: 6 mois/10 000 km
Prise de diagnostic: Oui

QUOI DE NEUF EN 1995 ?

- Suspension de Carbon plus performante.
- Retouches esthétique sur panneaux de calandre.
- Pneus «increvables» pouvant rouler dégonflés offerts en option.
- Dernière année de production de la ZR-1.

MOTEURS						TRANSMISSION		PERFORMANCES										
Modèles/ versions *: de série	Type / distribution soupapes / carburation	Cylindrée cc	Puissance ch @ tr/mn	Couple lb.pi @ tr/mn	Rapport volumét.	Roues motrices / transmissions	Rapport de pont	Accélér. 0-100 km/h s	400 m D.A. s	1000 m D.A. s	Freinage 100-0 km/h m	Vites. maxi. km/h	Accélér. latérale G	Niveau sonore dBA	Consommation l./100km Ville	Consommation l./100km Route	Carburant Octane
base LT-1	V8* 5.7 ACC-16-IES	5735	300 @ 5000	340 @ 4000	10.5 :1	arrière-A4*	2.59	6.2	14.6	29.8	45	240	0.89	70	16.5	11.5	R 87
						arrière-M6	2.51	5.8	13.5	29.4	44	250	0.89	70	16.5	10.5	R 87
ZR1 LT5	V8* 5.7 DACT-32-IEPM	5735	405 @ 5800	385 @ 5200	11.0 :1	arrière-M6*	3.45	5.2	12.8	28.8	39	275	0.87	70	16.5	12.0	S 91

les ventes augmentent.

• **Direction: 70%**
À vitesse normale elle est directe et précise, mais la maniabilité est délicate en raison du grand diamètre de braquage et de l'encombrement. Sur piste à haute vitesse, le train avant avoue son âge en devenant instable et le manque de rigidité du châssis rend la direction imprécise.

• **Freinage: 60%**
Aussi efficace qu'endurant et facile à doser, son système ABS est affecté par les rebonds successifs des roues qui affolent le système et allongent les distances d'arrêt.

• **Qualité & finition: 60%**
L'assemblage, la finition et la qualité de certains matériaux datent d'une autre époque et le manque de qualité est révélé par les problèmes d'étanchéité du toit du cabriolet, et du circuit électriques indignes d'une telle voiture.

• **Le poste de conduite: 60%**
Le dernier réaménagement de l'intérieur de la Corvette a été bénéfique aux sièges qui sont plus efficaces et moins compliqués à ajuster, car même assis bas, le pilote est bien installé. Pourtant la visibilité reste limitée par le tableau de bord massif, la hauteur de la ceinture de caisse, l'énorme angle mort du pilier B sur le coupé et celui que produit la capote sur le cabriolet. Les principales commandes sont bien disposées, le volant et le sélecteur tombent bien en mains. Le tableau de bord reste un problème majeur car son organisation est tout sauf ergonomique et l'instrumentation est illisible au soleil surtout sur la décapotable.

• **Dépréciation: 50%**
Si la valeur de la ZR-1 chute dramatiquement, celle de la Corvette ordinaire se maintient favorablement.

POINTS FAIBLES

• **Prix/équipement: 00%**
Son équipement est relativement complet mais le rapport qualité-prix n'est pas favorable si l'on compare la Corvette à ses rivales japonaises réalisées avec soin.

• **L'habitabilité: 10%**
Malgré ses énormes proportions l'habitacle de la Corvette demeure étriqué et l'on s'y sent pris entre les portes et le tunnel de la transmission car les dégagements sont limités dans toutes les directions.

• **Le coffre: 30%**
La Corvette n'est toujours pas pratique car il est aussi difficile de déposer des bagages dans le coupé que dans le cabriolet. Sur le premier le seuil est haut et l'ouverture éloignée, et sur le second l'accès à la soute ne se fait qu'entre le dossier des sièges...

• **Niveau sonore: 30%**
Exaltantes à faible allure, les sonorités du moteur maintiennent sur route un niveau de bruit et de pulsions vibratoires qui devient vite fatigant.

• **Commodités: 30%**
Les rangements sont quasi inexistants et le côté pratique inconnu à bord...

• **Consommation: 30%**
Elle descend rarement en dessous de 15 litres aux 100 km et de ce fait n'est jamais économique.

• **Accès: 40%**
Il faut être en forme et bien entraîné pour monter rapidement à bord sans dommage, ou tout simplement être jeune...

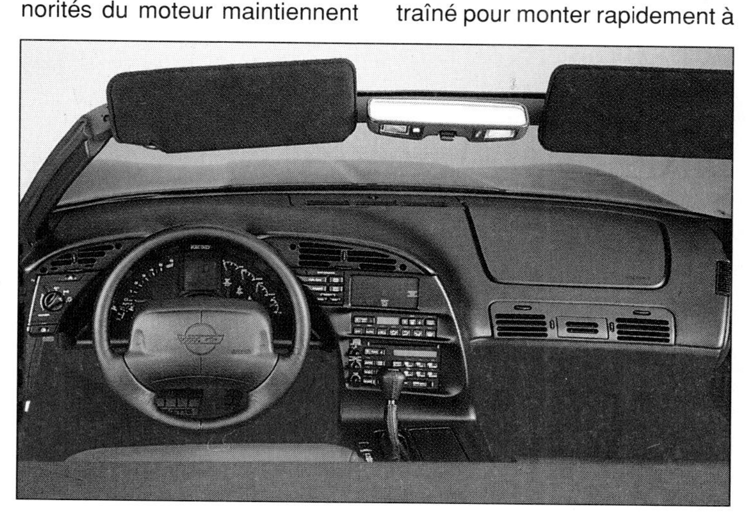

• **Suspension: 40%**
Sur autoroute tout va bien (et encore), mais si l'asphalte se détériore les occupants ont droit à un massage qui n'a rien de médical.

CONCLUSION

• **Moyenne générale: 56.5 %**
Depuis le temps qu'on en parle on n'ose plus espérer le renouvellement radical du mythe américain sur quatre roues... 😐

SUGGESTIONS DES PROPRIÉTAIRES

- Antivol réellement efficace.
- Système de son de meilleure qualité.
- Châssis plus rigide.
- Finition moins «kit-car».

CARACTÉRISTIQUES & PRIX

Modèles	Versions	Carrosseries/ Sièges	Volume cabine l.	Volume coffre l.	Cx	Empat. mm	Long x larg x haut. mm x mm x mm	Poids à vide kg	Poids Remorque max. kg	Susp. av/ar	Freins av/ar	Direction type	Diamètre braquage m	Tours volant b à b.	Réser. essence l.	Pneus d'origine	Mécaniques d'origine	PRIX $ CDN. 1994
CHEVROLET		**Garantie générale: 3 ans / 60 000 km; antipollution: 5 ans / 80 000km; perforation corrosion: 6 ans / 160 000 km.**																
Corvette	LT1	cpé. 2 p.2	1379	356	0.33	2443	4534x1796x1176	1453	NR	i/i	d/d/ABS	crém.ass.	12.19	2.32	75.7	255/45ZR17a	V8/5.7/A4	**43 398**
Corvette	LT1	déc. 2 p.2	1379	187	0.35	2443	4534x1796x1201	1524	NR	i/i	d/d/ABS	crém.ass.	12.19	2.32	75.7	285/40ZR17r	V8/5.7/A4	**50 498**
Corvette	ZR1	cpé. 2 p.2	1379	356	0.33	2443	4534x1856x1176	1594	NR	i/i	d/d/ABS	crém.ass.	12.19	2.32	75.7	275/40ZR17 315/35ZR17 (ar.)	V8/5.7/M6	**80 798**

Voir la liste complète des prix 1995 à partir de la page 393.

À armes égales...

Chevrolet et GMC poursuivent la modernisation de leur gamme d'utilitaires et sport-utilitaires compacts en dotant les Blazer-Jimmy du châssis inauguré l'an dernier sur les camionnettes, et en redessinant la carrosserie dans un style plus contemporain. La concurrence n'a qu'à bien se tenir.

Après avoir remis l'an dernier ses camionnettes compactes à jour, GM a appliqué cette année le même traitement à ses sport-utilitaires Blazer et Jimmy. Leur carrosserie a été entièrement redessinée et le châssis a subi de substantielles modifications visant à améliorer la rigidité qui en avait bien besoin. Ces véhicules partagent la même base mécanique et se dédoublent chez GMC sous les appellations de Sonoma et Jimmy. Pour preuve sans doute de sa maturité, le nom Blazer tout court a été attribué au nouveau véhicule, le plus gros ayant été baptisé Tahoe. Les camionnettes sont disponibles en versions 2 ou 4 roues motrices avec boîte longue ou courte, cabine normale ou allongée en finitions de base ou LS chez Chevrolet et SL, SLS et SLE chez GMC. Les Blazer-Jimmy peuvent être à 2 ou 4 portes, 2 ou 4 roues motrices en finitions LS ou LT chez Chevrolet et SL, SLS, SLE ou SLT chez GMC. Pour 1994 le moteur de base des camionnettes est un 4 cylindres de 2.2L et celui des Blazer-Jimmy un V6 de 4.3L.

POINTS FORTS

- **Sécurité:** **70%**
Un coussin gonflable s'ajoute à la meilleure rigidité de la structure pour améliorer de façon substantielle la sécurité des occupants.
- **Satisfaction:** **70%**
Les sport-utilitaires donnent plus de satisfaction que les camionnettes qui tirent de l'arrière de 10%. Les propriétaires se plaignent surtout des différentiels, des transmissions et des suspensions.
- **Commodités:** **70%**
La boîte à gants du dernier tableau de bord est pratique car son couvercle qui s'ouvre par le dessus fait office de plateau et contient une boîte à monnaie, toutefois les baudriers de ceinture avant ne sont pas ajustables.
- **Qualité & finition:** **70%**
Ces nouveaux véhicules sont mieux assemblés et leur finition plus soignée mais certains matériaux ne font pas encore très riche...

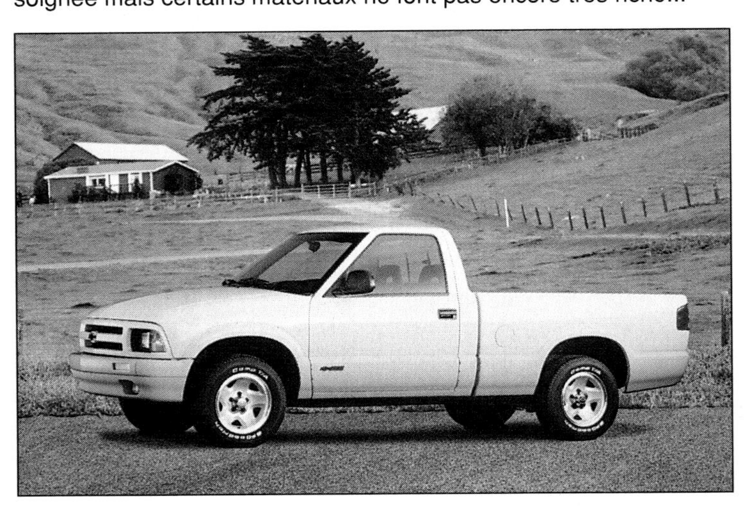

DONNÉES

Catégorie: camionnettes et tout terrain propulsés ou 4x4.
Classe : utilitaires

HISTORIQUE

Inauguré en: 1982: camionnette S-10; 1983: Blazer S-10
Modifié en: 1983, 1988, 1989, 1991.
Fabriqué à: Moraine, OH, Linden NJ, Schreveport, LO, É-U.

INDICES

		S-10-Sonona	Blazer-Jimmy
Sécurité:		80%	80 %
Satisfaction:		65 %	75 %
Dépréciation:		60 %	53 %
Assurance:	(865 $)	8.5 %	5.5 % (975 $)
Prix de revient au km:		0.38 $	0.51 $ (4x4)

NOMBRE DE CONCESSIONNAIRES

Au Québec: 99 Chevrolet

VENTES AU QUÉBEC

Modèle	1992	1993	Résultat	Part de marché
Blazer S-10	1 648	1 349	-18.1 %	10.4 %
S-10	2 895	2 971	+2.56 %	26.0 %

PRINCIPAUX MODÈLES CONCURRENTS

Blazer-Jimmy: FORD Explorer, ISUZU Rodeo & Trooper, JEEP Cherokee & Grand Cherokee, NISSAN Pathfinder, TOYOTA 4Runner.
S-10-Sonoma: DODGE Dakota, FORD Ranger, MAZDA B, NISSAN Costaud & TOYOTA.

ÉQUIPEMENT

CHEVROLET S-10	**base**	**LS**				
GMC Sonoma S	**SL**	**SLE**				
CHEVROLET Blazer			**base**	**2p.**	**4p.**	**4p. LT**
GMC Jimmy			**SL**	**SLE**	**SLT**	
Boîte automatique:	O	O	O	O	O	O
Régulateur de vitesse:	-	O	S	O	O	S
Direction assistée:	S	S	S	S	S	S
Freins ABS sur roues ar.:	S	S	S	S	S	S
Climatiseur:	S	S	S	S	S	S
Coussin gonflable:	S	S	S	S	S	S
Garnitures en cuir:	-	-	-	-	O	S
Radio MA/MF/ K7:	O	O	S	O	O	S
Serrures électriques:	O	O	S	O	O	S
Lève-vitres électriques:	O	O	S	O	O	S
Volant ajustable:	O	O	S	O	O	S
Rétroviseurs ext. ajustables:	-	O	S	O	O	S
Essuie-glace intermittent:	S	S	S	S	S	S
Jantes en alliage léger:	-	O	S	O	O	S
Toit ouvrant:	-	-	-	-	-	-
Système antivol:	O	O	O	O	O	O

S : standard; O : optionnel; - : non disponible

COULEURS DISPONIBLES

Extérieur: Blanc, Gris, Noir, Bleu, Vert, Rouge, Kaki, Gris métallisé, Violet
Intérieur: Blazer:Gris, Beige, Bleu, Graphite.
S-10: Gris clair, Charbon, Bleu, Beige.

ENTRETIEN

Première révision: 5 000 km
Fréquence: 6 mois/ 10 000 km
Prise de diagnostic: Oui

QUOI DE NEUF EN 1995 ?

- **Nouveau modèle redessiné (Jimmy et Blazer).**
- **Coussin gonflable de série côté conducteur (série S).**
- **Fluide de transmission automatique Dexron garanti 160 000 km.**

MOTEURS						TRANSMISSION		PERFORMANCES										
Modèles/ versions *: de série	Type / distribution soupapes / carburation	Cylindrée cc	Puissance ch @ tr/mn	Couple lb.pi @ tr/mn	Rapport volumét.	Roues motrices / transmissions	Rapport de pont	Accélér. 0-100 km/h s	400 m D.A. s	1000 m D.A. s	Freinage 100-0 km/h m	Vites. maxi. km/h	Accélér. latérale G	Niveau sonore dBA	Consommation l./100km Ville	Consommation l./100km Route	Carburant Octane
1)	L4* 2.2 SACL-8-IEMP	2189	118 @ 5200	130 @ 2800	9.0 :1	arrière-M5*	2.73	14.0	19.7	39.0	52	145	ND	68	11.0	7.6	R 87
						arrière-A4	4.11	15.2	20.8	40.3	54	140	ND	68	13.1	8.6	R 87
2)	V6 4.3 SACC-12-IE	4293	155 @ 4000	235 @ 2400	9.1 :1	ar./4 -M5*	2.73	9.5	16.9	31.2	51	175	ND	67	13.3	8.6	R 87
						ar./4 - A4	3.08	10.7	17.5	32.3	55	170	ND	67	13.9	9.6	R 87
3)	V6 4.3 SACC-12-IEC	4293	195/191@ 4500	260 @ 3400	9.1 :1	quatre-M5*	3.42	10.4	17.1	31.8	53	170	0.68	67	14.0	9.4	R 87
						quatre-A4	3.42	11.2	17.8	33.0	56	160	0.68	67	14.6	10.0	R 87

1) base S-10-Sonoma 2) base Blazer-Jimmy, option S-10-Sonoma 3) option Blazer-Jimmy 4x4 & S-10-Sonoma

• **Poste de conduite: 70%**
Le nouveau tableau de bord est mieux aménagé car son ordonnance est logique et son coup d'œil plus «design». Les instruments y sont lisibles et les principales commandes accessibles, hormis celle du frein de stationnement, encore actionnée au pied. La visibilité est bonne, le sélecteur de la boîte manuelle bien disposé, mais la colonne de direction est encore trop longue pour rendre la position de conduite confortable.

• **Technique: 70%**
Ces utilitaires sont conçus à partir d'un châssis en échelle sur lequel est fixée la carrosserie dont certains panneaux sont galvanisés par trempage. Le mode de traction aux 4 roues est non permanent, avec moyeux avant «enclenchables» à l'arrêt en série, ou à commande électronique au tableau de bord en option. La suspension avant est indépendante et à essieu rigide avec ressorts à lames à l'arrière. Les freins sont mixtes avec ABS sur les roues arrière des camionnettes à moteur 4 cylindres et sur les quatre roues sur les Blazer-Jimmy et camionnettes à moteur V6.

• **Direction: 70%**
Assez précise, son assistance est désormais aussi bien dosée sur les Blazer-Jimmy que sur les camionnettes dont la démultiplication est plus courte.

• **Performances: 60%**
Laborieuses avec le 4 cylindres que sa puissance et son couple réservent à des petits travaux elles sont plus intéressantes avec le V6 de 4.3L surtout dans sa version de 191 ch. On pourrait même dire qu'on dispose par moment de trop de puissance puisque la motricité a du mal à suivre. Avec ce moteur les Blazer-Jimmy peuvent maintenant faire jeu égal avec le gros 6 en ligne des Grand et petits Cherokee...

• **Comportement: 60%**
Il a été notablement amélioré par le surcroît de rigidité du nouveau châssis qui permet désormais d'affronter les terrains difficiles sans appréhension. Toutefois la conduite sur route en bénéficie également au chapitre de la précision et de la tenue en virage qui est moins aléatoire que sur les précédents modèles.

• **Sièges: 60%**
Les plates banquettes ne maintiennent pas assez et sur les sièges individuels le soutien lombaire est faible.

• **Prix/équipement: 60%**
Malgré leur mise à niveau technique, ils demeurent abordables comparés à ceux de leurs concurrents directs, mais leur équipement doit encore être complété de nombreuses options.

• **Assurance: 60%**
Les Blazer-Jimmy coûtent nettement moins cher à assurer que les camionnettes alors que logiquement ce devrait être l'inverse.

• **Suspension: 60%**
Confortable sur autoroute, elle est moins sautillante sur les petites routes bosselées grâce à une meilleure calibration des ressorts-amortisseurs, surtout sur le train arrière qui est plus stable, même à vide sur les camionnettes.

• **Niveau sonore: 50%**
Confortable à vitesse constante sur autoroute, il n'est perturbé que par le bruit des moteurs lors des fortes accélérations ou ceux de vent et de roulement qui sont onmiprésents.

• **Habitabilité: 50%**
Bien que les cabines soient plus larges on ne peut toujours pas asseoir plus de 2 personnes à l'avant des camionnettes tandis que la partie arrière de la cabine allongée n'accueillera plus de bagages que de passagers. L'espace est plus généreux à l'arrière des Blazer-Jimmy 4 portes que dans les 2 portes qui sont moins en demande.

• **Soute: 50%**
Son volume est plus pratique dans la cabine allongée des camionnettes et des Blazer.

• **Accès: 50%**
S'installer à l'arrière du Blazer à deux portes ou de la camionnettes à cabine allongée n'est pas aussi aisé qu'aux autres places, car l'espace est limité.

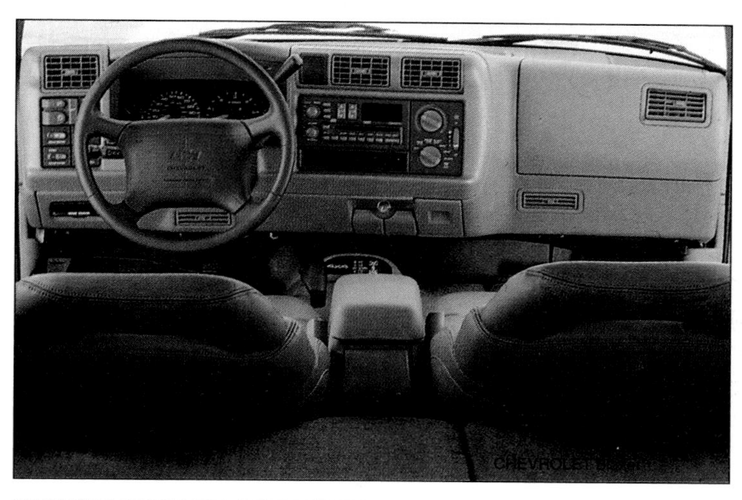

CHEVROLET Blazer

NOUVEAUTÉ 1995

CHEVROLET Blazer

POINTS FAIBLES

• **Consommation: 40%**
Elle n'est jamais vraiment économique, et elle augmente dans de fortes proportions en charge ou en terrain accidenté.

• **Dépréciation: 40%**
Elle est plus forte pour les utilitaires que pour les véhicules particuliers dont l'usage diffère.

• **Freinage: 40%**
L'ABS a amené une bien meilleure stabilité lors des arrêts de détresse mais les distances d'arrêt demeurent longues et l'asservissement trop prononcé, difficile à doser à cause de la sensibilité excessive de la pédale.

CONCLUSION

• **Moyenne générale: 58.5 %**
Ce n'est pas en vain que Chevrolet a amélioré ses camionnettes et ses sport-utilitaires, car de nombreux propriétaires commençaient à regarder ailleurs pour obtenir une sécurité et un comportement qu'ils ne pouvaient offrir...

CARACTÉRISTIQUES & PRIX

Modèles	Versions	Carrosseries/ Sièges	Empat. mm	Long x larg x haut. mm x mm x mm	Poids à vide kg	Charge Utile max. kg	Susp. av/ar	Freins av/ar	Direction type	Diamètre braquage m	Tours volant b à b.	Réser. essence l.	Pneus d'origine	Mécaniques d'origine	PRIX $ CDN. 1994
CHEVROLET-GMC	**Garantie générale: 3 ans / 60 000 km; antipollution: 5 ans / 80 000km; perforation corrosion: 6 ans / 160 000 km.**														
S10-Sonoma 4x2	std court	cam. 2 p.2/3	2751	4800x1725x1577	1280	750	i/r	d/t/ABSar.	bil.ass.	11.24	2.75	75.7	205/75R15	L4/2.2/M5	**11 998**
S10-Sonoma 4x2	std long	cam. 2 p.2/3	2995	5204x1725x1577	1304	778	i/r	d/t/ABSar.	bil.ass.	11.24	2.75	75.7	205/75R15	L4/2.2/M5	**-**
S10-Sonoma 4x2	cab. long	cam. 2 p.4/5	3122	5164x1725x1572	1398	662	i/r	d/t/ABSar.	bil.ass.	12.68	2.75	75.7	205/70R15	V6/4.3/A4	**14 998**
S10-Sonoma 4x4	std court	cam. 2 p.2/3	2751	4800x1725x1620	1522	750	i/r	d/t/ABS	bil.ass.	11.24	2.75	75.7	205/75R15	L4/2.2/M5	**16 998**
S10-Sonoma 4x4	std long	cam. 2 p.2/3	2995	5204x1725x1620	1559	725	i/r	d/t/ABS	bil.ass.	11.24	2.75	75.7	205/75R15	L4/2.2/M5	**-**
S10-Sonoma 4x4	cab. long	cam. 2 p.4/5	3122	5164x1725x1641	1635	640	i/r	d/t/ABS	bil.ass.	12.68	2.75	75.7	205/75R15	V6/4.3/A4	**19 998**
Blazer-Jimmy 4x2	base	t.t. 3 p.4	2553	4438x1722x1676	1591	902	i/r	d/t/ABS	bil.ass.	10.60	3.38	71.9	205/75R15	V6/4.3/M5	**18 398**
Blazer-Jimmy 4x2	base	t.t. 5 p.6	2718	4602x1722x1674	1633	839	i/r	d/t/ABS	bil.ass.	11.15	3.38	75.7	205/75R15	V6/4.3/A4	**19 598**
Blazer-Jimmy 4X4	base	t.t. 3 p.4	2553	4326x1722x1676	1754	644	i/r	d/t/ABS	bil.ass.	10.73	2.97	71.9	205/75R15	V6/4.3/M5	**19 798**
Blazer-Jimmy 4X4	base	t.t. 5 p.6	2718	4491x1722x1674	1847	553	i/r	d/t/ABS	bil.ass.	12.04	2.97	75.7	205/75R15	V6/4.3/A4	**20 998**

Voir la liste complète des prix 1995 à partir de la page 393.

CHEVROLET C/K, Tahoe, Suburban
GMC Sierra, Yukon, Suburban

À la remorque...

GM regarde Ford caracoler en tête du palmarès des ventes, en attendant de pouvoir améliorer ses utilitaires de grand format afin de tenter de déloger son rival. L'arrivée du Dodge Ram n'a pas changé grand chose au marché des deux plus gros car ses ventes ne sont pas encore significatives.

GM demeure encore en seconde position en ce qui concerne la vente des véhicules utilitaires en Amérique du Nord. La famille Chevrolet-GMC comprend les camionnettes de plein format dont on compte près de 80 versions différentes, partagées entre les modèles à 4x2 (C 1500-2500-3500) et 4x4 (K 1500-2500-3500), sur empattement normal ou long, avec cabine régulière, allongée à 2 portes ou multiplaces à 2 ou 4 portes auxquels s'ajoute les Tahoe et les Suburban. Cette année une version 4 portes du Tahoe fait de lui un petit Suburban. Quatre moteurs sont offerts sur les camionnettes, un V6 de 4.3L, trois V8 à essence de 5.0L, 5.7L et 7.4L et deux Diesel de 6.5L, un atmosphérique et un turbo compressé. La caisse des camionnettes peut prendre 3 formes: courte avec les ailes ressorties et courte ou longue avec les flancs droits avec roues motrices simples ou doubles. Les Blazer-Yukon sont des familiales à 2 portes à 4 roues motrices tandis que le Suburban est une familiale 4 portes à 2 ou 4 roues motrices. Les principaux niveaux de finition de ces véhicules sont Cheyenne et Silverado chez Chevrolet ou SL et SLE chez GMC.

POINTS FORTS

Technique:
Ces utilitaires Chevrolet-GMC sont élaborés à partir d'une base mécanique identique à des détails de finition ou de présentation près. Ils sont construits à partir d'un châssis en échelle en acier galvanisé à 5 traverses dont la suspension avant est indépendante, et rigide à l'arrière avec des ressorts à lames. L'esthétique virile de leur carrosserie n'est pas très aérodynamique puisque son cœfficient varie entre 0.45 pour les Blazer-Suburban et 0.50 pour les camionnettes. Les freins sont mixtes sur tous ces modèles et l'ABS livré en série agit sur les quatre roues de tous les véhicules de cette gamme.

Sécurité:
Si la résistance de la structure demeure moyenne, le conducteur est désormais protégé par un coussin gonflable alors que les autres occupants sont relativement à l'abri.

Habitabilité:
La cabine simple des camionnettes peut accueillir trois personnes par banquette, le double avec la cabine allongée, le Tahoe ou la cabine à 4 portes et le triple. soit neuf personnes, sur les trois banquettes des Tahoe 4 portes et Suburban.

Soute:
L'espace pour les bagages est très limité dans les cabines simples des camionnettes, mais il y en a plus dans la cabine allongée, dans le Blazer et le Suburban dont la soute est immense, même lorsque neuf personnes y sont assises.

Qualité & finition:
La présentation intérieure est flatteuse, mais certains matériaux font bon marché et certains ajustements sont aléatoires.

Poste de conduite:
Le conducteur souffre du manque de maintien des banquettes qui sont moins galbées que les sièges individuels et sur certains modèles le dossier ne s'incline même pas. La visibilité est bonne tout autour même sur le Suburban dont les montants du toit sont épais et les

DONNÉES

Catégorie: camionnettes et tout terrain propulsés et 4x4.
Classe : utilitaires

HISTORIQUE

Inauguré en: 1936: camionnettes C/K & Suburban; 1970: Blazer.
Modifié en: 1937, 1948, 1955, 1988, 1992.
Fabriqué à: Fort Wayne IN, Janesville, WI, Pontiac & Flint, MI, É-U.

INDICES

	C/K	Blazer	Suburban
Sécurité:	80 %	70 %	70 %
Satisfaction:	82 %	80 %	83 %
Dépréciation:	55 %	65 %	55 %
Assurance:	6.4 %	5.0 %	4.3 % (975 $)
Prix de revient au km:	0.55$	0.55 $	0.60 $

NOMBRE DE CONCESSIONNAIRES

Au Québec: 99 Chevrolet

VENTES AU QUÉBEC

Modèle	1992	1993	Résultat	Part de marché
C/K	6 268	6 681	+6.18 %	56.2 %
Suburban	471	719	+65.0 %	98.4 %

PRINCIPAUX MODÈLES CONCURRENTS

C/K: DODGE Ram, FORD série F.
Blazer: DODGE Ramcharger, FORD Bronco.
Suburban: aucun

ÉQUIPEMENT

CHEVROLET C/K, Tahoe, Subur. GMC Sierra, Yukon, Suburban	Cheyenne SL	Silverado SLE
Boîte automatique:	S	S
Régulateur de vitesse:	O	S
Direction assistée:	S	S
Freins ABS:	S	S
Climatiseur:	O	O
Coussin gonflable gauche:	S	S
Garnitures en cuir:	-	-
Radio MA/MF/ K7:	O	O
Serrures électriques:	O	O
Lève-vitres électriques:	O	O
Volant ajustable:	O	O
Rétroviseurs ext. ajustables:	O	O
Essuie-glace intermittent:	S	S
Jantes en alliage léger:	O	O
Toit ouvrant:	-	-
Système antivol:	-	-

S : standard; O : optionnel; - : non disponible

COULEURS DISPONIBLES

Extérieur: Bleu, Vert, Noir, Rouge, Argent, Beige, Blanc, Brun.
Intérieur: Gris clair, Bleu foncé, Rouge, Beige.

ENTRETIEN

Première révision: 5 000 km
Fréquence: 6 mois/10 000 km
Prise de diagnostic: Non

QUOI DE NEUF EN 1995 ?

- Coussin gonflable de série côté conducteur (C/K).
- Freins ABS aux quatre roues offerts en équipement de série.
- Nouvelle présentation du tableau de bord (C/K).
- Télécommande à distance pour l'ouverture et la fermeture des portière offerte en option (C/K).
- Le Blazer devient le Tahoe.

Modèles/ versions *: de série	Type / distribution soupapes / carburation	Cylindrée cc	Puissance ch @ tr/mn	Couple lb.pi @ tr/mn	Rapport volumét.	Roues motrices / transmissions	Rapport de pont	Accélér. 0-100 km/h s	400 m D.A. s	1000 m D.A. s	Freinage 100-0 km/h m	Vites. maxi. km/h	Accélér. latérale G	Niveau sonore dBA	Consommation l./100km Ville	Consommation l./100km Route	Carbura Octane
base	V6* 4.3 ACC-12-IE	4293	160 @ 4000	235 @ 2400	9.1 :1	arrière - M5*	3.08	13.7	19.3	36.8	57	150	0.68	68	14.6	9.8	R 87
						arrière - A4	3.08	14.5	21.0	36.2	53	140	0.68	68	14.1	10.1	R 87
option	V8 5.0 ACC-16-IE	5001	175 @ 4200	265 @2800	9.1 :1	arr./4 - A4	3.42	13.3	18.8	36.6	55	160	0.68	67	16.0	11.2	R 87
	V8 5.7 ACC-16-IE	5735	200 @ 4000	310 @ 2400	9.1 :1	arr./4 - A4*	3.42	12.6	18.7	35.4	61	170	0.68	67	17.8	12.4	R 87
	V8D 6.5 ACC-16-IM	6556	155 @ 3600	275 @ 1700	21.5 :1	arr./4 - A4*	3.73	15.2	20.5	37.3	60	150	0.67	68	14.8	10.7	D
	V8TD 6.5 ACC-16-IM	6556	190 @ 3400	385 @ 1700	21.5 :1	arr./4 - A4*	3.73	14.4	19.7	36.5	62	160	0.67	68	14.4	10.6	D
	V8 7.4 ACC-16-IE	7740	230 @ 3600	385 @ 1600	7.9 :1	arr./4 - A4*	4.10	12.5	18.5	35.0	60	170	0.68	67	20.7	14.6	R 87

rétroviseurs largement dimensionnés. La nouvelle présentation du tableau de bord améliore tant l'esthétique que l'ergonomie car il est mieux organisé.

Performances:
Malgré leur taille ces véhicules sont assez faciles à conduire. À vide la puissance et le couple ne manquent pas. Le V6 de base et le V8 de 5.0L sont suffisants pour des travaux légers et les loisirs, mais pour les choses sérieuses il faut recourir aux V8 à essence de 5.7 ou 7.4L très gourmands ou aux Diesel atmosphérique et turbo dont le rendement est plus économique.

Comportement :
Sur bonne route les réactions sont saines car le roulis est limité, mais sur mauvais revêtement l'essieu arrière sautille et se promène, allant jusqu'à occasionner des écarts de trajectoire importants sur les 4x4. Le Tahoe 2 portes a tendance à louvoyer du fait de son faible empattement, alors que le Suburban et le Tahoe 4 portes sont plus stables et plus pesants.

Direction:
Toujours trop assistée et démultipliée avec un retour faible, la maniabilité de ces véhicules n'est pas idéale vu leur encombrement et leur diamètre de braquage importants.

Freinage:
Son excès d'assistance rend le dosage de la pédale délicat et les distances d'arrêt sont très longues car l'ABS n'élimine pas certains blocages intempestifs qui provoquent des soubresauts inquiétants.

POINTS FAIBLES

Accès:
Il est satisfaisant sauf vers les places arrière de la cabine allongée des camionnettes et du Tahoe 2 p. ainsi que vers la troisième banquette des Tahoe 4 p. et Suburban.

CHEVROLET-GMC K1500

CHEVROLET Tahoe

Sièges:
Leur ergonomie n'est pas parfaite même sur ceux équipant les versions les plus luxueuses.

Suspension:
Presque souple sur autoroute, elle est plus revêche sur les chemins en mauvais état ou hors route surtout avec les éléments renforcés des 4x4 et des gros porteurs.

Niveau sonore:
Très bas avec les moteurs V8 il est un peu plus élevé avec les Diesel sans que cela soit vraiment gênant et lorsque la vitesse augmente les sifflements de l'air et des pneus en font autant.

Commodités:
La boîte à gants est livrée en série mais les autres rangements dépendent du groupe d'options.

Prix/équipement:
Lorsque l'équipement est acceptable, c'est le prix qui l'est moins.

Assurance:
Les camionnettes sont nettement plus coûteuses à assurer que les Tahoe et même le Suburban.

Consommation:
Elle est forte dans tous les cas sauf avec les moteurs Diesel.

Satisfaction:
Les propriétaires affirment que la robustesse de ces véhicules n'équivaut pas encore celle de Ford ou de Dodge.

Dépréciation:
Souvent rudoyées, les camionnettes perdent vite de leur valeur et le Suburban se revend mieux que les Tahoe moins polyvalents.

CONCLUSION

La robustesse, la qualité et la fiabilité de ces utilitaires devront s'améliorer pour égaler la concurrence et convaincre certains clients de revenir à GM, car si l'esthétique est importante, un utilitaire se doit d'être...utile.

CARACTÉRISTIQUES & PRIX

Modèles	Versions	Carrosseries/ Sièges		Empat. mm	Long x larg x haut. mm x mm x mm	Poids à vide kg	Charge utile max. kg	Susp. av/ar	Freins av/ar	Direction type	Diamètre braquage m	Tours volant b à b.	Réser. essence l.	Pneus d'origine	Mécaniques d'origine	PRIX $ CDN. 1994
CHEVROLET-GMC série 1500		**Garantie générale: 3 ans / 60 000 km; antipollution: 5 ans / 80 000 km; perforation corrosion: 6 ans / 160 000 km.**														
C-Sierra	Cheyenne-SL reg. court	cam.2 p.3	4x2	2985	4940x1958x1788	1736	787	i/r	d/t/ABS.ar	bil.ass.	12.58	3.04	94.6	225/75R15	V6/4.3/M5	**16 498**
C-Sierra	Cheyenne-SL reg. long	cam.2 p.3	4x2	3340	5413x1951x1788	1820	1163	i/r	d/t/ABS.ar	bil.ass.	13.53	3.04	129	225/75R15	V8/5.0/M5	**16 798**
C-Sierra	Silverado-SLE cab. court	cam.2 p.3	4x2	3594	5537x1958x1793	1960	1174	i/r	d/t/ABS.ar	bil.ass.	16.12	3.04	94.6	225/75R15	V8/5.0/M5	**18 398**
C-Sierra	Silverado-SLE cab. long	cam.2 p.3/5	4x2	3950	6020x1951x1793	1872	1618	i/r	d/t/ABS.ar	bil.ass.	16.61	3.04	129	225/75R15	V8/5.0/M5	**19 523**
K-Sierra	Cheyenne-SL reg. court	cam.2 p.3	4x4	2985	4940x1958x1875	1877	1163	i/r	d/t/ABS.ar	bil.ass.	12.28	2.88	94.6	225/75R16	V6/4.3/M5	**19 198**
K-Sierra	Cheyenne-SL reg. long	cam.2 p.3	4x4	3340	5413x1951x1875	1948	1441	i/r	d/t/ABS.ar	bil.ass.	16.12	2.88	129	225/75R16	V8/5.0/A4	**19 498**
K-Sierra	Silverado-SLE cab. court	cam.2 p.3/5	4x4	3594	5537x1958x1875	2012	2322	i/r	d/t/ABS.ar	bil.ass.	15.91	2.88	94.6	225/75R16	V8/5.9/A4	**21 098**
K-Sierra	Silverado-SLE cab. long	cam.2 p.3/5	4x4	3950	6020x1951x1875	2072	2175	i/r	d/t/ABSar	bil.ass.	16.12	2.88	129	225/75R16	V8/5.0/A4	**21 663**
Tahoe-Yukon	Cheyenne-SL	fam. 2p.5	4x4	2832	4787x1958x1839	2153	707	i/r	d/t/ABS.ar	bil.ass.	12.65	2.88	113.5	245/75R16	V8/5.7/A4	**23 098**
Tahoe-Yukon	Silverado-SLE	fam. 4p.5	4x4	2832	4787x1958x1839	2153	707	i/r	d/t/ABS.ar	bil.ass.	12.65	2.88	113.5	245/75R16	V8/5.7/A4	**25 698**
Suburban	Cheyenne-SL	fam. 4p.6/9	2x4	3340	5588x1948x1783	2127	952	i/r	d/t/ABS.ar	bil.ass.	13.95	3.04	159.0	245/75R15	V8/5.7/A4	**22 498**
Suburban	Silverado-SLE	fam. 4p.6/9	4x4	3340	5588x1948x1783	2348	1069	i/r	d/t/ABS.ar	bil.ass.	14.59	2.88	159.0	245/75R16	V8/5.7/A4	**28 498**

Voir la liste complète des prix 1995 à partir de la page 393.

HONDA **Accord**

Évolutionnaire à retardement...

Il fut une époque où Honda était un précurseur et n'hésitait pas innover pour aller de l'avant. Aujourd'hui cette firme a bien vieilli, du moins mentalement, car c'est avec beaucoup de difficultés qu'elle complète sa gamme de produits et de motorisation. Est-ce qu'il y a quelqu'un à la maison?

La Honda Accord reste la voiture familiale moyenne par excellence de notre époque en Amérique du Nord, et le succès qu'elle a rencontré vient de l'homogénéité de sa conception, tant sur le plan mécanique qu'esthétique. Elle a prudemment évolué à partir des commentaires de ses clients conservateurs, ce qui explique sans doute la timidité de la démarche. La gamme 1994 se compose d'un coupé 2 portes en finitions LX et EX-R, d'une berline en finitions LX, EX, EX-R, et d'une familiale à 4 portes en finition EX seulement. En 1995 la révolution vient de l'arrivée tant attendue d'un moteur V6 de 2.7 ch qui est offert en option sur les versions EX et EX-R.

POINTS FORTS

• Sécurité: 90%
La coque a été renforcée pour offrir une résistance structurelle supérieure de 21% en flexion et de 49% en torsion par rapport à celle de l'ancien modèle. Des renforts ont été installés dans les portes et les longerons afin de mieux parer aux chocs latéraux et des bourrelets ont été intégrés aux portes pour protéger les hanches et les épaules des occupants. Deux coussins gonflables ainsi que des protège-genoux sont désormais installés aux places avant de tous les modèles.

• Satisfaction: 90%
Son degré n'a pas augmenté comme ceux de certaines de ses concurrentes qui atteignent facilement 95 %.

• Qualité & finition: 80%
Si l'assemblage et la finition sont rigoureux, la tôlerie semble encore légère et l'apparence de certains tissus et matières plastiques n'est pas des plus flatteuses et ressemble à celle de la Civic.

• Poste de conduite: 80%
Grâce aux ajustements du siège et de la colonne de direction le conducteur est bien installé, et sa visibilité n'est pas perturbée par les piliers du toit plus épais, tandis que les rétroviseurs latéraux sont bien dimensionnés. Redessiné, le tableau de bord est ergonomique mais totalement dépourvu autant d'imagination que de personnalité.

• Technique: 80%
La carrosserie de la dernière Accord est monocoque en acier dont 80% des panneaux sont galvanisés afin d'améliorer la résistance à la corrosion. Les éléments de la suspension à 4 roues indépendantes sont ceux de la version précédente, et le freinage reste mixte sur les LX-EX et à 4 disques avec ABS de troisième génération sur les EX-R. Si les lignes ont été affinées à l'avant, tandis que la partie arrière est plus bulbeuse, l'aérodynamique reste conservatrice avec un cœfficient de 0.34. Les moteurs sont des 4 cylindres de 2.2L développant 130 ch dans les versions LX, EX ou 145 ch dans les EX-R, un nouveau V6 optionnel qui en développe 170. Les transmissions sont manuelles à 5 vitesses en série et automatiques à 4 rapports en option.

• Consommation: 80%
À allure raisonnable elle demeure modérée avec les 4 cylindres, mais au-delà de la vitesse permise elle grimpe rapidement.

• Commodités: 80%
En nombre suffisant les rangements comprennent une boîte à gants de bonne taille, des vide-poches de portière et des évidements

DONNÉES

Catégorie: coupés, berlines et familiales compactes tractés.
Classe : 4

HISTORIQUE

Inauguré en: 1981
Modifié en: 1985, 1989. 1991: familiale; 1994: carrosserie; 1995: V6.
Fabriqué à: Marysville, É-U.

INDICES

Sécurité: 90 %
Satisfaction: 90 %
Dépréciation: 56 %
Assurance: 5.7 % (975 $)
Prix de revient au km: 0.40 $

NOMBRE DE CONCESSIONNAIRES

Au Québec: 65

VENTES AU QUÉBEC

Modèle	1992	1993	Résultat	Part de marché
Accord	10 997	6 596	-40.0 %	18.4 %

PRINCIPAUX MODÈLES CONCURRENTS

BUICK Skylark, DODGE-PLYMOUTH Spirit-Acclaim, Cirrus-Stratus,FORD Contour-Mystique MAZDA 626, MITSUBISHI Galant, NISSAN Altima & Maxima, OLDSMOBILE Achieva, PONTIAC Grand Am, SUBARU Legacy TOYOTA Corolla & Camry, VOLKSWAGEN Passat & Jetta.

ÉQUIPEMENT

HONDA Accord	LX	EX	EX-R
Boîte automatique:	O	O	O
Régulateur de vitesse:	O	S	S
Direction assistée:	O	S	S
Freins ABS:	S	S	S
Climatiseur:	S	S	S
Coussin gonflable:	-	O	S
Garnitures en cuir:	-	-	O
Radio MA/MF/ K7:	S	S	S
Serrures électriques:	-	S	S
Lève-vitres électriques:	-	S	S
Volant ajustable:	S	S	S
Rétroviseurs ext. ajustables: -	S	S	S
Essuie-glace intermittent:	S	S	
Jantes en alliage léger:	-	O	S
Toit ouvrant:	-		
Système antivol:	-		

S : standard; O : optionnel; - : non disponible

COULEURS DISPONIBLES

Extérieur: Noir, Blanc, Rouge Bourgogne, Cachemire, Gris, Vert, Malachite
Intérieur: Gris, Taupe, Ivoire, Jade.

ENTRETIEN

Première révision: 6 000 km
Fréquence: 6 000 km
Prise de diagnostic: Oui

QUOI DE NEUF EN 1995 ?

- Deux nouveaux modèles EX et EX-R avec moteur V6.
- Quelques retouches esthétiques.

MOTEURS						TRANSMISSION		PERFORMANCES										
Modèles/ versions *: de série	Type / distribution soupapes / carburation	Cylindrée cc	Puissance ch @ tr/mn	Couple lb.pi @ tr/mn	Rapport volumét.	Roues motrices / transmissions	Rapport de pont	Accélér. 0-100 km/h s	400 m D.A. s	1000 m D.A. s	Freinage 100-0 km/h m	Vites. maxi. km/h	Accélér. latérale G	Niveau sonore dBA	Consommation l./100km Ville	Consommation l./100km Route	Carburant Octane
EX-LX	L4* 2.2 SAC T-16-IPM	2156	130 @ 5300	139 @ 4200	8.8 :1	avant - M5*	4.062	9.0	16.8	29.2	39	210	0.78	65	9.5	6.9	R 87
						avant - A4	4.133	10.2	17.6	30.8	41	200	0.78	65	10.4	7.3	R 87
EX-R	L4* 2.2 SACT-16-IPM	2156	145 @ 5600	147 @ 4500	8.8 :1	avant - M5	4.062	8.5	15.8	28.0	37	220	0.80	64	9.6	7.0	R 87
						avant - A4*	4.133	9.5e	16.5	31.0	38	210	0.80	64	10.4	7.3	R 87
option EX-EX-R	V6* 2.7 SACT-24-IPM	-	170 @ 5600	165 @ 4500	-	avant - A4	ND										

disposés sur la console centrale.

• **Accès:** **70%**
Il est aisé de prendre place à bord de ces voitures dont les portes sont bien calculées, même sur le coupé où le dossier des sièges avant libère assez d'espace pour accéder à la banquette.

• **Sièges:** **70%**
Ils soutiennent bien tant de façon latérale que lombaire mais la fermeté de leur rembourrage et l'étroitesse de l'assise (visant à augmenter l'impression d'espace) rendront les voyages plus fatigants.

• **Suspension:** **70%**
Si elle est plutôt molle sur les versions EX et LX elle se raffermit sur la EX-R plus proche des ajustements européens.

• **Niveau sonore:** **70%**
Il a été abaissé par la plus grande rigidité de la coque et un travail d'insonorisation plus poussé. Toutefois les bruits de roulement restent marqués et ceux dûs aux courants d'air apparaissent audelà de 100 km/h.

• **Direction:** **70%**
Précise et bien démultipliée, son assistance trop forte pénalise la tenue de cap par vent latéral et un diamètre de braquage plus court favoriserait la maniabilité.

• **Performances:** **60%**
Malgré ses 5 ch supplémentaires, le moteur de base a plus de mal à s'accommoder du poids de l'ensemble qui a légèrement augmenté, alors que le moteur VTEC de la EX-R accélère plus franchement.Le V6 que nous n'avons pas pu tester va pallier à ces carences.

• **Comportement:** **60%**
La plus grande rigidité de la coque, le calibrage efficace de la suspension et la qualité des pneumatiques bien dimensionnés procurent une tenue de route neutre dans la plupart des cas, devenant sous-vireuse lorsque poussée dans ses limites. Les pneus plus larges et les barres stabilisatrices plus importantes de la EX-R lui permettent de maintenir sa neutralité plus longtemps.

• **Freinage:** **60%**

Bien que progressif et facile à doser en usage normal, les distances d'arrêt des versions LX-EX sont longues car les roues avant bloquent rapidement lors des arrêts-surprise. Il faut disposer des 4 disques et de l'ABS standard sur les EX-R pour obtenir des arrêts plus courts et plus équilibrés.

• **Habitabilité:** **60%**
La diminution de certaines cotes, comme la longueur et l'empattement, a été compensée par l'augmentation de la largeur et de la hauteur pour donner un volume habitable légèrement supérieur. Quatre personnes y seront à l'aise, avec une cinquième en dépannage seulement.

• **Assurance:** **60%**
L'Accord n'est pas plus chère à assurer que la plupart des concurrentes de sa catégorie.

• **Coffre:** **50%**
Moins spacieuse qu'auparavant, les soutes des trois carrosseries sont logeables et faciles à charger grâce à leurs formes simples et rationnelles et en rabattant le dossier de la banquette, on pourra y loger des objets encombrants.

• **Prix/équipement:** **50%**
Honda pratique toujours une politique de prix forts, qui ne l'aide pas toujours au niveau des ventes qui sont sérieusement en baisse, et qui s'explique mal pour des véhicules fabriqués en Amérique du Nord.

POINTS FAIBLES

• **Dépréciation:** **40%**
Elle augmente à cause du grand nombre d'usagées qui encombrent le marché.

CONCLUSION

• **Moyenne générale:** **68.5 %**
La dernière Accord déçoit par son manque de piment. Souhaitons que le V6 tant attendu accomplisse un miracle. ☺

CARACTÉRISTIQUES & PRIX

Modèles	Versions	Carrosseries/ Sièges	Volume cabine l.	Volume coffre l.	Cx	Empat. mm	Long x larg x haut. mm x mm x mm	Poids à vide kg	Poids Remorque max. kg	Susp. av/ar	Freins av/ar	Direction type	Diamètre braquage m	Tours volant b à b.	Réser. essence l.	Pneus d'origine	Mécaniques d'origine	PRIX $ CDN. 1994
HONDA		**Garantie générale: 3 ans / 60 000 km; mécanique: 5 ans / 100 000 km.**																
Accord	LX	cpé. 2 p.5	2551	368	0.32	2715	4675x1780x1390	1265	907	i/i	d/t	crém.ass.	11.0	3.11	64.5	185/70R14	L4/2.2/M5	**19 195**
Accord	LX	ber. 4 p.5	2682	368	0.33	2715	4675x1780x1400	1275	907	i/i	d/t	crém.ass.	11.0	3.11	64.5	185/70R14	L4/2.2/M5	**20 195**
Accord	EX	ber. 4 p.5	2682	368	0.33	2715	4675x1780x1400	1305	907	i/i	d/t	crém.ass.	11.0	3.11	64.5	185/70R14	L4/2.2/M5	**21 495**
Accord	EX	fam.4 p.5	2735	728	0.32	2715	4770x1780x1420	-	907	i/i	d/t	crém.ass.	11.0	3.11	64.5	195/60R15	L4/2.2/M5	**22 495**
Accord	EX-R	cpé. 2 p.5	2551	368	0.32	2715	4675x1780x1390	1345	907	i/i	d/d/ABS	crém.ass.	11.0	3.11	64.5	195/60R15	L4/2.2/M5	**25 495**
Accord	EX-R	ber. 4 p.5	2682	368	0.33	2715	4675x1780x1400	1365	907	i/i	d/d/ABS	crém.ass.	11.0	3.11	64.5	195/60R15	L4/2.2/M5	**26 495**
Accord	EX-V6	ber. 4 p.5	-	-	-	-	-	-	-	i/i	d/d/ABS	crém.ass.					V6/2.7/A4	-
Accord	EX-R V6	ber. 4 p.5																

Voir la liste complète des prix 1995 à partir de la page 393.

Disgrâce...

Les dernières générations de Honda n'ont pas connu le succès de leurs prédécesseurs. C'est le cas de la dernière Accord, mais aussi celui de la Civic qui était pourtant le bébé chéri du public. Le prix élevé et certaines politiques de la compagnie, ont conduit les clients vers d'autres achats.

HONDA Civic Hatchback

En 1995 la gamme des Honda Civic comprend trois carrosseries: une berline 3 portes en finition DX, un coupé 2 portes en finitions DX, Si, et une berline 4 portes LX ou EX. Les DX, CX et LX reçoivent le moteur 1.5L de 102 ch avec boîte manuelle ou automatique, tandis que le sportif Si et la berline EX arborent un 1.6L de 125 ch avec les deux transmissions habituelles.

POINTS FORTS

• **Satisfaction:** 90%
La fiabilité des Civic a fait leur réputation, et explique en partie le prix élevé auquel son constructeur les maintient. Les propriétaires se plaignent pourtant toujours de problèmes de corrosion.

• **Sécurité:** 80%
Comme la plupart des sous-compactes, les Civic sont vulnérables aux collisions vu le gabarit de leur structure et la minceur de leurs tôles. Les coques ont tout de même fait l'objet d'une sérieuse rigidification, afin de satisfaire aux tests d'écrasement de l'administration américaine. Cette obligation a imposé que le hayon du hatchback s'ouvre en deux parties pour que le bas de la coque qui soutient le pare-chocs résiste mieux en cas de choc par l'arrière. Heureusement deux coussins gonflables protègent en série les places avant (en option sur la LX).

• **Consommation:** 80%
Elle continue d'être économique car la moyenne de cette gamme se situe aux alentours de 8 litres aux 100 km.

• **Technique:** 80%
Leur coque autoporteuse en acier intègre des suspensions indépendantes aux quatre roues alors que le freinage est mixte, dépourvu d'ABS et que la direction n'est assistée que sur le hatchback CX. Leurs lignes simples et profilées ont une valeur aérodynamique variant de 0.31 à 0.32.

• **Poste de conduite:** 80%
La position la plus efficace est rapide à découvrir et le siège offre un

DONNÉES

Catégorie: berlines sous-compactes tractées.
Classe : 3S

HISTORIQUE

Inauguré en: 1972
Modifié en: 1980, 1984, 1988, 1992.
Fabriqué à: Alliston, Ontario, Canada.

INDICES

Sécurité: 70 %
Satisfaction: 90 %
Dépréciation: 59 %
Assurance: 9.4 % (975 $)
Prix de revient au km: 0.30 $

NOMBRE DE CONCESSIONNAIRES

Au Québec: 65

VENTES AU QUÉBEC

Modèle	1992	1993	Résultat	Part de marché
Civic	16 019	13 889	-13.3 %	15.9 %

PRINCIPAUX MODÈLES CONCURRENTS

DODGE-PLYMOUTH Colt, EAGLE Summit, FORD Escort, HYUNDAI Accent (4p.) MAZDA 323-Protegé, NISSAN Sentra, TOYOTA Tercel, VOLKSWAGEN Golf.

ÉQUIPEMENT

HONDA Civic Hbk	**DX**			
HONDA Civic berline			**LX**	**EX**
HONDA Civic Coupé	**DX**	**SI**		
Boîte automatique:	O	-	O	O
Régulateur de vitesse:	O	S	O	S
Direction assistée:	-	-	-	O
Freins ABS:	S	S	O	S
Climatiseur:	S	S	S	S
Coussins gonflables (2):	S	O	S	-
Garnitures en cuir:	-	-	-	-
Radio MA/MF/ K7:	O	S	O	S
Serrures électriques:	-	-	-	S
Lève-vitres électriques:	-	-	-	S
Volant ajustable:	S	S	S	S
Rétroviseurs ext. ajustables:	S	S	O	S
Essuie-glace intermittent:	S	S	S	S
Jantes en alliage léger:	-	S	-	-
Toit ouvrant:	-	S	-	-
Système antivol:	-	-	-	-

S : standard; O : optionnel; - : non disponible

COULEURS DISPONIBLES

Extérieur: Noir, Rouge, Blanc, Vert, Bleu, Gris.
Intérieur: Noir, Bleu, Gris, Beige.

ENTRETIEN

Première révision: 6 000 km
Fréquence: 6 000 km
Prise de diagnostic: Oui

QUOI DE NEUF EN 1995 ?

- Un seul modèle disponible en version «Hatchback».

MOTEURS						TRANSMISSION		PERFORMANCES									
Modèles/ versions *: de série	Type / distribution soupapes / carburation	Cylindrée cc	Puissance ch @ tr/mn	Couple lb.pi @ tr/mn	Rapport volumét.	Roues motrices / transmissions	Rapport de pont	Accélér. 0-100 km/h s	400 m D.A. s	1000 m D.A. s	Freinage 100-0 km/h m	Vites. maxi. km/h	Accélér. latérale G	Niveau sonore dBA	Consommation l./100km Ville	Route	Carburant Octane
DX-LX	L4* 1.5 SACT-16IE	1493	102 @ 5900	98 @ 5000	9.2 :1	avant - M5*	3.88	9.4	16.4	30.0	45	180	0.80	68	7.0	5.4	R 87
						avant - A4	4.33	10.5	17.3	31.5	49	170	0.80	68	8.5	6.0	R 87
Si &Ex	L4* 1.6 SACT-16-IE	1590	125 @ 6600	106 @ 5200	9.2 :1	avant - M5*	4.25	8.8	16.2	28.8	46	190	0.81	68	8.3	6.1	R 87

naintien et un soutien efficace nalgré la minceur de son rembourrage. L'instrumentation est aussi bien disposée que facile à re. Les principales commandes ont conventionnelles et le volant offre une bonne prise grâce à a jante épaisse.

Prix/équipement: 80%
Malgré leur équipement limité les Honda sont toujours un peu plus hères que les autres et c'est 'autant plus surprenant qu'elles ont fabriquées en Ontario.

Suspension: 70%
Elle ne compte pas parmi les plus exibles mais elle absorbe mieux es irrégularités du revêtement, ar son amortissement est plus onsistant et le débattement des oues plus généreux.

Qualité & finition: 70%
Bien que l'assemblage et la finion demeurent très rigoureux, ertains tissus et matières plastiues n'ont pas la plus belle apparence, et la tôlerie, très légère, 'inspire pas confiance.

Performances: 70%
outes les Honda souffrent du nême problème. Leur moteur sophistiqué révolutionne à la moinre sollicitation, mais ils sont creux» et le bruit qui accompagne les accélérations ou les reprises donne l'impression d'aller lus vite que le chronomètre. Les erniers modèles sont moins erformants que les anciens qui taient moins lourds. Si la sélecon de la boîte manuelle est rapide et précise, l'automatique est ente à rétrograder pour économiser un peu plus de carburant.

Comportement: 70%
es Civic tiennent bien la route, râce à leurs suspensions dont bras ressemble à des fourchettes et à leurs pneumatiques bien imensionnés et bien adaptés. lles roulent peu en virage serré t restent neutres assez longemps pour que la moyenne des onducteurs ne soit pas confrontée au sous-virage qui les caracérise. Si l'on ne remarque plus 'effet de couple lors des fortes ccélérations, on constate fréquemment des pertes d'adhérence des roues motrices, même sur chaussée sèche.

• Sièges: 70%
Bien galbés, ils soutiennent et maintiennent efficacement, mais leur rembourrage plutôt ferme devient pénible sur longs trajets.

• Direction: 70%
Précise et bien dosée, elle demeure un peu trop démultipliée, qu'elle soit assistée ou manuelle, mais dans les deux cas la maniabilité est appréciable car le diamètre de braquage est court.

• Commodités: 60%
Les rangements se résument à une boîte à gants de bonne taille et un coffret de console centrale car les vide-poches de portière si pratiques ont disparu des versions bon marché.

• Accès: 50%
Acceptable sur le coupé et la berline dont la hauteur intérieure est de 30 mm supérieure à celle du hatchback où il est plus difficile d'atteindre la banquette, aussi à cause du faible espace dégagé par les sièges avant.

• Niveau sonore: 50%
Dépouillées de matériaux insonorisants il n'est supportable qu'à vitesse de croisière, mais devient vite lassant lors des accélérations.

POINTS FAIBLES

• Coffre: 40%
En recul par rapport à celui des anciens modèles, on peut désormais abaisser le dossier de la banquette arrière pour en augmenter la capacité. Le hayon en deux parties des hatchback aide sans doute plus à la rigidité qu'à la manipulation des bagages qu'il rend fastidieuse et salissante car on est souvent amené à s'appuyer sur la carrosserie.

• Freinage: 40%
Progressif et facile à moduler lors de simples ralentissements, il devient irrégulier en cas d'arrêt subi, car les roues avant bloquent immédiatement, la pédale devient dure et les trajectoires aussi longues que fantaisistes, l'ABS n'étant offert, même en option, sur aucun de ces modèles.

• Habitabilité: 40%
L'augmentation des principales dimensions a amélioré l'habitabilité des Civic, mais cet avantage est plus évident sur le coupé et la berline dont la hauteur intérieure est plus importante, que sur le hatchback...

HONDA Civic berline

• Assurance: 40%
Compte tenu de leur format et de leur prix les Civic sont très chères à assurer, parce qu'elles s'adressent à une clientèle jeune.

• Dépréciation: 40%
Comme les Accord, les Civic d'occasion commencent à perdre plus de leur valeur qu'auparavant, car il y en a un grand nombre sur le marché.

CONCLUSION

• Moyenne générale: 63.4 %
Avec le temps les Civic ont perdu ce qui faisait leur charme, c'est-à-dire un prix abordable et des performances qui rendaient leur conduite amusante. C'est sans doute cette évolution dans le mauvais sens qui explique la chute des ventes et la désaffection des clients. 😐

SUGGESTIONS DES PROPRIÉTAIRES

- **Un chauffage plus puissant.**
- **Un équipement plus complet.**
- **Une coque plus rigide.**
- **Une insonorisation efficace.**
- **Une meilleure qualité générale.**
- **Garantie plus compréhensive.**
- **Une meilleure résistance à la corrosion.**

CARACTÉRISTIQUES & PRIX

Modèles	Versions	Carrosseries/ Sièges	Volume cabine l.	Volume coffre l.	Cx	Empat. mm	Long x larg x haut. mm x mm x mm	Poids à vide kg	Poids Remorque max. kg	Susp. av/ar	Freins av/ar	Direction type	Diamètre braquage m	Tours volant b à b.	Réser. essence l.	Pneus d'origine	Mécaniques d'origine	PRIX $ CDN. 1994
HONDA		**Garantie générale: 3 ans / 60 000 km; mécanique: 5 ans 100 000 km.**																
Civic	DX	ber. 3p.4/5	2180	377	0.31	2570	4070x1700x1346	974	NR	i/i	d/t	crém.	9.8	3.88	45.0	175/70R13	L4/1.5/M5	**10 595**
Civic	DX	cpé. 2p.4/5	2294	340	0.31	2620	4390x1700x1354	1010	NR	i/i	d/t	crém.	10.0	3.58	45.0	175/70R13	L4/1.5/M5	**13 495**
Civic	Si	cpé. 2p.4/5	2294	340	0.31	2620	4390x1700x1354	1087	NR	i/i	d/t	crém.	10.0	3.58	45.0	185/60R14	L4/1.6/M5	**15 995**
Civic	LX	ber. 4p.4/5	2407	351	0.32	2620	4395x1700x1374	1037	454	i/i	d/t	crém.	10.0	3.58	45.0	175/70R13	L4/1.5/M5	**13 495**
Civic	EX	ber. 4p.4/5	2407	351	0.32	2620	4395x1700x1374	1066	454	i/i	d/t	crém.	10.0	3.58	45.0	175/60R14	L4/1.5/M5	**16 945**

Voir la liste complète des prix 1994 à partir de la page 393.

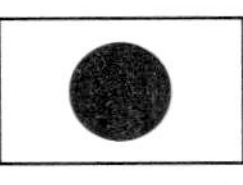

Une autre belle occasion manquée...

Le destin des grandes compagnies est cyclique. Après une période de conquête qui fut brillante Honda en est à l'ère des mauvaises décisions et des compromis douteux. Une nouvelle directio et une meilleure planification s'imposent pour assurer l'avenir. Mais cela tarde à venir...

Le coupé-cabriolet del Sol est une idée originale qui consiste à offrir deux véhicules en un seul. Si le style de la partie frontale affiche des similitudes avec d'autres modèles de la gamme, l'arrière rompt radicalement avec le hayon de l'ancien modèle, en s'ornant d'un arceau genre Targa sur lequel le panneau de toit en alliage d'aluminium (pesant 10 kg), vient prendre appui. On peut le remiser dans le coffre séparé de l'habitacle, sur un berceau tubulaire articulé sur lequel il est verrouillé. Cela permet d'accéder au coffre, même lorsque le toit y est entreposé. Enfin la lunette s'escamote électriquement pour donner l'impression d'un cabriolet et favoriser l'écoulement de l'air vers l'arrière. Le del Sol est offert en versions de base S, Si et VTEC. La première est équipée du moteur 1.5L déjà offert dans les Civic, la seconde du 1.6L à calage d'admission variable développant 125 ch qui équipe aussi les Civic Si et le VTEC qui produit 160 ch.

POINTS FORTS

- **Sécurité: 90%**
La coque et les portes comportent des renforts visant à assurer la rigidité toujours problématique sur ce genre de voitures, enfin deux coussins gonflables complètent le dispositif.
- **Satisfaction: 90%**
Les premiers acheteurs ne se sont pas encore plaints de problèmes majeurs et il faudra attendre encore une année pour savoir si ce pourcentage va se maintenir.
- **Qualité & finition: 80%**
L'assemblage, la finition et la qualité des matériaux utilisés sont très rigoureux, et la présentation est impeccable en tous points.
- **Technique: 80%**
La coque autoporteuse en acier a fait l'objet d'une étude aérodynamique poussée qui permet d'éliminer la plupart des courants d'air lorsque le toit est ôté. Les suspensions sont indépendantes aux quatre roues à partir de doubles leviers triangulés. Les freins sont mixtes sur

DONNÉES

Catégorie: coupés-cabriolets sportifs tractés.
Classe : S3

HISTORIQUE

Inauguré en: 1992
Modifié en: -
Fabriqué à: Saitama, Japon.

INDICES

Sécurité: 90 %
Satisfaction: 90 %
Dépréciation: 40 % (2 ans)
Assurance: 6.4 % (1 091 $)
Prix de revient au km: 0.33 $

NOMBRE DE CONCESSIONNAIRES

Au Québec: 65

VENTES AU QUÉBEC

Modèle	1992	1993	Résultat	Part de march
del Sol	ND			

PRINCIPAUX MODÈLES CONCURRENTS

EAGLE Talon Esi, HYUNDAI Scoupe, MAZDA Miata & MX3, SATURN S TOYOTA Paseo VW Corrado & Cabrio.

ÉQUIPEMENT

HONDA Civic del Sol	Si	VTEC
Boîte automatique:	O	O
Régulateur de vitesse:	O	O
Direction assistée:	O	O
Freins ABS:	S	S
Climatiseur:	S	S
Coussin gonflable:	-	S
Garnitures en cuir:	-	-
Radio MA/MF/ K7:	S	S
Serrures électriques:	-	-
Lève-vitres électriques:	S	S
Volant ajustable:	S	S
Rétroviseurs ext. ajustables:	S	S
Essuie-glace intermittent:	S	S
Jantes en alliage léger:	S	S
Toit ouvrant:	S	S
Système antivol:		

S : standard; O : optionnel; - : non disponible

COULEURS DISPONIBLES

Extérieur: Noir, Rouge, Blanc, Bleu, Vert.
Intérieur: Noir.

ENTRETIEN

Première révision: 6 000 km
Fréquence: 6 000 km
Prise de diagnostic: Oui

QUOI DE NEUF EN 1995 ?

- Pas de changement majeur.

Modèles/ versions *: de série	Type / distribution soupapes / carburation	Cylindrée cc	Puissance ch @ tr/mn	Couple lb.pi @ tr/mn	Rapport volumét.	Roues motrices / transmissions	Rapport de pont	Accélér. 0-100 km/h s	400 m D.A. s	1000 m D.A. s	Freinage 100-0 km/h m	Vites. maxi. km/h	Accélér. latérale G	Niveau sonore dBA	Consommation l./100km Ville	Consommation l./100km Route	Carbura Octane
MOTEURS						TRANSMISSION		PERFORMANCES									
Si	L4* 1.6 SACT-16-IPM	1590	125 @ 6600	106 @ 5200	9.2 :1	avant - M5*	4.250	9.5	16.4	29.5	44	190	0.80	68	8.3	6.1	R 87
						avant - A4	4.333	10.7	16.8	31.4	42	180	0.80	68	9.2	6.5	R 87
VTEC	L4* 1.6 DACT-16-IPM	1590	160 @ 7600	112 @ 7000	10.2 :1	avant - M5*	4.266	8.5	15.6	29.7	38	210	0.84	69	9.2	7.0	M 89

S et à quatre disques sur la Si ui reçoit une barre stabilisatrice l'avant à laquelle la VTEC ajoute n système ABS.

Performances: 75%
lles sont décevantes car le poids es del Sol est un peu plus élevé ue celui des autres Civic. Les ccélérations n'ont rien de fouroyant, et ce, même avec le noteur de 160 ch. Contrairement la Miata qui semble aller très ite alors qu'il n'en est rien, le del ol va vite sans que cela paaisse ou se sente et c'est là son roblème, car il ne procure pas n véritable agrément de conuite.

Poste de conduite: 70%
e conducteur est bien installé uelle que soit sa taille, dans un aquet qui lui procure un mainen et un support efficaces, mais a visibilité est limitée par énorme angle mort latéral du ilier B. Le tableau de bord est ès esthétique avec ses éléments out en rondeur. Les instruments clus dans un bloc ayant la forme 'un rein sont assez nombreux et sibles, tandis que les interrupeurs disposés sur le rebord de la isière sont faciles à atteindre. Il urait été judicieux d'inverser elui de la radio avec celui de la limatisation et si l'on ne trouve as celui qui commande l'ouverure du coffre, c'est pour en proéger le contenu lorsque la voiure reste découverte.

Consommation: 70%
lle n'est pas exagérée puisu'elle se maintient généralement n dessous de 10 litres aux 100 m.

Comportement: 70%
éjà que la traction avant amoinrit tout caractère sportif, en plus souplesse marquée de la susension liée à la rigidité insuffiante de la caisse, provoque un uidage flou et instable qui a plus voir avec des problèmes de onception qu'avec la direction. e phénomène ne fait qu'accéléer le sous-virage aigu qui prive del Sol de l'agilité et du caracère amusant qui caractérisaient conduite du CRX.

Sièges: 70%
linces et plutôt fermes, ils mainennent et soutiennent efficacement grâce à leur galbe adéquat.

• Suspension: 70%
Sa souplesse s'apprécie mieux sur les mauvais revêtements où ses réactions sont plus civilisées que celles de la moyenne de ses concurrentes.

• Prix/équipement: 70%
Il faut se rendre à l'évidence, le coupé del Sol ne se vend pas aussi bien que la Miata, malgré l'originalité de son concept et son caractère aussi exotique que polyvalent. Quant à son équipement, il est, comme il se doit, très dépouillé sur le modèle le plus abordable.

• Commodités: 70%
Les rangements se composent d'une petite boîte à gants, d'un coffret à cassettes sur le tunnel central et de deux bacs fermant à clé situés derrière les sièges. Il est facile d'ôter le toit, même pour une personne seule pour le ranger sans dommage sur son berceau dans le coffre. Ce n'est pas compliqué, mais cela demande tout de même un certain entraînement.

• Accès: 60%
On s'installe facilement à bord, malgré la faible hauteur, pour peu que l'on soit assez souple.

• Dépréciation: 60%
En tant que véhicule découvrable, le del Sol a perdu la première année moins que la moyenne des coupés-cabriolets qui lui sont comparables.

• Direction: 60%
Trop démultipliée pour parer à d'éventuels coups de volant néfastes, elle est imprécise lorsqu'elle est manuelle sur le S, mais un peu plus rigoureuse lorsqu'elle est assistée sur le Si, le VTEC et les versions automatiques. Elle donne toutefois la sensation bizarre de filtrer les réactions du trains avant.

• Assurance: 65%
Le del Sol ne coûte pas plus cher à assurer que la plupart de ses concurrents.

• Freinage: 50%
Progressif et facile à doser en usage normal, il fait preuve d'une instabilité presque dangereuse lors des arrêts d'urgence, car dépourvues d'ABS les roues avant bloquent rapidement rendant les trajectoires sinusoïdales. Seul le VTEC peut prétendre posséder un freinage à la hauteur de ses possibilités.

POINTS FAIBLES

• Habitabilité: 10%
Deux personnes y seront très à l'aise grâce à une largeur et une longueur suffisantes de la cabine.

• Coffre: 40%
Il est relativement vaste pour ce genre de véhicules puisqu'on peut y loger deux valises moyennes et deux petites, même lorsque le toit y est remisé.

• Niveau sonore: 40%
Il égale celui d'un coupé à vitesse normale et les fortes accélérations ne sont pas trop douloureuses aux tympans, pas plus que l'air qui est savamment canalisé, lorsque le toit est ouvert.

CONCLUSION

• Moyenne générale: 64.5 %
Honda n'avait pas le droit de gâcher une bonne idée, comme celle-là. Espérons que Mazda la reprendra bientôt en y apportant les correctifs nécessaires pour en faire comme pour la Miata et le MX-3: un succès! ☺

CARACTÉRISTIQUES & PRIX

lodèles	Versions	Carrosseries/ Sièges	Volume cabine l.	Volume coffre l.	Empat. mm	Long x larg x haut. mm x mm x mm	Poids à vide kg	Poids Remorque max. kg	Susp. av/ar	Freins av/ar	Direction type	Diamètre braquage m	Tours volant b à b.	Réser. essence l.	Pneus d'origine	Mécaniques d'origine	PRIX $ CDN. 1994
IONDA		**Garantie générale: 3 ans / 60 000 km; mécanique: 5 ans / 100 000 km; corrosion perforation: 5 ans / kilométrage illimité.**															
;ivic del Sol Si		cpé.2p. 2	ND	235-297	2370	3995x1695x1255	1087	NR	i/i	d/d	crém.ass.	9.2	3.6	45	185/60R14	L4/1.6/M5	**19 695**
;ivic del Sol VTEC		cpé.2p. 2	ND	235-297	2370	3995x1695x1255	1100	NR	i/i	d/d/ABS	crém.ass.	10.0	3.6	45	195/60R14	L4/1.6/M5	**22 695**

Voir la liste complète des prix 1995 à partir de la page 393.

«Question de feelings...»

Le coupé Prelude a surpris toute le monde par ses lignes inusitées mais finalement originales, mais surtout par le manque de caractère sportif qui caractérisait les premiers modèles. Actuellement seul le SR-V est capable de porter l'adjectif de sportif, mais avec encore bien des réserves.

Le coupé Prelude est un autre produit Honda qui n'a pas su conserver la popularité qu'avait acquise le modèle précédent. Même motif, même punition, il va bientôt falloir se poser la question qui est de savoir quels sont les modèles qui se vendent encore bien chez ce constructeur nippon? Le Prelude n'est plus offert en 1995 qu'en deux versions: SR avec moteur de 2.3L à double arbre à cames en tête développant 160 ch, et SR-V avec moteur VTEC, le mode calage variable de la distribution dont Honda s'est fait une spécialité, qui fournit 190 ch.

POINTS FORTS

• Satisfaction: 90%
La fiabilité est excellente et le défraîchissement moins rapide que sur d'autres Japonaises.

• Sécurité: 90%
Malgré le travail de rigidification accompli sur la coque, sa résistance structurelle n'est pas idéale, mais les deux coussins gonflables montés en série sur toutes les versions et les ceintures à trois points d'ancrage permettent d'assurer un bon niveau de protection.

• Technique: 80%
La carrosserie monocoque en acier possède une suspension indépendante et des freins à disque aux quatre roues et un dispositif antiblocage est installé en série sur les SR et SR-V. Malgré ses lignes tendues, la finesse aérodynamique est conservatrice puisque son cœfficient est de 0.33. Le moteur 2.3L est le plus intéressant. Il s'agit d'un 4 cylindres disposé transversalement et pourvu d'un système d'injection électronique PGM-F1 dérivé de celui utilisé sur les moteurs de compétition de la marque. Il comprend deux arbres d'équilibrage visant à annuler la plupart des vibrations propres à ce type de moteur.

• Qualité & finition: 80%
La présentation intérieure est très fade, comme souvent chez les constructeurs japonais, et certains matériaux manquent de classe sur une voiture de ce style et de ce prix. Pourtant la construction et la

DONNÉES

Catégorie: coupés sportifs tractés.
Classe : S

HISTORIQUE

Inauguré en: 1979
Modifié en: 1983, 1987 & 1991.
Fabriqué à: Sayama, Japon.

INDICES

Sécurité:	90 %
Satisfaction:	92 %
Dépréciation:	57 %
Assurance:	6.3 % (1 308 $)
Prix de revient au km:	0.43 $

NOMBRE DE CONCESSIONNAIRES

Au Québec: 65

VENTES AU QUÉBEC

Modèle	1992	1993	Résultat	Part de marché
Prélude	909	ND	ND	

PRINCIPAUX MODÈLES CONCURRENTS

ACURA Integra GS-R, CHEVROLET Camaro V6, EAGLE Talon, FORD Probe & Mustang, MAZDA MX-6 Mystere, NISSAN 240SX, PONTIAC Firebird V6, TOYOTA Celica, VOLKSWAGEN Corrado.

ÉQUIPEMENT

HONDA Prelude	SR	SR-V
Boîte automatique:	O	-
Régulateur de vitesse:	S	S
Direction assistée:	S	S
Freins ABS:	S	S
Climatiseur:	S	S
Coussin gonflable:	S	S
Garnitures en cuir:	-	S
Radio MA/MF/ K7:	S	S
Serrures électriques:	S	S
Lève-vitres électriques:	S	S
Volant ajustable:	S	S
Rétroviseurs ext. ajustables:	S	S
Essuie-glace intermittent:	S	S
Jantes en alliage léger:	S	S
Toit ouvrant:	S	S
Système antivol:	S	S

S : standard; O : optionnel; - : non disponible

COULEURS DISPONIBLES

Extérieur: Noir, Rouge, Argent, Bleu, Vert.
Intérieur: Noir, Gris.

ENTRETIEN

Première révision:	6 000 km
Fréquence:	6 000 km
Prise de diagnostic:	Oui

QUOI DE NEUF EN 1995 ?

- Suppression du modèle de base S.

MOTEURS						TRANSMISSION		PERFORMANCES										
Modèles/ versions *: de série	Type / distribution soupapes / carburation	Cylindrée cc	Puissance ch @ tr/mn	Couple lb.pi @ tr/mn	Rapport volumét.	Roues motrices / transmissions	Rapport de pont	Accélér. 0-100 km/h s	400 m D.A. s	1000 m D.A. s	Freinage 100-0 km/h m	Vites. maxi. km/h	Accélér. latérale G	Niveau sonore dBA	Consommation l./100km Ville	Consommation l./100km Route	Carburant Octane
SR	L4* 2.3 DACT-16-IEPM	2259	160 @ 5800	156 @ 4500	9.8 :1	avant - M5*	4.266	8.2	15.8	28.1	41	200	0.80	66	10.5	8.2	R 87
						avant - A4	4.428	9.4	16.7	29.4	42	190	0.80	66	10.9	8.2	R 87
SR-V	L4* 2.2 DACT-16-IEPM	2157	190 @ 6800	158 @ 5500	10.0 :1	avant - M5*	4.266	7.7	15.2	27.6	40	210	0.80	66	10.9	8.5	M 89

ition n'appellent aucun reproe car elles sont exécutées avec aucoup de soin.

iièges: 80%
sont de véritables baquets qui ocurent un maintien et un soun efficaces, mais dont le remurrage manque de moelleux.

erformances: 75%
es sont bonnes, mais si les iffres correspondent bien à ux d'un coupé sportif, l'agréent n'y trouve pas son compte, r elles sont obtenues à un réne élevé et l'on constate un rieux manque de puissance en ssous de 4 000 tr/mn. Un moır V6, comme celui qui équipe tte année la Accord, permettra ns doute l'an prochain au Prede de mieux tenir tête à son vieil versaire le VW Corrado.

uspension: 70%
est celle de la SR qui offre le eilleur compromis car celle du R-V est trop raide. Les mouveents de caisse sont bien limis, même sur mauvaise route, les réactions ne sont jamais sagréables.

omportement: 70%
s réactions du Prelude ne sont nais brutales et il fait preuve de neutralité la plupart du temps, car sa tendance au sous-virage est repoussée par un bon contrôle des mouvements de la caisse. La précision est son point fort, car on arrive à placer le train avant au millimètre près.

• Direction: 70%
Si elle donne moins l'impression de fonctionner par à-coups, elle est lourde à faible allure et légère autant que floue dès que la vitesse augmente. Pourtant sa démultiplication et son diamètre de braquage raisonnable procurent une bonne maniabilité.

• Consommation: 70%
Elle est raisonnable avec les deux moteurs qui offrent un excellent rendement puisqu'elle excède rarement 11.5 litres aux 100 km.

• Poste de conduite: 60%
Le conducteur se plaindra de ne pouvoir ajuster la hauteur ou l'inclinaison de l'assise de son siège dont le galbe procure pourtant un excellent maintien latéral et un honnête soutien lombaire. La visibilité est pénalisée par la forte inclinaison du pare-brise, la lunette étroite et l'épaisseur du pilier C. Le tableau de bord demeure l'élément le plus controversé du dernier Prelude dont l'instrumentation mi-analogique, mi-digitale est illisible au soleil et disposée loin des yeux du pilote ainsi que certains interrupteurs disposés au hasard.

• Freinage: 50%
Malgré son dosage progressif et son action équilibrée, les distances d'arrêts sont trop longues pour un véhicule de ce poids et l'ABS tarde à agir ce qui provoque des amorces de blocage, plus désagréables que dangereuses.

• Niveau sonore: 50%
Il demeure bas tant à vitesse de croisière que lors des fortes accélérations car l'insonorisation est efficace et la mécanique discrète.

• Commodités: 50%
Les rangements sont insuffisants, car la boîte à gants est minuscule, les vide-poches de portière absents et la console centrale peu utilisable.

• Prix/équipement: 50%
Les Honda ont la réputation d'être plus chères que leurs concurrentes et le problème est de savoir si elles en donnent suffisamment pour la différence.

• Assurance: 50%
Les Prelude coûtent un peu moins cher à assurer que certains autres coupés, mais selon l'âge et le dossier du postulant la note peut être très salée.

POINTS FAIBLES

• Habitabilité: 20%
Le coupé Prelude n'accueillera confortablement que deux adultes, car à l'arrière il est difficile d'y loger qui que ce soit et pas même des enfants, car, selon la taille du conducteur, le dossier des sièges avant touchent la banquette où l'on ne peut même pas s'installer de travers à cause du prolongement de la console centrale. Il faut signaler que la présence du toit ouvrant compliquera le confort des personnes de grande taille, car la hauteur en est sensiblement réduite.

• Coffre: 25%
Bien qu'il soit très limité, son volume est suffisant pour accueillir les bagages de deux personnes pour une fin de semaine. De plus deux trappes aménagées derrière le dossier de la banquette, permettront d'y entreposer des objets encombrants comme des skis.

• Accès: 40%
Malgré la longueur des portes, la faible hauteur et le galbe des dossiers des sièges baquet compliquent l'installation à bord.

• Dépréciation: 40%
Celle du dernier modèle est plus forte que celle de l'ancien à cause du manque d'intérêt et du prix élevé, du véhicule et de sa prime d'assurance.

CONCLUSION

• Moyenne générale: 60.5 %
Seul le moteur V6 pourra sauver le Prelude de l'indifférence, à condition qu'il y ait le nombre de chevaux promis et que le reste du véhicule, c'est-à-dire le comportement et la direction, soit adapté pour procurer un fort agrément de conduite sans attendre d'être à 160 km/h sur piste, bien entendu... 😐

CARACTÉRISTIQUES & PRIX

odèles	Versions	Carrosseries/ Sièges	Volume cabine l.	Volume coffre l.	Cx	Empat. mm	Long x larg x haut. mm x mm x mm	Poids à vide kg	Poids Remorque max. kg	Susp. av/ar	Freins av/ar	Direction type	Diamètre braquage	Tours volant m	Réser. essence b à b. l.	Pneus d'origine	Mécaniques d'origine	PRIX $ CDN. 1994
ONDA Prelude		**Garantie générale: 3 ans / 60 000 km; mécanique: 5 ans 100 000 km.**																
relude	SR	cpé. 2 p.2+2	2047	224	0.33	2550	4440x1765x1290	1300	NR	i/i	d/d/ABS	crém.ass.	10.9	2.9	60.0	205/55R15	L4/2.3/M5	**25 145**
relude	SR/V	cpé. 2 p.2+2	2047	224	0.33	2550	4440x1765x1290	1330	NR	i/i	d/d/ABS	crém.ass.	10.9	2.9	60.0	205/55R15	L4/2.3/M5	**27 245**

Voir la liste complète des prix 1995 à partir de la page 393.

Quitte ou double...

Après les progrès obtenus avec la Sonata et l'Elantra, Hyundai se devait de consolider sa positio dans le groupe des voitures minimales, en donnant à l'Excel une remplaçante capable d'affronte une concurrence bien armée. Si la satisfaction des usagers remonte, le pari sera gagné.

Après avoir connu bien des déboires, les Excel finissaient par connaître un certain succès l'an dernier en voyant leurs ventes augmenter de 17%. C'est dans ce contexte favorable que l'Accent vient prendre sa place, dans un marché où les petites voitures populaires sont de moins en moins nombreuses et où un certain besoin se fait sentir. Le changement de nom, la nouvelle allure de la carrosserie, et les nombreuses améliorations sont autant de chances pour la nouvelle venue, qui devrait rencontrer un certain succès. L'Accent est proposée sous la forme d'un coupé 2 portes et d'une berline à 4 portes en versions L et GL, équipées d'un moteur 4 cylindres de 1.5L à injection et d'une boîte manuelle à 5 rapports, la transmission automatique à 4 rapports étant offerte contre supplément.

POINTS FORTS

• Prix/équipement: 90%
Les Accent possèdent un équipement qui est très honnête d'autant que les options ne sont pas très coûteuses. Leurs prix qui démarrent aux alentours de 10 000 $ constituent une aubaine, comparés à ceux de leurs concurrentes japonaises.

• Consommation: 90%
Elle est économique puisqu'elle dépasse rarement 9.0 l/100 km avec la transmission automatique.

• Sécurité: 80%
La structure des nouvelles Accent a été renforcée pour répondre aux critères de la loi américaine de 1997. Malheureusement les coussins gonflables et l'ABS ne sont pas livrés d'origine, comme si la vie n'était qu'une option...

• Poste de conduite: 70%
Le conducteur trouve rapidement la meilleure posture même si la colonne de direction n'est pas ajustable. La visibilité est satisfaisante, bien que le pilier C bouche un peu de 3/4 sur le coupé et les rétroviseurs sont bien dimensionnés. Le tableau de bord est simple et bien organisé. Il contient assez d'instruments dont les cadrans sont petits et les commandes sont faciles à atteindre et à manipuler, même celles situées au bas du bloc-instruments.

• Direction: 70%
La manuelle livrée de base est toujours très démultipliée, mais elle est moins ferme que sur l'Excel. L'assistée rapide, plus précise et bien dosée rend la conduite plus agréable. Toutefois dans les deux cas la maniabilité souffre d'un diamètre de braquage un peu grand.

• Technique: 70%
L'Accent ne dérive plus comme l'Excel de la plate-forme de l'ancienne Mitsubishi Mirage. Elle est 100% Hyundai et son allure sympathique offre une bonne efficacité aérodynamique puisque son cœfficient est de 0.31. Monocoque en acier la carrosserie a une suspension indépendantes aux quatre roues dont le freinage est mixte et l'ABS optionnel.

• Comportement: 60%
Il s'est surtout amélioré sur la GL dont les pneus sont plus consistants que ceux de la L. Si la tendance au sous-virage reste marquée elle apparait plus tard et se contrôle plus facilement.

DONNÉES

Catégorie: berlines sous-compactes tractées.
Classe : 3S

HISTORIQUE

MEMO
- Entretien

Inauguré en: 1995
Modifié en: -
Fabriqué à: Ulsan, Corée du sud.

INDICES

Sécurité: 85 %
Satisfaction: 60 %(Excel)
Dépréciation: 62% (Excel)
Assurance: 8.2% (740 $)
Prix de revient au km: 0. 30 $

NOMBRE DE CONCESSIONNAIRES

Au Québec: 49

VENTES AU QUÉBEC

Modèle	1992	1993	Résultat	Part de march
Excel	2742	2412	-12.1%	2.8 %

PRINCIPAUX MODÈLES CONCURRENTS

DODGE Colt, FORD Aspire, GEO Metro, HONDA Civic, MAZDA 323, NI SAN Sentra, SATURN SL1, SUBARU Justy, SUZUKI Swift, TOYOTA Terc

ÉQUIPEMENT

HYUNDAI Accent	L	GL
Boîte automatique:	O	O
Régulateur de vitesse:	-	-
Direction assistée:	O	S
Freins ABS:	-	O
Climatiseur:	-	-
Coussins gonflables (2):	O	O
Garnitures en cuir:	-	-
Radio MA/MF/ K7:	O	S
Serrures électriques:	-	-
Lève-vitres électriques:	-	-
Volant ajustable:	O	S
Rétroviseurs ext. ajustables:	-	-
Essuie-glace intermittent:	S	S
Jantes en alliage léger:	-	-
Toit ouvrant:	-	O
Système antivol:	-	-

S : standard; O : optionnel; - : non disponible

COULEURS DISPONIBLES

Extérieur: Vert, Argent, Rouge, Bleu.
Intérieur: Graphite, Moka.

ENTRETIEN

Première révision: 5 000 km
Fréquence: 10 000 km
Prise de diagnostic: Non

QUOI DE NEUF EN 1995 ?

- Tout nouveau modèle qui remplace l'Excel.
- Moteur Alpha conçu par Hyundai.
- **Coussins gonflables et freins ABS en option.**

MOTEURS					TRANSMISSION			PERFORMANCES									
Modèles/ versions *: de série	Type / distribution soupapes / carburation	Cylindrée cc	Puissance ch @ tr/mn	Couple lb.pi @ tr/mn	Rapport volumét.	Roues motrices / transmissions	Rapport de pont	Accélér. 0-100 km/h s	400 m D.A. s	1000 m D.A. s	Freinage 100-0 km/h m	Vites. maxi. km/h	Accélér. latérale G	Niveau sonore dBA	Consommation l.100km Ville	Consommation l.100km Route	Carbura Octane
base	L4* 1.5 SACT-12-IEPM	1495	92 @ 5500	97 @ 2700	10:1	avant - M5*	3.65	11.5	17.7	32.8	42	175	0.76	70	8.0	6.0	R 87
						avant - A4	3.65	13.5	18.8	34.8	45	165	0.76	70	8.5	6.0	R 87

s réactions sont saines et elles ɛrprennent par leur vivacité sur version manuelle, amusante à nduire sur parcourt sinueux.

;uspension: 60%
ɪn confort est très acceptable, ur une voiture économique, car débattement plus important des ɹes lui permet de mieux absor- r les défauts de l'asphalte et mortissement est plus efficace.

ɩccès: 60%
ɪst plus facile de prendre place 'avant qu'à l'arrière où les por- ; de la berline ne dégagent pas sez d'espace pour la tête, tan- ; que les personnes corpulen- ; trouveront malaisé de s'as- oir à l'arrière du coupé.

;ièges: 60%
en que leur rembourrage soit me et peu épais, ce qui est igant à la longue, ils maintien- nt et soutiennent bien tant de anière latérale que lombaire car sont bien galbés.

)ualité & finition: 60%
encore le progrès est net, car ; plastiques font moins bon arché, de même que les tissus nt les coloris amènent un peu fantaisie. Les ajustements mblent précis et la finition plus ignée que sur l'Excel.

:ommodités: 60%
ɪs rangements sont constitués ɪne boîte à gants de taille nor- ale, de très petits vide-poches portières avant et d'évidement ns la console. Les baudriers ɪs ceintures avant s'ajustent en ɪuteur et le dossier de banquette ɪs GL offre des appuie-tête.

;atisfaction: 60%
spérons que les propriétaires ces nouveaux modèles seront ɪs satisfaits que ceux de l'Ex- l qui ne l'étaient qu'à 60 %.

labitabilité: 50%
ɔrmale pour une voiture de cette lle, l'espace est bien distribué r il y a assez de place pour la te à l'arrière; quant à celui ré- ɪrvé aux jambes, il dépend du cul des sièges avant.

:offre: 50%
ɪst plus intéressant sur le coupé il peut être agrandi par l'esca- otage du dossier de la ban- ɪette, mais tous deux sont ac- ɪssible grâce à leur seuil qui descend au ras du pare-chocs, et leur ouverture assez large.

NOUVEAUTÉ 1995

POINTS FAIBLES

• Niveau sonore: 30%
Il demeure élevé en toutes circonstances surtout à cause du manque de matériau insonorisant, laissant entrer dans la cabine les bruits mécaniques et de roulement ainsi que ceux du vent qui sont forts autour de la partie frontale.

• Assurance: 40%
Le manque de confiance dans la marque se traduit par une prime nettement plus élevée que celle des autres modèles de cette catégorie.

• Freinage: 40%
Son efficacité et son endurance ne sont que très moyennes par manque de qualité des garnitures. Par contre il est progressif et plus facile à doser avec précision. Lors des arrêts d'urgence les distances sont longues soit que l'on veuille éviter le blocage des roues qui apparait tôt sans ABS, soit que l'ABS les allongent par nature. Au moins dans le second cas la trajectoire est rectiligne et stable ce que l'on ne peut pas dire du premier.

Performances: 40%
Le moteur Alpha emprunté à l'Elantra est assez puissant pour procurer avec la boîte manuelle des accélérations très honnêtes car le rapport poids/puissance est dans la moyenne. La sélection rapide et précise et la commande facile de l'embrayage rendent la conduite agréable. Toutefois ce n'est pas la même histoire avec l'automatique qui rétrograde constamment sur route à la moindre dénivellation, ce qui nuit autant au confort qu'à la consommation.

• Dépréciation: 40%
Les Excel perdaient plus de valeur que leur concurrentes à cause de leur fiabilité douteuse, surtout après l'expiration de la garantie.

CONCLUSION

• Valeur moyenne: 59.0 %
Après le renouvellement des Aspire, Metro et Swift, l'arrivée de l'Accent relance l'intérêt pour les voitures économiques. La dernière Hyundai marque un net progrès par rapport à l'Excel, car elle est plus sûre, plus amusante à conduire, mieux finie. Dommage que côté sécurité il faille remettre la main dans la poche... 😐

CARACTÉRISTIQUES & PRIX

ɔdèles	Versions	Carrosseries/ Sièges	Volume cabine l.	Volume coffre l.	Cx	Empat. mm	Long x larg x haut. mm x mm x mm	Poids à vide kg	Capacité Remorq. max. kg	Susp. av/ar	Freins av/ar	Direction type	Diamètre braquage m	Tours volant b à b.	Réser. essence l.	Pneus d'origine	Mécaniques d'origine	PRIX $ CDN. 1994
YUNDAI		Garantie générale: 3 ans / 60 000 km;mécanique: 5 ans / 100 000 km; corrosion perforation: 5 ans / kilométrage illimité.																
ccent	L	ber. 3 p.4	2491	460	0.31	2400	4103x1620x1394	953	454	i/i	d/t	crém.	9.7	3.87	45.0	155/80R13	L4/1.5/M5	**8 995**
ccent	L	ber. 4 p.4	2386	303	0.31	2400	4117x1620x1394	955	454	i/i	d/t	crém.	9.7	3.87	45.0	155/80R13	L4/1.5/M5	**10 195**
ccent	GL	ber. 3 p.4	2491	460	0.31	2400	4103x1620x1394	959	454	i/i	d/t	crém.ass.	9.7	2.93	45.0	175/70R13	L4/1.5/M5	**9 995**
ccent	GL	ber. 4 p.4	2486	303	0.31	2400	4117x1620x1394	961	454	i/i	d/t	crém.ass.	9.7	2.93	45.0	175/70R13	L4/1.5/M5	**10 695**

Voir la liste complète des prix 1995 à partir de la page 393.

Une bonne carte...

Pour finir de conjurer le syndrome de la Pony, Hyundai a reconstruit sa gamme avec patience acharnement en dépit de l'insuccès chronique qui affectait ses ventes. Aujourd'hui, le construc teur a un meilleur jeu en main où l'Elantra constitue une carte maîtresse.

L'Elantra représente 1/3 des ventes du constructeur coréen, et sa progression est en extension. Cette berline 3 volumes à 4 portes est offerte en finitions GL et GLS. La GL arrive avec un 4 cylindres 1.6L d'origine Mitsubishi et transmission manuelle à 5 vitesses en option, le moteur Alpha de 1.8L qui est monté en série sur la GLS avec transmission manuelle. Une boîte automatique à 4 rapports fonctionnant selon le mode sport ou normal est offerte en option avec les deux moteurs.

POINTS FORTS

• Prix/équipement: 80%
L'Elantra offre plus, pour ce qu'elle coûte, que la moyenne de ses concurrentes, surtout la version GLS dont l'équipement est complet et qui constitue le meilleur achat.

• Satisfaction: 80%
Le nombre de clients très satisfaits augmente sans cesse, et comme par hasard, celui des ventes aussi. Cependant de nombreux propriétaires se plaignent de la minceur de la peinture.

• Sécurité: 80%
Si la rigidité structurelle est acceptable, seule la GLS peut bénéficier d'un coussin gonflable côté conducteur et, en option, d'un freinage plus efficace assisté d'un système antiblocage.

• Consommation: 80%
Bien qu'elle soit dans la normale, elle est un peu plus forte que celle des Corolla, Sentra et Civic.

• Accès: 70%
Prendre place dans l'Elantra ne pose pas plus de problèmes à l'avant qu'à l'arrière dont les portes sont bien dimensionnées et s'ouvrent suffisamment.

• Sièges: 70%
Leurs formes maintiennent et soutiennent efficacement mais leur rembourrage est mince et ferme.

• Suspension: 70%
Elle surprend par sa souplesse sur une voiture de cette catégorie, toutefois le manque de débattement des roues la fait réagir brutalement sur chaussée dégradée.

• Poste de conduite: 70%
Le tableau de bord est ergonomique avec ses cadrans bien disposés et les principales commandes à portée de la main, à l'exception cependant des interrupteurs situés de chaque côté du bloc d'instruments qui sont plus difficiles à atteindre. Bien que basse, la position de conduite est plus confortable sur la GLS dont la colonne de direction et le soutien lombaire sont ajustables enfin, la visibilité est satisfaisante, malgré l'épaisseur du pilier central qui crée un angle mort important.

• Technique: 70%
La carrosserie monocoque en acier possède une suspension indépendante aux 4 roues, de type McPherson à l'avant et à bras oscillant à l'arrière et seule la GLS peut être équipée en option d'amortisseurs à gaz. Le freinage est mixte, mais la GLS peut recevoir contre supplément 4 disques et un dispositif ABS. Quant à la direction, elle

DONNÉES

Catégorie: berlines compactes tractées.
Classe : 3

HISTORIQUE

Inauguré en: 1991 (1.6L)
Modifié en: 1992: moteur 1.8L; 1994: éléments de sécurité.
Fabriqué à: Ulsan, Corée du Sud.

INDICES

Sécurité: 80 %
Satisfaction: 78 %
Dépréciation: 45 %
Assurance: 7.5 % (865 $)
Prix de revient au km: 0.32 $

NOMBRE DE CONCESSIONNAIRES

Au Québec: 49

VENTES AU QUÉBEC

Modèle	1992	1993	Résultat	Part de march
Elantra	2307	3428	+ 22.8%	3.8 %

PRINCIPAUX MODÈLES CONCURRENTS

CHEVROLET Cavalier , DODGE-PLYMOUTH Colt, EAGLE Summit, FOR Escort, HONDA Civic 4p, MAZDA Protegé, NISSAN Sentra, PONTI Sunfire, SATURN SL1/SL2, SUBARU Impreza, TOYOTA Corolla, VW Jet

ÉQUIPEMENT

HYUNDAI Elantra	GL	GLS
Moteur 1.8L Alpha	O	S
Boîte automatique:	-	O
Régulateur de vitesse:	O	O
Direction assistée:	O	S
Freins ABS:	O	O
Climatiseur:	-	S
Coussin gonflable:	-	O
Garnitures en cuir:	-	-
Radio MA/MF/ K7:	S	S
Serrures électriques:	-	O
Lève-vitres électriques:	-	S
Volant ajustable:	-	S
Rétroviseurs ext. ajustables:	-	S
Essuie-glace intermittent:	S	S
Jantes en alliage léger:	-	O
Toit ouvrant:	-	O
Système antivol:	-	-

S : standard; O : optionnel; - : non disponible

COULEURS DISPONIBLES

Extérieur: Argent, Gris, Vert, Rouge, Bleu, Blanc, Noir, Bouton de rose, Perle satinée, Bleu marine.
Intérieur: Gris foncé, Rouge cabernet.

ENTRETIEN

Première révision: 6 000 km
Fréquence: 3 mois/6 000 km
Prise de diagnostic: Non

QUOI DE NEUF EN 1995 ?

- **Amélioration du dispositif antipollution.**
- **Retrait de tous joints et isolation à base d'amiante.**
- **Nouvelle couleur de carrosserie : bleu marine.**

Modèles/ versions *: de série	MOTEURS Type / distribution soupapes / carburation	Cylindrée cc	Puissance ch @ tr/mn	Couple lb.pi @ tr/mn	Rapport volumét.	TRANSMISSION Roues motrices / transmissions	Rapport de pont	PERFORMANCES Accélér. 0-100 km/h s	400 m D.A. s	1000 m D.A. s	Freinage 100-0 km/h m	Vites. maxi. km/h	Accélér. latérale G	Niveau sonore dBA	Consommation l.100km Ville	Consommation l.100km Route	Carbura Octane
GL	L4*1.6 DACT-12-IEPM	1595	113 @ 6000	102 @ 5000	9.2 :1	avant - M5*	ND	12.5	18.5	35.5	45	165	0.78	68	10.7	7.5	R 8
GLS	L4* 1.8 DACT-12-IEPM	1836	124 @ 6000	116 @ 4500	9.2 :1	avant - M5*	ND	9.5	16.4	30.8	43	175	0.80	67	11.0	7.7	R
GL/GLS	L4 1.8 DACT-12-IEPM	1836	124 @ 6000	116 @ 4500	9.2 :1	avant - A4	ND	10.8	17.0	32.0	42	170	0.80	67	10.4	7.6	R 8

t assistée en série sur les GLS.
moteur Alpha est un propulur moderne à double arbre à mes en tête et 12 soupapes té d'un arbre d'équilibrage laal neutralisant une bonne par- des vibrations propres à ce e de moteur.

Qualité & finition: 60%
a présentation est austère, les stements sont plus rigoureux la finition de quelques détails s soignée. Toutefois l'appace de certains matériaux fait core bon marché.

Direction: 60%
e manque de précision car elle t floue au centre, toutefois son sistance est bien dosée et sa multiplication normale. La mabilité reste perfectible car le amètre de braquage est grand un effet de couple se fait sentir s des fortes accélérations.

Niveau sonore: 50%
demeure au-dessus de la oyenne par manque de matéux insonorisants en quantité ffisante et les bruits de roulement de vent et de moteur s'en nnent à cœur joie.

Habitabilité: 50%
La cabine permet à quatre adultes de s'y installer à l'aise, les dégagements étant bien calculés dans tous les sens mais surtout en hauteur.

• Coffre: 50%
S'il manque un peu de hauteur, son volume est suffisant et il peut être agrandi par l'escamotage du dossier de la banquette mais son ouverture reste étroite.

• Performances: 50%
Timides avec le moteur de base elles sont plus intéressantes avec le moteur Alpha dont le couple et la puissance supérieurs rendent la conduite plus amusante, même avec la boîte automatique dont les accélérations et les reprises sont franches et permettent des dépassements rapides.

• Comportement: 50%
Les suspensions indépendantes permettent une tenue de route satisfaisante dans la plupart des circonstances à condition que les pneumatiques soient de qualité. Si l'on pousse un peu en virage on découvre rapidement les limites des suspension simplistes de l'Elantra qui sous-vire rapidement. Sur chaussée humide, la prudence sera de rigueur car il est facile de perdre le contrôle. En virage fermé, la motricité est souvent prise en défaut malgré le travail intensif des pneus, et les trajectoires deviennent floues dès que le revêtement se détériore.

• Commodités: 50%
Les rangements sont plus pratiques dans la GLS que dans la GL qui doit se contenter d'une boîte à gants de taille raisonnable.

POINTS FAIBLES

• Assurance: 30%
Comme la plupart des voitures dont la valeur est incertaine, la prime des Hyundai est un peu élevée que celle des autres compactes.

• Dépréciation: 40%
L'Elantra perd plus rapidement de sa valeur que la moyenne des autres compactes, et la GL plus que la GLS.

• Freinage: 40%
Son efficacité est aussi irrégulière que sa stabilité lorsqu'il est dépourvu des 4 disques et de l'ABS en option sur la GLS. Sinon, les roues avant bloquent rapidement lors des arrêts d'urgence, et les distances peuvent varier du simple au double selon le degré d'échauffement des garnitures.

CONCLUSION

• Moyenne générale: 60.0 %
Parmi les compactes, l'Elantra GLS constitue un choix valable par son rapport prix-équipement et son usage agréable.

SUGGESTIONS DES PROPRIÉTAIRES

- Coussins et ABS en série.
- Supprimer le moteur 1.6L.
-Peinture et accessoires de meilleure qualité.
-Moins de bruits de carrosserie.
-Moins d'options.

CARACTÉRISTIQUES & PRIX

dèles	Versions	Carrosseries/ Sièges	Volume cabine l.	Volume coffre l.	Cx	Empat. mm	Long x larg x haut. mm x mm x mm	Poids à vide kg	Capacité Remorq. max. kg	Susp. av/ar	Freins av/ar	Direction type	Diamètre braquage m	Tours volant b à b.	Réser. essence l.	Pneus d'origine	Mécaniques d'origine	PRIX $ CDN. 1994
YUNDAI		Garantie générale: 3 ans / 60 000 km; mécanique: 5 ans / 100 000 km;corrosion perforation: 5 ans; antipollution: 5 ans / 60 000 km.																
antra	GL	ber. 4 p.4/5	2549	339	0.34	2500	4388x1686x1385	1122	454	i/i	d/t	crém.	11.0	3.0	52.0	175/65R14	L4/1.6/M5	**12 295**
antra	GLS	ber. 4 p.4/5	2549	339	0.34	2500	4388x1686x1385	1163	454	i/i	d/t	crém.ass.	11.0	3.0	52.0	185/60HR14	L4/1.8/M5	**14 195**
antra	GLS	ber. 4 p.4/5	2549	339	0.34	2500	4388x1686x1385	1186	454	i/i	d/t/ABS	crém.ass.	11.0	3.0	52.0	185/65HR14	L4/1.8/A4	**14 545**

Voir la liste complète des prix 1995 à partir de la page 393.

En sursis...

Le Scoupe en est à sa dernière année sous sa forme actuelle, car son remplaçant a déjà montré bout de son nez. On aurait pensé qu'avec son allure sympathique et son prix alléchant, il aura connu un meilleur succès. Il faut dire que l'image de Hyundai n'est pas encore lavée des ombr du passé.

Le coupé Scoupe, dérivé de l'ancienne Excel, s'adresse une clientèle jeune n'ayant pas les préjugés de ses aînés et prête s'emballer pour son premier bolide sportif neuf, pas cher et bien garanti. Le Scoupe est offert en trois versions, de base, LS et Turbo, équipées du moteur 4 cylindres 1.5L Alpha, en version atmosphérique ou turbocompressée avec boîte manuelle à 5 rapports en série et automatique en option sauf sur la Turbo.

POINTS FORTS

• Consommation: 85%
Normale pour un moteur de cette cylindrée, elle constitue l'un des principaux attraits de ce véhicule.

• Prix/équipement: 80%
Abordables à l'achat et peu coûteux à entretenir (du moins dans les limites de la garantie), ces modèles offrent assez pour leur prix, mais si l'équipement des LS et Turbo est relativement complet, il manque dans tous les cas un essuie-lave-glace de custode.

• Satisfaction: 75%
Elle est à la hausse comme la fiabilité, ce qui devrait encourager le constructeur coréen...

• Poste de conduite: 70%
Le conducteur est bien installé surtout dans les versions bénéficiant d'une colonne de direction ajustable. La visibilité est excellente, même vers l'arrière lorsque l'aileron est installé sur le couvercle du coffre. Le tableau de bord est simple et fonctionnel avec juste ce qu'il faut d'instruments et des commandes faciles à utiliser, excepté l'interrupteur de la surmultipliée mal placé sur le pommeau du sélecteur de la boîte automatique dont le fonctionnement est capricieux, et celles des vitres électriques qui sont introuvables la nuit.

• Suspension: 70%
Sa souplesse lui permet de mieux absorber les défauts de la route sur le modèle de base et le LS que sur le Turbo plus rigide et dont le

DONNÉES

Catégorie: coupés sportifs sous-compacts tractés.
Classe : S3

HISTORIQUE

Inauguré en: 1991
Modifié en: 1992: moteur turbo.
Fabriqué à: Ulsan, Corée du sud.

INDICES

Sécurité: 70 %
Satisfaction: 75 %
Dépréciation: 57 %
Assurance: base: 7.8 % (864 $) turbo: 7.9 % (1 090 $)
Prix de revient au km: 0.42 $

NOMBRE DE CONCESSIONNAIRES

Au Québec: 49

VENTES AU QUÉBEC

Modèle	1992	1993	Résultat	Part de march
Scoupe	ND			

PRINCIPAUX MODÈLES CONCURRENTS

CHEVROLET Cavalier, FORD Escort GT, GEO Metro GSi, HONDA Civic & Del Sol, MAZDA MX3, PONTIAC Sunfire, SATURN SC1, SUZUKI Swift G TOYOTA Paseo.

ÉQUIPEMENT

HYUNDAI Scoupe	base	LS	Turbo
Boîte automatique:	O	O	O
Régulateur de vitesse:	-	-	-
Direction assistée:	-	S	S
Freins ABS:	-	S	S
Climatiseur:	-	-	O
Coussin gonflable:	-	O	O
Garnitures en cuir:	S	S	S
Radio MA/MF/ K7:	-	O	S
Serrures électriques:	-	O	O
Lève-vitres électriques:	-	S	S
Volant ajustable:	-	O	S
Rétroviseurs ext. ajustables:	S	S	S
Essuie-glace intermittent:	-	S	S
Jantes en alliage léger:	-	-	S
Toit ouvrant:	-	-	O
Système antivol:	-	-	-

S : standard; O : optionnel; - : non disponible

COULEURS DISPONIBLES

Extérieur: Argent, Gris, Bleu, Vert, Blanc, Noir, Rouge, Fuschia, Bleu,Jaun
Intérieur: Gris foncé, Bleu marine.

ENTRETIEN

Première révision: 6 000 km
Fréquence: 3 mois/6 000 km
Prise de diagnostic: Non

QUOI DE NEUF EN 1995 ?

- Améliorations du moteur Alpha au niveau de la distribution et l'allumage, visant à le rendre plus silencieux et plus fiable.
- Amélioration de la transmission, dont le nouveau contrôleur électro que adapte les changements de rapport au style de conduite et nouveau mécanisme améliore la douceur du passage de Drive à Neutr à Reverse.

Modèles/ versions *: de série	MOTEURS Type / distribution soupapes / carburation	Cylindrée cc	Puissance ch @ tr/mn	Couple lb.pi @ tr/mn	Rapport volumét.	TRANSMISSION Roues motrices / transmissions	Rapport de pont	PERFORMANCES Accélér. 0-100 km/h s	400 m D.A. s	1000 m D.A. s	Freinage 100-0 km/h m	Vites. maxi. km/h	Accélér. latérale G	Niveau sonore dBA	Consommation l.100km Ville	Consommation l.100km Route	Carbur Octane
base-LS	L4* 1.5 SACT-12 IEPM	1495	92 @ 5500	97 @ 4000	10.0 :1	avant - M5*	4.32	11.5	18.0	33.7	45	165	0.78	66	8.5	5.8	R 8
						avant - A4	4.37	12.3	19.3	35.0	42	160	0.78	66	9.4	5.9	R 8
Turbo	L4* 1.5T SACT-12 IEPM	1495	115 @ 5500	123 @ 4500	7.5 :1	avant - M5*	4.32	8.5	16.0	28.4	44	200	0.84	67	9.0	6.5	R 8

›battement des roues est limité.
›écurité: 60%
ı structure du Scoupe devrait ›re rigidifiée selon les normes ›tuelles et des coussins gonfla›es devraient être installés en ›rie à l'avant afin qu'il puisse ›ieux figurer à ce chapitre.
›ccès: 60%
›'est pas aussi acrobatique vers ›s places arrière que sur cer›ins coupés concurrents, mais il › sera pas facile pour les per›nnes corpulentes ou de grande ›lle.
›ièges: 60%
›ls maintiennent bien, leur sou›n est insuffisant car leur rem›urrage est mince et leurs fixa›ns semblent fragiles.
›iveau sonore: 60%
›aisonnable avec le moteur de ›se, il est un peu plus élevé ›ec le Turbo, car les moteurs ›ondent lors des accélérations, ›s vitres sifflent quand la vites›s augmente et le hayon ré›nne sur certains revêtements.
›echnique: 60%
› Scoupe dérive de l'Excel dont ›reprend la plate-forme et les ›incipaux éléments mécaniques. ›epuis deux ans il dispose du moteur baptisé Alpha en version atmosphérique (de base) ou Turbo qui équipe le Scoupe LS. Agréables, les lignes du Scoupe ne battent aucun record au niveau aérodynamique puisque son cœfficient varie entre 0.35 et 0.36. Sa coque autoporteuse en acier possède des suspensions indépendantes de type McPherson à l'avant et à essieu oscillant à l'arrière. Le freinage est mixte, même sur le Scoupe LS Turbo et l'ABS n'est standard que sur les LS et Turbo.

• Qualité & finition: 60%
La présentation intérieure n'est pas des plus attrayantes mais sa finition est honnête bien que certains matériaux et accessoires fassent très bon marché.

• Direction: 60%
Elle est plus précise, mieux démultipliée et bien dosée lorsqu'elle est assistée plutôt que manuelle. Pourtant elle est aussi sensible aux forts effets de couple du moteur turbo et a tendance à s'alléger avec la vitesse.

• Performances: 50%
Elles sont plus vivantes, grâce aux rapports courts et rapprochés de la boîte manuelle, mais il manque quelques chevaux au moteur de base pour faire de même avec la transmission automatique. Les accélérations et les reprises du moteur Turbo sont nettement plus musclées et à la limite, on pourrait dire que la puissance arrive «tout en paquet» et que le châssis a du mal à suivre.

• Comportement: 50%
Satisfaisant sur bon revêtement, il laisse à désirer sur route détériorée où les pneus trop étroits ne gardent pas un contact parfait avec la route du fait des pertes de motricité dues au train avant simpliste.
La mollesse de la suspension provoque des mouvements de caisse qui amplifient le roulis et accélèrent le sous-virage. La suspension un peu plus rigide du Turbo est plus efficace, mais il faut une certaine maîtrise pour exploiter au mieux la puissance disponible car sur mauvais revêtement, certaines réactions des roues motrices touchent à la schizophrénie...

• Commodités: 50%
Les rangements sont plus nombreux sur les LS et Turbo que sur le modèle de base.

POINTS FAIBLES

• Habitabilité: 30%
Convenable aux places avant, elle l'est moins à l'arrière où il reste peu d'espace pour les jambes lorsque les sièges avant sont reculés loin, et où la hauteur est limitée par la forme du toit.

• Coffre: 30%
Son volume n'est pas très vaste lorsque les places arrière sont occupées, mais il peut être agrandi en basculant le dossier de la banquette. Toutefois, la manutention des bagages est compliquée par la hauteur de son seuil et son ouverture étroite.

• Assurance: 30%
Les assureurs se méfient déjà des Hyundai, alors si de surcroît elle est sportive, la prime grimpe de manière inconsidérée...

• Dépréciation: 40%
Le Scoupe perd un peu moins de valeur que l'Excel, mais plus que la moyenne de sa catégorie.

• Freinage: 40%
Il reste le problème majeur, car malgré un dosage progressif, il manque terriblement d'efficacité, d'équilibre et d'endurance en situations d'urgence. Il est difficile d'admettre que le Turbo, qui peut atteindre une vitesse de 200 km à l'heure, ne soit pas équipé en série de quatre disques.

CONCLUSION

• Moyenne générale: 56.0 %
Malgré certaines réserves, le Scoupe fera un meilleur premier coupé sportif que n'importe quel véhicule d'occasion, ne serait-ce qu'au niveau de la garantie qui permettra d'épargner un jeune budget. 😐

SUGGESTIONS DES PROPRIÉTAIRES

- Peinture de meilleure qualité.
- Des pneus plus performants.
- Freinage/chauffage efficaces.
- Une meilleure insonorisation.
- Moins de bruits de carrosserie.
- Vitres moins sifflantes.
- Des sièges mieux rembourrés.

CARACTÉRISTIQUES & PRIX

›dèles	Versions	Carrosseries/ Sièges	Volume cabine l.	Volume coffre l.	Cx	Empat. mm	Long x larg x haut. mm x mm x mm	Poids à vide kg	Capacité Remorq. max. kg	Susp. av/ar	Freins av/ar	Direction type	Diamètre braquage m	Tours volant b à b.	Réser. essence l.	Pneus d'origine	Mécaniques d'origine	PRIX $ CDN. 1994
YUNDAI		**Garantie générale: 3 ans / 60 000 km;mécanique: 5 ans / 100 000 km; corrosion perforation: 5 ans / kilométrage illimité.**																
coupe	base	cpé. 2 p.4	2265	255	0.35	2383	4213x1626x1269	961	454	i/i	d/t	crém.	9.8	2.75	45.0	175/70R13	L4/1.5/M5	**11 595**
coupe	LS	cpé. 2 p.4	2265	255	0.35	2383	4213x1626x1269	982	454	i/i	d/t	crém.ass.	9.8	2.75	45.0	185/60R14	L4/1.5/M5	**12 995**
coupe	LS Turbo	cpé. 2 p.4	2265	255	0.36	2383	4213x1626x1269	1106	454	i/i	d/t	crém.ass.	9.8	2.75	45.0	185/60R14	L4T/1.5/M5	**13 995**

Voir la liste complète des prix 1995 à partir de la page 393.

La Camry coréenne...

Renouvelée début 94, sous une forme et avec un contenu quasi identiques, la Sonata s'apparent à des modèles nettement plus coûteux. Pourtant son succès reste mitigé car les clients se méfier des trop bonnes aubaines. Côté technique, sa remise à niveau ne lui donne que plus de valeur.

La Sonata est le second plus gros vendeur, après l'Elantra. Il s'agit pour Hyundai d'offrir une voiture très habitable, assez bien équipée (GLS) au prix d'un modèle de la catégorie inférieure. Redéfinie fin 94, il s'agit d'une berline 3 volumes à 4 portes offerte en versions GL, GLS. Le moteur de base de la GL est un 4 cylindres de 2.0L couplé à une transmission manuelle alors qu'en option on peut disposer du V6 de 3.0L et de la boîte automatique qui équipe la GLS en série.

POINTS FORTS

• Sécurité: 80%
La coque est suffisamment rigide pour respecter les normes de résistance aux collisions et les portes contiennent des renforts pour parer aux chocs latéraux. Toutefois seuls les occupants de la GLS sont protégés par deux coussins gonflables aux places avant qui sont offerts en option sur la GL alors que les 4 disques de frein et l'ABS sont optionnels sur les deux versions.

• Accès: 80%
La longueur des portes, comme leur angle d'ouverture, permet de s'installer à l'avant et à l'arrière sans aucune difficulté.

• Satisfaction: 75%
Les propriétaires très satisfaits sont nombreux car l'application intelligente de la garantie permet d'aplanir les petits problèmes.

• Prix/équipement: 70%
La Sonata GL est l'une des moins chères de sa catégorie tout en étant convenablement équipée puisque les seules options de la GLS sont le climatiseur, l'ABS, le toit ouvrant et le lecteur de DC.

• Habitabilité: 70%
Après le prix, c'est le principal attrait des Sonata, car ses dimensions intérieures sont celles d'une intermédiaire et cinq personnes peuvent y prendre place sans difficulté, l'espace pour les jambes et la tête étant généreux aux places arrière.

• Technique: 70%
La carrosserie monocoque en acier offre des formes simples (dues à Giugiaro, et dont quelques concurrentes se sont inspirées depuis) mais efficaces, puisque son cœfficient de pénétration dans l'air se maintient à 0.32. Les suspensions, indépendantes aux quatre roues, ont été redessinées dans le but d'assurer une meilleure stabilité. La direction est assistée en série et le freinage mixte sur toutes les versions. Le moteur 4 cylindres de 2.0L à DACT et 16 soupapes et le V6 ont gagné en puissance et en couple.

• Qualité & finition: 70%
En constante amélioration, elles n'atteignent pas encore le niveau des japonaises car les tissus, les plastiques et certains accessoires font encore un peu bon marché.

• Assurance: 70%
La Sonata est aussi pénalisée que les autres Hyundai sur ce point, mais heureusement, son prix maintient le montant de la prime dans des limites raisonnables.

• Poste de conduite: 70%
Grâce aux ajustements du siège et de la colonne de direction il est facile de trouver la position la plus confortable, et le conducteur sera

DONNÉES

Catégorie: berlines intermédiaires tractées.
Classe : 5

HISTORIQUE

Inauguré en: 1989
Modifié en: 1990: V6 3.0L; 1992: 2.0L; 1994: renouvelée.
Fabriqué à: Ulsan, Corée du Sud

INDICES

Sécurité: 90 %
Satisfaction: 75 %
Dépréciation: 62 % (V6:65%)
Assurance: 6.0 % (864 $)
Prix de revient au km: 0.45 $

NOMBRE DE CONCESSIONNAIRES

Au Québec: 49

VENTES AU QUÉBEC

Modèle	1992	1993	Résultat	Part de march
Sonata	2794	2615	- 6.5%	7.3 %

PRINCIPAUX MODÈLES CONCURRENTS

BUICK Skylark, CHEVROLET Corsica, CHRYSLER Cirrus, DODGE Stratu FORD Contour-Taurus, HONDA Accord, MAZDA 626, MERCURY Mystiqu Sable, NISSAN Altima, OLDSMOBILE Achieva, PONTIAC, Grand Am, SU BARU Legacy, TOYOTA Camry, VOLKSWAGEN Passat.

ÉQUIPEMENT

HYUNDAI Sonata	GL	GLS
Boîte automatique:	O	S
Régulateur de vitesse:	O	S
Direction assistée:	S	S
Freins ABS:	O	O
Climatiseur:	O	O
Coussins gonflables (2):	O	S
Garnitures en cuir:	-	-
Radio MA/MF/ K7:	S	S
Serrures électriques:	O	S
Lève-vitres électriques:	O	S
Volant ajustable:	S	S
Rétroviseurs ext. ajustables:	O	S
Essuie-glace intermittent:	S	S
Jantes en alliage léger:	O	O
Toit ouvrant:	O	O
Système antivol:	O	O

S : standard; O : optionnel; - : non disponible

COULEURS DISPONIBLES

Extérieur: Bois de Santal, Titane, Bleu Marine, Gris, Vert, Rouge, Blanc, Noi
Intérieur: Gris foncé, Beige.

ENTRETIEN

Première révision: 6 000 km
Fréquence: 3 mois/6 000 km
Prise de diagnostic: Non

QUOI DE NEUF EN 1995 ?

- **Meilleure insonorisation générale.**
- **Rigidité améliorée par la pose de nombreux renforts.**
- **Dossier de banquette arrière repliable selon le rapport 60/40.**

	MOTEURS					TRANSMISSION		PERFORMANCES									
Modèles/ versions *: de série	Type / distribution soupapes / carburation	Cylindrée cc	Puissance ch @ tr/mn	Couple lb.pi @ tr/mn	Rapport volumét.	Roues motrices / transmissions	Rapport de pont	Accélér. 0-100 km/h s	400 m D.A. s	1000 m D.A. s	Freinage 100-0 km/h m	Vites. maxi. km/h	Accélér. latérale G	Niveau sonore dBA	Consommation l.100km Ville	Route	Carbura Octane
base	L4* 2.0 DACT-16-IEPM	1997	137 @ 5800	129 @ 4000	9.0 :1	avant - M5*	4.322	11.0	17.4	31.2	52	190	0.78	68	10.8	7.5	R 87
						avant - A4	4.007	12.8	19.0	33.5	43	185	0.78	68	10.8	7.5	R 87
GLS V6	V6* 3.0 SACT-12-IEPM	2972	142 @ 5000	168 @ 2500	8.9 :1	avant - A4*	3.958	10.0	17.5	30.7	46	200	0.78	67	12.9	8.8	R 87

ıssi bien maintenu que soutenu : le rembourrage a gagné en ɔnsistance. La visibilité est ex-ɔllente sous tous les angles et s instruments aussi nombreux ɹe lisibles. Pourtant certains in-ırrupteurs placés sur le tableau ɜ bord ne sont pas faciles à :teindre.

Suspension: 70%
llle est suffisamment souple pour ·ocurer un confort décent dans mesure où le revêtement est ɜau, sinon elle réagit plutôt sé-ıement dès que les choses se âtent.

Consommation: 60%
lle est réaliste pour une voiture ɜ ce format mais le 4 cylindres ı montre nettement plus éco-ɔmique que le V6.

Commodités: 60%
ɜs rangements sont pratiques ır de bonne taille et bien distri-ıés dans la cabine.

Performances: 60%
lles sont très honnêtes car le

ɔids de ces modèles demeure ıisonnable. Le moteur de 2.0L ıit à la fois preuve de puissance haut régime et de souplesse à asse révolution. Toutefois la ansmission automatique va ıieux au V6 dont la puissance et couple sont plus confortables.

Comportement: 60%
'est le point qui a le plus évolué : car on peut dire que malgré le ɔulis dû à l'amplitude de la sus-ɜnsion, les mouvements de la ɜrrosserie sont mieux contrôlés que l'amortissement qui est plus consistant et le débattement des roues plus généreux absorbent mieux les inégalités que sur le modèle précédent. Il reste encore à faire cependant pour améliorer la motricité en virage serré.

• Sièges: 60%
Aussi bien dimensionnés que galbés, leurs formes sont généreuses et leur rembourrage s'est amélioré.

• Direction: 60%
Douce et rapide, son assistance a été améliorée pour donner plus de précision et de reversibilité. Normalement démultipliée, elle procure une bonne maniabilité grâce à son diamètre de braquage favorable compte tenu de son gabarit.

• Coffre: 50%
Son volume n'est pas proportionnel à la taille de la Sonata, mais il peut être agrandi en abaissant le dossier de la banquette divisé 60/40.

• Niveau sonore: 50%
S'il demeure acceptable à vitesse de croisière, il est régulièrement alimenté par les bruits de vent, de roulement, de mécanique et parfois de carrosserie.

POINTS FAIBLES

• Dépréciation: 35%
Nettement plus forte que celle des voitures japonaises, elle est toutefois comparable à celle de certaines bonnes voitures de fabrication américaine.

• Freinage: 40%
Facile à moduler lors des ralentissements ordinaires, il se montre irrégulier en situation d'urgence, car les roues avant bloquent rapidement, les distances d'arrêt sont longues et l'endurance moyenne, ce qui incite à fortement recommander les 4 disques et l'ABS offerts en option.

CONCLUSION

• Moyenne générale: 63.0 %
La Sonata continue d'offrir un excellent rapport prix-format-équipement, mais il faut s'attendre à quelques déboires au moment de la revente, car la réputation de Hyundai n'est pas encore solidement établie. 😐

SUGGESTIONS DES PROPRIÉTAIRES

-Transmission manuelle et pompe à essence plus fiables.
-Des garnitures de freins plus résistantes.
-Un désembuage plus efficace en hiver.
-Une radio de meilleure qualité.
-Un lave-glace plus efficace.
-Jauge à huile plus lisible.
-Meilleur ajustement siège et ceinture du conducteur.
-Essuie-glace moins bruyants.

CARACTÉRISTIQUES & PRIX

ıodèles	Versions	Carrosseries/ Sièges	Volume cabine l.	Volume coffre l.	Cx	Empat. mm	Long x larg x haut. mm x mm x mm	Poids à vide kg	Capacité Remorq. max. kg	Susp. av/ar	Freins av/ar	Direction type	Diamètre braquage m	Tours volant b à b.	Réser. essence l.	Pneus d'origine	Mécaniques d'origine	PRIX $ CDN. 1994
ıYUNDAI		**Garantie générale: 3 ans / 60 000 km; mécanique: 5 ans / 100 000 km;perforation corrosion: 5 ans / kilométrage illimité.**																
;onata	GL	ber. 4 p.5	2868	373	0.32	2700	4700x1770x1405	1256	454	i/i	d/t	crém.ass.	10.54	3.1	65.0	195/70R14	L4/2.0/M5	**13 645**
:onata	GL V6	ber. 4 p.5	2868	373	0.32	2700	4700x1770x1405	1325	454	i/i	d/d	crém.ass.	10.54	3.1	65.0	195/70R14	V6/3.0/A4	**15 495**
·onata	GLS	ber. 4 p.5	2868	373	0.32	2700	4700x1770x1405	1279	454	i/i	d/t	crém.ass.	10.54	3.1	65.0	195/70R14	L4/2.0/A4	**16 895**
·onata	GLS V6	ber. 4 p.5	2868	373	0.32	2700	4700x1770x1405	1348	454	i/i	d/d	crém.ass.	10.54	3.1	65.0	195/70R14	V6/3.0/A4	**17 595**

Voir la liste complète des prix 1995 à partir de la page 393.

Précurseur...

L'arrivée sur le marché de modèles à forte connotation européenne tels les Ford Contour/Mystiqu ou Cirrus/Stratus fait réaliser combien la G20 était en avance sur son temps avec son concept d compacte sportive-luxueuse. Désormais il est à craindre que les élèves dépassent le maître...

Depuis trois ans l'Infiniti G20 ne rencontre pas, de notre côté de l'Atlantique, le succès qu'elle mérite, car les Européens, pourtant difficiles en matière de compactes importées, lui ont réservé un accueil inhabituel. Il faut dire que la Primera n'y est pas vendue avec son attirail de voiture de luxe mais comme modèle populaire en plusieurs versions, allant jusqu'à une familiale inconnue ici. Pour 1995 la G20 reste proposée sous la forme d'une berline à quatre portes en finition de base ou t. Cette dernière dispose d'une suspension plus ferme, d'un aileron, de jantes et de pneus lui donnant un apparence et un comportement plus sportifs.

POINTS FORTS

• Sécurité: 90%
La carrosserie monocoque de la G20 offre une bonne résistance aux collisions, tandis que les dispositifs de retenue, comprenant entre autres deux coussins gonflables, protègent aussi bien le conducteur que les passagers.

• Satisfaction: 90%
Sa fiabilité n'a jamais posé de problèmes majeurs et le respect de la garantie, comme l'accueil des concessionnaires, a impressionné la plupart des propriétaires.

• Technique: 80%
Sa carrosserie monocoque en acier est caractérisée par des lignes somme toute banales, mais agréables et équilibrées, et surtout efficaces sur le plan aérodynamique avec un cœfficient de 0.30. L'unique moteur disponible est un 4 cylindres de 2.0L à double arbre à cames en tête développant 140 ch. Il est caractérisé par les huit contrepoids installés sur le vilebrequin ayant pour mission de réduire les vibrations.
La transmission manuelle à 5 vitesses est livrée en série tout comme le différentiel autobloquant fonctionnant par viscocouplage tandis que la boîte automatique est optionnelle. La suspension est indépendante

DONNÉES

Catégorie: berlines de luxe compactes tractées.
Classe : 7

HISTORIQUE

Inauguré en: 1991
Modifié en: 1994: version G20t
Fabriqué à: Tochigi,Japon.

INDICES

Sécurité: 90 %
Satisfaction: 90 %
Dépréciation: 58 %
Assurance: 4.6 % (1 200 $)
Prix de revient au km: 0.62 $

NOMBRE DE CONCESSIONNAIRES

Au Québec: 4

VENTES AU QUÉBEC

Modèle	1992	1993	Résultat	Part de march
G20	251	198	- 21.2 %	0.5 %

PRINCIPAUX MODÈLES CONCURRENTS

ACURA Integra, BMW 318i, HONDA Accord, MAZDA 626 Chronos, NISSA Altima, VW Jetta GLX.

ÉQUIPEMENT

INFINITI	G20	G20t
Boîte automatique:	O	O
Régulateur de vitesse:	S	S
Direction assistée:	S	S
Freins ABS:	S	S
Climatiseur:	S	S
Coussins gonflables (2):	S	S
Garnitures en cuir:	O	S
Radio MA/MF/ K7:	S	S
Serrures électriques:	S	S
Lève-vitres électriques:	S	S
Volant ajustable:	S	S
Rétroviseurs ext. ajustables:	S	S
Essuie-glace intermittent:	S	S
Jantes en alliage léger:	S	S
Toit ouvrant:	S	S
Système antivol:	S	S

S : standard; O : optionnel; - : non disponible

COULEURS DISPONIBLES

Extérieur: Beige, Blanc, Noir, Bleu, Cramoisi, Émeraude.
Intérieur: Tissu: Gris, Beige. Cuir: Beige, Noir.

ENTRETIEN

Première révision: 12 000 km
Fréquence: 6 mois/12 000 km
Prise de diagnostic: Oui

QUOI DE NEUF EN 1995 ?

- Nouveau modèle G20t

MOTEURS						TRANSMISSION		PERFORMANCES										
Modèles/ versions *: de série	Type / distribution soupapes / carburation	Cylindrée cc	Puissance ch @ tr/mn	Couple lb.pi @ tr/mn	Rapport volumét.	Roues motrices / transmissions	Rapport de pont	Accélér. 0-100 km/h s	400 m D.A. s	1000 m D.A. s	Freinage 100-0 km/h m	Vites. maxi. km/h	Accélér. latérale G	Niveau sonore dBA	Consommation l.100km Ville	Consommation l.100km Route	Carbura Octane
G20	L4* 2.0 DACT-16-ISPM	1998	140 @ 6400	132 @ 4800	9.5 :1	avant - M5*	4.058	9.0	16.8	29.4	42	205	0.81	68	10.0	6.8	R 8
						avant - A4	4.072	9.8	17.4	30.2	44	200	0.81	68	10.9	7.7	R 8
G20	L4* 2.0 DACT-16-!SPM	1998	140 @ 6400	132 @ 4800	9.5 :1	avant - M5	4.058	9.0	16.8	29.4	43	205	0.81	68	10.0	6.8	R 8
						avant - A4	4.072	9.7	17.3	30.2	46	200	0.81	68	11.0	7.7	R 8

t le freinage à disque sur les ɹatre roues assisté par un disɔsitif antiblocage.

Direction: 80%
a précision, son dosage, sa radité et la bonne prise de la jante u volant sont appréciables, mais faut déplorer que la maniabilité e soit que moyenne, car le diaıètre de braquage est un peu rand.

Qualité & finition: 80%
intérieur de la G20 est présenté e manière luxueuse et attrayante vec ses garnitures en cuir de ɔuleurs contrastées et ses apiques de bois de bon goût. La ɹalité des matériaux et le soin ɔporté à l'assemblage comme à finition sont évidents.

Poste de conduite: 80%
e conducteur est parfaitement stallé grâce aux ajustements ɔnjugués du siège et de la coınne de direction. La visibilité st excellente sous tous les anes, même vers l'arrière où l'aileɔn n'obstrue pas la vaste lunette e plus, les commandes des insuments sont faciles à utiliser.

Sièges: 80%
s sont confortables malgré une ertaine fermeté, le galbe de leur ɔssier maintenant efficacement le dos et le soutien lombaire étant bon, mais les garnitures de cuir sont glissantes...

• Suspension: 80%
Sa consistance favorise le comportement sans toutefois pénaliser le confort, car le débattement des roues leur permet d'absorber les défauts de la route sans rudesse excessive.

• La consommation: 80%
Elle n'est pas ruineuse puisqu'elle se maintient autour de 10 litres aux 100 km, ce qui permet une autonomie d'environ 600 km sur la capacité du réservoir.

• Assurance: 80%
Compte tenu de son luxe et de ses possibilités sportives, la prime de la G20 est raisonnable.

• Commodités: 70%
Si la boîte à gants n'est pas très grande, elle est complétée par des vide-poches de portes et de dossiers de sièges avant.

• Accès: 70%
S'installer dans la G20 ne pose aucun problème, car les portes sont bien dimensionnées et leur angle d'ouverture suffisant.

• Comportement: 70%
La G20 manuelle est très amusante à conduire sur parcours sinueux, car elle y est plus agile et précise à guider que nombre de coupés dits sportifs. Sa tenue en virage reste neutre la plupart du temps. Sur chaussée glissante, ou en virage très fermé, la motricité est optimale, grâce à l'équipement pneumatique bien calibré et à son différentiel autobloquant. La suspension plus ferme de la version t permet de diminuer encore le roulis.

• Performances: 60%
L'augmentation du poids défavorise le rapport poids/puissance qui est devenu très moyen (9.5 kg/ch), et si les accélérations et les reprises semblent plus toniques avec la boîte manuelle qu'avec l'automatique, c'est une question d'échelonnement des rapports. La conduite n'en est pas moins agréable, car le moteur est aussi puissant à haut régime que souple dans les basses révolutions, mais un V6 de 2.5L ne serait pas de trop pour faire face à la musique.

• Coffre: 60%
Aussi logeable qu'accessible, ses formes sont régulières et la découpe de son couvercle qui s'ouvre largement facilite la manipulation des bagages.

• Habitabilité: 50%
En dépit de son format compact, la cabine peut accueillir quatre adultes qui disposent de suffisamment d'espace tant pour la tête que pour les jambes même aux places arrière.

• Niveau sonore: 50%
Bas à vitesse constante grâce à une bonne insonorisation, il s'élève dès que l'on sollicite le moteur et les bruits de vent et de roulement augmentent avec la vitesse.

POINTS FAIBLES

• Freinage: 40%
Progressif lors des ralentissements courants, il est très stable lors des arrêts d'urgence, mais les distances sont relativement longues parce que les garnitures manquent de mordant.

• Prix/équipement: 40%
La force du Yen amène le prix de ce modèle dans la zone des 30000 $ où le choix ne manque pas. Son équipement est complet et il ne lui manque que des sièges chauffants

• Dépréciation: 40%
L'anonymat de ce modèle lui joue un mauvais tour, puisque sa valeur de revente est moins forte que celle de ses concurrentes et qu'il n'est pas toujours facile de trouver un amateur éclairé comme second acheteur.

CONCLUSION

• Moyenne générale: 68.5 %
Bien qu'elle soit aussi agréable à regarder qu'à conduire, la G20 a vieilli. Sa ligne, ses aménagements et ses performances datent déjà de la génération précédente. C'est fou comme le temps passe vite... ☺

SUGGESTIONS DES PROPRIÉTAIRES

- **-Des sièges avant chauffants.**
- **-Plus de concessionnaires.**
- **-Moteur Turbo ou V6.**
- **-Une suspension ajustable.**
- **-Une insonorisation plus efficace.**
- **-Une ligne plus moderne.**

CARACTÉRISTIQUES & PRIX

odèles	Versions	Carrosseries/ Sièges	Volume cabine l.	Volume coffre l.	Cx	Empat. mm	Long x larg x haut. mm x mm x mm	Poids à vide kg	Capacité Remorq. max. kg	Susp. av/ar	Freins av/ar	Direction type	Diamètre braquage m	Tours volant b à b.	Réser. essence l.	Pneus d'origine	Mécaniques d'origine	PRIX $ CDN. 1994
IFINITI		Garantie: générale 4 ans / 100 000 km; mécanique et antipollution: 6 ans / 160 000 km; corrosion perforation: 7 ans / kilométrage illimité .																
20	base	ber. 4 p. 5	2532	402	0.30	2550	4440x1694x1389	1312	454	i/i	d/d/ABS	crém.ass.	10.8	2.6	60	195/60HR14	L4/2.0/M5	**26 440**
20	base	ber. 4 p. 5	2532	402	0.30	2550	4440x1694x1389	1334	454	i/i	d/d/ABS	crém.ass.	10.8	2.6	60	195/60HR14	L4/2.0/A4	**27 440**
20	"t"	ber. 4 p. 5	2532	402	0.30	2550	4440x1694x1389	1340	454	i/i	d/d/ABS	crém.ass.	10.8	2.6	60	195/60HR14	L4/2.0/M5	**ND**
20	"t"	ber. 4 p. 5	2532	402	0.30	2550	4440x1694x1389	1362	454	i/i	d/d/ABS	crém.ass.	10.8	2.6	60	195/60HR14	L4/2.0/A4	**ND**

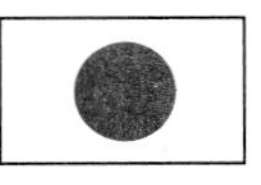

Excès de style...

La J30 attire surtout l'attention, par ses formes exacerbées, qui sont une apologie de la rondeur un culte au style bio qui a déjà fait long feu. Sinon, elle se pare de la même panoplie luxueuse qu bon nombre de ses congénères, et son choix n'est plus qu'une question de goût.

Les berlines de luxe représentent approximativement la moitié du parc automobile en nombre de modèles, mais elles sont loin de compter pour la moitié des ventes. Leur nombre explique les profits importants qu'ils génèrent tant pour les constructeurs que leurs concessionnaires et l'image qu'ils projettent sur des modèles plus discrets. L'Infiniti J30 tente d'attirer l'attention d'une certaine clientèle de gens à l'aise, à la retraite, circulant la plupart du temps à deux sans beaucoup de bagages... Elle est offerte sous la forme d'une berline à quatre portes en finitions de base J30 ou J30t pour touring identifiable par l'aileron placé sur le couvercle du coffre arrière, ses jantes BBS, sa suspension plus ferme et les roues arrière directrices selon le principe HICAS hérité, comme le reste de sa mécanique, de la 300 ZX.

POINTS FORTS

• Sécurité: 90%
La rigidité de la structure est excellente car elle a été renforcée en de nombreux points et la présence de deux coussins gonflables en série, de ceintures à trois points d'ancrage, dont celles situées à l'avant comportent un dispositif de pré-tension et des rembourrages visant à minimiser les blessures en cas de collision, confèrent à la J30 un haut niveau de sécurité.

• Qualité & finition: 90%
Les garnitures de cuir fin, les appliques de bois de rose et zebra verni, la qualité des matières plastiques et des tapis donnent à la J30 une présentation d'une classe digne des plus luxueuses qui rappelle par certains détails celle des Jaguar.

• Satisfaction: 90%
Les enquêtes de J.D. Power ont démontré que les voitures japonaises de luxe sont nettement moins capricieuses que leurs rivales européennes ou américaines.

• Poste de conduite: 80%
Le tableau de bord rationnel et ergonomique est très bien organisé. Tout est à sa place et efficace, à l'exception des interrupteurs commandant l'ouverture du coffre et de la trappe du réservoir de carburant situés sous l'accoudoir de la porte avant gauche. La meilleure position de conduite est facile à trouver en combinant les ajustements du siège et de la colonne de direction. La visibilité serait totale si le pilier C était moins épais et les rétroviseurs latéraux un peu plus grands.

• Technique: 80%
Identiques au niveau mécanique, les deux versions de la J30 sont équipées d'un moteur V6 développant 210 ch dérivé de celui de la 300 ZX à distribution variable, allumage direct et dispositif d'injection SOFIS optimisant la réponse à l'accélération. Le sélecteur à 7 positions de la transmission automatique à gestion électronique à 4 rapports peut fonctionner soit en mode manuel, soit en mode pleinement automatique et le différentiel à glissement limité est à couplage visqueux. La carrosserie monocoque en acier comporte des sous-châssis supportant les trains avant et arrière dans le but de filtrer les bruits et les vibrations. À l'avant la suspension est de type McPherson alors qu'à l'arrière elle est à bras multiples semblable à celle de la Q45.

DONNÉES

Catégorie: berlines de luxe propulsées.
Classe : 7

HISTORIQUE

Inauguré en: 1992
Modifié en: -
Fabriqué à: Tochigi, Japon.

INDICES

Sécurité:	90 %
Satisfaction:	91 %
Dépréciation:	40 % (2 ans)
Assurance:	3.8 % (1 545 $)
Prix de revient au km:	0.62 $

NOMBRE DE CONCESSIONNAIRES

Au Québec: 4

VENTES AU QUÉBEC

Modèle	1992	1993	Résultat	Part de march
J30	293	216	- 26.3 %	3.0 %

PRINCIPAUX MODÈLES CONCURRENTS

ACURA Legend, ALFA ROMÉO 164, AUDI 100 & A6, BMW série 5, LEXU ES300, LINCOLN Continental, MERCEDES-BENZ classe C, SAAB 900 VOLVO 960.

ÉQUIPEMENT

INFINITI	J30	J30t
Boîte automatique:	S	S
Régulateur de vitesse:	S	S
Direction assistée:	S	S
Freins ABS:	S	S
Climatiseur:	S	S
Coussins gonflables (2):	S	S
Garnitures en cuir:	S	S
Radio MA/MF/ K7:	S	S
Serrures électriques:	S	S
Lève-vitres électriques:	S	S
Volant ajustable:	S	S
Rétroviseurs ext. ajustables:	S	S
Essuie-glace intermittent:	S	S
Jantes en alliage léger:	-	S
Toit ouvrant:	-	-
Système antivol:	S	S

S : standard; O : optionnel; - : non disponible

COULEURS DISPONIBLES

Extérieur: Cramoisi, Bleu, Noir, Ivoire, Beige, Gris, Cristal argenté.
Intérieur: Gris, Beige, Noir, Blanc.

ENTRETIEN

Première révision: 12 000 km
Fréquence: 6 mois/12 000 km
Prise de diagnostic: Oui

QUOI DE NEUF EN 1995 ?

- Aucun changement majeur.

Modèles/ versions *: de série	MOTEURS Type / distribution soupapes / carburation	Cylindrée cc	Puissance ch @ tr/mn	Couple lb.pi @ tr/mn	Rapport volumét.	TRANSMISSION Roues motrices / transmissions	Rapport de pont	PERFORMANCES Accélér. 0-100 km/h s	400 m D.A. s	1000 m D.A. s	Freinage 100-0 km/h m	Vites. maxi. km/h	Accélér. latérale G	Niveau sonore dBA	Consommation l.100km Ville	Consommation l.100km Route	Carbura Octane
J30	V6* 3.0 ACT-24-IESPM	2960	210 @ 6400	193 @ 4800	10.5 :1	arrière - A4*	3.917	8.7	16.3	29.5	42	210	0.78	65	12.9	9.3	M 8
J30t	V6* 3.0 ACT-24-IESPM	2960	210 @ 6400	193 @ 4800	10.5 :1	arrière - A4*	3.917	8.7	16.3	29.5	42	210	0.80	65	12.9	9.3	M 8

;a ligne très arrondie attire l'at- ɜntion, mais sa valeur aérody- amique n'est que moyenne.

Assurance: 80%
a modestie de la prime d'assu- ɜnce, par rapport au prix de la 30, s'explique par le fait qu'elle 'adresse à une clientèle mûre et onservatrice qui ne ruine pas ɜs assureurs.

Sièges: 80%
ussi beaux qu'efficaces, ils pro- urent un excellent maintien laté- al ou soutien lombaire, toutefois ɜur rembourrage pourrait être n peu plus moelleux.

Suspension: 80%
ouce et onctueuse sur auto- oute, elle ne réagit pas trop bru- alement aux mauvais revête- ıents malgré le débattement li- ıité des suspensions et la diffé- ɜnce entre la J30 de base et la t st imperceptible.

Niveau sonore: 80%
'efficacité de l'insonorisation et ı discrétion de la mécanique le ıaintiennent très bas.

Commodités: 70%
a petite taille de la boîte à gants st compensée par la présence 'un coffret sur la console cen- ale, de vide-poches dans les ortières et de soufflets aux dos- ers des sièges avant.

Performances: 70%
elon le mode de fonctionnement e la transmission, elles peuvent tre sportives ou paisibles car le apport puissance/poids est fa- orable (8.3 kg/ch). Le fait de ouvoir sélectionner manuelle- ıent les rapports ajoute encore l'agrément de conduite, mais s résultats chiffrés situent la 30 dans la norme des moteurs 6 de 3.0L.

Comportement: 70%
a version t est plus agile en arcours sinueux, grâce à ses arres stabilisatrices plus rigides ui limitent le roulis affectant la ersion de base qui survire plus apidement. Le dispositif HICAS ɜndant les roues arrière directri- ɜs, améliore surtout la stabilité n virage ou lors des change- ıent de voie rapide à haute vi- sse.

Direction: 60%
récise et bien démultipliée, elle st très sensible car son assis-

INFINITI J30

INFINITI J30t

tance est trop forte et malgré un diamètre de braquage raisonnable la maniabilité laisse à désirer.

• Dépréciation: 50%
Les J30 comme les autres Infiniti perdent plus de valeur que la moyenne par le manque d'identité de la marque, et par le caractère excessif de son apparence qui ne plaît pas à tous.

• Consommation: 50%
Elle se situe dans la moyenne des V6 de 3.0L avec 13.0 l aux 100 km ce qui est considéré comme raisonnable.

• Accès: 50%
Il est plus délicat de prendre place à l'arrière où les portes sont étroites et la forme du toit trop incurvée pour permettre à des personnes de grande taille d'entrer et de résider sans dommage, qu'à l'avant où cela ne pose aucun problème.

POINTS FAIBLES

• Prix/équipement: 10%
Du fait de la cote du Yen et de leur équipement complet et luxueux, les J30 sont très chères pour ce qu'elles ont à offrir, car leur côté pratique est douteux et il leur manque quelques gadgets pratiques comme l'ordinateur de bord, la mise en mémoire des positions du siège du conducteur et des rétroviseurs pour être au niveau de leur concurrentes.

• Habitabilité: 40%
Elle est décevante car les places arrière sont particulièrement limitées et deux personnes s'y sentiront à l'étroit surtout si les sièges avant sont reculés loin.

• Coffre: 40%
La forme ovoïde de la poupe ne favorise ni son volume ni sa logeabilité et malgré ses formes régulières il ne contient pas grand chose, son seuil élevé en compliquant de plus, l'accès.

• Freinage: 40%
Malgré leur technologie avancée les freins ne sont pas des plus efficaces car les distances d'arrêt ne descendent jamais en dessous de 40 m et l'attaque de l'ABS est irrégulière, laissant apparaître des amorces de blocage, plus alarmantes que dangereuses.

CONCLUSION

• Moyenne générale: 65.0 %
Excessives par leurs lignes, pas vraiment sportives malgré leur implantation mécanique, ni pratiques à cause de leur volume réduit, les J30 font partie des curiosités du marché dont il vaut mieux se tenir loin. ☺

CARACTÉRISTIQUES & PRIX

odèles	Versions	Carrosseries/ Sièges	Volume cabine l.	Volume coffre l.	Cx	Empat. mm	Long x larg x haut. mm x mm x mm	Poids à vide kg	Capacité Remorq. max. kg	Susp. av/ar	Freins av/ar	Direction type	Diamètre braquage m	Tours volant b à b.	Réser. essence l.	Pneus d'origine	Mécaniques d'origine	PRIX $ CDN. 1994
ıFINITI		Garantie: générale 4 ans / 100 000 km; mécanique et antipollution: 6 ans / 100 000 km; corrosion perforation: 7 ans / kilométrage illimité .																
30	base	ber. 4p. 4	2449	286	0.35	2761	4859x1770x1389	1600	907	i/i	d/d/ABS	crém.ass.	11.0	2.93	72	215/60R15	V6/3.0/A4	**45 000**
30	t	ber. 4p. 4	2449	286	0.34	2761	4859x1770x1389	1623	907	i/i	d/d/ABS	crém.ass.	11.0	2.93	72	215/60R15	V6/3.0/A4	**48 000**

Voir la liste complète des prix 1995 à partir de la page 393.

Zéro à la barre, on coule...

Le vaisseau amiral de la gamme Infiniti navigue dans des eaux rendues difficiles par la concurrenc féroce de modèles mieux établis et plus personnalisés. Au point où en est cette marque, le plu simple serait d'adopter la solution Amati c'est-à-dire disparaître...

Infiniti a retouché l'an dernier la partie avant de la Q45 en la dotant d'une véritable calandre de style Jaguar qui lui a finalement apporté l'identité qui lui faisait tant défaut. Dans les premiers commerciaux ce n'était pas trop grave, puisqu'on ne voyait pas du tout la voiture, mais dans les salles d'exposition des concessionnaires, certains clients potentiels furent rebutés par son absence de calandre et son écusson genre boucle de ceinture texane. Cette limousine à 3 volumes à 4 portes vient en version unique au Canada, mais ajoute une version T sur le marché américain. Sa mécanique est composée d'un moteur V8 de 4.5L assistée d'une boîte automatique à 4 rapports.

POINTS FORTS

• Sécurité: 90%
Grâce aux renforts disposés dans les portes et dans le toit, aux rembourrages visant à protéger les genoux des occupants des places avant, aux ceintures à trois points et aux deux coussins gonflables, la grosse Infiniti atteint facilement le score maximum.

• Technique: 90%
Sa carrosserie monocoque en acier est pourvue de suspensions indépendantes aux 4 roues de type McPherson à l'avant, avec un essieu guidé par des bras multiples à l'arrière. Le fait d'avoir installé cette calandre a complètement changé l'apparence de la Q45 qui ressemble plus à ce que les gens attendent dans ce segment. Bien que massive, la coque offre une efficacité aérodynamique remarquable puisque son cœfficient se maintient à 0.30. Le centre d'intérêt de ce modèle réside dans son moteur V8 de 4.5L en aluminium de conception très moderne, développant 278 chevaux. C'est le plus puissant V8 de l'industrie japonaise et seuls les derniers Northstar de GM ou le FourCam de Ford peuvent lui rendre des points. Un différentiel autobloquant à viscocouplage et contrôle de la traction couplé au système ABS est offert en option. Il réduit la puissance du moteur lorsqu'il détecte l'amorce d'un patinage, indépendamment des ordres du conducteur...

• La satisfaction: 90%
Elle est pratiquement totale car les propriétaires ne signalent que des incidents mineurs que la qualité du service d'Infiniti a tôt fait de résoudre.

• Direction: 80%
Elle est aussi précise que rapide et son assistance bien dosée permet de «sentir» la route; son diamètre de braquage de plus de 11 m pénalise un peu la maniabilité qui est moyenne, la carrosserie étant plutôt encombrante.

• Poste de conduite: 80%
Le conducteur trouve vite la position la plus confortable grâce aux ajustements électriques combinés du siège et de la colonne de direction, dont deux configurations peuvent être mises en mémoire. La visibilité est excellente sous tous les angles, mais les rétroviseurs extérieurs sont trop petits. Certaines commandes ne sont pas des plus pratiques comme celles permettant d'ajuster les sièges, situées sur la portière gauche, ou celles des rétroviseurs, cachées par le volant. Les instruments analogiques sont nombreux et faciles à interpréter et les

DONNÉES

Catégorie: berlines de luxe propulsées.
Classe : 7

HISTORIQUE

Inauguré en: 1989
Modifié en: 1994: calandre.
Fabriqué à: Tochigi, Japon.

INDICES

Sécurité:	90 %
Satisfaction:	90 %
Dépréciation:	63.2%
Assurance:	2.8 % (2 000 $)
Prix de revient au km:	0.94 $

NOMBRE DE CONCESSIONNAIRES

Au Québec: 4

VENTES AU QUÉBEC

Modèle	1992	1993	Résultat	Part de march
Q45	91	79	- 13.2 %	1.0 %

PRINCIPAUX MODÈLES CONCURRENTS

AUDI V8, BMW série 7, CADILLAC De Ville & Seville, LEXUS LS40 LINCOLN Continental, Town Car, MERCEDES 300, SAAB 9000, VOLV 960.

ÉQUIPEMENT

INFINITI	Q45 & Q45t
Boîte automatique:	S
Régulateur de vitesse:	S
Direction assistée:	S
Freins ABS:	S
Climatiseur:	S
Coussin gonflable:	S
Garnitures en cuir:	S
Radio MA/MF/ K7:	S
Serrures électriques:	S
Lève-vitres électriques:	S
Volant ajustable:	S
Rétroviseurs ext. ajustables:	S
Essuie-glace intermittent:	S
Jantes en alliage léger:	S
Toit ouvrant:	S
Système antivol:	S

S : standard; O : optionnel; - : non disponible

COULEURS DISPONIBLES

Extérieur: Argent, Blanc, Beige, Gris, Noir, Cramoisi, Bleu, Baie sauvage
Intérieur: Beige, Bleu, Gris, Blanc, Taupe.

ENTRETIEN

Première révision: 12 000 km
Fréquence: 6 mois/12 000 km
Prise de diagnostic: Oui

QUOI DE NEUF EN 1995 ?

-Aucun changement majeur.

Modèles/ versions *: de série	MOTEURS Type / distribution soupapes / carburation	Cylindrée cc	Puissance ch @ tr/mn	Couple lb.pi @ tr/mn	Rapport volumét.	TRANSMISSION Roues motrices / transmissions	Rapport de pont	PERFORMANCES Accélér. 0-100 km/h s	400 m D.A. s	1000 m D.A. s	Freinage 100-0 km/h m	Vites. maxi. km/h	Accélér. latérale G	Niveau sonore dBA	Consommation l.100km Ville	Consommation l.100km Route	Carbura Octane
Q45	V8* 4.5 DACT-32-ISPM	4494	278 @ 6000	292 @ 4000	10.2 :1	arrière - A4*	3.538	7.5	15.0	25.5	40	240	0.79	65	13.9	9.8	M 8

principales commandes disposées de manière habituelle.

• **Qualité & finition: 80%**
L'assemblage et de la finition sont rigoureux, mais la présentation intérieure manque de la chaleur que l'on trouve sur les voitures britanniques, car les garnitures de cuir et de bois sont fades.

• **Performances: 80%**
À la fois souple et puissant, le moteur procure de bonnes accélérations et d'excellentes reprises compte tenu de l'importance du poids à déplacer. La Q45 supplante sur ce point la plupart de ses concurrentes directes y compris la Lexus, car son V8 est l'un des plus puissants du marché. Bien qu'elle «tire» long, la boîte automatique est bien adaptée et la motricité sans reproche, car contrôlée de manière électronique.

• **Niveau sonore: 80%**
L'extrême discrétion du moteur a tendance à faire ressortir le bruit des pneus qui martèlent sourdement les routes dégradées.

• **Assurance: 80%**
Le taux est l'un des plus faibles du marché et la prime n'est pas exagérée, comparée au prix de cette voiture.

• **Commodités: 80%**
Les rangements consistent en une boîte à gants spacieuse, des

vide-poches de portières, des soufflets dans les dossiers des sièges avant et un coffret placé sur la console centrale.

• **Accès: 80%**
Il ne pose aucun problème car les portes s'ouvrent largement et le volant remonte automatiquement dès que l'on arrête le moteur.

• **Sièges: 70%**
Le maintien latéral est plus efficace que le soutien lombaire, le rembourrage est dur et le cuir qui les garnit très artificiel au toucher ce qui n'est pas agréable.

• **Suspension: 70%**
Elle absorbe efficacement les défauts de la route et n'est jamais brutale, mais il lui manque ce côté moelleux qui fait le charme des grandes voitures.

• **Comportement: 70%**
Avec un roulis minimum en virage et une adhérence difficile à prendre en défaut, pour une berline de cette taille, la Q45 fait preuve d'une assurance et d'un équilibre que l'on rencontre plus souvent sur les modèles à vocation sportive, mais il lui manque pourtant l'agilité qui plait tant dans une BMW...

• **Habitabilité: 65%**
Sans être proportionnelle à son grand encombrement, elle permet d'asseoir cinq personnes. Si la largeur et la hauteur sont généreuses, il manque d'espace pour les jambes aux places arrière lorsque les sièges avant sont reculés loin.

• **Coffre: 60%**
Aussi haut que profond, il est vaste et son accès est facilité par la découpe du capot qui descend jusqu'au pare-chocs.

• **Freinage: 60%**
Malgré sa masse imposante la Q45 s'arrête sur des distances raisonnables, ses freins faisant preuve d'équilibre et d'endurance alors que l'effort à fournir sur la pédale et la précision de son dosage sont satisfaisants.

POINTS FAIBLES

• **Prix/équipement: 00%**
Bien que compétitif, il n'attire pas autant d'amateurs de Jaguar, Mercedes et BMW que les gens d'Infiniti le prédisaient. Normal à ce niveau de prix, l'équipement est très complet, mais il manque certains gadgets électroniques, domaine où les japonais sont pourtant très forts.

• **Consommation: 35%**
Raisonnable compte tenu du poids, de la cylindrée et comparée à celle de certains V6 anémiques, elle est due à la finesse de la ligne qui permet une autonomie de 600 km sur autoroute à vitesse constante et légale.

• **Dépréciation: 40%**
Elle est forte en raison du manque d'identité de la marque et des déboires qui ont résulté d'une campagne de publicité ratée lors de son lancement. Il faut aussi tenir compte du fait que le climat économique n'est pas très favorable à ce type de voitures qui pullulent de nos jours.

CONCLUSION

• **Moyenne générale: 69.0 %**
Malgré sa nouvelle apparence, la Q45 n'a pas brisé plus de cœurs qu'avant sa chirurgie esthétique. Elle est l'héroïne d'une histoire qui a mal commencé et qui finira sans doute de même. ☺

CARACTÉRISTIQUES & PRIX

Modèles	Versions	Carrosseries/ Sièges	Volume cabine l.	Volume coffre l.	Cx	Empat. mm	Long x larg x haut. mm x mm x mm	Poids à vide kg	Capacité Remorq. max. kg	Susp. av/ar	Freins av/ar	Direction type	Diamètre braquage m	Tours volant b à b.	Réser. essence l.	Pneus d'origine	Mécaniques d'origine	PRIX $ CDN. 1994
INFINITI		**Garantie: générale 4 ans / 100 000 km. Mécanique: 6 ans / 100 000 km; corrosion perforation:7 ans / kilométrage illimité .**																
Q45	base	ber. 4 p. 5	2718	411	0.30	2875	5075x1825x1430	1832	907	i/i	d/d/ABS	crém.ass.	11.4	2.6	85.2	215/65VR15	V8/4.5/A4	**72 000**
Q45t	base	ber. 4 p. 5	2718	411	0.30	2875	5075x1825x1430	1852	907	i/i	d/d/ABS	crém.ass.	11.4	2.6	85.2	215/65VR15	V8/4.5/A4	**ND**

Voir la liste complète des prix 1995 à partir de la page 393.

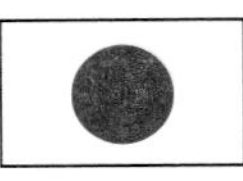

En perte de vitesse...

Les choses ne vont pas pour le mieux pour les produits Isuzu, distribués par GM. La camionnette se vend mal,et le Rodeo, seul produit valable, a perdu beaucoup de son pouvoir de séduction avec la hausse de ses prix qui n'en fait plus une aubaine.

ISUZU Camionnette

Seul le Rodeo reste vendu au Canada en 1995 car les camionnettes Isuzu, ne sont vendus aux États-Unis où l'Amigo disparaît aussi du catalogue. Ces véhicules partagent le même châssis que le Trooper ainsi que certains organes mécaniques. Les quatre roues sont motrices à la demande selon un procédé très conventionnel. Le Rodeo a une carrosserie familiale à 4 portes en deux niveaux de finition: S et LS, et les camionnettes sont à boîte et cabine courte ou longue. Ces différents véhicules sont équipés de moteurs à 4 ou 6 cylindres et de boîtes manuelles ou automatiques en option.

POINTS FORTS

• Satisfaction: 80%
Si la fiabilité n'a jamais donné de graves soucis, les propriétaires se plaignent du nombre insuffisant de concessionnaires et de la rareté de certaines pièces de rechange.

• Sièges: 70%
Leur galbe procure un maintien latéral et un soutien lombaire efficaces bien que leur rembourrage soit plutôt ferme lorsqu'ils sont individuels, sinon les banquettes sont trop plates pour offrirr un bon confort.

• Suspension: 70%
Confortable sur bonne route grâce à sa souplesse, elle est moins complaisante au passage des gros défauts du revêtement, car elle rue copieusement surtout sur les camionnettes à vide.

• Direction: 70%
Mieux dosée pour les sous-bois que pour la route, elle est imprécise et sa démultiplication trop forte. Pourtant les diamètres de braquage courts permettent une bonne maniabilité.

• Poste de conduite: 70%
L'excellente position du conducteur vient des bonnes distances volant-siège-pédales. La position élevée procure une très bonne visibilité et les rétroviseurs sont largement proportionnés. Les principaux cadrans sont faciles à interpréter, mais les interrupteurs à bascule

DONNÉES

Catégorie: véhicules à usages multiples à 2 ou 4 roues motrices.
Classe : Ulitaires

HISTORIQUE

Inauguré en: 1990
Modifié en: -
Fabriqué à: Lafayette, Indiana, États-Unis.

INDICES

Sécurité: 50 %
Satisfaction: 78 %
Dépréciation: 60 %
Assurance: 9.5 % (975 $)
Prix de revient au km: 0.36 $

NOMBRE DE CONCESSIONNAIRES

Au Québec: 18 Saturn-Saab-Isuzu.

VENTES AU QUÉBEC

Modèle	1992	1993	Résultat	Part de marché
Camionnette	430	284	- 44.0 %	2.20 %
Rodeo	349	154	- 55.9 %	1.18 %

PRINCIPAUX MODÈLES CONCURRENTS

Rodeo: CHEVROLET Blazer, FORD Explorer, GMC Jimmy, JEEP Cheroke & Grand Cherokee, NISSAN Pathfinder, TOYOTA 4Runner.
Camionnette: DODGE Dakota, FORD Ranger, CHEVROLET S-10, GMC Sonoma, MAZDA B, MITSUBISHI Mighty Max, NISSAN Costaud, TOYOTA

ÉQUIPEMENT

ISUZU Rodeo	S	LS
Boîte automatique:	O	O
Régulateur de vitesse:	S	S
Direction assistée:	O	O
Freins ABS:	O	O
Climatiseur:	O	S
Coussin gonflable:	S	S
Garnitures en cuir:	-	-
Radio MA/MF/ K7:	S	S
Serrures électriques:	-	S
Lève-vitres électriques:	-	S
Volant ajustable:	S	S
Rétroviseurs ext. ajustables:	-	S
Essuie-glace intermittent:	-	S
Jantes en alliage léger:	O	S
Toit ouvrant:	-	
Système antivol:	-	

S : standard; O : optionnel; - : non disponible

COULEURS DISPONIBLES

Extérieur: Rouge, Blanc, Gris métallique, Bleu, Noir, Étain, Rose (Amigo)
Intérieur: Gris, Beige.

ENTRETIEN

Première révision: 5 000 km
Fréquence: 10 000 km
Prise de diagnostic: Non

QUOI DE NEUF EN 1995 ?

- Nouveau dispositif antipollution (Rodeo)
- Miroirs avec couvercle ajoutés aux pares-soleils (Rodeo)
- Poignée de hayon noire.

	MOTEURS				TRANSMISSION						PERFORMANCES						
Modèles/ versions *: de série	Type / distribution soupapes / carburation	Cylindrée cc	Puissance ch @ tr/mn	Couple lb.pi @ tr/mn	Rapport volumét.	Roues motrices / transmissions	Rapport de pont	Accélér. 0-100 km/h s	400 m D.A. s	1000 m D.A. s	Freinage 100-0 km/h m	Vites. maxi. km/h	Accélér. latérale G	Niveau sonore dBA	Consommation l./100km Ville	Route	Carbura Octane
1)	L4* 2.6 SACT-8-IEPM	2559	120 @ 4600	150 @ 2600	8.3 :1	arr./4-M5*	4.30	13.8	19.3	38.8	47	155	ND	69	12.8	9.9	R 87
						arr. - A4	4.10	15.0	19.8	40.3	51	150	ND	69	13.1	10.2	R 87
2)	V6* 3.2 ACT-12-IEPM	3165	175 @ 5200	188 @ 4000	9.3 :1	arr./4 - M5	4.30	12.5	18.0	35.4	41	150	0.74	66	15.6	11.7	R 87
						arr./4 - A4	4.10	13.7	19.4	38.5	44	140	0.72	67	14.7	11.5	R 87

1) base camionnette 3) Rodeo & camionnette

situés sur la visière du bloc des instruments ne sont pas pratiques. Il faut détourner les yeux de la route pour les identifier, alors qu'il serait si simple de les trouver sous le volant. On cherche en vain parmi les instruments des versions automatiques, un rappel du rapport engagé.

• Commodités: 60%
Les rangements sont bien distribués, sauf sur la camionnette de base, et les cabines des Rodeo/Amigo sont bien présentées.

• Assurance: 60%
Il en coûte un peu plus que la moyenne pour assurer ces utilitaires, dont la prime reste cependant abordable.

• Accès: 60%
Il est plus facile de prendre place à bord des 2 roues motrices que des 4x4 plus haut perchés, mais es portes s'ouvrent largement, même à l'arrière du Rodeo dont e hayon s'ouvre en deux parties.

• Technique: 60%
Le châssis à 5 ou 7 traverses sert de base à la fabrication de ces 3 véhicules, avec des empattements différents. Le châssis du Rodeo est identique à celui des camionnettes allongées du même constructeur et du Trooper. La partie frontale de leur carrosserie et les portes avant sont identiques et réalisées en acier. Les suspensions sont à bras oscillants transversaux doubles, avec barres de torsion et antiroulis à l'avant, alors qu'à l'arrière l'essieu rigide est fixé sur des ressorts à lames. Le freinage est désormais à disque sur les 4 roues, assisté d'un dispositif antiblocage mécanique sur les roues arrière.

Qualité & finition: 60%
Elle est honnête, mais le plastique du tableau de bord et le tissu des garnitures font bon marché.

Habitabilité: 50%
Il y a plus de place à l'arrière du Rodeo que dans la camionnette à cabine allongée dont les strapontins ne seront utilisés qu'en dépannage.

Soute: 50%
La roue de secours fixée sur le hayon permet de dégager un vaste espace pour les bagages. Et en repliant la banquette du Rodeo, on arrive à doubler le volume disponible.

• Niveau sonore: 50%
Silencieux sur la route lorsqu'ils sont équipés de V6, ces véhicules sont plus bruyants lors des accélérations, surtout les 4 cylindres très généreux en décibels.

• Prix/équipement: 50%
Moins compétitifs, parce que peu équipés sur les versions de base les amateurs de confort devront se résigner à payer pour des options.

POINTS FAIBLES

• Consommation: 30%
Elle est forte quel que soit le moteur considéré puisqu'elle peut atteindre entre 12 et 16 litres aux 100 km sur la route et plus encore en tout terrain, où les moteurs sont plus durement sollicités.

• Performances: 30%
Pesants et peu aérodynamiques, ces véhicules sont sous-motorisés, car leur rapport poids-puissance est défavorable. Leurs accélérations, comme leurs reprises, sont acceptables, mais les moteurs donnent toujours l'impression de forcer beaucoup.

• Comportement: 40%
De ce côté-là, ces véhicules ne se débrouillent pas trop mal, malgré les poids, la hauteur des centres de gravité et la présence de ressorts elliptiques et d'essieux rigides à l'arrière. Les suspensions sont plutôt souples et le roulis qu'elles génèrent n'est jamais dangereux vu les vitesses atteintes. Malgré de saines réactions il vaudra mieux lever le pied avant d'aborder des virages serrés ou d'effectuer un changement de voie, car ces véhicules détestent faire du slalom.

• Freinage: 40%
Efficace à froid, il donne des signes de faiblesse dès que les garnitures s'échauffent, en bloquant sporadiquement les roues avant. Les distances d'arrêt sont longues et l'ABS, uniquement sur les roues arrière, n'a que le mérite de rendre les trajectoires rectilignes.

• Sécurité: 40%
Malgré le montage de renforts dans les portes pour améliorer la résistance aux impacts latéraux, leur structure n'offre qu'une résistance moyenne aux tests de collisions. Si la protection du conducteur est assurée par la présence d'un coussin d'air, celle des autres occupants laisse à désirer.

• Dépréciation: 40%
L'incertitude liée à cette marque ne donne pas une forte valeur d'échange aux véhicules d'occasion.

CONCLUSION

• Moyenne générale: 55.0 %
Le Rodeo demeure le produit le plus valable de cette famille, parce qu'il est équipé du moteur le plus puissant. L'Amigo est un véhicule amusant mais marginal et les camionnettes ont affaire à une concurrence trop forte. ☹

ISUZU Rodeo

CARACTÉRISTIQUES & PRIX

Modèles	Versions	Carrosseries/ Sièges	Volume cabine l.	Volume coffre l.	Cx	Empat. mm	Long x larg x haut. mm x mm x mm	Poids à vide kg	Capacité Remorq. max. kg	Susp. av/ar	Freins av/ar	Direction type	Diamètre braquage m	Tours volant b à b.	Réser. essence l.	Pneus d'origine	Mécaniques d'origine	PRIX $ CDN. 1994
ISUZU		**Garantie: 3 ans / 60 000 km; mécanique 5 ans / 100 000 km ; perforation 6 ans / 160 000 km.**																
Rodeo	S	2x4	fam. 5p. 5			2760	4470x1690x1660	1802	2041	i/r	d/d/ABS ar.	bil. ass.	11.5	3.6	83.0	225/75R15	V6/3.2/M5	**23 175**
Rodeo	LS	4x4	fam. 5p. 5			2760	4490x1740x1685	1814	2041	i/r	d/d/ABS ar.	bil. ass.	11.5	3.2	83.0	245/70R16	V6/3.2/M5	**27 500**
		Les véhicules ci-dessous ne sont plus vendus au Canada en 1995.																
Camionnette S	4x2	cais.courte	cam. 2p.2			2682	4503x1692x1584	1225	454	i/r	d/t/ABS ar.	bil.	10.8	5.0	53.0	195/75R14	L4/2.3/M5	**ND**
Camionnette XS	4x2	cais.longue	cam. 2p.2			3028	4923x1692x1584	1361	454	i/r	d/t/ABS ar.	bil.ass.	12.0	3.4	75.0	195/75R14	L4/2.6/M5	-
Camionnette XS	4x2	Cab.surd.	cam. 2p.2			3028	4923x1692x1684	1374	907	i/r	d/t/ABS ar.	bil.ass.	12.0	3.4	75.0	225/75R15	L4/2.3/M5	-
Camionnette XS	4x2	Cab.surd.	cam. 2p.2			3028	4923x1692x1681	1510	907	i/r	d//ABS ar.	bil.ass.	12.0	3.6	75.0	225/75R15	L4/2.6/M5	-

Voir la liste complète des prix 1995 à partir de la page 393.

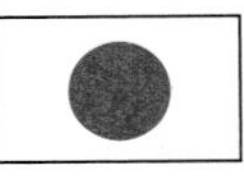

Trop ou trop peu ?

Depuis qu'il a troqué sa tenue de coureur des bois pour celle de coureur des beaux quartiers, le Trooper ne cesse de perdre du terrain car sa nouvelle vocation ne semble pas faire recette. Ou alors il n'est pas assez luxueux pour attaquer le secteur où les Land Rover ratissent depuis des années

Avec les années le trooper, qui était au départ un véhicule rustique, est devenu un sportif-utilitaire de luxe dont le tarif a exagérément grimpé. Pas de changement en 1995, et il garde la forme d'une familiale 5 portes à 4 roues motrices avec une transmission automatique de série et une manuelle à cinq rapports en option. Le seul moteur disponible est un V6 de 3.2L qui développe 175 ch dans la version de base S et 190 ch dans la plus luxueuse, la LS.

POINTS FORTS

• Habitabilité: 80%
Elle est excellente car les dégagements en hauteur et en longueur sont généreux et la largeur suffisante, ce qui permettra à cinq personnes de s'y installer à l'aise.

• Satisfaction: 80%
Pas de gros problèmes pour ce véhicule dont les propriétaires apprécient la fiabilité, mais déplorent la rareté et le prix des pièces de rechange.

• Assurance: 80%
Si l'on compare avec d'autres véhicules du même genre, la prime est abordable, car son taux est moins élevé.

• Poste de conduite: 80%
Le volant placé près du tableau de bord permet une position de conduite confortable dont la hauteur procure une bonne visibilité, et ce, malgré l'importance des piliers latéraux. Les instruments sont clairs et bien disposés, mais certaines commandes, qui sont particulières au Trooper, comme les gros boutons ronds qui actionnent les phares et les essuie-glace, demandent une certaine adaptation.

• Soute: 80%
L'espace situé en arrière de la banquette est vaste, même lorsqu'elle est utilisée, car il est débarrassé de la roue de secours qui prend place à l'extérieur. Il devient immense lorsque la banquette est rabattue; son plancher plat, et la porte, qui s'ouvre en deux parties pour dégager toute la largeur, facilitent son chargement.

• Qualité & finition: 70%
La construction semble très robuste et la finition est soignée. Pourtant les matières plastiques composant le tableau de bord et le velours des garnitures pourraient avoir une apparence moins synthétique.

• Accès: 70%
Il est facile d'embarquer grâce aux nombreuses poignées prévues à cet effet. A l'arrière la soute est facile d'accès grâce aux portières asymétriques et au pare-chocs formant marche-pied.

• Sièges: 70%
Bien galbés, ils soutiennent et maintiennent convenablement mais leur rembourrage est ferme et le velours qui les garnit a un contact rugueux.

• Commodités: 70%
Pour une fois, des rangements il y en a partout. La boîte à gants et les vide-poches de portières sont vastes et la console centrale est aménagée de façon pratique. La cabine fourmille de nombreux petits détails pratiques peu communs, qui amènent à se demander pourquoi les autres constructeurs ne se montrent pas aussi astucieux?

DONNÉES

Catégorie: véhicules tout terrain à usage multiple à 2 ou 4 RM.
Classe : utilitaires

HISTORIQUE

Inauguré en: 1981 (au Japon: Big Horn) importé depuis 1987.
Modifié en: 1992: entièrement renouvelé.
Fabriqué à: Fujisawa, Japon.

INDICES

Sécurité: 50 %
Satisfaction: 83 %
Dépréciation: 63 %
Assurance: 4.2 % (1 091 $)
Prix de revient au km: 0.48 $

NOMBRE DE CONCESSIONNAIRES

Au Québec: 19 Saturn-Saab-Isuzu

VENTES AU QUÉBEC

Modèle	1992	1993	Résultat	Part de marché
Trooper	180	140	- 33.3 %	2.2 %

PRINCIPAUX MODÈLES CONCURRENTS

CHEVROLET Blazer, FORD Explorer, GMC Jimmy, JEEP Cherokee & Grand Cherokee, LAND ROVER Discovery, NISSAN Pathfinder, TOYOTA 4Runner

ÉQUIPEMENT

ISUZU Trooper	XS	LS
Boîte automatique:	O	S
Régulateur de vitesse:	S	S
Direction assistée:	S	S
Freins ABS:	-	-
Climatiseur:	S	S
Coussin gonflable:	S	S
Garnitures en cuir:	-	-
Radio MA/MF/ K7:	S	S
Serrures électriques:	S	S
Lève-vitres électriques:	S	S
Volant ajustable:	-	-
Rétroviseurs ext. ajustables:	S	S
Essuie-glace intermittent:	S	S
Jantes en alliage léger:	O	S
Toit ouvrant:	-	
Système antivol:	-	

S : standard; O : optionnel; - : non disponible

COULEURS DISPONIBLES

Extérieur: Blanc, Vert, Gris, Rouge, Noir, Bleu, Mica, Argent.
Intérieur: Brun, Gris, Beige.

ENTRETIEN

Première révision: 5 000 km
Fréquence: 10 000 km
Prise de diagnostic: Oui

QUOI DE NEUF EN 1995 ?

- Pas de changement majeur

Modèles/ versions *: de série	MOTEURS Type / distribution soupapes / carburation	Cylindrée cc	Puissance ch @ tr/mn	Couple lb.pi @ tr/mn	Rapport volumét.	TRANSMISSION Roues motrices / transmissions	Rapport de pont	PERFORMANCES Accélér. 0-100 km/h s	400 m D.A. s	1000 m D.A. s	Freinage 100-0 km/h m	Vites. maxi. km/h	Accélér. latérale G	Niveau sonore dBA	Consommation l.0%0km Ville	Route	Carburant Octane
S	V6* 3.2 SACT-12-IEMP	3165	175 @ 5200	188 @ 4000	9.3 :1	arr./4 - M5	4.555	13.9	19.5	38.5	44	140	0.73	66	16.1	12.1	R 87
						arr./4 - A4*	4.555	14.8	21.0	39.7	42	150	0.71	67	16.3	11.8	R 87
LS	V6* 3.2 DACT-24-IEMP	3165	190 @ 5600	195 @ 3800	9.8 :1	arr./4 - A4*	4.555	13.0	18.3	35.5	44	160	0.73	64	16.0	12.0	R 87

- **Suspension: 70%**
Sa souplesse fait le charme de ce véhicule qui se comporte comme une limousine aussi bien sur autoroute que sur mauvais chemins où son généreux débattement lui permet d'absorber d'importantes dénivellations.
- **Direction: 60%**
Son assistance est bien dosée et sa précision acceptable, mais sa forte démultiplication nuit à sa spontanéité et à sa maniabilité.
- **Dépréciation: 60%**
Elle a sensiblement augmenté avec l'arrivée de nombreux modèles concurrents plus cotés.
- **Niveau sonore: 60%**
L'insonorisation escamote les bruits en provenance des trains de roulement et du vent qui rappelle le manque de finesse de la carrosserie. Quant au moteur il ne signale sa présence que lors des fortes accélérations.
- **Technique: 60%**
La carrosserie monocoque en acier est fixée sur le châssis à échelle à 7 traverses. La suspension avant, indépendante, utilise des barres de torsion, tandis qu'à l'arrière l'essieu est rigide avec des ressorts hélicoïdaux. Un système de guidage à quatre articulations empêche le cabrage de l'essieu sous l'effet du couple lors des accélérations et le débattement des deux trains a été augmenté, afin d'améliorer le confort. Des plaques de protection sont installées en série afin de protéger le radiateur, le réservoir de carburant, le carter-moteur, la transmission et le boîtier de transfert. Les freins sont à disque sur les 4 roues avec un dispositif antiblocage sur les roues arrière en série et sur les quatre roues en option sur la version LS. Le moteur V6 de la version de base est à SACT, alors que la plus puissante est DACT avec 24 soupapes, ce qui est assez inusité sur ce genre de véhicule.
- **Sécurité: 60%**
La structure du Trooper ne résiste que moyennement aux impacts et seul le coussin du conducteur est livré en série. On note heureusement la présence de renforts dans les portes, résistant aux intrusions latérales.

POINTS FAIBLES

- **Performances: 20%**
Elles sont très médiocres, surtout avec la boîte automatique, avec laquelle il faut plus de 23 s pour accélérer de 0 à 100 km/h, alors que la vitesse de pointe dépasse à peine 150 km/h.
- **Consommation: 30%**
La sous-motorisation entraîne une consommation de carburant plus forte que la moyenne de cette catégorie.
- **Comportement: 40%**
Le Trooper démontre une bonne stabilité en ligne droite ou en grande courbe et semble moins affecté par la nature du revêtement que par le souffle du vent latéral. Il est prudent de ralentir à l'approche de virages fermés ou avant d'effectuer un changement de voie rapide, car le centre de gravité, placé haut, combiné à la souplesse de la suspension engendre des mouvements de caisse impressionnants. L'adhérence et la motricité dépendent pour beaucoup du genre et de la qualité des pneus.
- **Freinage: 40%**
Les distances d'arrêt sont très longues à chaud quand l'ABS agit sur les quatre roues, alors qu'elles sont plus courtes lorsque l'ABS n'agit que sur les roues arrière et n'empêche pas les roues avant de bloquer. Dans les deux cas l'endurance est satisfaisante, mais l'avant plonge de manière impressionnante lors des coups de frein brutaux.
- **Prix/équipement: 40%**
Moins favorable que par le passé, le prix reflète le changement de philosophie du Trooper qui est devenu plus luxueux qu'utilitaire. L'équipement est très complet même sur le modèle de base, ce qui explique l'ampleur des dégâts.

CONCLUSION

- **Moyenne générale: 61.0 %**
Trop luxueux pour aller rôder dans les bois et pas assez pour inquiéter le Range Rover, le Trooper s'est éloigné de ceux qui ont fait son succès, et c'est ce qui risque de le perdre...

CARACTÉRISTIQUES & PRIX

Modèles	Versions	Carrosseries/ Sièges	Volume cabine l.	Volume coffre l.	Cx	Empat. mm	Long x larg x haut. mm x mm x mm	Poids à vide kg	Capacité Remorq. max. kg	Susp. av/ar	Freins av/ar	Direction type	Diamètre braquage m	Tours volant b à b.	Réser. essence l.	Pneus d'origine	Mécaniques d'origine	PRIX $ CDN. 1994
ISUZU		**Garantie: 3 ans / 60 000 km; mécanique 5 ans / 100 000 km ; perforation 7 ans / 160 000 km.**																
Trooper	LS 4x4	fam.5 p.5	547			2760	4660x1745x1850	1846	2268	i/r	d/d/ABS ar.	bil.ass.	11.6	3.6	85.0	245/70R16	V6/3.2/A4	**33 425**

Voir la liste complète des prix 1995 à partir de la page 393.

Retour aux sources...

À la recherche de ses racines, Jaguar n'hésite pas à revenir en arrière en ce qui a trait au style de ses voitures, pour mieux aller de l'avant à la recherche de performances toujours plus élevées qui ont toujours été à la base des créations de Coventry. Pour le plus grand plaisir de tous.

Soucieux de préserver le caractère traditionnel de ses voitures Jaguar a redessiné les parties avant/arrière pour 1995. À l'avant on retrouve les phares circulaires et les arrondis des anciennes XJ6/XJ12, alors qu'à l'arrière la découpe de l'ouverture du coffre et des feux rappelle celle de la Mercedes série S. Les XJ6/12 sont des berlines trois volumes à 4 portes vendues dans trois niveaux de finition: XJ6, Vanden Plas, XJR et XJ12 . Le moteur des trois premières est le 6 cylindres en ligne de 4.0L en version atmosphérique ou compressée (XJR) avec transmission automatique à 4 rapports ZF d'origine allemande et celui de la dernière est le nouveau V12 de 6.0L qui équipe aussi la XJS.

POINTS FORTS

• Sécurité: 90%
La structure des Jaguar résiste relativement bien à l'impact et les occupants des places avant sont protégés par des coussins gonflables, ce qui constitue une sérieuse mise à niveau.

• Assurance: 90%
Malgré son très faible indice, le prix faramineux de ces voitures engendre une prime élevée.

• Qualité & finition: 85%
Une tôlerie massive, des chromes profonds, des cuirs de qualité et des marqueteries minutieusement laquées, ont fait le renom de ces voitures britanniques.

• La technique: 80%
La carrosserie monocoque en acier qui a repris son apparence traditionnelle ne brille pas par son efficacité aérodynamique puisque son cœfficient n'est que de 0.37. La suspension indépendante comporte des dispositifs antiplongée et anticabrage, et les ressorts, les amortisseurs et les barres stabilisatrices ont été renforcés. Les freins sont à disque aux quatre roues avec dispositif ABS et le différentiel est autobloquant. Le moteur six cylindres en ligne est un classique de la marque, mais cette année elle offre une version compressée dont la

JAGUAR XJ12

DONNÉES

Catégorie: berlines de luxe propulsées.
Classe : 7

HISTORIQUE

Inauguré en: 1986
Modifié en: 1990: 4.0L; 1993: V12. 1995: esthétique & XJR
Fabriqué à: Browns Lane, Coventry, Angleterre.

INDICES

Sécurité: 90 %
Satisfaction: 73 %
Dépréciation: XJ-6: 71.0 % XJ12: 68 %
Assurance: XJ-6: 3.0 % (2 117 $) XJ12: 2.8 % (2 232 $)
Prix de revient au km: 0.96 $

NOMBRE DE CONCESSIONNAIRES

Au Québec: 3

VENTES AU QUÉBEC

Modèle	1992	1993	Résultat	Part de marché
XJ6	27	65	+141 %	-
XJ12	15	8	- 47.7 %	-

PRINCIPAUX MODÈLES CONCURRENTS

XJ6: ACURA Legend, AUDI V8, BMW 735i, INFINITI Q45, LEXUS LS400, MERCEDES 300 & S.
XJ12: BMW 750iL, MERCEDES BENZ 600SEL.

ÉQUIPEMENT

	base	Vanden Plas
JAGUAR XJ6	base	Vanden Plas
JAGUAR XJ12	base	
Boîte automatique:	S	S
Régulateur de vitesse:	S	S
Direction assistée:	S	S
Freins ABS:	S	S
Climatiseur:	S	S
Coussin gonflable:	S	S
Garnitures en cuir:	S	S
Radio MA/MF/ K7:	S	S
Serrures électriques:	S	S
Lève-vitres électriques:	S	S
Volant ajustable:	S	S
Rétroviseurs ext. ajustables:	S	S
Essuie-glace intermittent:	S	S
Jantes en alliage léger:	S	S
Toit ouvrant:	S	S
Système antivol:	S	S

S : standard; O : optionnel; - : non disponible

COULEURS DISPONIBLES

Extérieur: Gris métallique, Blanc, Noir, Bleu marine, Bordeaux, Topaz, Rose bronze, Jade, Rouge.
Intérieur: Noir, Tan, Bleu, Charbon, Gruau, Parchemin, Café.

ENTRETIEN

Première révision: 16 000km
Fréquence: 6 mois
Prise de diagnostic: Oui

QUOI DE NEUF EN 1995 ?

- Retouches esthétiques des parties avant/arrière.
- Nouvelle version avec moteur suralimenté (XJR).
- Servo-direction variable en fonction de la vitesse.
- Volant de direction cuir et bois (sauf XJ6).

Modèles/ versions *: de série	MOTEURS Type / distribution soupapes / carburation	Cylindrée cc	Puissance ch @ tr/mn	Couple lb.pi @ tr/mn	Rapport volumét.	TRANSMISSION Roues motrices / transmissions	Rapport de pont	PERFORMANCES Accélér. 0-100 km/h s	400 m D.A. s	1000 m D.A. s	Freinage 100-0 km/h m	Vites. maxi. km/h	Accélér. latérale G	Niveau sonore dBA	Consommation l.100km Ville	Consommation l.100km Route	Carburant Octane
XJ6 & VP	L6* 4.0 DACT-24-IE	3980	245 @ 4700	289 @ 4000	10.0 :1	arrière - A4*	3.58	8.2	15.7	28.5	50	215	0.75	66	13.5	9.3	S 91
XJR	L6*C 4.0 DACT-24-IE	3980	322 @ 5000	378 @ 3050	8.5 :1	arrière - A4*	3.58	7.2	14.5	27.8	45	240	0.80	67	16.1	10.3	S 91
V12	V12* 6.0 SACT 24-IE	5994	313 @ 5350	353 @ 3750	11.0 :1	arrière - A4*	3.58	8.0	15.4	28.2	46	230	0.80	65	19.1	13.2	S 91

puissance ressort à 322 ch soit plus que le V12. La transmission est originale. Il s'agit d'une nouvelle boîte à gestion électronique qui peut être sélectionnée selon le mode automatique sur le côté droit, ou manuel sur le côté gauche de la grille en U du sélecteur et selon le mode «sport» ou «normal» de la gestion électronique. Le nouveau V12 qui possède un bloc et une culasse en aluminium a vu sa distribution redessinée, son vilebrequin est désormais en acier forgé, et ses cotes réduites pour pouvoir s'insérer sous le capot qui n'avait été prévu que pour un 6 cylindres.

• **Performances: 80%**
Il est curieux de constater combien les performances des moteurs 6 et 12 cylindres atmosphériques sont identiques à quelques dixièmes de seconde près. Les accélérations et les reprises sont respectables, compte tenu du poids élevé de l'ensemble. Les XJ maintiennent sans difficulté une allure rapide et ne dédaignent pas faire les sportives, pour peu que l'on soit prêt à jouer du sélecteur de la boîte de vitesses. La version compressée est la plus rapide puisqu'il ne lui faut qu'un peu plus de 7 secondes pour passer de 0 à 100 km/h.

• **Suspension: 80%**
L'heureux compromis entre les ressorts, les amortisseurs et les pneus confère à ces voitures un roulement doux et confortable qui escamote efficacement les défauts de la route.

• **Direction: 80%**
Précise et bien démultipliée, son assistance variable procure une meilleure stabilité directionnelle et réclame moins d'attention de la part du conducteur. Toutefois le grand diamètre de braquage perturbe la maniabilité.

• **Accès: 80%**
Grâce aux portières bien dimensionnées il n'est pas difficile de prendre place à bord.

• **Satisfaction: 75%**
Elle remonte année après année pour atteindre aujourd'hui un taux que l'on peut qualifier de satisfaisant.

• **Niveau sonore: 70%**
Les bruits de roulement ou en provenance de la mécanique sont mieux étouffés que les filets d'air qui courent autour du pare-brise, dès que la vitesse augmente.

• **Sièges: 70%**
Ils seraient plus confortables si leur assise était plus longue, leur dossier plus haut (à l'avant) leurs bourrelets moins proéminents et leur galbe plus efficace.

• **Poste de conduite: 70%**
Il est plus spectaculaire qu'ergonomique, car faute de maintien et de soutien efficaces du siège, la position de conduite est imparfaite selon le gabarit du conducteur. La visibilité est satisfaisante, bien que les rétroviseurs soient petits, mais il est difficile d'apprécier les limites des extrémités lors des manœuvres de stationnement. Les commandes permettant d'ajuster les sièges avant, ont été relocalisées sur le côté gauche du siège. Les instruments digitaux et analogiques sont bien mariés et faciles à lire, mais l'ordinateur requiert un cours intensif pour apprendre à l'utiliser.

• **Comportement: 60%**
Ces berlines affectionnent plus les autoroutes que les petites routes sinueuses et en décomposition où la suspension perd son flegme et oblige à jouer du volant pour tenir le cap. En virage elles sont neutres jusqu'au moment où elles survirent brutalement surtout si le pavé est humide.

• **Habitabilité: 60%**
La cabine n'accueillera que quatre occupants qui disposeront de suffisamment d'espace en longueur seulement car les grands gabarits se plaindront du manque de hauteur, et ce même à l'avant.

• **Rangements: 60%**
Les vide-poches de portières bien dimensionnés compensent pour la boîte à gants minuscule et la console centrale mal aménagée.

• **Coffre: 50%**
Facilement accessible grâce à l'échancrure de son ouverture, son volume n'est pas immense, mais il accueillera toute de même assez de bagages, malgré ses formes tourmentées et la roue de secours encombrante.

JAGUAR XJ6

JAGUAR XJR

POINTS FAIBLES

• **Prix/équipement: 00%**
Le prix de ces Jaguar est encore plus surévalué que celui de leurs concurrentes dont les techniques sont plus sophistiquée mais leur équipement complet et luxueux offre sur les versions les plus huppées, des rideaux d'intimité, des tablettes en ronce de noyer et des tapis en peau d'agneau.

• **Consommation: 30%**
Compte tenu du poids et de la cylindrée de ces modèles, il ne faut pas s'étonner qu'elle ne descende pas au-dessous de 15 litres aux 100 km.

• **Dépréciation: 30%**
Les Jaguar sont parmi les automobiles qui perdent le plus de leur valeur, mais cette tendance devrait se résorber avec le temps.

• **Freinage: 40%**
Les distances d'arrêt sont longues pour des voitures de ce poids, mais les arrêts sont aussi stables que faciles à doser, bien que l'ABS réagisse parfois bizarrement en laissant les roues bloquer une fraction de seconde.

CONCLUSION

• **Moyenne générale: 64.0 %**
En revenant à une esthétique plus traditionnelle et des mécaniques capables de donner le grand frisson, le constructeur britannique reprend le chemin qui mène à vendre plus et mieux. C'est ce qu'espèrent les représentants de Ford qui a misé gros pour remettre Jaguar sur ses rails.

CARACTÉRISTIQUES & PRIX

Modèles	Versions	Carrosseries/ Sièges	Volume cabine l.	Volume coffre l.	Cx	Empat. mm	Long x larg x haut. mm x mm x mm	Poids à vide kg	Capacité Remorq. max. kg	Susp. av/ar	Freins av/ar	Direction type	Diamètre braquage m	Tours volant b à b.	Réser. essence l.	Pneus d'origine	Mécaniques d'origine	PRIX $ CDN. 1994
JAGUAR		**Garantie: 4 ans / 80 000km; corrosion:6 ans / kilométrage illimité.**																
XJ 6	Sovereign	ber.4 p.4	2633	315	0.37	2870	5024x1798x1339	1851	NR	i/i	d/d//ABS	crém.ass.	12.43	2.8	87.8	225/60ZR16	L6/4.0/A4	**72 000**
XJ 6	Vanden Plas	ber.4 p.4	2633	340	0.37	2870	5024x1798x1339	1862	NR	i/i	d/d//ABS	crém.ass.	12.43	2.8	87.8	225/60ZR16	L6/4.0/A4	**80 000**
XJ 6	XJR	ber.4 p.4	2633	315	0.37	2870	5024x1798x1339	1912	NR	i/i	d/d//ABS	crém.ass.	12.43	2.8	87.8	255/45ZR17	L6C/4.0/A4	**ND**
XJ12		ber.4 p.4	2633	340	0.37	2870	5024x1798x1339	2005	NR	i/i	d/d//ABS	crém.ass.	12.43	2.8	86.4	225/60ZR16	V12/6.0/A4	**92 500**

Voir la liste complète des prix 1995 à partir de la page 393.

Relique...

L'année qui vient devrait permettre de découvrir le remplaçant des XJS qui ont bien mérité de prendre leur retraite. Selon les premiers documents publiés, les nouveaux coupés et cabriolets de Jaguar reprendront les proportions et la forme fuselée des anciennes XK-E à la mode d'aujourd'hui.

En 1995 la XJS est offerte en coupé ou cabriolet 2+2 4.0 ou 6.0. Les premiers sont munis du moteur 6 cylindres de 4.0L qui équipe aussi la XJ6, avec une boîte automatique à 4 rapports ou manuelle à 5 rapports en option. Ces véhicules peuvent aussi recevoir le nouveau moteur V12 de 6.0L qu'a inauguré la XJ12 avec boîte automatique seulement. La sélection de cette dernière est électronique, et permet, selon l'humeur ou les circonstances, de sélectionner manuellement ou automatiquement selon le mode «normal» ou «sport».

POINTS FORTS

- **Sécurité:** 90%

La bonne résistance de la structure aux impacts, et la présence de deux coussins gonflables ont sérieusement amélioré la sécurité des occupants.

- **Assurance:** 90%

Leur indice est faible, mais le prix amène la prime à un niveau élevé qui semble néanmoins justifié.

- **Technique:** 80%

L'implantation de ces coupés et cabriolets est classique: moteur avant, roues arrière motrices avec suspensions indépendantes aux quatre roues. Les ressorts sont doubles de chaque côté à l'arrière et le train est monté sur un berceau auxiliaire, équipé de joints élastiques pour isoler la carrosserie des vibrations. Le freinage est confié à quatre disques et ceux disposés à l'arrière ne sont plus situés de part et d'autre du différentiel, mais dans les roues pour une plus grande facilité d'entretien. C'est à Pininfarina que l'on doit l'allure générale des XJS qui a, depuis, été retouchée plusieurs fois par les designers de Jaguar. La carrosserie monocoque en acier est spécialement renforcée sur le cabriolet, afin de procurer une meilleure rigidité à la plate-forme. Malgré les rondeurs de la carrosserie, la finesse aérodynamique a bien vieilli, puisque son cœfficient approche 0.40.

- **Qualité & finition:** 80%

DONNÉES

Catégorie: coupés et décapotables de Grand Tourisme propulsés.
Classe : GT

HISTORIQUE

Inauguré en: 1975
Modifié en: 1988: décapotable.
Fabriqué à: Browns Lane, Coventry, Angleterre.

INDICES

Sécurité: 90 %
Satisfaction: 65 %
Dépréciation: 59 % (déc) 65 % (cpé)
Assurance: 3.0 % (2 000 $)
Prix de revient au km: 0.80 $

NOMBRE DE CONCESSIONNAIRES

Au Québec: 3

VENTES AU QUÉBEC

Modèle	1992	1993	Résultat	Part de marché
XJS déc.	13	51	+400 %	ND
XJS cpé.	2	1	- 50 %	ND

PRINCIPAUX MODÈLES CONCURRENTS

ACURA NSX, BMW série 8, LEXUS SC400, MERCEDES SL, PORSCHE 928.

ÉQUIPEMENT

JAGUAR XJS	4.0	6.0
Boîte automatique:	S	S
Régulateur de vitesse:	S	S
Direction assistée:	S	S
Freins ABS:	S	S
Climatiseur:	S	S
Coussin gonflable:	S	S
Garnitures en cuir:	S	S
Radio MA/MF/ K7:	S	S
Serrures électriques:	S	S
Lève-vitres électriques:	S	S
Volant ajustable:	S	S
Rétroviseurs ext. ajustables:	S	S
Essuie-glace intermittent:	S	S
Jantes en alliage léger:	S	S
Toit ouvrant:	S	S
Système antivol:	S	S

S : standard; O : optionnel; - : non disponible

COULEURS DISPONIBLES

Extérieur: Gris métallique, Blanc, Noir, Bleu marine, Bordeaux, Topaz, Rose bronze, Jade, Rouge.
Intérieur: Noir, Tan, Bleu, Charbon, Gruau, Parchemin, Café.

ENTRETIEN

Première révision: 16 000 km
Fréquence: 6 mois
Prise de diagnostic: Oui

QUOI DE NEUF EN 1995 ?

- Nouvelles jantes de roues.
- Nouveau système de son avec radio à façade amovible.
- Nouveau moteur 4.0L plus puissant.
- Intérieur redessiné.
- Nouvelle direction à assistance variable.

MOTEURS						TRANSMISSION		PERFORMANCES										
Modèles/ versions *: de série	Type / distribution soupapes / carburation	Cylindrée cc	Puissance ch @ tr/mn	Couple lb.pi @ tr/mn	Rapport volumét.	Roues motrices / transmissions	Rapport de pont	Accélér. 0-100 km/h s	400 m D.A. s	1000 m D.A. s	Freinage 100-0 km/h m	Vites. maxi. km/h	Accélér. latérale G	Niveau sonore dBA	Consommation l.100km Ville	Consommation l.100km Route	Carburant Octane
4.0	L6*4.0 DACT-24-IE	3980	237 @ 4700	282 @ 4000	10.0 :1	arrière - M5	3.54	8.2	15.8	28.7	44	230	0.80	67	16.2	10.1	S 91
						arrière - A4	3.54	8.8	16.5	29.5	46	220	0.80	67	13.6	9.4	S 91
6.0	V12 6.0 SACT-24- IE	5994	301 @ 5400	351 @ 2800	11.0 :1	arrière - A4*	3.54	7.8	15.5	28.2	46	240	0.80	66	19.5	12.9	S 91

Ford s'est attaché à améliorer la qualité de certains matériaux et composants, ainsi que le soin apporté aux détails de finition.

• Performances: 80%
Malgré le poids qui approche les 2 tonnes, les accélérations et les reprises du 4.0L atmosphérique sont déjà très respectables, mais la version compressée de la XJR fait encore mieux grâce à ses 322 ch. Par contre le V12 fait moins bien que ce dernier au niveau du chronomètre, car sa puissance est inférieure. Il a par contre un côté soyeux, très agréable pour ceux qui préfèrent le confort à l'adrénaline.

• Comportement: 70%
Plus à l'aise sur autoroute où la stabilité en ligne droite comme en grande courbe est bonne, ces gros coupés ne sont pas aussi efficaces sur tracé sinueux, où leur poids et leur taille leur ôtent toute agilité. Il vaudra mieux ne pas tenter le diable sous la pluie, où le train arrière pourra décrocher sans avertissement et se montrer difficile à récupérer. Avec sa suspension sportive plus rigide le coupé 4.0L est plus incisif que le V12 tout dédié au confort.

• Poste de conduite: 70%
Des retouches récentes ont sensiblement amélioré le confort du conducteur, comme la refonte du tableau de bord qui a permis de mieux localiser les instruments, qui sont nombreux et lisibles. La forme du sélecteur de la boîte automatique à trois rapports est toujours aussi irrationnelle et le volant offre une bonne prise, mais il est planté de travers et n'est ajustable que de façon télescopique. La visibilité de 3/4 et arrière est pénalisée par l'épaisseur excessive du pilier B, l'étroitesse de la custode et les rétroviseurs latéraux toujours trop petits. Pour finir, les sièges sont indignes d'une production aussi raffinée, car malgré leur aspect ils ne procurent pas plus de maintien latéral que de soutien lombaire. Leurs commandes sont désormais plus rationnelles à utiliser puisqu'elles sont disposées sur le côté du siège.

• La satisfaction: 70%
Malgré les retouches incessantes qu'elles subissent, ces voitures ont de plus en plus de difficulté à soutenir la comparaison avec leurs rivales européennes ou japonaises plus récentes, plus sophistiquées et plus fiables.

• Direction: 70%
Comme sur les XJ6/12 la direction à assistance variable en fonction de la vitesse procure une assistance plus positive et une meilleure stabilité directionnelle. Mais bien qu'elle soit assez rapide, son grand diamètre de braquage nuit à la maniabilité.

• Suspension: 70%
Celle des modèles à moteur V12 est plus moelleuse sur autoroute que celle du coupé sportif 4.0L dont les réglages particuliers visent à limiter le roulis. Elles ont en commun le fait que sur chaussée dégradée, elles secouent les occupants sans ménagement.

• Niveau sonore: 60%
Malgré l'insonorisation qui crée une ambiance feutrée, les bruits mécaniques restent perceptibles tant avec le moteur 4.0L qu'avec le 6.0L auquel les bruits de vent et de roulement s'ajoutent dès que la vitesse augmente.

• Les sièges: 60%
Ils sont encore décevants car leurs formes évasées ne maintiennent pas suffisamment, leur bourrelets sont agressifs et leur rembourrage ferme.

• Commodités: 60%
Les rangements comprennent une petite boîte à gants, des vide-poches de portières et un coffret disposé sur la console centrale.

• Accès: 50%
La longueur et l'angle d'ouverture des portes étant faibles, il n'est pas aisé de se glisser dans l'habitacle, sans parler des places arrière qui n'accueilleront que des bagages...

POINTS FAIBLES

• Prix/équipement: 00%
Malgré leur statut prestigieux, et leur équipement très complet, le prix de ces Jaguar est exagéré, car sur le plan dynamique leur technique est bien dépassée.

• La consommation: 20%
Il ne faut pas espérer la voir descendre sous les 17 litres aux 100 km pour déplacer rapidement les deux tonnes de ces véhicules.

• Habitabilité: 30%
Compte tenu de leur encombrement, les XJS ne sont pas très habitables, car ce ne sont en fait que des deux places, tant les dégagements sont limités dans toutes les directions, et particulièrement à l'arrière.

• Coffre: 30%
Malgré la place que prend la roue de secours, le volume réservé aux bagages est suffisant pour une automobile de ce genre.

• Dépréciation: 40%
La valeur de revente des Jaguar est des plus aléatoires et il vaut mieux considérer cet investissement comme sentimental...

• Freinage: 40%
L'ABS stabilise parfaitement les arrêts d'urgence, mais les distances sont encore trop longues et l'endurance à l'échauffement des garnitures plutôt médiocre.

CONCLUSION

• Moyenne générale: 58.0 %
Jaguar va révéler dans le courant de 1995 le modèle qui va succéder aux XJS et il était grand temps car des deux modèles produits par Jaguar, ce sont sans doute les plus contestables, leur philosophie, leur conception, leur ligne comme leur rendement étant aujourd'hui très dépassés, et indigne du prix demandé.

CARACTÉRISTIQUES & PRIX

Modèles	Versions	Carrosseries/ Sièges	Volume cabine l.	Volume coffre l.	Cx	Empat. mm	Long x larg x haut. mm x mm x mm	Poids à vide kg	Capacité Remorq. max. kg	Susp. av/ar	Freins av/ar	Direction type	Diamètre braquage m	Tours volant b à b.	Réser. essence l.	Pneus d'origine	Mécaniques d'origine	PRIX $ CDN. 1994
JAGUAR		**Garantie: 4 ans / 80 000 km; corrosion: 6 ans / kilométrage illimité.**																
XJS	4.0	cpé. 2p.2+2	2180	266	0.38	2590	4856x1763x1236	1726	NR	i/i	dv/dv/ABS	crém.ass.	13.0	2.76	91.0	225/60ZR16	L6/4.0/M5	**72 000**
XJSC	4.0	cab. 2p.2	ND	266	0.39	2590	4856x1763x1236	1824	NR	i/i	dv/dv/ABS	crém.ass.	13.0	2.76	78.0	225/60ZR16	L6/4.0/M5	**82 000**
XJS	6.0	cpé. 2p.2+2	2180	266	0.38	2590	4856x1763x1236	1838	NR	i/i	dv/dv/ABS	crém.ass.	13.0	2.76	91.0	225/60ZR16	V12/6.0/A4	**87 000**
XJSC	6.0	cab. 2p.2	ND	266	0.39	2590	4856x1763x1236	1953	NR	i/i	dv/d/vABS	crém.ass.	13.0	2.76	78.0	225/60ZR16	V12/6.0/A4	**99 000**

Voir la liste complète des prix 1995 à partir de la page 393.

Dépassé...

Théoriquement le Cherokee reste un véhicule tous usages efficace au niveau de sa traction et de son moteur 6 cylindres, mais ses ventes commencent à souffrir de la concurrence du Grand Cherokee et du fait que son manque de qualité rend son usage frustrant et coûteux.

Malgré son âge, le Cherokee reste un véhicule tous usages très efficace. Son succès ne s'est pas démenti durant de nombreuses années et si ses ventes fléchissent aujourd'hui, c'est surtout à cause du Grand Cherokee. Il reste offert en 1995 avec transmission à 2 ou 4 roues motrices sous la forme de familiales à 3 et 5 portes dans 3 niveaux de finition: SE, Sport et Country.

POINTS FORTS

• **Soute:** **80%**
La présence de la roue de secours de plein format limite son volume mais il reste assez d'espace pour abriter un volume équivalent à celui d'une grosse berline. De plus la banquette s'escamote pour libérer plus d'espace ou transporter des objets encombrants.

• **Technique:** **75%**
Le Cherokee est bâti à partir d'un châssis en échelle en acier sur lequel la carrosserie est boulonnée. Les suspensions sont à essieu rigide suspendu par ressorts hélicoïdaux à l'avant et à lames à l'arrière. Les freins sont mixtes mais le système ABS aux quatre roues n'est offert qu'en option. Ses lignes caractéristiques ne sont pas des plus fluides puisque son cœfficient aérodynamique varie entre 0.51 et 0.52. Le moteur de la version de base est le 4 cylindres de 2.5L avec boîte manuelle à 5 rapports en série et automatique à 3 rapports en option. Le six cylindres en ligne de 4.0L équipe les versions Sport et Country avec le même choix de transmission, puisque l'intégrale à plein temps ou à la demande, est en option sur toutes les versions.

• **Satisfaction:** **70%**
La fiabilité n'est toujours pas sans reproche car les pièces, comme l'entretien, coûtent fort cher et certains propriétaires ont été découragés par la fréquence des petits et des gros ennuis.

• **Sécurité:** **60%**
Si la structure, qui date des années 80, n'a qu'une résistance moyenne à l'impact, des renforts ont été installés dans les portes et un coussin gonflable dans le moyeu du volant.

• **Sièges:** **60%**
Leur assise courte et la faible hauteur de leur dossier les rendent inconfortables sur longs trajets, surtout à l'arrière où le dossier de la banquette est très court et dépourvu d'appuie-tête.

• **Suspension:** **60%**
Malgré sa rusticité, elle est confortable sur autoroute, mais se met à sautiller à la moindre inégalité du revêtement.

• **Direction:** **60%**
Son assistance et sa démultiplication trop fortes la rendent sensible et imprécise, mais la maniabilité est bonne grâce à son format compact et à son diamètre de braquage court.

• **Qualité & finition:** **50%**
Malgré certaines améliorations, la qualité de l'assemblage, des matériaux et le soin apporté à la finition sont d'une autre époque.

• **Poste de conduite:** **50%**
Le Cherokee n'est pas le véhicule le plus confortable à conduire, car la colonne de direction est trop longue et le siège ne soutient ni ne maintient suffisamment le corps. La visibilité est bonne, mais les

DONNÉES

Catégorie: véhicules tout terrain à usage multiple à 2 ou 4 RM.
Classe : utilitaires

HISTORIQUE

Inauguré en: 1962, 1984.
Modifié en: 1985: 2RM; 1987: moteur L6 4.0L;1989: ABS ar.
Fabriqué à: Toledo, Ohio, États-Unis.

INDICES

Sécurité: 60 %
Satisfaction: 70 %
Dépréciation: 55 %
Assurance: 7.1 % (1 090 $)
Prix de revient au km: 0.48 $

NOMBRE DE CONCESSIONNAIRES

Au Québec: 167 Chrysler-Dodge-Plymouth-Eagle-Jeep

VENTES AU QUÉBEC

Modèle	1992	1993	Résultat	Part de marché
Cherokee	1 399	1 189	-15.0 %	9.1 %

PRINCIPAUX MODÈLES CONCURRENTS

CHEVROLET Blazer S-10, FORD Explorer, ISUZU Rodeo & Trooper, GMC Jimmy, NISSAN Pathfinder, SUZUKI Sideckik 4 p.,TOYOTA 4Runner.

ÉQUIPEMENT

JEEP Cherokee	SE	Sport	Country
Boîte automatique:	O	O	O
Régulateur de vitesse:	O	O	O
Direction assistée:	O	O	O
Freins ABS:	O	S	S
Climatiseur:	O	S	S
Coussin gonflable:	S	S	S
Garnitures en cuir:	-	-	O
Radio MA/MF/ K7:	O	O	S
Serrures électriques:	S	S	S
Lève-vitres électriques:	-	O	O
Volant ajustable:	O	O	S
Rétroviseurs ext. ajustables:	O	O	S
Essuie-glace intermittent:	O	S	S
Jantes en alliage léger:	O	O	O
Toit ouvrant:	-		
Système antivol:	-		

S : standard; O : optionnel; - : non disponible

COULEURS DISPONIBLES

Extérieur: Rouge, Bleu, Beige, Blanc, Vert, Noir.
Intérieur: Sable foncé, Charbon.

ENTRETIEN

Première révision: 12 000 km
Fréquence: 6 mois
Prise de diagnostic: Oui

QUOI DE NEUF EN 1995 ?

- **Coussin gonflable côté conducteur.**
- **Modèle Country offert en version 4 portes seulement.**
- **Boîte automatique 3 vitesses livrable en option avec le moteur 2.5L.**
- **Nouvelles teintes de carrosserie.**
- **Sièges avant à dossier inclinables standard.**

Modèles/ versions *: de série	Type / distribution soupapes / carburation	Cylindrée cc	Puissance ch @ tr/mn	Couple lb.pi @ tr/mn	Rapport volumét.	Roues motrices / transmissions	Rapport de pont	Accélér. 0-100 km/h s	400 m D.A. s	1000 m D.A. s	Freinage 100-0 km/h m	Vites. maxi. km/h	Accélér. latérale G	Niveau sonore dBA	Consommation l.100km Ville	Consommation l.100km Route	Carburant Octane
	MOTEURS					**TRANSMISSION**		**PERFORMANCES**									
base	L4* 2.5 ACT-8-IEPM	2474	130 @ 5250	149 @ 3250	9.2 :1	arr./4 - M5*	3.48	13.5	18.8	35.2	52	150	0.68	69	12.0	9.4	R 87
						arr./4 - A3	3.73	14.5	19.5	36.8	53	145	0.68	68	12.4	9.8	R 87
option	L6* 4.0 ACT-12-IEPM	3966	190 @ 4750	225 @ 4000	8.8 :1	arr./4 - M5*	2.42	9.0	16.6	30.5	51	170	0.70	69	14.2	10.2	R 87
						arr./4 - A4	3.55	10.5	17.0	31.3	50	165	0.70	68	15.1	10.2	R 87

rétroviseurs latéraux sont trop petits et placés trop en arrière pour être efficaces. Les commandes sont typiquement américaines, tel le frein de stationnement au pied, très peu pratique dans certaines manœuvres hors route. Peu nombreux sur le SE, les instruments sont bien disposés, mais plus lisibles de jour que de nuit.

• **Performances: 50%**
Le 4 cylindres de base n'est recommandable qu'en deux roues motrices avec la boîte manuelle, pour usage familial seulement. La transmission intégrale nécessite la présence du 6 cylindres dont le rapport poids-puissance favorable autorise des dépassements rapides et le maintien d'un rythme élevé sur autoroute.

• **Comportement: 50%**
Il s'apparente plus à celui d'une automobile que d'un utilitaire, pour peu que l'équipement pneumatique soit de bonne qualité. Il faudra quand même se méfier de

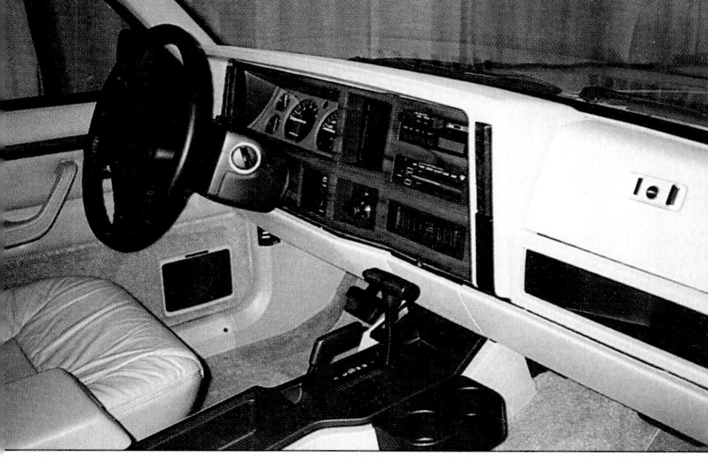

la souplesse parfois excessive de la suspension qui accentue le roulis et des reprises du 6 cylindres sur chaussée humide en mode propulsion.

• **Habitabilité: 50%**
Les dimensions compactes du Cherokee se paient par un espace habitable restreint, comparable à celui d'une voiture compacte. La cabine manque de longueur et de largeur, mais la hauteur intérieure est suffisante.

• **Accès: 50%**
Les portes étroites, la garde-au-sol importante et la petitesse des dégagements compliquent l'accès de la cabine et de la soute à bagages au plancher haut.

• **Niveau sonore: 50%**
L'insonorisation est plus efficace sur les versions luxueuses où elle étouffe mieux les bruits en provenance des roues et du compartiment moteur. Le 6 cylindres est plus discret que le 4 qui manifeste bruyamment lors des accélérations ou des reprises.

• **Prix/équipement: 50%**
Quelle que soit la version choisie, elle est chère, car son équipement, qui n'est jamais complet, oblige à recourir à la liste d'options encore trop longue pour un véhicule en fin de carrière.

POINTS FAIBLES

• **La consommation: 30%**
Elle n'est jamais économique quel que soit le moteur ou le type de propulsion choisi et devient gargantuesque en terrain difficile.

• **Freinage: 30%**
Les arrêts d'urgence manquent d'efficacité car les distances sont longues et l'assistance trop forte empêche un dosage précis. L'ABS offert en option n'est pas du luxe, car sans lui les trajectoires des arrêts d'urgence sont pour le moins fantaisistes.

• **Commodités: 40%**
Le côté pratique n'a jamais été le point fort des Cherokee, dont les rangements sont insuffisants.

• **Assurance: 40%**
Comme sur tous les véhicules «à risques particuliers» la prime est plus élevée que la moyenne.

• **Dépréciation: 45%**
Elle s'est accélérée depuis l'apparition du Grand Cherokee et à cause de son manque de qualité chronique.

CONCLUSION

• **Moyenne générale: 52.5 %**
Bien que dépassés et coûteux, les Cherokee sont compacts et polyvalents, mais le Grand Cherokee plus raffiné leur vole de plus en plus de clients. ☹

SUGGESTIONS DES PROPRIÉTAIRES

-Une meilleure qualité générale.
-Insonorisation plus efficace.
-Une suspension plus raffinée.
-Une finition plus soignée.
-Une fiabilité supérieure.
-Une consommation plus économique.

CARACTÉRISTIQUES & PRIX

Modèles	Versions	Carrosseries/ Sièges	Cx	Empat. mm	Long x larg x haut. mm x mm x mm	Poids à vide kg	Capacité Remorq. max. kg	Susp. av/ar	Freins av/ar	Direction type	Diamètre braquage m	Tours volant b à b.	Réser. essence l.	Pneus d'origine	Mécaniques d'origine	PRIX $ CDN. 1995
JEEP	**Garantie générale: 3 ans / 60 000 km; corrosion de surface 1 an / 20 000 km; perforation 7 ans / 160 000 km; assistance routière 3 ans / 60 000 km.**															
Cherokee 4X2	SE	fam.3 p.5	0.51	2576	4240x1720x1621	1311	2064	i/r	d/t/ABS ar.	bil.ass.	10.9	3.4	76.5	215/75R15	L4/2.5/M5	-
Cherokee 4X2	Sport	fam.5 p.5	0.51	2576	4240x1720x1621	1330	2200	r/r	d/t/ABS ar.	bil.ass.	10.9	3.4	76.5	225/75R15	L6/4.0/M5	-
Cherokee 4X2	Country	fam.5 p.5	0.51	2576	4240x1720x1621	1360	2200	i/r	d/t/ABS ar.	bil.ass.	10.9	3.4	76.5	225/70R15	L6/4.0/M5	-
Cherokee 4X4	SE	fam.3 p.5	0.52	2576	4240x1720x1621	1387	2064	i/r	d/t/ABS ar.	bil.ass.	10.9	3.4	76.5	215/75R15	L4/2.5/M5	**19 775**
Cherokee 4X4	Sport	fam.5 p.5	0.52	2576	4240x1720x1621	1390	2200	r/r	d/t/ABS ar.	bil.ass.	10.9	3.4	76.5	225/75R15	L6/4.0/M5	**21 445**
Cherokee 4X4	Country	fam.5 p.5	0.52	2576	4240x1720x1621	1407	2200	i/r	d/t/ABS ar.	bil.ass.	10.9	3.4	76.5	225/70R15	L6/4.0/M5	**23 995**

Voir la liste complète des prix 1995 à partir de la page 393.

Charmeur

Le Grand Cherokee connaît une grande popularité tant auprès de ceux qui étaient déjà des adeptes de la marque, que de ceux qui viennent de la concurrence. Celle-ci sera mieux organisée cette année avec le rafraîchissement des Blazer et Explorer. La lutte n'en sera que plus passionnante...

Le Grand Cherokee connait un grand succès malgré la mauvaise publicité faite par les sondages de J.D. Power démontrant une fiabilité douteuse et un nombre de problèmes plus élevé que la moyenne. Il est offert sous la forme d'une familiale à 5 portes à 2 ou 4 roues motrices en version SE, Laredo Limited et, nouvelle cette année, Orvis pour usage tout terrain seulement. Les moteurs sont des 6 cylindres en ligne de 4.0L ou V8 de 5.2L à transmission automatique à 4 rapports.

POINTS FORTS

• Technique: **80%**
La carrosserie monocoque du Grand Cherokee est extrêmement rigide ce qui a l'avantage de réduire la hauteur totale, tout en conservant une garde-au-sol importante. Les deux essieux sont rigides avec ressorts hélicoïdaux et freins à disque aux quatre roues. La rigidité des liaisons entre les essieux et la caisse, grâce à des bras multiples, constitue le secret du comportement et du confort de ce véhicule. On peut opter pour la transmission intégrale permanente à répartition de puissance «Quadra Track» ou la «Select-Track» intégrale à plein temps. Le Grand Cherokee 4x4 est équipé en série du système de traction à la demande «Command Track». Plus modernes et plus galbées, les lignes de la carrosserie n'ont qu'une efficacité aérodynamique moyenne (0.44), normale sur ce type de véhicule.

• Sécurité: **80%**
Le Grand Cherokee est le premier véhicule tout terrain pourvu en série d'un dispositif ABS agissant sur les quatre roues et d'un coussin gonflable côté conducteur, alors que les autres occupants sont maintenus par des ceintures à trois points d'ancrage. La structure, qui inclut de solides boucliers, résiste bien aux impacts, mais les tests de la NHTSA indiquent que les autres occupants ne sont pas aussi bien protégés. Des appuie-tête amovibles sont désormais disponibles pour le dossier de la banquette.

• Satisfaction: **80%**
Malgré les rapports de J.D. Power, le nombre des usagers très satisfaits est en augmentation, ce qui signifierait que les problèmes mentionnés n'étaient pas si importants.

• Suspension: **80%**
La qualité de son amortissement et son débattement permettent un confort très civilisé, car malgré la présence de vulgaires essieux rigides, les roues absorbent bien les dénivellations importantes...

• Soute: **80%**
Le dossier de la banquette peut se rabattre selon la proportion 2/3-1/3 pour permettre d'en augmenter la contenance originale, un peu pénalisée par la présence de la roue de secours. Jeep l'installe dans la soute pour faciliter son accès en terrain difficile et la garder propre.

• Qualité / finition **70%**
L'assemblage, l'apparence des matériaux et le soin apporté à la finition sont plus évidents sur ces modèles que sur les autres Jeep.

• Accès: **70%**
Malgré la garde-au-sol importante, la longueur des portes et les dégagements de la cabine facilitent l'accès à bord, mais les poignées de maintien ne sont pas nombreuses.

DONNÉES

Catégorie: véhicules tout terrain à usages multiples à 2 ou 4RM.
Classe : utilitaires

HISTORIQUE

Inauguré en: 1992
Modifié en: 1993: Gd Wagoneer & moteur V8 5.2L.
Fabriqué à: Jefferson Avenue, Detroit, États-Unis.

INDICES

Sécurité: 80 %
Satisfaction: 80 %
Dépréciation: 35 % (2 ans)
Assurance: 6.5 % (1091 $)
Prix de revient au km: 0.48 $

NOMBRE DE CONCESSIONNAIRES

Au Québec: 167 Chrysler-Dodge-Plymouth-Eagle-Jeep

VENTES AU QUÉBEC

Modèle	1992	1993	Résultat	Part de marché
G. Cherokee	1 340	2 741	+100 %	21.0

PRINCIPAUX MODÈLES CONCURRENTS

CHEVROLET Blazer S-10, FORD Explorer, ISUZU Rodeo & Trooper, JEEP Cherokee, GMC Jimmy, LAND ROVER Range & Discovery, MITSUBISHI Montero, NISSAN Pathfinder, TOYOTA 4Runner & Land Cruiser.

ÉQUIPEMENT

Grand Cherokee	SE	Laredo	Ltd	Orvis
Boîte automatique:	S	S	S	S
Régulateur de vitesse:	S	S	S	S
Direction assistée:	S	S	S	S
Freins ABS:	S	S	S	S
Climatiseur:	S	S	S	S
Coussin gonflable:	S	S	S	S
Garnitures en cuir:	O	O	S	S
Radio MA/MF/ K7:	S	S	S	S
Serrures électriques:	S	S	S	S
Lève-vitres électriques:	S	S	S	S
Volant ajustable:	S	S	S	S
Rétroviseurs ext. ajustables:	S	S	S	S
Essuie-glace intermittent:	S	S	S	S
Jantes en alliage léger:	O	S	S	S
Toit ouvrant:	-			
Système antivol:	-			

S : standard; O : optionnel; - : non disponible

COULEURS DISPONIBLES

Extérieur: Noir, Blanc, Vert, Rouge, Brun épave, Bleu.
Intérieur: Tissu: Quartz moyen, Champagne, Bois-flottant; Cuir: Beige, Noir, Blanc.

ENTRETIEN

Première révision: 12 000 km
Fréquence: 6 mois
Prise de diagnostic: Oui

QUOI DE NEUF EN 1995 ?

- **Nouvelle version «Orvis» conçue pour usage hors-route.**
- **Modèle Limited offert en version 2 roues motrices.**
- **Freins à disques et antiblocage aux quatres roues en série.**
- **Verrouillage électrique des portes et glaces en série.**
- **Système de téléverrouillage en série.**
- **Transmission automatique en série.**

	MOTEURS				TRANSMISSION			PERFORMANCES									
Modèles/ versions *: de série	Type / distribution soupapes / carburation	Cylindrée cc	Puissance ch @ tr/mn	Couple lb.pi @ tr/mn	Rapport volumét.	Roues motrices / transmissions	Rapport de pont	Accélér. 0-100 km/h s	400 m D.A. s	1000 m D.A. s	Freinage 100-0 km/h m	Vites. maxi. km/h	Accélér. latérale G	Niveau sonore dBA	Consommation l.100km Ville	Consommation l.100km Route	Carburant Octane
1)	L6* 4.0 ACL-12-ISPM	3966	190 @4750	225 @ 4000	8.8 :1	ar./4 - M5*	3.55	10.7	17.0	30.1	40	190	0.75	67	16.5	11.6	R 87
2)	V8* 5.2 ACL-16-ISPM	5211	220 @ 4800	285 @ 3600	9.1 :1	ar./4 - A4*	3.73	9.0	16.8	29.0	41	190	0.74	67	17.2	12.2	R 87

1) base 2) option

• Sièges: 70%
Leur manque de galbe ne procure pas un maintien suffisant, et leur assise, comme la hauteur des dossiers, a été rognée pour accentuer l'impression d'espace, surtout à l'arrière.

• Poste de conduite: 70%
Le tableau de bord est compliqué pour rien et peu ergonomique car la console centrale est en retrait au lieu d'être en saillie. La colonne de direction trop longue oblige à conduire trop proche du tableau de bord où les instruments sont bien en vue, mais il manque un rappel de la sélection parmi l'instrumentation. La visibilité est excellente grâce à l'importante surface vitrée et aux rétroviseurs bien dimensionnés.

• Habitabilité 70%
Par rapport au «petit» Cherokee, la cabine est moins large, mais elle a gagné en longueur et en hauteur et l'arrondissement des flancs a permis de préserver l'espace pour les hanches et les épaules.

• Performances: 70%
Le 6 cylindres de 4.0L permet des accélérations et des reprises très respectables, mais il force plus que sur le petit Cherokee et la boîte automatique rétrograde souvent pour maintenir l'allure. Tout en couple, le V8 est placide, mais excessivement gourmand.

• Niveau sonore: 60%
La rigidité de la coque et son insonorisation soignée lui confèrent une quiétude digne d'une voiture de luxe. Pourtant le moteur se manifeste lors des fortes accélérations et la suspension marque fortement le passage des saignées transversales.

• Dépréciation: 60%
La forte demande et une bonne réputation maintiendront les enchères élevées et il faudra attendre une année de plus pour faire de bonnes affaires.

• Assurance: 60%
La prime pour le SE 4x2 est plus abordable que celle d'un 4x4 Limited.

• Comportement: 60%
Le Grand Cherokee est l'un des plus sûrs de sa catégorie, même en mode propulsion, car son équilibre et son assurance en courbe ont même tendance à faire oublier sa nature utilitaire, tant ses réactions sont celles d'une automobile. La qualité des pneus influence le comportement mais le compromis idéal entre ceux de route et la piste n'existe pas, et il faudra choisir son terrain de jeu.

• Direction: 60%
Calculée pour faciliter les évolutions sur terrain difficile, son assistance trop forte la rend très floue au centre obligeant à de nombreuses corrections sur route, surtout par vent latéral.

• Freinage: 50%
Les distances d'arrêt, les trajectoires rectilignes (ABS), de même que la résistance à l'échauffement sont remarquables compte tenu du poids de ces véhicules.

• Commodités: 50%
Le côté pratique n'est pas parfait car les rangements sont plus nombreux que pratiques.

POINTS FAIBLES

• La consommation: 20%
C'est surtout le V8 qui offre une capacité de traction exceptionnelle (près de 3 tonnes en option) mais sa consommation se maintient aux alentours de 18 litres aux 100 km, alors que le six cylindres se «contente» de 16 litres.

• Prix/équipement: 40%
Le prix moyen du Grand Cherokee se maintient autour de 30000 dollars ce qui fait payer cher le privilège d'être à la mode, mais au moins à ce prix là l'équipement s'est enrichi cette année.

CONCLUSION

• Moyenne générale: 64.0 %
Le Grand Cherokee connaît un grand succès à cause de son style, mais aussi de sa grande polyvalence et sécurité d'emploi, même si 90% de ses utilisateurs ne s'en servent pas... ☺

CARACTÉRISTIQUES & PRIX

Modèles	Versions	Carrosseries/ Sièges	Cx	Empat. mm	Long x larg x haut. mm x mm x mm	Poids à vide kg	Capacité Remorq. max. kg	Susp. av/ar	Freins av/ar	Direction type	Diamètre braquage m	Tours volant b à b.	Réser. essence l.	Pneus d'origine	Mécaniques d'origine	PRIX $ CDN. 1994
JEEP		**Garantie générale: 3 ans / 60 000 km; corrosion de surface 1 an / 20 000 km; perforation 7 ans / 160 000 km; assistance routière 3 ans / 60 000 km.**														
Gd Cherokee 4x2	SE	fam. 4p. 5	0.44	2691	4548x1800x1644	1619	1361	r/r	d/d/ABS	bil.ass.	11.2	3.3	87.0	215/75R15	L6/4.0/A4	**24 690**
Gd Cherokee 4x2	Laredo	fam. 4p. 5	0.44	2691	4548x1800x1644	1630	2268	r/r	d/dABS	bil.ass.	11.2	3.3	87.0	215/75R15	L6/4.0/A4	**26 470**
Gd Cherokee 4x2	Limited	fam. 4p. 5	0.44	2691	4548x1800x1644	1656	2268	r/r	d/d/ABS	bil.ass.	11.2	3.3	87.0	225/70R15	L6/4.0/A4	-
Gd Cherokee 4x4	SE	fam. 4p. 5	0.44	2691	4548x1800x1644	1667	1361	r/r	d/d/ABS	bil.ass.	11.2	3.2	87.0	215/75R15	L6/4.0/A4	**25 590**
Gd Cherokee 4x4	Laredo	fam. 4p. 5	0.44	2691	4548x1800x1644	1680	2268	r/r	d/d/ABS	bil.ass.	11.2	3.2	87.0	215/75R15	L6/4.0/A4	**27 370**
Gd Cherokee 4x4	Limited	fam. 4p. 5	0.44	2691	4548x1800x1644	1790	2268	r/r	d/d/ABS	bil.ass.	11.2	3.2	87.0	225/70R15	V8/5.2/A4	**35 080**
Gd Cherokee 4x4	Orvis	fam. 4p. 5	0.33	2691	4548x1800x1644	1795	2268	r/r	d/d/ABS	bil.ass.	11.2	3.2	87.0	245/70R15	V8/5.2/A4	**37 385**

Voir la liste complète des prix 1995 à partir de la page 393.

Kidnappé...

Le Jeep YJ fleurit plus dans les rues achalandées des centres villes où ils arborent des tenues voyantes, qu'au milieu de la nature à laquelle il était initialement destiné. Il ne faut donc pas s'étonner qu'il n'est jamais été rationnalisé, ni même que son remplaçant tarde à entrer en scène.

Le YJ n'a plus grand chose à voir avec son ancêtre qui lui était un véritable passe-partout, compact et agile. Il est vendu sous la forme d'un véhicule décapotable avec deux demi-portes en acier, ou avec toit dur et portes pleines avec vitres escamotables. Ses niveaux de finition sont: S, SE et Sahara. Le moteur des versions S et SE est le 4 cylindres 2.5L, tandis que le Sahara reçoit le 6 cylindres en ligne de 4.0L. La boîte manuelle à 5 rapports est montée en série et la vieille automatique à 3 rapports en option sur tous les modèles.

POINTS FORTS

• Satisfaction: 80%
Elle s'est améliorée avec les années pour atteindre un niveau enviable, mais la longue attente de l'arrivée d'un modèle plus réaliste commence à lasser les amateurs qui se tournent de plus en plus vers la concurrence.

• Prix/équipement: 60%
Le YJ est très cher pour ce qu'il est et ce qu'il a à offrir, car son équipement est des plus rudimentaires et les options sont limitées.

• Direction: 60%
Rapide et précise, son assistance trop forte la rend légère et oblige à une vigilance de tous les instants sur route, surtout lorsque le vent souffle latéralement. Sa faible longueur et son diamètre de braquage court lui confèrent une bonne maniabilité, mais sa largeur excessive limite souvent sa progression hors route.

• Freinage: 60%
L'ABS monté en option sur les SE et Sahara n'est pas un gadget mais un élément de sécurité qui devrait être standard sur les S, car les arrêts soudains manquent de stabilité, surtout sur chaussée humide. Les garnitures manquent de mordant et de résistance à l'échauffement et les distances d'arrêt sont encore trop longues.

• Assurance: 60%
Elle est chère, car ce genre de véhicule représente un risque plus élevé, surtout lorsqu'il est entre les mains de gens peu raisonnables.

DONNÉES

Catégorie: véhicules tout terrain à usages multiples à 2 ou 4 RM.
Classe : utilitaires

HISTORIQUE

Inauguré en: 1952
Modifié en: 1975: CJ7; 1985: YJ.
Fabriqué à: Toledo, Ohio, États-Unis.

INDICES

Sécurité: 40 %
Satisfaction: 80 %
Dépréciation: 51 %
Assurance: 6.8 % (1091 $)
Prix de revient au km: 0.48 $

NOMBRE DE CONCESSIONNAIRES

Au Québec: 167 Chrysler-Dodge-Plymouth-Eagle-Jeep

VENTES AU QUÉBEC

Modèle	1992	1993	Résultat	Part de marché
YJ	1 019	1 005	-1.38 %	7.7 %

PRINCIPAUX MODÈLES CONCURRENTS

SUZUKI Sidekick, GEO Tracker, LAND ROVER Defender 90.

ÉQUIPEMENT

JEEP YJ	S	SE/Sport	Sahara
Boîte automatique:	O	O	O
Régulateur de vitesse:	-	-	-
Direction assistée:	O	S	S
Freins ABS:	-	O	O
Climatiseur:	O	O	S
Coussin gonflable (gauche):	-	-	-
Garnitures en cuir:	-	-	-
Radio MA/MF/ K7:	O	O	S
Serrures électriques:	-	-	-
Lève-vitres électriques:	-	-	-
Volant ajustable:	-	-	-
Rétroviseurs ext. ajustables:	O	O	O
Essuie-glace intermittent:	O	O	S
Jantes en alliage léger:	O	O	O
Toit ouvrant:	-		
Système antivol:	-		

S : standard; O : optionnel; - : non disponible

COULEURS DISPONIBLES

Extérieur: Noir, Rouge, Blanc, Bleu,Bleu-vert, Beige, Vert.
Intérieur: Charbon, Épice.

ENTRETIEN

Première révision: 12 000 km
Fréquence: 6 mois
Prise de diagnostic: Non

QUOI DE NEUF EN 1995 ?

- Modèle Renegade supprimé.
- Ensemble décor Rio Grande en option sur la version S.
- Nouvelles couleurs de carrosserie.

MOTEURS						TRANSMISSION		PERFORMANCES									
Modèles/ versions *: de série	Type / distribution soupapes / carburation	Cylindrée cc	Puissance ch @ tr/mn	Couple lb.pi @ tr/mn	Rapport volumét.	Roues motrices / transmissions	Rapport de pont	Accélér. 0-100 km/h s	400 m D.A. s	1000 m D.A. s	Freinage 100-0 km/h m	Vites. maxi. km/h	Accélér. latérale G	Niveau sonore dBA	Consommation l.100km Ville	Route	Carburant Octane
1)	L4* 2.5 ACL-8-IESPM	2474	123 @ 5250	139 @ 3250	9.2 :1	arr./4 - M5*	4.11	12.8	19.2	35.5	50	145	0.72	72	13.3	11.1	R 87
						arr./4 - A3	3.73	13.6	20.5	36.8	47	140	0.72	72	14.1	11.8	R 87
2)	L6* 4.0 ACL-12-IESPM	3956	180 @ 4750	220 @ 4000	8.8 :1	arr./4 - M5*	3.07	10.0	17.5	32.4	48	160	0.72	70	15.1	11.5	R 87
						arr./4 - A3	3.07	11.2	18.8	34.0	46	155	0.72	70	15.9	12.7	R 87

1) * S,SE. 2) * Sahara opt. SE/Sport

Qualité & finition: 50%
:lles sont celles d'un utilitaire, :ar les ajustements sont aléatoi-es et les matériaux ordinaires. 'outefois l'apparence des ver-ions supérieures est moins radi-:ale que celle de la S. La manipu-ation du toit mou reste quant à :lle, inutilement compliquée.

Poste de conduite: 50%
.e recentrage des sièges dont es dossiers sont inclinables a eaucoup amélioré la position de :onduite. La visibilité est plus fa-orable avec le toit dur qu'avec la apote dont les angles morts sont ussi gênants que nombreux et es rétroviseurs extérieurs sont izarrement installés. Les princi-ales commandes sont accessi-les, sauf celles de la radio et du 'ein de stationnement actionné .u pied, alors qu'il y a la place 'en mettre un à main sur le tun-el central, très utile dans certai-es manœuvres en terrain diffi-ile. L'instrumentation est com-lète, mais les gros cadrans sont lus lisibles que les plus petits, lignés sur la droite.

Performances: 50%
.e 6 cylindres avec transmission nanuelle donne des ailes au Jeep ue peu d'obstacles peuvent ar-êter en terrain difficile alors que ur la route, il y a parfois trop de uissance. Quant au 4 cylindres est nettement moins brillant, nême avec la boîte manuelle.

Sièges: 50%
.eur maintien latéral n'est pas ncore idéal, mais leur rembour-age assure un soutien plus con-ortable que par le passé.

Dépréciation: 50%
:lle est faible, vu la popularité de e modèle auprès des jeunes et es amateurs de plein-air.

POINTS FAIBLES

Soute: 10%
'ratiquement inexistante lorsque a banquette est occupée, il faut ondamner celle-ci pour dispo-er d'un espace qui n'est acces-ible que de l'arrière du véhicule près bien des manipulations omplexes, que ce soit avec le oit dur ou mou.

• Commodités: 20%
Le côté pratique est inconnu car la seule boîte à gants n'abritera qu'une paire de mitaines et le coffret fermant à clé, monté en option entre les sièges, s'impose.

• Habitabilité: 30%
Malgré sa taille respectable, l'espace est compté à bord du YJ, surtout à l'arrière où la largeur et la longueur sont limitées ce qui en fait des places de dépannage.

• Niveau sonore: 30%
Il est plus bas avec le toit dur qu'avec le mou, mais la radio est toujours superflue et les longs trajets plutôt pénibles.

• Comportement: 30%
Bien que la stabilité se soit améliorée au cours de la dernière refonte, elle demeure tributaire de l'empattement court, de la garde-au-sol élevée, de la sécheresse de la suspension et du rebond des pneus sur les Sahara qui incite à modérer l'allure en virages serrés et à éviter de changer de voie trop rapidement.

• Technique: 40%
Le YJ est constitué d'un châssis en échelle à quatre traverses auquel les trains rigides avant et arrière sont fixés par l'intermédiaire de ressorts à lames ainsi que la carrosserie en acier. Les principaux éléments mécaniques sont identiques à ceux du Cherokee mais spécialement adaptés. La carrosserie se soucie plus de son côté historique que de sa finesse aérodynamique qui est égale à celle d'un conteneur. La transmission est intégrale à la demande grâce à la boîte de transfert qui sélectionne aussi les gammes de vitesses basses et hautes. On est loin de la sophistication des Cherokee.

• Accès: 40%
Il est plus aisé de s'installer à l'avant qu'à l'arrière où l'espace libéré par les sièges avant est restreint et un marchepied ne serait pas superflu.

• Suspension: 40%
L'empattement court, les ressorts à lames et la fermeté des amortisseurs s'unissent pour chahuter les occupants qui seront téméraires d'entreprendre des étapes de plus de 200 km.

• Consommation: 40%
Elle n'est jamais économique et il serait intéressant d'offrir un moteur Diesel pour ceux qui travaillent réellement avec.

• Sécurité: 40%
Elle n'est pas fameuse car la coque ne résiste pas parfaitement à l'impact et les occupants des places avant ne sont pas protégés par des coussins gonflables. La cage tubulaire renforçant l'intégrité de la structure en cas de capotage est livrée en série.

CONCLUSION

• Moyenne générale: 44.5 %
Ce véritable Jeep offre plus un style de vie, peu conformiste, qu'un moyen de locomotion rationnel et pratique. Et comme tout ce qui est à la mode, il coûte plus cher que ce qu'il vaut. ☹

SUGGESTIONS DES PROPRIÉTAIRES

-Modèle plus compact et léger.
-Rendement plus économique.
-Plus d'espace cargo.
-Capote plus facile à manipuler.
-Une meilleure qualité générale.
-Tableau de bord plus rationnel.

CARACTÉRISTIQUES & PRIX

Modèles	Versions	Carrosseries/ Sièges	Cx	Volume cargo l.	Empat. mm	Long x larg x haut. mm x mm x mm	Poids à vide kg	Capacité Remorq. max. kg	Susp. av/ar	Freins av/ar	Direction type	Diamètre braquage m	Tours volant b à b.	Réser. essence l.	Pneus d'origine	Mécaniques d'origine	PRIX $ CDN. 1994
JEEP		**Garantie générale: 3 ans / 60 000 km; corrosion de surface 1 an / 20 000 km; perforation 7 ans / 160 000 km; assistance routière 3 ans / 60 000 km.**															
YJ	S	déc. 2 p.2	0.65	627	2373	3859x1676x1826	1335	454	r/r	d/t	bil.	10.0	4.2	57.0	205/75R15	L4/2.5/M5	**13 105**
YJ	SE	déc. 2 p.4	0.65	150	2373	3859x1676x1826	1398	454	r/r	d/t	bil.ass.	10.0	4.2	57.0	215/75R15	L4/2.5/M5	**17 005**
YJ	Sahara	déc. 2 p.4	0.65	150	2373	3859x1676x1826	1398	907	r/r	d/t	bil.ass.	10.0	3.6	76.0	225/75R15	L6/4.0/M5	**20 490**

Voir la liste complète des prix 1995 à partir de la page 393.

Démocratie...

Land Rover est plus perçue en Amérique du Nord à travers le Range Rover que ses autres véhicules tout-terrain hautement spécialisés. L'arrivée du Discovery, qui va s'attaquer aux Blazer, Explorer et Grand Cherokee, va lui permettre de démocratiser son image et de vendre plus de véhicules..

Malgré la poussée des produits américains et japonais qui tiennent le haut du pavé, le Range Rover poursuit sa carrière dans la niche des hauts de gamme. Le Range Rover est uniquement importé sous la forme d'une familiale à 5 portes en versions County de base ou County LWB à l'empattement plus long dont l'équipement est plus luxueux et plus complet. Il est rejoint cette année par le Discovery , basé sur la même mécanique mais dont la finition et le prix sont plus populistes. Le Range de base et le Discovery partagent le V8 de 3.9L tandis que le Range LWB reçoit celui de 4.2L avec une boîte automatique à 4 rapports. Le compte rendu suivant porte uniquement sur le Range Rover.

POINTS FORTS

• Soute: **90%**
Elle contient un volume de bagages impressionnant, même lorsque la banquette est utilisée, mais l'ouverture du hayon en deux parties n'en facilite pas l'accès.

• Sécurité: **80%**
Deux coussins gonflables protègent désormais les places avant et la coque offre une bonne résistance à l'impact, car elle comporte une cage rigide.

• Technique: **80%**
Sa construction est robuste, constituée d'un châssis en acier à cinq traverses auxquelles les essieux rigides sont suspendus grâce à des ressorts hélicoïdaux sur le modèle de base et pneumatiques sur le LWB. Un correcteur d'assiette maintient le train arrière à un niveau constant quelle que soit la charge, et un amortissement pneumatique ajustable de la version LWB est géré électroniquement grâce à huit senseurs répartis sur le pourtour de la carrosserie. La transmission intégrale permanente utilise un différentiel à viscocouplage qui répartit la puissance entre les trains et assure le verrouillage entre des ponts sans que le conducteur ait à intervenir. Pour des raisons de compatibilité avec la boîte automatique, le différentiel central est entraîné par chaîne et non par arbre. Afin de réduire le poids et les risques de corrosion, les panneaux extérieurs du toit, des ailes et des portes sont réalisés en alliage d'aluminium. La carrosserie dont la ligne a été modernisée ne fait pas de miracle du côté aérodynamique et ses lignes ne s'éloignent pas de celles de son prédécesseur qui comptent pour une bonne part de son succès.

• Qualité & finition: **80%**
La présentation intérieure est flatteuse avec les garnitures de cuir et les appliques de bois typiquement anglaises dont la finition est soignée. Toutefois, si la construction semble robuste dans le gros-œuvre, certains accessoires sont fragiles comme les plafonniers et certains interrupteurs vieillots. Il n'est pas rare que suite à un rebond du train arrière la partie supérieure du hayon s'ouvre brusquement...

• Accès: **80%**
Malgré la hauteur du seuil et l'angle limité de l'ouverture des portes, il n'est pas difficile de prendre place à bord, grâce à la générosité des différents dégagements.

• Sièges: **70%**

DONNÉES

Catégorie: véhicules tout terrain à usages multiples à 2 ou 4 RM.
Classe : utilitaire

HISTORIQUE

Inauguré en: 1970: Range 2 portes; 1993 Discovery importé en 1995.
Modifié en: 1981: Range 4 portes; 1986: injection; 1993: suspension
Fabriqué à: Solihull, Angleterre.

INDICES

Sécurité: 80 %
Satisfaction: 75 %
Dépréciation: 52 %
Assurance: 3.8 % (2 232 $)
Prix de revient au km: 1.00 $

NOMBRE DE CONCESSIONNAIRES

Au Québec: 1

VENTES AU QUÉBEC

Modèle	1992	1993	Résultat	Part de marché
Range Rover	ND			

PRINCIPAUX MODÈLES CONCURRENTS

CHEVROLET-GMC Suburban, FORD Explorer, JEEP Grand Cherokee, TOYOTA Land Cruiser.

ÉQUIPEMENT

	LAND ROVER Discovery base	LAND ROVER Range Rover base	LWB
Boîte automatique:	O	S	S
Régulateur de vitesse:	S	S	S
Direction assistée:	S	S	S
Freins ABS:	S	S	S
Climatiseur:	S	S	S
Coussins gonflables (2):	S	S	S
Garnitures en cuir:	O	S	S
Radio MA/MF/ K7:	S	S	S
Serrures électriques:	S	S	S
Lève-vitres électriques:	S	S	S
Volant ajustable:	S	S	S
Rétroviseurs ext. ajustables:	S	S	S
Essuie-glace intermittent:	S	S	S
Jantes en alliage léger:	S	S	S
Toit ouvrant:	O	O	S
Système antivol:	S	-	-

S : standard; O : optionnel; - : non disponible

COULEURS DISPONIBLES

Extérieur: Blanc, Vert, Noir, Bronze, Bleu.
Intérieur: Tan

ENTRETIEN

Première révision: 5 000 km
Fréquence: 6 mois/10 000km
Prise de diagnostic: Non

QUOI DE NEUF EN 1995 ?

- Suspension à air en option (Range Rover).
- Nouveau modèle Discovery.

Modèles/ versions *: de série	Type / distribution soupapes / carburation	Cylindrée cc	Puissance ch @ tr/mn	Couple lb.pi @ tr/mn	Rapport volumét.	Roues motrices / transmissions	Rapport de pont	Accélér. 0-100 km/h s	400 m D.A. s	1000 m D.A. s	Freinage 100-0 km/h m	Vites. maxi. km/h	Accélér. latérale G	Niveau sonore dBA	Consommation l.100km Ville	Consommation l.100km Route	Carburant Octane
base	V8* 3.9 SACC-16-IEPM	3947	182 @ 4750	232 @ 3100	9.35 :1	toutes-A4*	3.54	10.8	18.2	35.7	55	175	0.69	66	19.1	14.2	M 89
LWB	V8* 4.2 SACC-16-IEPM	4278	200 @ 5500	251 @ 3250	8.95 :1	toutes-A4*	3.54	9.9	17.4	33.2	50	180	0.71	66	18.5	13.9	M 89
Discovery	V8* 3.9 SACC-16-IEPM	3947	182 @ 4750	232 @ 3100	9.35 :1	toutes-M5*	3.54	ND									
						toutes-A4	-	ND									

(Column groups: MOTEURS — TRANSMISSION — PERFORMANCES)

s sont mieux dessinés à l'avant ue la banquette arrière qui manue de profondeur pour libérer lus de place pour les jambes.

Commodités: 70%
es rangements sont bien distriués, tant à l'avant de la cabine ù la boîte à gants, la tablette du ableau de bord et le coffret de onsole sont bien dimensionnés, ue vers l'arrière où un plateau ompartimenté amovible ferme soute et permet de déposer ombre d'objets de taille plus ou oins importante.

Suspension: 70%
es ressorts hélicoïdaux absorent mieux les dénivellations et ssurent un meilleur confort de oulement que les ressorts à laes de certains de ses concurents, ce qui est plutôt rare à son iveau de prix et de qualité.

Poste de conduite: 70%
e conducteur est assis haut et ispose d'une bonne visibilité râce à la grande surface vitrée, t le tableau de bord est net et ien organisé. Quelques comandes et accessoires ne sont ni onventionnels ni à la portée du onducteur; enfin, le volant est n peu grand et le pédalier déentré.

Satisfaction: 60%
a fiabilité n'inspire pas encore ne confiance totale et le réseau st toujours embryonnaire.

Assurance: 60%
a prime du Range Rover est oisine de celle d'une Jaguar, 'est tout dire...

Direction: 60%
on assistance trop marquée la end sensible et floue et sa déultiplication, qui fait merveille ors-route pénalise la maniabié car son diamètre de braquage st un peu grand.

Habitabilité: 50%
'habitacle qui est vaste et lumieux peut accueillir 5 personnes râce à ses dégagements bien roportionnés. Toutefois l'empatement plus long du LWB procure n espace pour les jambes plus énéreux aux places arrière que ur le County de base.

Comportement: 50%
râce à la transmission intégrale, motricité est excellente et sa olyvalence d'emploi proverbiale,

LAND ROVER Discovery

LAND ROVER Range Rover

LAND ROVER Range Rover

car il peut passer de l'autoroute, où il tient tête à bien des automobiles, aux petits chemins de sousbois, où il ridiculise nombre d'engins dits spécialisés. Hors route, ses aptitudes de franchissement sont surprenantes, grâce à sa garde-au-sol, ses angles d'entrée et de sortie importants et à la bonne protection des organes mécaniques. Sur la route sa tenue de cap est moins édifiante, car elle est sensible à la nature du revêtement et à la force du vent latéral. La suspension pneumatique inaugurée l'an dernier est plus efficace pour modifier la garde-au-sol hors route que pour améliorer la tenue de route.

- **Performances: 50%**
Le moteur V8 n'est pas de trop faire rouler ce véhicule de 2 tonnes à la vitesse d'une voiture sur route où, grâce à une démultiplication adéquate les accélérations et les reprise sont suffisantes. Le moteur onctueux et la transmission bien échelonnée permettent de maintenir un rythme aussi élevé.

- **Niveau sonore: 50%**
Malgré quelques bruits de pneus, de transmission et de vent, le bilan sonore reste positif, grâce à une insonorisation efficace.

POINTS FAIBLES

- **Prix/équipement: 00%**
Il faut vouloir se distinguer à tout prix (?) pour affronter la facture de ce camion de luxe, qui fait payer très cher son style, son équipement et sa polyvalence.

- **Consommation: 10%**
Elle n'est jamais économique et elle peut atteindre facilement 20 litres et plus aux 100 km...

- **Freinage: 30%**
S'il surprend par la précision de son dosage et par son équilibre assuré par un système ABS perfectionné, son efficacité est médiocre car les distances d'arrêt sont longues en situation d'urgence à cause de son poids élevé.

- **Dépréciation: 40%**
Elle fluctue beaucoup, car les acquéreurs ne se précipitent pas, et il n'est pas rare de perdre plus de 60% au bout de 3 ans.

CONCLUSION

- **Moyenne générale: 57.5 %**
Le Discovery va changer la perception élitiste que l'on a de Land Rover et permettra surtout de vendre plus de ces véhicules qu'il est possible de le faire avec le Range. La parenté avec BMW ne nuira sans doute pas à la manœuvre... 😐

CARACTÉRISTIQUES & PRIX

Modèles	Versions	Carrosseries/ Sièges	Cx	Empat. mm	Long x larg x haut. mm x mm x mm	Poids à vide kg	Capacité Remorq. max. kg	Susp. av/ar	Freins av/ar	Direction type	Diamètre braquage m	Tours volant b à b.	Réser. essence l.	Pneus d'origine	Mécaniques d'origine	PRIX $ CDN. 1994
LAND ROVER		**Garantie générale: 3 ans / 70 000 km; antipollution: 5 ans / 80 000 km; perforation corrosion: 6 ans / kilométrage illimité.**														
Range Rover	County	fam. 5 p.5	-	2540	4447x1813x1798	2000	1350	r/r	d/d/ABS	v&s.ass.	12.0	3.375	88.5	205R16	V8/3.9/A4	**60 000**
Range Rover LWB	County	fam. 5 p.5	-	2743	4648x1813x1798	2075	1350	r/r	d/d/ABS	v&s.ass.	12.0	3.375	88.5	205R16	V8/4.2/A4	**72 000**
Discovery	base	fam. 5 p.5/7	-	2540	4539x1793x1966	1986	1350	r/r	d/d/ABS	v&s.ass.	12.0	3.3	88.6	235/70R16	V8/3.9/A4	**39 995**

Voir la liste complète des prix 1995 à partir de la page 393.

Bon anniversaire...

Après vingt cinq années de tribulations, d'incertitudes et d'angoisses, le petit constructeur de Bologne fête son anniversaire en grande pompe en produisant la voiture la plus puissante et la plus rapide de son histoire qui nous a donné des voitures aussi exceptionnelles qu'inoubliables.

Pour fêter son 25 ième anniversaire Lamborghini édite une série spéciale SE de la Diablo qui est l'une des voitures de production les plus rapides au monde (331 km/h). Comme ses ancêtres, la Miura et la Countach, elle a été dessinée par Marcello Gandini. Il s'agit d'un coupé 2 portes, 2 places à 2 ou 4 roues motrices.

POINTS FORTS

• Performances: 100%
Avec près de 500 ch (pour 1 600 kg) le V12 fait office de catapulte. Les accélérations comme les reprises sont fantastiques à condition que l'adhérence soit parfaite ce qui explique la présence d'une version à transmission intégrale. La sélection de la boîte manuelle est aussi lente que dure, tandis que la pédale d'embrayage est très civilisée. Le couple est si abondant que l'on peut réaccélérer à partir de 60 km/h en 5ième sans que le moteur proteste et économiser ainsi quelques changements de rapport...

• Comportement: 100%
C'est surtout au niveau de l'adhérence que la transmission intégrale justifie sa présence, car elle n'améliore pas la tenue en virage où la voiture reste foncièrement sous-vireuse et à la limite le train arrière déboîte aussi sèchement que sur la version normale. Il faut aussi noter la lenteur du viscocoupleur à réagir en slalom. Sur le sec la voiture tient toute seule, que les virages soient larges ou serrés, grâce à ses énormes pneumatiques tandis qu'en ligne droite la stabilité se détériore au dessus de 260 km/h, à cause de la portance négative, et nécessite la présence de l'aileron arrière fixe offert en option.

• Technique: 90%
Son esthétique spectaculaire est caractérisée par ses portes à dégagement vertical, tandis que son moteur 12 cylindres est en position centrale et la boîte de vitesses pénètre dans la cabine pour se loger dans le tunnel central, permettant un équilibre des masses de 49/51 avant/arrière. Contrairement à la Bugatti EB110, la Lamborghini ne fait pas appel à la haute technologie héritée de l'aviation. Le châssis est simplement tubulaire, la carrosserie composée de panneaux d'aluminium ajustés à la main et seuls, le fond de la cabine, les boucliers avant arrière, les capots et le tunnel central sont moulés avec des fibres de carbone. Les suspensions indépendantes ont des géométries antiplongée et anticabrage comportant désormais un ajustement électronique des amortisseurs Koni en fonction de la vitesse. En dessous de 130 km/h la suspension est douce et elle se raffermit progressivement à 190, 250 km/h et au-delà. Le freinage est confié à des disques ventilés de type compétition ne comportant pas de système antiblocage.
Dans la version à transmission intégrale le tunnel central accueille l'arbre de transmission entraînant le train avant qui ne transmet que de 0 à 25% de la puissance du moteur pour que la Diablo conserve son caractère propulsé et son agrément, même lorsque les conditions d'adhérence sont précaires. Le moteur, à la fine pointe de la technologie, développe en série 492 ch et 525 ch sur la SE simplement propulsée. Enfin la boîte manuelle est une simple ZF à 5 rapports avec un embrayage de type compétition.

DONNÉES

Catégorie: coupés de Grand Tourisme propulsés ou intégraux.
Classe : exotique

HISTORIQUE

Inauguré en: 1990
Modifié en: 1994: VT; 1995:
Fabriqué à: Santa Agata Bolognese, Bologne, Italie.

INDICES

Sécurité: ND
Satisfaction: ND
Dépréciation: ND
Assurance: 5.6 %
Prix de revient au km: 3.25 $

NOMBRE DE CONCESSIONNAIRES

Au Québec: 1

VENTES AU QUÉBEC

Modèle	1992	1993	Résultat	Part de marché
Diablo	6	2	-	-

PRINCIPAUX MODÈLES CONCURRENTS

BUGATTI EB110, FERRARI M512 , VECTOR W8.

ÉQUIPEMENT

LAMBORGHINI	Diablo VT
Boîte automatique:	-
Régulateur de vitesse:	-
Direction assistée:	S
Freins ABS:	-
Climatiseur:	S
Coussin gonflable:	-
Garnitures en cuir:	S
Radio MA/MF/ K7:	S
Serrures électriques:	S
Lève-vitres électriques:	S
Volant ajustable:	S
Rétroviseurs ext. ajustables:	s
Essuie-glace intermittent:	S
Jantes en alliage léger:	S
Toit ouvrant:	-
Système antivol:	-

S : standard; O : optionnel; - : non disponible

COULEURS DISPONIBLES

Extérieur: Rouge, Jaune, Blanc, Noir, Gris métallisé, Bleu.
Intérieur: Tan, Blanc, Noir.

ENTRETIEN

Première révision: 3 000 km
Fréquence: 6 mois/10 000 km
Prise de diagnostic: Oui

QUOI DE NEUF EN 1995 ?

-Un modèle décapotable devrait être présenté dans le courant de l'année.
-Version spéciale SE à tirage limité pour souligner le 25ième anniversaire de la marque.

	MOTEURS				TRANSMISSION			PERFORMANCES										
Modèles/ versions *: de série	Type / distribution soupapes / carburation	Cylindrée cc	Puissance ch @ tr/mn	Couple lb.pi @ tr/mn	Rapport volumét.	Roues motrices / transmissions	Rapport de pont	Accélér. 0-100 km/h s	400 m D.A. s	1000 m D.A. s	Freinage 100-0 km/h m	Vites. maxi. km/h	Accélér. latérale G	Niveau sonore dBA	Consommation l.0%0km Ville	Consommation Route	Carburant Octane
Diablo VT	V12 5.7 DACT-48-IEPM	5707	492 @ 7000	428 @ 5200	10.0:1	arrière-M5*	3.83	5.8	13.8	20.7	50	300	0.92	77	25.0	16.0	S 91
Diablo SE	V12 5.7 DACT-48-IEPM	5707	525 @ 7100	417 @ 5900	10.0:1	arrière-M5	3.83	4.0 (données constructeur)				331	0.95	79	29.0	17.5	S 91

ɔualité & finition: 90%
assemblage et la finition des iablo sont plus rigoureux que taient ceux des Countach grâce ıx techniques de fabrication nenées par Chrysler.
Accès: 70%
algré la faible hauteur, il n'est ıs si difficile de s'installer à bord, ır les portes libèrent un espace ıffisant et l'habitacle est dégagé.
Direction: 70%
elle de la VT est désormais ssistée et un peu plus démultiiée que celle de la Diablo ordiıire qui est directe et précise ɔmme un scalpel. Dans les deux ıs la maniabilité est limitée par très faible garde-au-sol et le and diamètre de braquage.
Sièges: 70%
eur galbe maintient bien latéraıment, mais le soutien lombaire est pas ajustable et le rembourge trop mince les rend rapideent inconfortables. Pourquoi ıs un vrai Recaro?
Suspension: 70%
ırprise, elle est presque conrtable, c'est-à-dire nettement oins dure que nous l'imaginions sur la VT l'ajustement des nortisseurs ajoute à l'agrément.
Sécurité: 70%
ı coque de la Diablo résiste en à l'impact, mais au moment écrire ces lignes on ne sait pas des coussins seront finalement stallés dans les versions 95.
Poste de conduite: 60%
epuis notre dernier essai le taeau de bord est devenu plus gonomique car il est moins haut certaines commandes ont été localisées. Ainsi il bouche oins la vue vers l'avant, alors ue de 3/4 ou vers l'arrière la sibilité est très limitée. Malgré colonne de direction ajustable n même temps que le blocstrument), la position de conıite idéale est difficile à trouver, ır le dossier ne s'incline quasient pas et les commandes disɔsées sur la console sont loin ɔ la main. Difficile d'admettre ıe sur une telle voiture le pilote ɔ soit pas plus choyé...
Dépréciation: 60%
lle fluctuera tant que la récesɔn ne sera pas terminée.

POINTS FAIBLES

• Prix/équipement: 00%
Il est très exagéré même si les techniques appliquées sont sophistiquées. En plus, l'équipement général se réduit au strict minimum.
• Consommation: 00%
Elle est à la hauteur des possibilités et le réservoir donne une autonomie d'environ 400 km (en conduite tranquille!)
• Coffre: 20%
Situé entre les roues avant, il a remplacé la roue de secours, ellemême remplacée par une cartouche vulcanisante.
• Habitabilité: 30%
La cabine est bien dégagée par la forme du tableau de bord et la largeur est impressionnante, mais les grands gabarits trouveront que le plafond est bas...
• Niveau sonore: 30%
Le chant du moteur devient terrifiant au-delà de 200 km/h et n'a aucune peine à masquer ceux de roulement ou de vent...
• Commodités: 30%
Elles sont rares, car les rangements sont symboliques puisqu'on ne trouve ni porte-gobelets ni miroir de courtoisie...
• Assurance: 50%
12 950 dollars canadiens c'est le montant de la prime de la Diablo pour une année.
• Freinage: 50%
De style compétition, il est très efficace mais difficile à doser par la dureté de la pédale. La 1.6 tonne de la Diablo s'arrête en moins de 50 m à partir de 100 km/h, mais un ABS apporterait plus d'assurance les jours où il pleut.
• Satisfaction: 50%
Aucun être normalement constitué ne viendra avouer avoir des problèmes avec son investissement préféré et le concessionnaire est amnésique, alors...

LAMBORGHINI Diablo SE

CONCLUSION

• Moyenne générale: 55.5 %
Souffrance et plaisir se mèlent intimement sur la Diablo qui est ce qu'un masochiste peut acheter de mieux...

LAMBORGHINI Diablo SE

CARACTÉRISTIQUES & PRIX

odèles	Versions	Carrosseries/ Sièges	Volume cabine l.	Volume coffre l.	Cx	Empat. mm	Long x larg x haut. mm x mm x mm	Poids à vide kg	Capacité Remorq. max. kg	Susp. av/ar	Freins av/ar	Direction type	Diamètre braquage m	Tours volant b à b.	Réser. essence l.	Pneus d'origine	Mécaniques d'origine	PRIX $ CDN. 1994
AMBORGHINI		**Garantie: 2 ans / 12 000 km.**																
iablo	VT	cpé. 2 p. 2	ND	140	0.30	2650	4460x2040x1105	1695	NR	i/i	d/d	crém.ass.	13.0	3.0	100	235/40ZR17 335/35ZR17	V12/5.7/M5	**350 000**
iablo	SE	cpé. 2 p. 2	ND	140	0.30	2650	4507x2040x1105	1450	NR	i/i	d/d	crém.ass.	13.0	3.0	100	235/40ZR17 335/35ZR17	V12/5.7/M5	**ND**

Voir la liste complète des prix 1995 à partir de la page 393.

LEXUS ES 300

L'étalon...

Le phénomène de la location de voitures aux entreprises ou à des professionnels a donné un ess sans précédent aux voitures de luxe de classe moyenne. Une avalanche de modèles inond aujourd'hui ce marché lucratif, et la Lexus y joue le rôle de référence en terme de succès.

La ES300 est la voiture la plus vendue de la gamme Lexus dont elle constitue le modèle de base. Il s'agit d'une berline 3 volumes à 4 portes vendue en finition unique. Elle dérive étroitement de la Camry dont elle reprend la plate-forme et la mécanique, ainsi que certains éléments de carrosserie ou de vitrage. Elle a subi cette année quelques retouches cosmétiques visant à renforcer sa personnalité et la différencier plus du modèle dont elle est issue.

POINTS FORTS

• **Sécurité: 90%**
La rigidité de sa structure est remarquable et offre une bonne résistance à l'impact tandis que les occupants des places avant sont protégés par deux coussins gonflables.

• **Technique: 90%**
La ES300 reprend les principales dimensions de la Camry sauf en ce qui concerne la longueur et la largeur qui diffèrent. Son allure élancée lui procure une finesse aérodynamique honnête puisque son cœfficient est de 0.32. La coque autoporteuse en acier possède une suspension indépendante et des freins à disque aux 4 roues. Le groupe propulseur et le train arrière sont montés sur des berceaux isolés de la coque par des éléments de caoutchouc afin de filtrer les bruits et les vibrations. Une grande partie des tôles constituant la coque est galvanisée et revêtue d'un matériau insonorisant particulièrement efficace. Le moteur V6 de 3.0L inauguré l'an dernier développe 188 ch couplé à une transmission automatique à 4 rapports à gestion électronique.

• **La satisfaction: 90%**
Le nombre de clients très satisfaits laisse peu de place pour ceux qui le sont normalement, moyennement ou pas du tout...

• **Qualité & finition: 90%**
Si la présentation générale est anonyme, elle n'en est pas moins raffinée, car l'assemblage et la finition sont très soignés et les matériaux employés d'excellente qualité.

DONNÉES

Catégorie: berlines de luxe tractées.
Classe : 7

HISTORIQUE

Inauguré en: 1992
Modifié en: 1994: nouveau moteur.
Fabriqué à: Tahara, Japon.

INDICES

Sécurité: 90 %
Satisfaction: 90 %
Dépréciation: 48 %
Assurance: 3.8 % (1 429 $)
Prix de revient au km: 0.62 $

NOMBRE DE CONCESSIONNAIRES

Au Québec: 4

VENTES AU QUÉBEC

Modèle	1992	1993	Résultat	Part de march
ES300	380	296	-22.1%	4.1 %

PRINCIPAUX MODÈLES CONCURRENTS

ACURA Vigor, AUDI A4-A6, BMW Série 3, INFINITI G-20, MAZDA Millen MERCEDES BENZ C280, NISSAN Maxima, SAAB 900 & 9000, VOLVO 85

ÉQUIPEMENT

LEXUS ES300	base
Boîte automatique:	S
Régulateur de vitesse:	S
Direction assistée:	S
Freins ABS:	S
Climatiseur:	S
Coussin gonflable:	S
Garnitures en cuir:	O
Radio MA/MF/ K7:	S
Serrures électriques:	S
Lève-vitres électriques:	S
Volant ajustable:	S
Rétroviseurs ext. ajustables:	S
Essuie-glace intermittent:	S
Jantes en alliage léger:	S
Toit ouvrant:	O
Système antivol:	O

S : standard; O : optionnel; - : non disponible

COULEURS DISPONIBLES

Extérieur: Blanc, Noir, Améthyste, Rouge, Beige métallique, Rose quartz Émeraude.
Intérieur: Noir, Ivoire, Gris, Taupe, Chêne.

ENTRETIEN

Première révision: 6 000 km
Fréquence: 6 000 km
Prise de diagnostic: Oui

QUOI DE NEUF EN 1995 ?

- Calandre, phares et phares anti-brouillard redessinés.

MOTEURS					TRANSMISSION			PERFORMANCES										
Modèles/ versions *: de série	Type / distribution soupapes / carburation	Cylindrée cc	Puissance ch @ tr/mn	Couple lb.pi @ tr/mn	Rapport volumét.	Roues motrices / transmissions	Rapport de pont	Accélér. 0-100 km/h s	400 m D.A. s	1000 m D.A. s	Freinage 100-0 km/h m	Vites. maxi. km/h	Accélér. latérale G	Niveau sonore dBA	Consommation l.100km Ville	Consommation l.100km Route	Carbura Octane
ES 300	V6*3.0 DACT-24-IEPM	2995	188 @ 5200	203 @ 4400	10.5:1	avant - A4	3.72	9.2	16.2	29.3	38	210	0.80	64	13.1	9.3	R 87

›ste de conduite: 80%
ı position de conduite la plus
›nfortable est facile à trouver
âce aux nombreux réglages du
›ge et de la colonne de direc-
›n. Le tableau de bord typique-
ent Lexus dégage plus d'es-
ıce vers l'avant. Son aménage-
ent est ergonomique, avec ses
mmandes bien disposées et
›s instruments électro-
ninescents installés de manière
›nventionnelle. La visibilité est
cellente sur le pourtour, les
troviseurs étant bien dimen-
›nnés et les piliers du toit assez
inces.

Accès: 80%
est facile de prendre place à
vant comme à l'arrière de la
S300, car ses principaux déga-
ment sont bien calculés. Il n'en
ı pas de même pour le coffre
›nt le seuil, beaucoup plus haut
e sur la Camry, complique la
anipulation des bagages.

Sièges: 80%
essemblant à ceux des autres
odèles de la marque, leur galbe
ocure un maintien latéral et un
›utien lombaire efficaces, mais
ır rembourrage est relativement
rme.

ıspension: 80%
ssez souple pour favoriser le
›nfort, mais pas trop pour ne
ıs nuire au comportement, elle
présente un des meilleurs com-
omis du marché. Du fait de la
ésence de deux berceaux isont les trains de roulement de la
›que, les vibrations et les se-
›usses sont bien atténuées et
›nnent souvent l'impression
être dans une voiture d'un plus
os format.

Assurance: 80%
ırce que la ES300 s'adresse
ırtout à des gens raisonnables
›n indice est bas et la prime
›ordable.

Niveau sonore: 80%
exus est devenu le champion
› l'insonorisation qui est l'une
es plus efficaces au monde, et
ES300 n'a pas échappé à ce
incipe. Les bruits de la méca-
que et du roulement sont très
ténués et seuls quelques petits
ets d'air murmurent autour du
ıre-brise.

Commodités: 70%
Les rangements sont en nombre et en volume suffisants et une trappe a été aménagée dans l'accoudoir arrière pour permettre de transporter des objets longs, tels des skis.

• La consommation: 70%
Moins économique que celle de la Camry ou de certains modèles concurrents comme la Mercedes C220 ou la Nissan Maxima elle se maintient toutefois dans des limites acceptables.

• Performances: 70%
Grâce à un rapport poids puissance favorable (8.13 kg/ch) le dernier moteur a amélioré autant les reprises que les accélérations qui sont plus franches mais certaines concurrentes font nettement mieux avec une technique équivalente..

Comportement: 70%
Il est très sécuritaire que ce soit en ligne droite ou en grandes courbes et la ES300 s'inscrit facilement dans les virages même serrés. Sa conduite n'est pas beaucoup plus inspirée que celle de sa cousine, mais la motricité est bonne et son tempérament sous-vireur ne se manifeste qu'à vive allure, sinon elle reste neutre la plupart du temps.

• Direction: 70%
Rapide avec une assistance un peu plus positive que celle de la Camry elle est légèrement floue au centre et a tendance à s'alléger quand la vitesse augmente.

• Le coffre: 60%
Vaste et de formes simples, il peut accueillir de nombreux bagages, mais ne se transforme pas, comme la Camry, en basculant le dossier de la banquette.

• L'habitabilité: 60%
Quatre personnes y seront à l'aise pour un long trajet et une cinquième pourra y prendre place en dépannage. L'espace pour la tête et les jambes reste suffisant bien que les sièges soient plus épais que ceux de la Camry.

• Freinage: 60%
Progressif et équilibré il est très efficace puisque les distances d'arrêt se maintiennent en dessous de 40 m malgré l'ABS qui rend les trajectoire rectilignes, tandis que la résistance à l'échauffement est satisfaisante.

• La dépréciation: 50%
La réputation de fiabilité et le coût relativement modique de l'entretien font des ES300 de bons achats de seconde main. C'est la raison pour laquelle leur valeur de revente se maintient au-dessus de la moyenne et souvent mieux que celle de modèles allemands plus prestigieux.

POINTS FAIBLES

• Prix/équipement: 30%
Déjà que les produits Toyota coûtent plus chers à cause de leur qualité de fabrication, la valeur du Yen les poussent en plus dans la zone dangereuse de la concurrence. Même si l'équipement de la ES300 est complet et qu'on ne dénombre que peu d'options, on estime qu'elle est surévaluée d'environ 8 %.

CONCLUSION

• Moyenne générale: 72.5 %
La petite Lexus a créé un segment de marché dans lequel elle sert de référence, tant à ses concurrentes nippones qu'européennes qui la trouvent bien dérangeante. Techniquement très homogène, elle procure un luxe discret, un confort efficace et un fonctionnement sans souci qui expliquent son succès. ☺

CARACTÉRISTIQUES & PRIX

odèles	Versions	Carrosseries/ Sièges	Volume cabine l.	Volume coffre l.	Cx	Empat. mm	Long x larg x haut. mm x mm x mm	Poids à vide kg	Poids Remorque max. kg	Susp. av/ar	Freins av/ar	Direction type	Diamètre braquage b à b. m	Tours volant	Réser. essence l.	Pneus d'origine	Mécaniques d'origine	PRIX $ CDN. 1994
EXUS		Garantie générale: 4 ans / 80 000 km; mécanique: 6 ans / 110 000 km; corrosion perforation: 6 ans / kilométrage illimité & assistance routière.																
S300	base	ber. 4p.5	2690	405	0.32	2620	4770x1778x1369	1530	907	i/i	dv/d/ABS	crém.ass.	11.2	2.7	70.0	205/65R15	V6/3.0/A4	**41 300**

Voir la liste complète des prix 1995 à partir de la page 393.

Entre-deux...

La GS300 est venue s'intercaler, il y a deux ans, entre les deux modèles les plus pertinents de gamme Lexus. Pourtant, malgré son allure originale, elle n'apporte pas grand chose puisqu'elle e moins performante qu'une ES300 et finalement pas beaucoup plus logeable. Alors?

La GS300 s'intercale depuis 1993 entre la ES300 et la LS400. Il s'agit d'une berline à quatre portes de trois volumes dont le dessin est dû au styliste italien Giugiaro. C'était la première fois qu'une voiture fabriquée par Toyota n'était pas dessinée par son propre bureau de style, l'attribution s'étant faite sous la forme d'un concours. La GS300 n'est disponible qu'en une seule version propulsée par un moteur 6 cylindres en ligne de 3.0L avec transmission automatique à 4 rapports.

POINTS FORTS

• Sécurité: **90%**
Sa coque est très rigide et les occupants des places avant sont protégés par deux coussins gonflables et des ceintures à pré-tension. Ce dispositif est déclenché par les capteurs des coussins et tend les deux parties de la ceinture, soit celles de l'épaule et de l'abdomen.

• Satisfaction: **90%**
La qualité cachée qui est la philosophie de Toyota est payante au niveau du client qui a toujours l'impression d'en avoir pour son argent.

• Poste de conduite: **90%**
La meilleure position de conduite est rapide à découvrir grâce aux réglages électriques combinés du volant et du siège, à la fois simples et efficaces et la visibilité est bonne malgré l'épaisseur du pilier C. Le tableau de bord est un modèle d'ergonomie car les commandes et les contrôles sont bien disposés (le frein de stationnement), à l'exception de l'interrupteur principal du régulateur de vitesse bien cachés.

• Accès: **80%**
Il est aussi facile d'embarquer à l'avant qu'à l'arrière, les portes étant bien dimensionnées et s'ouvrant largement.

• Sièges: **80%**
Ils procurent un soutien lombaire et un maintien latéral efficaces, bien que leur galbe pourrait être plus prononcé et leur rembourrage, ferme mais pas trop, permet de longs trajets sans fatigue.

• Suspension: **80%**
Le comportement et le confort font très bon ménage, car le débattement des roues absorbe en douceur la plupart des défauts de la route. Toutefois le train avant a tendance à rebondir à répétition sur les inégalités de faible amplitude donnant l'impression de rouler parfois sur de la tôle ondulée.

• Niveau sonore: **80%**
Les Lexus comptent parmi les voitures les mieux insonorisées du moment grâce à plusieurs techniques très élaborées.

• Qualité / finition: **80%**
La carrosserie n'attira pas l'attention car sa présentation est discrète. Le luxe est plus évident à l'intérieur où les garnitures sont de cuir et les appliques de bois verni. L'assemblage est rigoureux, la finition maniaque, et la qualité des matériaux au-dessus de tout soupçon.

• Direction: **80%**
Bien qu'elle soit très précise, son assistance un peu forte la rend sensible, alors que sa démultiplication et son diamètre de braquage lui confèrent une bonne maniabilité.

• Technique: **80%**
Contrairement à la ES300 qui est une traction avant, la GS300 a une

DONNÉES

Catégorie: berlines de luxe propulsées.
Classe : 7

HISTORIQUE

Inauguré en: 1993
Modifié en:
Fabriqué à: Tahara, Japon

INDICES

Sécurité: 90 %
Satisfaction: 92 %
Dépréciation: 44 % (2 ans)
Assurance: 3.1 % (1685 $)
Prix de revient au km: 0.94 $

NOMBRE DE CONCESSIONNAIRES

Au Québec: 4

VENTES AU QUÉBEC

Modèle	1992	1993	Résultat	Part de march
GS300	ND	70		

PRINCIPAUX MODÈLES CONCURRENTS

ACURA Legend, AUDI 100, BMW Série 5, INFINITI J30, MERCEDES BEN classe E, SAAB 9000, VOLVO 960.

ÉQUIPEMENT

LEXUS GS300	base
Boîte automatique:	S
Régulateur de vitesse:	S
Direction assistée:	S
Freins ABS:	S
Climatiseur:	S
Coussin gonflable:	S
Garnitures en cuir:	S
Radio MA/MF/ K7:	S
Serrures électriques:	S
Lève-vitres électriques:	S
Volant ajustable:	S
Rétroviseurs ext. ajustables:	S
Essuie-glace intermittent:	S
Jantes en alliage léger:	S
Toit ouvrant:	O
Système antivol:	O

S : standard; O : optionnel; - : non disponible

COULEURS DISPONIBLES

Extérieur: Blanc, Argent, Bleu, Rouge, Noir, Beige, Jade, Indigo.
Intérieur: Cuir: Ivoire, Gris, Épinette.

ENTRETIEN

Première révision: 6 000 km
Fréquence: 6 000 km
Prise de diagnostic: Oui

QUOI DE NEUF EN 1995 ?

- Quelques changements cosmétiques mineurs.

Modèles/ versions *: de série	MOTEURS Type / distribution soupapes / carburation	Cylindrée cc	Puissance ch @ tr/mn	Couple lb.pi @ tr/mn	Rapport volumét.	TRANSMISSION Roues motrices / transmissions	Rapport de pont	PERFORMANCES Accélér. 0-100 km/h s	400 m D.A. s	1000 m D.A. s	Freinage 100-0 km/h m	Vites. maxi. km/h	Accélér. latérale G	Niveau sonore dBA	Consommation l./100km Ville	Consommation l./100km Route	Carbura Octane
base	L6* 3.0 DACT-24-IEPM	2997	220 @ 5800	210 @ 4800	10.0 :1	arrière-A4	4.083	9.7	17.7	31.7	38	220	0.80	65	13.5	9.4	M 8

chitecture classique héritée de Cressida. Le moteur est à vant et les roues motrices à rrière. Le 6 cylindres en ligne 3.0L surprend par sa cylinée égale à celle du moteur de la S300. Il possède toutefois deux bres à cames en tête développnt 220 ch pour un poids de 60 kg (7.5 kg/ch). La transmison est automatique gérée élecniquement, identique à celle i équipe les 400, mais dont les ages de sélection ont été adapes pour tirer le meilleur parti de puissance du 6 en ligne. La que autoporteuse en acier a e apparence très réussie dont ligne est efficace puisque son efficient est de 0.31. La susnsion est indépendante et les ins à disque aux quatre roues nt ceux de l'avant sont ventis. Le système ABS assure la abilité des arrêts et agit comme gulateur de traction permettant disposer en tout temps d'une hérence maximale. Afin de eux filtrer les vibrations provent du moteur, de la direction, différentiel et de la suspenon, les trains de roulement sont ontés sur des berceaux les isont de la coque.

Assurance: 80%
on prix très élevé amène une ime qui ne l'est pas moins, mais i n'est pas exagérée.

Commodités: 80%
s baudriers des ceintures avant nt ajustables en hauteur, le stème de son Nakamishi est excellente qualité et la climatition est précise au demi-degré ès avec une répartition idéale. outefois la taille et le nombre s rangements sont calculés un u trop juste.

Habitabilité: 70%
cabine n'accueillera que quae adultes en tout confort, car le nnel central arrière, la forme de banquette et l'organisation des oucles de ceinture, interdiront transporter un cinquième pasger.

Comportement: 70%
incipalement orientée vers le onfort, la suspension présente roulis modéré mais les mouments de la caisse sont bien contrôlés, la GS300 affiche une rassurante neutralité, le survirage ne se manifestant que dans des conditions extrêmes.

• Performances: 60%
Malgré son couple et sa bonne volonté le moteur n'est pas assez puissant pour donner à cette berline les performances qu'elle mérite. Les accélérations de 0 à 100 km/h descendent péniblement en dessous de 10 secondes et les reprises sont molles. La version Turbo commercialisée ailleurs confère à cette voiture un tempérament qui justifie mieux le prix demandé en la différenciant nettement de la ES300, ce qui n'est pas le cas ici.

• Freinage: 60%
Il est excellent car les distances d'arrêts en situations d'urgence sont toutes inférieures à 40 mètres, même après des essais répétés éprouvant l'endurance des garnitures et les amorces de blocage des roues sont plus bruyantes que dangereuses.

• Coffre: 50%
Bien que ses formes régulières permettent d'en tirer le meilleur parti, sa contenance est limitée, puisqu'un seul sac de golf pourra

y être remisé, car il n'est pas extensible vers la cabine.

• Consommation: 50%
Elle est tout à fait normale considérant le poids et la cylindrée.

POINTS FAIBLES

• Prix/équipement: 00%
Bien que son équipement soit très complet, le prix demandé pour la GS300 n'est pas proportionnel aux performances, si l'on compare la GS à ses prestigieuses concurrentes européennes.

• Dépréciation: 40%
Elle est plus importante que prévu ce qui surprend, vu la durabilité de ces produits.

CONCLUSION

• Moyenne générale: 69.5 %
Remarquable à plus d'un point de vue, la GS300 manque par trop de caractère pour justifier le prix qu'elle coûte. ☺

CARACTÉRISTIQUES & PRIX

odèles	Versions	Carrosseries/ Sièges	Volume cabine l.	Volume coffre l.	Cx	Empat. mm	Long x larg x haut. mm x mm x mm	Poids à vide kg	Poids Remorque max. kg	Susp. av/ar	Freins av/ar	Direction type m	Diamètre braquage b à b.	Tours volant l.	Réser. essence	Pneus d'origine	Mécaniques d'origine	PRIX $ CDN. 1994
EXUS		Garantie générale: 4 ans / 80 000 km; mécanique: 6 ans / 110 000 km; corrosion perforation: 6 ans / kilométrage illimité & assistance routière.																
S300	base	ber. 4p. 4/5	2947	368	0.31	2780	4950x1795x1400	1660	907	i/i	d/d/ABS	crém.ass.	11.0	3.23	80.0	215/60VR16	L6/3.0/A4	57 800

Voir la liste complète des prix 1995 à partir de la page 393.

LEXUS LS & SC400

Continuité...

Affirmer que la LS400 a été renouvelée serait un peu téméraire, disons simplement qu'elle a ét raffinée sur de nombreux points, mais que dans l'ensemble, sa définition reste identique à c qu'elle était. Il est toujours plus difficile de faire mieux lorsqu'on a déjà atteint le sommet.

Seuls les spécialistes avisés pourront déceler les détails qui différencient les LS et SC 95 des 94. Elles ont été notablement améliorées, mais les changements les plus significatifs sont invisibles. La LS400 est une berline 3 volumes à 4 portes et le SC400, un coupé 3 volumes 2 portes qui partagent la même plate-forme et la même mécanique à quelques détails près. Le SC300 reprend l'apparence du 400, mais emprunte la mécanique de la GS300. Ces trois modèles sont commercialisés en finition toute équipée.

POINTS FORTS

• Satisfaction: **95%**
Lexus arrive largement en tête de tous les sondages de propriétaires, qui se disent extrêmement satisfaits de leur acquisition.

• Qualité & finition: **90%**
Sobre et de bon goût, la présentation, l'assemblage et la finition sont rigoureux et la qualité des matériaux étudiée anti-vieillissement.

• Sécurité: **90%**
Elle est optimale par la résistance de la structure qui a encore été améliorée par l'édification d'une cage de sécurité autour de l'habitacle, et la présence en série de deux coussins d'air, de l'ABS et d'un système antipatinage.

• Technique: **90%**
Par rapport au modèle qu'elle remplace, la LS a subi de nombreuses modifications puisque 90% de ses composants sont nouveaux ou ont été améliorés et le poids a été allégé de 90 kg. L'empattement est plus long, le moteur, les suspensions et l'aménagement intérieur ont été subtilement raffinés. La modification la plus visible se situe au niveau la calandre et du capot-moteur dont le dessin est différent. L'allure de la LS reste un habile mélange des styles des Audi, BMW et Mercedes, assortis de l'un des plus faibles cœfficients aérodynamiques du marché de 0.28. L'apparence des coupés SC ne rappelle rien de connu. Leur carrosserie monocoque est en acier à double paroi tandis que les parties très exposées sont en acier galvanisé. Leur suspension est indépendante et les freins à disque ventilés sur les quatre roues avec un dispositif ABS permettant aussi de contrôler la qualité de la traction en cas de perte d'adhérence. Le moteur est un V8 de 4.0L très moderne qui joue la puissance autant que le couple. Il est associé à une boîte automatique à 4 rapports à gestion électronique fonctionnant selon deux modes: sportif ou économique. Le rapport de différentiel du coupé SC400 est plus court que celui de la berline afin de lui procurer des performances en accord avec sa vocation. Le SC300 est équipé du 6 cylindres en ligne de 3.0L de la GS couplé à une boîte manuelle à 5 vitesses.

• Assurance: **90%**
Le très faible taux est compensé par leur prix très élevé, pour donner une prime conséquente, mais justifiée.

• Poste de conduite: **90%**
La visibilité est bonne sous tous les angles et le conducteur est confortablement installé bien que l'ajustement du soutien lombaire soit absent. Le tableau de bord est un modèle du genre par sa présentation esthétique qui est simple et fonctionnelle. Les comman-

DONNÉES

Catégorie: berlines et coupés de luxe propulsés.
Classe : 7

HISTORIQUE

Inauguré en: 1990: LS400; 1991: SC400.
Modifié en: 1993: SC300; 1995: carrosseries.
Fabriqué à: Tahara, Japon.

INDICES

	LS	SC
Sécurité:	90 %	90 %
Satisfaction:	94 %	94 %
Dépréciation:	61 %	56 %
Assurance:	(1 892 $) 2.8 %	2.9 % (1 776 $)
Prix de revient au km:	0.94 $	0.94 $

NOMBRE DE CONCESSIONNAIRES

Au Québec: 4

VENTES AU QUÉBEC

Modèle	1992	1993	Résultat	Part de march
LS	196	106	-45.9 %	1.48 %
SC	139	72	-48.2	1.0 %

PRINCIPAUX MODÈLES CONCURRENTS

LS: AUDI A8, BMW série 7, CADILLAC Seville, INFINITI Q45, JAGUAR X. LINCOLN Continental, MERCEDES 420SE, OLDSMOBILE Aurora.
SC: BMW 850, CADILLAC Eldorado Touring, JAGUAR XJS, LINCOLN Ma VIII, MERCEDES-BENZ SL, PORSCHE 928.

ÉQUIPEMENT

LEXUS	LS400	SC400	SC300
Boîte automatique:	S	S	-
Régulateur de vitesse:	S	S	S
Direction assistée:	S	S	S
Freins ABS:	S	S	S
Climatiseur:	S	S	S
CoussinS gonflableS (2):	S	S	S
Garnitures en cuir:	S	S	S
Radio MA/MF/ K7:	S	S	S
Serrures électriques:	S	S	S
Lève-vitres électriques:	S	S	S
Volant ajustable:	S	S	S
Rétroviseurs ext. ajustables:	S	S	S
Essuie-glace intermittent:	S	S	S
Jantes en alliage léger:	S	S	S
Toit ouvrant:	S	S	S
Système antivol:	S	S	S

S : standard; O : optionnel; - : non disponible

COULEURS DISPONIBLES

Extérieur: Blanc, Argent, Noir, Champagne, Beige, Indigo, Taupe.
Intérieur: Cuir: Ivoire, Gris, Taupe, Noir, Bleu, Épinette.

ENTRETIEN

Première révision: 6 000 km
Fréquence: 6 000 km
Prise de diagnostic: Oui

QUOI DE NEUF EN 1995 ?

- **Carrosseries retouchées.**
- **Moteur V8 plus performant.**
- **Augmentation du volume intérieur et du coffre.**

Modèles/ versions *: de série	MOTEURS Type / distribution soupapes / carburation	Cylindrée cc	Puissance ch @ tr/mn	Couple lb.pi @ tr/mn	Rapport volumét.	TRANSMISSION Roues motrices / transmissions	Rapport de pont	PERFORMANCES Accélér. 0-100 km/h s	400 m D.A. s	1000 m D.A. s	Freinage 100-0 km/h m	Vites. maxi. km/h	Accélér. latérale G	Niveau sonore dBA	Consommation l./100km Ville	Consommation l./100km Route	Carbura Octane
SC300	L6* 3.0 DACT-24-IESPM	2997	225 @ 6000	210 @ 4800	10.0 :1	arrière - M5	4.083	9.5	17.0	30.8	41	200	0.81	66	13.1	9.0	S 91
SC400	V8* 4.0 DACT-32-IEPM	3969	250 @ 5600	260 @ 4400	10.0 :1	arrière - A4	3.916	7.0	15.0	27.6	38	230	0.85	64	13.3	9.3	S 91
LS 400	V8* 4.0 DACT-32-IE	3969	260 @ 5300	270 @ 4500	10.4 :1	arrière - A4*	3.615	8.5	16.5	29.0	37	220	0.78	65	12.8	9.1	S 91

es et les contrôles sont aussi
ıciles à utiliser qu'à consulter.
Sièges: 80%
ien que leur galbe ne soit pas
ès prononcé, ils maintiennent
: soutiennent efficacement et
ur rembourrage est à point.
Performances: 80%
vec le moteur V8, le rapport
oids/puissance favorable per-
et des accélérations et des re-
ises très franches, tandis que
six cylindres a plus de couple
ue de chevaux occidentaux!
ambiance feutrée qui prévaut
ıns ces cabines a tendance à
ire oublier les limites de vitesse
il serait bon de jeter de temps
ı temps un œil aux instruments
our savoir ce qui se passe.
Comportement: SC: 80%
e SC vire plus à plat grâce à ses
ssorts-amortisseurs nettement
us fermes. Une suspension
ustable avec mode confort,
ort ou automatique, permet-
ait d'adapter le comportement
ıx différents styles de conduite.
Direction: 80%
ouce et précise, son assistance
ıriable en fonction de la vitesse,
ste trop forte ce qui la rend
gère et réclame une attention
outenue. Celle des SC réagit
us rapidement car sa démulti-
ication est plus courte.
Accès: 80%
est plus facile de s'installer à
ırrière de la LS que du SC,
algré l'effacement automatique
ı siège avant droit qui libère un
space suffisant qui compense
faible ouverture des portes.
Suspension: 80%
elle de la LS est tout miel grâce
sa souplesse et à l'importance
u débattement des roues.
amortissement pneumatique
fert en option n'est nécessaire
ue sous lourde charge.
Commodités: 80%
es rangements sont bien distriués et les cabines comportent
ombre de raffinements telle la
olonne de direction à ajuste-
ent électrique dans deux axes.
Freinage: 60%
est puissant et équilibré lors
es arrêts d'urgence, car les dis-
ınces sont remarquables pour
es véhicules de ce poids.
Dépréciation: 60%
Elle se compare à celle de certaines allemandes ce qui augure bien.
• **Niveau sonore: 60%**
La remarquable insonorisation étouffe tous les bruits, qu'ils proviennent de la mécanique ou des trains de roulement et ce, même à vive allure.
• **Coffre: LS: 60%**
Bien qu'inférieur à celui de ses concurrentes, le coffre de la LS est suffisamment logeable car ses formes sont régulières.
• **Comportement: LS: 60%**
Sain et équilibré, la souplesse de la suspension est mieux contrôlée qu'auparavant, de même que les mouvements de la caisse.
• **Habitabilité: LS: 50%**
Si un cinquième adulte peut temporairement s'installer à l'arrière de la LS ce sera pour un court trajet car c'est une 4 places.

LEXUS LS400

LEXUS LS400

LEXUS SC400

POINTS FAIBLES

• **Prix/équipement: 00%**
Si les prix de ces deux voitures ne sont pas à la portée de tout le monde, ils sont néanmoins compétitifs vis-à-vis de ceux de leurs concurrentes si l'on compare leurs caractéristiques, la qualité de leur fabrication et la richesse de leur équipement.
• **Coffre: SC: 30%**
Celui de la SC est égal ou supérieur à ceux de ses concurrentes, car ses formes simples permettent d'y loger un volume de bagage appréciable.
• **Consommation: 40%**
Pour qui respecte les règles de la circulation, la consommation équivaut à celle de certains moteurs V6 de cylindrée inférieure, puisqu'elle se maintient autour de 14 l/ l00 km.
• **Habitabilité: SC: 40%**
Comme sur la plupart des véhicules de ce type, l'espace est plus limité en longueur qu'en hauteur aux places arrière des coupés, qui permettent tout de même à deux adultes d'y voyager confortablement installés.

CONCLUSION

• **Moyenne générale:**
LS 74.0 % SC 70.0 %
Les Lexus LS et SC n'ont aucun mal à se maintenir dans le groupe de tête de leur catégorie, car elles commencent à avoir une excellente réputation et leur fiabilité rend jaloux les plus aristocrates de leurs concurrents. ☺

CARACTÉRISTIQUES & PRIX

odèles	Versions	Carrosseries/ Sièges	Volume cabine l.	Volume coffre l.	Cx	Empat. mm	Long x larg x haut. mm x mm x mm	Poids à vide kg	Poids Remorque max. kg	Susp. av/ar	Freins av/ar	Direction type m	Diamètre braquage b à b.	Tours volant l.	Réser. essence	Pneus d'origine	Mécaniques d'origine	PRIX $ CDN. 1994
EXUS		**Garantie générale: 4 ans / 80 000 km; mécanique: 6 ans / 110 000 km; corrosion perforation: 6 ans / kilométrage illimité & assistance routière.**																
S400		ber. 4 p.5	2746	394	0.28	2850	4995x1830x1420	1675	907	i/i	d/d/ABS	crém.ass.	10.6	3.46	85.0	225/60VR16	V8/4.0/A4	**71 100**
C300		cpé.2 p.2+2	2400	263	0.30	2690	4853x1790x1335	1660	907	i/i	d/d/ABS	crém. ass.	11.0	3.10	78.0	225/55VR16	L6/3.0/M5	-
C400		cpé.2 p.2+2	2400	263	0.30	2690	4853x1790x1335	1644	907	i/i	d/d/ABS	crém. ass.	11.0	3.10	78.0	225/55VR16	V8/4.0/A4	**64 600**

Voir la liste complète des prix 1995 à partir de la page 393.

Fin de série...

La nouvelle Continental arrivera trop tard pour figurer dans ces pages. Ford profitera de c changement de modèle pour le recentrer sur un marché envahi par la concurrence étrangère, qu les changements de culture et de société ont profondément modifié.

Modèle d'entrée de la gamme Lincoln, on ne peut pas dire que la Continental aura marqué son époque, car ses ventes ont toujours été confidentielles. C'est une berline 4 portes à trois volumes, offerte en deux finitions Executive et Signature, qui diffèrent surtout par leur niveau d'équipement, car leur mécanique demeure identique.

POINTS FORTS

• Sécurité: 90%
La résistance à l'impact de la structure est satisfaisante et la protection des occupants des places avant est assurée par la présence de deux coussins gonflables.

• Satisfaction: 80%
Sans prétendre soutenir la concurrence de voitures allemandes ou japonaises sa fiabilité donne moins de soucis à ses propriétaires qu'à une certaine époque où elle a connu pas mal de petits problèmes agaçants. Quant à sa suspension pneumatique, elle est complexe et très coûteuse à réparer.

• Technique: 80%
La Continental fut la première et la seule Lincoln a avoir adopté la traction et elle partage avec la Mark VIII des techniques de pointe. Sa carrosserie monocoque en acier est pourvue d'une suspension indépendante aux quatre roues comportant des amortisseurs pneumatiques contrôlés par ordinateur. Le freinage à quatre disques comporte un dispositif ABS en série et l'assistance de la direction à crémaillère est variable en fonction de la vitesse. Ses lignes qui rappellent par certains détails celles des Mercedes, Jaguar et BMW ont une finesse aérodynamique moyenne puisque son cifficient aérodynamique est de 0.34. Comme dans le cas de l'Infiniti Q45 sa calandre a été redessinée dans le style Jaguar, ce qui paraît normal puisqu'il s'agit d'une affaire de famille...

• Niveau sonore: 80%
L'insonorisation étouffe la plupart des bruits en provenance de la mécanique mais ceux de vent et de roulement persistent selon lerevêtement et la vitesse.

• Coffre: 80%
Son volume est bien proportionné, et il contiendra un nombre de bagage important car ses formes régulières sont logeables et sonseuil bas en facilite l'accès.

• Assurance: 80%
La prime est raisonnable, car la voiture est américaine, donc facile à réparer en cas d'accident et la plupart de ses propriétaires sont des gens mûrs et sans surprise.

• Accès: 80%
Il est aisé de pénétrer dans cette limousine dont les portes sont bien proportionnées et la hauteur confortable.

• Sièges: 70%
Ils ne sont pas confortables sur long trajet car leur rembourrage trop mou et leurs formes trop évasives ne soutiennent ni ne maintiennent correctement. À tout prendre, les garnitures de velours sont préférables à celles en cuir, glissant et déplaisant été comme hiver.

• Suspension: 70%

DONNÉES

Catégorie: berlines de luxe tractées.
Classe : 7

HISTORIQUE

Inauguré en: 1988
Modifié en: 1989: injection électronique à points multiples.
Fabriqué à: Wixom, MI, États-Unis.

INDICES

Sécurité: 90 %
Satisfaction: 77 %
Dépréciation: 60 %
Assurance: 3.7 % (1 545 $)
Prix de revient au km: 0.94 $

NOMBRE DE CONCESSIONNAIRES

Au Québec: 143 Ford-Lincoln-Mercury

VENTES AU QUÉBEC

Modèle	1992	1993	Résultat	Part de march
Continental	138	230	+40.0 %	3.2 %

PRINCIPAUX MODÈLES CONCURRENTS

ACURA Legend, AUDI 100, BMW 535i, CADILLAC De Ville & Sevil INFINITI J30, JAGUAR XJ6, LEXUS GS300, LINCOLN Town Car, MERC DES 300E, VOLVO séries 900.

ÉQUIPEMENT

LINCOLN Continental	Executive	Signature
Boîte automatique:	S	S
Régulateur de vitesse:	S	S
Direction assistée:	S	S
Freins ABS:	S	S
Climatiseur:	S	S
Coussin gonflable:	S	S
Garnitures en cuir:	S	S
Radio MA/MF/ K7:	S	S
Serrures électriques:	S	S
Lève-vitres électriques:	S	S
Volant ajustable:	S	S
Rétroviseurs ext. ajustables:	S	S
Essuie-glace intermittent:	S	S
Jantes en alliage léger:	S	S
Toit ouvrant:	O	O
Système antivol:	O	O

S : standard; O : optionnel; - : non disponible

COULEURS DISPONIBLES

Extérieur: Brun, Moka, Argent, Canneberge, Bourgogne, Améthyste, Blar
Intérieur: cuir :Graphite, Titane, Noir, Vert.
tissu :Bleu cristal, Moka, Canneberge, Ébène, Titane, Bleu nu

ENTRETIEN

Première révision: 8 000 km
Fréquence: 6 mois/ 10 000 km
Prise de diagnostic: Oui

QUOI DE NEUF EN 1995 ?

- Nouveau modèle présenté début 1995 (voir le chapitre Nouveautés 39)

Modèles/ versions *: de série	MOTEURS Type / distribution soupapes / carburation	Cylindrée cc	Puissance ch @ tr/mn	Couple lb.pi @ tr/mn	TRANSMISSION Rapport volumét.	Roues motrices / transmissions	Rapport de pont	PERFORMANCES Accélér. 0-100 km/h s	400 m D.A. s	1000 m D.A. s	Freinage 100-0 km/h m	Vites. maxi. km/h	Accélér. latérale G	Niveau sonore dBA	Consommation l./100km Ville	Consommation l./100km Route	Carbura Octane
1994	V6* 3.8 ACC-12-IESPM	3802	160 @ 4400	225 @ 3000	9.0 :1	avant - A4*	3.37	10.0	16.7	30.8	47	185	0.75	66	133	8.2	R87

lalgré sa sophistication elle n'est as aussi efficace que celle de la lark VIII et procure un meilleur onfort sur autoroute où son conôle automatique fait merveille, le sur petite route sinueuse et abossée où la carrosserie affine des mouvements désordonés qui chahutent les occupants.

Qualité & finition: 70%
a présentation intérieure ne corspond pas exactement au style e la carrosserie dont la consuction est robuste, car l'instruentation et les appliques de ux-bois font clinquant. Bien que qualité des matériaux soit honte et la finition soignée, cerins détails comme les rails de èges apparents aux places arère mériteraient d'être plus soinés.

Poste de conduite: 70%
e tableau de bord ne fait pas nanimité car les commandes ont confuses et l'instrumentaon digitale ne cadre pas avec

mage classique que cette voire projette. La position de conuite est assez facile à trouver, ais le siège n'offre pas un mainen latéral et un ajustement lomaire suffisants.

Direction: 60%
ien que rapide, précise et assez en dosée, sa maniabilité soufe de son diamètre de braquage op grand.

Freinage: 60%
lalgré la présence de quatre disues et d'un système ABS son fficacité n'est que moyenne, car les distances d'arrêt sont longues et la pédale difficile à doser, son assistance étant trop forte.

• Consommation: 60%
Un bon point à ce chapitre, car si l'on tient compte de son poids et de son encombrement, la Continental est relativement économique comparée à certaines de ses concurrentes.

• Habitabilité: 60%
Cinq adultes s'installeront à l'aise dans la cabine dont les dimensions sont bien calculées, particulièrement en hauteur.

• Performances: 50%
Le moteur manque de punch quand vient le temps de dépasser et un V8 comme celui qui équipe la nouvelle Mark VIII serait le bienvenu. La transmission est bien étagée, mais elle est lente à rétrograder et dans certains cas, il faudra la provoquer, tandis que le frein-moteur n'est pas très convaincant.

POINTS FAIBLES

• Prix/équipement: 20%
Comparée à certaines importées coûtant à peu près le même prix, la Continental est moins bien équipée, moins raffinée et moins puissante.

• Comportement: 40%
La grande souplesse de la suspension provoque du roulis et du tangage que la suspension pneumatique ne parvient pas à contrôler efficacement. Si tout va bien sur autoroute, la précision de conduite, le rythme et le confort en souffrent sur petite route sinueuse et dégradée où les pneus sont durement sollicités et où il vaut mieux modérer l'allure pour ne pas connaître le mal de mer.

• Commodités: 40%
Le côté pratique n'est pas l'un des points forts de la Continental, car les espaces de rangement y sont réduits au minimum.

• Dépréciation: 40%
Elle est plus forte que la moyenne car ces modèles se défraîchissent assez rapidement et leur budget d'entretien et de réparation effraiera les amateurs.

CONCLUSION

• Moyenne générale: 64.0 %
À la veille du remplacement de ce modèle, on peut conclure que Ford ne lui a pas donné grand chance de succès en faisant toujours de mauvais compromis. Alors que l'extérieur pouvait séduire les amateurs de modèles européens, l'intérieur a toujours été conçu pour séduire la clientèle classique de Lincoln, qui est à l'opposé. Enfin, la mécanique qui n'a jamais été à la hauteur en a découragé plus d'un. On risque de tout perdre en voulant trop gagner... 😐

CARACTÉRISTIQUES & PRIX

odèles	Versions	Carrosseries/ Sièges	Volume cabine l.	Volume coffre l.	Cx	Empat. mm	Long x larg x haut. mm x mm x mm	Poids à vide kg	Poids Remorque max. kg	Susp. av/ar	Freins av/ar	Direction type m	Diamètre braquage b à b.	Tours volant l.	Réser. essence	Pneus d'origine	Mécaniques d'origine	PRIX $ CDN. 1994
INCOLN	**Garantie: 3 ans / 80 000 km; corrosion perforation: 6 ans / 160 000 km.**																	
ontinental	Executive	ber.4 p.6	2945	538	0.34	2769	5210x1836x1407	1622	454	i/i	d/d/ABS	crém.ass.	11.7	2.84	69.6	205/70R15	V6/3.8/A4	**40 795**
ontinental	Signature	ber.4 p.6	2945	538	0.34	2769	5210x1836x1407	1643	454	i/i	d/d/ABS	crém.ass.	11.7	2.84	69.6	205/70R15	V6/3.8/A4	**43 495**

Voir la liste complète des prix 1995 à partir de la page 393.

Unique...

Le coupé Mark VIII a autant surpris par sa ligne résolument futuriste, que par ses performances e son comportement inhabituels pour un véhicule fabriqué en Amérique du Nord. La sophisticatio de sa technique et le brio de son moteur ne cadrent pourtant pas avec son format peu international

Le coupé Mark VIII diffère beaucoup du modèle qu'il a remplacé, tant par sa ligne originale, que par sa mécanique qui s'est modernisée. Il n'existe qu'en modèle trois volumes, deux portes quatre places en version unique, qui sera peut-être suivie un jour d'un cabriolet.

POINTS FORTS

• Sécurité: 90%
Le coupé Mark VIII est pourvu en série de deux coussins gonflables, de ceintures à trois points d'ancrage et d'une structure résistant bien aux impacts ce qui lui permet d'atteindre le pointage maximal.

• Performances: 80%
Le nouveau moteur FourCam V8 4.6L délivre 280 ch qui sont très présents et réagissent à la moindre sollicitation. Ce V8 américain est sans aucun doute le plus brillant de sa génération, procurant au Mark VIII un rapport poids-puissance de 6.07 kg/ch. Il est couplé a une transmission automatique dont les rapports sont bien échelonnés, la sélection douce et précise, tandis que les rétrogradages permettent de disposer d'une bonne réserve de puissance et d'un frein-moteur suffisamment puissant.

• Direction: 80%
Malgré une assistance un peu forte, elle est rapide et précise et procure une maniabilité et une agilité peu communes pour un véhicule de ce gabarit, dont le diamètre de braquage est très raisonnable.

• Technique: 80%
La carrosserie monocoque en acier (à l'exception du capot avant qui est en plastique injecté) est pourvue d'une suspension indépendante aux quatre roues. A l'avant on a affaire à un arrangement de bras longs et courts alors que le train arrière est monté sur un berceau indépendant soutenant les porte-moyeux en aluminium coulé. L'amortissement pneumatique piloté par électronique contrôle les mouvements de la carrosserie dans les quatre axes, ainsi que la valeur de l'amortissement en fonction de l'état de la route et du mode de conduite. Le freinage est confié à quatre disques avec dispositif antiblocage Teves, couplé à un contrôleur de traction commandé par un interrupteur au tableau de bord. L'assistance de la direction à crémaillère est variable en fonction de la vitesse. La ligne générale a été affinée pour parvenir à un cœfficient aérodynamique de 0.33 ce qui est bas pour une surface frontale aussi importante. La grille de la calandre, réalisée par la firme Davidson Textron, est en uréthane chromé en couches successives qui ne se délaminera pas, même plié en deux, qui ne rouillera pas et résistera à un impact par - 20º centigrades ainsi qu'aux rayons ultra-violets.

• La satisfaction: 80%
Les commentaires des premiers propriétaires sont trop peu nombreux et il est trop tôt pour statuer avec précision sur la fiabilité du Mark VIII.

• Poste de conduite: 80%
Il est aisé de trouver rapidement la meilleure position car le maintien latéral et le soutien lombaire du siège sont efficaces. La visibilité est meilleure vers l'avant et l'arrière que de 3/4 où le pilier C est large tandis que sur les côtés les rétroviseurs sont ridiculement petits.

DONNÉES

Catégorie: coupés de luxe propulsés.
Classe : 7

HISTORIQUE

Inauguré en: 1993
Modifié en: -
Fabriqué à: Wixom, MI, États-Unis.

INDICES

Sécurité: 90 %
Satisfaction: 78 % (Mark VII)
Dépréciation: 40 % (2 ans)
Assurance: 3.6 % (1 776 $)
Prix de revient au km: 0.94 $

NOMBRE DE CONCESSIONNAIRES

Au Québec: 143 Ford-Lincoln-Mercury

VENTES AU QUÉBEC

Modèle	1992	1993	Résultat	Part de march
Mark VIII	21	223	-	3.1 %

PRINCIPAUX MODÈLES CONCURRENTS

ACURA Legend coupé, BUICK Riviera, CADILLAC Eldorado, JAGUAR XJ LEXUS SC400.

ÉQUIPEMENT

LINCOLN	Mark VIII
Boîte automatique:	S
Régulateur de vitesse:	S
Direction assistée:	S
Freins ABS:	S
Climatiseur:	S
Coussin gonflable:	S
Garnitures en cuir:	S
Radio MA/MF/ K7:	S
Serrures électriques:	S
Lève-vitres électriques:	S
Volant ajustable:	S
Rétroviseurs ext. ajustables:	S
Essuie-glace intermittent:	S
Jantes en alliage léger:	S
Toit ouvrant:	O
Système antivol:	S

S : standard; O : optionnel; - : non disponible

COULEURS DISPONIBLES

Extérieur: Moka, Bleu, Grenat, Bourgogne, Canneberge, Aubergine, Ver Noir, Blanc, Gris opale, Opale.
Intérieur: Moka, Ébène, Algue marine, Gris opale.

ENTRETIEN

Première révision: 8 000 km
Fréquence: 6 mois/10 000 km
Prise de diagnostic: Oui

QUOI DE NEUF EN 1995 ?

- **Embouts d'échappement chromés.**
- **Tableau de bord redessiné.**
- **Édition mi-1995 au caractère encore plus sportif.**

Modèles/ versions *: de série	MOTEURS Type / distribution soupapes / carburation	Cylindrée cc	Puissance ch @ tr/mn	Couple lb.pi @ tr/mn	Rapport volumét.	TRANSMISSION Roues motrices / transmissions	Rapport de pont	PERFORMANCES Accélér. 0-100 km/h s	400 m D.A. s	1000 m D.A. s	Freinage 100-0 km/h m	Vites. maxi. km/h	Accélér. latérale G	Niveau sonore dBA	Consommation l./100km Ville	Consommation l./100km Route	Carbura Octane
base	V8* 4.6 DACT- 32-IES	4604	280 @ 5500	285 @ 4500	9.85 :1	arrière - A4*	3.07	7.8	16.0	28.5	42	200	0.80	65	13.3	8.5	S 91

Assurance: 80%
;on taux n'est pas plus élevé que elui d'une voiture ordinaire, mais on prix, qui ne l'est pas, fait rimper la prime en flèche.

Sièges: 80%
a banquette galbée formant eux baquets offre un maintien ıtéral quasi supérieur à celui des laces avant pourtant déjà très cceptable sur un véhicule amécain, tandis que leur rembourıge adéquat permet d'effectuer e longs trajets sans fatigue.

uspension: 80%
'amortissement est efficace car ıtelligent, et l'amplitude de la uspension suffisante pour aborber des dénivellations imporıntes sans pénaliser le confort es occupants.

Le niveau sonore: 70%
iscret en usage normal, le moeur laisse entendre des sonoriès agréables lors des fortes accélérations, alors que les bruits e roulement sont neutralisés par ne insonorisation efficace et que finesse de la carrosserie miniise les bruits éoliens.

Qualité & finition: 70%
a présentation du tableau de ord fait très ordinaire et quelues touches de bois, même faux, ideraient à réchauffer son apparence un peu sévère. Certains éléments font bon marché, comme les poignées de portes, les trappes du cendrier et du porte-gobelet dont le plastique n'est pas flatteur. La finition n'est pas aussi soignée que l'on pourrait s'y attendre sur une voiture de ce prix ce qui est un peu décevant par rapport à la réalisation de l'ensemble.

• Comportement: 70%
Malgré la puissance disponible la motricité est surprenante, même lorsque le contrôleur de traction est débranché. Le format et le poids imposants de ce coupé ne nuisent pas trop à ses évolutions sur tracé sinueux, grâce à l'excellent contrôle des mouvements de la carrosserie par la suspension pneumatique. Roulis et tangage sont minimisés et l'on éprouve un réel plaisir à conduire vite, sans jamais sentir que la situation pourrait vous échapper à un moment quelconque, et sans réaliser que l'on conduit une voiture d'un format aussi imposant.

• Accès: 70%
Les larges et lourdes portes permettent de prendre place assez facilement sur la banquette, et le système Autoglide fait avancer les sièges avant dès que l'on incline leur dossier afin de dégager un espace suffisant.

• Habitabilité: 60%
Deux adultes de taille normale peuvent occuper confortablement les places arrière où ils disposent d'assez d'espace en longueur comme en hauteur, mais il manque de place sous les sièges avant pour y loger les pieds et il n'y a pas d'accoudoir central escamotable. Les places avant sont généreuses bien que l'importance du tunnel central et des contreportes limite la largeur.

• Coffre: 60%
Large et profond, il n'est pas pratique, car il manque de hauteur, son ouverture est étroite et son seuil assez haut complique la manipulation des bagages.

• Dépréciation: 60%
Ce genre de véhicule perd un peu plus que la moyenne, car les amateurs ne sont pas nombreux.

• Les commodités: 50%
Elles laissent à désirer, car la boîte à gants est aussi petite que les vide-poches de portières et le coffret de la console monopolisé par le téléphone cellulaire.

• Freinage: 50%
Bien qu'il soit tributaire de l'importante inertie, il est à la hauteur des performances, puissant, équilibré et son endurance a de quoi surprendre.

POINTS FAIBLES

• Prix/équipement: 00%
Malgré son équipement très complet et le fait qu'il se compare aux meilleurs pour ses performances et son confort, le Mark VIII est cher pour sa qualité moyenne.

• Consommation: 10%
Elle est raisonnable pour les performances, mais la capacité du réservoir limite l'autonomie.

CONCLUSION

• Moyenne générale: 65.0 %
Un peu déroutant par sa ligne, le coupé Mark VIII surprend autant par ses brillantes prestations que par sa qualité qui reste à améliorer sans délai. ☺

CARACTÉRISTIQUES & PRIX

Modèles	Versions	Carrosseries/ Sièges	Volume cabine l.	Volume coffre l.	Cx	Empat. mm	Long x larg x haut. mm x mm x mm	Poids à vide kg	Poids Remorque max. kg	Susp. av/ar	Freins av/ar	Direction type	Diamètre braquage m	Tours volant b à b.	Réser. essence l.	Pneus d'origine	Mécaniques d'origine	PRIX $ CDN. 1994
LINCOLN		Garantie: 3 ans / 80 000 km; corrosion perforation: 6 ans / 160 000 km.																
Mark VIII		cpé. 2p. 5	2755	407	0.33	2870	5265x1900x1361	1709	907	i/i	d/d/ABS	crém.ass.	11.34	2.60	68.1	225/60R16	V8/4.6/A4	**49 895**

Voir la liste complète des prix 1995 à partir de la page 393.

Ma tante fait une diète...

La Town Car, qui semble avoir toujours fait partie de la famille, s'améliore sans cesse, au point que les critiques d'automobiles trouvent moins de sujets de plaisanterie à son égard. Plus fine, moins gourmande, il ne manque plus qu'un peu de tenue à ses rondeurs pour qu'elle soit présentable..

La Lincoln Town Car n'a rien d'une voiture urbaine, bien au contraire, elle est la voiture la plus volumineuse de la gamme Ford. C'est une limousine à 3 volumes et 4 portes proposée en finitions Executive, Signature et Cartier. Un seul moteur est disponible: il s'agit du V8 de 4.6L avec une boîte automatique à 4 rapports à gestion électronique.

POINTS FORTS

• Habitabilité: 95%
Ses dimensions imposantes lui permettent de revendiquer l'habitacle le plus logeable du marché en tant que voiture, puisqu'elle peut facilement accueillir jusqu'à six personnes.

• Sécurité: 90%
Les occupants sont bien protégés par deux coussins gonflables, montés en série sur toutes les versions, et la structure offre une bonne résistance aux collisions.

• Coffre: 90%
Malgré son énorme volume, il est difficile à exploiter avec ses formes torturées et la ridicule mini-roue de secours disposée en plein milieu.

• Accès: 90%
S'installer à bord de la Town Car ne pose aucun problème, car la longueur et l'ouverture des portes et la garde-au-toit sont suffisantes.

• Niveau sonore: 90%
C'est l'un des plus bas du marché, grâce à la discrétion de la mécanique, aux nombreuses liaisons en caoutchouc qui filtrent bruits et vibrations et à l'énorme quantité de matériaux insonorisants.

• Satisfaction: 80%
Elle continue de progresser, bien que les propriétaires signalent encore des problèmes de circuit électrique.

• Suspension: 80%
Moelleuse sur bon revêtement, elle panique au moindre défaut de la route et maltraite ses occupants sans respect.

• Assurance: 80%
La prime des Lincoln semble très raisonnable comparée à celle de certaines rivales allemandes.

• Technique: 70%
La Town Car a été créée à partir de la plate-forme à châssis périmétrique des Crown-Victoria et Grand Marquis, d'où son implantation très classique avec le groupe propulseur à l'avant et les roues arrière motrices via un essieu rigide. Bien que simpliste, cette recette est assaisonnée par des amortisseurs à gaz et des ressorts pneumatiques dont le contrôle de niveau est automatique. Le V8 de 4.6L est un propulseur moderne qui bénéficie d'une distribution par simple arbre à cames en tête par rangée de cylindres. Les freins sont à disque aux quatre roues avec dispositif antiblocage de série et l'assistance de la direction est variable en fonction de la vitesse. Plus fluides que par le passé, ses lignes influencent favorablement le cœfficient aérodynamique qui marque un surprenant 0.36.

• Qualité & finition: 60%
Par rapport aux anciens modèles elles se sont améliorées, mais l'assemblage, la finition et les matériaux restent loin derrière ceux des homologues allemandes ou japonaises. Si la carrosserie affiche un

DONNÉES

Catégorie: limousines de luxe propulsées.
Classe : 7

HISTORIQUE

Inauguré en: 1980
Modifié en: 1990: carrosserie actuelle.
Fabriqué à: Wixon, MI, États-Unis.

INDICES

Sécurité: 90 %
Satisfaction: 83 %
Dépréciation: 62 %
Assurance: 3.7 % (1 546 $)
Prix de revient au km: 0.94 $

NOMBRE DE CONCESSIONNAIRES

Au Québec: 143 Ford-Lincoln-Mercury

VENTES AU QUÉBEC

Modèle	1992	1993	Résultat	Part de marché
Town Car	503	433	-13.9 %	6.0 %

PRINCIPAUX MODÈLES CONCURRENTS

BMW 740i, CADILLAC Brougham, De Ville, Seville, INFINITI Q45, JAGUAR XJ6, LEXUS LS400, MERCEDES BENZ 420 SE.

ÉQUIPEMENT

LINCOLN Town Car	Executive	Signature	Cartier
Boîte automatique:	S	S	S
Régulateur de vitesse:	S	S	S
Direction assistée:	S	S	S
Freins ABS:	S	S	S
Climatiseur:	S	S	S
Coussin gonflable:	S	S	S
Garnitures en cuir:	O	O	S
Radio MA/MF/ K7:	S	S	S
Serrures électriques:	S	S	S
Lève-vitres électriques:	S	S	S
Volant ajustable:	S	S	S
Rétroviseurs ext. ajustables:	S	S	S
Essuie-glace intermittent:	S	S	S
Jantes en alliage léger:	S	S	S
Toit ouvrant:	O	O	O
Système antivol:	S	S	S

S : standard; O : optionnel; - : non disponible

COULEURS DISPONIBLES

Extérieur: Bourgogne, Argent, Canneberge, Bleu, Noir, Baie Sauvage, Vert saule, Ivoire.
Intérieur: Bleu, Canneberge, Ébène, Titane, Graphite, Ivoire, Vert.

ENTRETIEN

Première révision: 8 000 km
Fréquence: 6 mois
Prise de diagnostic: Oui

QUOI DE NEUF EN 1995 ?

- Retouches cosmétiques à la partie frontale.
- Choix du degré d'assistance de la direction.
- Nouvelle planche de bord.
- Télécommandes de température/radio sur le volant (Cartier & Signature)
- Nouveaux phares cristallins.

	MOTEURS				TRANSMISSION			PERFORMANCES									
Modèles/ versions *: de série	Type / distribution soupapes / carburation	Cylindrée cc	Puissance ch @ tr/mn	Couple lb.pi @ tr/mn	Rapport volumét.	Roues motrices / transmissions	Rapport de pont	Accélér. 0-100 km/h s	400 m D.A. s	1000 m D.A. s	Freinage 100-0 km/h m	Vites. maxi. km/h	Accélér. latérale G	Niveau sonore dBA	Consommation l./100km Ville	Route	Carburant Octane
base	V8* 4.6-SACT-16-ISPM	4605	210 @ 4250	270 @ 3250	9.0 :1	arrière - A4*	3.08	11.0	18.0	33.5	46	175	0.70	64	13.4	8.8	R 87

ɪtyle international très réussi, l'in-érieur déçoit par son style amé-ɪcain vieillot. Le faux bois plasti-ɪue se marie mal avec l'instru-nentation digitale déplacée sur ɪne voiture de cette classe. Un ɪon point cependant pour avoir lissimulé à l'arrière les glissières les sièges avant qui avaient ten-'ance à écorcher les Bally suis-es...

Direction: 60%
faut une âme de chauffeur de naître, un bon coup d'œil et de la atience pour conduire cette rosse voiture en ville, car l'im-ortance de son diamètre de bra-uage et de sa démultiplication la rive de toute maniabilité. Sur oute elle est imprécise au centre t prive de toute sensation en rovenance du revêtement.

Sièges: 60%
s ne sont pas confortables sur ɔng trajet, car ils sont trop mous t on ne sait plus comment s'ins-aller pour être bien.

Poste de conduite: 60%
e manque de maintien et de outien du siège trop évasé ne net pas le conducteur à l'aise et visibilité est fortement réduite e 3/4 arrière. Malgré sa réorga-nisation le tableau de bord n'est pas plus ergonomique certaines commandes étant encore hors d'atteinte du conducteur.

• **Performances: 50%**
Malgré sa puissance le V8 qui est vaillant, a fort à faire pour mouvoir les presque deux tonnes de ce poids lourd. Accélérations et reprises sont honorables, mais il faut pousser la boîte à rétrograder si l'on veut maintenir l'allure en côte et le frein-moteur n'est pas d'un grand secours.

POINTS FAIBLES

• **Prix/équipement: 10%**
Moins chère que les grosses Lexus ou Infiniti, la Town Car offre une habitabilité supérieure mais son statut se situe à un autre niveau, typiquement nord-américain. Son équipement est complet sur toutes les versions qui ne diffèrent que par le style de leur garniture intérieure.

• **Comportement: 20%**

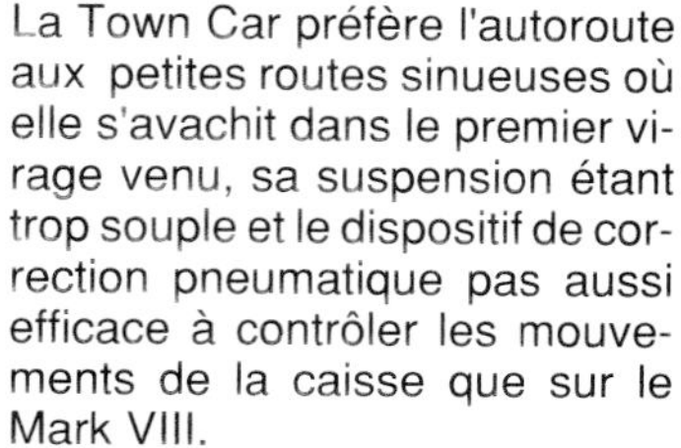

La Town Car préfère l'autoroute aux petites routes sinueuses où elle s'avachit dans le premier virage venu, sa suspension étant trop souple et le dispositif de correction pneumatique pas aussi efficace à contrôler les mouvements de la caisse que sur le Mark VIII.

• **Consommation: 30%**
Elle est moins catastrophique qu'auparavant puisqu'elle se maintient autour de 15 l./100 km.

• **Freinage: 40%**
Les quatre disques parviennent à stopper cette masse imposante sur des distances acceptables et l'ABS stabilise les trajectoires lors des arrêts d'urgence, mais en plongeant fortement, l'avant déleste les roues motrices.

• **Dépréciation: 40%**
Elle reste forte dans les contrées où le carburant est cher et d'autres modèles sont plus réalistes.

• **Commodités: 40%**
Les rangements se limitent à la boîte à gants et à un coffret dissimulé dans l'accoudoir central à l'avant et les baudriers des ceintures avant ne sont pas ajustables en hauteur.

CONCLUSION

• **Moyenne générale: 61.0 %**
La Town Car a beaucoup évolué sur des points précis, tels sa finesse aérodynamique, son freinage et le rendement de son moteur, il lui reste maintenant à progresser sur la précision de sa conduite et le contrôle des mouvements de sa caisse pour pouvoir recruter une nouvelle clientèle. 😐

SUGGESTIONS DES PROPRIÉTAIRES

-Comportement moins «bateau».
-Consommation économique.
-Un prix plus compétitif.
-Apparence moins clinquante du tableau de bord et des garnitures intérieures, qui manquent de classe.
-Décoration moins «kitch».
-Vitrage très teinté en série.

CARACTÉRISTIQUES & PRIX

Modèles Versions	Carrosseries/ Sièges	Volume cabine l.	Volume coffre l.	Cx	Empat. mm	Long x larg x haut. mm x mm x mm	Poids à vide kg	Poids Remorque max. kg	Susp. av/ar	Freins av/ar	Direction type	Diamètre braquage m	Tours volant b à b.	Réser. essence l.	Pneus d'origine	Mécaniques d'origine	PRIX $ CDN. 1994
LINCOLN	**Garantie: 3 ans / 80 000 km; corrosion perforation: 6 ans / 160 000 km.**																
Town Car Executive	ber. 4p. 6	3285	631	0.36	2982	5560x1948x1445	1828	907	i/r	d/d/ABS	bil.ass.	12.2	3.4	75.7	215/70R15	V8/4.6/A4	**41 195**
Town Car Signature	ber. 4p. 6	3285	631	0.36	2982	5560x1948x1445	ND	907	i/r	d/d/ABS	bil.ass.	12.2	3.4	75.7	215/70R15	V8/4.6/A4	**40 995**
Town Car Cartier	ber. 4p. 6	3285	631	0.36	2982	5560x1948x1445	ND	907	i/r	d/d/ABS	bil.ass.	12.2	3.4	75.7	225/60R16	V8/4.6/A4	**45 095**

Voir la liste complète des prix 1995 à partir de la page 393.

Un nouveau départ ?

Sous GM qui était son précédent propriétaire, Lotus ne connut pas le regain espéré, sans doute parce que son potentiel représentait peu de chose pour le géant américain. Racheté par Bugatti, qui semble fabriquer plus d'argent que de voitures, Lotus va connaître une seconde chance.

L'Elan a repris en 1989 un patronyme qui était célèbre chez Lotus du temps de son fondateur Colin Chapman. Au début du projet, il devait s'agir d'un coupé propulsé 2+2, mais les considérations pratiques ont voulu que ce soit un cabriolet tracté à seulement deux places. Ses principaux élément mécaniques sont empruntés aux anciennes Isuzu Impulse/Storm, dont l'ensemble moteur-transmission. Il s'agit du 4 cylindres de 1.6L turbocompressé développant 155 ch, avec transmission uniquement manuelle à 5 vitesses.

POINTS FORTS

• Performances: 90%
Avec un rapport poids/puissance de seulement 6.6 kg/ch il ne faut pas s'étonner de voir l'Elan accélérer de 0 à 100 km/h en un peu plus de 7 secondes. Cela résume toute la philosophie de Chapman qui préférait alléger ses voitures que d'extirper les ultimes chevaux d'un moteur devenu fragile. Les reprises sont aussi vives et permettent une conduite amusante, même si avec les roues avant motrices le plaisir n'est pas aussi complet qu'avec une propulsion. Malgré ses origines roturières, le moteur a du nerf et il forme avec le reste des composants un ensemble qui surprend par son homogénéité.

• Comportement: 90%
Il constitue la spécialité de Lotus et a fait l'objet d'une attention toute particulière. La stabilité est imperturbable que ce soit au démarrage, en ligne droite ou en courbe, au freinage ou sous l'effet des violentes accélérations, l'effet de couple est minime et le guidage quasi parfait de plus, le train arrière suit sans problème grâce à la bonne qualité des pneumatiques.

• Technique: 80%
Ceux qui n'ont jamais vu passer ce modèle (et ils sont nombreux) ignorent que ses dimensions sont légèrement inférieures à celles d'une Miata. Pour obtenir une rigidité maximale les ingénieurs de Lotus se sont tournés vers la solution du châssis-poutre en acier auquel on a boulonné un plancher en matériau composite, constituant le fond de la voiture. De nombreux renforts en acier y sont collés, alors que les poutres de renfort latérales sont rivetées. Les différents panneaux de la carrosserie sont fait de résine de polyester armée de fibres de verre injectées sous vide. La ligne qui est agréable à l'œil a nécessité de nombreuses études aérodynamiques pour obtenir le meilleur cœfficient et réduire les turbulences toujours nuisibles sur un cabriolet. C'est ce qui explique que le pare-brise soit très incliné dans le prolongement du capot avant. Les suspensions sont indépendantes et les freins à disque aux quatre roues mais sans ABS, et la direction est assistée.

• Poste de conduite: 80%
L'habitacle, bien conçu, est plus celui d'une voiture de série que celui d'une voiture en kit comme c'est un peu le cas de l'Esprit. Le tableau de bord est bien aménagé avec un bloc d'instruments massif regroupant la plupart des commandes qui rappellent plus les voitures japonaises qu'anglaises. Les cadrans sont bien regroupés et faciles à lire sauf le compte-tours qui n'est pas circulaire et la visibilité n'est que moyenne à cause de la ceinture de caisse haute et des angles

DONNÉES

Catégorie: cabriolets sportifs tractés.
Classe : S3

HISTORIQUE

Inauguré en: 1989
Modifié en: -
Fabriqué à: Norwich, Norfolk, Angleterre.

INDICES

Sécurité: ND %
Satisfaction: ND %
Dépréciation: ND %
Assurance: 4.2 % (1 775 $)
Prix de revient au km: 0.80 $

NOMBRE DE CONCESSIONNAIRES

Au Québec: Aucun pour l'instant.

VENTES AU QUÉBEC

Modèle	1992	1993	Résultat	Part de march
Elan S2	ND			

PRINCIPAUX MODÈLES CONCURRENTS

ALFA ROMEO Spider, MAZDA Miata

ÉQUIPEMENT

LOTUS Elan	S2
Boîte automatique:	-
Régulateur de vitesse:	-
Direction assistée:	S
Freins ABS:	-
Climatiseur:	O
Coussin gonflable gauche:	-
Garnitures en cuir:	O
Radio MA/MF/ K7:	S
Serrures électriques:	S
Lève-vitres électriques:	S
Volant ajustable:	S
Rétroviseurs ext. ajustables:	S
Essuie-glace intermittent:	S
Jantes en alliage léger:	S
Toit ouvrant:	S
Système antivol:	S

S : standard; O : optionnel; - : non disponible

COULEURS DISPONIBLES

Extérieur: Blanc, Rouge, Bleu, Argent, Noir, Jaune.
Intérieur: Gris

ENTRETIEN

Première révision: 5 000 km
Fréquence: 6 mois/8 000 km
Prise de diagnostic: Non

QUOI DE NEUF EN 1995 ?

- Les Lotus vont recommencer à être importées en Amérique du Nord p le réseau Bugatti qui est en train de s'établir aux États-Unis.

Modèles/ versions *: de série	MOTEURS Type / distribution soupapes / carburation	Cylindrée cc	Puissance ch @ tr/mn	Couple lb.pi @ tr/mn	Rapport volumét.	TRANSMISSION Roues motrices / transmissions	Rapport de pont	PERFORMANCES Accélér. 0-100 km/h s	400 m D.A. s	1000 m D.A. s	Freinage 100-0 km/h m	Vites. maxi. km/h	Accélér. latérale G	Niveau sonore dBA	Consommation l./100km Ville	Consommation l./100km Route	Carbura Octane
Elan S2	L4* 1.6T-DACT-16-IMP	1590	155 @ 6000	146 @ 4200	8.2: 1	avant - M5*	3.83	7.2	15.4	28.6	40	210	0.88	70	10.7	8.9	S 91

ıorts importants créés par la apote. La position de conduite ·st basse mais excellente mais on souhaiterait que le dossier es sièges maintienne aussi bien ıtéralement que le coussin.

Direction: 80%
Elle est responsable d'une grande ·artie de l'agrément de conduite ar elle est très incisive, à la fois récise, rapide (2.6 tr) et ·ositivement dosée.

Sécurité: 70%
Malgré la rigidité de la plate-forme ı structure des cabriolets est toupurs vulnérable aux impacts et 'il n'y a pas d'arceau nticapotage, un coussin sera ıstallé dans le moyeu du volant.

Qualité / finition: 70%
Elle est surprenante car les petiəs marques arrivent rarement à galer les généralistes sur ce oint. L'assemblage et la finition ont soignés et les garnitures en uir ont un aspect plus flatteur ue le plastique de la planche de ord trop luisant.

Sièges: 70%
ien qu'insuffisamment galbés, s maintiennent normalement et əur rembourrage est assez conistant pour être confortable.

Assurance: 70%
La prime de ce joujou est à la mesure de son prix et reflète l'incertitude des assureurs au cas où il faudrait le remettre en état après un accident.

• Consommation: 70%
Raisonnable en fonction des performances, elle est forte en regard de la cylindrée, et dépendra du poids du pied droit du pilote.

• Commodités: 60%
On y trouve une petite boîte à gants, des vide-poches de portes et des évidements sur la console centrale.

• Accès: 60%
Il n'est pas trop difficile de s'installer à bord, même avec la capote en place car les portes s'ouvrent suffisamment, mais il vaut mieux ne pas être trop grand.

• Freinage: 50%
Bien qu'il soit mordant et endurant on s'attendrait à des distances d'arrêt plus courtes surtout sans ABS et la pédale sensible ne permet pas un dosage précis.

POINTS FAIBLES

• Prix/équipement: 00%
Il faudra beaucoup de passion ou le culte de la marque anglaise pour accepter de dépenser plus

de 50 000 dollars canadiens pour un tel jouet, d'autant que sa valeur de revente sera des plus incertaines et dépendra du succès du réseau commercial que Bugatti compte mettre en place en Amérique du Nord.

• Habitabilité: 10%
Bien que les occupants disposent d'assez de place en longueur et en largeur, la ceinture de caisse haute et l'assise basse créent un sentiment de claustrophobie désagréable qui disparaît lorsque l'on ouvre le toit.

• Coffre: 20%
Il est disposé verticalement du fait de la forme de la partie arrière qui ne présente pas de porte-à-faux, et ne pourra accueillir que des bagages mous de petits format.

• Niveau sonore: 30%
Ce n'est pas seulement l'échappement ronronnant joliment qui maintient le niveau sonore élevé, car les bruits de roulement et ceux du vent autour de la capote ne sont pas modestes surtout sur chaussée en mauvais état. Toutefois au-dessus de 120 km/h toute conversation, divertissement audio ou sirènes diverses deviennent inaudibles...

• Suspension: 40%
Les Lotus n'ont jamais été des monstres de confort, pourtant celle de l'Elan est pas aussi dure qu'on pourrait l'imaginer. Sur autoroute tout va pour le mieux, mais ce sont les joints de dilatation qui sont les plus dérangeants, car le train arrière soubressaute durement à leur passage, comme s'il était surpris...

CONCLUSION

• Valeur moyenne: 60.5%
Dommage que cette petite Elan soit aussi chère en tout point de son budget, car elle est originale et très amusante à conduire, bien dans la tradition de la célèbre marque anglaise dont elle porte les couleurs, avec panache! 

CARACTÉRISTIQUES & PRIX

Modèles	Versions	Carrosseries/ Sièges	Volume cabine l.	Volume coffre l.	Cx	Empat. mm	Long x larg x haut. mm x mm x mm	Poids à vide kg	Poids Remorque max. kg	Susp. av/ar	Freins av/ar	Direction type	Diamètre braquage m	Tours volant b à b.	Réser. essence l.	Pneus d'origine	Mécaniques d'origine	PRIX $ CDN. 1994
			Garantie générale :1 an/ illimitée: perforation 8 ans / illimitée.															
Elan	S2	déc.2p. 2	1500	200	0.34	2250	3803x1734x1230	1020	NR	i/i	d/d	crém.ass.	10.6	2.6	46	205/45VR16	L4/1.6/M5	**55.000**

Voir la liste complète des prix 1995 à partir de la page 393.

L'esprit de Chapman...

L'Esprit symbolise toute une époque révolue, où Lotus rimait encore avec compétition,victoire et succès. En disparaissant, Colin Chapman, qui fut pendant près de vingt ans un grand magicien de l'automobile, a emporté tous ses secrets avec lui ainsi que l'âme qui animait l'officine britannique.

La Lotus Esprit ne date pas d'hier puisqu'elle fête cette année ses quinze ans. Elle a été desssinée par Giugiaro, puis retouchée, fin 1987, par les stylistes de chez GM qui en était alors le propriétaire. Il s'agit d'un coupé exotique à deux places offert en version unique qui a la particularité d'être équipé d'un moteur 4 cylindres, ce qui est rare dans ce segment où les V8 et les V12 foisonnent. La transmission est uniquement manuelle à 5 vitesses.

POINTS FORTS

• Performances: 100%

Cette voiture a été conçue pour mordre l'asphalte et elle ne s'en prive pas, pour preuve, il ne lui faut que 5 secondes pour passer de 0 à 100 km/h, comme une Diablo ! Son rapport poids/puissance de 5.1 kg/ch explique ce résultat. La conduite urbaine n'est pas son fort, car il n'y a pas de puissance en dessous de 2500 tr/mn, régime auquel le turbo «embarque», et le 4 cylindres met souvent de la mauvaise volonté à repartir à bas régime où il manque de souplesse. Les envolées du compte/tours sont très excitantes, car elles s'accompagnent d'une plainte qui ressemble à celle des voitures de compétition. Ce n'est pas pour rien que James Bond avait troqué son Aston Martin pour une Lotus qui se transformait même en sous-marin. C'est sans doute pourquoi ses lignes fuselées offrent une bonne efficacité aérodynamique puisque malgré ses larges pneus et ses nombreux appendices son cœfficient se maintient à 0.32.

• Comportement: 90%

Il continue d'être excellent malgré l'âge de la conception de sa suspension. Il faut dire qu'à l'époque, ce sont justement les ingénieurs de la Formule 1 qui en ont dessiné les épures. Rien d'étonnant à ce qu'elle colle à la route en toute circonstance et qu'elle démontre une grande neutralité. Son moteur disposé en position centrale y est pour quelque chose, de même que les pneus bien dimensionnés et la quasi absence de roulis qui lui permettent de passer les épingles avec un aplomb surprenant.

• Assurance: 90%

Bien que la prime représente une somme rondelette, elle ne représente qu'un faible pourcentage de sa valeur.

• Technique: 80%

Ce coupé à moteur central est fait de résine de polyester armé de fibres de verre injectées sous pression. Des fibres de Kevlar renforcent le toit dont le panneau amovible est fait de nids d'abeilles de type aviation. Un châssis-poutre en acier zingué est intégré à la structure qui supporte des suspensions indépendantes aussi élaborées à l'avant qu'à l'arrière. Les freins sont à disque, dont ceux de l'avant sont ventilés à l'avant, le tout asservis par un système antiblocage et la direction est maintenant assistée en fonction de la vitesse.

• Sécurité: 80%

Les coques de résine armée ont la réputation d'offrir une rigidité qui reste stable avec le temps et dont la capacité d'absorption d'un impact est supérieure à celle de l'acier. Lors de sa traversée de l'Atlantique l'Esprit sera équipée d'un coussin gonflable situé du côté du conducteur.

DONNÉES

Catégorie: coupés de Gran Tourisme propulsés
Classe : -

HISTORIQUE

Inauguré en: 1975
Modifié en: 1980: Turbo; 1987: carrosserie.
Fabriqué à: Norwich, Norfolk, Angleterre.

INDICES

Sécurité: 70 %
Satisfaction: ND %
Dépréciation: ND %
Assurance: 3.0 % (3 750 $)
Prix de revient au km: 1.43 $

NOMBRE DE CONCESSIONNAIRES

Au Québec: Aucun pour le moment.

VENTES AU QUÉBEC

Modèle	1992	1993	Résultat	Part de marché
Esprit	ND			

PRINCIPAUX MODÈLES CONCURRENTS

ACURA NSX, BMW 850, CHEVROLET Corvette ZR-1, DODGE Stealth R/T Turbo, MERCEDES BENZ SL, PORSCHE 911.

ÉQUIPEMENT

LOTUS Esprit	S4
Boîte automatique:	-
Régulateur de vitesse:	-
Direction assistée:	S
Freins ABS:	S
Climatiseur:	S
Coussin gonflable gauche:	S
Garnitures en cuir:	S
Radio MA/MF/ K7:	S
Serrures électriques:	S
Lève-vitres électriques:	S
Volant ajustable:	-
Rétroviseurs ext. ajustables:	S
Essuie-glace intermittent:	S
Jantes en alliage léger:	S
Toit ouvrant:	S
Système antivol:	S

S : standard; O : optionnel; - : non disponible

COULEURS DISPONIBLES

Extérieur: Blanc, Rouge, Bleu, Argent, Noir, Jaune.
Intérieur: Gris, Tan, Noir.

ENTRETIEN

Première révision: 5 000 km
Fréquence: 6 mois/8 000 km
Prise de diagnostic: Non

QUOI DE NEUF EN 1995 ?

- Les Lotus vont recommencer à être importées en Amérique du Nord par le réseau Bugatti qui est en train de s'établir aux États-Unis.

Modèles/ versions *: de série	MOTEURS Type / distribution soupapes / carburation	Cylindrée cc	Puissance ch @ tr/mn	Couple lb.pi @ tr/mn	Rapport volumét.	TRANSMISSION Roues motrices / transmissions	Rapport de pont	PERFORMANCES Accélér. 0-100 km/h s	400 m D.A. s	1000 m D.A. s	Freinage 100-0 km/h m	Vites. maxi. km/h	Accélér. latérale G	Niveau sonore dBA	Consommation l./100km Ville	Consommation l./100km Route	Carburant Octane
Esprit	L4T* 2.2-DACT-16-IMP	2174	264 @ 6500	261 @ 3900	8.0	arrière - M5*	3.89	5.0	13.6	26.5	38	250	0.90	75	15.8	9.5	S 91

• **Qualité/finition: 80%**
Malgré le raffinement de son processus de fabrication, l'Esprit n'est pas aussi peaufiné que l'Elan qui précède, et malgré la qualité des matériaux employés, certains détails de finition mériteraient d'être améliorés. Sa fiabilité n'a pas toujours été exemplaire car elle a connu de nombreux problèmes électriques.

• **Direction: 80%**
Bien qu'elle ne soit pas particulièrement directe, elle est d'une précision redoutable et son assistance est plutôt ferme, ce qui est un gage de sécurité.

• **Poste de conduite: 70%**
Il commence à faire un peu roccoco avec son bloc d'instruments posé sur une sorte de tablette et son ergonomie est imparfaite car certaines commandes comme celles de la climatisation et de la radio sont situées loin du conducteur. Les gens de petite taille seront défavorisés pour conduire cette voiture dont les sièges sont fixes, ce qui est pour le moins inconfortable. La visibilité est précaire de 3/4 comme vers l'arrière et les pédales sont si rapprochées qu'il vaut mieux conduire avec des chaussures italiennes étroites pour ne pas les accrocher. Pourtant le volant et le sélecteur de la boîte de vitesse tombent bien en main et c'est un régal que de monter ou descendre les rapports d'un simple mouvement de poignet.

• **Accès: 70%**
Il n'est pas facile de prendre place dans cette Lotus malgré la longueur des portes car sa faible hauteur oblige à se laisser glisser dans une sorte de tunnel étroit au bout duquel se trouvent les pédales.

• **Sièges: 70%**
Ils ne sont pas inconfortables en soit simplement leurs ajustements ne permettent pas de s'adapter à certaines morphologies. Sinon ils maintiennent bien grâce à des bourrelets latéraux proéminents, mais n'offrent pas d'ajustement lombaire.

• **Freinage: 60%**
L'ABS est responsable des distances d'arrêt relativement longues pour une voiture de ce type, car elle freinait plus court lorsqu'elle n'en était équipée. Une chose qui n'a pourtant pas changé c'est que son endurance est éphémère dès qu'on en abuse en conduite sportive.

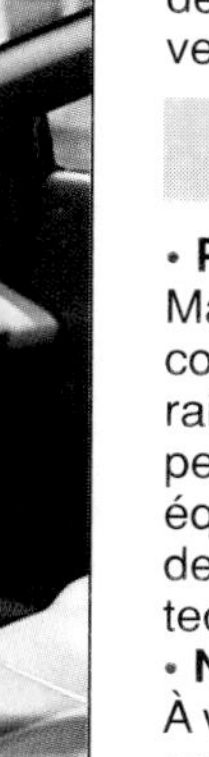

• **Suspension: 50%**
Elle est plus proche de celle d'un engin de compétition que d'une limousine et il vaut mieux choisir son itinéraire pour limiter les maux de dos, mais cela fait partie intégrante de l'esprit sportif...

• **Consommation: 50%**
Raisonnable quand la vitesse l'est, elle grimpe de manière proportionnelle à l'aiguille du compteur de vitesse tandis que celle de la jauge du réservoir descend vertigineusement.

POINTS FAIBLES

• **Prix/équipement: 00%**
Malgré les prestations hors du commun de l'Esprit, il semble peu raisonnable d'acquitter pour ce petit coupé sympathique un prix équivalent à celui d'une Mercedes SL qui est un monument de technologie.

• **Niveau sonore: 10%**
À vitesse élevée cette Lotus rend sourd et muet, car le bruit, qui n'est pas toujours mélodieux, dépasse les limites du confortable.

• **Habitabilité: 10%**
Coincé entre la porte et le tunnel central qui prend beaucoup de place on se sent véritablement pris au piège et les gens corpulents connaîtront des angoisses.

• **Coffre: 10%**
Il est purement symbolique car on ne peut y remiser que quelques effets.

• **Commodités: 20%**
Les rangements se limitent à une petite boîte à gants et un vide-poche disposé entre les dossiers des sièges.

CONCLUSION

• **Valeur moyenne: 56.5 %**
Exotique sans l'être vraiment, chère sans pouvoir conserver d'autre valeur que sentimentale, performante mais peu utilisable dans un contexte réaliste, il reste à l'Esprit son allure, qui n'a pas vieilli, mais c'est bien la seule chose...

CARACTÉRISTIQUES & PRIX

Modèles	Versions	Carrosseries/ Sièges	Volume cabine l.	Volume coffre l.	Cx	Empat. mm	Long x larg x haut. mm x mm x mm	Poids à vide kg	Poids Remorque max. kg	Susp. av/ar	Freins av/ar	Direction type	Diamètre braquage m	Tours volant b à b.	Réser. essence l.	Pneus d'origine	Mécaniques d'origine	PRIX $ CDN. 1994
LOTUS			Garantie générale :1 an/ illimitée: perforation 8 ans / illimitée.															
Esprit	S4	cpé. 2p. 2	1400	150	0.32	2420	4369x1867x1150	1350	NR	i/i	dv/d/ABS	crém.ass.	11.0	3.0	73	215/40ZR17 245/45ZR17 (ar)	L4/2.2T/M5	**125 000**

Voir la liste complète des prix 1995 à partir de la page 393.

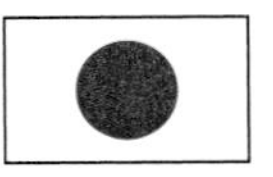

Chères améliorations...

Les 323 et Protegé sont des modèles très populaires surtout à cause de leurs prix qui jusqu'à présent étaient raisonnables. Cela risque de changer avec les nouveaux modèles qui ont été redéfinis et améliorés, mais dont les prix ont fait un bond considérable. Inquiétant...

Situation très particulière pour les 323 et Protegé qui ont été complètement renouvelées pour 1995, mais dont les anciennes versions continueront d'être vendues en même temps que les nouvelles pour des raisons évidentes de prix, identifiées comme S. Comme ces anciens modèles sont bien connus, nous avons décidé de réserver les commentaires de l'évaluation aux derniers nés, les performances et caractéristiques des deux générations étant toutefois regroupées dans les tableaux.

La dernière 323 s'est métamorphosée en un coupé 3 portes d'allure plus sportive, offert en finition GS avec un moteur 1.5L et LS avec un 1.8L, alors que la Protegé reste une berline 4 portes, dont le format a été augmenté, vendue en LX ou LS avec le moteur 1.8L. La transmission de base est manuelle ou automatique à 4 rapports en option.

POINTS FORTS

• Satisfaction: 85%

Les propriétaires sont très satisfaits dans l'ensemble, mais ils dénoncent l'usure rapide des garnitures d'embrayage et de freins ainsi que la piètre qualité de certains accessoires.

• Consommation: 80%

Si celle du moteur 1.8L est demeurée identique à ce qu'elle était, celle du nouveau 1.5L est très frugale puisqu'il se contente de 7.7 l en ville et 5.7 l/100 km sur route ce qui donne une moyenne de 7 l/100 km

• Sécurité: 80%

La structure de ces deux modèles a été encore rigidifiée et renforcée et deux coussins gonflables sont offerts en option sur les LX/GS et en série sur les ES/LS.

• Poste de conduite: 80%

Les ajustements combinés du siège et de la colonne de direction permettent de trouver rapidement la position de conduite idéale. Les commandes sont bien disposées (radio un peu basse) et les instruments simples et lisibles et la visibilité excellente sous tous les angles dans la Protegé alors qu'elle est moins bonne vers l'arrière du coupé dont les formes sont torturées, surtout lorsqu'il équipé d'un aileron. On pourrait se plaindre du fait que sur les deux tableaux de bord qui sont différents, la console centrale soit en retrait au lieu de s'avancer vers le conducteur, comme la logique l'impose.

• Prix/équipement: 80%

Les prix des nouveaux modèles n'ont plus rien à voir avec ceux des anciens car on passe de la fourchette 10-14 000 $ à celle de 14-18 000 $, ce qui semble beaucoup pour des voitures populaires, dont l'équipement n'est que normal. Cela explique la décision de Mazda de garder les anciens modèles à prix d'attaque plus raisonnables.

• Suspension: 75%

Elle est le résultat de bons compromis, car ses réactions ne sont jamais brutales et elle n'est désagréable que sur les revêtements «en tôle ondulée» où les roues s'affolent selon la fréquence.

• Technique: 70%

Alors que le coupé 323 a été établi à partir de l'ancienne plate-forme, la berline Protegé a vu son empattement, sa longueur et sa largeur augmenter. Les carrosseries monocoques en acier comprennent 60%

DONNÉES

Catégorie: berlines sous-compactes tractées (323). berlines compactes (Protegé).
Classe : 3S & 3

HISTORIQUE

Inauguré en: 1977 :GLC
Modifié en: 1989-1995 323-Protegé
Fabriqué à: Hiroshima, Japon.

INDICES

	323	Protegé
Sécurité:	80 %	80 %
Satisfaction:	83%	83%
Dépréciation:	60 %	55 %
Assurance:	(865 $) 7.5 %	6.5 % (975 $)
Prix de revient au km:	0.32 $	0.32 $

NOMBRE DE CONCESSIONNAIRES

Au Québec: 58

VENTES AU QUÉBEC

Modèle	1992	1993	Résultat	Part de marché
323	5 420	4 267	-21.28 %	4.79 %
Protegé	6 495	4 990	-21.11 %	5.60 %

PRINCIPAUX MODÈLES CONCURRENTS

323: DODGE Colt, HONDA Civic Hbk, FORD Aspire-Escort, HYUNDAI Accent, NISSAN Sentra,TOYOTA Tercel, VOLKSWAGEN Golf.
Protegé: CHEVROLET Cavalier, DODGE-PLYMOUTH Colt-Neon, EAGLE Summit, FORD-MERCURY Escort-Tracer, HONDA Civic 4p, HYUNDAI Elantra, PONTIAC Sunfire, SATURN SL1, TOYOTA Corolla, VW Jetta.

ÉQUIPEMENT

MAZDA 323-Protegé	S	LX/GS	ES/LS
Boîte automatique:	O	O	O
Régulateur de vitesse:	-	-	S
Direction assistée:	O	O	O
Freins ABS:	-	O	S
Climatiseur:	-	S	S
Coussins gonflables (2):	O	S	S
Garnitures en cuir:	-	O	S
Radio MA/MF/ K7:	O	S	S
Serrures électriques:	-	-	S
Lève-vitres électriques:	-	-	S
Volant ajustable:	-	S	S
Rétroviseurs ext. ajustables:	-	S	S
Essuie-glace intermittent:	S	S	S
Jantes en alliage léger:	-	S	-
Toit ouvrant:	-		
Système antivol:	-		

S : standard; O : optionnel; - : non disponible

COULEURS DISPONIBLES

Extérieur: Blanc, Rouge, Bleu, Vert, Émeraude, Noir, Beige, Rubis.
Intérieur: Gris, Taupe.

ENTRETIEN

Première révision: 8 000 km
Fréquence: 8 000 km
Prise de diagnostic: Non

QUOI DE NEUF EN 1995 ?

- Modèles entièrement redessinés.

MOTEURS						TRANSMISSION		PERFORMANCES									
Modèles/ versions *: de série	Type / distribution soupapes / carburation	Cylindrée cc	Puissance ch @ tr/mn	Couple lb.pi @ tr/mn	Rapport volumét.	Roues motrices / transmissions	Rapport de pont	Accélér. 0-100 km/h s	400 m D.A. s	1000 m D.A. s	Freinage 100-0 km/h m	Vites. maxi. km/h	Accélér. latérale G	Niveau sonore dBA	Consommation l./100km Ville	Route	Carburant Octane
1)	L4* 1.6 SACT-8-IE	1597	82 @ 5000	92 @ 2500	9.3 :1	avant-M5*	4.10	11.0	17.5	35.0	39	170	0.75	69	8.5	6.3	R 87
						avant-A4	3.74	12.5	18.4	34.4	42	160	0.75	69	9.7	6.8	R 87
2)	L4* 1.5 DACT-16-IE	1487	92 @ 5000	96 @ 2500	9.4 :1	avant-M5*	3.85	11.9	17.6	33.2	45	165	0.76	69	7.7	5.7	R 87
						avant-A4	4.06	13.4	18.3	34.8	45	160	0.76	69	9.1	6.3	R 87
3)	L4* 1.8 DACT-16-IE	1839	103 @ 5500	111 @ 4000	8.9 :1	avant-M5*	3.62	8.5	15.4	29.0	41	185	0.78	69	8.8	6.5	R 87
						avant-A4	3.48	9.4	16.0	29.7	43	180	0.78	69	9.9	7.3	R 87
4)	L4* 1.8 DACT-16-IE	1839	122 @ 5500	117 @ 4000	9.0 :1	avant-M5*	4.10	9.7	16.5	29.9	43	180	0.78	68	9.1	6.8	R 87
						avant-A4	3.83	11.8	18.0	32.8	44	175	0.78	67	10.5	6.8	R 87

1) 323 base 2) 323 GS 3) Protegé S 4) Protegé LX/ES, 323 LS

MAZDA Protegé

MAZDA 323

de tôles sont galvanisées; Les suspensions indépendantes aux quatre roues avec barres stabilisatrices sont celles des modèles précédents avec quelques retouches. Elles sont de type McPherson à l'avant et à jambes de force et double bras trapézoïdaux à l'arrière. Le freinage est mixte et l'ABS, optionnel sur les modèles LX/GS, est livré en série sur les ES/LS. Si le moteur 1.8L reste identique, le 1.5L est nouveau et son économie d'essence supérieure à celle du 1.6L précédent.

• Direction: 70%
Elle est désormais assistée sur toutes les versions et son degré d'assistance varie en fonction du régime du moteur. En pratique, bien qu'elle soit précise, son assistance demeure toujours un peu forte la rendant légère, alors que sa rapidité et sa maniabilité ne sont que moyennes, malgré un diamètre de braquage normal.

• Qualité & finition: 70%
La présentation intérieure est conventionnelle et sans fantaisie, mais la qualité de l'assemblage, de la finition et des matériaux employés est soignée.

• L'accès: 70%
Il ne pose aucun problème particulier sur les deux modèles, car les portes sont bien dimensionnées, elles s'ouvrent largement et le toit voûté dégage suffisamment d'espace pour la tête.

• Habitabilité: 65%
Elle est aussi satisfaisante dans les deux carrosseries dont les différents dégagements sont généreux pour cette catégorie, mais surtout dans la Protegé dont les principales dimensions ont été agrandies. Le toit voûté, une nouvelle tendance, donne beaucoup d'espace en hauteur, sans trop pénaliser l'aérodynamique.

• Commodités: 60%
Les rangements les plus optimistes (ES/LS) comprennent une petite boîte à gants, des vide-poches de porte et deux évidements dans le tableau de bord. Un mauvais point cependant, les baudriers des ceintures avant ne sont pas ajustables en hauteur.

• Coffre: 60%
S'il conserve le même volume sur la Protegé, il est plus petit sur la 323. Néanmoins ils offrent tous deux la possibilité d'être agrandis vers la cabine en basculant le dossier de la banquette, et l'ouverture de la Protegé est plus large que celle de la 323.

• Sièges: 60%
Malgré la fermeté de leur rembourrage, leur galbe procure un excellent maintien tant au niveau des cuisses que du dos, où le soutien lombaire est efficace.

• Assurance: 60%
Ces petites voitures ont un indice relativement élevé et leur prime atteint un montant non négligeable surtout pour la Protegé.

• Comportement: 50%
La rigidité de la caisse, le guidage efficace des suspensions et l'amortissement bien calibré donnent à ces petites voitures une tenue de route sûre, prévisible et facile à contrôler.

• Performances: 50%
Ces voitures donnent l'impression d'aller beaucoup plus vite qu'elle ne font en réalité et bien qu'honnêtes, les accélérations et les reprises sont banales, parce que l'élévation de puissance compense l'augmentation de poids.

POINTS FAIBLES

• Freinage: 30%
Ici les progrès sont moins évidents car les garnitures manquent de mordant, surtout avec l'ABS qui stabilise les trajectoires d'arrêt, mais en allonge d'autant les distances au-delà de la moyenne.

• Niveau sonore: 40%
En progrès par rapport aux anciens modèles, il attire encore l'attention par l'impression d'un manque d'insonorisant et les moteurs plus bruyants que d'autres. Les bruits de vent sont discrets mais ceux de roulement résonnent selon le revêtement.

• Dépréciation: 45%
Elle est plus forte pour la 323 que pour la Protegé, mais dans la moyenne de celle des autres modèles de cette catégorie.

CONCLUSION

• Moyenne générale: 64.0 %
Malgré la valeur du Yen, Mazda fait payer cher les améliorations qu'il a apportées à ses modèles-vedettes qui ont progressé dans toutes les autres directions. 😐

CARACTÉRISTIQUES & PRIX

Modèles	Versions	Carrosseries/ Sièges	Volume cabine l.	Volume coffre l.	Cx	Empat. mm	Long x larg x haut. mm x mm x mm	Poids à vide kg	Capacité Remorq. max. kg	Susp. av/ar	Freins av/ar	Direction type	Diamètre braquage m	Tours volant b à b.	Réser. essence l.	Pneus d'origine	Mécaniques d'origine	PRIX $ CDN. 1994
MAZDA		**Garantie générale: 3 ans / 80 000 km; mécanique: 5 ans / 100 000 km; corrosion perforation: 5 ans / kilométrage illimité.**																
323	S	ber.3 p.5	2633	466	0.36	2450	4155x1670x1380	995	454	i/i	d/t	crém.	9.6	4.3	50.0	155/80R13	L4/1.6/M5	**10 500**
323	GS	ber.3 p.5	2574	445	0.33	2505	4155x1710x1405	1065	454	i/i	d/t	crém.ass	9.8	3.0	50.0	175/70R13	L4/1.5/M5	**14 000**
323	LS	ber.3 p.5	2574	445	0.33	2505	4155x1710x1405	1125	454	i/i	d/d	crém.ass	9.8	3.0	50.0	185/65R14	L4/1.8/M5	**18 000**
323 Protegé	S	ber.4 p.5	2605	370	0.35	2500	4355x1675x1375	1055	454	i/i	d/t	crém.ass.	9.8	3.0	55.0	175/70R13	L4/1.8/M5	**13 900**
323 Protegé	LX	ber.4 p.5	2704	371	0.32	2605	4440x1710x1420	1103	454	i/i	d/d	crém.ass.	10.2	3.0	50.0	185/65R14	L4/1.8/M5	**17 000**
323 Protegé	ES	ber.4 p.5	2704	371	0.32	2605	4440x1710x1420	1145	454	i/i	d/d	crém.ass.	10.2	3.0	50.0	185/65R14	L4/1.8/M5	**18 500**

Voir la liste complète des prix 1995 à partir de la page 393.

626 Cronos / MX-6 Mystère

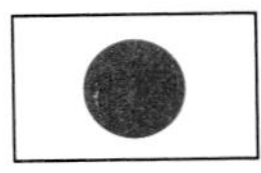

Le nerf de la guerre...

Ces compactes ont été parmi les premières à offrir un V6 qui leur a donné un sérieux avantage sur leurs principales rivales, restées au 4 cylindres. Ce moteur, qui apporte un agrément de conduite indéniable, fait trop souvent défaut de nos jours sur les voitures dites «raisonnables».

Depuis leur renouvellement, les 626 et MX-6 connaissent un succès mérité, car elles ne manquent pas d'intérêt. Ces deux modèles ont été créés spécialement pour le marché nord-américain et ils sont fabriqués dans le Michigan avec la Probe de Ford dont ils partagent la plupart de leurs éléments mécaniques. Les 626 sont des berlines 4 portes à 3 volumes proposées en versions DX, LX et SE tandis que le MX-6 est un coupé 3 volumes offert en finitions RS et LS.

POINTS FORTS

• Sécurité: **90%**
Équipées en série de deux coussins gonflables et de ceintures à trois points d'ancrage aux autres places, ces deux voitures atteignent le score maximum grâce à la bonne rigidité de leur structure.

• Sièges: **80%**
Ils sont aussi bien galbés à l'avant qu'à l'arrière, et ils maintiennent et soutiennent bien car leur rembourrage n'est pas trop ferme.

• Technique: **80%**
Leur coque très rigide comporte deux sous-châssis qui soutiennent les éléments de suspension et la mécanique. Cette caractéristique procure de nombreux avantages tant sur le plan du comportement qui est plus rigoureux, que du confort en supprimant une bonne partie des bruits et des vibrations. De plus l'impression de robustesse qui se dégage d'une telle construction est propre à donner aux occupants un sentiment de sécurité très positif. Partant de la même plate-forme, chacun de ces modèles a été adapté de manière à posséder une personnalité différente. Leur carrosserie en acier possède une suspension indépendante de type McPherson aux quatre roues, avec deux bras trapézoïdaux à l'arrière et une barre antiroulis sur chaque train. Le freinage est mixte en série et à 4 disques avec ABS sur les versions haut de gamme. Le moteur de base est un 4 cylindres de 2.0L alors qu'un V6 de 2.5L est monté en série sur les versions SE et LS. Ces propulseurs sont à la fine pointe de la technologie actuelle. Leur distribution est à double arbre à cames en tête et le 4 cylindres possède 4 soupapes par cylindre. Le V6 est l'un des plus légers dans sa catégorie grâce à son bloc en aluminium et à ses accessoires allégés.

• Satisfaction: **80%**
Espérons que ces modèles seront moins affligés que les précédents par des problèmes de fiabilité et de qualité des composants.

• Performances: **70%**
Elles sont quasiment identiques sur les deux voitures quel que soit le propulseur choisi. Le V6 a été l'un des premiers de sa génération à disposer à la fois de chevaux et de couple à pratiquement tous les régimes. Ses montées en régime sont excitantes et il donne réellement à la conduite un caractère sportif.

• Qualité & finition: **70%**
La présentation intérieure est, comme souvent sur les voitures japonaises, assez terne, car les matières plastiques et les garnitures sont fades. Toutefois l'assemblage est rigoureux et la finition soignée.

• Le poste de conduite: **70%**
Les planches de bord sont simples et rationnelles, puisque les

DONNÉES

Catégorie: berlines et coupés compacts tractés.
Classe : 4

HISTORIQUE

Inauguré en: 1983 (traction avant)
Modifié en: 1986: Turbo;1987: refonte;1988: MX-6; 1993:refonte.
Fabriqué à: Flat Rock, MI, États-Unis.

INDICES

Sécurité: 90 %
Satisfaction: 82 %
Dépréciation: 62 % (Cronos), 44% (2 ans) Mystère
Assurance: Cronos (1 090 $) 5.4 % 6.1% (1 201 $) Mystère
Prix de revient au km: 0.40 $

NOMBRE DE CONCESSIONNAIRES

Au Québec: 58

VENTES AU QUÉBEC

Modèle	1992	1993	Résultat	Part de marché
Cronos	1 442	3 140	+ 109 %	-
Mystère	797	974	+ 18 .2 %	-

PRINCIPAUX MODÈLES CONCURRENTS

626 Cronos: BUICK Skylark, CHRYSLER Cirrus-Stratus HONDA Accord, MITSUBISHI Galant, NISSAN Altima, OLDSMOBILE Achieva, PONTIAC Grand Am, SUBARU Legacy, TOYOTA Corolla & Camry, VW Passat.
MX-6 Mystère: ACURA Integra, EAGLE Talon, FORD Probe, HONDA Prelude, TOYOTA Celica, VW Corrado.

ÉQUIPEMENT

MAZDA 626 Cronos	**DX**	**LX**	**ES**
MAZDA MX-6 Mystère		**RS**	**LS**
Boîte automatique:	O	O	O
Régulateur de vitesse:	-	S	S
Direction assistée:	S	S	S
Freins ABS:	O	O	S
Climatiseur:	-	S	S
Coussins gonflables (2):	S	S	S
Garnitures en cuir:	-	-	S
Radio MA/MF/ K7:	S	S	S
Serrures électriques:	-	S	S
Lève-vitres électriques:	-	S	S
Volant ajustable:	S	S	S
Rétroviseurs ext. ajustables:	S	S	S
Essuie-glace intermittent:	S	S	S
Jantes en alliage léger:	-	O	S
Toit ouvrant:	-	O	S
Système antivol:	-		

S : standard; O : optionnel; - : non disponible

COULEURS DISPONIBLES

Extérieur: Bleu artique, Or, Mica platine, Rubis, Noir, Vert, Blanc, Rouge.
Intérieur: MX-6: Noir, Beige. 626: Gris, Beige.

ENTRETIEN

Première révision: 8 000 km
Fréquence: 8 000 km
Prise de diagnostic: Oui

QUOI DE NEUF EN 1995 ?

- Pas de changement majeur.

Modèles/ versions *: de série	Type / distribution soupapes / carburation	Cylindrée cc	Puissance ch @ tr/mn	Couple lb.pi @ tr/mn	Rapport volumét.	Roues motrices / transmissions	Rapport de pont	Accélér. 0-100 km/h s	400 m D.A. s	1000 m D.A. s	Freinage 100-0 km/h m	Vites. maxi. km/h	Accélér. latérale G	Niveau sonore dBA	Consommation l./100km Ville	Consommation l./100km Route	Carburant Octane
MOTEURS						**TRANSMISSION**					**PERFORMANCES**						
DX-LX	L4*2.0 DACT-16-IEPM	1991	118 @ 5500	127 @ 4500	9.0 :1	avant - M5*	4.11	10.2	16.8	30.2	41	180	0.78	65	9.4	6.6	R 87
						avant - A4	3.77	11.3	17.6	30.8	44	175	0.78	65	10.7	7.3	R 87
ES	V6*2.5 DACT-24-IEPM	2497	164 @ 5600	160 @ 4800	9.2 :1	avant - M5*	4.11	8.0	16.0	29.5	38	200	0.80	64	11.8	8.6	M 89
						avant - A4	4.16	9.6	16.5	30.3	42	195	0.80	64	12.7	9.0	M 89

instruments sont bien regroupés et lisibles et les principales commandes à portée de la main, exceptés les interrupteurs disposés au bas du tableau, invisibles la nuit. Notons la présence d'un rappel de la position du sélecteur de la boîte automatique situé au milieu des cadrans. La visibilité est bonne, malgré l'épaisseur du pilier C sur la 626, le manque de hauteur de la lunette et la présence de l'aileron sur la MX-6. Le conducteur est plus choyé dans le coupé où il dispose d'un véritable baquet mais le coffret faisant office d'accoudoir est gênant pour le coude droit.

• Direction: 70%
Précise et bien dosée, elle souffre d'un léger effet de couple lors des accélérations énergiques et semble plus directe et plus inspirée sur le MX-6.

• Accès: 70%
Il n'est pas difficile d'atteindre les places arrière sur ces deux voitures, même si les portes arrière de la berline sont un peu étroites.

• Suspension: 70%
Son amortissement n'est que moyen sur les deux véhicules et son débattement limité l'amène à talonner souvent sur les grosses dénivellations.

• Niveau sonore: 70%
Le 4 cylindres est un peu plus bruyant que le V6 dont la discrétion étonne sur des modèles de cette classe où les bruits de vent ou de caisse sont inaudibles même sur mauvais revêtement.

• Commodités: 70%
Les rangements sont constitués d'une boîte à gants de taille moyenne, de vide-poches de portières et d'évidements aménagés sur la console centrale.

• Assurance: 70%
Leur taux se situe dans la moyenne de cette catégorie.

• Comportement: 65%
Même si elle favorise plus le confort, la suspension plus souple de la 626 conserve une stabilité imperturbable en grande courbe, en virage fermé ou en ligne droite où elle reste neutre longtemps avant d'afficher une tendance au sous-virage. Si la répartition du poids et le tarage des suspensions et des pneumatiques rendent le MX-6 plus sportif, il est moins agile que le Probe de Ford en parcours sinueux, par contre il est plus stable en ligne droite et en grande courbe.

Mazda MX-6 Mystère

Mazda 626 Cronos

• Consommation: 60%
Le 4 cylindres est moins gourmand que le V6, dont l'agrément incite à le solliciter souvent.

• Coffre: 55%
Celui de la 626 manque un peu de hauteur, à cause des lignes de son capot, mais il est large et profond et sa capacité peut être améliorée en rabattant le dossier de la banquette. Celui de la Mystère n'est pas aussi pratique bien qu'il puisse être agrandi vers la cabine, car sa faible hauteur, son seuil élevé et la forme de son ouverture limitent son utilisation.

• Prix/équipement: 50%
Hormis la Cronos DX ces voitures sont convenablement équipées, et leurs prix sont alignés sur ceux de leurs rivales nippones.

• Freinage: 50%
Il ne se montre à la hauteur que lorsqu'il est équipé des quatre disques et du dispositif ABS qui permettent des arrêts plus efficaces, sinon les roues avant ont tendance à bloquer tôt et les distances sont plus longues. Les propriétaires se plaignent de l'usure rapide et du grincement désagréable des garnitures.

POINTS FAIBLES

• Dépréciation: 40%
Elle est forte à cause de la réputation mitigée des modèles précédents et du service de Mazda.

• Habitabilité: 40%
La cabine de la 626 accueille sans peine quatre adultes en tout confort car ses principaux dégagements sont bien calculés et l'espace pour les jambes des places arrière est suffisant. Dans le coupé la hauteur est limitée à l'avant par le toit ouvrant et à l'arrière par la forme du toit.

CONCLUSION

• Moyenne générale: 66.0 %
Ces voitures ne manquent pas de charme chacune dans leur genre, leur attrait provenant surtout de l'agrément que procure leur moteur V6. ☺

CARACTÉRISTIQUES & PRIX

Modèles	Versions	Carrosseries/ Sièges	Volume cabine l.	Volume coffre l.	Cx	Empat. mm	Long x larg x haut. mm x mm x mm	Poids à vide kg	Capacité Remorq. max. kg	Susp. av/ar	Freins av/ar	Direction type	Diamètre braquage m	Tours volant b à b.	Réser. essence l.	Pneus d'origine	Mécaniques d'origine	PRIX $ CDN. 1994
MAZDA		**Garantie: 3 ans / 80 000 km; mécanique: 5 ans / 100 000 km; corrosion perforation: 5 ans / kilométrage illimité.**																
626 Cronos DX		ber. 4 p.5	2752	390	0.32	2610	4685x1750x1400	1244	454	i/i	d/t	crém.ass.	10.6	2.9	60.0	195/65R14	L4/2.0/M5	**18 415**
626 Cronos LX		ber. 4 p.5	2752	390	0.32	2610	4685x1750x1400	1244	454	i/i	d/t	crém.ass.	10.6	2.9	60.0	195/65R14	L4/2.0/M5	**21 150**
626 Cronos ES		ber. 4 p.5	2752	390	0.32	2610	4685x1750x1400	1318	454	i/i	d/d/ABS	crém.ass.	10.6	2.9	60.0	205/55VR15	V6/2.5/M5	**27 295**
MX-6 Mystère RS		cpé. 2p.4	2254	351	0.31	2610	4615x1750x1310	1190	454	i/i	d/t	crém.ass.	10.6	2.9	60.0	195/65R14	L4/2.0/M5	**20 695**
MX-6 Mystère LS		cpé. 2p.4	2254	351	0.31	2610	4615x1750x1310	1270	454	i/i	d/d	crém.ass.	10.6	2.9	60.0	205/55VR15	V6/2.5/M5	**24 495**

Voir la liste complète des prix 1995 à partir de la page 393.

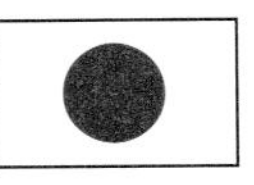

La Maxima de Mazda...

En introduisant sa Millenia, Mazda a fait d'une pierre deux coups. D'une part, en remplaçant sa peu vertueuse 929 par un modèle plus homogène et plus original et d'autre part, en sauvant une partie du capital investi dans son projet de marque de luxe qui a finalement avorté.

La Millenia, qui devait originalement faire partie de la gamme de luxe que Mazda se proposait de mettre sur pied pour répondre aux Acura, Infiniti et Lexus, remplacera désormais la 929, qui n'a pas connu le succès escompté. Les problèmes financiers en ont décidé autrement puisque peu de temps avant son inauguration, Amati, c'était son nom, fut tuée dans l'œuf. Des deux modèles présentés pour être vendus sous ce la bel, seule la Millenia a survécu, l'autre, un véhicule de grand luxe à moteur V12, fut mis sur une tablette. Vendue dans le monde entier, la Millenia est connue comme Eunos au Japon, Xedos en Europe et Amati en Amérique du Sud. Elle s'adresse particulièrement à des acheteurs masculin (80%) mariés (80%) gagnant en moyenne 110 000 $ par année et étant à 75% des travailleurs autonomes résidant en banlieue de grandes métropoles. Il s'agit d'une berline de luxe tractée à trois volumes et quatre portes, dont le modèle de base est mû par le même V6 2.5L que la 626, tandis que la S arbore un V6 de 2.3L, fonctionnant selon de cycle de Miller lui permettant, à cylindrée égale, de développer plus de chevaux pour une consommation et une pollution moindres. Le modèle de base est vendu avec garnitures en tissu ou en cuir.

POINTS FORTS

• Sécurité: 90%
Cette berline bénéficie des derniers développement en matière de rigidité de la structure et deux coussins d'air protègent en série les places avant.

• Sièges: 85%
Ils sont aussi esthétiques que confortables, ce qui surprend agréablement sur une voiture japonaise, car ils sont assez bien galbés et rembourrés pour offrir un maintien exemplaire, bien qu'ils ne soient pas équipés à l'avant d'un ajustement du support lombaire.

• Technique: 85%
La Millenia est une monocoque en acier dont les lignes fluides ont une efficacité remarquable puisque son cœfficient aérodynamique se situe à 0.29. La suspension à quatre roues indépendantes est à bras multiples aux deux extrémités, la direction à assistance variable en fonction du régime-moteur et les freins à disque aux quatre roues avec dispositif antiblocage en série.
C'est toutefois le moteur de la S qui retient l'attention. Son principe de fonctionnement selon le cycle de Miller permet d'obtenir un taux de détente élevé à partir d'un taux de compression faible grâce à l'apport d'un compresseur Lysholm. Le temps de compression est abrégé, ce qui crée un cinquième temps permettant un meilleur remplissage des cylindres et un taux d'explosion élevé qui permet d'obtenir 1.5 fois plus de couple et de puissance à cylindrée égale pour une consommation 10 à 15 % moins forte.

• Qualité / finition: 80%
Comme la plupart des produits japonais, la Millenia est assemblée avec beaucoup de rigueur, sa finition est soignée dans les moindres détails et la qualité des matériaux est sans reproche. Toutefois la présentation du tableau de bord est discutable, tant dans son style qui ne cadre pas avec le caractère de ce modèle, que pour la matière

DONNÉES

Catégorie: berlines de luxe tractées.
Classe : 7

HISTORIQUE

Inauguré en: 1994
Modifié en: -
Fabriqué à: Hofu, Japon.

INDICES

Sécurité: 90 %
Satisfaction: ND %
Dépréciation: ND %
Assurance: 3.6 % (1 308 $) S: (1 330 $)
Prix de revient au km: 0.60 $ $

NOMBRE DE CONCESSIONNAIRES

Au Québec: 58

VENTES AU QUÉBEC

Modèle	1992	1993	Résultat	Part de marché
Millenia	Pas commercialisée à cette époque.			

PRINCIPAUX MODÈLES CONCURRENTS

ACURA Vigor, AUDI A4, BUICK Riviera, CADILLAC De Ville, LEXUS ES300, LINCOLN Continental, MERCEDES classe C, MITSUBISHI Diamante, NISSAN Maxima, OLDSMOBILE Aurora, SAAB 900, TOYOTA Avalon, VOLVO 850 et 940.

ÉQUIPEMENT

Mazda Millenia	base tissu	base cuir	S
Transmission automatique:	S	S	S
Régulateur de vitesse:	S	S	S
Direction assistée:	S	S	S
Freins ABS:	S	S	S
Climatiseur:	S	S	S
Coussins gonflables (2):	S	S	S
Garnitures en cuir:	-	S	S
Radio MA/MF/ K7:	S	S	S
Serrures électriques:	S	S	S
Lève-vitres électriques:	S	S	S
Volant ajustable:	S	S	S
Rétroviseurs ext. ajustables:	S	S	S
Essuie-glace intermittent:	S	S	S
Jantes en alliage léger:	S	S	S
Toit ouvrant:	-	S	S
Système antivol:	S	S	S

S : standard; O : optionnel; - : non disponible

COULEURS DISPONIBLES

Extérieur: Rouge, Bleu, Gris acier, Gris champagne, Vert, Blanc.
Intérieur: tissu: Gris. cuir: Gris, Beige.

ENTRETIEN

Première révision: 8 000 km
Fréquence: 8 000 km
Prise de diagnostic: Oui

QUOI DE NEUF EN 1995 ?

- Nouveau modèle lancé début 1994.

Modèles/ versions *: de série	MOTEURS Type / distribution soupapes / carburation	Cylindrée cc	Puissance ch @ tr/mn	Couple lb.pi @ tr/mn	Rapport volumét.	TRANSMISSION Roues motrices / transmissions	Rapport de pont	PERFORMANCES Accélér. 0-100 km/h s	400 m D.A. s	1000 m D.A. s	Freinage 100-0 km/h m	Vites. maxi. km/h	Accélér. latérale G	Niveau sonore dBA	Consommation l./100km Ville	Consommation l./100km Route	Carburant Octane
base	V6*2.5 DACT-24-IEPM	2497	170 @ 5800	160 @ 4800	9.2: 1	avant- A4	4.176	9.3	16.7	29.8	45	200	0.80	65	12.2	8.3	S 91
S	V6*2.3 DACT-24-IEPM	2255	210 2 5300	210 @ 3500	8.0: 1	avant - A4	3.805	8.2	16.1	28.7	41	220	0.80	67	12.2	8.0	S 91

plastique noire mate qui le compose et qui est lugubre.

• Assurance: 80%
Malgré son taux raisonnable, la prime est forte proportionnellement au prix de ces modèles.

• Direction: 70%
Son assistance est bien dosée et sa précision comme sa rapidité, de bon aloi, mais elle transmet à certaines allures les défauts de la route et la maniabilité pourrait être meilleure encore si elle braquait plus court.

• Comportement: 70%
Il est à la hauteur des performances, car les réactions de cette voitures sont précises et elle est facile à placer en courbe où elle maintient facilement sa trajectoire. Pourtant il arrive qu'elle se montre instable sur certains revêtements ondulés qui lui font perdre son assurance.

• Consommation: 70%
Si elle est raisonnable avec le V6 de la 626, elle monte rapidement avec le moteur de Miller dont le tempérament incite plus à jouer de l'accélérateur.

• Poste de conduite: 70%
Il est relativement bien organisé et si son apparence a un air de famille avec celle de la 929, ses commandes sont nettement plus rationnelles, cependant celles situées sur la console centrale seraient plus faciles à atteindre si cette dernière était orientée vers le pilote.

• Performances: 70%
Placides avec le 2.5L, qui a plus de mal à s'accommoder du poids, elles sont plus excitantes avec le Miller qui a vraiment du nerf et dont les accélérations, comme les reprises, sont toniques.

• Accès: 70%
Il est plus aisé à l'avant qu'à l'arrière où la courbe du toit oblige à baisser la tête pour entrer et sortir. Soulignons que l'accès mécanique du moteur à cycle de Miller est particulièrement délicat, car le capot déborde de technologie.

• Suspension: 70%
Parfaite sur bon revêtement, elle manifeste à la hauteur du train avant sa désapprobation sur chaussée en mauvais état.

• Niveau sonore: 70%
Il est un peu plus élevé avec le moteur Miller qu'avec le V6 de base qui demeure aussi discret que sur la 626.

• Habitabilité: 60%
Elle est honnête, mais sans plus, car si l'espace pour la tête et les jambes est suffisant à l'avant comme à l'arrière, il n'y en a pas de trop et la cinquième personne installée derrière ne se sentira pas la bienvenue.

• Coffre: 60%
Plus grand et plus utilisable que l'était celui de la 929, son volume n'est pas extraordinaire car il manque de hauteur surtout lorsque le chargeur de disques compacts y est installé.

• Commodités: 50%
Les rangements ne débordent pas, car la boîte à gants et les vide-poches sont petits, le coffret central honnête, tandis que l'accoudoir arrière est inutilisé. Au moins les baudriers de ceintures des places avant sont ajustables en hauteur.

POINTS FAIBLES

• Prix/équipement: 25%
Si le prix de la S semble normal en raison de la technologie particulière du moteur, il semble exagéré sur la version de base à garniture de tissu et n'est pas compétitif avec celui de la Maxima, sa principale rivale.

• Freinage: 45%
Son efficacité moyenne ne cadre pas avec les performances dont la S est capable. Les distances d'arrêt sont longues avec l'ABS qui stabilise parfaitement les trajectoires, la résistance à l'échauffement est néanmoins suffisante.

CONCLUSION

• Valeur moyenne: 68.0%
La Millenia remplace avantageusement la 929, tant sur le plan dynamique qu'ergonomique, car elle est plus pratique et plus confortable. Pourtant, Mazda a manque le bateau en ne proposant pas une version de base nettement meilleur marché qui ne laisserait pas le champ libre à l'excellente Maxima sa rivale... ☺

CARACTÉRISTIQUES & PRIX

Modèles	Versions	Carrosseries/ Sièges	Volume cabine l.	Volume coffre l.	Cx	Empat. mm	Long x larg x haut. mm x mm x mm	Poids à vide kg	Capacité Remorq. max. kg	Susp. av/ar	Freins av/ar	Direction type	Diamètre braquage m	Tours volant b à b.	Réser. essence l.	Pneus d'origine	Mécaniques d'origine	PRIX $ CDN. 1994
MAZDA		Garantie: 3 ans / 80 000 km; mécanique: 5 ans / 100 000 km; corrosion perforation: 5 ans / kilométrage illimité.																
Millenia	base tissu	ber. 4 p. 5	2662	377	0.29	2750	4820x1770x1395	1459	NR	i/i	d/d/ABS	crém.ass.	11.4	2.9	68	205/65R15	V6/2.5/A4	**35 000**
Millenia	base cuir	ber. 4 p. 5	2662	377	0.29	2750	4820x1770x1395	1466	NR	i/i	d/d/ABS	crém.ass.	11.4	2.9	68	205/65R15	V6/2.5/A4	**38 000**
Millenia	S	ber. 4 p. 5	2662	377	0.29	2750	4820x1770x1395	1538	NR	i/i	d/d/ABS	crém.ass.	11.4	2.9	68	215/55R16	V6/2.3/A4	**40 000**

Voir la liste complète des prix 1995 à partir de la page 393.

Fin de romance...

La MPV a connu un engouement spectaculaire lors de son introduction sur le marché. Les amateurs de fourgonnettes la voyaient profilée, sportive et moins utilitaire que ses congénères. Après quelques années et beaucoup de frustrations, il faut cesser de rêver...

La MPV s'adresse à ceux qui veulent un véhicule spacieux n'ayant pas l'apparence d'un fourgon de livraison. Il s'agit d'un véhicule bivolumes à 4 portes sur un empattement court offrant 5 ou 7 places. La version de base à deux roues motrices dispose en série d'un 4 cylindres de 2.6L avec boîte automatique à 4 rapports, ou en option du V6 de 3.0L à transmission automatique à gestion électronique qui équipe en série la version à transmission intégrale. Les niveaux de finition sont de base ou LX.

POINTS FORTS

- **Sécurité:** 80%
Elle est honnête grâce à la résistance de la structure à l'impact, la fourniture en série d'un coussin gonflable du côté du conducteur et les ceintures à trois points d'ancrage des autres occupants.
- **Qualité & finition:** 80%
La présentation générale de la MPV est plus celle d'une automobile que d'un utilitaire, avec sa porte latérale arrière battante, son assemblage, ses matériaux et sa finition soignés.
- **Satisfaction:** 80%
Certains propriétaires se plaignent de l'usure rapide des garnitures de freins, du manque de pièces détachées et de l'incapacité de certains concessionnaires à résoudre rapidement leurs problèmes.
- **Suspension:** 80%
Malgré une réponse ferme, elle absorbe bien les défauts de la route, car les roues ont un débattement suffisant.
- **Niveau sonore:** 70%
Il est confortable sur autoroute à vitesse de croisière car les bruits de roulement sont bien filtrés, mais les moteurs signalent leur présence lors des accélérations.
- **Commodités:** 70%
Les rangements consistent en une boîte à gants minuscule, un vide-poches pratique dans les 3 portes et un tiroir sous le siège avant droit.

DONNÉES

Catégorie: fourgonnettes compactes propulsées ou intégrales.
Classe : utilitaires

HISTORIQUE

Inauguré en: 1988
Modifié en: 1989: version 4RM.
Fabriqué à: Hiroshima, Japon.

INDICES

Sécurité: 90 %
Satisfaction: 77 %
Dépréciation: 60 %
Assurance: 5.2 % (1 091 $)
Prix de revient au km: 0.42 $

NOMBRE DE CONCESSIONNAIRES

Au Québec: 58

VENTES AU QUÉBEC

Modèle	1992	1993	Résultat	Part de marché
MPV	2 283	1 099	- 51.9 %	3.1

PRINCIPAUX MODÈLES CONCURRENTS

CHEVROLET Astro & Lumina, DODGE-PLYMOUTH Caravan-Voyager, FORD Aerostar & Windstar, MERCURY Villager, NISSAN Quest, PONTIAC Trans Sport, TOYOTA Previa, VW Eurovan.

ÉQUIPEMENT

MAZDA MPV	2x4 base	2x4 LX	4x4 base	4x4 LX
Boîte automatique:	S	S	S	S
Régulateur de vitesse:	-	S	-	S
Direction assistée:	S	S	S	S
Freins ABS roues arrière:	S	S	S	S
Climatiseur:	S	S	S	S
Coussin gonflable gauche:	O	O	O	O
Garnitures en cuir:	-	O	-	0
Radio MA/MF/ K7:	S	S	S	S
Serrures électriques:	S	S	S	S
Lève-vitres électriques:	-	S	-	S
Volant ajustable:	S	S	S	S
Rétroviseurs ext. ajustables:	S	S	S	S
Essuie-glace intermittent:	S	S	S	S
Jantes en alliage léger:	-	S	S	S
Toit ouvrant:	-	O	-	O
Système antivol:	-	-	-	-

S : standard; O : optionnel; - : non disponible

COULEURS DISPONIBLES

Extérieur: Blanc, Beige, Bleu, Rubis, Vert, Argent, Bordeaux.
Intérieur: Gris, Taupe.

ENTRETIEN

Première révision: 8 000 km
Fréquence: 8 000 km
Prise de diagnostic: Oui

QUOI DE NEUF EN 1995 ?

- Pas de changement majeur.

	MOTEURS					TRANSMISSION						PERFORMANCES						
Modèles/ versions *: de série	Type / distribution soupapes / carburation	Cylindrée cc	Puissance ch @ tr/mn	Couple lb.pi @ tr/mn	Rapport volumét.	Roues motrices / transmissions	Rapport de pont	Accélér. 0-100 km/h s	400 m D.A. s	1000 m D.A. s	Freinage 100-0 km/h m	Vites. maxi. km/h	Accélér. latérale G	Niveau sonore dBA	Consommation l./100km Ville	Consommation l./100km Route	Carburant Octane
base	L4* 2.6 SACT-12-IEPM	2606	121 @ 4600	140 @ 3800	8.4 :1	arrière-A4*	3.91	12.7	19.3	36.6	55	160	0.71	66	13.5	9.4	R 87
V6 2x4	V6* 3.0 SACT-18-IEPM	2954	155 @ 5000	169 @ 4000	8.5 :1	arrière-A4*	3.91	11.0	18.0	32.8	55	170	0.72	66	15.9	10.7	R 87
V6 4x4	V6* 3.0 SACT-18-IEPM	2954	155 @ 5000	169 @ 4000	8.5 :1	arr./4-A4*	4.10	11.8	18.4	35.5	54	170	0.72	66	16.9	12.1	R 87

• Technique: 70%
La carrosserie monocoque en acier est rigidifiée par un châssis auxiliaire soudé à la plate-forme, et les suspensions sont de type McPherson à l'avant et à essieu rigide à l'arrière guidé par des bras longitudinaux, plus une barre Panhard avec des barres anti-roulis avant et arrière. Les freins sont mixtes et un dispositif ABS agissant sur les roues arrière est monté en série. La MPV se singularise par sa propulsion et sa porte latérale battante plutôt que coulissante. Sa ligne est agréable et efficace car son cœfficient aérodynamique est favorable pour ce type de véhicule.

• Accès: 70%
Si elle présente l'avantage d'une ixation solide exempte de bruit et de vibration, la porte latérale battante n'est pas des plus pratiques, car elle ne peut s'ouvrir largement en cas de stationnement serré.

• Assurance: 70%
Son taux est normal et sa prime se situe dans la moyenne de la catégorie.

• Habitabilité: 60%
Les places avant sont les plus spacieuses car derrière la place est très comptée entre les banquettes quand la MPV est organisée pour asseoir 7 occupants. Le meilleur aménagement consiste à retirer une banquette pour disposer de 5 places plus facilement accessibles.

• Poste de conduite: 60%
Le conducteur ne bénéficie pas d'une position idéale, car les pédales sont trop près du siège et le volant trop éloigné. Il faudrait que ce dernier soit télescopique, car l'ajustement en hauteur ne suffit pas. La visibilité est excellente mais le tableau de bord n'est pas très ergonomique, car le bloc instrument est trop haut et les interrupteurs qui y sont disposés, inhabituels et difficiles à atteindre...

• Sièges: 60%
Ils sont très fermes et les accoudoirs sont trop hauts, non ajustables et limitent la largeur de l'allée à l'avant. À l'arrière, la banquette médiane est très lourde et difficile à manipuler, et celle du fond ne peut que se replier, car elle est fixée au plancher, ce qui limite sa polyvalence.

• Direction: 60%
Elle est bien dosée, mais sa démultiplication importante la rend floue au centre sur la 2RM, ce qui nuit autant à la linéarité qu'à la maniabilité, le diamètre de braquage étant important.

• Performances: 50%
Le poids élevé pénalise les accélérations et les reprises, malgré la présence d'un convertisseur de couple blocable, dans une transmission fonctionnant selon trois modes: «puissance», «économie» et «maintien». Le V6 est préférable au 4 cylindres anémique et peu économique.

• Comportement: 50%
Sur ce plan la MPV surclasse la plupart de ses concurrentes, car sa suspension élaborée sert aussi bien le confort que la tenue de route. Malgré la hauteur du centre de gravité, le roulis est faible et la motricité difficile à prendre en défaut. Pourtant en conduite hivernale, la stabilité de la 4RM sera plus rassurante que celle de la 2RM.

• Prix/équipement: 50%
La version de base 4x4 est moins chère que celle de la Previa, mais elle n'est pas compétitive face aux produits de Chrysler parce que son équipement est plus complet, dépourvu seulement de climatiseur et d'asservissements électriques.

POINTS FAIBLES

• Freinage: 20%
C'est le point faible de ce véhicule car son manque de mordant et d'endurance génère de longues distances d'arrêt, heureusement rectilignes grâce à l'ABS agissant sur les roues arrière.

• Consommation: 30%
La rigidité de la coque se paie par un poids et une consommation très élevés dans tous les cas.

• Soute: 40%
Son volume est quasi nul si la dernière banquette est occupée et nombre de propriétaires aimeraient pouvoir disposer d'une version allongée. Lorsque les sièges sont ôtés on constate que le plancher n'est pas plat et que la hauteur sous plafond est limitée.

• Dépréciation: 40%
Les MPV commencent à perdre plus de valeur que leurs rivales dans cette catégorie.

CONCLUSION

• Moyenne générale: 59.5 %
La romance qui s'est nouée au départ entre la MPV et le public est finie, car il a fallu réaliser qu'elle n'était pas si pratique, pas si fiable et surtout pas si économique qu'on l'imaginait. 😐

SUGGESTIONS DES PROPRIÉTAIRES

-Freins plus efficaces.
-Sièges arrière amovibles.
-Carrosserie allongée procurant plus d'espace à bagages.
-De meilleures performances.
-Un rendement économique.
-Des sièges plus confortables.
-Un moteur plus puissant.

CARACTÉRISTIQUES & PRIX

Modèles	Versions	Carrosseries/ Sièges	Volume cabine l.	Volume coffre l.	Cx	Empat. mm	Long x larg x haut. mm x mm x mm	Poids à vide kg	Capacité Remorq. max. kg	Susp. av/ar	Freins av/ar	Direction type	Diamètre braquage m	Tours volant b à b.	Réser. essence l.	Pneus d'origine	Mécaniques d'origine	PRIX $ CDN. 1994
MAZDA		**Garantie générale: 3 ans / 80 000 km; mécanique: 5 ans / 100 000 km.**																
MPV	2RM	base	fam.4 p.5		0.36	2805	4465x1826x1730	1632	1043	i/r	d/d/ABS ar.	crém.ass.	11.9	3.9	60.0	195/75R15	L4/2.6/A4	**20 515**
MPV	2RM	base	fam.4 p.7		0.36	2805	4465x1826x1730	1669	1179	i/r	d/d/ABS ar.	crém.ass.	11.9	3.9	74.0	195/75R15	V6/3.0/A4	**21 315**
MPV	2RM	LX	fam.4 p.7/8		0.36	2805	4465x1826x1730	1699	1179	i/r	d/d/ABS ar.	crém.ass.	11.9	3.9	74.0	215/65R15	V6/3.0/A4	**24 975**
MPV	4RM	base	fam.4 p.7		0.36	2805	4465x1836x1799	1819	1179	i/r	d/d/ABS ar.	crém.ass.	12.1	3.6	75.0	215/65R15	V6/3.0/A4	**26 645**
MPV	4RM	LX	fam.4 p.7		0.36	2805	4465x1836x1799	1833	1179	i/r	d/d/ABS ar.	crém.ass.	12.1	3.6	75.0	215/65R15	V6/3.0/A4	**28 375**

Voir la liste complète des prix 1995 à partir de la page 393.

MX-3 Precidia

La chance sourit aux audacieux...

Une bonne initiative de la part de Mazda que d'avoir repris le concept du mini-coupé sporti abandonné prématurément par Honda. Il fallait aussi une bonne dose d'audace pour se permettr de mettre sur la marché le plus petit V6 de l'industrie. Et pourquoi pas un mini-rotatif ?

Le MX-3 connaît un beau succès, car il correspond exactement à ce que le public attend d'un petit coupé sportif populaire. Il reprend précisément la formule que Honda avait inventée avec son CRX, qui fut abandonné pour d'obscures raisons. Basée sur la plate-forme des premières 323/Protegé, sa carrosserie deux volumes à 3 portes est proposée en versions RS avec moteur 4 cylindres 1.6L à DACT et 16 soupapes développant 105 ch et GS avec un V6 de 1.8L à DACT et 24 soupapes donnant 130 ch.

POINTS FORTS

• Technique: 80%

Les lignes du MX-3 ne manquent pas d'attirer l'attention, surtout scus certaines couleurs, car ses deux extrémités sont aussi agressives que provocantes. L'arrière est trapu contrairement à l'avant qui est très effilé avec son pare-brise très incliné et ses phares en amande. Son efficacité aérodynamique est honnête puisque le cœfficient est de 0.32 pour la RS et 0.31 pour la GS. La coque autoporteuse en acier reprend les éléments de suspension des 323-Protegé c'est-à-dire qu'elle est indépendante aux 4 roues et de type McPherson. Toutefois les voies ont été élargies et les géométries révisées, afin d'améliorer le confort et le comportement. Avec sa nouvelle culasse le moteur 4 cylindres sera moins falot que par le passé, mais c'est le V6 de 1.8L qui conservera la vedette, car il est encore le plus petit moteur V6 commercialisé dans le monde.

• La satisfaction: 75%

Les propriétaires de MX-3 sont généralement satisfaits de leur monture, mais ils se plaignent du bruit agaçant que font les plaquettes de frein dont l'usure est rapide.

• Poste de conduite: 75%

Bien installé dans un siège bien formé, le conducteur jouit d'une bonne visibilité vers l'avant et les côtés, malgré la hauteur de la ceinture de caisse, tandis que de 3/4 arrière, elle est franchement médiocre, à cause de l'épaisseur du pilier central et de l'étroitesse de la lunette très inclinée qui s'obscurcit sous la pluie. Le tableau de bord est simple et fonctionnel, les instruments étant lisibles et les commandes rappelant celles des 323.

• Consommation: 75%

Le V6 est plus gourmand que le 4 cylindres surtout avec la boîte automatique, mais il apporte un agrément qui permet de considérer le rendement comme normal.

• Performances: 75%

Malgré le déploiement technique des moteurs, l'effet dynamique n'est pas aussi extraordinaire car les performances sont banales et les chiffres comparables à ceux obtenus avec la Miata. Dans les deux cas les accélérations impressionnent plus l'oreille que le chronomètre, mais le V6 se démarque du 4 cylindres par la douceur de son fonctionnement qui est exempt de vibrations.

• Comportement: 75%

La rigidité de la coque, la géométrie des suspensions et les roues placées «aux quatre coins», confèrent une bonne tenue de route aux MX-3. Le roulis est moins marqué sur la GS dont la suspension est

DONNÉES

Catégorie: coupés sportifs tractés.
Classe : S3

HISTORIQUE

Inauguré en: 1992
Modifié en: 1994: moteur 1.6L DACT.
Fabriqué à: Hiroshima, Japon

INDICES

Sécurité: 80 % (90 % avec coussins)
Satisfaction: 75 %
Dépréciation: (RS) 45 % 53 % (GS)
Assurance: RS (975 $) 6.2 % 6.8 % GS (1 091 $)
Prix de revient au km: 0.45 $

NOMBRE DE CONCESSIONNAIRES

Au Québec: 58

VENTES AU QUÉBEC

Modèle	1992	1993	Résultat	Part de marché
MX-3	2 716	2 068	- 23.9 %	16.7 %

PRINCIPAUX MODÈLES CONCURRENTS

ACURA Integra, EAGLE Talon, HONDA del Sol, HYUNDAI Scoupe, MAZDA Miata, SATURN SC, TOYOTA Paseo.

ÉQUIPEMENT

MAZDA MX-3 Precidia	RS	GS
Moteur L4 1.6L	S	-
Moteur V6 1.8L	-	S
Boîte automatique:	O	O
Régulateur de vitesse:	-	S
Direction assistée:	O	O
Freins ABS:	O	O
Climatiseur:	S	S
Coussins gonflables (2):	-	O
Garnitures en cuir:	-	-
Radio MA/MF/ K7:	S	S
Serrures électriques:	-	O
Lève-vitres électriques:	-	O
Volant ajustable:	S	S
Rétroviseurs ext. ajustables:	S	S
Essuie-glace intermittent:	S	S
Jantes en alliage léger:	O	S
Toit ouvrant:	S	S
Système antivol:	-	-

S : standard; O : optionnel; - : non disponible

COULEURS DISPONIBLES

Extérieur: Blanc, Bleu, Rouge, Argent, Noir, Vert.
Intérieur: Noir.

ENTRETIEN

Première révision: 8 000 km
Fréquence: 8 000 km
Prise de diagnostic: Oui

QUOI DE NEUF EN 1995 ?

- Pas de changement majeur.

Modèles/ versions *: de série	Type / distribution soupapes / carburation	Cylindrée cc	Puissance ch @ tr/mn	Couple lb.pi @ tr/mn	Rapport volumét.	Roues motrices / transmissions	Rapport de pont	Accélér. 0-100 km/h s	400 m D.A. s	1000 m D.A. s	Freinage 100-0 km/h m	Vites. maxi. km/h	Accélér. latérale G	Niveau sonore dBA	Consommation l./100km Ville	Consommation l./100km Route	Carburant Octane
RS	L4* 1.6 DACT-16-IEPM	1598	105 @ 6200	100 @ 3600	9.0 :1	avant - M5*	4.11	9.8	16.8	29.7	40	180	0.82	68	8.2	5.9	R 87
						avant - A4	3.83	11.0	17.2	32.0	42	170	0.82	68	9.5	6.4	R 87
GS	V6* 1.8 DACT-24-IEPM	1844	130 @ 6500	115 @ 4500	9.2 :1	avant - M5*	4.39	8.8	15.7	28.8	39	200	0.85	68	10.7	7.7	R 87
						avant - A4	4.06	10.0	16.6	30.2	40	180	0.85	68	12.3	8.4	R 87

ɔlus ferme, mais qui reste neutre ongtemps avant que le sous-virage, facile à contrôler, fasse son apparition. On constate ici qu'encore une fois que la traction avant n'autorise pas un agrément aussi fort que la propulsion de la Miata par exemple.

Sécurité: 75%
Bien que la coque offre une excellente rigidité, la fourniture, en option, des deux coussins gonflables fait varier le cœfficient. Il est curieux que sur un engin de cette vocation cet élément primordial ne soit proposé qu'en option.

Direction: 70%
Celle de la GS est plus vive et plus précise que celle de la RS, trop démultipliée et plus floue au centre.

Commodités: 70%
Les rangements se composent d'une boîte à gants logeable, de deux vide-poches de portière, d'un coffret et d'un évidement sur la console centrale.

Prix/équipement: 70%
Depuis que son moteur est plus puissant, le prix de la RS est devenu plus attrayant que celui du GS et ce, malgré la différence d'équipement, toutefois la liste d'options demeure longue.

Qualité & finition: 70%
La présentation intérieure très maussade contraste avec l'allure sympathique de la carrosserie et si la qualité de l'assemblage et de la finition est soignée, le tissu des garnitures et les matières plastiques ont une apparence et un toucher bon marché. Une simple petite touche de couleur sur les sièges et les portes distinguerait agréablement la version GS de la RS...

Sièges: 70%
Ils manquent de moelleux, et la banquette est moins bien galbée que les sièges avant qui maintiennent bien, pourtant elle est moins insipide que sur d'autres coupés concurrents.

Assurance: 60%
L'indice est celui des voitures sportives, il reflète autant les performances que le genre de clientèle visée par ce coupé.

Accès: 60%

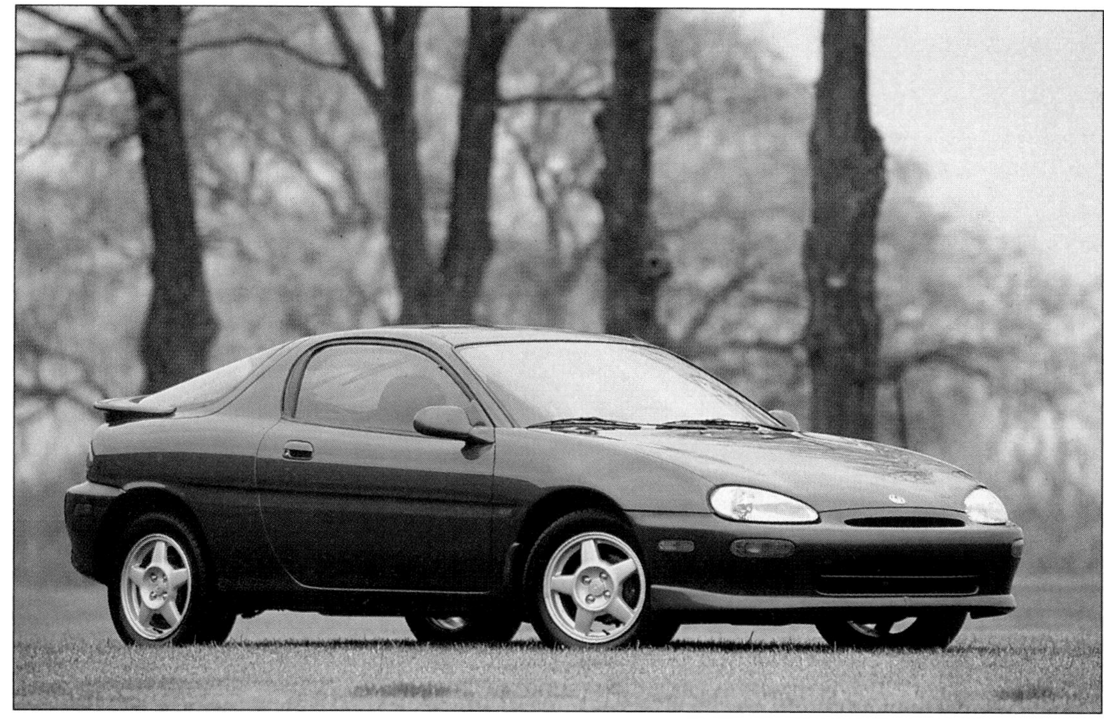

Les individus de grande taille ne pourront s'installer sur la banquette arrière sans douleurs car elle est surtout réservée à de jeunes enfants.

• Suspension: 60%
Plus comportement que confort, sa rigueur ne laisse rien ignorer des défauts de la route.

• Coffre: 60%
Il offre plus d'espace que celui de la MX-6 car il peut être agrandi vers la cabine en abaissant le dossier de la banquette. Cependant son seuil élevé, pour cause de rigidité, complique son usage.

• La dépréciation: 50%
La valeur de revente de ces coupés se maintient mieux que celle des berlines, et proportionnellement celle du RS plus abordable est plus élevée que celle du GS plus exotique au niveau budget.

• Freinage: 50%
Il est plus mordant et plus efficace sur la GS équipée de 4 disques que sur la RS dont les distances d'arrêt sont longues et la relative stabilité des arrêts d'urgence ne nécessite pas forcément la présence de l'ABS.

• Niveau sonore: 50%
Le moteur V6 est plus discret que le 4 cylindres qui manifeste bruyamment lors des fortes accélérations, alors que les bruits de roulement révèlent le manque de matériaux insonorisants.

POINTS FAIBLES

• Habitabilité: 30%
Bien qu'elle soit restreinte, elle est surprenante pour ce type de véhicule, puisqu'elle équivaut à celle de coupés de catégorie supérieure. Bien sûr on dispose de plus d'espace en hauteur à l'avant qu'à l'arrière, où le plafond est bas à cause de la pente du toit.

CONCLUSION

• Moyenne générale: 65.0%
Bien qu'il ne soit pas véritablement une bombe au niveau performances le coupé MX-3 est aussi amusant à conduire que pratique à utiliser pour un budget raisonnable, et son allure jeune est bien sympathique... ☺

CARACTÉRISTIQUES & PRIX

Modèles	Versions	Carrosseries/ Sièges	Volume cabine l.	Volume coffre l.	Cx	Empat. mm	Long x larg x haut. mm x mm x mm	Poids à vide kg	Capacité Remorq. max. kg	Susp. av/ar	Freins av/ar	Direction type	Diamètre braquage m	Tours volant b à b.	Réser. essence l.	Pneus d'origine	Mécaniques d'origine	PRIX $ CDN. 1994
MAZDA		**Garantie générale:3 ans / 80 000km; mécanique: 5 ans / 100 000 km; corrosion: 5 ans / kilométrage illimité..**																
MX-3	RS	cpé. 3p.2+2	2265	436	0.32	2455	4208x1695x1310	1095	NR	I/I	d/t	crém.ass.	10.0	3.1	50.0	P185/65R14	L4/1.6/M5	**15 175**
	RS	cpé. 3p.2+2	2255	436	0.32	2455	4208x1695x1310	1125	NR	I/I	d/t	crém.ass.	10.0	3.1	50.0	P185/65R14	L4/1.6/A4	**16 075**
MX-3	GS	cpé. 3p.2+2	2265	436	0.31	2455	4208x1695x1310	1171	NR	I/I	d/d	crém.ass.	10.0	2.7	50.0	P205/55R15	V6/1.8/M5	**17 495**
	GS	cpé. 3p.2+2	2265	436	0.31	2455	4208x1695x1310	1194	NR	I/I	d/d	crém.ass.	10.0	2.7	50.0	P205/55R15	V6/1.8/A4	**19 595**

Voir la liste complète des prix 1995 à partir de la page 393.

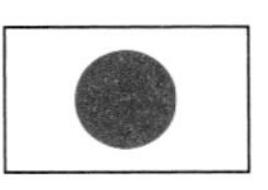

Le balladeur de la route...

La Miata a ouvert la voie à un concept de voitures «plaisir» abordables. BMW et Mercedes s'en sont inspirés pour créer des modèles qui verront le jour en 95 et 96. La formule gagnante consiste à offrir un véhicule, simple, fiable, abordable et authentique. Dans ce cas-ci le contrat est rempli.

Autre audace de Mazda qui a décidé de ressusciter le roadster des années soixante. Ce fut une bonne idée puisque la Miata a connu un beau succès auprès d'un vaste public. Cette petite voiture toute simple est sans doute la seule qui permette de goûter aux joies de la conduite sportive pour un budget raisonnable, sans puissance ni vitesse excessives. Il s'agit d'un cabriolet deux places pourvu d'un moteur 4 cylindres 1.8L avec boîte manuelle à 5 vitesses ou automatique à 4 rapports. Deux groupes d'options sont offerts, l'un privilégiant les performances et l'autre le luxe de l'équipement.

POINTS FORTS

• Satisfaction: 90%
Peu de problèmes si ce n'est quelques différentiels fragiles, les propriétaires l'adorent mais se lassent au bout de deux ans de son manque d'aspect pratique.

• Direction: 80%
La manuelle livrée en série ne correspond pas au tempérament de la Miata qui préfère l'assistée plus précise, plus directe et plus vivante.

• Comportement: 80%
La rigidité du châssis et le guidage efficace des suspensions permettent à la Miata de virer bien à plat, affichant lorsqu'on la pousse un peu, un survirage progressif et amusant à contrôler.

• Consommation: 80%
Son poids élevé explique son appétit en carburant.

• Sécurité: 70%
Compte tenu de la vulnérabilité de ce type de structure, la Miata obtient une excellente cote grâce à la présence d'un coussin gonflable en série du côté du conducteur, mais il en manque un second et surtout un arceau tubulaire pour protéger des retournements.

• Technique: 70%
Mazda a réussi à construire en grande série un cabriolet possédant une rigidité suffisante permettant un comportement sportif. La carros-

DONNÉES

Catégorie: cabriolets sportifs propulsés.
Classe : 3S

HISTORIQUE

Inauguré en: 1989
Modifié en: 1994: moteur 128 ch.
Fabriqué à: Hiroshima, Japon.

INDICES

Sécurité:	80 %
Satisfaction:	92 %
Dépréciation:	55 %
Assurance:	6.8% (1 035 $)
Prix de revient au km:	0.43 $

NOMBRE DE CONCESSIONNAIRES

Au Québec: 58

VENTES AU QUÉBEC

Modèle	1992	1993	Résultat	Part de marché
Miata	422	318	- 24.7 %	2.6 %

PRINCIPAUX MODÈLES CONCURRENTS

HONDA Civic del Sol.

ÉQUIPEMENT

MAZDA Miata	base
Boîte automatique:	O
Régulateur de vitesse:	O
Direction assistée:	O
Freins ABS:	O
Climatiseur:	O
Coussin gonflable:	S
Garnitures en cuir:	O
Radio MA/MF/ K7:	S
Serrures électriques:	-
Lève-vitres électriques:	O
Volant ajustable:	O
Rétroviseurs ext. ajustables:	S
Essuie-glace intermittent:	S
Jantes en alliage léger:	O
Toit ouvrant:	O
Système antivol:	-

S : standard; O : optionnel; - : non disponible

COULEURS DISPONIBLES

Extérieur: Blanc, Rouge, Bleu, Noir, Vert.
Intérieur: Noir, Tan.

ENTRETIEN

Première révision: 8 000 km
Fréquence: 8 000
Prise de diagnostic: Oui

QUOI DE NEUF EN 1995 ?

- Pas de changement majeur.

MOTEURS						TRANSMISSION		PERFORMANCES									
Modèles/ versions *: de série	Type / distribution soupapes / carburation	Cylindrée cc	Puissance ch @ tr/mn	Couple lb.pi @ tr/mn	Rapport volumét.	Roues motrices / transmissions	Rapport de pont	Accélér. 0-100 km/h s	400 m D.A. s	1000 m D.A. s	Freinage 100-0 km/h m	Vites. maxi. km/h	Accélér. latérale G	Niveau sonore dBA	Consommation l./100km Ville	Consommation l./100km Route	Carburant Octane
Miata	L4* 1.8 DACT-16-IEPM	1839	128 @ 6500	110 @ 6000	9.0 :1	arrière - M5*	4.10	8.5	15.7	28.8	42	190	0.85	73	10.8	8.2	R 87
						arrière - A4	4.10	9.7	16.5	30.0	44	180	0.85	73	10.8	8.2	R 87

erie, monocoque en acier, a été enforcée par deux rails d'alumi- iium reliant les faux-châssis sup- ortant la mécanique à l'avant, et essieu propulseur à l'arrière. La uspension à double articulation st indépendante aux quatre oues avec des amortisseurs à az et des barres stabilisatrices à avant comme à l'arrière. Les eins sont à disque aux quatre oins, mais le dispositif ABS n'est ourni qu'en option tout comme la irection assistée. Le moteur 1.8L DACT et 16 soupapes, offre 9 h de plus que l'ancien 1.6L ce ui améliore le rapport poids-puis- ance qui passe à 8.3 kg/ch. Mal- ré ses formes bulbeuses, l'aé- odynamique n'est pas idéale nais elle est meilleure avec le toit gide qu'avec la capote.

Qualité & finition: 70%
olidement construite, la Miata st finie de manière rigoureuse, nais la présentation intérieure st très noire. La qualité des gar- itures est plus évidente avec le roupe d'options de luxe, dont le rix est en conséquence.

Performances: 70%
e nouveau moteur améliore le rio et les accélérations, et sa uissance est bien exploitée par la transmission manuelle rapide et précise à sélectionner. L'avantage de la Miata est de permettre de s'amuser sans danger dans les limites de vitesse autorisées.

• Sièges: 70%
Ils maintiennent et soutiennent bien les reins, mais leur rembourrage est plutôt sévère.

• Poste de conduite: 60%
La Miata est un véritable roadster sportif. Le siège baquet offre un maintien efficace, mais le conducteur de grande taille déplorera que la colonne de direction ne soit pas ajustable. Par ailleurs les commandes sont simples et bien disposées et les instruments en nombre suffisant et faciles à consulter. Parfaite lorsque les toits sont ôtés, la visibilité est plus favorable avec le toit rigide qu'avec la capote affligée d'angles morts importants, tandis que la forme et la position des rétroviseurs extérieurs, non ajustables de l'intérieur (en série), ne facilitent pas la vue vers l'arrière.

• Accès: 60%
Il est assez facile de s'introduire dans l'habitacle pour ceux qui mesurent moins de 1,60 m...

• Assurance: 60%
Le prix et l'indice élevé résultent en une prime importante compte tenu des caractéristiques de la Miata qu'il vaudra mieux n'assurer que pour la belle saison...

• Suspension: 55%
Supportable sur autoroute, elle sautille sur les petites routes cabossées et après deux heures de ce traitement, une pause sera toujours la bienvenue.

• Prix/équipement: 50%
Un peu plus d'équipement aiderait à justifier le prix relativement élevé de la Miata, surtout si on le compare à celui de la Civic del Sol plus polyvalente.

POINTS FAIBLES

• Coffre: 00%
Il ne contiendra pas grand chose, surtout des sacs mous car il est peu protégé, encombré de la batterie et de la mini-roue de secours. Ces deux accessoires pourraient être relocalisés ailleurs pour gagner de la place.

• Niveau sonore: 10%
L'échappement de la Miata ne ronronne pas aussi agréablement que celui les anglaises d'antan, et les bruits de vent, de pneus ou de mécanique donnent un concert qui n'a rien de mélodieux.

• Habitabilité: 20%
Deux personnes de taille normale trouveront dans la Miata un espace minimal, car les dégagements sont calculés au plus juste et les grands ou les corpulents souffriront de claustrophobie.

• Commodités: 40%
Les rangements se résument à une petite boîte à gants et un coffret placé sur la console centrale auxquels s'ajoutent cette année des vide-poches dans les portes et le dossier des sièges. Il vaudra mieux être deux pour mettre le toit rigide en place, alors que la capote se manipule aisément d'une seule main, ses verrous étant simples et son étanchéité excellente.

• Freinage: 40%
Stable et endurant, ses distances d'arrêt sont un peu longues et son assistance trop forte le rend difficile à doser avec précision. Finalement l'ABS offert en option n'a que l'avantage de conserver l'usage de la direction lors des arrêts d'urgence.

• Dépréciation: 45%
Plus forte que la moyenne, elle demeure tout de même dans l'ordre normal des choses.

CONCLUSION

• Moyenne générale: 56.5 %
La Miata est le baladeur de la route. On s'assied dedans et on déguste égoïstement le plaisir de conduire, pas vite, mais avec des sensations. Il serait tout de même bon qu'elle évolue un peu plus vite, simplement pour que les amateurs ne pensent pas qu'elle est morte...

SUGGESTIONS DES PROPRIÉTAIRES

- Le moteur V6 1.8L du MX-3.
- Un meilleur dégivrage latéral.
- De meilleurs pneus d'origine.
- Des phares moins volumineux.
- Une batterie plus forte.
- Différentiel moins fragile.
- Rendement plus économique.
- Tissu/plastiques plus solides.
- Intérieur moins austère.
- Rangements et coffres plus pratiques.

CARACTÉRISTIQUES & PRIX

odèles	Versions	Carrosseries/ Sièges	Volume cabine l.	Volume coffre l.	Cx	Empat. mm	Long x larg x haut. mm x mm x mm	Poids à vide kg	Capacité Remorq. max. kg	Susp. av/ar	Freins av/ar	Direction type	Diamètre braquage m	Tours volant b à b.	Réser. essence l.	Pneus d'origine	Mécaniques d'origine	PRIX $ CDN. 1994
AZDA		**Garantie générale: 3 ans / 80 000 km; mécanique: 5 ans / 100 000 km.**																
iata	toit mou	déc.2 p.2	ND	92	0.38	2266	3948x1676x1224	1041	NR	i/i	d/d	crém.	9.2	3.33	48.0	185/60R14	L4/1.8/M5	**20 555**
iata	toit mou	déc.2 p.2	ND	92	0.38	2266	3948x1676x1224	1044	NR	i/i	d/d	crém.	9.2	3.33	48.0	185/60R14	L4/1.8/A4	**21 585**

Voir la liste complète des prix 1995 à partir de la page 393.

Le syndrome Corvette...

Un jour un haut dirigeant de Mazda a imaginé que sa firme après le son succès au 24 Heures du Man se devait de posséder dans son écurie un véhicule exotique, qui refléterait sa gloire. C'est ains que la RX-7 est devenue ce go-kart de luxe inaccessible dont les ventes ont terriblement décliné

Lors de sa dernière refonte la RX-7 a inauguré une ligne d'inspiration très différente de celle des modèles précédents. Elle a par la même occasion abandonné son caractère populaire pour rejoindre la Corvette dans le club des exotiques inabordables. Elle continue d'être vendue en versions de base ou Premium, équipée du seul moteur rotatif commercialisé en grande série dans le monde. Il s'agit d'un birotor de 1.3L avec deux turbocompresseurs et d'un échangeur de température. Il délivre 255 ch aux roues arrière motrices via une boîte de vitesses manuelle à 5 rapports et un différentiel à glissement limité de type Torsen.

POINTS FORTS

• Performances: 100%

Les accélérations de la RX-7 sont remarquables, mais ne nous ont pas impressionnés autant que celles des modèles essayés la première année. Les reprises sont musclées et la transmission tire le meilleur parti de la puissance disponible qui se situe aux limites du compte-tours et de la tolérance policière.

• Technique: 90%

Si la ligne de la RX-7 ne doit plus rien à personne, elle comporte des messages subliminaux rappelant Jaguar, Lotus, AC Bristol tandis que d'autres plus modernes, suggèrent la Stealth, la NSX et... la Miata. Son efficacité aérodynamique est excellente puisque son cœfficient est de 0.29, malgré les gros pneus et les importantes ouvertures de la calandre. La carrosserie, à la fois rigide et légère, tient en même temps de la monocoque et du châssis tubulaire. La structure est en acier à l'exception du capot avant qui est en aluminium et pour assurer une bonne rigidité torsionnelle, Mazda a repris la solution utilisée sur la Miata, qui consiste à relier le moteur au différentiel par deux raidisseurs longitudinaux en aluminium. Le moteur disposé de manière centrale-avant assure un bon équilibre des masses. La suspension indépendante aux quatre roues est basée sur des bras d'aluminium

DONNÉES

Catégorie: coupés sportifs propulsés.
Classe : GT

HISTORIQUE

Inauguré en: 1978
Modifié en: 1985: carrosserie; 1986:Turbo;1987 décapotable; 1993: carrosserie.
Fabriqué à: Hiroshima, Japon.

INDICES

Sécurité:	90 %
Satisfaction:	80 %
Dépréciation:	34% (2 ans)
Assurance:	3.9 % (1 777 $)
Prix de revient au km:	0.80 $

NOMBRE DE CONCESSIONNAIRES

Au Québec: 58

VENTES AU QUÉBEC

Modèle	1992	1993	Résultat	Part de marche
RX-7	44	46	+ 4.4 %	0.6 %

PRINCIPAUX MODÈLES CONCURRENTS

CHEVROLET Corvette, DODGE Stealth, NISSAN 300 ZX.

ÉQUIPEMENT

MAZDA RX-7	base	Premium
Boîte automatique:	-	-
Régulateur de vitesse:	S	S
Direction assistée:	S	S
Freins ABS:	S	S
Climatiseur:	S	S
Coussin gonflable:	S	S
Garnitures en cuir:	S	S
Radio MA/MF/ K7:	S	S
Serrures électriques:	S	S
Lève-vitres électriques:	S	S
Volant ajustable:	S	S
Rétroviseurs ext. ajustables:	S	S
Essuie-glace intermittent:	S	S
Jantes en alliage léger:	S	S
Toit ouvrant:	-	S
Système antivol:	-	S

S : standard; O : optionnel; - : non disponible

COULEURS DISPONIBLES

Extérieur: Argent, Rouge, Bleu, Blanc, Noir.
Intérieur: Cuir ou tissu: Noir.

ENTRETIEN

Première révision: 8 000 km
Fréquence: 8 000 km
Prise de diagnostic: Oui

QUOI DE NEUF EN 1995 ?

- Pas de changement majeur.

	MOTEURS					TRANSMISSION						PERFORMANCES						
Modèles/ versions *: de série	Type / distribution soupapes / carburation	Cylindrée cc	Puissance ch @ tr/mn	Couple lb.pi @ tr/mn	Rapport volumét.	Roues motrices / transmissions	Rapport de pont	Accélér. 0-100 km/h s	400 m D.A. s	1000 m D.A. s	Freinage 100-0 km/h m	Vites. maxi. km/h	Accélér. latérale G	Niveau sonore dBA	Consommation l./100km Ville	Consommation l./100km Route	Carbura Octane
base	R2T* 1.3-IEPM	1308	255 @ 6500	217 @ 5000	9.0 :1	arrière - M5*	3.29	5.5	14.3	25.7	35	250	0.97	69	14.1	9.0	S 91

rgé, des ressorts hélicoïdaux : des barres antiroulis. Les géo- étries des trains sont induites in d'améliorer la stabilité.

Sécurité: 90%
excellente rigidité de la struc- re et le montage de deux cous- ns d'air protègent les occupants n cas de collision.

Qualité & finition: 80%
l'apparence extérieure est flat- use, l'intérieur est lugubre et la ition très ordinaire pour une oiture de ce prix. La présenta- on est un mélange de bio avec es formes incurvées et de rétro vec son instrumentation inspi- e des anciennes anglaises.

Poste de conduite: 80%
est ergonomique, car le volant mbe bien en main et le sélec- ur se manie rapidement du poi- net. Les instruments analogi- ues et digitaux sont nombreux bien regroupés; le gros compte- urs y trône, gradué jusqu'à 9000 , avec une ligne rouge à 8000, à ôté du tachymètre gradué jus- u'à 280 km/h, chose qu'on ne oit pas tous les jours! Certaines ommandes ne sont pas aussi tionnelles tels les interrupteurs sposés sur la console ou celles e la climatisation (pas automati- ue à ce prix), qui sont fantaisis- s pour rien. Satisfaisante vers avant, la visibilité est gênée de 4 par l'épaisseur du pilier C, rs l'arrière par la lunette étroite très inclinée qui devient aveu- e à la moindre goutte d'eau car on essuie-glace (en option sur modèle de base!) n'est pas ès efficace, elle de plus est limi- e par la présence de l'aileron.

Satisfaction: 80%
a fiabilité est un plus sûr garant e la bonne humeur des clients ue certaines visites chez le con- essionnaire.

Comportement: 80%
a tenue de route est exemplaire l'on adopte un style de con- uite coulé sinon, ses réactions eviennent brutales et des mains eu expertes pourront la laisser échapper, particulièrement sur ute mal entretenue ou mouillée. outefois en plus du différentiel orsen livré en série un réparti- ur de traction électronique basé ur l'ABS permettrait d'équilibrer s départs brutaux, qui génèrent des louvoiements et certaines figures de style plus ou moins élégantes sur pavé humide.

• Direction: 80%
Les roues avant et la direction communiquent parfois sèchement l'état de la route. L'assistance est ferme et la démultiplication inhabituelle sur une voiture de ce type. C'est sans doute pour éviter les changements de voie rapides qu'elle n'est pas plus directe.

• Accès: 70%
Il est facile de se glisser à bord, car la forme du toit et des sièges libère un espace suffisant.

• Assurance: 70%
Le taux des sportives et le prix élevé obligeront à faire des heures supplémentaires...

• Sièges: 70%
Les sièges sont particulièrement décevants, car ils sont ordinaires, dans leur forme qui laisse à désirer sur le plan ergonomique, et dans leur exécution banale. Un vrai Recaro ferait mieux l'affaire.

• Freinage: 60%
Il est efficace et équilibré, surtout sur chaussée mouillée et l'effort sur la pédale est facile à doser avec précision.

POINTS FAIBLES

• Coffre: 10%
Il y a plus d'espace sur le modèle de base équipé d'un système de son conventionnel que sur le Premium, car les haut-parleurs du système Bose occupent un bon quart de sa contenance, et même une valise moyenne aura du mal à y tenir. On pourra toutefois utiliser l'espace disponible derrière les sièges pour y remiser tout excèdent de bagage.

• Habitabilité: 20%
Deux personnes seront imbriquées dans l'habitacle de la RX-7 qui manque de hauteur et de largeur à cause de l'importance de la console centrale.

• Niveau sonore: 30%
Il est très riche en bruits mécaniques ou de roulement et le remarquable système de son Bose offert en option n'est pas de trop pour couvrir cette cacophonie.

• Prix/équipement: 40%
La RX-7 a cessé d'être une sportive populaire, car sa technique évoluée et son équipement complet ont amené son prix aux confins du raisonnable. Hormis l'amortissement du coût de développement du moteur rotatif, on ne trouve pas de justification à un prix aussi élevé.

• La consommation: 40%
Á performances comparables, elle est plus forte malgré la cylindrée, que celle d'une 300ZX.

• Dépréciation: 40%
Elle est plus forte, car le climat économique ne prédispose guère à ce genre de dépenses.

• Suspension: 50%
Elle n'épargne rien aux occupants qui sentent clairement les intentions de la voiture dès que l'asphalte se dégrade, et oblige à lever le pied si l'on ne veut pas arriver épuisé.

• Commodités: 50%
La boîte à gants et les vide-poches de porte ne contiennent pas grand chose, mais l'on dispose à l'arrière de deux bacs de bonne contenance fermant à clé.

CONCLUSION

• Moyenne générale: 61.5 %
La RX-7 n'est plus à la portée de tous, car en suivant le mauvais exemple de Chevrolet avec la Corvette, Mazda s'est coupé de nombreux clients potentiels.

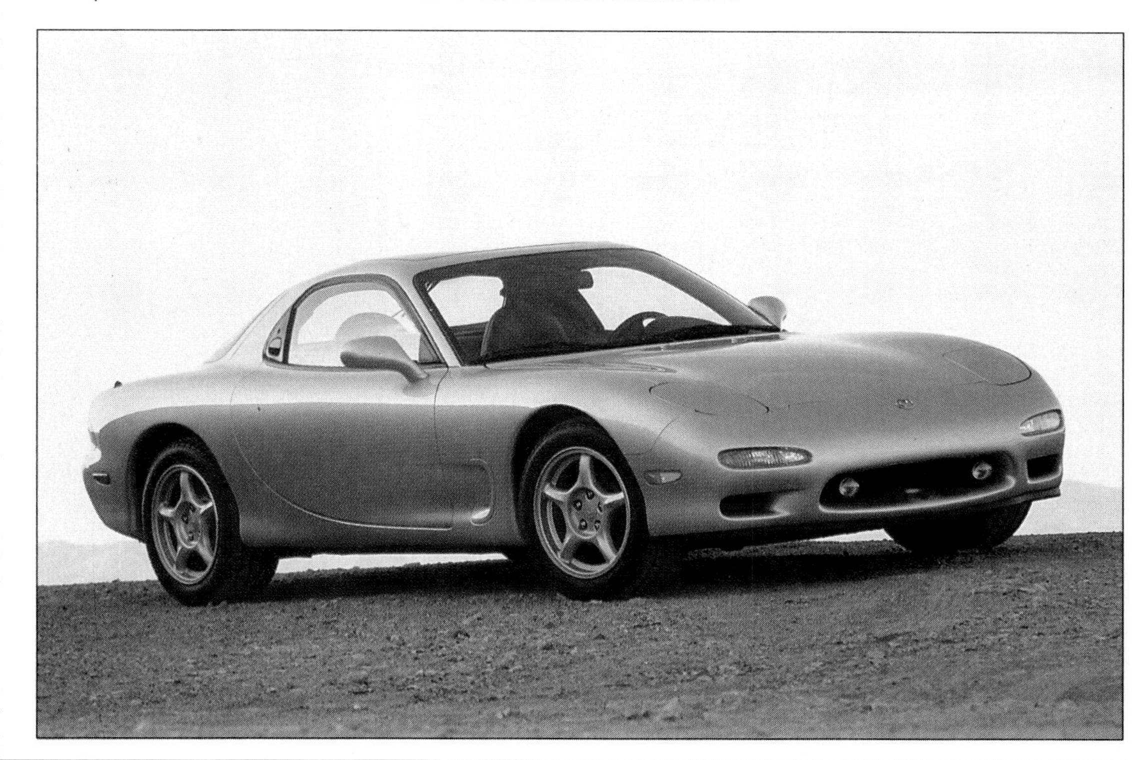

CARACTÉRISTIQUES & PRIX

odèles	Versions	Carrosseries/ Sièges	Volume cabine l.	Volume coffre l.	Cx	Empat. mm	Long x larg x haut. mm x mm x mm	Poids à vide kg	Capacité Remorq. max. kg	Susp. av/ar	Freins av/ar	Direction type	Diamètre braquage m	Tours volant b à b.	Réser. essence l.	Pneus d'origine	Mécaniques d'origine	PRIX $ CDN. 1994
IAZDA		Garantie générale 3 ans / 80 000 km: mécanique 5 ans / 100 000km; corrosion perforation: 5 ans / kilométrage illimité.																
X-7	base	cpé.3 p.2	-	100	0.29	2425	4280x1750x1230	1286	NR	i/i	d/d/ABS	crém.ass.	10.8	2.9	76.0	225/50R16	R2T/1.3/M5	**44 175**
X-7	Premium	cpé.3 p.2	-	100	0.29	2425	4280x1750x1230	1309	NR	i/i	d/d/ABS	crém.ass.	10.8	2.9	76.0	225/50R16	R2T/1.3/M5	**48 500**

Voir la liste complète des prix 1994 à partir de la page 393.

Attention aubaine...

Beaucoup de gens n'ont pas encore entendu parler d'une Mercedes à 35 000 $. C'est pourtant l prix de la C220 Édition Spéciale vendue uniquement au Canada. Si son équipement a ét légèrement simplifié, ses qualités demeurent intactes et en font une excellente affaire...

La dernière petite Mercedes a un an. C'et une berline 4 portes à trois volumes offerte en deux versions équipées de moteurs à essence: la C220 d'un 4 cylindres de 2.2L et la C280 d'un 6 cylindres de 2.8L. Ces moteurs arborent un double arbre à cames en tête et 4 soupapes par cylindre et les transmissions sont uniquement automatiques à 4 rapports. La version Édition Spéciale n'existe qu'au Canada.

POINTS FORTS

• Sécurité: 100%
Les structures de Mercedes sont parmi les plus résistantes, grâce à une rigidité peu commune dans toutes les directions. Deux coussins gonflables protégeant les occupants des places avant et des ceintures à rétention leur permettent d'obtenir la cote la plus élevée.

• Qualité & finition: 100%
Mercedes construit ses voitures comme nul autre constructeur au monde. L'assemblage est robuste, les matériaux de grande qualité et la finition méticuleuse expliquent autant que la valeur du Mark l'importance du prix. Pour une fois, les garnitures en tissu rompent la monotonie de la présentation intérieure.

• Satisfaction: 90%
Le réseau n'est pas très développé, mais la garantie est aussi solide que les voitures, l'entretien et les pièces sont cependant nettement plus coûteux que la moyenne.

• Poste de conduite: 80%
On trouve plus facilement la position de conduite la plus confortable maintenant que la colonne de direction est ajustable, mais le diamètre du volant reste important. Le siège procure un maintien efficace, la visibilité est excellente sous tous les angles et les rétroviseurs sont bien dimensionnés. Les instruments tombent naturellement sous les yeux, mais certaines commandes, qui restent particulières à Mercedes, demandent une certaine accoutumance.

• Direction: 80%
Elle est douce, précise, bien dosée, et sa démultiplication, plus importante que la moyenne, ne nuit pas vraiment à la maniabilité.

• Technique: 80%
La carrosserie monocoque en acier a été considérablement retravaillée afin d'améliorer l'habitabilité qui constituait le principal handicap du modèle précédent. La ligne a été affinée par la forte inclinaison du pare-brise mais elle affiche tous les attributs de la marque dont la célèbre calandre qui trône en avant. Sa ligne n'est plus aussi efficace qu'auparavant, puisque son cœfficient de finesse est monté à 0.35. La suspension indépendante aux quatre roues est composée de jambes de forces et de bras inférieurs triangulaires à l'avant et comporte un dispositif antiplongée et un déport négatif. A l'arrière la fameuse organisation dite à «bras multiples» a encore été perfectionnée incluant des dispositifs anticabrage et antiplongée avec des amortisseurs oléopneumatiques. Les freins sont à disque sur les quatre roues et le dispositif antiblocage est monté en série.

• Sièges: 80%
Leur forme procure un maintien idéal, et leur rembourrage moins dur qu'auparavant, permet d'effectuer de longues étapes sans fatigue.

DONNÉES

Catégorie: berlines compactes de luxe propulsées.
Classe : 7

HISTORIQUE

Inauguré en: 1984 (190 2.3L)
Modifié en: 1989: 2.6L; 1990: 2.0L diesel; 1993: Classe C..
Fabriqué à: Sindelfingen et Brement, Allemagne.

INDICES

Sécurité: 95 %
Satisfaction: 90 %
Dépréciation: 20 % (1an)
Assurance: C-220 (1 777 $)5.2 % 3.7 (1 777 $) C-280
Prix de revient au km: 0.94 $

NOMBRE DE CONCESSIONNAIRES

Au Québec: 11

VENTES AU QUÉBEC

Modèle	1992	1993	Résultat	Part de marché
Classe-C	298	268	- 10.1 %	3.75 %

PRINCIPAUX MODÈLES CONCURRENTS

ACURA Vigor, AUDI 90, BMW série 3, INFINITI G20, LEXUS LS300, MAZD 929, MITSUBISHI Diamante, SAAB 900, VOLVO 850.

ÉQUIPEMENT

MERCEDES-BENZ	C220	C280
Boîte automatique:	O	S
Régulateur de vitesse:	S	S
Direction assistée:	S	S
Freins ABS:	S	S
Climatiseur:	O	O
Coussin gonflable:	S	S
Garnitures en cuir:	S	S
Radio MA/MF/ K7:	S	S
Serrures électriques:	S	S
Lève-vitres électriques:	S	S
Volant ajustable:	S	S
Rétroviseurs ext. ajustables:	O	S
Essuie-glace intermittent:	S	S
Jantes en alliage léger:	-	
Toit ouvrant:	-	
Système antivol:	-	

S : standard; O : optionnel; - : non disponible

COULEURS DISPONIBLES

Extérieur: Noir, Rouge, Ivoire, Bleu, Blanc, Gris, Vert, Argent, Taupe.
Intérieur: Noir, Bleu, Bourgogne, Beige, Gris, Palomino, Vert.

ENTRETIEN

Première révision: 4 800 km
Fréquence: 12 000 km
Prise de diagnostic: Oui

QUOI DE NEUF EN 1995 ?

- Pas de changement majeur.

Modèles/ versions *: de série	MOTEURS Type / distribution soupapes / carburation	Cylindrée cc	Puissance ch @ tr/mn	Couple lb.pi @ tr/mn	Rapport volumét.	TRANSMISSION Roues motrices / transmissions	Rapport de pont	PERFORMANCES Accélér. 0-100 km/h s	400 m D.A. s	1000 m D.A. s	Freinage 100-0 km/h m	Vites. maxi. km/h	Accélér. latérale G	Niveau sonore dBA	Consommation l./100km Ville	Consommation l./100km Route	Carbura Octane
C220	L4* 2.2 DACT-16-IE	2199	147 @ 5500	155 @ 4000	10.0 :1	arrière - A4	3.07	10.5	17.2	31.8	38	210	0.78	66	10.6	7.7	R 87
C280	L6* 2.8 DACT-24-IE	2799	158 @ 5800	162 @ 4600	10.0 :1	arrière - A4	2.87	9.0	16.4	29.3	40	230	0.80	64	12.0	8.5	M 89

Classe C

Suspension: 70%
i dure, ni molle, elle absorbe en les défauts de la route grâce un amortissement d'excellente ualité.

Comportement: 70%
excellente suspension arrière ermet d'inscrire sans problème petite Mercedes dans des viraes de rayons très différents sans ue son équilibre en souffre et la nue de cap est irréprochable, ar elle est insensible au vent téral. Sa neutralité cède la place un survirage progressif si l'on oorde un virage serré à vitesse cessive ou sur chaussée très issante où un différentiel à glisement limité contrôle la motrité.

Commodités: 70%
es rangements se composent une boîte à gants de bonne ille, des vide-poches de porte un bac sur la console centrale. eux qui souffrent d'allergies apécieront le filtre à pollens et

oussières qui équipe la climatiation.

Niveau sonore: 70%
extrême rigidité de la coque et nsonorisation efficace assourssent autant les bruits de roulement et ceux de la mécanique.

Performances: 65%
l'on considère que cette voire est de la classe d'une Jetta, ais qu'elle pèse 200 kg (440 lb) e plus on ne s'étonnera pas u'un 2.2L de 147 ch soit nécesaire pour lui permettre d'accéler de 0 à 100 km/h en 10.5 secondes alors qu'avec le six cylindres cet exercice ne demande que 8.5 secondes avec transmission automatique, la seule disponible.

• Accès: 65%
Malgré l'allongement de la cabine, il est toujours délicat de s'installer à l'arrière pour des personnes corpulentes, car l'espace pour les jambes y est encore limité.

• Assurance: 60%
À l'image de la voiture, sa prime n'est pas donnée, car les réparations sont très coûteuses en cas d'accrochage.

• La consommation: 60%
Elle est raisonnable si l'on considère le poids et les performances respectables de ces voitures.

• Freinage: 60%
Il est très puissant car les arrêts d'urgence sont aussi courts que stables et son endurance semble illimitée.

POINTS FAIBLES

• Habitabilité: 30%
Bien que le volume de la cabine ait été légèrement amélioré, il sera toujours difficile à un individu de haute stature de s'installer confortablement à l'arrière où l'espace manque en longueur. C'est surtout au niveau des épaules et en hauteur que les cotes ont été améliorées.

• Coffre: 40%
Légèrement plus volumineux que le précédent, il diffère par le dossier de la banquette qui s'abaisse en deux parties divisées 60/40, pour libérer plus d'espace et ses verrous sont intelligemment placés côté coffre pour plus de sécurité. Son ouverture descendant jusqu'au pare-chocs en a amélioré l'accès.

• Prix/équipement: 40%
Mercedes a décidé de vendre un bon nombre de ces voitures dans leur finition la plus populaire. Pour cela il suffisait de la déshabiller un peu. Pourtant si l'on tient compte de son équipement et de la force du Mark, c'est un tour de force qui se révélera payant.

• Dépréciation: 50%
Les Mercedes se déprécient aujourd'hui autant que d'autres modèles moins nobles, puisqu'elles se négocient à 50% de leur valeur nominale après trois ans ou 60 000 km d'usage.

CONCLUSION

• Moyenne générale: 68.0 %
Si le climat économique ne permet pas au constructeur de Stuttgart, de tapisser nos rues de son petit modèle, il ne faut pas qu'il se décourage, car le modèle C a suffisamment de bons arguments pour convaincre bon nombre de gens de rouler en Mercedes. ☺

CARACTÉRISTIQUES & PRIX

odèles	Versions	Carrosseries/ Sièges	Volume cabine l.	Volume coffre l.	Cx	Empat. mm	Long x larg x haut. mm x mm x mm	Poids à vide kg	Capacité Remorq. max. kg	Susp. av/ar	Freins av/ar	Direction type	Diamètre braquage m	Tours volant b à b.	Réser. essence l.	Pneus d'origine	Mécaniques d'origine	PRIX $ CDN. 1994
ERCEDES-BENZ		**Garantie totale: 4 ans / 80 000 km.**																
220	É.S.	ber.4 p.5	2400	430	0.32	2690	4505x1720x1424	1439	454	i/i	d/d/ABS	bil.ass.	10.7	3.5	62.0	195/65R15	L4/2.2/A4	**34 350**
220		ber.4 p.5	2400	430	0.32	2690	4505x1720x1424	1439	454	i/i	d/d/ABS	bil.ass.	10.7	3.5	62.0	195/65R15	L4/2.2/A4	**40 350**
280		ber.4 p.5	2400	430	0.32	2690	4505x1720x1424	1493	454	i/i	d/d/ABS	bil.ass.	10.7	3.5	62.0	195/65R15	L6/2.8/A4	**47 650**

Voir la liste complète des prix 1995 à partir de la page 393.

Dernières cartouches...

La classe E en est à sa dernière parade, car celle qui va lui succéder va bientôt faire son entrée Elle reste la série la plus vendue en même temps que le point médian de la gamme du constructeu allemand. La prochaine génération devrait apporter son lot de surprises notamment à propos de so style.

MERCEDES-BENZ E320 décapotable

La classe E en est à sa dernière année sous la forme qu'on lui connaît actuellement car le nouveau modèle sera présenté au prochain Salon de Genève en mars 95. Elle offre quatre carrosseries coupé, cabriolet, berline et familiale équipées du moteur 6 cylindres Diesel de 3.0L ou à essence de 3.2L ou V8 de 4.0 avec transmission automatique à 4 rapports.

POINTS FORTS

• Technique: 90%
L'éloge de la technique du constructeur allemand n'est plus à faire. La carrosserie des modèles E est monocoque en acier avec une suspension indépendante et des freins à disque aux 4 roues, munis d'un dispositif ABS en série. Le train arrière, maintenu par un montage à 5 bras, est particulièrement efficace au point qu'il a été adapté aux autres modèles de la marque. Les dernières retouches cosmétiques ont permis d'améliorer encore la finesse aérodynamique dont le cœfficient varie entre 0.31 et 0.34.

• Sécurité: 100%
Mercedes a été l'un des premiers constructeurs à être sensibilisé par l'aspect sécuritaire de ses véhicules et à élaborer des techniques avant-gardistes, bien avant que cet aspect soit réglementé. Il y a longtemps que les carrosseries des Mercedes ont été étudiées pour résister à toutes sortes de collisions et assurer la meilleure protection possible aux occupants qui disposent de deux coussins gonflables aux places avant et de ceintures rétractables montées en série. Il est fortement question que Mercedes soit le premier constructeur à introduire des coussins d'air intégrés aux portes afin de protéger les occupants des chocs latéraux et que la prochaine génération de modèles E en soit équipée.

• Satisfaction: 90%
Elle est haute car la garantie est consistante, mais l'entretien et les réparations sont particulièrement coûteux.

DONNÉES

Catégorie: coupés, cabriolets, berlines, familiales de luxe propulsés.
Classe : 7

HISTORIQUE

Inauguré en: 1984: 300E; 1986: 300 TD & 260E; 1987: 300 CE.
Modifié en: 1987: transmission 4Matic; 1990: moteur 24 soupapes.
Fabriqué à: Sindelfingen, Allemagne.

INDICES

Sécurité:	100 %
Satisfaction:	95 %
Dépréciation:	55 %
Assurance:	4.0 %
Prix de revient au km:	0.97 $

NOMBRE DE CONCESSIONNAIRES

Au Québec: 11

VENTES AU QUÉBEC

Modèle	1992	1993	Résultat	Part de march
Classe C	239	218	-7.8 %	3.0 %

PRINCIPAUX MODÈLES CONCURRENTS

ACURA Legend, ALFA ROMEO 164, AUDI 100, BMW série 5, INFINITI J3 LEXUS GS300, SAAB 9000, VOLVO série 900.

ÉQUIPEMENT

MERCEDES-BENZ	E300	E320	E400
Boîte automatique:	S	S	S
Régulateur de vitesse:	S	S	S
Direction assistée:	S	S	S
Freins ABS:	S	S	S
Climatiseur:	S	S	S
Coussin gonflable:	S	S	S
Garnitures en cuir:	O	O	S
Radio MA/MF/ K7:	S	S	S
Serrures électriques:	S	S	S
Lève-vitres électriques:	S	S	S
Volant ajustable:	S	S	S
Rétroviseurs ext. ajustables:	S	S	S
Essuie-glace intermittent:	S	S	S
Jantes en alliage léger:	S	S	S
Toit ouvrant:	-	O	S
Système antivol:	S	S	S

S : standard; O : optionnel; - : non disponible

COULEURS DISPONIBLES

Extérieur: Noir, Rouge, Ivoire, Bleu, Blanc, Gris, Argent, Taupe, Grenat, Émeraude.
Intérieur: Noir, Bleu, Beige, Gris, Palomino, Parchemin, Sellerie.

ENTRETIEN

Première révision: 4 800 km
Fréquence: 12 000 km
Prise de diagnostic: Oui (excepté E300D)

QUOI DE NEUF EN 1995 ?

- Disparition de la version E500.

Modèles/ versions *: de série	Type / distribution soupapes / carburation	Cylindrée cc	Puissance ch @ tr/mn	Couple lb.pi @ tr/mn	Rapport volumét.	Roues motrices / transmissions	Rapport de pont	Accélér. 0-100 km/h s	400 m D.A. s	1000 m D.A. s	Freinage 100-0 km/h m	Vites. maxi. km/h	Accélér. latérale G	Niveau sonore dBA	Consommation l.0%0km Ville	Route	Carbura Octane
	MOTEURS				TRANSMISSION			PERFORMANCES									
E300D	L6* 3.0 SACT-10-PI	2996	147 @ 4600	273 @ 2400	22.0:1	arrière - A4*	2.65	12.5	19.0	33.0	40	190	0.77	67	9.0		
E320	L6* 3.2 DACT-24-IMCE	3199	217 @ 5500	310 @ 3750	10.0 :1	arrière - A4*	3.06	8.5	16.2	28.6	39	220	0.80	66	13.0		
E420	V8*4.2 DACT-32-IEM	4196	275 @ 5700	400 @ 3900	11.0 :1	arrière - A4*	2.65	7.5	15.4	27.8	41	240	0.83	66	13.5		

Qualité & finition: 90%
a technique d'assemblage al-
ée à la qualité des matériaux
nployés et le soin apporté à la
nition se situent dans une classe
part.

Poste de conduite: 80%
a meilleure position de conduite
st rapide à trouver grâce aux
glages simples et efficaces du
ège et de la colonne de direc-
on qui est ajustable, mais le
amètre du volant demeure en-
ore trop grand. Si les instru-
ents sont bien disposés, certai-
es commandes ou interrupteurs
ont particuliers à Mercedes et
emandent une certaine accou-
mance. De nombreux construc-
urs ont adopté les gros boutons
nds permettant d'ajuster la cli-
atisation que la firme de Stut-
art fut la première à utiliser.

Performances: 80%
acides avec le moteur Diesel,
les sont très spectaculaires
vec le V8 de 4.0L qui transforme
ette voiture en une véritable
angeuse d'autobahn, sous l'ap-
arence d'une berline banale.
uant aux E320, leurs accéléra-
ons et leurs reprises rivalisent
ncore avec les meilleures.

Direction: 80%
apide, précise et bien dosée
le frise la perfection, et procure
ces voitures d'un poids et d'un
abarit respectables, une mania-
lité et une agilité surprenantes.

Assurance: 80%
as de miracle de ce côté-là, car
algré la faiblesse de l'indice,
ur prix exagéré donne des pri-
es qui dépriment.

Accès: 80%
a dimension des issues, ou de
espace disponible, est calculée,
ême sur les coupés et cabrio-
ts, pour permettre d'atteindre
s places arrière sans contor-
ons disgracieuses.

Suspension: 70%
elativement ferme, l'amortisse-
ent est très consistant et per-
et à la suspension d'absorber
s défauts de la route tout en
ontrôlant efficacement les mou-
ements de carrosserie.

Niveau sonore: 70%

MERCEDES-BENZ E320

Il s'est amélioré grâce à la rigidité accrue de la coque qui résonne moins et à un savant travail d'insonorisation. Toutefois cela fait ressortir le martèlement caractéristique des pneus au passage des joints de dilatation et les filets d'air circulant autour des rétroviseurs latéraux dès que la vitesse augmente.

• Commodités: 70%
Les rangements comprennent une grande boîte à gants, des vide-poches de portière, un bac de console et un coffret situé dans l'accoudoir central arrière.

• Sièges: 70%
Le maintien latéral et l'appui lombaire se sont améliorés, même avec les garnitures en cuir, qui sont toutefois plus glissantes que le vinyle perforé, baptisé M-B Tex, qui l'imite et vieillit très bien.

• Comportement: 70%
C'est l'un des plus sûrs, car la neutralité est de mise aux vitesses pratiquées en Amérique du Nord. Que ce soit en ligne droite ou en grande courbe ces modèles se placent d'eux-mêmes sur la meilleure trajectoire, et c'est à peine si l'on constate un manque de motricité en virage en épingle.

• Freinage: 60%
S'il impressionne par le mordant dont il fait preuve à l'attaque, les distances d'arrêts sont longues à cause du poids et de l'ABS. Son action est progressive, mais son assistance un peu forte rend le dosage parfois délicat.

• Habitabilité: 60%
Quatre personnes pourront y prendre place en usage normal et une cinquième en dépannage. Les dégagements sont bien calculés dans toutes les directions et laissent assez d'espace pour la tête et les jambes, sauf dans le cabriolet où la place pour les jambes est plus limitée à l'arrière.

• Coffre: 60%
De formes régulières, il est à la fois spacieux et facilement accessible, grâce à la généreuse découpe de son ouverture.

POINTS FAIBLES

• Prix/équipement: 00%
Malgré des prix plus ajustés à la compétition nippone, ces automobiles restent destinées à des consommateurs privilégiés. Ces prix s'expliquent par la qualité de la construction et la force de la monnaie allemande face au dollar. Ils se justifient aussi par un équipement aussi complet que sophistiqué qui comprend en série, outre les éléments notés dans notre tableau, des lave-essuie-phares, des sièges chauffants, des appuie-tête à commande électrique, un dispositif antivol et l'ajustement électrique de la colonne de direction.

• Consommation: 50%
Seul le moteur Diesel est réellement économique car la gourmandise des moteurs à essence augmente au même rythme que l'allure.

• Dépréciation: 50%
Le meilleur rendement impose de revendre rapidement ces voitures avec un faible kilométrage ou de les user jusqu'à la corde, ce qui risque d'être long.

CONCLUSION

• Moyenne générale: 70.0 %
Même à la veille de son remplacement, la série 300 constitue, malgré son âge, une gamme de modèles classiques et exceptionnels qui justifie l'investissement, lorsqu'on peut le faire... ☺

CARACTÉRISTIQUES & PRIX

odèles	Versions	Carrosseries/ Sièges	Volume cabine l.	Volume coffre l.	Cx	Empat. mm	Long x larg x haut. mm x mm x mm	Poids à vide kg	Capacité Remorq. max. kg	Susp. av/ar	Freins av/ar	Direction type	Diamètre braquage m	Tours volant b à b.	Réser. essence l.	Pneus d'origine	Mécaniques d'origine	PRIX $ CDN. 1994
IERCEDES BENZ	**Garantie générale: 4 ans / 80 000 km; corrosion perforation; 5 ans / kilométrage illimité.**																	
300	Diesel	ber.4 p.5	2633	414	0.31	2800	4755x1740x1431	1580	907	i/i	d/d/ABS	bil.ass.	11.3	3.1	90.0	195/65R15	L6/3.0/A4	**55 995**
320	Essence	ber.4 p.5	2633	414	0.31	2800	4755x1740x1431	1600	907	i/i	d/d/ABS	bil.ass.	11.3	3.1	70.0	195/65R15	L6/3.2/A4	**59 895**
320	Essence	cpé.2 p.5	2345	410	0.31	2715	4670x1740x1395	1610	907	i/i	d/d/ABS	bil.ass.	11.0	3.3	70.0	195/65R15	L6/3.2/A4	**80 850**
320	Essence	déc.2 p.5	2345	233	0.33	2715	4670x1740x1391	1810	NR	i/i	d/d/ABS	bil.ass.	11.0	3.3	70.0	195/65R15	L6/3.2/A4	**93 650**
320	Essence	fam.4 p.5	2659	1199	0.34	2800	4780x1740x1521	1700	907	i/i	d/d/ABS	bil.ass.	11.3	3.1	72.0	195/65R15	L6/3.2/A4	**66 250**
420	Essence	ber.4 p.5	2633	414	0.31	2800	4755x1740x1431	1700	907	i/i	d/d/ABS	bil.ass.	11.3	3.1	70.0	195/65R15	V8/4.2/A4	**71 550**

Voir la liste complète des prix 1995 à partir de la page 393.

Superlatives...

Jamais l'industrie automobile n'avait été aussi loin, en matière de technologie appliquée à grande série. Les Mercedes S représentent ce que l'homme sait faire de mieux en matière de moye de transport individuel. Bien sûr la facture est en conséquence, mais sans exagération.

Le haut de gamme de Mercedes n'a pas fait l'unanimité lorsqu'il a été refondu en 1992. La plupart des critiques l'ont jugé trop superlatif, et prétentieux à une époque où l'écologie prône la fin du gaspillage. Pour 1995 les retouches apportées tendent à le faire paraître moins balourd et plus discret. La plupart des carrosseries des différentes versions sont identiques sauf la S350 à empattement plus court de 100 mm. Avec son moteur V12, la S600 peut prétendre supplanter les Rolls Royce/Bentley tant elle comporte de raffinements techniques. Plus bas dans la gamme, on trouve des moteurs à essence V8 de 5.0L et 4.2L ou 6 cylindres en ligne de 3.2L et Turbo Diesel de 3.5 L. Toutes les transmissions sont automatiques à 4 rapports.

POINTS FORTS

• Technique: 100%
L'avènement des modèles S fut l'occasion d'une avalanche d'innovations techniques et d'un luxe d'équipement sans précédent. La carrosserie monocoque en acier offre des lignes dissimulant plus habilement aujourd'hui les énormes proportions. Son apparence a été affinée, mais son cœfficient aérodynamique conserve son remarquable 0.31. Ces lignes vieillissent rapidement et la découpe de l'ouverture du coffre à bagage n'est pas très élégante. Mercedes, qui fut souvent précurseur en matière d'esthétique, aurait pu pousser le profilage de la berline comme sur le coupé qui a suivi.

• Sécurité: 100%
La rigidité des Mercedes devance largement les normes d'homologation, et la fourniture en série de deux coussins d'air aux places avant et de ceintures à rétraction leur donne facilement la cote maximale.

• Qualité & finition: 100%
La construction de ces modèles fait appel à des technologies raffinées et la finition, comme la qualité des matériaux, est supérieure à la moyenne. Avec ses cuirs fins et ses appliques de bois rares, l'habitacle a beaucoup de classe et fait moins austère que par le passé.

DONNÉES

Catégorie: berlines et coupés de grand luxe propulsés.
Classe : 7

HISTORIQUE

Inauguré en: 1992
Modifié en: 1995: retouches esthétiques.
Fabriqué à: Sindelfingen, Allemagne.

INDICES

		L6	V8	V12
Sécurité:		100 %	100 %	100 %
Satisfaction:		90 %	93 %	93 %
Dépréciation:		43 %	45 %	40%
Assurance:	(1 892 $)	3.2 %	2.8 %(3 003 $)	5.2 % (9 009 $)
Prix de revient au km:		1.10 $	1.25 $	1.45 $

NOMBRE DE CONCESSIONNAIRES

Au Québec: 11

VENTES AU QUÉBEC

Modèle	1992	1993	Résultat	Part de march
Classe-S	206	150	- 27.2 %	0.2 %

PRINCIPAUX MODÈLES CONCURRENTS

AUDI A8, BMW série 7, INFINITI Q45, JAGUAR XJ6/12/XJR, LEXUS LS 40

ÉQUIPEMENT

MERCEDES-BENZ	S350	S320	S420	S500	S600
Boîte automatique:	S	S	S	S	S
Régulateur de vitesse:	S	S	S	S	S
Direction assistée:	S	S	S	S	S
Freins ABS:	S	S	S	S	S
Climatiseur:	S	S	S	S	S
Coussins gonflables (2):	S	S	S	S	S
Garnitures en cuir:	S	S	S	S	S
Radio MA/MF/ K7:	S	S	S	S	S
Serrures électriques:	S	S	S	S	S
Lève-vitres électriques:	S	S	S	S	S
Volant ajustable:	S	S	S	S	S
Rétroviseurs ext. ajustables:	S	S	S	S	S
Essuie-glace intermittent:	S	S	S	S	S
Jantes en alliage léger:	S	S	S	S	S
Toit ouvrant:	SF	SF	SF	SF	SF
Système antivol:	S	S	S	S	S

S : standard; O : optionnel; - : non disponible; SF : Sans Frais.

COULEURS DISPONIBLES

Extérieur: Noir, Rouge, Ivoire, Bleu, Blanc, Gris, Argent, Taupe, Grenat, Émeraude.
Intérieur: Noir, Bleu, Beige, Gris, Palomino, Parchemin, Sellerie.

ENTRETIEN

Première révision: 4 800 km
Fréquence: 12 000 km
Prise de diagnostic: Oui

QUOI DE NEUF EN 1995 ?

- **Retouche esthétique de la calandre, des pare-chocs, phares , feu arrière et bas de caisse.**
- **Porte-gobelets à l'avant et à l'arrière.**
- **Ouverture à distance du couvercle du coffre à bagages.**
- **Le modèle S-320 a maintenant un empattement long.**
- **Téléphone intégré portatif offert en option.**

Modèles/ versions *: de série	MOTEURS Type / distribution soupapes / carburation	Cylindrée cc	Puissance ch @ tr/mn	Couple lb.pi @ tr/mn	Rapport volumét.	TRANSMISSION Roues motrices / transmissions	Rapport de pont	PERFORMANCES Accélér. 0-100 km/h s	400 m D.A. s	1000 m D.A. s	Freinage 100-0 km/h m	Vites. maxi. km/h	Accélér. latérale G	Niveau sonore dBA	Consommation l.0%0km Ville	Route	Carbura Octane
S350	L6* 3.5 TD SACT-12-IM	3449	148 @ 4000	229 @ 2200	22.0 :1	arrière - A4*	2.82	13.5	19.0	36.8	43	180	0.72	67	11.1	7.7	D
S320	L6* 3.2 DACT-24-IEMP	3199	228 @ 5800	232 @ 3750	10.0 :1	arrière - A5*	3.46	9.7	16.6	30.5	44	190	0.72	67	13.8	8.9	M 8
S420	V8* 4.2 DACT-32-IESMP	4196	275 @ 5700	295 @ 3900	11.0 :1	arrière - A4*	2.82	8.8	16.2	29.6	43	220	0.78	67	15.3	10.6	S 9
S500	V8* 5.0 DACT-32-IESMP	4973	315 @ 5600	347 @ 3900	10.0 :1	arrière - A4*	2.65	7.8	16.0	28.7	44	230	0.79	66	15.7	10.8	S 9
S600	V12* 6.0 DACT-48-IESMP	5987	389 @ 5200	420 @ 3800	10.0 :1	arrière - A4*	2.64	7.0	14.4	25.4	44	260	0.76	64	18.7	12.5	S 9

Classe S

Accès: 90%
'endre place dans ces limousi-
ɜs ne cause pas plus d'embar-
‚s sur la carrosserie courte que
ır la longue.

Sièges: 90%
en galbés et ajustables dans
us les sens, même à l'arrière,
ur rembourrage n'est pas trop
rme et ils maintiennent effica-
ement grâce à leurs bourrelets
téraux, alors que différents
oussins pneumatiques prennent
in des zones lombaires. Leur
ssise plutôt courte accentue l'im-
ession d'espace.

Suspension: 90%
le offre l'un des meilleurs com-
omis, car elle n'est ni trop dure
trop molle et ses réactions ne
nt jamais brutales.

Niveau sonore: 90%
100 km/h le sonomètre des-
end jusqu'à 62 décibels, la mar-
ue la plus basse de la produc-
on mondiale. Grâce au vitrage
ouble, les bruits de l'extérieur
nt bien repoussés et la caisse
ouffe ceux qui pourraient pro-
enir de la mécanique ou des
ains de roulement.

Commodités: 90%
faudrait plusieurs pages pour
s décrire toutes tant il y en a, et
ɜs plus inattendues qui vont du
ouble vitrage des fenêtres au
tre à pollens et à poussière à
harbon, en passant par les ap-
ie-tête et les stores ajustables.

Satisfaction: 90%
'est à l'expiration de la garantie
ue l'on réalise le coût de la main-
œuvre et des pièces.

Poste de conduite: 80%
a meilleure position de conduite
st rapide à trouver grâce aux
glages tous azimuts du siège,
l'appuie-tête et de la colonne
direction dont on peut mémo-
ser jusqu'à trois aménagements
fférents. Les commandes sont
entiques à celles des autres
odèles de la marque et les insuments, disposés de manière
métrique par rapport au comp-
ur de vitesses, sont faciles à
e en tout temps excepté la jauge
essence masquée par la main
u conducteur. La visibilité est
onne sous tous les angles, mais
partie postérieure relevée oblige à utiliser les petits guides sortant des ailes arrière quand on passe la marche arrière. Enfin le rétroviseur intérieur s'ajuste électriquement à partir du même interrupteur que ceux situés à l'extérieur.

• **Performances: 80%**
La conduite de ces voitures demande une vigilance particulière, car elles se meuvent dans un silence et un isolement complets qui ôtent tout sens de la vitesse et du danger. Il n'y a aucune commune mesure entre les performances du Turbo Diesel et celles du V12 en passant par celles du 6 cylindres et des V8. La S600 accélère comme une Ferrari 456, malgré ses 2.3 tonnes, mais ce sont les V8 qui offrent le meilleur rendement.

• **Direction: 80%**
Son assistance est encore trop forte, ce qui nuit au guidage sur route détrempée où l'on a aucune sensation du revêtement. Elle demeure pourtant précise et rapide et confère à ce char technologique une maniabilité étonnante.

• **Habitabilité: 80%**
Cinq personnes y seront très à l'aise, sauf sur la S600 dont les places arrière sont séparées par une console. Sinon les autres dégagements sont monumentaux dans tous les sens.

• **Assurance: 70%**
Bien que leur taux soit parmi les plus bas, leur prime est proportionnelle aux coût de ces voitures puisqu'elle se chiffre à 9 000 $ pour la S600.

• **Comportement: 70%**
Il est hautement sécuritaire sur sol sec où le guidage s'effectue avec une grande précision, toutefois il vaudra mieux être prudent sous la pluie où le poids et quelques pertes de motricité se combinent parfois pour provoquer des glissades qui seront faciles à contrôler, pour peu que l'on ne soit pas surpris...

• **Coffre: 70%**
Bien qu'il soit vaste, son volume n'est pas proportionnel à l'encombrement de ces voitures, mais l'échancrure de son ouverture en facilite l'accès.

• **Freinage: 60%**
Arrêter un tel engin à partir de 100 km/h en moins de 45 m, avec précision et sans réaction parasite ni perte d'efficacité par échauffement mérite le respect.

• **Dépréciation: 60%**
Elle s'est améliorée, mais elle reste tributaire du montant astronomique des sommes en jeu, de l'entretien et de la rareté des clients.

POINTS FAIBLES

• **Prix/équipement: 00%**
Quel que soit le prix de ces voitures, il est largement justifié par leur contenu technologique, qui leur confère une grande sécurité d'emploi et un superbe agrément d'utilisation grâce au raffinement de leur équipement.

• **Consommation: 10%**
Hormis la Turbo Diesel qui consomme de manière raisonnable pour les autres elle est à la mesure de leurs prestations.

CONCLUSION

• **Moyenne générale: 75.0 %**
La série S représente le summum en matière de technologie automobile de notre époque. Toute cette science mérite bien un petit effort financier... ☺

CARACTÉRISTIQUES & PRIX

odèles	Versions	Carrosseries/ Sièges	Volume cabine l.	Volume coffre l.	Cx	Empat. mm	Long x larg x haut. mm x mm x mm	Poids à vide kg	Capacité Remorq. max. kg	Susp. av/ar	Freins av/ar	Direction type	Diamètre braquage m	Tours volant b à b.	Réser. essence l.	Pneus d'origine	Mécaniques d'origine	PRIX $ CDN. 1994
ERCEDES BENZ			Garantie générale: 4 ans / 80 000 km; corrosion perforation: 5 ans / kilométrage illimité.															
350		ber. 4 p.5	3058	444	0.32	3040	5113x1886x1483	2090	907	i/i	d/d/ABS	bil.ass.	12.2	3.1	100	225/60R16	L6TD/3.5/A4	**94 650**
320		ber. 4 p.5	3058	444	0.32	3140	5213x1886x1483	2088	907	i/i	d/d/ABS	bil.ass.	12.5	3.1	100	225/60R16	L6/3.2/A5	**94 650**
420		ber. 4 p.5	3171	444	0.32	3140	5213x1886x1483	2129	907	i/i	d/d/ABS	bil.ass.	12.5	3.1	100	235/60R16	V8/4.2/A4	**107 100**
500		ber. 4 p.5	3171	444	0.32	3140	5213x1886x1483	2156	907	i/i	d/d/ABS	bil.ass.	12.5	3.1	100	235/60R16	V8/5.0/A4	**127 650**
600		ber. 4 p.5	3171	444	0.32	3140	5213x1886x1483	2278	907	i/i	d/d/ABS	bil.ass.	12.5	3.1	100	235/60ZR16	V12/6.0/A4	**171 350**

Voir la liste complète des prix 1995 à partir de la page 393.

Combble du raffinement...

Les coupés et cabriolets Mercedes de la classe S sont encore plus raffinés que les berlines, ce qu n'est pas peu dire si l'on considère la compacité de leur format. Les innovations qu'ils comporten sont si nombreuses et si complexes qu'elles justifient pleinement le prix auquel ils sont vendus

Le coupé et le cabriolet SL sont les sportifs de la gamme S dont ils reprennent les mécaniques et les innovations technologiques. Le SL est un cabriolet à toit mou repliable livré avec toit rigide amovible, il est équipé d'un moteur 6 cylindres de 3.2L, d'un V8 de 5.0L ou du V12 emprunté à la S600. Alors que le six cylindres est secondé par une boîte automatique à 5 rapports, unique au monde, le second et le troisième moteurs ne sont offerts qu'en boîte automatique conventionnelle à 4 rapports. Quant au coupé SC il dérive de la berline S600, et ne dispose pas de moteur 6 cylindres.

POINTS FORTS

• Sécurité: **100%**
La rigidité de la structure de ces véhicules est exemplaire, surtout sur le cabriolet dont l'architecture est généralement plus vulnérable. Deux coussins gonflables, des ceintures rétractables et des bourrelets protégeant les genoux, sécurisent les occupants en cas de collision et le cabriolet possède un arceau de sécurité escamotable qui se met en place en une fraction de seconde si l'assiette du véhicule est perturbée.

• Technique: **100%**
Les Mercedes SL/SC représentent un des sommets de la technologie automobile. La séquence complexe des opérations de mise en place ou de rangement de la capote du SL en est le meilleur exemple. Quinze vérins, onze électrovannes et dix-sept interrupteurs sont nécessaires pour éviter au conducteur ce fastidieux exercice. L'arceau de sécurité dissimulé derrière le conducteur se mettra en place en une fraction de seconde dès que les senseurs auront détecté une inclinaison trop prononcée de la carrosserie. Les palpeurs du dispositif antiblocage des freins assistent le différentiel, ce qui permet au blocage automatique de passer de 35 à 100 %. Ce dispositif, associé à l'antipatinage ASR, ralentit la roue qui patine, en la freinant par l'entremise des disques. L'amortissement des suspensions est, lui aussi, contrôlé par une centrale électronique qui tient compte de la vitesse, de l'accélération verticale de la roue, de la caisse, de l'angle de braquage du volant et du poids. Ainsi, le tarage des amortisseurs varie de souple à ferme, de manière automatique, selon l'assiette du véhicule. L'aérodynamique est efficace puisque le Cx atteint 0.31 avec le toit rigide et 0.34 avec le toit mou. Le coupé est tout aussi sophistiqué car certains de ses équipements proviennent de la S600.

• Poste de conduite: **100%**
Très bien installé, le pilote jouit d'une meilleure visibilité sur le coupé que sur le cabriolet où elle plus limitée de 3/4 par la capote. Le tableau de bord est richement présenté mais certaines commandes nécessitent que l'on s'y habitue.

• Qualité & finition: **90%**
La précision de l'assemblage, le soin apporté et la qualité des matériaux employés justifient en grande partie le prix de ces modèles exotiques dont la présentation est plus flatteuse à l'intérieur qu'à l'extérieur qui est fade.

• Satisfaction: **90%**
Il est difficile de ne pas être satisfait, après avoir dépensé autant pour

DONNÉES

Catégorie: coupés & cabriolets sportifs de grand luxe propulsés.
Classe : GT

HISTORIQUE

Inauguré en: 1971:L6 3.8L.; 1989: L6 3.0L & V8 5.0L.
Modifié en: 1985: V8 5.0L; 1987: V8 5.6L.;1993: V12 6.0L.
Fabriqué à: Sindelfingen, Allemagne.

INDICES

	SL	SC
Sécurité:	100 %	100 %
Satisfaction:	92 %	93 %
Dépréciation:	45 %	50 %
Assurance:	5.0 %	5.0 % (7 785-9 000 $)
Prix de revient au km:	1.25 $	1.35 $

NOMBRE DE CONCESSIONNAIRES

Au Québec: 11

VENTES AU QUÉBEC

Modèle	1992	1993	Résultat	Part de march
SL	72	35	- 51.4 %	-0.4 %

PRINCIPAUX MODÈLES CONCURRENTS

ACURA NS-X, BMW 850i, LEXUS SC400, FERRARI F-355, JAGUAR XJ, PORSCHE 911& 928.

ÉQUIPEMENT

MERCEDES BENZ	SL320	SL500	SL600	SC500	SC600
Boîte automatique:	S	S	S	S	S
Régulateur de vitesse:	S	S	S	S	S
Direction assistée:	S	S	S	S	S
Freins ABS:	S	S	S	S	S
Climatiseur:	S	S	S	S	S
Coussins gonflables (2):	S	S	S	S	S
Garnitures en cuir:	S	S	S	S	S
Radio MA/MF/ K7:	S	S	S	S	S
Serrures électriques:	S	S	S	S	S
Lève-vitres électriques:	S	S	S	S	S
Volant ajustable:	S	S	S	S	S
Rétroviseurs ext. ajustables:	S	S	S	S	S
Essuie-glace intermittent:	S	S	S	S	S
Jantes en alliage léger:	S	S	S	S	S
Toit ouvrant:	-	-	-	O	O
Système antivol:	S	S	S	S	S

S : standard; O : optionnel; - : non disponible

COULEURS DISPONIBLES

Extérieur: Noir, Rouge, Ivoire, Bleu, Blanc, Gris, Argent, Taupe, Grenat, Émeraude.
Intérieur: Noir, Bleu, Beige, Gris, Palomino, Parchemin, Sellerie.

ENTRETIEN

Première révision: 4 800 km
Fréquence: 12 000 km
Prise de diagnostic: Oui

QUOI DE NEUF EN 1995 ?

- Pas de changement majeur.

MOTEURS					TRANSMISSION				PERFORMANCES									
Modèles/ versions *: de série	Type / distribution soupapes / carburation	Cylindrée cc	Puissance ch @ tr/mn	Couple lb.pi @ tr/mn	Rapport volumét.	Roues motrices / transmissions	Rapport de pont	Accélér. 0-100 km/h s	400 m D.A. s	1000 m D.A. s	Freinage 100-0 km/h m	Vites. maxi. km/h	Accélér. latérale G	Niveau sonore dBA	Consommation l.0%0km Ville	Consommation Route	Carbura Octane
320SL	L6* 3.2 SACT-24-IESMP	3199	228 @ 5600	232 @ 3750	10.0 :1	arrière - A5*	3.69	8.8	16.4	31.0	39	230	0.80	66-70+	13.6	8.9	S 91
500SL	V8* 5.0 DACT-32 IESMP	4973	315 @ 5600	347 @ 3900	10.0 :1	arrière - A4*	2.65	7.0	15.5	26.6	42	240	0.82	66-70+	14.9	10.4	S 91
600SL	V12* 6.0 SACT-48-IEM	5987	389 @ 5200	420 @ 3800	10.0 :1	arrière - A4*	2.65	6.5	14.8	25.7	45	250	0.81	66-70+	17.4	12.0	S 91
500SSC	V8* 5.0 DACT-32-IESMP	4973	315 @ 5600	347 @ 3900	10.0 :1	arrière - A4*	2.65	7.5	16.1	28.0	43	250	0.74	64	15.7	10.8	S 91
600SSC	V12* 6.0 SACT-48-IESMP	5987	389 @ 5200	420 @ 3800	10.0 :1	arrière - A4*	2.64	6.8	15.6	27.0	45	250	0.77	63	18.7	12.5	S 91

+ toit rigide-toit souple

es automobiles qui affichent si ien le statut social de leur pro-riétaires.

Performances: 90%
lles diffèrent beaucoup selon le oteur à cause de leur poids levé. Ainsi, malgré la puissance sponible, la SL six cylindres nanque nettement de couple our que ses reprises soient fran-hes et sa conduite n'est agréa-le qu'avec le V8 ou bien sûr le 12. Les 500 SL ou SC sont plus omogènes, car le couple du V8 ur permet des accélérations uissantes. Le V12 conduit au irvana, car son souffle ne sem-le ne pas avoir de limite et il ermet de réaliser des temps très xotiques compte tenu du gaba-t imposant de ces véhicules.

Sièges: 90%
s maintiennent et soutiennent fficacement, mais le cuir qui les arnit est très glissant et leur mbourrage très ferme.

Suspension: 80%
râce à son contrôle électroni-ue, l'amortissement fait instan-nément la meilleure synthèse ntre confort et comportement u point qu'on a du mal à réaliser ue l'on conduit des voitures soi-sant sportives.

Accès: 80%
es portes et les dégagements ien proportionnés permettent de rendre place sans encombre ans les deux habitacles.

Comportement: 80%
es deux voitures réalisent des erformances exceptionnelles ans un climat de sécurité et d'as-urance serein. Bien sûr le poids t l'électronique aseptisent quel-ue peu les réactions, mais la endent tellement plus sécuritaire ue l'on ne s'en plaindra pas. En ourbe, le survirage qui suit une ngue neutralité est facile à con-ôler, car l'adhérence est extra-rdinaire.

Direction: 80%
as des plus rapides, mais sa récision et sa démultiplication ermettent des réactions fran-hes et une bonne maniabilité.

Assurance: 75%
a modestie de l'indice multiplié par le prix, donne une prime hor-riblement coûteuse.

MERCEDES-BENZ SC

MERCEDES-BENZ 600SL

• **Commodités: 70%**
Sur les SL la climatisation est efficace, même lorsque la capote est baissée et, en cas de pluie, il suffira de maintenir une vitesse de 120 km/h pour garder l'habitacle au sec. Les rangements ne sont pas extrêmement nombreux, mais de taille suffisante.

• **Dépréciation: 60%**
Dans l'état actuel de l'économie, ces voitures ne constituent pas le meilleur placement, sinon sentimental...

• **Niveau sonore: 60%**
Ces véhicules sont aussi bien insonorisés que les berlines de la gamme, même le cabriolet ce qui représente un beau tour de force.

• **Freinage: 60%**
Les arrêts sont courts, linéaires, faciles à moduler en toutes circonstances et la résistance des garnitures est élevée compte tenu du poids à arrêter.

POINTS FAIBLES

• **Prix/équipement: 00%**
Ces merveilles technologiques coûtent très cher, mais leur équipement comprend mille raffinements inédits qui parfois dépassent l'imagination, tel le filet antivent du cabriolet...

• **La consommation: 20%**
Elle est forte en toutes circonstances ce qui ne surprendra personne.

• **Habitabilité: 30%.**
Les SL n'offrent que 2 places, alors que le coupé en possède 4 véritables et les dégagements de leur cabine sont bien dimensionnés, ce qui semble normal sur des véhicules aussi encombrant et pesant près de deux tonnes...

• **Coffre: 35%**
Dans les deux cas son volume est proportionnel au nombre d'occupants.

CONCLUSION

• **Moyenne générale: 69.5 %**
Pas véritablement sportives ces deux voitures hors du commun ont l'avantage d'une sophistication extrême qui leur procure à la fois une puissance et une sécurité exceptionnelles. ☺

CARACTÉRISTIQUES & PRIX

odèles	Versions	Carrosseries/ Sièges	Volume cabine l.	Volume coffre l.	Cx	Empat. mm	Long x larg x haut. mm x mm x mm	Poids à vide kg	Capacité Remorq. max. kg	Susp. av/ar	Freins av/ar	Direction type	Diamètre braquage m	Tours volant b à b.	Réser. essence l.	Pneus d'origine	Mécaniques d'origine	PRIX $ CDN. 1994
ERCEDES BENZ			Garantie générale: 4 ans / 80 000 km.; corrosion perforation: 5 ans / kilométrage illimité.															
L320		déc.2p.2	ND	228	0.32	2515	4470x1812x1303	1859	NR	i/i	d/d/ABS	bil.ass.	10.8	3.0	80.0	225/55ZR16	L6/3.2/A5	**108 650**
L500		déc.2p.2	ND	228	0.32	2515	4470x1812x1303	1890	NR	i/i	d/d/ABS	bil.ass.	10.8	3.0	80.0	225/55ZR16	V8/5.0/A4	**124 650**
L600		déc.2p.2	ND	228	0.32	2515	4520x1812x1285	2020	NR	i/i	d/d/ABS	bil.ass.	10.8	3.0	80.0	225/55ZR16	V12/6.0/A4	**151 150**
C500		cpé.2p.5	ND	404	0.30	2945	5065x1912x1441	2127	NR	i/i	d/d/ABS	bil.ass.	11.7	3.1	100	235/60HR16	V8/5.0/A4	**127 650**
C600		cpé.2p.5	ND	404	0.30	2945	5065x1912x1441	2246	NR	i/i	d/d/ABS	bil.ass.	11.7	3.1	100	235/60ZR16	V12/6.0/A4	**171 350**

Voir la liste complète des prix 1995 à partir de la page 393.

Diamante

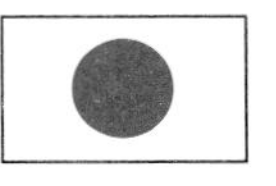

Trop intelligente ?

Mitsubishi se prend pour le Mercedes japonais, car ses voitures sont bardées d'électronique et d raffinements techniques que l'on ne retrouve nulle part ailleurs en telle quantité. Malgré tous le bienfaits de cette haute technologie, l'automobile a-t-elle besoin de toute cette quincaillerie?

La Diamante constitue le haut de la gamme Mitsubishi. Elle n'est commercialisée qu'aux États-Unis dans le réseau de son constructeur. En 1995 elle continue d'être proposée sous la forme d'une berline à quatre portes en version LS ou d'une familiale, car la version ES sera désormais réservée au service des flottes. Le moteur de base est un V6 de 3.0L à SACT sur la familiale et DACT sur la LS, avec une transmission automatique à 4 rapports.

POINTS FORTS

• Sécurité: 90%
La structure est suffisamment rigide pour satisfaire aux normes en vigueur, et les places avant sont protégées par deux coussins d'air.

• Technique: 90%
Monocoque en acier, la carrosserie a une bonne efficacité aérodynamique malgré la ligne compliquée dans un style typiquement japonais, puisque son cœfficient n'est que de 0.30. La suspension est indépendante et les freins à disque aux quatre roues. L'électronique tient beaucoup de place sur ce modèle et particulièrement sur la LS où elle gère l'allumage, la carburation, mais aussi l'ABS, le système à quatre roues directrices, le contrôleur de traction, l'ajustement des amortisseurs ainsi que le système d'admission variable.

• Satisfaction: 85%
Les propriétaires sont amoureux de cette voiture pour la richesse de sa technologie qui les impressionne d'autant plus que sa fiabilité est tout à fait remarquable.

• Qualité / finition: 80%
Le cuir qui garnit les sièges est superbe mais l'applique de bois du tableau de bord est fausse. Dommage. Sinon l'assemblage et la finition sont très soignés et le grain de la matière plastique qui garnit le tableau de bord est aussi agréable à l'œil qu'au toucher.

• Suspension: 80%
Le conducteur peut choisir le mode d'amortissement ou laisser l'ordinateur le déterminer selon les circonstances. Sur la position «Sport» elle est relativement ferme, alors que sur «Auto» elle ajustera l'amortissement en fonction de la vitesse ou lors de coups de frein, sinon elle sera plus souple. Selon la nature de la route, l'ordinateur relèvera la voiture sur mauvaise route (+ 3 cm) ou l'abaissera (- 1 cm) à plus haute vitesse sur autoroute.

• Poste de conduite: 80%
Il rappelle beaucoup celui des Audi dans son organisation, avec ses instruments regroupés sous une visière allongée. Les contrôles, comme les commandes, sont traités dans un style très haute-technique coutumier de Mitsubishi. Cela semble compliqué au début, mais par la suite ils sont faciles à utiliser. Le conducteur a tôt fait de s'installer confortablement et il dispose d'une excellente visibilité.

• Commodités: 80%
En plus d'une boîte à gants de bonne taille les rangements comprennent des vide-poches de portière, un coffret sur la console centrale et des vide-poches à l'arrière.

• Accès: 80%
Aucun problème pour prendre place dans ces modèles qui sont plus

DONNÉES

Catégorie: berlines de luxe tractées.
Classe : 7

HISTORIQUE

Inauguré en: 1990
Modifié en: -
Fabriqué à: Nagoya, Japon.

INDICES

Sécurité:	90 %
Satisfaction:	83 %
Dépréciation:	55 %
Assurance:	7.0 %
Prix de revient au km:	0.64 $

NOMBRE DE CONCESSIONNAIRES

Au Québec: Aucun

VENTES AU QUÉBEC

Modèle	1992	1993	Résultat	Part de march
Diamante	Non commercialisée au Québec.			

PRINCIPAUX MODÈLES CONCURRENTS

ACURA Vigor, AUDI A6, BMW série 3, HONDA Accord V6, INFINITI J3 LEXUS ES300 & GS300, MAZDA 626 V6 & Millenia, NISSAN Maxima, SA 900, TOYOTA Camry V6, VOLVO 850.

ÉQUIPEMENT

MITSUBISHI Diamante	LS	Wagon
Boîte automatique:	S	S
Régulateur de vitesse:	S	S
Direction assistée:	S	S
Freins ABS:	O	S
Climatiseur:	S	S
Coussins gonflables (2):	S	S
Garnitures en cuir:	O	S
Radio MA/MF/ K7:	S	S
Serrures électriques:	S	S
Lève-vitres électriques:	S	S
Volant ajustable:	S	S
Rétroviseurs ext. ajustables:	S	S
Essuie-glace intermittent:	S	S
Jantes en alliage léger:	S	S
Toit ouvrant:	O	O
Système antivol:	S	S

S : standard; O : optionnel; - : non disponible

COULEURS DISPONIBLES

Extérieur: Blanc, Argent, Bleu, Vert, Améthyste, Gris, Beige.
Intérieur: Beige, Bleu, Gris, Noir.

ENTRETIEN

Première révision:	5 000 km
Fréquence:	6 mois/10 000 km
Prise de diagnostic:	Oui

QUOI DE NEUF EN 1995 ?

- Aux États-Unis le modèle ES est retiré du catalogue et disponib uniquement pour les flottes ou programmes spéciaux.

Modèles/ versions *: de série	MOTEURS Type / distribution soupapes / carburation	Cylindrée cc	Puissance ch @ tr/mn	Couple lb.pi @ tr/mn	TRANSMISSION Rapport volumét.	Roues motrices / transmissions	Rapport de pont	PERFORMANCES Accélér. 0-100 km/h s	400 m D.A. s	1000 m D.A. s	Freinage 100-0 km/h m	Vites. maxi. km/h	Accélér. latérale G	Niveau sonore dBA	Consommation I.0%0km Ville	Route	Carbura Octane
ES	V6*3.0 SACT-12-IEPM	2972	175 @ 5500	185 @ 3000	10.0 :1	avant - A4*	3.958	10.6	17.8	30.5	44	190	0.72	65	13.2	9.5	R 8
LS	V6*3.0 DACT-24-IEPM	2972	202 @ 6000	201 @ 3000	10.0 :1	avant - A4*	3.958	9.2	17.0	29.8	46	210	0.74	65	13.2	9.9	M 8

ɪnposants qu'il n'y parait et dont ɛs portes s'ouvrent largement.

Sièges: 70%
ɛur apparence est plus réussie ɔrsqu'ils sont gainés de cuir, mais ɛur maintien latéral pourrait être lus marqué et leur soutien lom-aire plus efficace. À l'arrière la anquette dispose d'appuie-tête ɛellement opérationnels, fait as-ez rare pour être signalé.

Coffre: 60%
ɛelativement petit pour une voi-ɪre de cette taille, il ressemble eaucoup à celui de l'ancienne ɫazda 929, car il manque de lon-ueur et ne peut pas être agrandi.

Performances: 60%
es performances ne sont que ɪoyennes compte tenu de la cy-ndrée, car le poids est élevé. Les ccélérations et les reprises sont ɪolles, particulièrement avec le ɪoteur de base, mais plus enle-ées avec les 200 ch de la LS. ɫais encore là il n'y rien pour ɪire fumer les pneus.

Assurance: 60%
e taux de la Diamante est un peu lus élevé que celui de ses con-ɹrrentes, à cause de sa com-lexité technique.

Niveau sonore: 60%
a Diamante est bien insonorisée ar les bruits de roulement, ɔmme ceux provenant de la ɪécanique, sont bien étouffés et finesse aérodynamique mini-ɪise les courants d'air autour du are-brise.

Consommation: 60%
a Diamante n'est pas des plus ourmandes compte tenu de son oids et de sa cylindrée.

Direction: 60%
ans son désir de vouloir tou-ɹurs aider plus le conducteur, la irection est tellement bien con-ôlée par l'électronique que là ncore, on ressent la désagréa-e impression que quelqu'un écide à votre place et dans cer-ɪins virages c'est franchement ésagréable.

POINTS FAIBLES

Prix/équipement: 30%
a Diamante n'est pas la seule à ffrir du luxe et du confort à un ɹix raisonnable dans cette caté-gorie, mais elle est la seule à proposer, outre un équipement très complet, une panoplie in-croyable d'asservissements et de contrôles électroniques, dont le plaisir de conduire ou la sécurité peuvent parfois se passer.

• Freinage: 40%
Son efficacité n'a rien de redou-table bien qu'il soit facile à doser et très stable lorsqu'il est assisté de l'ABS. Des plaquettes plus mordantes seraient peut-être plus utiless que certains gadgets installés sur ce modèle, car leur efficacité s'évanouit après trois arrêts-panique.

• Habitabilité: 40%
La cabine de la Diamante n'ac-cueillera que 4 adultes, un cin-quième ne pourra y séjourner qu'en dépannage, son volume utile étant moins important que celui de ses concurrentes. Les personnes de haute taille se plain-dront du manque d'espace pour la tête à l' avant lorsque la voiture est équipée d'un toit ouvrant et pour les jambes à l'arrière.

• Comportement: 40%
Il est plus intéressant sur la LS qui roule moins que la familiale et dont le moteur est plus musclé, ce qui lui permet de franchir les virages serrés avec plus d'assu-rance. Le contrôleur de traction est frustrant, laissant souvent au pilote le rôle accessoire de tenir le volant puisqu'il se charge lui-même de régler l'accélération. Heureusement cette fonction peut être annulée grâce à un interrup-teur.

• Dépréciation: 45%
Elle est plus forte que celle de ses rivales à cause du coût des réparations et de l'entretien hors garantie.

CONCLUSION

• Moyenne générale: 64.5 %
Nous ne sommes heureusement pas encore rendus à l'ère où les voitures se conduiront seule. S'il vous plaît Mitsubishi, laissez nous le plaisir de conduire encore un peu... ☺

CARACTÉRISTIQUES & PRIX

ɫodèles	Versions	Carrosseries/ Sièges	Volume cabine l.	Volume coffre l.	Cx	Empat. mm	Long x larg x haut. mm x mm x mm	Poids à vide kg	Capacité Remorq. max. kg	Susp. av/ar	Freins av/ar	Direction type	Diamètre braquage m	Tours volant b à b.	Réser. essence l.	Pneus d'origine	Mécaniques d'origine	PRIX $ CDN. 1994
ɫITSUBISHI		Non commercialisée au Canada.																
)iamante	LS	ber.4p. 4/5	2664	385	0.30	2720	4830x1775x1337	1635	454	i/i	d/d/ABS	crém.ass.	11.2	3.15	72.0	205/65R15	V6/3.0/A4	-
)iamante	Wagon	fam.5p.4/5	2888	1059	0.40	2722	4888x1775x1471	1650	454	i/r	d/d	crém.ass.	11.2	3.15	71.0	205/65R15	V6/3.0/A4	-

Voir la liste complète des prix 1995 à partir de la page 393.

**EAGLE Talon,
MITSUBISHI Eclipse**

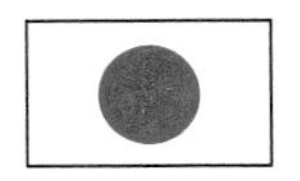

Reparti pour un tour...

Le groupe Chrysler a misé juste en s'associant avec Mitsubishi, pour concocter des coupés sportif qui répondent parfaitement aux attentes du public. Si les Stealth/3000GT s'adressent à un clientèle plus aisée, les Talon/Eclipse sont plus populaires et ont connu à ce jour un beau succès

Les Eagle Talon et Mitsubishi Eclipse ont été entièrement repensés pour 1995. Ils sont proposés sous la forme d'un coupé à trois portes à traction avant équipé du moteur de 2.0L à DACT atmosphérique provenant de la Neon sur les versions de base ESI pour la Talon et RS/GS chez Mitsubishi. Un moteur 2.0L turbocompressé d'origine Mitsubishi, qui équipait déjà le modèle précédent se retrouve dans l'Eclipse GS Turbo à deux roues motrices et dans les Talon TSI Turbo et Eclipse GSX à traction intégrale. La transmission d'origine est manuelle à 5 vitesses ou automatique à 4 rapports en option. La Laser qui était vendue chez Plymouth a été supprimée.

POINTS FORTS

• Technique: 90%
Ces coupés ont été conçus à partir de la plate-forme de la Mitsubishi Galant et sont fabriqués aux États-Unis dans l'usine Diamond Star de Mitsubishi. Encore une fois le style de la carrosserie a été réalisé par Chrysler et Mitsubishi qui ont modernisé la ligne tout en lui conservant son caractère agressif et amélioré l'aérodynamique dont le cœfficient atteint aujourd'hui un remarquable 0.29 sur tous les modèles.

• Sécurité: 90%
Elle s'améliore beaucoup puisque la structure a été notablement renforcée, et que ces véhicules sont désormais équipés de deux coussins d'air en série de plus, les baudriers des places avant sont ajustables en hauteur.

• Satisfaction: 85%
La rigueur et la réputation de Mitsubishi sont garantes de la qualité et de la fiabilité de ces modèles qui n'ont jamais causé de gros problèmes.

• Comportement: 80%
Les tractions comme les intégrales partagent maintenant la même efficacité avec un cœfficient d'accélération latérale identique du à leur suspension indépendante. La différence se situe surtout au niveau de

NOUVEAUTÉ 1995

MITSUBISHI Eclipse

DONNÉES

Catégorie: coupés sportifs à traction avant ou intégrale.
Classe : 3S

HISTORIQUE

Inauguré en: 1990
Modifié en: 1993: retouches cosmétiques.1995: nouveau modèle
Fabriqué à: Normal, Illinois, États-Unis.

INDICES

		2RM	4RM
Sécurité:		90 %	90 %
Satisfaction:		95 %	95 %
Dépréciation:		50 %	54 %
Assurance:	(1 091 $)	7.5 %	5.6 % (1 308 $)
Prix de revient au km:		0.44 $	0.51 $

NOMBRE DE CONCESSIONNAIRES

Au Québec: 167 Chrysler-Dodge-Plymouth-Eagle-Jeep

VENTES AU QUÉBEC

Modèle	1992	1993	Résultat	Part de march
Talon	762	592	-22.3 %	4.9 %
Eclipse	Non commercialisé au Québec			

PRINCIPAUX MODÈLES CONCURRENTS

ACURA Integra, FORD Mustang & Probe, HONDA Prelude & del Sol, MAZD MX-3 & MX6, TOYOTA Celica & MR2, VOLKSWAGEN Corrado.

ÉQUIPEMENT

EAGLE Talon MITSUBISHI Eclipse	DL RS	ESi GS	TSi GS-T	TSI AWD GSX
Boîte automatique:	O	O	O	O
Régulateur de vitesse:	O	O	S	S
Direction assistée:	S	S	S	S
Freins ABS:	O	O	O	O
Climatiseur:	O	O	S	S
Coussin gonflable:	S	S	S	S
Garnitures en cuir:	-	-	O	S
Radio MA/MF/ K7:	S	S	S	S
Serrures électriques:	-	O	O	O
Lève-vitres électriques:	-	O	S	S
Volant ajustable:	S	S	S	S
Rétroviseurs ext. ajustables:	S	S	S	S
Essuie-glace intermittent:	S	S	S	S
Jantes en alliage léger:	-	O	S	S
Toit ouvrant:	O	O	O	O
Système antivol:	-	O	O	O

S : standard; O : optionnel; - : non disponible

COULEURS DISPONIBLES

Extérieur: Noir, Bleu, Vert, Rouge, Gris, Blanc.
Intérieur: Brun, Gris.

ENTRETIEN

Première révision: 5 000 km
Fréquence: 6 mois/10 000 km
Prise de diagnostic: Oui

QUOI DE NEUF EN 1995 ?

- Modèle entièrement renouvelé en 1995.

Modèles/ versions *: de série	MOTEURS Type / distribution soupapes / carburation	Cylindrée cc	Puissance ch @ tr/mn	Couple lb.pi @ tr/mn	Rapport volumét.	TRANSMISSION Roues motrices / transmissions	Rapport de pont	PERFORMANCES Accélér. 0-100 km/h s	400 m D.A. s	1000 m D.A. s	Freinage 100-0 km/h m	Vites. maxi. km/h	Accélér. latérale G	Niveau sonore dBA	Consommation l.0%0km Ville	Consommation Route	Carbura. Octane
1)	L4* 2.0 DACT-16-IESPM	1996	140 @ 6000	131 @ 4800	9.6 :1	avant - M5*	3.94	9.5	16.8	29.3	40	175	0.85	68	10.1	6.8	R 87
						avant - A4	3.91	10.8	17.2	31.4	42	170	0.85	68	10.0	7.1	R 87
2)	L4* 2.0T DACT-16-IESPM	1997	210 @ 6000	214 @ 3000	8.5 :1	avant/4-M5*	4.93	7.0	15.6	27.8	38	200	0.85	69	11.9	8.7	S 91
	L4* 2.0T DACT-16-IESPM	1997	205 @ 6000	220 @ 3000	8.5 :1	avant/4-A4	4.42	8.2	16.3	28.4	40	190	0.85	69	12.7	10.2	S 91

1) Talon ESi/Eclipse/RS/GS 2) Talon TSi/Eclipse GS Turbo et GSX.

NOUVEAUTÉ 1995

EAGLE Talon

'adhérence et de la motricité qui ɜst supérieure sur les intégrales, ɔarticulièrement sur chaussé glis- ɜante.

Qualité & finition: 80%
.'assemblage reste très homo- ȷène et la finition, comme la qua- ité des matériaux, plus flatteuse ɥue précédemment

Poste de conduite: 80%
.'aménagement intérieur a été ui aussi entièrement redessiné. .e tableau de bord a perdu son style bancal pour retrouver une configuration plus normale et plus ɘrgonomique. Les instruments y sont mieux disposés et faciles à nterpréter. La console légère- nent en saillie et orientée vers le ɔilote met les commandes à por- ée de la main, mais celles de la adio sont basses derrière le sé- ecteur de la transmission. La vi- ibilité s'est améliorée, tant vers avant que vers les côtés, tandis ɥue vers l'arrière, la custode reste ɛtroite.

Sièges: 80%
.es baquets sont efficaces car ils naintiennent et soutiennent très ɔien alors que la banquette de- neure symbolique.

Performances: 70%
ɜi le moteur 2.0L des versions de ɔase est plein de bonne volonté, permet de se promener tran- ɥuillement et seul le 2.0L Turbo ɔonne du cœur à la conduite car ne se fait pas prier pour monter n régime, dès que le Turbo embarque. Il fait preuve de sou- plesse à bas régime et son temps de réponse est relativement court. Les deux premiers rapports de la boîte manuelle sont encore un peu courts pour donner plus de punch aux accélérations, et la motricité n'est jamais prise en défaut quelle que soit la qualité du revêtement.

• **Direction: 70%**
La manuelle de la version de base Mitsubishi est lourde et trop démultipliée pour prétendre être rapide et précise et elle n'a aucun caractère sportif. Par contre elle est rapide et précise lorsqu'elle est assistée, mais a tendance à s'alléger quand la vitesse aug- mente. Dans les deux cas le dia- mètre de braquage un peu grand pénalise la maniabilité.

• **Suspension: 70%**
Les coupés sportifs ne sont plus ce qu'ils étaient, car le confort fait désormais partie de l'équipement de série. Malgré une certaine fer- meté, elle procure un confort équi- valent à celui d'une berline com- pacte en usage quotidien, et ne devient plus chahuteuse que lors- que la chaussée se dégrade sé- rieusement.

• **Consommation: 65%**
Elle dépend essentiellement du mode de conduite, mais dépasse rarement 11 litres aux 100 km sur les modèles de base et 13 litres avec le moteur Turbo.

• **Accès: 65%**
Il est plus facile de s'asseoir à l'avant, à cause des longues por- tes s'ouvrant largement qu'à l'ar- rière où seuls les cul-de-jatte se- ront satisfaits de l'espace pour les jambes.

• **Dépréciation: 55%**
Elle a commencé à s'accentuer du fait de la concurrence nom- breuse, mais elle se maintient à un niveau intéressant.

• **Freinage: 50%**
Suffisantes en conditions norma- les, l'assistance et l'endurance des plaquettes manquent de mor- dant en cas d'urgence et les roues bloquent rapidement. L'ABS of- fert en option améliore la stabi- lité, mais a tendance à allonger encore les distances d'arrêt.

• **Niveau sonore: 50%**
Si le moteur Turbo fait parfois entendre des sonorités aiguës, les moteurs atmosphériques sont discrets, mais ce sont les bruits de roulement qui dominent, car ceux dûs au vent sont faibles.

• **Commodités: 50%**
Les rangements comprennent une petite boîte à gants des vide- poches de portière et un coffret disposé sur la console centrale.

• **Prix/équipement: 50%**
Les anciens modèles ont connu un beau succès car leur rapport prix/performances/qualité est fa- vorable. Si les versions à deux roues motrices ont une armée de concurrentes, celles à transmis- sion intégrale sont uniques et originales dans cette fourchette de prix. Pour l'équipement, seu- les les versions TSi/RS/GSX sont bien fournies, mais les autres ont reçu quelques petites gratifica- tions qui justifient l'augmentation des prix.

• **Assurance: 50%**
Comme pour toutes les voitures de sport, la note est salée surtout si l'acheteur a moins de 25 ans.

POINTS FAIBLES

• **Le coffre: 30%**
Celui des versions à deux roues motrices est plus spacieux que celui des intégrales devant loger les éléments de transmission du train arrière. On peut toutefois augmenter sa capacité en rabat- tant le dossier de la banquette, mais dans les deux cas le seuil élevé n'est pas pratique.

• **L'habitabilité: 40%**
Les places avant sont plus géné- reuses qu'à l'arrière où l'espace pour la tête et les jambes est très limité, ce qui les destine à rece- voir des bagages.

CONCLUSION

• **Moyenne générale: 65.0 %**
Au milieu d'une mer de coupés sportifs, ces modèles émergent par l'originalité de leur transmis- sion intégrale, leur format bien calibré, leur intérieur agréable et leur ligne attachante. ☺

CARACTÉRISTIQUES & PRIX

Modèles	Versions	Carrosseries/ Sièges	Volume cabine l.	Volume coffre l.	Cx	Empat. mm	Long x larg x haut. mm x mm x mm	Poids à vide kg	Capacité Remorq. max. kg	Susp. av/ar	Freins av/ar	Direction type	Diamètre braquage m	Tours volant b à b.	Réser. essence l.	Pneus d'origine	Mécaniques d'origine	PRIX $ CDN. 1995
EAGLE	Garantie générale : 3 ans / 60 000 km; mécanique 5 ans / 100 000 km; corrosion: de surface 3 ans; perforation: 7 ans / 160 000 km.																	
Talon	ESi	cpé.3 p.2+2	2240	470	0.29	2510	4375x1735x1295	1286	NR	i/i	d/d	crém.ass.	11.6	2.4	60.0	195/70HR14	L4/2.0/M5	**19 425**
Talon	TSi Turbo	cpé.3 p.2+2	2240	382	0.29	2510	4375x1745x1310	1470	NR	i/i	d/d	crém.ass.	11.6	2.4	60.0	215/55VR16	L4T/2.0/M5	**28 360**
MITSUBISHI	Non commercialisé au Canada.																	
Eclipse	RS	cpé.3 p.2+2	2240	470	0.29	2510	4375x1735x1295	1235	NR	i/i	d/t	crém.	11.6	2.41	60.0	195/70R14	L4/2.0/M5	-
Eclipse	GS	cpé.3 p.2+2	2240	470	0.29	2510	4375x1745x1295	1280	NR	i/i	d/d	crém.ass.	11.6	2.41	60.0	205/55HR16	L4/2.0/M5	-
Eclipse	GS Turbo	cpé.3 p.2+2	2240	470	0.29	2510	4375x1745x1295	1305	NR	i/i	d/d	crém.ass.	11.6	2.41	60.0	205/50HR16	L4/2.0/M5	-
Eclipse	GSX	cpé.3 p.2+2	2240	382	0.29	2510	4375x1735x1310	1415	NR	i/i	d/d	crém.ass.	11.6	2.41	60.0	215/55VR16	L4T/2.0/M5	-

Voir la liste complète des prix 1995 à partir de la page 393.

Mieux armée...

La Galant joue aux États Unis un rôle de cinquième violon derrière les Honda Accord, Mazda 626 et Toyota Camry qui sont en tête. Il suffit pourtant de l'essayer pour être convaincu qu'elle a autant à offrir sur le plan technique et peut-être plus sur celui de la finition et de la qualité.

Point médian de la gamme Mitsubishi aux États-Unis, la Galant se situe entre la Diamante et la Mirage. Elle a été entièrement renouvelée l'an dernier sous la forme d'une berline 3 volumes à 4 portes qui sera offerte en 1995 en versions S, ES, LS et LS V6 remplaçant la précédente GS. Les trois premières sont équipées d'un moteur 4 cylindres de 2.4L qui est à SACT alors que la LS V6 reçoit le nouveau 2.5L qui équipe aussi les Chrysler Cirrus et Dodge Stratus. Une boîte manuelle à 5 vitesses est livrée en série, sauf sur la LS V6 qui reçoit une automatique à 4 rapports offerte en option sur les autres finitions.

POINTS FORTS

• Sécurité: 90%
Bien que le poids n'ait pas trop augmenté, la coque a été sérieusement rigidifiée et deux coussins gonflables protègent les occupants des places avant, tandis que les autres disposent de ceintures à 3 points.

• Satisfaction: 85%
Les mécaniques sont fiables, mais les propriétaires américains se plaignent de leurs rapports avec certains concessionnaires au sujet de l'application de la garantie.

• Qualité & finition: 80%
L'assemblage et les matériaux employés sont de bonne qualité et la finition est, sur certains points, plus soignée que celle de la concurrence. La présentation intérieure est moins triste que sur le modèle précédent, mais elle ne respire pas le luxe. Seules les LS peuvent recevoir des garnitures de cuir en option.

• Technique: 80%
Sa carrosserie monocoque en acier a vu ses principales dimensions augmenter dans toutes les directions, et sa finesse aérodynamique améliorée puisque le cœfficient descend maintenant au dessous de 0.30. La suspension, indépendante aux quatre roues, inclut des géométries antiplongée à l'avant et anticabrage à l'arrière pour une meilleure stabilité longitudinale, tandis que les barres antiroulis agissent latéralement. Les freins sont à disques et tambours sur les S, ES, LS alors qu'ils sont à quatre disques sur la LS V6, et l'ABS est livré en option sur tous les modèles.

• Sièges: 80%
Aussi bien dessinés à l'avant qu'à l'arrière, (ce qui est assez rare pour être mentionné), ils procurent un maintien et un soutien lombaire très efficaces.

• Poste de conduite: 80%
L'organisation de la nouvelle planche de bord est moderne, mais elle ne brille pas par son originalité car elle rappelle beaucoup celle de la Colt. La meilleure position de conduite est rapide à trouver grâce aux différents réglages. Le volant et le sélecteur de vitesses offrent une bonne prise, la visibilité est bonne, les commandes sans surprise et l'instrumentation lisible et bien disposée.

• Niveau sonore: 75%
Il reste bas grâce à la rigidité de la construction, l'efficacité de l'insonorisation et le bon équilibre des moteurs qui ne génèrent que très peu de vibrations.

• Performances: 70%

DONNÉES

Catégorie: berlines compactes à traction avant ou intégrale.
Classe : 4

HISTORIQUE

Inauguré en: 1983: propulsion.
Modifié en: 1987: traction avant & intégrale;1993:refonte.
Fabriqué à: Normal, IL, États-Unis.

INDICES

Sécurité: 90 %
Satisfaction: 87 %
Dépréciation: 55 %
Assurance: 6.5 %
Prix de revient au km: 0.42 $

NOMBRE DE CONCESSIONNAIRES

Au Québec: Aucun

VENTES AU QUÉBEC

Modèle	1992	1993	Résultat	Part de marché
Galant	Non commercialisé au Québec.			

PRINCIPAUX MODÈLES CONCURRENTS

BUICK Skylark, CHEVROLET Corsica, CHRYSLER Le Baron-Cirrus, DODGE PLYMOUTH Spirit-Acclaim-Stratus, HONDA Accord, MAZDA 626, NISSAN Altima, OLDSMOBILE Achieva, PONTIAC Grand Am, SUBARU Legacy TOYOTA Camry, VOLKSWAGEN Passat.

ÉQUIPEMENT

MITSUBISHI Galant	S	ES	LS	LS V6
Boîte automatique:	O	O	O	S
Régulateur de vitesse:	O	O	S	S
Direction assistée:	S	S	S	S
Freins ABS:	O	O	O	O
Climatiseur:	O	S	S	S
Coussins gonflables (2):	S	S	S	S
Garnitures en cuir:	-	-	O	O
Radio MA/MF/ K7:	O	S	S	S
Serrures électriques:	O	S	S	S
Lève-vitres électriques:	O	S	S	S
Volant ajustable:	S	S	S	S
Rétroviseurs ext. ajustables:	S	S	S	S
Essuie-glace intermittent:	S	S	S	S
Jantes en alliage léger:	-	-	S	S
Toit ouvrant:	-	-	S	S
Système antivol:	-			

S : standard; O : optionnel; - : non disponible

COULEURS DISPONIBLES

Extérieur: Beige, Noir, Bleu, Gris, Mauve, Rouge, Argent, Blanc.
Intérieur: Bleu foncé, Gris foncé, Brun foncé.

ENTRETIEN

Première révision: 6 000 km
Fréquence: 6 mois/ 10 000 km
Prise de diagnostic: Oui

QUOI DE NEUF EN 1995 ?

- **Version GS remplacée par une LS V6.**
- **Capot avant sans bosse.**
- **Garnitures de portes et tableau de bord gris.**

	MOTEURS					TRANSMISSION		PERFORMANCES									
Modèles/ versions *: de série	Type / distribution soupapes / carburation	Cylindrée cc	Puissance ch @ tr/mn	Couple lb.pi @ tr/mn	Rapport volumét.	Roues motrices / transmissions	Rapport de pont	Accélér. 0-100 km/h s	400 m D.A. s	1000 m D.A. s	Freinage 100-0 km/h m	Vites. maxi. km/h	Accélér. latérale G	Niveau sonore dBA	Consommation l.0%0km Ville	Route	Carbura Octane
S/ES/LS	L4* 2.4 SACT-16-IEPM	2350	141 @ 5500	148 @ 3000	9.5 :1	avant - M5*	4.32	8.8	16.6	30.2	43	185	0.79	66	9.9	7,2	R 87
						avant - A4	4.35	9.7	17.4	31.0	45	180	0.79	65	11.1	7.6	R 87
LS V6	V6* 2.5 SACT-24-IEPM	2497	155 @ 5500	161 @ 4400	10.0 :1	avant - A4	3.91	9.0	16.5	30.8	42	200	0.79	65	12.2	8.2	R 87

.es 141 ch du moteur de base ne ;ont pas de trop pour enlever la nasse de ces voitures. Si les ıccélérations sont normales, les eprises sont plus molles, un déaut qui affectait aussi l'ancien nodèle, parce que les moteurs nultisoupapes sont généralenent creux à bas régime. Le V6 le la LS n'est pas beaucoup plus ›uissant, mais il offre un couple ›lus important.

Direction: 70%
.a direction assistée à pilotage electronique est le seul compo;ant «high-tech» de la Galant. Il appelle par certaines de ses éactions bizarres celui de la Diaıante et finalement n'apporte pas rand chose pour la complexité u'il implique.

Accès: 70%
;i à l'arrière les portes sont plus troites qu'à l'avant, il n'est pas 'raiment difficile de prendre lace, car elles s'ouvrent largeıent.

Suspension: 70%
;a souplesse est responsable u confort sur autoroute et son ébattement plus généreux aborbe bien les défauts de la route ar son amortissement est conistant.

Habitabilité: 65%
:lle égale pratiquement celle de ı Honda Accord et celle de la Aazda 626 et les dégagements ont plus généreux, surtout en auteur, et ce, même avec un toit uvrant. Quatre adultes de rande taille seront à l'aise et un inquième pourra tenir à l'arrière our un court trajet.

Consommation: 65%
'our le 4 cylindres elle est comarable à celle de la Nissan Alma mais l'appétit du V6 équiaut à celui de la 626.

Comportement: 65%
:'est l'un des points qui a le plus volué, car la neutralité en courbe st plus évidente et le sous-viage se manifeste plus tard. Si ur les versions de base le roulis st important, il est mieux conôlé sur la LS dont la suspension st plus élaborée.

Assurance: 65%
:lle n'est pas parmi les plus chères de sa catégorie dont les primes se sont relevées en même temps que la cote de popularité de ces modèles.

• **Rangements: 60%**
Ils consistent en une boîte à gants de bonne contenance, des videpoches de portière (ES/LS) et quelques évidements au tableau de bord.

• **Prix/équipement: 50%**
Ils se comparent avantageusement à ceux des Honda Accord Mazda 626 ou Toyota Camry..

• **Coffre: 50%**
Son volume a augmenté par rapport à celui de l'ancien modèle et son ouverture échancrée en facilite l'accès.

POINTS FAIBLES

• **Freinage: 40%**
Il ne pose pas de problème en usage normal, mais est médiocre sur les modèles privés de disques aux roues arrière et d'ABS, car les roues avant bloquent très vite lors des arrêts imprévus allongeant les trajectoires qui sont cependant, plus rectilignes qu'autrefois. Notons que le dosage de la pédale est d'une rare précision mais que l'endurance des garnitures n'est que moyenne.

• **Dépréciation: 40%**
Moins populaires que certaines de leurs rivales, les Galant perdent un peu plus que la moyenne. Le fait que Mitsubishi ne les harnache pas des gadgets électroniques qu'elles arborent ailleurs dans le monde ne fera plus plonger leur valeur de revente comme autrefois.

CONCLUSION

• **Moyenne générale: 67.5 %**
La Galant est une compacte intéressante qui s'oppose mieux encore à ses principales rivales depuis qu'elle est dotée d'un moteur V6 qui devient un standard de cette catégorie, où même Honda en arbore un. ☺

CARACTÉRISTIQUES & PRIX

Modèles	Versions	Carrosseries/ Sièges	Volume cabine l.	Volume coffre l.	Cx	Empat. mm	Long x larg x haut. mm x mm x mm	Poids à vide kg	Capacité Remorq. max. kg	Susp. av/ar	Freins av/ar	Direction type	Diamètre braquage m	Tours volant b à b.	Réser. essence l.	Pneus d'origine	Mécaniques d'origine	PRIX $ CDN. 1994
MITSUBISHI			Pas commercialisé au Canada.															
Galant	S	ber. 4p.5	2755	354	0.29	2635	4750x1730x1350	1250	454	i/i	d/t	crém.ass.	10.6	3.0	64.0	185/70R14	L4/2.4/M5	-
Galant	ES	ber. 4p.5	2755	354	0.29	2635	4750x1730x1350	1300	454	i/i	d/t	crém.ass.	10.6	3.0	64.0	185/70R14	L4/2.4/M5	-
Galant	LS	ber. 4p.5	2673	354	0.29	2635	4750x1730x1350	1350	454	i/i	d/t	crém.ass.	10.6	3.0	64.0	195/60R15	L4/2.4/M5	-
Galant	LS V6	ber. 4p.5	2673	354	0.29	2635	4750x1730x1350	1395	454	i/i	d/d/	crém.ass.	10.6	3.0	64.0	205/60R15	V6/2.5/A4	-

Voir la liste complète des prix 1995 à partir de la page 393.

Colt-Mirage-Summit

Brimée...

Afin de ne pas gêner la Neon qu'ilveut tapisser partout mur à mur, Chrysler a décidé de retirer la version 4 portes de son modèle de base. C'est dommage parce que c'était un modèle plu économique, mieux fait et plus fiable que peut l'être la Neon à ses débuts.

Les Colt sont les modèles de bas de gamme de Dodge et Plymouth qui les offrent en finitions de base ou ES tandis qu'aux États-Unis Mitsubishi, qui les fabrique, les distribue dans ses concessions sous le nom de Mirage en versions E, ES et LS. En 1995 la version quatre portes est retirée du marché et un seul moteur subsiste. Il s'agit du 1.5L secondé par une transmission manuelle à 5 vitesses alors qu'une automatique est disponible en option.

POINTS FORTS

• Consommation: 100%
Elle est économique, car le poids et l'aérodynamique sont favorables et le dispositif d'injection séquentielle des moteurs est relativement sophistiqué pour des voitures de cette catégorie.

• Sécurité: 90%
Les Colt-Mirage atteignent le maximum grâce à leur structure résistant bien aux chocs et au montage de deux coussins gonflables aux places avant.

• Prix/équipement: 90%
Si le coupé de base est offert à un prix alléchant, c'est parce qu'il ne contient presque rien et la facture grimpe vite, pour peu que l'on puise dans la longue liste d'options.

• La satisfaction: 85%
Les propriétaires de ces modèles populaires sont très satisfaits dans une large proportion. Elles n'ont connu que des problèmes mineurs et la garantie n'est pas négligeable. Leur qualité s'est améliorée, particulièrement au niveau de la corrosion, qui n'apparait plus aussi tôt que sur certains modèles concurrents...

• Poste de conduite: 70%
L'environnement du conducteur est simple et fonctionnel, car le bloc des instruments et la console centrale sont bien intégrés à la planche de bord qui, visuellement, est peu envahissante. Les principaux éléments de conduite sont bien localisés, et la visibilité est satisfaisante sous tous les angles.

• Suspension: 70%
Elle surprend agréablement par sa douceur inhabituelle sur une voiture de cette classe. Elle absorbe bien les petits défauts de la route et ne réagit pas trop durement aux grosses dénivellations.

• Qualité & finition: 70%
La présentation de ces véhicules est très simple, et si le montage et la finition sont homogènes, l'apparence des matières plastiques et des tissus des garnitures fait très bon marché.

• Accès: 70%
On s'installe à bord sans difficulté car les portes s'ouvrent largement, et les sièges se manipulent facilement pour permettre d'accéder à l'arrière.

• Technique: 70%
Les dernières petites Mitsubishi, qui sont plus élégantes et raffinées, ont hérité certains éléments mécaniques des modèles précédents. Les formes de leur carrosserie monocoque en acier sont plus arrondies et aérodynamiquement efficaces puisque leur cœfficient est de 0.29. La suspension est indépendante aux quatre roues avec, à

DONNÉES

Catégorie: coupés et berlines sous-compactes tractées.
Classe : 3S

HISTORIQUE

Inauguré en: 1979 (propulsion)
Modifié en: 1985: traction avant;1989 et 1993: nouveau dessin.
Fabriqué à: Mizushima, Japon.

INDICES

Sécurité: 90 %
Satisfaction: 85 %
Dépréciation: 44 % (2 ans)
Assurance: 8.4 % (865 $)
Prix de revient au km: 0.30 $

NOMBRE DE CONCESSIONNAIRES

Au Québec: 167 Chrysler-Dodge-Plymouth-Eagle-Jeep

VENTES AU QUÉBEC

Modèle	1992	1993	Résultat	Part de marché
Colt	7 661	6 880	-10.2 %	7.9%
Mirage	Non commercialisé au Québec.			

PRINCIPAUX MODÈLES CONCURRENTS

GEO Metro, HONDA Civic, HYUNDAI Accent, MAZDA 323, NISSAN Sentra SUBARU Justy, SUZUKI Swift, TOYOTA Tercel & Corolla.

ÉQUIPEMENT

DODGE-PLYMOUTH Colt MITSUBISHI Mirage	base S 2 p.	ES ES 2 p.	 LS 2 p.
Boîte automatique:	O	O	O
Régulateur de vitesse:	-	-	-
Direction assistée:	S	-	-
Freins ABS:	O	O	O
Climatiseur:	-	O	O
Coussins gonflables (2):	S	S	S
Garnitures en cuir:	-	-	-
Radio MA/MF/ K7:	O	O	O
Serrures électriques:	-	-	-
Lève-vitres électriques:	-	-	-
Volant ajustable:	-	O	-
Rétroviseurs ext. ajustables:	-	O	-
Essuie-glace intermittent:	-	O	-
Jantes en alliage léger:	-	-	-
Toit ouvrant:	-	-	-
Système antivol:	-	-	-

S : standard; O : optionnel; - : non disponible

COULEURS DISPONIBLES

Extérieur: Bleu, Vert, Rouge, Blanc.
Intérieur: Gris, Bleu.

ENTRETIEN

Première révision: 5 000 km
Fréquence: 6 mois/10 000 km
Prise de diagnostic: Oui

QUOI DE NEUF EN 1995 ?

- **Suppression des modèles 4 portes.**
- **Un seul moteur disponible (1.5L).**
- **Deux coussins gonflables montés en série sur tous les modèles.**
- **Colonne de direction inclinable offert en option sur la version ES.**
- **Rétroviseurs extérieurs électriques en option sur la version ES.**

MOTEURS						TRANSMISSION		PERFORMANCES									
Modèles/ versions *: de série	Type / distribution soupapes / carburation	Cylindrée cc	Puissance ch @ tr/mn	Couple lb.pi @ tr/mn	Rapport volumét.	Roues motrices / transmissions	Rapport de pont	Accélér. 0-100 km/h s	400 m D.A. s	1000 m D.A. s	Freinage 100-0 km/h m	Vites. maxi. km/h	Accélér. latérale G	Niveau sonore dBA	Consommation l.100km Ville	Consommation l.100km Route	Carbura Octane
base	L4* 1.5 SACT-12 IESPM	1468	92 @ 6000	93 @ 3000	9.2 :1	avant - M5*	2.91	12.3	18.5	34.7	44	165	0.75	68	7.1	5.5	R 87
						avant - A4	3.600	13.5	19.2	35.6	43	160	0.75	68	8.1	6.6	R 87

Colt-Mirage-Summit

l'avant, une épure de McPherson et des bras multiples à l'arrière. Ces tractions avant sont mues par un moteur 4 cylindres de 1.5L développant 92 ch. Les freins sont mixtes et un dispositif ABS est livré en option sur les autres modèles.

• Direction: 60%
Il vaudra mieux opter pour l'assistée dont l'action rapide et précise donne à ces petites voitures une agilité amusante, car la manuelle de base, trop démultipliée, est très floue.

• Comportement: 50%
Ces petites berlines sont agiles en virage malgré le roulis créé par la souplesse de la suspension. Si elles sous-virent facilement, elles restent faciles à contrôler, sont exemptes de réactions sournoises et surprennent par l'agrément de leur conduite sur petites routes sinueuses, où elles se prennent à jouer les sportives.

• Habitabilité: 50%
Par rapport aux anciens modèles, les derniers possèdent des dégagements plus importants pour la tête et les jambes, plus à l'avant qu'à l'arrière et le volume total s'est amélioré en moyenne d'une centaine de litres dans les deux carrosseries.

• Sièges: 50%
Mieux dimensionnés, ils restent décevants, car leur galbe est insuffisant pour maintenir efficacement, leur appui lombaire n'est pas idéal et leur rembourrage est aussi mince que dur.

• Dépréciation: 50%
Le vaste réseau Chrysler- Dodge-Plymouth est un gage de facilité d'entretien et de service, et cette année leur valeur de revente est à 55 % de leur valeur à neuf d'il y a deux ans.

DODGE Colt

POINTS FAIBLES

• Performances: 30%
Leur cure d'amaigrissement a fait du bien à ces petites voitures qui sont amusantes à conduire, car le moteur a peu d'inertie et ne demande qu'à révolutionner. Il délivre toutefois une meilleure prestation avec la boîte manuelle qu'avec l'automatique dont les reprises et les accélérations sont plutôt laborieuses.

MITSUBISHI Mirage

MITSUBISHI Mirage

• Freinage: 40%
Si les ralentissements sont progressifs et faciles à doser, les arrêts brutaux nécessitent impérativement l'ABS car le blocage des roues avant allonge les distances d'arrêt jusqu'à 47 m, ce qui est très long, compte tenu du poids de ces voitures.

• Coffre: 40%
Le coffre, séparé de l'habitacle, est moins pratique que celui de l'ancienne hatchback, car il manque de hauteur et son ouverture est étroite. On peut toutefois augmenter son volume en abaissant le dossier de la banquette.

• Niveau sonore: 40%
Raisonnable à vitesse de croisière, les moteurs sont bruyants lors des accélérations et, moins gâtés en matériaux insonorisants, les modèles de base sonnent plus sur mauvais revêtements.

• Commodités: 40%
On ne peut pas dire que les rangements soient très nombreux, mais la boîte à gants est de bonne taille et l'on trouve des vide-poches de portière.

• Assurance: 45%
Toutes proportions gardées, ces petites voitures coûtent plus chères à assurer que les grosses car l'indice moyen de la Colt varie autour de 9 %.

CONCLUSION

• Moyenne générale: 60.5 %
Les Colt-Mirage se vendent en grand nombre car elles représentent l'une des meilleures synthèses de la voiture-outil, qui n'est pas déplaisante à utiliser parce qu'elle est économique. Jolie, amusante, pratique, pas chère et fiable, elle a tout pour plaire aux petits budgets... 😐

SUGGESTIONS DES PROPRIÉTAIRES

-Une meilleure insonorisation.
-Des sièges mieux rembourrés.
-Un équipement de base plus complet.
-Des pneus 155/80R13 sur le modèle de base.
-Une preesentation intérieure moins triste.

CARACTÉRISTIQUES & PRIX

Modèles	Versions	Carrosseries/ Sièges	Volume cabine l.	Volume coffre l.	Cx	Empat. mm	Long x larg x haut. mm x mm x mm	Poids à vide kg	Capacité Remorq. max. kg	Susp. av/ar	Freins av/ar	Direction type	Diamètre braquage m	Tours volant b à b.	Réser. essence l.	Pneus d'origine	Mécaniques d'origine	PRIX $ CDN. 1994
DODGE-PLYMOUTH-EAGLE			**Garantie générale: 3 ans / 60 000 km; mécanique: 5 ans / 100 000 km; corrosion de surface : 3 ans; perforation : 7 ans / 160 000 km.**															
Colt-Summit	base	ber.2 p.5	2464	297	0.29	2440	4345x1680x1310	946	454	i/i	d/t	crém.	10.0	3.6	50.0	145/80R13	L4/1.5/M5	**11 025**
Colt-Summit	ES	ber.2 p.5	2464	297	0.29	2440	4345x1680x1310	956	454	i/i	d/t	crém.ass.	10.0	3.6	50.0	155/80R13	L4/1.5/M5	**11 825**
MITSUBISHI			**Modèles non commercialisés au Canada.**															
Mirage	S	ber.2 p.5	2464	297	0.29	2440	4345x1680x1305	945	454	i/i	d/t	crém.	10.0	3.6	50.0	145/80R13	L4/1.5/M5	-
Mirage	ES	ber.2 p.5	2464	297	0.29	2440	4345x1680x1305	955	454	i/i	d/t	crém.	10.0	3.6	50.0	155/80R13	L4/1.5/M5	-
Mirage	LS	ber.2 p.5	2464	297	0.29	2440	4345x1680x1305	965	454	i/i	d/t	crém.ass.	10.2	3.2	50.0	175/70R13	L4/1.5/M5	-

Voir la liste complète des prix 1995 à partir de la page 393.

Condamnée à disparaître ?

La formule consistant à proposer un véhicule tâchant de combiner les petites motorisations d familiales à un volume utile plus important, ne semble pas devoir prendre de l'expansion. La progression des mini-fourgonnettes et le retour de certaines familiales semblent sonner leur glas.

La nouvelle Honda Odyssey va tenir compagnie aux Expo-LRV-Vista-Summit qui sont les seules de leur genre à défendre l'idée d'un véhicule situé entre les familiales et les fourgonnettes. Dodge et Plymouth distribuent la Colt Vista et Eagle la Summit Wagon. Elles sont fabriquées au Japon par Mitsubishi qui les distribue à travers son propre réseau aux États-Unis, sous les noms d'Expo et LRV, non disponibles au Canada. On les trouve chez Dodge-Eagle-Plymouth, en traction avant de base ou SE et intégrale AWD.

POINTS FORTS

• Sécurité: 90%
La résistance de la coque n'est que moyenne en cas de collision, mais la ceinture de caisse, les portes et leur serrure ont été renforcées, afin de mieux résister aux impacts. Cette année, les deux coussins gonflables installés en série aux places avant permettent d'améliorer la protection des occupants.

• Satisfaction: 85%
Les propriétaires apprécient la fiabilité de ces véhicules qui sont faciles à entretenir, mais dont les pièces coûtent cher lorsqu'elles ne sont pas couvertes par la garantie.

• Poste de conduite: 80%
Grâce aux ajustements du siège et de la colonne de direction, le conducteur trouvera rapidement la position la plus confortable et comme il est assis haut et carré, sa visibilité est excellente. Le tableau de bord, placé bas, dégage l'espace de la cabine, et tout y est bien organisé, les commandes comme les contrôles.

• Soute: 80%
Son volume varie selon la position des banquettes car elles peuvent être repliées ou ôtées rapidement pour dégager un plus grand volume ou transporter des objets volumineux.

• Technique: 80%
Les deux carrosseries monocoques en acier possèdent une suspension à 4 roues indépendantes, basée sur le principe McPherson à

MITSUBISHI Expo

DONNÉES

Catégorie: familiales compactes tractées ou intégrales.
Classe : 3

HISTORIQUE

Inauguré en: 1983 (Chariot) 1985: importées aux É-U et Canada.
Modifié en: 1992
Fabriqué à: Mizuchima, Japon.

INDICES

Sécurité: 92 %
Satisfaction: 85 %
Dépréciation: 54 %
Assurance: (864 $) (2RM) 8.4 % (975 $) (4RM)
Prix de revient au km: 0.42 $

NOMBRE DE CONCESSIONNAIRES

Au Québec: 167 Chrysler-Dodge-Plymouth-Eagle-Jeep

VENTES AU QUÉBEC

Modèle	1992	1993	Résultat	Part de marché
Colt Wagon	ND			

PRINCIPAUX MODÈLES CONCURRENTS

CHEVROLET Lumina (base), DODGE-PLYMOUTH Caravan-Voyager (base) MAZDA MPV (2.6L), NISSAN Axxess, TOYOTA Previa.

ÉQUIPEMENT

DODGE-PLYMOUTH Colt	base	SE	AWD			
EAGLE Summit Wagon	DL	LX	AWD			
MITSUBISHI				LRV	Expo	AWD
Boîte automatique:	O	O	O	O	O	O
Régulateur de vitesse:	O	O	O	O	O	S
Direction assistée:	S	S	S	S	S	S
Freins ABS:	O	O	O	O	O	O
Climatiseur:	O	O	O	S	S	S
Coussins gonflables (2):	S	S	S	S	S	S
Garnitures en cuir:	-	-	-	-	-	-
Radio MA/MF/ K7:	O	O	O	O	O	O
Serrures électriques:	O	S	O	O	O	S
Lève-vitres électriques:	-	O	O	O	S	
Volant ajustable:	S	S	S	S	S	S
Rétroviseurs ext. ajustables:	O	S	S	O	O	S
Essuie-glace intermittent:	S	S	S	S	S	S
Jantes en alliage léger:	-	-	-	O	O	S
Toit ouvrant:	-	-	-			
Système antivol:	-	-	-			

S : standard; O : optionnel; - : non disponible

COULEURS DISPONIBLES

Extérieur: Bleu, Rouge, Blanc, Lime, Turquoise.
Intérieur: Gris, Bleu.

ENTRETIEN

Première révision: 5 000 km
Fréquence: 6 mois/10 000 km
Prise de diagnostic: Non

QUOI DE NEUF EN 1995 ?

- **Coussin gonflable côté passager.**
- **Retouche à la calandre et au dessin du capot-moteur.**
- **Console centrale recouverte de tissu.**
- **Porte-gobelets rétractables.**

MOTEURS						TRANSMISSION		PERFORMANCES									
Modèles/ versions *: de série	Type / distribution soupapes / carburation	Cylindrée cc	Puissance ch @ tr/mn	Couple lb.pi @ tr/mn	Rapport volumét.	Roues motrices / transmissions	Rapport de pont	Accélér. 0-100 km/h s	400 m D.A. s	1000 m D.A. s	Freinage 100-0 km/h m	Vites. maxi. km/h	Accélér. latérale G	Niveau sonore dBA	Consommation l./100km Ville	Route	Carburant Octane
1)	L4* 1.8 SACT-16-IESPM	1834	119 @ 6000	116 @ 4500	9.5 :1	avant - M5*	3.471	11.0	17.6	34.2	44	160	0.71	68	9.6	7.3	R 87
			113 @ 6000	116 @ 4500	9.5 :1	avant - A4	2.980	12.7	18.8	36.0	45	150	0.71	68	10.1	7.5	R 87
2)	L4* 2.4 SACT-16-IESPM	2351	136 @ 5500	145 @ 4250	9.5 :1	avant - M5*	3.472	10.7	17.2	32.6	42	170	0.72	68	10.5	8.0	R 87
						avant - A4	2.672	12.5	18.4	35.7	44	165	0.72	68	11.8	8.3	R 87
3)	L4* 2.4 SACT-16-IESPM	2351	136 @ 5500	145 @ 4250	9.5 :1	toutes - M5*	3.285	12.0	18.0	34.8	43	165	0.70	68	11.5	8.9	R 87
						toutes - A4	3.029	13.2	19.5	37.5	44	160	0.70	68	12.7	9.3	R 87

1)* DL & SE 2)* DL opt.DE,SE 3)* AWD

'avant et deux essieux tirés avec essorts hélicoïdaux à l'arrière. Les éléments de suspension des deux modes de traction sont rigoureusement identiques et seuls es porte-fusées sont différents pour laisser passer les demi-arbres de transmission. Le freinage est mixte à disques et tambours; mais, en option, on peut obtenir 4 disques et un dispositif antiblocage des roues. La version à traction avant est pourvue d'origine d'un moteur 4 cylindres de 1.8L à simple arbre à cames en tête avec 16 soupapes, qui procure 119 ch. En option elle peut recevoir le 2.4L à 16 soupapes qui équipe en série les versions intégrales. Les roues arrière deviennent motrices grâce à un différentiel central qui dirige la puissance au différentiel installé entre les roues arrière de type viscocoupleur.

Accès: 80%
Il est excellent à toutes les places de la version 5 portes excepté vers la dernière banquette réservée à des enfants qui est plus difficile à atteindre, tandis qu'il est moins pratique de faire monter 3 personnes par la porte coulissante de la version courte.

Suspension: 80%
Sa souplesse fait merveille sur bonne route et si elle absorbe bien les irrégularités du revêtement, elle donne vite le mal de mer sur tracé sinueux à cause de sa souplesse excessive qui ballotte la caisse.

• Commodités: 80%
Les rangements consistent en une boîte à gants de bonne taille, des vide-poches de porte, une tablette sur le tableau de bord et un coffret de console centrale.

• Prix/équipement: 70%
Moins chers que certaines fourgonnettes, ces hybrides sont plus coûteux que des familiales de calibre équivalent et comme leur équipement se réduit au minimum, les options feront grimper encore la facture.

• Sièges: 70%
Ils maintiennent mieux à l'avant où ils sont bien galbés, qu'à l'arrière où la banquette est plate.

• Qualité & finition: 70%
Malgré une présentation intérieure austère, la construction est rigoureuse et la finition soignée, mais certains plastiques n'ont pas une apparence très riche.

• Direction: 70%
Douce et rapide, elle procure une étonnante maniabilité en trafic urbain, mais elle devient floue dès que la vitesse augmente.

• Consommation: 60%
Elle est plus forte que la moyenne des véhicules de même cylindrée car elle peut atteindre 13 litres aux 100 km sur chemin difficile avec la transmission intégrale, c'est-à-dire égaler celle d'un V6 de 3.0L, et l'autonomie est limitée à moins de 300 km.

• Niveau sonore: 50%
Les moteurs ne se manifestent que lors des fortes accélérations, sinon ils sont discrets à vitesse de croisière où les bruits de roulement et de vent dominent.

• Habitabilité: 50%
On peut installer 5 personnes dans la carrosserie courte dont la hauteur donne une impression d'espace, mais dont la longueur est limitée, alors que l'Expo, commercialisée aux États-Unis par Mitsubishi, accueille jusqu'à 7 personnes, grâce à deux banquettes, entre lesquelles la place est limitée.

• Assurance: 50%
La prime de ces familiales est parfois plus élevée que celle de certaines vraies fourgonnettes compactes de valeur équivalente.

POINTS FAIBLES

• Performances: 30%
Elles n'ont rien d'explosif avec le 1.8L de la version de base et il faut recourir au 2.4L pour disposer d'accélérations et de reprises énergiques. Le même moteur est moins brillant avec la version intégrale dont le poids atteint 1500 kg. Les transmissions sont bien étagées et leur sélection ne pose aucun problème.

• Comportement: 35%
Stable sur autoroute où ces véhicules ne sont sensibles au vent que s'il souffle très fort en bourrasques, sur parcours sinueux la souplesse de la suspension engendre un roulis qui provoque un sous-virage précoce, quel que soit le mode de traction. Il vaut mieux aborder prudemment certaines sorties d'autoroute pour ne pas se retrouver en perdition. La motricité de la traction intégrale permet de mieux sortir des virages serrés que la traction avant qui enregistre quelques pertes d'adhérence.

• Freinage: 40%
Les quatre freins à disque et le système ABS offerts en option ne seront pas un luxe, car si les ralentissements normaux sont progressifs et faciles à doser, en situation d'urgence, les distances sont longues car les roues avant bloquent rapidement et les trajectoires sont fantaisistes.

• Dépréciation: 45%
Elle égale celle des automobiles de même catégorie, soit environ 20 % par an.

CONCLUSION

• Moyenne générale: 65.0 %
Ces hybrides ne sont pas aussi polyvalents, pas plus économiques et pas vraiment moins chers que les véritables fourgonnettes alors ?

MITSUBISHI LRV

CARACTÉRISTIQUES & PRIX

Modèles	Versions	Carrosseries/ Sièges	Volume cabine l.	Volume coffre l.	Cx	Empat. mm	Long x larg x haut. mm x mm x mm	Poids à vide kg	Capacité Remorq. max. kg	Susp. av/ar	Freins av/ar	Direction type	Diamètre braquage m	Tours volant b à b.	Réser. essence l.	Pneus d'origine	Mécaniques d'origine	PRIX $ CDN. 1994
DODGE-EAGLE Colt Vista-Summit Wagon	**Garantie générale: 3 ans / 60 000 km; mécanique: 5 ans / 100 000 km; corrosion de surface : 3 ans; perforation : 7 ans / 160 000 km.**																	
2RM	base	fam. 4p.5	2732	980	0.35	2520	4280x1695x1578	1240	680	i/i	d/t	crém.ass.	10.2	3.1	55	185/75R14	L4/1.8/M5	**15 205**
2RM	SE/FWD	fam. 4p.5	2732	980	0.35	2520	4280x1695x1578	1240	680	i/i	d/t	crém.ass.	10.2	3.1	55	185/75R14	L4/1.8/M5	**17 110**
4RM	AWD	fam. 4p.5	2732	980	0.35	2520	4280x1695x1591	1390	907	i/i	d/t	crém.ass.	10.2	3.1	55	205/70R14	L4/2.4/M5	**18 560**
MITSUBISHI		**Modèles non commercialisés au Canada.**																
Expo	LRV	fam. 4p. 5	2718	991	0.35	2520	4280x1695x1635	1240	680	i/i	d/t	crém.ass.	10.2	3.15	55	185/75R14	L4/2.4/M5	-
Expo		fam. 5p. 7	2775	1246	0.35	2720	4505x1695x1590	1360	907	i/i	d/t	crém.ass.	11.2	3.15	60	205/70R14	L4/2.4/M5	-
Expo	LRV AWD	fam. 4p. 5	2718	991	0.35	2520	4280x1695x1635	1385	1134	i/i	d/t	crém.ass.	10.2	3.15	55	185/75R14	L4/2.4/M5	-
Expo	AWD	fam. 5p. 7	2775	1246	0.35	2720	4505x1695x1590	1480	1134	i/i	d/t	crém.ass.	11.2	3.15	60	205/70R14	L4/2.4/M5	-

Voir la liste complète des prix 1995 à partir de la page 393.

Le rat des villes...

Le Montero est fidèle à la philosophie de Mitsubishi qui inclut toujours un contenu technique sophistiqué dans la plupart de ses véhicules. Toutefois il sert plus à la sécurité et à l'agrément de conduite quotidien, que la performance hors route des sports de fin de semaine.

Très connu à travers le monde sous le nom de Pajero, le Montero n'est vendu qu'aux États-Unis sous la forme d'une familiale à 5 portes en versions de base, RS, LS et SR, équipées d'un moteur V6 de 3.0L développant 151 ch avec transmission manuelle à 5 vitesses d'origine sur les de base et RS, alors que les LS et SR reçoivent la boîte automatique à 4 rapports en série, cette dernière étant offerte en option sur les deux premières versions.

POINTS FORTS

• Sécurité: 90%
La coque du Montero résiste assez bien aux tests de collision et la présence de coussins gonflables assure la protection des occupants des places avant et on note la présence d'appuie-tête en série aux places arrière.

• Satisfaction: 80%
Les propriétaires de produits Mitsubishi affirment dans une proportion de 70% qu'ils seraient prêts à refaire le même achat, pourtant ils trouvent que les pièces de rechange sont chères et longues à obtenir.

• Technique: 80%
Monocoque en acier intégrant un châssis en échelle à cinq longerons, la carrosserie du Montero possède une suspension indépendante à l'avant et rigide à l'arrière avec barres de torsion. Des amortisseurs ajustables selon 3 modes (souple-médium-dur) sont offerts en option sur les deux versions supérieures. La transmission intégrale à la demande baptisée Active Trac 4WD est disponible avec le dispositif ABS Multi Mode. Ce dispositif permet de passer du mode 2 à 4 roues motrices en roulant, à condition que la vitesse soit inférieure à 100 km/h et d'utiliser la gamme haute de la boîte de transfert à tout moment sur toute surface.
Les freins sont à disque aux 4 roues et le dispositif ABS Multi Mode agit que la traction soit à 2 ou 4 roues motrices. Enfin la direction est à circulation de billes et assistée.

DONNÉES

Catégorie: véhicules tout terrain propulsés ou intégraux.
Classe : utilitaire

HISTORIQUE

Inauguré en: 1970 Pajero, 1983: États-Unis: 1990: Raider, Canada.
Modifié en: 1991: nouvelle carrosserie
Fabriqué à: Okasaki, Japon.

INDICES

Sécurité: 90 %
Satisfaction: 85 %
Dépréciation: 55 %
Assurance: 8.0 %
Prix de revient au km: 0.51 $

NOMBRE DE CONCESSIONNAIRES

Au Québec: Aucun

VENTES AU QUÉBEC

Modèle	1992	1993	Résultat	Part de marché
Montero	Non commercialisé au Québec.			

PRINCIPAUX MODÈLES CONCURRENTS

CHEVROLET Blazer, FORD Explorer, GMC Jimmy, ISUZU Rodeo, JEEP Grand Cherokee, NISSAN Pathfinder, TOYOTA 4Runner.

ÉQUIPEMENT

MITSUBISHI Montero	base	RS	LS	SR
Boîte automatique:	O	O	S	S
Régulateur de vitesse:	O	S	S	
Direction assistée:	O	O	O	O
Freins ABS:	S	S	S	S
Climatiseur:	S	S	S	S
Coussin gonflable:	-	O	S	S
Garnitures en cuir:	-	-	O	O
Radio MA/MF/ K7:	O	S	S	S
Serrures électriques:	-	O	S	S
Lève-vitres électriques:	-	O	S	S
Volant ajustable:	S	S	S	S
Rétroviseurs ext. ajustables:	-	S	S	S
Essuie-glace intermittent:	-	S	S	S
Jantes en alliage léger:	S	S	S	S
Toit ouvrant:	-	O	O	O
Système antivol:	-			

S : standard; O : optionnel; - : non disponible

COULEURS DISPONIBLES

Extérieur: Non disponible.
Intérieur: Non disponible.

ENTRETIEN

Première révision: 5 000 km
Fréquence: 6 mois/10 000 km
Prise de diagnostic: Oui

QUOI DE NEUF EN 1995 ?

- Jantes en alliage léger de 15 pouce et toit ouvrant montés en série.
- Nouvelle teinte de carrosserie.

Modèles/ versions *: de série	Type / distribution soupapes / carburation	Cylindrée cc	Puissance ch @ tr/mn	Couple lb.pi @ tr/mn	Rapport volumét.	Roues motrices / transmissions	Rapport de pont	Accélér. 0-100 km/h s	400 m D.A. s	1000 m D.A. s	Freinage 100-0 km/h m	Vites. maxi. km/h	Accélér. latérale G	Niveau sonore dBA	Consommation l./100km Ville	Consommation l./100km Route	Carburant Octane
	MOTEURS					**TRANSMISSION**		**PERFORMANCES**									
LS	V6* 3.0 SACT-12-IEPM	2972	177 @ 5000	188 @ 4000	9.0 :1	ar/4 M5	4.636	14.0	18.7	35.4	43	165	0.70	67	14.0	13.2	R 87
						ar/4 A4	4.636	14.7	19.2	36.8	45	160	0.70	67	15.9	13.2	R 87
SR	V6* 3.5 SACT-12-IEPM	3497	214 @ 5000	228 @ 3000	9.5 :1	ar/4 A4	4.636	ND									

• **Qualité / finition: 80%**
La présentation tant extérieure qu'intérieure est plus celle d'une voiture de luxe que d'un utilitaire. La construction et la finition sont méticuleuses, mais l'abondance de plastique manque de classe.

• **Poste de conduite: 80%**
Le conducteur est assis haut et sa position de conduite rendue confortable par la colonne de direction ajustable qui est très courte mettant le volant très près du tableau de bord, ce qui donne plus de latitude en conduite tout terrain. La visibilité est satisfaisante, sauf vers l'arrière où les appuie-tête, la roue de secours et les strapontins lorsqu'ils sont relevés bouchent la lunette. Le tableau de bord est bien garni en instruments, mais on peut obtenir en option un altimètre, un inclinomètre et un thermomètre mesurant la température intérieure-extérieure.

• **Suspension: 70%**
L'amortissement ajustable justifie pleinement sa présence, mais sa souplesse, très appréciable sur autoroute, secoue sèchement les occupants sur les petites routes ou les chemins mal entretenus.

• **Commodités: 70%**
Les rangements sont aussi nombreux que pratiques, les poignées de maintien bien localisées et certains détails astucieux témoignent du souci du détail propre à Mitsubishi.

• **Accès: 70%**
Prendre place à bord du Montero ne pose pas vraiment de problème car les portes sont bien dégagées et celle disposée à l'arrière permet d'accéder à la soute sur toute sa largeur. Des marchepieds seraient bienvenus pour faciliter entrées et sorties.

• **Sièges: 60%**
Ils procurent un meilleur maintien à l'avant qu'à l'arrière où la banquette est plutôt plate. Leur rembourrage est généreux mais ferme, et les garnitures de cuir, particulièrement glissantes.

• **Habitabilité: 60%**
La cabine du Montero est plus longue et haute que large. Elle permet toutefois d'accueillir jusqu'à 6 personnes grâce au strapontin repliable vers le haut, installé dans la soute.

• **Soute: 60%**
Son volume est nettement plus important lorsque les strapontins ne sont pas utilisés.

• **Direction: 60%**
Si sa forte démultiplication la rend floue sur la route, elle est plus agréable d'emploi en tout terrain où son assistance bien dosée et son diamètre de braquage, raisonnable pour son format, permettent une bonne maniabilité.

• **Dépréciation: 50%**
Le Montero se revend bien, plus à cause de son confort et de son équipement, que de ses aptitudes en terrain difficile.

• **Assurance: 50%**
Normale pour ce type de véhicule, la prime atteint une somme rondelette pour les modèles les plus équipés.

POINTS FAIBLES

• **Performances: 20%**
Le rapport poids-puissance étant défavorable (12 kg/ch), le Montero n'est pas une bombe sur la route, particulièrement avec la transmission automatique, les accélérations et les reprises s'apparentent plutôt à celles d'un moteur Diesel, le couple à bas régime en moins.

• **Comportement: 30%**
Sur route le Montero se comporte comme une grosse familiale de luxe. Sa suspension trop souple le fait rouler dans les virages fermés, sans que cela soit dangereux vu ses modestes performances et l'amortissement ajustable proposé en option, contrôlant plus efficacement les mouvements de la caisse. Hors route sa longueur importante et sa garde-au-sol modeste limitent ses possibilités de franchissement. Son agilité est limitée par le manque de débattement des suspension, mais surtout par l'absence en série d'un différentiel à glissement limité.

• **Freinage: 40%**
L'ABS qui permet de stabiliser efficacement les arrêts d'urgence, n'est pas d'un grand secours hors route où il complique certaines manœuvres, surtout en marche arrière sur terrains gras. Sur route les distances d'arrêt sont longues et la résistance à l'échauffement moyenne.

• **Niveau sonore: 40%**
La mécanique discrète à vitesse stabilisée et l'insonorisation efficace maintiennent une ambiance paisible que seuls les bruits de roulement et de vent viennent parfois troubler.

• **Prix/équipement: 40%**
Les modèles de base sont mieux placés pour concurrencer les américains, moins gâtés en gadgets, mais plus efficaces hors route.

• **Consommation: 40%**
Elle n'est jamais vraiment économique même en usage tranquille, et elle peut atteindre des valeurs effrayantes loin des sentiers, selon l'effort demandé.

CONCLUSION

• **Moyenne générale: 57.0 %**
Le Montero s'adresse plus aux banlieusards en quête d'une sécurité tout-temps, qu'aux pistards qui se «planteront» plus souvent qu'à leur tour.

CARACTÉRISTIQUES & PRIX

Modèles	Versions	Carrosseries/ Sièges	Volume cabine l.	Volume coffre l.	Cx	Empat. mm	Long x larg x haut. mm x mm x mm	Poids à vide kg	Capacité Remorq. max. kg	Susp. av/ar	Freins av/ar	Direction type	Diamètre braquage m	Tours volant b à b.	Réser. essence l.	Pneus d'origine	Mécaniques d'origine	PRIX $ CDN. 1994
MITSUBISHI		**Modèles non commercialisés au Canada.**																
Montero		fam. 4p. 5				2725	4705x1695x1825	1875	1814	i/r	d/d	bil.ass.	11.8	3.28	92	235/75R15	V6/3.0/M5	-
Montero		fam. 4p. 5				2725	4705x1695x1825	1870	1814	i/r	d/d	bil.ass.	11.8	3.28	92	235/75R15	V6/3.0/A4	-
Montero	RS	fam. 4p. 5				2725	4705x1695x1825	1875	1814	i/r	d/d	bil.ass.	11.8	3.28	92	235/75R15	V6/3.0/M5	-
Montero	RS	fam. 4p. 5				2725	4705x1695x1825	1880	1814	i/r	d/d	bil.ass.	11.8	3.28	92	235/75R15	V6/3.0/A4	-
Montero	LS	fam. 4p. 5				2725	4705x1695x1825	1880	1814	i/r	d/d	bil.ass.	11.8	3.28	92	235/75R15	V6/3.0/A4	-
Montero	SR	fam. 4p. 5				2725	4740x1785x1880	1915	1814	i/r	d/d	bil.ass.	11.8	3.28	92	235/75R15	V6/3.0/A4	-

MITSUBISHI CHRYSLER

MITSUBISHI 3000 GT DODGE Stealth

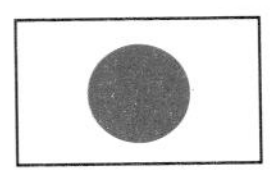

La Ferrari du pauvre...

C'est beaucoup d'honneur fait à une Ferrari F355 que de lui comparer la Dodge Stealth ou la Mitsubishi 3000 GT. En terme de sophistication technique, la roturière fait mieux que la princesse qui ne s'est mise à jour que tardivement, en proposant le plaisir de conduire au quotidien.

MITSUBISHI 3000GT VR-4

Le Stealth R/T et son clone le Mitsubishi 3000 GT, sont sans aucun doute les coupés sportifs les plus représentatifs des années 90. La version turbo à traction intégrale est aussi rapide et sophistiquée que l'ancienne Ferrari 348, alors que le modèle de base est plus habitable, plus pratique et moins cher qu'un Nissan 300ZX ou qu'un Mazda RX-7 et s'adresse à un large éventail d'acheteurs.
Chez Dodge les finitions sont: de base, R/T et R/T Turbo, et chez Mitsubishi, de base, LS et VR-4.

POINTS FORTS

• Technique: 100%
Les Stealth-3000GT dérivent, comme les Talon, de la plate-forme de la Mitsubishi Galant. Dès 1987 cette voiture, peu répandue en Amérique du Nord, offrait une technologie avancée puisqu'elle arborait la traction et la direction intégrales et une foule d'asservissements électroniques sophistiqués. La carrosserie monocoque en acier est très rigide, ce qui explique son poids important tandis que sa finesse aérodynamique varie entre 0.30 et 0.33. Retouché, le dessin de la carrosserie a gagné en simplicité et l'aileron inversé situé au bas de la lunette, est pour le moins original.
La suspension à quatre roues indépendantes partage ses éléments avec les Talon et Galant à quatre roues motrices. L'amortissement ajustable est en série sur les RT/Turbo et V-R4 et en option sur les autres. La position «Touring» réagit en fonction de la vitesse, alors que la «Sport» maintient une réponse ferme en tout temps et le pincement des roues arrière en parallèle avec celles de l'avant. Les freins à disque ventilé aux quatre roues, sont pourvus d'un dispositif antiblocage en série sur les R/T Turbo, SL et VR-4 et en option sur les modèles de base ou R/T. Le moteur des R/T Turbo et VR-4 qui est à double arbre à cames en tête avec un turbo par rangée de cylindres, développe un maximum de 320 ch. Le V6 des versions R/T et SL est identique mais atmosphérique, il délivre 222 ch alors que le moteur de

DONNÉES

Catégorie: coupés sportifs à traction avant ou intégrale.
Classe : GT

HISTORIQUE

Inauguré en: 1991
Modifié en: 1994: esthétique et toit rétractable (Mit.)
Fabriqué à: Nagoya, Japon par Mitsubishi.

INDICES

Sécurité: 90 %
Satisfaction: 90 %
Dépréciation: 60 % RT/Tbo : 55 %
Assurance: 4.5 % (1 700 $)
Prix de revient au km: 0.47 $ RT/Tbo: 0.80 $

NOMBRE DE CONCESSIONNAIRES

Au Québec: 167 Chrysler-Dodge-Plymouth-Eagle-Jeep.

VENTES AU QUÉBEC

Modèle	1992	1993	Résultat	Part de marché
Stealth	ND			
3000 GT	non commercialisé au Canada.			

PRINCIPAUX MODÈLES CONCURRENTS

CHEVROLET Corvette, MAZDA RX-7, NISSAN 300 ZX, PORSCHE 928, TOYOTA Supra.

ÉQUIPEMENT

DODGE Stealth	base	R/T	R/T Tbo			
MITSUBISHI 3000 GT				base	SL	VR-4
Boîte automatique:	O	O	-	O	O	-
Régulateur de vitesse:	S	S	S	S	S	S
Direction assistée:	S	S	S	S	S	S
Freins ABS:	S	S	S	S	S	S
Climatiseur:	S	S	S	S	S	S
Coussins gonflables (2):	S	S	S	S	S	S
Garnitures en cuir:	-	O	O	-	O	S
Radio MA/MF/ K7:	S	S	S	S	S	S
Serrures électriques:	S	S	S	S	S	S
Lève-vitres électriques:	S	S	S	S	S	S
Volant ajustable:	S	S	S	S	S	S
Rétroviseurs ext. ajustables:	S	S	S	S	S	S
Essuie-glace intermittent:	S	S	S	S	S	S
Jantes en alliage léger:	S	S	S	S	S	S
Toit ouvrant:	O	O	O	O	O	O
Système antivol:	-	O	S	-	O	S

S : standard; O : optionnel; - : non disponible

COULEURS DISPONIBLES

Extérieur: Argent, Noir, Bleu, Rouge, Blanc, Jaune.
Intérieur: Gris foncé.

ENTRETIEN

Première révision: 7 500 km
Fréquence: 6 mois
Prise de diagnostic: Oui

QUOI DE NEUF EN 1995 ?

- Version décapotable à toit rigide rétractable de la Mitsubishi 3000GT.
- Jantes en aluminium chromé et pneus Yokohama 245/40ZR18 disponibles en option.
- Équipement de base enrichi.

	MOTEURS					TRANSMISSION		PERFORMANCES									
Modèles/ versions *: de série	Type / distribution soupapes / carburation	Cylindrée cc	Puissance ch @ tr/mn	Couple lb.pi @ tr/mn	Rapport volumét.	Roues motrices / transmissions	Rapport de pont	Accélér. 0-100 km/h s	400 m D.A. s	1000 m D.A. s	Freinage 100-0 km/h m	Vites. maxi. km/h	Accélér. latérale G	Niveau sonore dBA	Consommation l./100km Ville	Consommation l./100km Route	Carburant Octane
base	V6* 3.0 SACT-12-IESPM	2972	164 @ 5500	185 @ 4000	8.9 :1	avant - M5	4.153	8.8	16.2	29.0	41	200	0.85	67	11.4	8.0	R 87
						avant - A4	3.958	9.4	17.5	30.5	43	190	0.85	67	12.0	8.4	R 87
R/T	V6* 3.0 DACT-24-IESPM	2972	222 @ 6000	205 @ 4500	10.0 :1	avant - M5*	4.153	7.8	15.0	27.7	42	230	0.87	68	12.3	8.7	S 91
						avant - A4	3.958	8.3	15.6	28.4	41	220	0.87	68	13.1	9.1	S 91
R/T Tbo	V6*T3.0 DACT-24-IESPM	2972	320 @ 6000	315 @ 2500	8.0 :1	toutes- M6*	3.870	5.5	13.9	26.0	36	250	0.90	68	13.2	8.9	S 91

base à simple arbre à cames en tête en fournit 164. Les R/T Turbo et VR-4 ont une traction intégrale en permanence, alors que les autres se contentent d'une traction avant.

• **Sécurité: 90%**
Extrêmement rigide, leur structure résiste bien aux collisions, et les occupants sont protégés par la présence en série de deux coussins gonflables.

• **Satisfaction: 90%**
Peu de propriétaires de voitures exotiques peuvent se vanter d'une fiabilité et d'une facilité d'entretien équivalentes à celles des Stealth/3000GT qui, de plus, permettent un usage quotidien sans problème. Peu importe alors que les pièces détachées soient rares et coûteuses.

• **Sièges: 90%**
Ils offrent à l'avant un excellent confort en procurant un maintien et un soutien efficaces, tandis qu'à l'arrière seuls des enfants seront à l'aise.

• **Qualité & finition: 90%**
L'assemblage précis, la finition méticuleuse et la qualité des matériaux dans son ensemble, font de ces voitures des modèles du genre.

• **Comportement: 80%**
Les réactions de la suspension ne sont jamais brutales, comparées à d'autres. Tout est douceur et nuances et la tenue en courbe va de la neutralité de la traction intégrale au sous-virage prévisible de la traction avant dont le transfert de poids est différent.

• **Commodités: 80%**
Les rangements, aussi nombreux que pratiques, incluent une grande boîte à gants, des vide-poches de portières et un coffret de console.

• **Direction: 80%**
Précise, bien assistée et démultipliée en fonction de la vitesse, elle est agréable en toutes circonstances, mais le diamètre de braquage un peu grand pénalise la maniabilité.

DODGE Stealth R/T Turbo

• **Suspension: 70%**
En position «Touring» le confort est pratiquement celui d'une berline alors qu'il est beaucoup plus spartiate sur la «Sport», dont la fermeté, indispensable aux hautes performances, est plus marquée.

• **Poste de conduite: 70%**
La visibilité est limitée du fait que le conducteur est assis bas ce qui fait paraître le tableau de bord massif, la ceinture de caisse haute et l'aileron encombrant sur la Turbo. Le nouveau volant gêne moins la lecture des instruments nombreux et lisibles, tandis que les commandes sont typiques de Mitsubishi. Ferme en conduite urbaine la pédale d'embrayage a une course un peu longue en conduite sportive.

MITSUBISHI 3000GT décapotable

• **Performances: 70%**
Le rapport poids/puissance est plus favorable avec le moteur turbo dont les accélérations et les reprises sont impressionnantes, qu'avec les atmosphériques où il faut jouer plus souvent de la transmission pour vaincre l'inertie due au poids élevé.

• **Accès: 60%**
Il n'est pas difficile de prendre place à bord grâce aux longues portes s'ouvrant assez largement. Toutefois les grands gabarits devront éviter de tenter de s'installer à l'arrière sous peine de frustration intense.

• **Assurance: 60%**
Leur prime est presque raisonnable comparée à celle de voitures plus banales ou d'exotiques aux performances équivalentes.

• **Consommation: 50%**
Elle se situe dans la moyenne des véhicules de cylindrée équivalente puisqu'elle dépasse rarement les 13 litres aux 100 km en conduite raisonnable!

• **Dépréciation: 50%**
La valeur de revente se maintient au-dessus de la moyenne, bien que les amateurs ne se bousculent pas en période de récession.

• **Freinage: 50%**
Puissant et équilibré, il résiste bien à l'échauffement, mais lors des arrêts d'urgence on constate de nombreuses amorces de blocage des roues, qui sont plus désagréables que dangereuses.

POINTS FAIBLES

• **Habitabilité: 30%**
Malgré le gabarit respectable de ces sportives, leur cabine n'accueille que deux adultes et deux jeunes enfants car les dégagements sont réduits à l'arrière.

• **Prix/équipement: 40%**
Bien qu'il soit compétitif compte tenu des possibilités et du contenu technique avancé de ces modèles, l'équipement des Dodge est moins généreux que celui des Mitsubishi vendues seulement aux États-unis.

• **Coffre: 40%**
Il ne contient pas grand chose si les places arrière sont occupées, car sa hauteur est faible et son seuil élevé ne facilite pas la manutention des bagages.

• **Niveau sonore: 40%**
Les vrais sportifs se plaindront du fait que l'insonorisation de la coque est trop efficace et qu'elle étouffe les sonorités du moteur qui font partie du plaisir de conduire ce type de voitures.

CONCLUSION

• **Moyenne générale: 66.5 %**
Ceux qui recherchent l'apparence et les sensations d'une voiture exotique pour le budget d'une grosse berline familiale n'auront d'autre choix que d'opter pour l'une d'entre elles. ☺

CARACTÉRISTIQUES & PRIX

Modèles	Versions	Carrosseries/ Sièges	Volume cabine l.	Volume coffre l.	Cx	Empat. mm	Long x larg x haut. mm x mm x mm	Poids à vide kg	Capacité Remorq. max. kg	Susp. av/ar	Freins av/ar	Direction type	Diamètre braquage m	Tours volant b à b.	Réser. essence l.	Pneus d'origine	Mécaniques d'origine	PRIX $ CDN. 1994
DODGE		**Garantie générale:3 ans / 60 000 km; mécanique 6 ans / 100 000 km; corrosion de surface : 3 ans; .**																
Stealth	base	cpé. 3 p.2+2	2330	314	0.33	2470	4560x1840x1247	1390	NR	i/i	d/d	crém.ass.	11.4	2.8	75.0	225/65HR15	V6/3.0/M5	**30 965**
Stealth	R/T	cpé. 3 p.2+2	2330	314	0.33	2470	4560x1840x1247	1435	NR	i/i	d/d	crém.ass.	11.4	2.8	75.0	225/55VR15	V6/3.0/M5	**36 115**
Stealth	R/T Turbo	cpé. 3 p.2+2	2330	314	0.33	2470	4565x1840x1253	1720	NR	i/i	d/d/ABS	crém.4RD	11.4	2.8	75.0	245/45ZR17	V6T/3.0/M6	**40 015**
MITSUBISHI		**Modèles non commercialisés au Canada.**																
3000GT	base	cpé. 3 p.2+2	2330	314	0.33	2470	4545x1840x1247	1460	NR	i/i	d/d	crém.ass.	11.4	2.8	75.0	225/65VR16	V6/3.0/M5	-
3000GT	SL	cpé. 3 p.2+2	2330	314	0.33	2470	4545x1840x1247	1530	NR	i/i	d/d/ABS	crém.ass.	11.4	2.8	75.0	225/55VR16	V6/3.0/M5	-
3000GT	VR-4	cpé. 3 p.2+2	2330	314	0.33	2470	4545x1840x1253	1725	NR	i/i	d/d/ABS	crém.4RD	11.4	2.8	75.0	245/45ZR17	V6T/3.0/M6	-

Voir la liste complète des prix 1995 à partir de la page 393.

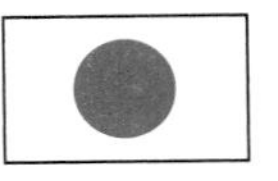

Nissan a misé juste...

Pour renforcer sa position sur le marché nord-américain Nissan comptait sur l'Altima qui est sa seule représentante dans le segment, très chaud, des compactes inférieures. En faisant les bons compromis il a frappé dans le mille, mais arrivera-t-il à la priver longtemps d'un moteur V6 ?

L'Altima entame sa troisième année sur le marché. Elle a succédé fin 92 à la Stanza dont elle a conservé la plate-forme et le principal de la mécanique. Plus américaine que japonaise, elle fut dessinée à San Diego chez NDI, mise en chantier au Michigan, fabriquée dans le Tennessee et son contenu local est de 70%, car la mécanique vient du Mexique. Il s'agit d'une berline à 3 volumes et 4 portes, offerte en quatre finitions, XE, GXE, SE et GLE.

POINTS FORTS

• Sécurité: 80%
Malgré les panneaux latéraux montés en une seule pièce pour donner une rigidité maximale, la résistance structurelle pourrait être encore améliorée, mais deux coussins d'air sont livrés en série.

• Satisfaction: 80%
La fiabilité ne pose pas de problème puisque 83% des propriétaires se déclarent très satisfaits.

• Qualité & finition: 80%
La présentation tant extérieure qu'intérieure est soignée, les matériaux ayant une belle apparence et l'assemblage, comme la finition, est rigoureux. Bien qu'elle soit un peu voyante l'applique de faux bois qui barre la planche de bord, a au moins l'avantage de l'égayer.

• Poste de conduite: 80%
Il est simple et rapide de trouver la meilleure position de conduite grâce aux différents ajustements du siège et de la colonne de direction. La visibilité est excellente vers l'avant et les côtés, mais réduite de 3/4 arrière où le pilier C est épais. La planche de bord, de forme arrondie, est simple et fonctionnelle, les instruments y sont faciles à déchiffrer et les commandes conventionnelles, à l'exception des interrupteurs disposés sous le volant qui sont pratiquement invisibles.

• Assurance: 80%
Si l'Altima fait jeu égal avec la Mazda 626, seule la prime de la Camry est encore plus avantageuse.

• Suspension: 70%
Sa souplesse est aussi appréciable sur autoroute que sur petites routes rugueuses, car son débattement est suffisant et seuls les gros défauts de la route provoquent la mauvaise humeur de l'essieu arrière.

• Comportement: 70%
L'Altima est sûre à conduire, car elle est stable dans la plupart des cas. Toutefois la souplesse de sa suspension engendre un roulis qui accélère l'apparition du sous-virage. Les mouvements de caisse sont mieux contrôlés sur la SE et surtout la GLE qui passent plus rapidement en virage fermé.

• Technique: 70%
L'Altima est une voiture écologique, car sa conception a fait l'objet de soins particuliers concernant les problèmes environnementaux. Les matières plastiques qui la composent sont recyclables, ses peintures à base d'eau et son climatiseur fonctionne sans CFC.Toutes les versions reçoivent un 4 cylindres de 2.4L développant 150 ch avec transmission manuelle ou automatique. La version SE est équipée d'une traction assistée tandis que le train arrière possède un pincement variable qui améliore le comportement. Sans battre de grands

DONNÉES

Catégorie: berlines compactes tractées.
Classe : 4

HISTORIQUE

Inauguré en: 1993
Modifié en: -
Fabriqué à: Smyrna, TE, É-U.

INDICES

Sécurité: 90 %
Satisfaction: 83 %
Dépréciation: 33 % (2 ans)
Assurance: 5.0 % (975 $)
Prix de revient au km: 0.40 $

NOMBRE DE CONCESSIONNAIRES

Au Québec: 58

VENTES AU QUÉBEC

Modèle	1992	1993	Résultat	Part de marché
Altima	631	2 700	+428 %	4.2 %

PRINCIPAUX MODÈLES CONCURRENTS

BUICK Skylark, CHEVROLET Cavalier-Corsica, CHRYSLER Cirrus, DODGE-Stratus, FORD Contour, HONDA Accord, MAZDA 626, MERCURY Mystique, OLDSMOBILE Achieva, PONTIAC Grand Am, SUBARU Legacy, TOYOTA Camry, VOLKSWAGEN Passat.

ÉQUIPEMENT

NISSAN Altima	XE	GXE	SE	GLE
Boîte automatique:	O	O	O	S
Régulateur de vitesse:	S	S	S	S
Direction assistée:	S	S	S	S
Freins ABS:	-	O	S	S
Climatiseur:	O	S	S	S
Coussins gonflables (2):	S	S	S	S
Garnitures en cuir:	-	-	O	S
Radio MA/MF/ K7:	S	S	S	S
Serrures électriques:	-	S	S	S
Lève-vitres électriques:	-	S	S	S
Volant ajustable:	S	S	S	S
Rétroviseurs ext. ajustables:	S	S	S	S
Essuie-glace intermittent:	S	S	S	S
Jantes en alliage léger:	O	O	O	S
Toit ouvrant:	-	O	O	S
Système antivol:	-			

S : standard; O : optionnel; - : non disponible

COULEURS DISPONIBLES

Extérieur: Blanc, Rubis, Beige, Bleu, Platine, Charbon, Sarcelle.
Intérieur: Tissu: Brun, Ecru, Noir, Gris bleu,
Cuir: Charbon, Sarcelle, Gris bleu.

ENTRETIEN

Première révision: 12 000 km
Fréquence: 12 000 km
Prise de diagnostic: Oui

QUOI DE NEUF EN 1995 ?

- Légères retouches cosmétiques comprenant une nouvelle calandre et des feux arrière redessinés.

MOTEURS						TRANSMISSION		PERFORMANCES										
Modèles/ versions *: de série	Type / distribution soupapes / carburation	Cylindrée cc	Puissance ch @ tr/mn	Couple lb.pi @ tr/mn	Rapport volumét.	Roues motrices / transmissions	Rapport de pont	Accélér. 0-100 km/h s	400 m D.A. s	1000 m D.A. s	Freinage 100-0 km/h m	Vites. maxi. km/h	Accélér. latérale G	Niveau sonore dBA	Consommation l./100km Ville	Consommation l./100km Route	Carburant Octane
base	L4* 2.4 DACT-16-ISPM	2389	150 @ 5600	154 @ 4400	9.2 :1	avant - M5*	3.650	8.9	16.6	29.7	39	200	0.82	65	9.9	7.2	R 87
						avant - A4	3.619	9.5	17.0	30.8	40	190	0.82	65	11.1	7.6	R 87
SE	L4* 2.4 DACT-16-ISPM	2389	150 @ 5600	154 @ 4400	9.2 :1	avant - M5	3.895	8.5	16.0	29.2	40	190	0.85	65	9.9	7.2	R 87

records d'originalité, ses lignes sont harmonieuses mais leur efficacité aérodynamique n'est que moyenne avec un cœfficient de 0.34.

• Performances: 70%
Le moteur donne l'impression d'aller plus vite que le chronomètre le sanctionne, car le poids est élevé et le rapport poids/puissance de 9 kg/ch est moyen, ce qui explique la consommation un peu plus élevée que la moyenne. Les accélérations sont laborieuses, en revanche les reprises sont plus toniques.

• Direction: 70%
Directe et bien dosée, sa précision, comme sa démultiplication, est suffisante, mais un diamètre de braquage un peu grand limite la maniabilité.

• Sièges: 70%
Ils sont aussi bien formés que rembourrés, quoique la banquette qui comprend de faux appuie-tête, manque de hauteur.

• Commodités: 70%
La climatisation est aussi efficace que facile à régler et les flux d'air, chaud comme froid, sont bien répartis dans la cabine. Les rangements comprennent une boîte à gants de bonne taille, des petits vide-poches de porte, ainsi qu'un coffret et un évidement sur la console centrale.

• Habitabilité: 60%
Elle n'est que moyenne, car l'espace pour les jambes est limité aux places arrière et 4 personnes seulement y seront à l'aise. Toutefois la hauteur sous le pavillon conviendra aux grands gabarits.

• Niveau sonore: 60%
Il est bas à vitesse de croisière, mais à chaque reprise énergique, le moteur se met à beugler de façon peu harmonieuse.

• Coffre: 60%
Il n'est pas proportionnel à l'encombrement total, car il manque de profondeur et ne se transforme pas. Un passage existe cependant derrière l'accoudoir central pour installer des skis ou des objets longs.

• Prix/équipement: 55%
Légèrement inférieurs à ceux de la concurrence, les prix se justifient par un niveau d'équipement satisfaisant même de base. Pour les plus difficiles, c'est la GXE qui offre le meilleur compromis.

• Consommation: 55%
L'Altima consomme 11.5 l aux 100 km en conduite normale, mais elle peut atteindre facilement 14.5 litres sur le mode sportif.

• Dépréciation: 50%
L'Altima conserve une meilleure valeur de revente que la Stanza du fait de sa fiabilité et de l'excellente garantie de Nissan qui prend bien soin de ses clients. Une démarche courageuse qui fait déjà école.

• Freinage: 50%
Son efficacité est meilleure à froid qu'à chaud et l'ABS devrait être livré en série, car les arrêts d'urgence ne sont pas toujours linéaires lorsque l'Altima en est dépourvue. En cas d'abus, les distances s'allongent rapidement et son efficacité s'envole en fumée.

POINTS FAIBLES

• Accès: 40%
S'il est facile de s'installer à l'avant, c'est plus difficile à l'arrière où la forme arrondie de la porte oblige à pencher la tête, coutume normale de la culture japonaise.

CONCLUSION

• Moyenne générale: 63.0 %
L'Altima n'offre rien d'exceptionnel, mais elle est le résultat d'une somme de bons compromis, qui font qu'elle est aussi agréable à regarder qu'à conduire et que son budget d'opération est fort raisonnable. Un moteur V6 améliorerait encore sa position et son attrait. 😐

SUGGESTIONS DES PROPRIÉTAIRES

- Un moteur V6.
- Plus d'espace en largeur.

CARACTÉRISTIQUES & PRIX

Modèles	Versions	Carrosseries/ Sièges	Volume cabine l.	Volume coffre l.	Cx	Empat. mm	Long x larg x haut. mm x mm x mm	Poids à vide kg	Capacité Remorq. max. kg	Susp. av/ar	Freins av/ar	Direction type	Diamètre braquage m	Tours volant b à b.	Réser. essence l.	Pneus d'origine	Mécaniques d'origine	PRIX $ CDN. 1994
NISSAN		**Garantie générale: 3 ans / 80 000 km; mécanique: 6 ans / 100 000 km; perforation corrosion et antipollution: 6 ans / kilométrage illimité.**																
Altima	XE	ber.4 p.5	2632	396	0.35	2619	4585x1704x1420	1283	454	i/i	d/t	crém.ass.	11.4	2.8	60.0	205/60R15	L4/2.4/M5	**18 190**
Altima	GXE	ber.4 p.5	2632	396	0.35	2619	4585x1704x1420	1333	454	i/i	d/t	crém.ass.	11.4	2.8	60.0	205/60R15	L4/2.4/M5	**20 790**
Altima	SE	ber.4 p.5	2632	396	0.34	2619	4585x1704x1420	1373	454	i/i	d/d/ABS	crém.ass.	11.4	2.8	60.0	205/60R15	L4/2.4/M5	**23 290**
Altima	GLE	ber.4 p.5	2632	396	0.34	2619	4585x1704x1420	1403	454	i/i	d/d/ABS	crém.ass.	11.4	2.8	60.0	205/60R15	L4/2.4/A4	**26 790**

Voir la liste complète des prix 1995 à partir de la page 393.

Trop en avance?

Après la Multi et avec la familiale Colt, l'Axxess a été une pionnière dans la recherche d'un compromis intelligent entre les familiales classiques et les utilitaires. L'échec aux États-Unis et l'arrivée de nouveaux modèles semblent conforter l'Axxess au moment où elle va disparaître.

L'Axxess se situe entre une mini-fourgonnette et une familiale classique dont la cabine est plus haute que la moyenne et dont les portes latérales arrière coulissantes constituent sa plus grande originalité. Elle n'est plus offerte qu'en version à deux roues motrices XE et SE, celle à traction intégrale étant retirée. Le moteur reste le 4 cylindres de 2.4L à 12 soupapes qui équipe aussi l'Altima, la 240SX et la camionnette Costaud de base.

POINTS FORTS

• Qualité & finition: 80%
La présentation est agréable à l'œil et soignée et la qualité des matériaux, ou de la finition, apporte à ces familiales une touche originale et luxueuse qui fait partie de leur charme.

• Satisfaction: 75%
Ces familiales donnent peu de problèmes et jouissent d'une bonne garantie.

• Habitabilité: 75%
Comme la mécanique prend beaucoup de place à l'avant, la longueur de l'habitacle est limitée vers l'arrière. Les occupants de la banquette centrale disposent d'assez de place pour les jambes, contrairement à ceux de la seconde banquette, livrée en option sur la version 7 passagers, qui ne pourra être occupée que par des enfants.

• Poste de conduite: 70%
Assis haut, le conducteur jouit d'une excellente visibilité et dispose de commandes organisées de manière traditionnelle. Les instruments sont clairs et bien disposés, mais l'on ne trouve pas de rappel de la sélection de la boîte automatique parmi les principaux cadrans.

• Technique: 70%
Les lignes simples et arrondies de l'Axxess, n'ont pas pris une ride, et ne produisent qu'un modeste cœfficient aérodynamique de 0.36. La carrosserie monocoque en acier Durasteel, possède une suspension indépendante aux quatre roues et un freinage mixte qui n'a jamais entendu parler du système ABS.

• Sécurité: 70%
Bien qu'elle ne soit pas équipée d'ABS ni de coussin gonflable, l'Axxess possède des renforts dans les portes et le toit afin de mieux résister aux impacts latéraux et aux capotages. Des appuie-tête ajourés, montés en série aux places arrière, lui donnent un certain avantage sur la plupart de ses concurrentes de fabrication domestique sur lesquelles ce point reste négligé.

• Sièges: 70%
Leurs proportions et leur rembourrage sont adéquats, mais les sièges avant maintiennent mieux que la banquette qui n'est pas très galbée.

• La suspension: 70%
Douce et molle, elle procure un confort plus appréciable sur autoroute que sur petite route sinueuse en mauvais état où elle roule facilement et réagit séchement aux défauts du revêtement.

• Soute: 60%
Inexistante dans la version à 7 places, sa capacité est limitée par l'importance des puits d'amortisseurs sur la version 5 passagers. De plus, la banquette centrale se replie mais on ne peut la démonter, ce

DONNÉES

Catégorie: familiales compactes à traction avant.
Classe : 4

HISTORIQUE

Inauguré en: 1988
Modifié en: -
Fabriqué à: Kyushiu, Japon.

INDICES

Sécurité:	60 %
Satisfaction:	75 %
Dépréciation:	62 %
Assurance:	5.6 % (975 $)
Prix de revient au km:	0.42 $

NOMBRE DE CONCESSIONNAIRES

Au Québec: 58

VENTES AU QUÉBEC

Modèle	1992	1993	Résultat	Part de marché
Axxess	1 153	836	-27.5 %	2.3 %

PRINCIPAUX MODÈLES CONCURRENTS

DODGE-PLYMOUTH Caravan-Voyager (2.5L), DODGE-PLYMOUTH Colt Wagon, EAGLE Summit Wagon, MAZDA MPV (2.6L), TOYOTA Previa.

ÉQUIPEMENT

NISSAN Axxess 4x2	XE	SE
Boîte automatique:	O	O
Régulateur de vitesse:	S	S
Direction assistée:	O	O
Freins ABS:	-	-
Climatiseur:	O	S
Coussin gonflable:	-	-
Garnitures en cuir:	-	-
Radio MA/MF/ K7:	S	S
Serrures électriques:	S	S
Lève-vitres électriques:	S	S
Volant ajustable:	S	S
Rétroviseurs ext. ajustables:	S	S
Essuie-glace intermittent:	S	S
Jantes en alliage léger:	-	S
Toit ouvrant:	O	O
Système antivol:	O	O

S : standard; O : optionnel; - : non disponible

COULEURS DISPONIBLES

Extérieur: Argent, Bleu Royal-Bleu Cristal, Grenat, Brun, Gris foncé, Blanc.
Intérieur: Gris, Bleu.

ENTRETIEN

Première révision: 12 000 km
Fréquence: 12 000 km
Prise de diagnostic: Non

QUOI DE NEUF EN 1995 ?

- **Version à traction intégrale retirée du catalogue.**
- **Climatiseur sans CFC.**
- **Nouvelle galerie de toit à glissière et jantes en alliage léger incluses dans l'équipement standard de la version SE.**

	MOTEURS					TRANSMISSION		PERFORMANCES										
Modèles/ versions *: de série	Type / distribution soupapes / carburation	Cylindrée cc	Puissance ch @ tr/mn	Couple lb.pi @ tr/mn	Rapport volumét.	Roues motrices / transmissions	Rapport de pont	Accélér. 0-100 km/h s	400 m D.A. s	1000 m D.A. s	Freinage 100-0 km/h m	Vites. maxi. km/h	Accélér. latérale G	Niveau sonore dBA	Consommation l./100km Ville	Consommation l./100km Route	Carburant Octane
base	L4* 2.4 SACT-12-IESPM	2389	138 @ 5600	148 @ 4400	9.1 :1	avant - M5*	3.895	9.0	16.8	29.5	47	170	0.72	66	11.1	8.4	R 87
						avant - A4	3.876	10.0	17.1	31.0	46	165	0.72	66	12.0	8.9	R 87

qui limite encore le volume cargo.

• Direction: 60%
Bien que précise, elle est trop démultipliée ce qui pénalise la maniabilité en conduite urbaine et son assistance trop forte la rend sensible sur route, surtout si le vent souffle de travers.

• Performances: 60%
Elles sont plus comparables à celles d'une automobile que d'un utilitaire, mais le moteur est fortement sollicité en toutes circonstances, particulièrement avec la transmission automatique, ce qui fait regretter l'absence d'un V6.

• Prix/équipement: 60%
L'Axxess paraît plutôt chère compte tenu de son manque de polyvalence et des prix de la concurrence. Cela s'explique par la force du Yen et son équipement qui est très complet même sur le modèle de base.

• Assurance: 60%
La prime de l'Axxess égale celle d'une berline compacte et est plus élevée que celle des mini-fourgonnettes Caravan-Voyager par exemple.

• Accès: 60%
Très pratiques en stationnement serré, les portes arrière coulissantes ne dégagent pas une ouverture suffisante pour permettre aux personnes corpulentes d'embarquer facilement et l'espace restreint entre les sièges avant interdit tout passage vers l'arrière de la cabine.

• Niveau sonore: 50%
Efficace, l'insonorisation maintient un faible niveau de bruit à vitesse de croisière, mais le moteur signale fortement sa présence lors des accélérations et reprises tandis que les bruits de vent et de roulement augmentent avec la vitesse.

• Consommation: 50%
Sollicité par le poids et le gabarit, le moteur est plus glouton que la moyenne, mais comme le réservoir est assez volumineux, l'autonomie atteint 500 km.

• Comportement: 50%
Très souple, la suspension favorise un roulis important, les mouvements de caisse qui en résultent sont plus spectaculaires que dangereux et le sous-virage reste facile à maîtriser.

POINTS FAIBLES

• Freinage: 40%
Facile à doser en usage normal, il manque autant d'efficacité que d'endurance lors des arrêts panique où les distances sont longues et les trajectoires incertaines, car privées d'ABS, les roues avant bloquent très vite.

• Dépréciation: 40%
Du fait de la forte concurrence qui règne désormais dans ce secteur du marché, la valeur de revente des Axxess a encore perdu des points.

CONCLUSION

• Moyenne générale: 58.5 %
Après avoir été le premier et le seul représentant de sa formule hybride, l'Axxess va se retirer au moment où d'autres, comme la Honda Odyssey, arrivent avec le même but, qui est de faire la jonction entre les familiales et les fourgonnettes. 😐

SUGGESTIONS DES PROPRIÉTAIRES

- **-Coussin d'air et ABS en série.**
- **-Banquette amovible.**
- **-Suspension plus ferme (2 RM).**
- **-Plancher arrière plus long.**
- **-Plus de rangements.**
- **- Une version plus longue avec portes normales comme le Mitsubishi Expo.**
- **-Un moteur V6 plus puissant.**
- **-Une traction assistée par viscocouplage plutôt qu'une transmission intégrale.**

CARACTÉRISTIQUES & PRIX

Modèles	Versions	Carrosseries/ Sièges	Volume cabine l.	Volume coffre l.	Cx	Empat. mm	Long x larg x haut. mm x mm x mm	Poids à vide kg	Capacité Remorq. max. kg	Susp. av/ar	Freins av/ar	Direction type	Diamètre braquage m	Tours volant b à b.	Réser. essence l.	Pneus d'origine	Mécaniques d'origine	PRIX $ CDN. 1994
NISSAN		**Garantie générale: 3 ans / 80 000 km; mécanique: 6 ans / 100 000 km; perforation corrosion & antipollution: 6 ans / kilométrage illimité.**																
Axxess	XE	fam.5p.5	3260	1004	0.36	2610	4365x1690x1640	1332	907	i/i	d/t	crém.ass.	10.6	3.26	65.0	195/70R14	L4/2.4/M5	**17 990**
Axxess	SE	fam.5p.5	3260	1004	0.36	2610	4365x1690x1640	1321	907	i/i	d/t	crém.ass.	10.6	3.26	65.0	195/70R14	L4/2.4/M5	**19 490**

Voir la liste complète des prix 1995 à partir de la page 393.

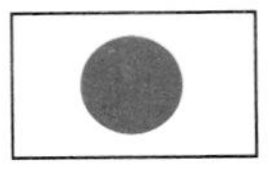

Érosion...

Avec le temps le marché de la camionnette compacte est devenu plus compétitif, les américaines plus pertinentes et les clients plus difficiles comme les affaires. Pendant ce temps Nissan s'est endormi et a perdu peu à peu le rôle de leader qu'il avait sur ce marché au début des années 80.

À une certaine époque les camionnettes Costaud furent très populaires car elles étaient les premières à offrir une cabine allongée (King Cab) et un moteur V6 (1986). Elles sont vendues avec caisse ordinaire avec cabine normale ou allongée (King Cab), à deux ou quatre roues motrices dans les finitions, de base, XE et XE-V6. Le moteur 4 cylindres de 2.4L,un des plus puissants de sa catégorie, est livré en série sur le modèle de base alors que le V6 de 3.0L équipe la version XE-V6. La transmission de série est manuelle à 5 vitesses ou automatique à 4 rapports en option. Les 4x4 sont équipées d'origine de plaques de protection localisées sous la mécanique et le réservoir.

POINTS FORTS

• Satisfaction: **90%**
Sa cote demeure élevée, car la fiabilité est bonne et la garantie, l'une des meilleures du marché.

• Sièges: **70%**
Ceux des finitions XE, identiques à ceux du Pathfinder, offrent un confort semblable à celui que l'on trouve sur des voitures sportives, alors que la banquette des modèles de base fournira une bonne excuse pour ne pas aller travailler...

• Qualité & finition: **70%**
L'assemblage et la finition de ces utilitaires sont de qualité égale à ceux des automobiles de la marque. La présentation de la cabine a été améliorée par le nouveau dessin du tableau de bord, et certains aménagements de couleurs des garnitures ne font pas utilitaires...

• Sécurité: **70%**
La rigidité structurelle et la protection du passager sont parmi les meilleures pour ce type de véhicule, par contre la protection du conducteur souffre de l'absence d'un coussin gonflable et d'un freinage ABS intégral.

• Poste de conduite: **70%**
Le conducteur est mieux installé sur les versions équipées de sièges

DONNÉES

Catégorie: camionnettes compactes propulsées ou intégrales.
Classe : utilitaires

HISTORIQUE

Inauguré en: 1965
Modifié en: 1981, 1986.
Fabriqué à: Smyrna, Tenessee, États-Unis.

INDICES

Sécurité: 60 %
Satisfaction: 90 %
Dépréciation: 58 %
Assurance: 6.5 % (975 $)
Prix de revient au km: 0.40 $

NOMBRE DE CONCESSIONNAIRES

Au Québec: 58

VENTES AU QUÉBEC

Modèle	1992	1993	Résultat	Part de marché
Costaud	1 050	1 031	-1.8 %	9.2 %

PRINCIPAUX MODÈLES CONCURRENTS

DODGE Dakota, FORD Ranger, CHEVROLET S-10, GMC Sonoma, ISUZU MAZDA B, MITSUBISHI Mighty Max, TOYOTA.

ÉQUIPEMENT

NISSAN Costaud 4x2 & 4X4	std	ord. XE	ord. XE	K.Cab SE-V6	K.Cab
Boîte automatique:	-	O	O	O	
Régulateur de vitesse:	-	-	-	S	
Direction assistée:	-	O	O	O	
Freins ABS roues arrière:	S	S	S	S	
Climatiseur:	O	O	O	O	
Coussin gonflable:	-	S	S	S	
Garnitures en cuir:	-	-	-	-	
Radio MA/MF/ K7:	-	O	O	S	
Serrures électriques:	-	-	-	O	
Lève-vitres électriques:	O	O	O	O	
Volant ajustable:	O	O	O	S	
Rétroviseurs ext. ajustables:	-	O	O	S	
Essuie-glace intermittent:	S	S	S	S	
Jantes en alliage léger:	-	-	-	O	
Toit ouvrant:	-	-	-	O	
Système antivol:	-	-	-	O	

S : standard; O : optionnel; - : non disponible

COULEURS DISPONIBLES

Extérieur: Blanc, Rouge, Noir, Grenat, Argent, Bleu.
Intérieur: Gris, Brun.

ENTRETIEN

Première révision: 12 000 km
Fréquence: 12 000 km
Prise de diagnostic: Non

QUOI DE NEUF EN 1995 ?

- Aucun changement majeur, si ce n'est l'appellation des modèles et le réaménagement de la gamme.

MOTEURS						TRANSMISSION		PERFORMANCES									
Modèles/ versions *: de série	Type / distribution soupapes / carburation	Cylindrée cc	Puissance ch @ tr/mn	Couple lb.pi @ tr/mn	Rapport volumét.	Roues motrices / transmissions	Rapport de pont	Accélér. 0-100 km/h s	400 m D.A. s	1000 m D.A. s	Freinage 100-0 km/h m	Vites. maxi. km/h	Accélér. latérale G	Niveau sonore dBA	Consommation l./100km Ville	Consommation l./100km Route	Carburar Octane
base- XE	L4* 2.4 SACT-8-IESPM	2389	134 @ 5200	154 @ 3600	8.6 :1	arrière - M5*	3.545	13.5	19.0	37.5	55	155	ND	69	10.2	8.0	R 87
						arrière - A4	3.700	14.0	19.5	38.0	58	160	ND	69	11.1	8.3	R 87
base- XE 4x4	L4* 2.4 SACT-8-IESPM	2389	134 @ 5200	154 @ 3600	8.6 :1	toutes - M5*	4.375	14.0	19.7	37.8	57	155	ND	69	12.8	9.9	R 87
V6 & SE	V6* 3.0 SACT-12-IESPM	2960	153 @ 4800	180 @ 4000	9.0 :1	arrière - M5*	3.700	12.0	18.5	35.0	56	165	ND	68	12.2	9.1	R 87
						arrière - A4	3.900	12.8	18.8	35.7	58	160	ND	68	13.1	9.2	R 87
V6 & SE 4x4	V6* 3.0 SACT-12-IESPM	2960	153 @ 4800	180 @ 4000	9.0 :1	toutes - M5*	4.375	12.0	18.6	35.4	55	165	ND	68	15.1	11.1	R 87
						toutes - A4	4.625	12.8	19.0	36.2	54	160	ND	68	15.1	11.2	R 87

ndividuels, dont les dossiers inclinables procurent un maintien et un soutien plus efficaces que a banquette d'origine. L'instrumentation, rudimentaire, se multiplie au fur et à mesure que la facture s'allonge, pour devenir aussi nombreuse que sur une voiture de sport sur les XE-V6, puisqu'on y trouve deux compteurs journaliers... La plupart des commandes sont disposées à la japonaise et la visibilité est excellente, sauf latéralement sur la King Cab dont le pilier B est large et gênant.

• Comportement: 60%
Il est moyen soit parce que la suspension du modèle de base est trop souple, soit parce que celle des 4x4 est trop ferme, associée au gros pneus qui rebondissent beaucoup. Il faut être prudent à vide sur chaussée mouillée,

• Direction: 60%
Elle est plus précise et mieux démultipliée lorsqu'elle est assistée que la manuelle du modèle de base dont la conduite est plus pénible. Toutefois l'assistance un peu forte la rend légère en vitesse et demande de la vigilance lorsque le vent souffle.

• Technique: 60%
La carrosserie en acier des Costaud est fixée sur un châssis en échelle à cinq traverses. La suspension avant est indépendante tandis qu'à l'arrière l'essieu rigide est maintenu par des ressorts à lames. Les freins sont à disques et tambours à l'arrière, et seules les versions 4x4 sont dotées en série d'un système ABS agissant uniquement sur les roues arrière.

• Accès: 60%
Il est encore plus difficile de grimper à bord des versions 4x4 ou à l'arrière de la King Cab que dans la version à deux roues motrices dont la garde-au-sol est plus modeste.

• Prix/équipement: 60%
Les prix ont singulièrement augmenté ces dernières années et l'équipement du modèle de base est toujours aussi dépouillé; ce n'est que sur la version XE-V6 qu'il est le plus complet, et semblable à celui d'une automobile.

• Assurance: 50%
La prime ne varie guère entre la camionnette moins chère et la plus équipée qui coûte le même prix qu'une automobile compacte.

• Suspension: 50%
Celle des 4x4 réagit durement aux moindres défauts de la chaussée et ses réactions sont amplifiées par les énormes pneus des XE-V6. Hors route, il ne faut pas aller trop vite si l'on ne veut pas se démettre tous les os du corps, à la manière d'un rodéo...

• Dépréciation: 50%
C'est surtout l'usage qui fixera la valeur de revente de ces véhicules et on tirera plus d'une camionnette qui a servi de seconde voiture que d'une bête de chantier battue à longueur de journée.

• Habitabilité: 50%
La cabine normale ne peut accueillir confortablement que deux personnes, alors que la King Cab pourra loger deux enfants sur les strapontins dans la partie arrière, espace qui sera mieux utilisé pour y remiser des bagages.

• Rangements: 50%
Il se résume à une boîte à gants et un évidement du tableau de bord sur le modèle de base alors que le XE-V6 possède en plus un coffret de console et des vide-poches de portes.

• Performances: 50%
Malgré des accélérations et des reprises très honnêtes, on constate un manque de couple flagrant à bas régime avec les deux moteurs, ce qui est gênant lorsqu'on circule en charge ou en tout terrain avec le V6.

POINTS FAIBLES

• Soute: 30%
Inexistante sur la cabine régulière, elle offre un volume utile appréciable à l'arrière de la King Cab lorsque les strapontins sont relevés, mais n'est pas facile d'accès.

• Freinage: 40%
Il ne s'est pas beaucoup amélioré ces dernières années, car les distances d'arrêt sont très longues, les roues avant bloquant tôt et l'endurance des garnitures n'étant pas à toute épreuve. Un dispositif ABS intégral s'impose.

• Le niveau sonore: 40%
Ce sont les bruits de moteur et de roulement qui dominent, même sur les versions XE dont l'insonorisation est pourtant plus soignée.

• Consommation: 40%
Aucun des deux moteurs n'est véritablement économique surtout lorsqu'ils sont fortement sollicités, que ce soit pour transporter de lourdes charges ou pour évoluer en terrain difficile.

CONCLUSION

• Moyenne générale: 56.0 %
Plutôt que d'effectuer des retouches esthétiques plus ou moins utiles, Nissan aurait mieux fait de mettre ses utilitaires à niveau du point de vue de la sécurité en les équipant de coussins d'air et d'un freinage ABS intégral. 😐

CARACTÉRISTIQUES & PRIX

Modèles	Versions	Carrosseries/ Sièges	Empat. mm	Long x larg x haut. mm x mm x mm	Poids à vide kg	Capacité Remorq. max. kg	Susp. av/ar	Freins av/ar	Direction type	Diamètre braquage m	Tours volant b à b.	Réser. essence l.	Pneus d'origine	Mécaniques d'origine	PRIX $ CDN. 1994
NISSAN	**Garantie générale: 3 ans / 80 000 km; mécanique: 6 ans / 100 000 km; perforation corrosion & antipollution: 6 ans / kilométrage illimité.**														
Costaud 4x2															
	normale XE	cam. 2 p.2	2650	4435x1651x1575	1281	907	i/r	d/t	bil.	10.2	3.8	60.0	195/75R14	L4/2.4/M5	**11 790**
	King Cab XE	cam. 2 p.2+2	2950	4825x1651x1575	1320	1588	i/r	d/t	bil.ass.	11.2	3.8	60.0	195/75R14	L4/2.4/M5	**14 290**
	King Cab XE-V6	cam. 2 p.2+2	2950	4825x1651x1575	1470	1588	i/r	d/t	bil.ass.	11.2	3.0	60.0	215/75R14	V6/3.0/M5	**17 690**
Costaud 4x4															
	XE	cam. 2 p.2	2650	4435x1690x1695	1574	1588	i/r	d/t/ABS	bil.ass.	10.8	3.0	60.0	235/75R15	L4/2.4/M5	**16 590**
	King Cab XE-V6	cam. 2 p.2+2	2950	4825x1690x1695	1771	1588	i/r	d/t/ABS	bil.ass.	11.8	3.0	80.0	235/75R15	V6/3.0/M5	**20 890**

Voir la liste complète des prix 1995 à partir de la page 385.

La meilleure recrue de l'année...

La dernière cuvée de la Maxima promet d'être un aussi grand millésime que celle qu'elle remplace. Sous un corps différent, nous avons découvert une berline polyvalente très homogène aux performances capiteuses et au comportement racé dans un bouquet de versions personnalisées.

La Maxima règne sur le segment bas des voitures de luxe qu'elle a inauguré voici quatorze ans. Elle conserve cette année encore son titre de championne et se permet de remporter celui de meilleure recrue de l'année en raflant le pointage le plus élevé, relevé parmi les nouveautés 1995. Cette berline quatre portes dont la ligne a radicalement changé pour devenir plus ramassée dans un style inspiré de celui de l'Altima, est toujours offerte en versions populaire GXE, sportive SE et luxueuse GLE. Ces versions ne diffèrent que par le niveau de leur équipement et le luxe de leur présentation, sinon leur mécanique est strictement identique.

POINTS FORTS

• Satisfaction: 95%
Les propriétaires sont unanimes: les Maxima causent peu de soucis. Il y n'a pas de raison pour que cela change avec le nouveau modèle et 90% d'entre eux referaient le même achat. Toutefois ils mentionnent que les pièces de rechange sont rares et assez coûteuses.

• Technique: 90%
La carrosserie monocoque en acier de la dernière Maxima possède une suspension indépendante et des freins à disque aux quatre roues. Si à l'avant on a affaire à une épure McPherson modifiée, à l'arrière Nissan inaugure un système multibras selon le principe mécanique de Scott-Russell. Le moteur unique est le V6 3.0L à double arbre à cames en tête donnant 190 ch qui équipait seulement la SE l'an dernier et qui dérive de celui de la 300ZX. Les GXE et SE sont équipées en série d'une transmission manuelle à 5 vitesses et la GLE d'une automatique à 4 rapports qui est offerte en option sur les deux premières. Sa ligne plus anonyme n'en est pas moins efficace puisque son Cx est de 0.32. Seule la sportive SE est équipée en série d'un différentiel à glissement limité à viscocouplage.

• Sécurité: 90%
L'ancien modèle était déjà reconnu comme l'un des plus rigides au monde, et Nissan annonce que la structure du nouveau est encore 10% plus résistante! Comme il se doit de nos jours, les occupants des places avant sont protégés par deux coussins d'air, mais l'ABS controversé n'est monté en série que sur la GLE.

• Performances: 85%
Accélérer de 0 à 100 km/h en moins de 8 secondes à bord d'une berline moyenne à transmission automatique n'est pas banal et les reprises sont aussi musclées. Le grand avantage de cette mécanique est d'être aussi à l'aise à vitesse de promenade qu'à la recherche de sensations sportives sans bruit ni vibration intempestifs. Le rapport poids/puissance favorable de 7.3 kg/ch explique autant le rendement intéressant que la consommation raisonnable.

• Qualité & finition: 85%
Solidement construite, minutieusement assemblée et finie avec soin, elle dégage une impression de netteté forte et rassurante et si les parures intérieures de la GXE sont moins flamboyantes que celles des SE, GLE leur apparence ne fait pas pour autant bon marché.

• Comportement: 80%
Grâce à la nouvelle suspension arrière à bras multiple et effet

DONNÉES

Catégorie: berlines de luxe tractées.
Classe : 7

HISTORIQUE

Inauguré en: 1981 (L6 propulsion)
Modifié en: 1984 (V6-T/A);1994: V6 190 ch;.1986-1995: carrosserie.
Fabriqué à: Oppama, Japon.

PROFIL DE CLIENTÈLE

Hom/Fem	Âge	Marié	Éducation	Revenu annuel
80 /20	50	80 %	Supérieure	70 000 $

INDICES

Sécurité: 90 %
Satisfaction: 95 %
Dépréciation: 50 %
Assurance: 5.0 % (1 200 $ SE:1 300 $)
Prix de revient au km: 0.45 $

NOMBRE DE CONCESSIONNAIRES

Au Québec: 58

VENTES AU QUÉBEC

Modèle	1992	1993	Résultat	Part de marché
Maxima	1 898	1 334	-30 %	3.7 %

PRINCIPAUX MODÈLES CONCURRENTS

ACURA Vigor, AUDI 90, BMW Série 3, INFINITI J30, LEXUS ES300, MAZDA Millenia, MERCEDES BENZ série C, SAAB 900, TOYOTA Avalon, VOLVO 850 GLT.

ÉQUIPEMENT

NISSAN Maxima	GXE	SE	GLE
Boîte automatique:	O	O	S
Régulateur de vitesse:	S	S	S
Direction assistée:	S	S	S
Freins ABS:	O	O	S
Climatiseur:	S	S	S (Autom.)
Coussins gonflables (2):	O	S	S
Garnitures en cuir:	O	S	S
Radio MA/MF/ K7:	S	S	S
Serrures électriques:	S	S	S
Lève-vitres électriques:	S	S	S
Volant ajustable:	S	S	S
Rétroviseurs ext. ajustables:	S	S	S
Essuie-glace intermittent:	S	S	S
Jantes en alliage léger:	-	S	S
Toit ouvrant:	O	O	O
Système antivol:	O	O	O

S : standard; O : optionnel; - : non disponible

COULEURS DISPONIBLES

Extérieur: Blanc, Beige, Étain, Rubis, Bleu, Ebène, Noir.
Intérieur: Tissu & Cuir: Gris-Vert, Charbon de bois, Beige.

ENTRETIEN

Première révision: 12 000 km
Fréquence: 12 000 km
Prise de diagnostic: Oui

QUOI DE NEUF EN 1995 ?

- Nouveau modèle entièrement remanié.

MOTEURS						TRANSMISSION		PERFORMANCES										
Modèles/ versions *: de série	Type / distribution soupapes / carburation	Cylindrée cc	Puissance ch @ tr/mn	Couple lb.pi @ tr/mn	Rapport volumét.	Roues motrices / transmissions	Rapport de pont	Accélér. 0-100 km/h s	400 m D.A. s	1000 m D.A. s	Freinage 100-0 km/h m	Vites. maxi. km/h	Accélér. latérale G	Niveau sonore dBA	Consommation l./100km Ville	Consommation l./100km Route	Carburant Octane
1994 base	V6* 3.0 SACT-12-ISPM	2960	160 @ 5200	182 @ 2800	9.0 :1	avant - A4*	3.642	9.0	16.7	29.6	50	200	0.78	66	12.3	8.4	R 87
SE	V6* 3.0 DACT-24-ISPM	2960	190 @ 5600	190 @ 4000	10.0 :1	avant - M5*	3.823	7.5	14.8	27.5	48	220	0.81	66	11.5	8.5	S 91
						avant - A4	3.619	8.3	16.1	29.0	51	210	0.81	66	12.6	8.6	S 91
1995	V6* 3.0 DACT-24-IESPM	2988	190 @ 5600	205 @ 4000	10.0 :1	avant - M5*	3.823	7.0	14.8	27.6	42	220	0.83	66	10.8	8.0	S 91
						avant - A4	3.619	7.7	15.4	28.5	45	210	0.83	66	11.4	7.8	S 91

ifférentiel, il est devenu encore lus sûr, demeurant neutre dans a plupart des cas de figure et ratiquement à l'infini en usage lécent. Même un changement rutal de la qualité du revêtement e lui fera pas perdre son aplomb, t la Maxima peut être mise entre outes les mains sans crainte, car lle pardonne toutes les maladresses. La suspension arrière lite «à bras multiples» optimise a stabilité en ligne droite comme n virage, offre un cambrage noins prononcé lors des changements de voie rapide et diminue l'effet de soulèvement du train rrière lors des freinages brusques.

Direction: 80%
Rapide, précise, aussi bien assistée que démultipliée, elle offre ne excellente maniabilité grâce son diamètre de braquage encore plus court.

Assurance: 80%
Pour une voiture de luxe, la Maxima coûte moins cher à assurer qu'une Millenia ou une exus ES300, mais la prime est outefois plus élevée que celle l'une Accord ou Camry de luxe.

Sièges: 80%
Is sont très confortables, malgré eurs formes simples qui maintiennent et soutiennent bien et eur rembourrage d'inspiration ermanique.

Poste de conduite: 80%
La présentation simple et élégante du tableau de bord confère beaucoup de classe à l'intérieur le la Maxima, toutefois si les lifférents instruments et commandes sont bien disposés, la partie centrale de la console n'est pas assez sortie du tableau de bord et orientée vers le conducteur car la radio et le climatiseur ont trop éloignés. La position de conduite et la visibilité sont excellentes, mais les commandes du siège sont placées un peu trop n arrière. Pourtant il est difficile l'admettre qu'une voiture de cette classe ne soit pas pourvue d'un appel de la position du sélecteur le la boîte automatique parmi les instruments, obligeant à quitter la route des yeux.

MEILLEURE RECRUE DE L'ANNÉE 1995

• Suspension: 80%
Malgré une réponse généralement ferme, elle n'est jamais brutale car la qualité de son amortissement et le bon débattement des roues permettent d'absorber les défauts de la route.

• Commodités: 80%
Les rangements sont aussi nombreux que pratiques et beaucoup de petits détails bien pensés rendent son usage agréable et rationnel et les baudriers des ceintures des places avant sont ajustables en hauteur.

• Habitabilité: 70%
Elle s'est améliorée, notamment aux places arrière qui disposent de suffisamment d'espace pour la tête et les jambes, mais ce n'est qu'une 4 places, car un cinquième occupant y sera serré.

• Accès: 70%
Bien que les portes s'ouvrent largement, il est plus difficile de s'installer aux places arrière où elles sont un peu plus étroites, qu'à l'avant.

• Niveau sonore: 70%
L'insonorisation efficace procure une ambiance feutrée à vitesse de croisière, et ce sont les bruits de vent et de roulement qui comblent le vide laissé par le silence de la mécanique.

• Coffre: 60%
Sa contenance est devenue proportionnelle au format de ce modèle, mais il a perdu son côté transformable, puisque le dossier de la banquette est fixe et que seule une trappe ménagée dans l'accoudoir central permet de loger des objets encombrants.

• Consommation: 60%
Très raisonnable, elle dépasse rarement les 13 l/100 km, grâce à l'excellent rendement du moteur et l'abaissement du poids assez rare pour être mentionné.

• Prix/équipement: 50%
Les prix des différentes versions de la Maxima sont pleinement justifiés et devraient permettre à ce modèle de ratisser large entre les insipides Accord haut-de-gamme et les Lexus ES300 inabordables. Hormis l'ABS qui demeure une choix philosophique, le modèle GXE de base possède les mêmes attributs mécaniques que la sportive SE ou la luxueuse GLE et son équipement général est fort honnête.

• Dépréciation: 50%
Elle se maintient à une valeur favorable, à cause du taux de satisfaction élevé résultant de sa bonne fiabilité. Les bonnes voitures neuves font de bonnes voitures d'occasion...

POINTS FAIBLES

• Freinage: 45%
Bien qu'il soit mordant à l'attaque, et relativement facile à doser, malgré une pédale «creuse», les distances sont plutôt longues avec l'ABS, puisqu'elles ne descendent pas en dessous de 42 m pour s'arrêter à partir de 100 km/h. En usage intensif l'endurance des plaquettes est bonne, seule la pédale durcit légèrement.

CONCLUSION

• Moyenne générale: 73.0 %
La dernière Maxima offrira beaucoup à beaucoup de monde pour un budget raisonnable et la seule question que l'on se pose concerne l'évolution de son esthétique, mais c'est bien connu, des goûts et des couleurs on ne discute pas. ☺

CARACTÉRISTIQUES & PRIX

Modèles	Versions	Carrosseries/ Sièges	Volume cabine l.	Volume coffre l.	Cx	Empat. mm	Long x larg x haut. mm x mm x mm	Poids à vide kg	Capacité Remorq. max. kg	Susp. av/ar	Freins av/ar	Direction type	Diamètre braquage m	Tours volant b à b.	Réser. essence l.	Pneus d'origine	Mécaniques d'origine	PRIX $ CDN. 1994
NISSAN	Garantie générale: 3 ans / 80 000 km; mécanique: 6 ans / 100 000 km; perforation corrosion & antipollution: 6 ans / kilométrage illimité.																	
1994																		
Maxima	GXE	ber. 4 p.5	2718	396	0.32	2649	4765x1760x1400	1427	454	i/i	d/d	crém.ass.	11.2	3.1	70.0	205/65R15	V6/3.0/A4	**24 990**
Maxima	SE	ber. 4 p.5	2718	318	0.32	2649	4765x1760x1400	1481	454	i/i	d/d/ABS	crém.ass.	11.2	3.1	70.0	205/65R15	V6/3.0/M5	**30 890**
Maxima	SE	ber. 4 p.5	2718	318	0.32	2649	4765x1760x1400	1505	454	i/i	d/d/ABS	crém.ass.	11.2	3.1	70.0	205/65R15	V6/3.0/A4	**31 190**
Maxima	Brougham	ber. 4 p.5	2718	318	0.32	2649	4765x1760x1400	1427	454	i/i	d/d/ABS	crém.ass.	11.2	3.1	70.0	205/65R15	V6/3.0/A4	**29 990**
1995																		
Maxima	GXE	ber. 4 p.5	2820	411	0.32	2700	4768x1770x1422	1369	454	i/i	d/d	crém.ass.	10.6	2.9	70.0	205/65R15	V6/3.0/M5	**25 490**
Maxima	SE	ber. 4 p.5	2820	411	0.32	2700	4768x1770x1422	1384	454	i/i	d/d	crém.ass.	10.6	2.9	70.0	215/65R15	V6/3.0/M5	**27 890**
Maxima	SE	ber. 4 p.5	2820	411	0.32	2700	4768x1770x1422	1412	454	i/i	d/d	crém.ass.	10.6	2.9	70.0	215/65R15	V6/3.0/A4	**28 990**
Maxima	GLE	ber. 4 p.5	2820	411	0.32	2700	4768x1770x1422	1403	454	i/i	d/d/ABS	crém.ass.	10.6	2.9	70.0	205/65R15	V6/3.0/A4	**29 990**

Voir la liste complète des prix 1995 à partir de la page 393.

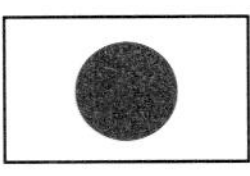

Compte à rebours...

Les jours du Pathfinder sont comptés, car son remplaçant a déjà commencé à faire la manchette des magazines spécialisés.Le pionnier a vieilli et il ne peut plus soutenir la comparaison avec les ses concurrents habituels qui sont aujourd'hui plus sécuritaires et plus performants.

C'est Nissan qui a ouvert le chemin en matière de véhicules sportifs-utilitaires tels qu'on les connaît aujourd'hui puisque son Pathfinder fut le premier dérivé d'une camionnette 4x4, a offrir un moteur V6 de 3.0L et plus tard une carrosserie à quatre portes devenus depuis, les critères de base de cette catégorie très populaire. La plupart de ses concurrents l'ont imité et il est le seul à ne pas avoir été renouvelé. Il est offert cette année encore en carrosserie 5 portes en versions XE et SE avec transmissions manuelle en série ou automatique en option ou LE avec boîte automatique en série.

POINTS FORTS

• Satisfaction: 90%
Sa robustesse, son excellente fiabilité et la garantie complète de Nissan rassurent les propriétaires qui se plaignent du manque de disponibilité des pièces détachées.

• Qualité & finition: 80%
Si la robustesse de la construction est typique des utilitaires, la qualité des matériaux et le soin apporté à la finition sont ceux d'une automobile, et le rafraîchissement du tableau de bord permettra au Pathfinder d'aller un peu plus loin, mais son remplaçant a déjà été annoncé.

• Soute: 80%
Le fait de remiser la roue de secours dans la cabine limite sa capacité qui peut être agrandie en condamnant tout ou partie de la banquette pour disposer d'un vaste plancher plat.

• Poste de conduite: 70%
Le conducteur est assis haut, bien installé, il dispose d'une bonne visibilité malgré l'épaisseur du pilier B. En perdant ses formes carrées, le tableau de bord est devenu plus anonyme, mais l'instrumentation y est bien organisée et lisible. Les principales commandes sont bien disposées sauf celles du régulateur de vitesse et de la radio.

• Direction: 70%
Son assistance et sa démultiplication trop fortes la rendent sensible et

DONNÉES

Catégorie: véhicules à usages multiples propulsés ou intégraux.
Classe : utilitaires

HISTORIQUE

Inauguré en: 1986
Modifié en: 1990: 4 portes et V6 + puissant; 1994:retouches intérieures
Fabriqué à: Kyushiu, Japon.

INDICES

Sécurité: 60 %
Satisfaction: 75%
Dépréciation: 46 %
Assurance: 5.0 % (1 200-1 308 $)
Prix de revient au km: 0.48 $

NOMBRE DE CONCESSIONNAIRES

Au Québec: 58

VENTES AU QUÉBEC

Modèle	1992	1993	Résultat	Part de marché
Pathfinder	977	889	-9.0 %	6.4 %

PRINCIPAUX MODÈLES CONCURRENTS

CHEVROLET Blazer, FORD Explorer, GMC Jimmy, ISUZU Rodeo & Trooper JEEP Cherokee & Grand Cherokee, SUZUKI Sidekick, TOYOTA 4Runner.

ÉQUIPEMENT

NISSAN Pathfinder	XE	SE	LE
Boîte automatique:	O	O	S
Régulateur de vitesse:	S	S	S
Direction assistée:	S	S	S
Freins ABS roues arrière:	S	S	S
Climatiseur manuel:	S	S	S
Coussin gonflable:	-	-	-
Garnitures en cuir:	-	O	O
Radio MA/MF/ K7:	S	S	S
Serrures électriques:	O	S	S
Lève-vitres électriques:	O	S	S
Volant ajustable:	S	S	S
Rétroviseurs ext. ajustables:	O	S	S
Essuie-glace intermittent:	S	S	S
Jantes en alliage léger:	-	S	S
Toit ouvrant:	-	O	O
Système antivol:	-	-	-

S : standard; O : optionnel; - : non disponible

COULEURS DISPONIBLES

Extérieur: Graphite, Grenat, Rouge, Noir, Bleu canard, Bleu astral, Beige.
Intérieur: Gris, Bleu, Rouge.

ENTRETIEN

Première révision: 12 000 km
Fréquence: 12 000 km
Prise de diagnostic: Non

QUOI DE NEUF EN 1995 ?

- Aucun changement majeur.

Modèles/ versions *: de série	MOTEURS Type / distribution soupapes / carburation	Cylindrée cc	Puissance ch @ tr/mn	Couple lb.pi @ tr/mn	Rapport volumét.	TRANSMISSION Roues motrices / transmissions	Rapport de pont	PERFORMANCES Accélér. 0-100 km/h s	400 m D.A. s	1000 m D.A. s	Freinage 100-0 km/h m	Vites. maxi. km/h	Accélér. latérale G	Niveau sonore dBA	Consommation l./100km Ville	Consommation l./100km Route	Carburant Octane
base	V6* 3.0 SACT-12-ISPM	2960	153 @ 4800	180 @ 4000	9.0 :1	arr./4 - M5*	4.375	12.5	18.5	35.7	57	160	0.74	68	15.7	11.8	R 87
						arr./4 - A4	4.625	13.8	19.2	36.2	58	155	0.74	68	16.0	12.2	R 87

ʼnitent sa maniabilité, malgré le iamètre de braquage court.

Technique: 70%
érivé de la camionnette Cosıud dont il reprend la plupart des léments mécaniques, le Pathnder possède une carrosserie n acier solidaire d'un châssis en chelle à cinq traverses, avec uspension avant indépendante lors qu'à l'arrière, l'essieu rigide omporte une barre Panhard et es ressorts hélicoïdaux. Le freiage est mixte sur la XE et à uatre disques sur les SE et LE utomatique, avec dispositif antilocage et antipatinage en série ındis que le verrouillage des ıoyeux avant est automatique.

Commodités: 70%
es rangements comprennent ne boîte à gants de bonne taille, es vide-poches de porte et une onsole centrale bien aménagée.

Sièges: 70%
a banquette offre moins de souen et de maintien que les sièges vant qui sont mieux galbés. Leur mbourrage est convenable, ıais le cuir qui les garnit en opon est particulièrement glissant.

Accès: 60%
a garde-au-sol importante ne facilite pas l'accès à bord, mais il est plus facile d'accéder aux places avant qu'arrière dont les portes sont trop étroites.

• Suspension: 60%
Elle avoue son âge par le manque de qualité de liaison au sol, car si elle se montre assez confortable sur autoroute, elle devient très sautillante dès que le revêtement se dégrade et carrément brutale au passage des fortes dénivellations en tout terrain.

• Assurance: 60%
La prime des modèles sportifs à 4 roues motrices est toujours plus élevée que celle des autres véhicules pour le risque que représente la possibilité de sortir des sentiers battus...

• Sécurité: 60%
Sous cet aspect le Pathfinder a le plus vieilli car malgré les renforts installés dans les portes l'an dernier, la structure pourrait encore être plus rigide et l'absence de coussins gonflables prive les occupants d'une protection efficace.

• Habitabilité: 60%
Le volume habitable demeure un des plus intéressants, car l'espace pour les jambes est remarquable aux places arrière, mais il manque quelques centimètres en largeur pour que tout soit parfait.

• Niveau sonore: 50%
Il est fortement dominé par le bruit des gros pneus sur l'asphalte, de vent et de moteur lors des fortes accélérations, mais est relativement confortable à vitesse constante.

• Dépréciation: 50%
Contrairement à certains de ses concurrents, le Pathfinder conserve une bonne valeur de revente due à sa réputation.

• Performances: 50%
Les accélérations, comme les reprises, sont pénalisées par le poids qui atteint près de deux tonnes, donnant un rapport poids-puissance (12.75 kg/ch) plutôt défavorable. À haute vitesse sur route le moteur est silencieux et soyeux à haut régime, mais il manque terriblement de couple en dessous de 2000 tr/m dès qu'il force et devient alors aussi bruyant que rugueux... L'échelonnement de la boîte manuelle n'est pas idéal, car le premier rapport «tire trop long» alors que l'on constate un trou béant entre le 2ième et le 3ième. Quant à l'automatique, son mode de sélection illogique entraîne le moteur à haut régime sur les intermédiaires, ce qui augmente beaucoup la consommation.

POINTS FAIBLES

• Consommation: 30%
Le poids imposant du Pathfinder, son manque de finesse aérodynamique et de puissance de son moteur maintiennent une forte consommation, surtout lorsqu'il évolue en terrain difficile ou qu'il est lourdement chargé.

• Freinage: 30%
Son efficacité comme sa résistance est moyenne, car en usage intensif, les garnitures chauffent rapidement et si les distances d'arrêts sont très longues, elles demeurent au moins rectilignes, grâce à l'ABS agissant sur les roues arrière.

• Prix/équipement: 40%
Le Pathfinder est cher si l'on tient compte que son équipement n'est pas complet surtout au chapitre de la sécurité, mais sa polyvalence et ses capacités de franchissement justifient cet investissement, surtout les SE et LE.

• Comportement: 40%
Moyen sur la version XE dont la suspension trop souple engendre un roulis marqué, il est plus efficace sur les XE et LE dont l'amortissement ajustable contrôle bien les mouvements de carrosserie sur le mode «sport». Toutefois la hauteur du centre de gravité limite la vitesse de passage en courbe et le rebond des gros pneus nuit à la précision de la conduite. Hors route le Pathfinder offre de bonnes capacités de franchissement, grâce à ses porte-à-faux courts et à la qualité de sa traction qui comporte un dispositif antipatinage.

CONCLUSION

• Moyenne générale: 59.5 %
Il est temps que Nissan songe à renouveler son Pathfinder qui a perdu son statut de référence en matière de véhicules sportifs-utilitaires, et quelques ventes pour avoir trop tardé. ☹

CARACTÉRISTIQUES & PRIX

ıodèles	Versions	Carrosseries/ Sièges	Volume cabine l.	Volume coffre l.	Cx	Empat. mm	Long x larg x haut. mm x mm x mm	Poids à vide kg	Capacité Remorq. max. kg	Susp. av/ar	Freins av/ar	Direction type	Diamètre braquage m	Tours volant b à b.	Réser. essence l.	Pneus d'origine	Mécaniques d'origine	PRIX $ CDN. 1994
ıISSAN		**Garantie générale: 3 ans / 80 000 km; mécanique: 6 ans / 100 000 km; perforation corrosion & antipollution: 6 ans / kilométrage illimité.**																
ʼathfinder XE		fam.5 p.5	2585	889	ND	2649	4366x1689x1669	1855	1568	i/i	d/t/ABS ar.	bil.ass.	10.8	3.0	80.0	235/75R15	V6/3.0/M5	**24 690**
ʼathfinder SE		fam.5 p.5	2585	889	ND	2649	4366x1689x1694	1926	1588	i/i	d/d/ABS ar.	bil.ass.	10.8	3.0	80.0	235/75R15	V6/3.0/M5	**30 290**
ʼathfinder LE		fam.5 p.5	2585	889	ND	2649	4366x1689x1679	1912	1588	i/i	d/d/ABS ar.	bil.ass.	10.8	3.0	80.0	235/75R15	V6/3.0/A4	**32 590**

Voir la liste complète des prix 1995 à partir de la page 393.

Moins populaire...

La Sentra, l'une des voitures les plus vendues dans le monde, voit ses ventes décroître à cause d succès des compactes, guère plus chères, mais souvent plus puissantes et plus confortables pou un rendement pratiquement équivalent. Son avenir: grossir ou disparaître...

Très simplifiée depuis 1990, la gamme Sentra subsiste en coupé à 2 portes DLX et XE car la 4 portes DLX, XE et GXE va être renouvelée dès le début de 1995. Elle constitue le bas de gamme populaire de Nissan en Amérique du Nord depuis le retrait de la Micra et se trouve être la Nissan la plus vendue puisqu'elle assure à elle seule plus d'un tiers des ventes.

POINTS FORTS

• Prix/équipement: 80%
Abordable en version de base, le prix des Sentra grimpe rapidement dès qu'elles sont un peu équipées et il existe à prix égal d'autres sous-compactes plus attrayantes. Bizarre que chez Nissan les éléments de sécurité comme l'ABS et le coussin gonflable soient considérés comme des accessoires de luxe...

• Technique: 80%
Les deux carrosseries sont issues de la même plate-forme et utilisent la même mécanique. Les suspensions sont indépendantes aux quatre roues et le freinage est mixte, mais le dispositif ABS n'est en option que sur les berlines XE et GXE. Le seul moteur disponible sur ces voitures est 4 cylindres le 1.6L à DACT développant 110 ch dérivé de celui de l'Infiniti G20. Il est en aluminium et pourvu d'un arbre d'équilibrage latéral comportant huit contrepoids destinés à annuler les vibrations. Leur carrosserie monocoque en acier affiche une ligne aussi conservatrice que le cœfficient aérodynamique qui est de 0.35.

• Consommation: 80%
Elle constitue l'un des atouts majeur des Sentra car le petit 4 cylindres dépasse rarement les 9 litres aux 100 km, même lorsqu'il est sévèrement cravaché.

• Satisfaction: 80%
Les premiers clients se disent satisfaits de leur expérience avec ces modèles dont la garantie constitue un avantage majeur, mais l'on constate encore une fois que les voitures fabriquées hors du Japon ne

DONNÉES

Catégorie: berlines et coupés sous-compactes tractés.
Classe : 3

HISTORIQUE

Inauguré en: 1981
Modifié en: 1986 & 1991
Fabriqué à: Aguascalientes, Mexique & Smyrna TE, É-U.

INDICES

Sécurité: 75 %
Satisfaction: 83 %
Dépréciation: 60 %
Assurance: 6.5 % (740-875 $)
Prix de revient au km: 0.32 $

NOMBRE DE CONCESSIONNAIRES

Au Québec: 58

VENTES AU QUÉBEC

Modèle	1992	1993	Résultat	Part de marché
Sentra	4 531	3 042	-32.8 %	3.4 %

PRINCIPAUX MODÈLES CONCURRENTS

DODGE-PLYMOUTH Colt, HONDA Civic Hbk, HYUNDAI Accent, MAZD 323 Hbk, TOYOTA Tercel, VOLKSWAGEN Golf.

ÉQUIPEMENT

	NISSAN Sentra 4 portes DLX	XE	GXE	NISSAN Sentra 2 portes DLX	XE
Boîte automatique:	O	O	O	O	O
Régulateur de vitesse:	-	S	S	-	S
Direction assistée:	O	O	S	O	O
Freins ABS:	-	O	S	-	-
Climatiseur:	S	S	S	-	-
Coussin gonflable:	-	O	O	-	-
Garnitures en cuir:	-	-	-	-	-
Radio MA/MF/ K7:	O	S	S	O	S
Serrures électriques:	-	-	S	-	-
Lève-vitres électriques:	O	O	S	-	-
Volant ajustable:	O	S	S	S	S
Rétroviseurs ext. ajustables:	-	S	S	-	S
Essuie-glace intermittent:	-	S	S	-	S
Jantes en alliage léger:	-	-	S	-	-
Toit ouvrant:	-	O	O	-	O
Système antivol:	-	-	-	-	-

S : standard; O : optionnel; - : non disponible

COULEURS DISPONIBLES

Extérieur: Blanc, Rouge, Rubis, Vert, Ébène, Beige, Gris, Bleu, Argent.
Intérieur: Gris, Brun, Bleu.

ENTRETIEN

Première révision: 12 000 km
Fréquence: 12 000 km
Prise de diagnostic: Oui

QUOI DE NEUF EN 1995 ?

- La nouvelle berline Sentra sera révélée en janvier 1995 et le coup continuera sa carrière en 95 sous sa forme actuelle.

Modèles/ versions *: de série	MOTEURS Type / distribution soupapes / carburation	Cylindrée cc	Puissance ch @ tr/mn	Couple lb.pi @ tr/mn	Rapport volumét.	TRANSMISSION Roues motrices / transmissions	Rapport de pont	PERFORMANCES Accélér. 0-100 km/h s	400 m D.A. s	1000 m D.A. s	Freinage 100-0 km/h m	Vites. maxi. km/h	Accélér. latérale G	Niveau sonore dBA	Consommation l./100km Ville	Route	Carburant Octane
Sentra	L4* 1.6 DACT-16-IESPM	1597	110 @ 6000	108 @ 4000	9.5 :1	avant - M5*	3.895	9.5	17.0	31.0	46	180	0.78	68	8.1	5.7	R 87
						avant - A4	3.827	10.5	17.6	31.8	48	175	0.78	68	9.0	6.1	R 87

arviennent pas à atteindre les ıêmes cotes de fiabilité.

Poste de conduite: 80%
e conducteur trouve rapidement ı position la plus confortable râce aux réglages du siège et e la colonne de direction et la isibilité est bonne sous tous les ngles malgré l'épaisseur des ıontants du toit. Les comman-es sont disposées de manière abituelle et la plupart tombent ien sous la main, sauf l'interrup-əur du régulateur de vitesse, si-ué à gauche. Les contrôles sont aciles à interpréter et en nombre uffisant. Toutefois nous avons əlevé que les phares sont peu uissants et que la deuxième vi-əsse des essuie-glace n'est pas ssez rapide.

Sécurité: 70%
a résistance structurelle de la oque des Sentra est satisfai-ante, mais seules les berlines nt droit à un coussin gonflable ui est installé en série sur la ;XE et en option sur la XE.

Qualité & finition: 70%
a présentation générale est so-re et sans fantaisie, l'assem-lage et la finition sont soignés et ı qualité des matériaux supé-eure à celle de la concurrence.

Sièges: 70%
i leur maintien latéral est supé-eur à l'avant, le soutien lom-aire n'est pas plus efficace à avant qu'à l'arrière mais leur rem-bourrage est suffisant.

• Suspension: 70%
Sa douceur de roulement constitue l'un des beaux avantages des Sentra car elle n'est jamais désagréable lorsque la route se dégrade, son amortissement étant de bonne qualité.

• Direction: 70%
Précise, bien dosée et bien démultipliée, son faible diamètre de braquage lui procure une maniabilité étonnante en ville.

• Assurance: 60%
La prime n'est pas aussi économique que ces modèles eux-mêmes, car elle s'approche dangereusement de celle de modèles de classe supérieure.

• Performances: 60%
Elles n'ont rien de foudroyant surtout avec l'automatique à 4 rapports, dont les accélérations et les reprises sont placides, les derniers rapports tirant long.

• Accès: 60%
Il est plus facile de s'asseoir à l'avant qu'à l'arrière, où les portes étroites ont un angle d'ouverture insuffisant, ce qui dérangera les personnes de forte corpulence ou de grande taille.

• Dépréciation: 60%
Elle est normale pour des voitures se trouvant en grand nombre sur le marché et la bonne garantie de Nissan constitue un atout supplémentaire.

• Commodités: 60%
Si dans les DLX les rangements sont symboliques, les XE et GXE ont droit à des vide-poches de portière en plus de la boîte à gants et des évidements de la console centrale.

• Niveau sonore: 50%
Il se maintient dans la zone confortable à vitesse constante sur autoroute, mais le moteur reste bruyant et vibrant (malgré son arbre d'équilibrage) lors des accélérations, et les bruits de vent et de roulement se joignent au concert.

• Le coffre: 50%
Bien qu'il manque de longueur, son volume est suffisant car il peut être agrandi vers la cabine en basculant les dossiers de la banquette, et son accès est facilité par l'échancrure de son ouverture.

• Comportement: 50%
Malgré les petites roues de 13 pouces et la souplesse de la suspension, le roulis est bien contrôlé et le sous-virage facile à maîtriser, il est prévisible et sain avec des pneus de bonne qualité.

POINTS FAIBLES

• Freinage: 40%
Il n'est ni très puissant ni équilibré, car sans ABS, les roues avant bloquent rapidement lors des arrêts d'urgence, les distances très longues et les trajectoires incertaines obligent à corriger à l'aide du volant. Toutefois même lorsqu'on en abuse, l'endurance des plaquettes reste satisfaisante.

• Habitabilité: 40%
Les deux cabines offrent plus d'espace à l'avant qu'à l'arrière où la longueur et la largeur font défaut, bien que la garde-au-toit soit largement calculée.

CONCLUSION

• Moyenne générale: 64.0 %
À la veille d'être renouvelée, la berline 94, qui sera encore disponible jusqu'en janvier 95, restera un bon achat à condition que le rapport prix/équipement soit favorable. En utilisant notre guide des prix (qui débute page 393) vous pourrez obtenir les meilleures conditions. 😐

SUGGESTIONS DES PROPRIÉTAIRES

-Sièges plus confortables.
-Présentation plus attrayante.
-Poignées plus pratiques.
-Plus d'espace pour les jambes aux places arrière.
-Freins plus efficaces.
-Équipement plus complet.

CARACTÉRISTIQUES & PRIX

Modèles	Versions	Carrosseries/ Sièges	Volume cabine l.	Volume coffre l.	Cx	Empat. mm	Long x larg x haut. mm x mm x mm	Poids à vide kg	Capacité Remorq. max. kg	Susp. av/ar	Freins av/ar	Direction type	Diamètre braquage m	Tours volant b à b.	Réser. essence l.	Pneus d'origine	Mécaniques d'origine	PRIX $ CDN. 1994
NISSAN		**Garantie générale: 3 ans / 80 000 km; mécanique: 6 ans / 100 000 km; perforation corrosion & antipollution: 6 ans / kilométrage illimité.**																
Sentra	DLX	cpé 2 p.4	2373	331	0.34	2431	4326x1666x1369	1064	454	i/i	d/t	crém.ass.	9.2	3.07	50.0	175/70R13	L4/1.6/M5	**11 490**
Sentra	XE	cpé 2 p.4	2373	331	0.34	2431	4326x1666x1369	1064	454	i/i	d/t	crém.ass.	9.2	3.07	50.0	175/70R13	L4/1.6/M5	**12 990**
1994																		
Sentra	DLX	ber. 4 p.4	2350	339	0.35	2431	4326x1666x1369	1064	454	i/i	d/t	crém.ass.	9.2	3.07	50.0	155/80R13	L4/1.6/M5	**11 490**
Sentra	XE	ber. 4 p.4	2350	339	0.35	2431	4326x1666x1369	1070	454	i/i	d/t	crém.ass.	9.2	3.07	50.0	175/70R13	L4/1.6/M5	**14 390**
Sentra	GXE	ber. 4 p.4	2350	339	0.35	2431	4326x1666x1369	1090	454	i/i	d/t	crém.ass.	9.2	3.07	50.0	175/70R13	L4/1.6/M5	**17 490**

Voir la liste complète des prix 1995 à partir de la page 393.

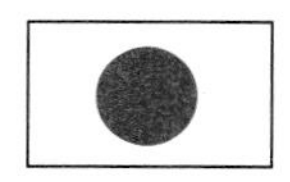

Changement de cap...

Il y a tant de modèles disponibles dans le créneau des coupés sportifs que la clientèle évolue e se transforme sans cesse. Ainsi ce ne sont plus de jeunes loups épris d'absolu qui achètent de 240SX, mais de vieux renards soucieux de confort et en quête de jeunes poulettes...

Si la traction avant amène plus de sécurité, surtout en conduite hivernale, elle ne génère pas beaucoup d'excitation côté agrément de conduite, et de nos jours les coupés propulsés à prix populaires ne sont pas légion. À côté des Camaro-Firebird et Mustang de fabrication domestique, le Nissan 240SX est l'un des derniers représentants de cette race en voie d'extinction. Après avoir disparu du marché durant l'année 1994, il est de retour sous la forme unique d'un coupé 2 portes, 3 volumes en versions SE et LE dont le moteur est encore le 4 cylindres à DACT et 16 soupapes de 2.4L affichant 155 ch avec boîte manuelle en série ou automatique en option tandis que le différentiel à glissement limité est livré dorigine.

POINTS FORTS

• Sécurité: 90%
Grâce à la bonne rigidité de sa structure qui a été renforcée et aux deux coussins gonflables installés à l'avant, le 240SX atteint la marque maximale.

• Satisfaction: 85%
L'indice de fiabilité du 240SX est élevé et son entretien ne pose aucun problème à ses propriétaires car il constitue le meilleur de deux mondes.

• Technique: 80%
Le 240SX a été remanié. La plate-forme de l'ancienne version a été élargie et allongée en vue d'améliorer son comportement. Sa carrosserie monocoque en acier présente une ligne très conservatrice, et affiche une efficacité aérodynamique du même métal avec un cœfficient de 0.32.
La suspension est indépendante et les freins à disque aux quatre roues; le guidage des trains avant et arrière incorpore des géométries antiplongée et anticabrage. Le moteur, identique à celui qui équipe aussi les Altima et les Axxess, diffère par sa culasse à DACT et ses 16 soupapes.

DONNÉES

Catégorie: coupés sportifs propulsés.
Classe : 3S

HISTORIQUE

Inauguré en: 1969 (200SX).
Modifié en: 1977, 1979, 1983, 1989, 1995.
Fabriqué à: Kyushiu, Japon

INDICES

Sécurité: 90 %
Satisfaction: 85 %
Dépréciation: 58 %
Assurance: 5.5 % (1308 $)
Prix de revient au km: 0.47 $

NOMBRE DE CONCESSIONNAIRES

Au Québec: 58

VENTES AU QUÉBEC

Modèle	1992	1993	Résultat	Part de marché
240SX	376	356	-4.56 %	3.0 %

PRINCIPAUX MODÈLES CONCURRENTS

ACURA Integra, CHEVROLET Camaro, EAGLE Talon, FORD Mustang, FORD Probe, HONDA Prelude, MAZDA MX-6, MITSUBISHI Eclipse, PONTIAC Firebird, VW Corrado.

ÉQUIPEMENT

NISSAN 240SX	SE	LE
Transmission automatique:	O	O
Régulateur de vitesse:	S	S
Direction assistée:	S	S
Freins ABS:	O	S
Climatiseur:	S	S
Coussins gonflables (2):	S	S
Garnitures en cuir:	-	S
Radio MA/MF/ K7:	S	S
Serrures électriques:	S	S
Lève-vitres électriques:	S	S
Volant ajustable:	S	S
Rétroviseurs ext. ajustables:	S	S
Essuie-glace intermittent:	S	S
Jantes en alliage léger:	S	S
Toit ouvrant:	O	O
Système antivol:	-	-

S : standard; O : optionnel; - : non disponible

COULEURS DISPONIBLES

Extérieur: -
Intérieur: -

ENTRETIEN

Première révision: 12 000 km
Fréquence: 12 000 km
Prise de diagnostic: Oui

QUOI DE NEUF EN 1995 ?

- Nouvelle version de l'ancien coupé 2 portes 240SX.

Modèles/ versions *: de série	Type / distribution soupapes / carburation	Cylindrée cc	Puissance ch @ tr/mn	Couple lb.pi @ tr/mn	Rapport volumét.	Roues motrices / transmissions	Rapport de pont	Accélér. 0-100 km/h s	400 m D.A. s	1000 m D.A. s	Freinage 100-0 km/h m	Vites. maxi. km/h	Accélér. latérale G	Niveau sonore dBA	Consommation l./100km Ville	Consommation l./100km Route	Carburant Octane
base	L4* 2.4 DACT-16-ISPM	2389	155 @ 5600	160 @ 4400	9.5 :1	arrière - M5*	4.083	8.3	15.8	28.5	38	200	0.82	68	10.7	7.8	S 91
						arrière - A4	4.083	9.0	16.4	29.1	40	190	0.82	68	11.4	8.2	S 91

240 SX

NISSAN

ualité/finition: 80%
assemblage et la finition sont
ignés, mais la présentation in-
rieure est d'une grande tristesse
rtout avec les garnitures en
ir.

oste de conduite: 80%
 découverte de la meilleure
sition est quelque peu labo-
use, mais elle est aussi satis-
sante que la visibilité. L'instruentation est claire et facile à lire
 jour comme de nuit, grâce au
spositif électro-luminescent qui
ntraste l'affichage en fonction
 la luminosité. Les comman-
s sont conventionnelles, mais
 interrupteurs placés au taeau de bord derrière le volant
nt difficiles à rejoindre et la
nsole centrale n'est pas assez
 saillie pour que les comman-
s qui s'y trouvent soient à por-
e de la main.

irection: 80%
apide, précise et bien dosée
le procure une meilleure stabi-
é directionnelle que sur l'ancien
odèle lorsque la vitesse aug-
ente et la maniabilité est excel-
nte du fait du diamètre de bra-
age exceptionnellement court
noins de 10 m).

ssurance: 75%
ar rapport au prix de ce modèle
 rapport de sa prime est favora-
e, mais cela coûte pratique-
ent le double si l'assuré a moins
 25 ans et n'est pas encore
arié. On comprend mieux le
ansfert de clientèle à la lueur de
tte information.

omportement: 70%
 différentiel à glissement limité
timise la motricité dans les
nditions d'adhérence précaire,
 qui ne dispense pas de pru-
ence en conduite hivernale.
excellent guidage des trains de
ulement assure une tenue de
ute à la fois sûre et amusante,
r on peut faire survirer l'arrière
 loisir et s'imaginer des talents
 pilote sans prendre de ris-
es, les dérives étant aussi pré-
sibles que progressives grâce
 bon équilibre des masses.

erformances: 70%
ien qu'ils soient honnêtes, les
sultats chiffrés déçoivent quel-
e peu car la réserve de puissance ne paraît jamais suffisante, les transmissions «tirant» long. La conduite est nettement plus amusante avec la boîte manuelle bien échelonnée, alors qu'avec l'automatique elle est plus aseptisée. Un moteur V6 de 3.0L de 300ZX dégonflé à 150 ch procurerait plus d'émotions.

• Sièges: 70%
Malgré leur galbe ils pourraient maintenir encore plus efficacement, que ce soit de manière latérale ou au niveau du soutien des cuisses, qui est insuffisant.

• Suspension: 70%
Bien qu'elle soit ferme, elle constitue un bon compromis et il faut que le revêtement soit en piteux état pour qu'elle devienne désagréable.

• Freinage: 60%
Pour une fois nous devons admettre que le freinage est assez puissant et facile à doser, mais l'ABS devrait être livré en série sur le SE, car les roues arrière ont tendance à bloquer tôt.

• Commodités: 60%
Les espaces de rangement sont bien disposés et en nombre suffisant, mais leur volume est étriqué. La climatisation est efficace et facile à ajuster, mais les vitres arrière sont fixes.

• Niveau sonore: 50%
Dans la moyenne, il est plus élevé avec le toit ouvrant qui laisse entrer les bruits extérieurs.

• Prix/équipement: 50%
Dû à la force du Yen, le prix semble moins compétitif par rapport à celui de certains concurrents. Toutefois l'équipement est honnête sur le SE et plus complet sur les LE qui bénéficient entre autre de roues de 16 pouces.

• Consommation: 50%
Raisonnable aux vitesses qui le sont, elle grimpe en flèche dès que le conducteur veut faire monter son taux d'adrénaline...

• Accès: 50%
Les personnes corpulentes éprouveront moins de problèmes à s'installer à l'avant qu'à l'arrière où traditionnellement sur ce type de voiture la place est comptée. Toutefois de jeunes enfants y seront confortablement installés.

POINTS FAIBLES

• Habitabilité: 20%
Elle est limitée, surtout en hauteur car on n'est pas au coude-à-coude, le tunnel de transmission prenant pas mal de place et limitant l'espace pour les jambes en largeur.

• Coffre: 30%
Facilement accessible, il a vu son volume prendre un peu d'ampleur, mais pas suffisamment pour déménager sa garde-robe...

La dépréciation: 40%
Après trois ans la valeur de revente chute au moment de l'expiration de la garantie principale.

CONCLUSION

Valeur moyenne: 63.0 %
Les nouveaux clients du 240SX apprécient son apparence classique et élégante et son côté confort/équipement qui n'exclut pas un agrément de conduite certain. Un peu de vitamines ne feraient aucun mal au moteur qui offre plus de plaisir sur la version européenne...

CARACTÉRISTIQUES & PRIX

odèles	Versions	Carrosseries/ Sièges	Volume cabine l.	Volume coffre l.	Cx	Empat. mm	Long x larg x haut. mm x mm x mm	Poids à vide kg	Capacité Remorq. max. kg	Susp. av/ar	Freins av/ar	Direction type	Diamètre braquage m	Tours volant b à b.	Réser. essence l.	Pneus d'origine	Mécaniques d'origine	PRIX $ CDN. 1994
ISSAN		**Garantie générale: 3 ans / 80 000 km; mécanique: 6 ans / 100 000 km; perforation corrosion & antipollution: 6 ans / kilométrage illimité.**																
40 SX	SE	cpé.2 p.2+2	2003	243	0.32	2525	4501x1730x1290	1276	454	i/i	d/d	crém.ass.	9.60	3.1	65.0	195/60HR15	L4/2.4/M5	**22 990**
40 SX	LE	cpé.2 p.2+2	2003	243	0.32	2525	4501x1730x1290	1304	454	i/i	d/d/ABS	crém.ass.	9.60	3.1	65.0	205/60VR16	L4/2.4/A4	**28 690**

Voir la liste complète des prix 1995 à partir de la page 393.

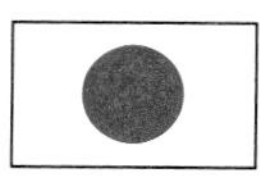

La fièvre jaune...

Les japonais ont redéfini les critères des voitures de sport modernes en les rendant auss sophistiquées qu'accessibles et ils monopolisent aujourd'hui ce segment. Grâce à sa fort personnalité, le coupé ZX a joué, tout au long de sa carrière, un grand rôle dans cette conquête

Les 300ZX, renouvelés en 1990, auront autant marqué leur époque, par leur esthétique et leur technique, que les premières 240 en leur temps. Une version décapotable s'est jointe l'an dernier aux coupés 2 places de base et 2+2 déjà existants. Ils sont équipés du moteur atmosphérique car seul le coupé 2 places peut recevoir le moteur suralimenté par deux turbos et deux échangeurs de température.

POINTS FORTS

- **Technique: 90%**
Monocoque en acier leur carrosserie offre une ligne très réussie tant du point de vue esthétique qu'aérodynamique, avec un cœfficient de 0.32. Les suspensions sont indépendantes et les freins à disque aux quatre roues avec ABS; le différentiel est à glissement limité par viscocoupleur, mais seul le Bi Turbo est pourvu en série du système HICAS rendant les 4 roues directrices par commande électrique. L'assistance de la direction est dosée en fonction de la vitesse, et l'amortissement piloté selon les modes «touring» ou «sport».
- **Sécurité: 90%**
Les deux coussins gonflables livrés en série aux places avant permettent d'atteindre le maximum en la matière, mais quelques renforts sont encore nécessaires pour maximiser la rigidité de la structure.
- **Direction: 90%**
Elle approche la perfection, tant par sa précision par que son dosage et sa démultiplication et est bien adaptée au comportement. Dommage que sa colonne ne soit ajustable dans aucune direction.
- **Satisfaction: 90%**
Les 300ZX ne donnent pas beaucoup de soucis à leur propriétaire qui sont enchantés de l'excellente garantie Nissan, mais ils mentionnent que les pièces de rechange sont aussi rares que chères.
- **Qualité & finition: 80%**
Les 300ZX sont assemblés avec soin tant à l'extérieur qu'à l'intérieur où la finition est méticuleuse et les matériaux de bonne qualité.

DONNÉES

Catégorie: coupés sportifs propulsés.
Classe : GT

HISTORIQUE

Inauguré en: 1969
Modifié en: 1970, 1975, 1978, 1983, 1990; 1994: décapotable
Fabriqué à: Oppama, Japon

INDICES

Sécurité: 90 %
Satisfaction: 88 %
Dépréciation: 61 %
Assurance: 4.0 % (1 775 - 2 000 $)
Prix de revient au km: 0.80 $

NOMBRE DE CONCESSIONNAIRES

Au Québec: 58

VENTES AU QUÉBEC

Modèle	1992	1993	Résultat	Part de march
300ZX	29	25	-13.8 %	0.2 %

PRINCIPAUX MODÈLES CONCURRENTS

ACURA NSX, DODGE Stealth R/T & R/T Turbo, MAZDA RX-7, MITSUBISH 3000GT, PORSCHE 968 & 911, TOYOTA Supra.

ÉQUIPEMENT

NISSAN 300ZX	2 pl	2+2	Turbo	Décap.
Boîte automatique:	O	O	O	-
Régulateur de vitesse:	S	S	S	S
Direction assistée:	S	S	S	S
Freins ABS:	S	S	S	S
Climatiseur:	S	S	S	S
Coussin gonflable:	S	S	S	S
Garnitures en cuir:	S	S	S	S
Radio MA/MF/ K7:	S	S	S	S
Serrures électriques:	S	S	S	S
Lève-vitres électriques:	S	S	S	S
Volant ajustable:	S	S	S	S
Rétroviseurs ext. ajustables:	S	S	S	S
Essuie-glace intermittent:	S	S	S	S
Jantes en alliage léger:	S	S	S	S
Toit ouvrant:	S	S	S	S
Système antivol:	S	S	S	S

S : standard; O : optionnel; - : non disponible

COULEURS DISPONIBLES

Extérieur: Blanc, Grenat, Rouge, Bleu, Noir, Argent.
Intérieur: Charbon, Tan.

ENTRETIEN

Première révision: 12 000 km
Fréquence: 6 mois/12 000 km
Prise de diagnostic: Oui

QUOI DE NEUF EN 1995 ?

- Aucun changement majeur.

MOTEURS						TRANSMISSION		PERFORMANCES									
Modèles/ versions *: de série	Type / distribution soupapes / carburation	Cylindrée cc	Puissance ch @ tr/mn	Couple lb.pi @ tr/mn	Rapport volumét.	Roues motrices / transmissions	Rapport de pont	Accélér. 0-100 km/h s	400 m D.A. s	1000 m D.A. s	Freinage 100-0 km/h m	Vites. maxi. km/h	Accélér. latérale G	Niveau sonore dBA	Consommation l./100km Ville	Route	Carbura Octane
base	V6* 3.0 DACT-24-IESPM	2960	222 @ 6400	198 @ 4800	10.5 :1	arrière - M5*	4.083	7.0	15.3	27.7	38	225	0.86	70	12.7	9.1	S 91
						arrière - A4	4.083	8.1	16.0	28.5	40	220	0.86	70	13.1	9.3	S 91
2+2	V6* 3.0 DACT-24-IESPM	2960	222 @ 6400	198 @ 4800	10.5 :1	arrière - M5*	4.083	7.5	15.7	28.2	41	220	0.84	70	12.7	9.1	S 91
						arrière - A4	4.083	8.8	16.5	28.9	42	210	0.84	70	13.1	9.3	S 91
Turbo	V6T* 3.0 DACT-24-IESPM	2960	300 @ 6400	283 @ 3600	8.5 :1	arrière - M5*	3 692	5.8	14.0	27.0	35	245	0.88	70	13.2	9.0	S 91
			280 @ 6400			arrière - A4	3.692	6.5	14.7	27.6	38	240	0.88	70	13.3	9.2	S 91

Poste de conduite: 80%
e siège du conducteur le mainent et le soutient bien, malgré ›s réglages simplistes qui ne ermettent pas d'ajuster le suport des cuisses. Il est encore iconcevable que la colonne de irection ne soit règlable dans ucune direction, ce qui aiderait ›s gens de grande taille à trouer une position de conduite plus onfortable. La visibilité n'est pas ımeuse de 3/4 arrière où le pilier est large, ou vers l'arrière où la ınette est aussi étroite que déırmante. L'instrumentation et ›s principales commandes sont ien disposées, mais celles insıllées de part et d'autre du bloc es instruments, demandent une ertaine habitude. La sélection e la boîte manuelle est ferme, et ı longue course de la pédale 'embrayage devient vite fatiante en conduite urbaine.

Performances: 80%
los instruments d'analyse ont évélé que la puissance à la roue e la version atmosphérique ne épassait pas 200 ch et celle de ı Bi-turbo 260 ch, selon la norme)IN. Si ces chiffres sont inféeurs à ceux annoncés par le onstructeur, il reste bien assez e puissance quel que soit le ıoteur choisi pour perdre rapiement quelques points, si ce 'est le permis de conduire. La ıcilité avec laquelle les hautes itesses sont atteintes est imressionnante, car les moteurs ont raffinés et dociles même en onduite urbaine. La boîte autoıatique complète à merveille le ıoteur atmosphérique, alors que ı transmission manuelle et le ırbo permettent des accéléraons et des reprises intéressanəs, mais pas extraordinaires.

Comportement: 80%
Ialgré la présence d'un différenel à viscocoupleur les 300ZX ne lémontrent pas autant d'aplomb ur chaussée mouillée qu'une 'action intégrale et quelques ours de conduite seront nécesaire pour apprendre à s'amuser ans danger. Sur route sèche il 'inscrit facilement dans les coures où sa maniabilité permet de

piloter en finesse grâce aux réactions franches de la direction et de l'accélérateur dont la pédale permet l'opération talon-pointe. Sur le mouillé, il faudra se montrer prudent, car l'arrière s'échappe facilement et la remise des gaz devra se faire avec beaucoup de discernement, surtout avec le Bi Turbo...

• Assurance: 80%
Pour ce genre de voitures, le taux est très raisonnable, du fait que ceux qui ont les moyens de se payer une telle fantaisie sont mûrs et raisonnables, du moins théoriquement !

• Freinage: 70%
Il est à la hauteur des performances, car il est puissant, équilibré et facile à doser, et sa résistance à l'échauffement rassurante.

• Sièges: 70%
Très bien conçus, ils maintiennent et soutiennent idéalement et leur rembourrage n'est pas trop ferme. Les garnitures en tissu du modèle de base sont moins glissantes que le cuir livré d'origine sur les autres versions.

• Suspension: 60%
Bien que ferme, elle offre un excellent compromis entre le comportement et le confort qui est très supérieur à celui de la plupart de ses concurrents excepté peut-être les Stealth/3000GT.

• Commodités: 50%
Pas plus volumineux que pratiques, les rangements se réduisent à une boîte à gants et un coffret de console minuscules.

• Consommation: 50%
Elle est raisonnable compte tenu du potentiel de ce moteur qui ne se montre pas plus gourmand que d'autres équipant des véhicules à vocation plus tranquille...

POINTS FAIBLES

• Habitabilité: 20%
L'abaissement du tableau de bord procure une impression d'espace, le volume disponible se situe entre ceux des Dodge Stealth et Mazda RX-7, et la banquette de la version 2+2 ne pourra accueillir que de très jeunes enfants, car ses dégagements sont nettement insuffisants pour des adultes normalement constitués.

• Coffre: 30%
Il contient peu par manque de hauteur, toutefois la tablette disposée entre les passages de roues arrière permet de ranger quelques petits objets.

• Niveau sonore: 30%
Les bruits en provenance de la mécanique et des trains de roulement sont bien filtrés et ceux dus au vent n'apparaissent qu'à haute vitesse, mais les panneaux de toit en verre laissent entrer beaucoup de bruits en provenance de l'extérieur et il serait bon de doubler leur épaisseur.

• Accès: 40%
La faible hauteur du toit compliquera l'accès aux places avant à des personnes de grande taille, mais c'est bien pire à l'arrière de la 2+2 où tout est symbolique.

• Prix/équipement: 40%
Plus cher qu'un Stealth, le 300ZX est mieux placé vis-à-vis des RX-7, Porsche 968 et Supra avec son équipement complet qui comprend en série sur les coupés un toit ouvrant en T.

• Dépréciation: 40%
La valeur de revente chute rapidement après trois ans, en l'absence de garantie et avec la perspectives de factures exotiques...

CONCLUSION

• Moyenne générale: 63.0 %
Bien que la chute de ses ventes annonce l'arrivée d'un nouveau modèle, les amateurs trouveront dans le 300ZX, l'essence même d'un grand coupé sportif, mais dont le caractère nécessite que son pilote sache conduire...

CARACTÉRISTIQUES & PRIX

Modèles	Versions	Carrosseries/ Sièges	Volume cabine l.	Volume coffre l.	Cx	Empat. mm	Long x larg x haut. mm x mm x mm	Poids à vide kg	Capacité Remorq. max. kg	Susp. av/ar	Freins av/ar	Direction type	Diamètre braquage m	Tours volant b à b.	Réser. essence l.	Pneus d'origine	Mécaniques d'origine	PRIX $ CDN. 1994
NISSAN		Garantie générale: 3 ans / 80 000 km; mécanique: 6 ans / 100 000 km; perforation corrosion & antipollution: 6 ans / kilométrage illimité.																
300ZX	base	cpé.3 p.2	1475	671	0.32	2451	4305x1791x1229	1525	NR	i/i	d/d/ABS	crém.ass.	10.4	2.7	72.0	225/50VR16	V6/3.0/M5	**48 090**
300ZX	2+2	cpé.3 p.2+2	2132	326	0.32	2570	4521x1801x1222	1556	NR	i/i	d/d/ABS	crém.ass.	10.8	2.7	72.0	225/50VR16	V6/3.0/M5	**50 590**
300ZX	Turbo	cpé.3 p.2	1475	671	0.32	2451	4305x1791x1229	1602	NR	i/i	d/d/ABS	crém.ass.	10.4	2.4	72.0	225/50VR16 245/45ZR16 (ar)	V6T/3.0/M5	**55 090**
300ZX	Décapotable	déc.2 p.2	1645	164	0.35	2451	4305x1791x1257	1567	NR	i/i	d/d/ABS	crém.ass.	10.4	2.7	70.0	225/50VR16	V6/3.0/M5	**55 090**

Voir la liste complète des prix 1995 à partir de la page 393.

Objet de culte...

La 911 reste la Porsche par excellence et ce n'est pas pour rien que la firme s'y accroche comm à une bouée de sauvetage. Depuis plus de vingt ans elle évolue au coup par coup pour se mainteni parmi le Gotha des voitures de sport, mais malgré sa technicité, sa réputation est très surfaite

Ceux qui s'attendaient à une révolution ont été déçus car la dernière 911 ressemble encore fortement à la précédente. Seules quelques retouches cosmétiques et améliorations sont venues tenter de maintenir la technique de ces modèles à la hauteur de leur réputation. Le Carrera à deux et quatre roues motrices sont disponibles en coupé et cabriolet, alors qu'au moment d'écrire ces lignes l'avenir des RS America et Turbo semble incertain. Tous sont équipés du même moteur 6 cylindres opposés à plat 3.6L avec transmission à 2 roues motrices ou intégrale. La boîte automatique à 4 rapports baptisée Tiptronic n'est disponible que sur les Carrera.

POINTS FORTS

• Performances: 95%
Les véritables amateurs de Porsche recherchent avant tout les performances et ils ne sont pas déçus car le six cylindres à plat est aussi puissant que civilisé pour permettre un usage quotidien. Malgré un temps de réponse assez long le Turbo procure des sensations plus impressionnantes mais il faudra être fin pilote pour en tirer le meilleur parti et demeurer sur la route. Les rapports de la boîte manuelle sont parfaitement échelonnés et le guidage du sélecteur très précis, tandis que la Tiptronic est déconcertante de facilité et d'efficacité, malgré certains écarts entre les rapports.

• Sécurité: 90%
La rigidité de la structure a encore été améliorée, les portières profondément modifiées afin d'offrir une protection latérale optimale, et la présence de deux coussins d'air en série permet à ces modèles d'atteindre la cote maximale.

• Technique: 90%
La carrosserie des Porsche est monocoque en acier galvanisé et son originalité vient de la position du groupe motopropulseur situé en porte-à-faux, en arrière des roues motrices. La suspension y a été modifiée et l'ancien essieu à obliques et jambes élastiques a cédé la place à un essieu multibras qui améliore l'accélération latérale de 1 G et a obligé les ingénieurs à recalculer tous les réglages de la suspension. Sur le Carrera 4 le pouvoir va au train avant par un arbre de transmission tournant dans un tube. La répartition de la puissance entre les trains est fixe selon le rapport 61/39 %, et chacun des deux ponts possède un différentiel autobloquant. La transmission automatique Tiptronic, inventée par Porsche, consiste en une boîte ZF, pilotée par un module électronique sophistiqué qui détermine la sélection des rapports en fonction des besoins du moment. D'un côté la boîte fonctionne comme une automatique conventionnelle, tandis que de l'autre le sélecteur à impulsions permet de passer les vitesses, sans avoir à commander l'embrayage. Dans ce mode, les trois derniers rapports sont bloqués entre 1200 et 2000 tr/m afin d'éviter tout glissement. La finesse aérodynamique de leur ligne est bonne car selon la largeur des pneus et des ouvertures frontales, le cœfficient varie de 0.31 à 0.37.

• Comportement: 85%
La Carrera n'a rien perdu de son tempérament sous-vireur, qui s'inverse facilement selon que l'on joue de l'accélérateur ou des freins

DONNÉES

Catégorie: coupés sportifs propulsés à hautes performances.
Classe : GT

HISTORIQUE

Inauguré en: 1963: 901; 1964: 911.
Modifié en: 1973: Targa; 1976: Turbo; 1982: Cabriolet; 1992: trac. int.
Fabriqué à: 1988: Révision 1989: Tiptronic.
Zuffenhausen, Stuttgart, Allemagne.

INDICES

Sécurité: 90 %
Satisfaction: 80 %
Dépréciation: 50%
Assurance: 3.7 % (3 100-5 700 $)
Prix de revient au km: 1.42 $

NOMBRE DE CONCESSIONNAIRES

Au Québec: 3

VENTES AU QUÉBEC

Modèle	1992	1993	Résultat	Part de march
911	27	18	-33 %	ND

PRINCIPAUX MODÈLES CONCURRENTS

ACURA NS-X, DODGE Stealth R/T Turbo, MAZDA RX-7, MERCEDE 300SL, NISSAN 300ZX, TOYOTA Supra.

ÉQUIPEMENT

PORSCHE 911	Carrera	Carrera 4	Turbo
Boîte automatique:	O	-	-
Régulateur de vitesse:	S	S	S
Direction assistée:	S	S	S
Freins ABS:	S	S	S
Climatiseur automatique:	S	S	S
Coussins gonflables (2):	S	S	S
Garnitures en cuir:	S	S	S
Radio MA/MF/ K7:	S	S	S
Serrures électriques:	S	S	S
Lève-vitres électriques:	S	S	S
Volant ajustable:	S	S	S
Rétroviseurs ext. ajustables:	S	S	S
Essuie-glace intermittent:	S	S	S
Jantes en alliage léger:	S	S	S
Toit ouvrant:	S	S	S
Système antivol:	-		

S : standard; O : optionnel; - : non disponible

COULEURS DISPONIBLES

Extérieur: Rouge, Blanc, Argent, Noir, Vert, Bleu, Gris, Turquoise.
Intérieur: Gris, Rouge, Bleu, Tan.

ENTRETIEN

Première révision: 24 000 km
Fréquence: 24 000 km
Prise de diagnostic: Oui

QUOI DE NEUF EN 1995 ?

- **Retourches cosmétiques à la carrosserie.**
- **Moteur de base plus puissant.**
- **Nouvelle transmission manuelle à 6 vitesses.**
- **Coffre à bagages plus volumineux.**
- **Différentiel automatique de freins en option sur la Carrera et en séri sur la Carrera 4.**
- **Nouveau système d'échappement double.**
- **Sous-châssis, suspensions et freins modifiés.**

Modèles/ versions *: de série	Type / distribution soupapes / carburation	Cylindrée cc	Puissance ch @ tr/mn	Couple lb.pi @ tr/mn	Rapport volumét.	Roues motrices / transmissions	Rapport de pont	Accélér. 0-100 km/h s	400 m D.A. s	1000 m D.A. s	Freinage 100-0 km/h m	Vites. maxi. km/h	Accélér. latérale G	Niveau sonore dBA	Consommation l./100km Ville	Consommation l./100km Route	Carbura Octane
	MOTEURS					TRANSMISSION		PERFORMANCES									
Carrera	H6* 3.6 SACT-12-IE	3605	272 @ 6100	244 @ 5000	11.3 :1	arrière-M6*	3.44	5.9	13.8	25.2	38	265	0.86	70	14.1	8.9	S 91
Tiptronic						arrière-A4	3.56	6.8	14.3	26.0	40	260	0.85	70	13.7	8.9	S 91
Carrera 4	H6* 3.6 SACT-12-IE	3605	272 @ 6100	244 @ 4800	11.3 :1	toutes-M6*	3.44	5.8	14.0	25.8	39	260	0.83	70	14.5	9.3	S 91
Turbo	H6* 3.6T SACT-12-IE	3605	355 @ 5500	384 @ 4200	7.5 :1	arrière-M5*	3.44	5.0	13.2	23.5	43	270	0.90	72	17.9	10.2	S 91

t sur route mouillée la plus rande prudence reste de mise, urtout avec le Turbo... Plus asepsé, celui du Carrera 4 repousse ›in les limites, car sa motricité st difficile à prendre en défaut, uel que soit l'état de la route, ıais elle est plus lourde et moins gile.

Qualité & finition: 80%
:onstruite de manière artisanale, e qui permet un contrôle de quaté optimal et utilisant des matéaux de premier choix, les Porshe ont une présentation et une nition exemplaires, mais déuées de toute fantaisie.

Assurance: 80%
e taux est l'un des plus bas sur marché, mais avec des prix ussi flamboyants, il vaut mieux ssurer son investissement pour belle saison seulement...

Sièges: 80%
s maintiennent et soutiennent vec efficacité par leurs formes nveloppantes mais leur rembourrage n'est pas tendre.

Satisfaction: 80%
a fiabilité est satisfaisante, mais entretien et les pièces ruineux.

Poste de conduite: 80%
a position de conduite a été méliorée par le réglage électrique en hauteur, mais le pédalier érité de la Coccinelle et la pluart des commandes qui sont onfuses demande une certaine daptation et mériterait une sérieuse révision.

• Direction: 70%
Précise et rapide, elle est toujours floue au centre et sensible à l'état de la route qu'elle téléphone généreusement. Enfin sa maniabilité ne correspond pas à son format.

• Freinage: 60%
Bien qu'à la hauteur des performances, la longueur de ses arrêts n'a rien d'impressionnant, mais sa commande est précise, son équilibre parfait et son endurance exceptionnelle.

• Accès: 60%
Les 911 n'offrent que deux places pour des humains normalement constitués, car les places arrière sont inutilisables pour quiconque, et surtout des enfant qui y seront claustrophobes.

• Suspension: 50%
La nouvelle suspension arrière est plus tolérante que la précédente sur le plan du confort car le débattement des roues est un peu plus généreux.

• Dépréciation: 50%
Les Porsche commencent à perdre plus de leur valeur, sans doute à cause des rumeurs persistantes à propos de la mauvaise position de la compagnie.

POINTS FAIBLES

• Coffre: 10%
Le nouveau dessin de la partie avant l'a légèrement agrandi, mais il ne contient pas grand chose, car ses formes sont tourmentées, cependant en rabattant le dossier de la banquette arrière on disposera d'une plateforme permettant de loger tout excèdent. De plus il est possible de se faire livrer une 911 sans cette banquette... en option.

• Habitabilité: 20%
Les places souffrent du manque de largeur de la cabine qui n'est pas assez longue non plus.

• Consommation: 25%
Suivant les mises à niveau du moteur et de sa puissance elle n'est plus aussi économique qu'on veut bien le faire croire.

• Niveau sonore: 25%
Malgré son encapsulage le moteur exulte à chaque accélération ou reprise, et le grondement des pneus est moins mélodieux que celui de l'échappement.

• Prix/équipement: 30%
Il est complet, ce qui n'est pas une prouesse, vu le montant de la facture, mais pour le prix demandé, il existe d'autres choix.

• Commodités: 40%
Les rangements se limitent à la petite boîte à gants et aux videpoches installés dans les portes.

CONCLUSION

• Moyenne générale: 60.0 %
Nous avons de plus en plus de mal à trouver quelque chose d'intéressant à ces voitures figées dans le temps qui sont devenues les objets d'un culte qui a perdu beaucoup de ses adeptes. :-|

CARACTÉRISTIQUES & PRIX

lodèles	Versions	Carrosseries/ Sièges	Volume cabine l.	Volume coffre l.	Cx	Empat. mm	Long x larg x haut. mm x mm x mm	Poids à vide kg	Capacité Remorq. max. kg	Susp. av/ar	Freins av/ar	Direction type	Diamètre braquage m	Tours volant b à b.	Réser. essence l.	Pneus d'origine	Mécaniques d'origine	PRIX $ CDN. 1994
'ORSCHE	Garantie: 2 ans / kilom. illimité; corrosion de surface: 3 ans / kilom. illimité; perforation: 10 ans / kilom. illimité; antipollution: 5 ans / 80 000km.																	
11 Carrera		cpé. 2 p.2+2	1557	142	0.33	2272	4260x1735x1315	1390	NR	i/i	d/d/ABS	crém.ass.	11.74	2.47	73.5	205/55ZR16º	H6/3.6/M6	**91 200**
11 Carrera		déc. 2 p.2+2	1557	142	0.33	2272	4260x1735x1315	1415	NR	i/i	d/d/ABS	crém.ass.	11.74	2.47	73.5	245/45ZR16+	H6/3.6/M5	**103 300**
11 Carrera 4		cpé. 2 p.2+2	1557	142	0.33	2272	4260x1735x1315	1440	NR	i/i	d/d/ABS	crém.ass.	11 74	2.47	73.5	205/50ZR17º	H6/3.6/M5	**107 800**
11 Carrera 4		déc. 2 p.2+2	1557	142	0.33	2272	4260x1735x1315	1440	NR	i/i	d/d/ABS	crém.ass.	11.74	2.47	73.5	255/40ZR17+	H6/3.6/M5	**110 500**
11 RS America		cpé. 2 p.2+2	1557	142	0.34	2272	4275x1652x1310	1340	NR	i/i	d/d/ABS	crém.ass.	12.5	3.02	77.0	255/40ZR17	H6/3.6/M5	**92 500**
11 Turbo 3.6		cpé. 2 p.2+2	1557	142	0.35	2272	4275x1775x1311	1485	NR	i/i	d/d/ABS	crém.ass.	11.5	2.81	77.0	265/35ZR18	H6T/3.6/M5	**142 600**

: avant +: arrière

Voir la liste complète des prix 1995 à partir de la page 393.

Qui n'avance plus, recule...

Sur le papier la 928 est la plus internationale et la plus logique des Porsche, car ses attributs l placent d'emblée dans le clan des GT de haut calibre. Pourtant sa ligne et sa technique n'ont pa évolué depuis longtemps et le gain de puissance ne signifie plus rien de nos jours.

Créée pour le marché américain, la 928 a connu un certain succès ailleurs dans le monde à cause de son caractère plus universel que celui de la 911, et l'augmentation progressive de sa puissance et de ses performances l'ont amenée à être considérée comme une exotique. Ses lignes et son efficacité aérodynamique sont figées depuis plusieurs années et elles commencent à dater sérieusement. La version GTS est offerte sous la forme d'un coupé 3 portes 2 volumes à moteur V8 5.4L avec boîte manuelle ou automatique au choix.

POINTS FORTS

• Performances: 90%

Avec un rapport poids-puissance de 4.57 kg/ch, la 928 a de quoi surprendre la moindre exotique. Souple et puissant de 350 ch, son V8 est aussi civilisé pour un usage domestique qu'agressif sur autoroute où ses accélérations, comme ses reprises, sont très puissantes.

• Sécurité: 90%

Sérieusement rigidifiée, la structure satisfait et dépasse même les normes américaines de 1997. Elle résiste bien aux collisions et la protection des occupants est assurée par deux coussins gonflables. La 928 est l'un des rares modèles commercialisés à avoir été doté d'un dispositif surveillant la pression des pneus en permanence.

• Technique: 90%

Le schéma d'implantation de la 928 est classique, moteur avant/boîte-pont arrière, afin d'obtenir une répartition du poids proche de l'équilibre et la liaison entre ces deux éléments s'effectue par un arbre tournant dans un tube rigide. La carrosserie monocoque en acier galvanisé affiche une ligne qui n'a pas changé depuis 16 ans, mais qui demeure assez efficace du point de vue aérodynamique puisque son cœfficient est de 0.35, grâce à la déportance créée par l'aileron en polyuréthane. Cette finesse contribue à assurer une bonne stabilité à cette voiture capable d'atteindre 275 km/h. Pour alléger l'ensemble, le capot moteur et les portes sont réalisés en aluminium. La suspension est indépendante et le freinage à disque aux quatre roues, contrôlé par un système ABS Bosch et la traction par un différentiel à glissement limité.

• Qualité & finition: 90%

La présentation générale est sobre et cossue, l'assemblage robuste, la finition soignée dans les moindres détails, et la qualité des matériaux utilisés, à la mesure de la facture. Toutefois la décoration intérieure a fait souvent appel à des coloris ou des motifs pour le moins inusités, sur une voiture de cette classe. On constate encore la faible protection de la carrosserie qui la rend très vulnérable en utilisation urbaine, où certains automobilistes manquent parfois de civisme.

• Comportement: 90%

La 928 impressionne par sa stabilité, la précision de son guidage et l'assurance de ses réactions, quel que soit le profil ou l'état de la route. Toutefois son gabarit imposant limite sa maniabilité et son agilité sur tracé sinueux. Les puristes se plaindront du manque de caractère sportif de la conduite, tributaire de son poids élevé et de l'orientation un peu trop évidente de la suspension vers le confort plutôt que vers les performances.

DONNÉES

Catégorie: coupés sportifs propulsés à hautes performances.
Classe : GT

HISTORIQUE

Inauguré en: 1977
Modifié en: 1985: V8 5.0L 32v 219 ch;1985: 234 ch;1986: 310ch 1989: 330 ch, 1994: 345 ch; 1995: 350 ch.
Fabriqué à: Zuffenhausen, Stuttgart, Allemagne.

INDICES

Sécurité:	90 %
Satisfaction:	82 %
Dépréciation:	34 % (GTS: 1 an)
Assurance:	3.5 % (3 875 $)
Prix de revient au km:	1. 43 $

NOMBRE DE CONCESSIONNAIRES

Au Québec: 3

VENTES AU QUÉBEC

Modèle	1992	1993	Résultat	Part de marché
928	11	3	-72.7 %	ND

PRINCIPAUX MODÈLES CONCURRENTS

BMW 850i, CHEVROLET Corvette, LEXUS SC400, MERCEDES 500SL.

ÉQUIPEMENT

PORSCHE 928	GTS
Boîte automatique:	Sans Frais
Régulateur de vitesse:	S
Direction assistée:	S
Freins ABS:	S
Climatiseur automatique:	S
Coussins gonflables (2):	S
Garnitures en cuir:	S
Radio MA/MF/ K7:	S
Serrures électriques:	S
Lève-vitres électriques:	S
Volant ajustable:	S
Rétroviseurs ext. ajustables:	S
Essuie-glace intermittent:	S
Jantes en alliage léger:	S
Toit ouvrant:	S
Système antivol:	S

S : standard; O : optionnel; - : non disponible

COULEURS DISPONIBLES

Extérieur: Rouge, Blanc, Argent, Noir, Vert, Bleu, Gris, Turquoise.
Intérieur: Gris, Rouge, Bleu, Tan.

ENTRETIEN

Première révision: 4 000 KM
Fréquence: 6 mois/ 12 000 km
Prise de diagnostic: Oui

QUOI DE NEUF EN 1995 ?

- Moteur encore un peu plus puissant.

MOTEURS						TRANSMISSION		PERFORMANCES									
Modèles/ versions *: de série	Type / distribution soupapes / carburation	Cylindrée cc	Puissance ch @ tr/mn	Couple lb.pi @ tr/mn	Rapport volumét.	Roues motrices / transmissions	Rapport de pont	Accélér. 0-100 km/h s	400 m D.A. s	1000 m D.A. s	Freinage 100-0 km/h m	Vites. maxi. km/h	Accélér. latérale G	Niveau sonore dBA	Consommation l./100km Ville	Route	Carburant Octane
928 GTS	V8* 5.4 DACT-32-IE	5397	350 @ 5700	370 @ 4250	10.4 :1	arrière - M5*	2.73	5.9	13.9	25.6	39	275	0.88	66	18.9	11.6	S 91
						arrière - A4*	2.54	6.0	14.5	26.0	38	260	0.86	65	16.1	11.5	S 91

Poste de conduite: 80%
.es ajustements du siège et de ensemble volant-bloc d'instruments permettent de satisfaire es pilotes les plus exigeants et out est organisé pour rendre la onduite efficace et sécuritaire. Pourtant le fait d'être assis bas mite la visibilité car la ceinture le caisse est haute et certains ingles morts sont importants.

Sièges: 80%
l'avant ils procurent tout ce que on peut souhaiter en matière de outien, de maintien et de rembourrage, alors qu'à l'arrière les occupants devront se contenter le coquilles spartiates.

Direction: 80%
Bien qu'un peu trop démultipliée et pas suffisamment rapide pour ine voiture de ce type, elle est louce et précise et son dosage est équilibré.

Satisfaction: 80%
Ces voitures sont plus fiables que l'autres du même genre, mais la arantie est moins généreuse lans ses grandes lignes que celle le modèles plus modestes et coûant nettement moins cher. Les propriétaires se plaignent du coût le l'entretien et des pièces.

Niveau sonore: 80%
vitesse de croisière l'ambiance est feutrée car la mécanique est liscrète, et l'insonorisation est efficace, mais laisse entendre des bruits de vent et de roulement.

Assurance: 80%
Même si elle représente une somme rondelette sa proportion est raisonnable en regard du capital assuré...

Accès: 60%
l est plus délicat de prendre place à l'arrière où l'espace est limité qu'à l'avant que les portes dégagent largement.

Suspension: 60%
Elle fait preuve de rudesse lorsque la route n'est pas parfaite, mais rappelle celle d'une berline, à vitesse constante sur autoroute.

Freinage: 50%
Compte tenu de sa masse imposante, les quatre disques ventilés et l'ABS évolué procurent des arrêts faciles à moduler, équilibrés, relativement courts, et une endurance remarquable.

• **Dépréciation: 50%**
Elle est plus forte que celle de la 911, car la 928 n'a pas la même renommée et après plusieurs années il n'est pas rare d'en trouver à des prix dérisoires, preuve de son manque de considération.

POINTS FAIBLES

• **Consommation: 10%**
Si la 928 se contente de 15 l/100 km en usage normal, elle peut facilement dépasser cette marque si l'on veut faire la course avec les voitures de police.

• **Habitabilité: 20%**
Comparée à celle d'autres GT, la cabine de la 928 semble vaste, par sa largeur et sa longueur inhabituelles. Deux adultes seront très à l'aise à l'avant et deux jeunes enfants à l'arrière où les places sont limitées par la faible hauteur du toit et la place que prend le tunnel central dont découle laforme des sièges.

• **Coffre: 30%**
Il manque de hauteur et il faudra condamner les places arrière pour loger l'excédent de bagages.

• **Commodités: 40%**
Depuis l'implantation des coussins gonflables, la boîte à gants à été remplacée par un profond coffret installé sur la console centrale et les vide-poches de portières sont de faible capacité.

• **Prix/équipement: 40%**
Cette Porsche s'adresse à des clients plus épris de statut social et de confort que de performances pures. Si son prix se compare avantageusement à celui de certaines divas italiennes son entretien est aussi onéreux.

CONCLUSION

• **Moyenne générale: 64.5 %**
La 928 reste, selon nous, la plus réaliste des Porsche, car elle n'a de mythique que son nom. Toutefois, lorsqu'une voiture commence à avoir plus de succès d'occasion que neuve c'est signe que son avenir est «rendu derrière elle». ☺

CARACTÉRISTIQUES & PRIX

Modèles	Versions	Carrosseries/ Sièges	Volume cabine l.	Volume coffre l.	Cx	Empat. mm	Long x larg x haut. mm x mm x mm	Poids à vide kg	Capacité Remorq. max. kg	Susp. av/ar	Freins av/ar	Direction type	Diamètre braquage m	Tours volant b à b.	Réser. essence l.	Pneus d'origine	Mécaniques d'origine	PRIX $ CDN. 1994
PORSCHE	**Garantie: 2 ans / kilométrage illimité; corrosion de surface: 3 ans / kilométrage illimité; perforation: 10 ans / kilométrage illimité.**																	
928	GTS man.	cpé.3 p.2+2	2095	226	0.35	2500	4523x1890x1282	1630	NR	i/i	d/d/ABS	crém.ass.	11.7	3.0	86.0	225/45ZR17º 255/40ZR17+	V8/5.4/M5	**110 700**
928	GTS auto.	cpé.3 p.2+2	2095	226	0.35	2500	4523x1890x1282	1650	NR	i/i	d/d/ABS	crém.ass.	11.7	3.0	86.0	225/45ZR17º 255/40ZR17+	V8/5.4/A4	**110 700**

Voir la liste complète des prix 1995 à partir de la page 393.

Pour masochistes seulement...

La 968 qui constitue l'ultime aboutissement de la 924, n'a jamais été considérée comme un véritable Porsche par les fanatiques de la marque. C'est surtout par son style et son nom, plus qu par ses prestations ou son agrément de conduite, qu'elle a séduit des acheteurs voulant s'éprouver

Après avoir servi de modèle à certaines concurrentes japonaises, la 968, qui est une 944 dont on a redessiné les extrémités dans le style de la 928, semble bien dépassée quand on constate le raffinement technique et le confort de ses opposantes. Elle est vendue sous la forme d'un coupé 3 portes ou d'un cabriolet 2 portes équipés d'un moteur 4 cylindres de 3.0L. Les transmissions sont manuelles à 6 vitesses en série ou automatiques Tiptronic contre supplément.

POINTS FORTS

• **Sécurité:** 90%
La présence de deux coussins gonflables et la rigidification de sa structure lui permettent d'offrir une protection optimale aux occupants.
• **Technique:** 90%
Les changements qui ont affecté la 968 ont été purement cosmétiques, car les principales dimensions sont demeurées identiques à celles de la 944 au millimètre près, à l'exception du poids qui a pris quelques kilos. La carrosserie monocoque en acier galvanisé est équipée d'une suspension indépendante et de freins à disque avec ABS sur les 4 roues, tandis que la boîte de vitesses combinée au différentiel est installée entre les roues arrière, comme sur la 928, afin d'équilibrer le poids entre les trains avant et arrière. Le rafraîchissement de sa ligne a amélioré son efficacité aérodynamique puisque son cœfficient est passé à 0.32.
Son moteur, qui est le plus gros 4 cylindres du marché, est équipé d'une culasse à admission variable *Variocam* qui permet d'augmenter la puissance et le couple en faisant varier le calage des soupapes d'admission par le Motronic, via le tendeur de chaîne entraînant l'arbre à cames. Deux arbres d'équilibrage situés de part et d'autre du vilebrequin annulent les vibrations propres à ce genre de propulseur.
• **Qualité & finition:** 80%
L'assemblage est homogène, la finition et la qualité des matériaux convenables, mais la présentation intérieure manque de chaleur.
• **Satisfaction:** 80%
Les Japonais font payer moins cher un service moins fréquent, moins coûteux et moins indépendant.
• **Performances:** 80%
Elles impressionnent moins, malgré un rapport puissance/poids favorable, car certaines japonaises font nettement mieux. À l'usage le moteur n'est pas très agréable car il manque de souplesse à bas régime, et cale souvent si on ne le lance pas suffisamment. Il a pourtant l'avantage d'offrir un couple plus important que ses concurrents V6 à bas régime. La sélection de la boîte manuelle n'est pas idéale car il est facile de confondre la première avec la marche arrière et la pédale d'embrayage, très dure, fait éviter les parcours urbains, et le 6ième rapport n'est d'aucune utilité en Amérique du Nord.
• **Assurance:** 80%
Son taux est raisonnable, mais la prime semble aussi surévaluée que le prix de ce modèle sur lequel elle est indexée.
• **Comportement:** 80%
Il faut avoir une grande habitude de la 968 pour en tirer le meilleur et ce, même sur route sèche où les pneus de qualité et la suspension

DONNÉES

Catégorie: coupés sportifs propulsés.
Classe : GT

HISTORIQUE

Inauguré en: 1975: 924; 1981: 944; 1992: 968.
Modifié en: 1986: S & 2.7L; 1990: S2 & 3.0L.1992: carrosserie.
Fabriqué à: Zuffenhausen, Stuttgart, Allemagne.

INDICES

Sécurité:	90 %
Satisfaction:	83 %
Dépréciation:	58%
Assurance:	4.0 % (2 600 $)
Prix de revient au km:	0.82 $

NOMBRE DE CONCESSIONNAIRES

Au Québec: 3

VENTES AU QUÉBEC

Modèle	1992	1993	Résultat	Part de marché
968	14	12	-14.28 %	ND

PRINCIPAUX MODÈLES CONCURRENTS

DODGE Stealth R/T Turbo, MAZDA RX-7, NISSAN 300 ZX, TOYOTA Supra

ÉQUIPEMENT

PORSCHE 968	coupé	cabriolet
Boîte automatique:	Sans frais	Sans frais
Régulateur de vitesse:	S	S
Direction assistée:	S	S
Freins ABS:	S	S
Climatiseur automatique:	S	S
Coussins gonflables (2):	S	S
Garnitures en cuir:	O	O
Radio MA/MF/ K7:	S	S
Serrures électriques:	S	S
Lève-vitres électriques:	S	S
Volant ajustable:	S	S
Rétroviseurs ext. ajustables:	S	S
Essuie-glace intermittent:	S	S
Jantes en alliage léger:	S	S
Toit ouvrant:	S	S
Système antivol:	S	S

S : standard; O : optionnel; - : non disponible

COULEURS DISPONIBLES

Extérieur: Rouge, Blanc, Argent, Noir, Vert, Bleu, Gris, Turquoise.
Intérieur: Gris, Rouge, Bleu, Tan.

ENTRETIEN

Première révision: 4 000 km
Fréquence: 6 mois/12 000 km
Prise de diagnostic: Oui

QUOI DE NEUF EN 1995 ?

- **Moteur légèrement plus puissant (+ 5 ch).**

Modèles/ versions *: de série	Type / distribution soupapes / carburation	MOTEURS Cylindrée cc	Puissance ch @ tr/mn	Couple lb.pi @ tr/mn	Rapport volumét.	TRANSMISSION Roues motrices / transmissions	Rapport de pont	PERFORMANCES Accélér. 0-100 km/h s	400 m D.A. s	1000 m D.A. s	Freinage 100-0 km/h m	Vites. maxi. km/h	Accélér. latérale G	Niveau sonore dBA	Consommation l./100km Ville	Route	Carburant Octane
base	L4* 3.0 DACT-16-IED	2990	240 @ 6200	225 @ 4100	11.0 :1	arrière-M6*	3.78	6.8	14.7	26.7	39	245	0.90	71	13.7	8.3	S 91
						arrière-A4	3.25	8.2	15.0	27.2	41	240	0.90	70	14.3	8.8	S 91

permettent d'atteindre un coefficient d'accélération latérale élevé. Toutefois, sous la pluie, l'équilibre est plus fragile et elle peut partir en tête-à-queue sans crier gare, si on la pousse trop.

Sièges: 70%
Véritables baquets, ils maintiennent bien dans tous les sens, mais leur rembourrage est trop dur et les longs trajets fatigants.

Direction: 70%
Elle est précise mais son assistance est ferme et elle retransmet tous les défauts de la route. Curieusement sa maniabilité n'est que moyenne car malgré un diamètre de braquage court, sa rapidité est insuffisante.

Commodités: 60%
Une boîte à gants de taille moyenne, des vide-poches de portières et un petit coffret de console constituent le principal des rangements.

Poste de conduite: 60%
Toujours pas ajustable, la colonne de direction basse ne procure pas une position de conduite confortable surtout aux conducteurs de grande taille dont la tête est si proche du haut du pare-brise qu'ils doivent conduire presque couchés. Le siège baquet n'est pas en cause car il maintient parfaitement dans tous les sens. Les instruments sont bien disposés, mais les interrupteurs semblent avoir été semés au hasard. La fermeté du sélecteur de vitesses, de la pédale d'embrayage ainsi que la faible assistance de la direction témoignent d'une philosophie révolue qui retranche de l'agrément à la conduite. La visibilité est gênée de 3/4 par la forme du toit et à l'arrière par l'étroitesse de la lunette et la présence de l'aileron.

Freinage: 50%
Puissant, équilibré et facile à doser, il excelle plus par son endurance que par ses distances d'arrêt qui n'ont rien d'exceptionnel avec l'ABS.

POINTS FAIBLES

Niveau sonore: 10%
Malgré un sérieux travail d'insonorisation, il reste l'un des plus

élevés que nous ayons enregistrés sur une voiture de ce prix.

• Habitabilité: 10%
La 968 doit être considérée comme une 2 places, car l'espace disponible à l'arrière sera plus utile à des bagages qu'à d'éventuels passagers, tant il est limité. L'étroitesse de la cabine donnera aux personnes corpulentes un désagréable sentiment de claustrophobie.

• Suspension: 30%
Elle est franchement inconfortable sur petites routes en mauvais état et il vaut mieux choisir l'autoroute pour arriver en forme.

• Consommation: 30%
Elle est souvent plus forte que celle des V6 de cylindrée équivalente, car elle peut dépasser 15 l/100 km, pour peu que l'on se prenne au jeu.

• Coffre: 40%
Bien que large, il manque de hauteur et il faut baisser le dossier des sièges arrière pour disposer d'un espace raisonnable.

• Accès: 40%
Il est compliqué par le dossier très enveloppant des sièges baquet, l'inclinaison du pare-brise et la faible hauteur du toit et il vaut mieux mettre un casque avant d'embarquer, juste en cas...

• Dépréciation: 40%
Une Porsche qui perd autant qu'une vulgaire automobile constitue un record de désapprobation, que le constructeur ne semble pas réaliser, même à la lecture des chiffres de vente.

• Prix/équipement: 40%
La 968 a bien du mal à justifier son rapport prix-performances-agrément car ses concurrentes japonaises sont à des années-lumières devant elle.

CONCLUSION

• Moyenne générale: 56.5 %
Les affaires du groupe Volkswagen-Audi-Porsche ne sont pas reluisantes depuis que le Dr Piech s'entête à vouloir les diriger comme on le faisait il y a quinze ans. Aujourd'hui les constructeurs écoutent les clients, mais chez Porsche les clients sont de moins en moins nombreux. 😐

CARACTÉRISTIQUES & PRIX

Modèles	Versions	Carrosseries/ Sièges	Volume cabine l.	Volume coffre l.	Cx	Empat. mm	Long x larg x haut. mm x mm x mm	Poids à vide kg	Capacité Remorq. max. kg	Susp. av/ar	Freins av/ar	Direction type	Diamètre braquage m	Tours volant b à b.	Réser. essence l.	Pneus d'origine	Mécaniques d'origine	PRIX $ CDN. 1994
PORSCHE		**Garantie: 2 ans / kilom. illimité; corrosion de surface: 3 ans / kilom. illimité; perforation: 10 ans / kilom. illimité; antipollution: 5 ans / 80 000km.**																
968	coupé man.	cpé.3 p.2+2	1784	340	0.34	2400	4340x1735x1275	1400	NR	i/i	d/dABS	crém.ass.	10.75	3.24	74.0	205/55ZR16º	L4/3.0/M6	**57 600**
968	coupé autom.	cpé.3 p.2+2	1784	340	0.34	2400	4340x1735x1275	1430	NR	i/i	d/dABS	crém.ass.	10.75	3.24	74.0	225/50ZR16+	L4/3.0/A4	**61 700**
968	cabriolet man.	déc.2 p.2	-	-	0.36	2400	4340x1735x1275	1470	NR	i/i	d/dABS	crém.ass.	10.75	3.24	74.0	205/55ZR16º	L4/3.0/M6	**72 800**
968	cabriolet autom.	déc.2 p.2	-	-	0.36	2400	4340x1735x1275	1500	NR	i/i	d/dABS	crém.ass.	10.75	3.24	74.0	225/50ZR16+	L4/3.0/A4	**77 100**

º: avant +: arrière

Voir la liste complète des prix 1995 à partir de la page 393.

Chefs-d'œuvres en péril...

Rien ne va plus pour l'industrie automobile au royaume de sa gracieuse majesté. Après les Japonais, voilà que les Allemands ont réussi le débarquement qu'ils avaient raté naguère. Aujourd'hui les Land Rover ont des moteurs BMW et Rolls Royce, symbole suprême de la monarchie, est comme cette dernière, en mauvaise posture.

Les Bentley et Rolls Royce constituent le summum en matière d'automobiles. Moins du côté technique, où Mercedes tient le haut du pavé, que du côté luxe, équipement et finition, où ces voitures anglaises excellent. Si la Rolls est la voiture des rois de toutes sortes, la Bentley est généralement considérée comme étant le choix des gens qui ont du goût. Elles sont offertes en cabriolet, coupé et berlines, et chez Rolls en cabriolet, berlines à empattement normal ou allongé et limousine. Elles sont toutes équipées du «nouveau» moteur V8 de 6.7L atmosphérique ou turbocompressé selon le modèle, avec boîte automatique à 4 rapports.

POINTS FORTS

- **Niveau sonore:** 100%

L'insonorisation est la plus poussée de toute l'industrie puisqu'on parvient sur autoroute à friser le 62 dBA, alors que la moyenne s'établit à 63. Toutefois le poids du matériau insonorisant est «top secret».

- **Qualité/finition:** 100%

Référence suprême en la matière, ces voitures sont construites pour durer autant que la fortune de leur propriétaire. Le cuir fin Connolly, les appliques de loupe de ronce de noyer vernie et les tapis de laine les parent comme un salon de la haute société, c'est-à-dire avec bon goût et raffinement.

- **Sécurité:** 90%

La masse et la rigidité de la structure de ces énormes véhicules jouent un grand rôle dans la protection des occupants en cas de collision et deux coussins d'air protègent les occupants des place avant.

- **Satisfaction:** 90%

À un tel niveau de prix, les clients se doivent d'être satisfaits, mais on a enregistré dans le passé quelques campagnes de rappel, confirmant que rien n'est parfait, pas même une Rolls.

- **Accès:** 90%

«Monter en voiture» prend toute sa signification avec ces modèles dont portes et dégagements son généreusement dimensionnés.

DONNÉES

Catégorie: berlines, coupés et décapotables de grand luxe.
Classe : 7

HISTORIQUE

Inauguré en: 1980: Spirit, Spur, Brooklands; 1984:Limo. 1985: Continental-Corniche et Turbo R; 1995: Flying Spur.
Modifié en: 1985: moteur turbo.
Fabriqué à: Crewe: Spirit, Spur, Brooklands; chez Muliner-Park-Ward, Continental et Corniche, et chez Hooper, Limousine à Londres, Angleterre

INDICES

Sécurité: 90 %
Satisfaction: 90 %
Dépréciation: 50 %
Assurance: 3.2 % (7 950 $)
Prix de revient au km: 2.85 $

NOMBRE DE CONCESSIONNAIRES

Au Québec: 1

VENTES AU QUÉBEC

Modèle	1992	1993	Résultat	Part de marché
Bentley	Confidentiel			
Rolls Royce	Confidentiel			

PRINCIPAUX MODÈLES CONCURRENTS

BMW 750iL, MERCEDES BENZ 600.

ÉQUIPEMENT

Bentley/Rolls Royce	tous modèles
Transmission automatique:	S
Régulateur de vitesse:	S
Direction assistée:	S
Freins ABS:	S
Climatiseur automatique:	S
Coussins gonflables (2):	S
Garnitures en cuir:	S
Radio MA/MF/ K7:	S
Serrures électriques:	S
Lève-vitres électriques:	S
Volant ajustable:	S
Rétroviseurs ext. ajustables:	S
Essuie-glace intermittent:	S
Jantes en alliage léger:	S
Toit ouvrant:	O
Système antivol:	S

S : standard; O : optionnel; - : non disponible

COULEURS DISPONIBLES

Extérieur: Blanc, Bleu, Argent, Rouge, Beige.
Intérieur: Tan, Noir, Blanc Gris, Bleu,Crème.

ENTRETIEN

Première révision: ND
Fréquence: ND
Prise de diagnostic: Oui

QUOI DE NEUF EN 1995 ?

- Nouveaux: le moteur 6.7L, les sièges, les phares, les coussins gonflables des places avant.
- Le moteur turbo de la Bentley est maintenant installé dans une Rolls qui inaugure le nom de Flying Spur.

Modèles/ versions *: de série	MOTEURS Type / distribution soupapes / carburation	Cylindrée cc	Puissance ch @ tr/mn	Couple lb.pi @ tr/mn	Rapport volumét.	TRANSMISSION Roues motrices / transmissions	Rapport de pont	PERFORMANCES Accélér. 0-100 km/h s	400 m D.A. s	1000 m D.A. s	Freinage 100-0 km/h m	Vites. maxi. km/h	Accélér. latérale G	Niveau sonore dBA	Consommation l./100km Ville	Consommation l./100km Route	Carburant Octane
1)	V8*6.7 ACC-16-IE	6750	245 @ 4000	370 @ 2000	8.0: 1	arrière-A4	3.07	9.8	17.2	31.5	58	210	0.78	63	22.5	14.7	S 91
2)	V8T*6.7 ACC-16-IE	6750	360 @ 4200	554 @ 2000	8.1: 1	arrière-A4	2.69	7.5	16.0	28.8	55	240	0.80	63	22.7	14.8	S 91

1) Brooklands, Continental Convertible, Silver Spirit III, Silver Spur III, Silver Spur III Limo., Corniche.
2) Turbo R, Continental R, Flying Spur.

ROLLS ROYCE Silver Spur III

BENTLEY Turbo R

Sièges: 90%
s ne dépareraient pas un salon affiné, mais une fois n'est pas outume, ils sont mieux galbés à arrière qu'à l'avant (tant pis pour eux qui conduisent eux-mêmes) ù le coussin ne maintient pas uffisamment les cuisses.

Suspension: 90%
:lle est de velours dans la plu- art des cas, à moins de très nauvais revêtement que l'on per- oit à peine parce qu'on les borde généralement à faible al- ıre. Ce confort constitue le vrai rand avantage de ces voitures.

Commodités: 90%
:lles sont aussi nombreuses que ratiques. Boîte à gants, vide- oches de portières, coffret de onsole centrale ou d'accoudoir l'arrière, tablette-écritoire au dos es sièges avant, miroirs, ragonne de maintien, tout y est...

Technique: 80%
:lle brille plus par la complexité e ses asservissements et de on circuit électrique, que par on aspect révolutionnaire ou vant-gardiste. Le dernier mo- eur n'est que l'ultime version de elui qu'on connait depuis fort ongtemps, la transmission pro- ient de GM, le correcteur d'as- iette du train arrière est un bre- et Citroën. La carrosserie mo- ocoque est en acier zingué ou aité au zinc, tandis que les portes, et les capots avant/arrière sont en alliage d'aluminium anodisé. Enfin l'ensemble est recouvert d'une douzaine de couches d'apprêts et de peinture. La suspension est indépendante et les freins à disque aux quatre roues, controlés par un dispositif antiblocage Bosch.

• Coffre: 80%
Vaste et bien capitonné, ses formes simples permettent d'y loger une collection de valises Louis Vuitton, et si ce n'est pas assez, demandez au chauffeur de vous suivre avec une fourgonnette...

• Performances: 80%
Il est surprenant de voir combien ces monstrueuses automobiles peuvent être rapides. Faire passer des masses de 2.5 tonnes de 0 à 100 km/h en moins de 10 s avec le moteur atmosphérique ou de 7.5 s avec le turbo a de quoi surprendre. Mais la plupart du temps elles sont conduites de manière tranquille et digne.

• Direction: 80%
Là encore surprise, car malgré une assistance un peu forte la précision et la rapidité sont celles de modèles plus sveltes et leur maniabilité est très honorable compte tenu de leurs dimensions.

• Habitabilité: 70%
Bien qu'elle ne soit pas proportionnelle à leur encombrement, quatre personnes disposent de beaucoup d'espace vital, tandis qu'une cinquième ne sera pas confortablement installée au centre à l'arrière, shocking!

• Poste de conduite: 70%
Il est plus spectaculaire qu'ergonomique, car la pluspart des commandes sont loin de la main du conducteur, la jante du volant est mince, les pédales minuscules et le bois verni reflète beaucoup.

• Comportement: 70%
Il est assorti aux performances respectives de ces modèles. Sans dire qu'il est sportif avec le moteur Turbo, il surprend par son audace dans certaines figures scabreuses, et souvent au détriment des freins et des pneus qui sont mis à rude épreuve. Un diamètre de roue plus important améliorerait sans doute la mise en appui.

• Assurance: 50%
Une prime annuelle de 8 000 $ reste quelque chose de considérable, mais est proportionnellement moins élevée que celle de modèles plus populaires.

POINTS FAIBLES

• Prix/équipement: 0%
Même si elles sont superbement équipées ces voitures sont offertes à des prix qui insultent l'intelligence humaine d'autant que rien dans leur technique n'est exceptionnel ou révolutionnaire.

• Consommation: 0%
C'est ici que se paie le luxe du poids et des performances et s'il faut compter 25 litres en moyenne, ce chiffre peut facilement doubler en ville ou à haute vitesse (sur piste ?).

• Freinage: 20%
Ici pas de miracle possible, car l'inertie est énorme et malgré la qualité des plaquettes et la ventilation des disques, les arrêts d'urgence sont équilibrés, mais les distances sont plus longues que la moyenne et la résistance à l'échauffement éphémère.

• Dépréciation: 40%
Selon où l'on se trouve en Amérique du Nord, une Rolls ou une Bentley verra sa valeur fluctuer du simple au double. La revendre à Los Angeles ou au fin fond du Yukon fera toute la différence.

CONCLUSION

• Valeur moyenne: 69.0%
Si donner une note à la reine des automobiles est un crime de lèse-majesté, cela permet toutefois de la situer dans l'échelle des vraies valeurs. Disons que l'acquisition d'un de ces salons roulants est plus une affaire de moyens que de goût... ☺

CARACTÉRISTIQUES & PRIX

Modèles	Versions	Carrosseries/ Sièges	Volume cabine l.	Volume coffre l.	Cx	Empat. mm	Long x larg x haut. mm x mm x mm	Poids à vide kg	Capacité Remorq. max. kg	Susp. av/ar	Freins av/ar	Direction type	Diamètre braquage m	Tours volant b à b.	Réser. essence l.	Pneus d'origine	Mécaniques d'origine	PRIX $ CDN. 1994
BENTLEY			**Garantie générale : 4 ans/ kilométrage illimité.**															
Brooklands		ber. 4 p.5	2774	510	ND	3061	5277x1885x1485	2360	NR	i/i	d/d/ABS	crém.ass.	11.7	3.5	108	235/70VR15	V8/6.7/A4	**170 000**
Turbo R		ber. 4 p.5	2774	510	ND	3061	5277x1885x1485	2450	NR	i/i	d/d/ABS	crém.ass.	11.7	3.5	108	255/60VR16	V8T/6.7/A4	**240 000**
Continental R		cpé. 2 p.5	ND	350	ND	3061	5340x1870x1460	2450	NR	i/i	d/d/ABS	crém.ass.	13.1	3.5	108	255/55VR17	V8T/6.7/A4	**350 000**
Continental Convert.		déc. 2 p 5	ND	380	ND	3061	5270x1835x1520	2520	NR	i/i	d/d/ABS	crém.ass.	11.6	3.5	108	235/70VR15	V8/6.7/A4	**335 000**
ROLLS ROYCE			**Garantie générale : 4 ans/ kilométrage illimité.**															
Silver Spirit III		ber. 4 p.5	2774	550	ND	3061	5277x1885x1485	2430	NR	i/i	d/d/ABS	crém.ass.	12.1	3.5	108	235/70VR15	V8/6.7/A4	**185 000**
Silver Spur III		ber. 4 p.5	2774	550	ND	3160	5370x1885x1485	2470	NR	i/i	d/d/ABS	crém.ass.	12.5	3.5	108	235/70VR15	V8/6.7/A4	**215 000**
Silver Spur III Limo.		lim. 4 p.5	2774	380	ND	3770	5980x1835x1535	2640	NR	i/i	d/d/ABS	crém.ass.	13.5	3.5	108	235/70VR15	V8/6.7/A4	**450 000**
Flying Spur		ber. 4 p.5	2774	550	ND	3061	5277x1885x1485	2450	NR	i/i	d/d/ABS	crém.ass.	12.1	3.5	108	255/60VR16	V8T/6.7/A4	**280 000**
Corniche		déc. 2 p.5	ND	380	ND	3061	5260x1835x1520	2520	NR	i/i	d/d/ABS	crém.ass.	12.1	3.5	108	235/70VR15	V8/6.7/A4	**335 000**

Voir la liste complète des prix 1995 à partir de la page 393.

Le viking contre-attaque...

Associé à GM, le petit constructeur suédois met les bouchées doubles. Après le renouvellement spectaculaire de la berline 900 fin 93, un coupé et un cabriolet ont repris leur place dans sa gamme de base dans le courant de 94. Modernes et bien présentés, ils annoncent une ère nouvelle.

Après quinze années d'existence la gamme Saab 900 a repris vie sous la forme d'une berline 5 portes, d'un coupé 3 portes et d'un cabriolet. Les degrés de finitions sont S et SE pour tous les modèles. Les modèles S sont mus par un 4 cylindres de 2.3L et les SE par un V6 de 2.5L d'origine Opel, auquel le coupé et le cabriolet peuvent substituer un 2.0L Turbo. La transmission est manuelle à 5 vitesses et en série et automatique à 4 rapports en option.

POINTS FORTS

• Sécurité: 90%
La 900 comporte nombre d'équipements qui rendent son emploi très sécuritaire en plus de sa coque sur laquelle un travail de rigidification important a été effectué, deux coussins gonflables sont installés en série à l'avant et des appuie-tête équipent les 4 places.

• Technique: 80%
La nouvelle carrosserie monocoque en acier a conservé les attributs traditionnels des anciens modèles soit son pare-brise peu incliné, la troisième petite vitre latérale, une allure toute en rondeur et la calandre facile à identifier. Seule la partie arrière n'est pas tout à fait dans la note, mais on s'y habituera. Le coupé a repris le flambeau de ses glorieux prédécesseurs; le cabriolet est 70% plus rigide que l'ancien et son toit escamotable électriquement, conçu et fabriqué pas ASC, est isolé. L'efficacité aérodynamique est toujours à l'honneur puisque la berline et le coupé affichent un cœfficient de 0.30 et le cabriolet 0.36 avec la capote fermée. La position transversale des moteurs a permis de réduire le porte-à-faux avant et offre une meilleure répartition des masses (60/40%). La suspension avant est indépendante de type McPherson, alors qu'à l'arrière, l'essieu semi-rigide est directionnel, assisté de deux barres de torsion et tous les amortisseurs sont à gaz. Les freins à disque aux 4 roues (ventilés à l'avant) sont pilotés par un système ABS qui sert aussi de régulateur de traction monté en série. La transmission automatique (Aisin-Warner) fonctionne selon trois modes: normal, sportif et hiver, ce dernier avantage le démarrage en 3ième sur routes glissantes et fonctionne jusqu'à 80 km/h.

• Qualité & finition: 80%
Bien que la présentation soit sévère, la qualité de l'assemblage, le soin apporté à la finition et la qualité des matériaux sont indéniables.

• Poste de conduite: 80%
Le tableau de bord est traditionnel de la marque tant il s'inspire de celui d'un avion. Tout y est bien disposé et facile à interpréter ou à utiliser et la nuit on peut éteindre l'éclairage des instruments qui ne se rallumera qu'en cas d'anomalie (gadget douteux). La clé de contact placée sur le tunnel central permet d'épargner les genoux du conducteur en cas d'accident et complique la vie des voleurs en bloquant la transmission. Le conducteur est bien installé, mais la visibilité est moyenne vers l'arrière de la berline et du coupé, et les angles morts sont importants sur le cabriolet quand la capote est fermée.

• Accès: 80%
Il est aussi aisé de s'installer à l'avant qu'à l'arrière car les portes s'ouvrent largement et la hauteur est suffisante même sur les carrosseries à deux portes.

DONNÉES

Catégorie: berlines, coupés et cabriolets de luxe tractés.
Classe : 7

HISTORIQUE

Inauguré en: 1969
Modifié en: 1978: style; 1984: Tbo; 1985: cabriolet; 1993: renouvellement;1994: coupé et cabriolet
Fabriqué à: Trollhattan, Suède & Nystad, Finlande.

INDICES

Sécurité: 90 %
Satisfaction: 78 % (ancien modèle)
Dépréciation: 50 % Tbo:58 % (ancien modèle)
Assurance: 5.0 % (1 430-1 655 $)
Prix de revient au km: 0.62 $

NOMBRE DE CONCESSIONNAIRES

Au Québec: 10

VENTES AU QUÉBEC

Modèle	1992	1993	Résultat	Part de marché
900	100	83	-17.0 %	ND

PRINCIPAUX MODÈLES CONCURRENTS

ACURA Vigor, AUDI A4, BMW Série 3, INFINITI G-20, LEXUS ES300 MAZDA Millenia, NISSAN Maxima, VOLVO 850.

ÉQUIPEMENT

SAAB 900 beline	**S**	**SE**	
SAAB 900 Cpé et déc.	**S**	**SE**	**Tbo**
Boîte automatique:	O	O	O
Régulateur de vitesse:	S	S	S
Direction assistée:	S	S	S
Freins ABS:	S	S	S
Climatiseur:	S	S	S
Coussins gonflables (2):	S	S	S
Garnitures en cuir:	-	S	S
Radio MA/MF/ K7:	S	S	S
Serrures électriques:	S	S	S
Lève-vitres électriques:	S	S	S
Volant ajustable:	S	S	S
Rétroviseurs ext. ajustables:	S	S	S
Essuie-glace intermittent:	S	S	S
Jantes en alliage léger:	-	S	S
Toit ouvrant:	O	O	O
Système antivol:	S	S	S

S : standard; O : optionnel; - : non disponible

COULEURS DISPONIBLES

Extérieur: Blanc, Noir, Bleu, Rouge, Gris, Vert, Argent.
Intérieur: Gris, Beige, Noir, Tan.

ENTRETIEN

Première révision: 5 000 km
Fréquence: 10 000 km
Prise de diagnostic: Oui

QUOI DE NEUF EN 1995 ?

- Coupé et cabriolet disponibles depuis le courant de 1994.

Modèles/ versions *: de série	Type / distribution soupapes / carburation	Cylindrée cc	Puissance ch @ tr/mn	Couple lb.pi @ tr/mn	Rapport volumét.	Roues motrices / transmissions	Rapport de pont	Accélér. 0-100 km/h s	400 m D.A. s	1000 m D.A. s	Freinage 100-0 km/h m	Vites. maxi. km/h	Accélér. latérale G	Niveau sonore dBA	Consommation l./100km Ville	Consommation l./100km Route	Carburan Octane
	MOTEURS					TRANSMISSION		PERFORMANCES									
Turbo	L4* 2.0 DACT-16-IE	1985	185 @ 5500	195 @ 2100	9.2: 1	avant - M5	4.05	ND									
						avant - A4	2.65	ND									
S	L4* 2.3 DACT-16-IE	2290	150 @ 5700	155 @ 4300	10.5 :1	avant - M5*	4.05	10.2	17.8	31.3	40	205	0.80	68	12.8	8.0	R 87
						avant - A3	2.65	11.0	19.0	31.9	39	200	0.80	68	12.8	8.4	R 87
SE	V6 2.5 DACT-24-IE	2498	170 @ 5900	167 @ 4200	10.8 :1	avant - M5*	4.45	8.5	16.2	29.0	38	220	0.82	67	12.8	8.6	R 87
						avant - A3	2.86	9.2	17.0	29.4	41	210	0.82	67	12.4	8.6	R 87

• **Satisfaction: 80%**
Selon l'expérience des anciens modèles, le coût d'entretien, le prix élevé des pièces, la modestie du réseau, le manque d'expérience sur la fiabilité du dernier modèle, demandent réflexion.
• **Sièges: 80%**
Redessinés, leur assise est plus confortable, mais les garnitures de tissu offrent un maintien supérieur à celles en cuir dont le dossier est plus évasé.
• **Comportement: 70%**
La 900 a gagné une stabilité supérieure à celle du modèle précédent. Bien qu'elle reste franchement sous-vireuse, cela ne nuit pas à la conduite sportive, car elle est aussi à l'aise en ligne droite que vive sur tracé sinueux. L'adhérence et la motricité ne font pas défaut grâce à l'équipement pneumatique de qualité et au régulateur de traction. La tenue du cabriolet est moins rigoureuse par manque de rigidité.
• **Direction: 70%**
Bien démultipliée, bien dosée et précise, elle permet un excellent contrôle et une maniabilité suffisante malgré l'empattement long.
• **Suspension: 70%**
Bien que sa réponse soit ferme, elle absorbe les défauts de la route sans brutalité
• **Commodités: 70%**

Les rangements comprennent une grande boîte à gants et des vide-poches de portières à l'avant comme à l'arrière.
• **Assurance: 70%**
Proportionnellement, la 900 coûte plus chère à assurer que la 9000.
• **Niveau sonore: 60%**
La rigidité et l'insonorisation ont rendu l'habitacle feutré, mais les moteurs sont plus bruyants que la moyenne, et des courants d'air naissent autour du pare-brise dès que la vitesse augmente.
• **Coffre: 60%**
Sa capacité est plus importante sur le coupé que sur le cabriolet, mais elle peut être agrandie vers la cabine en abaissant le dossier de la banquette fractionnable selon la proportion 60-40.
• **Performances: 60%**
Chacun des moteurs est intéressant dans son genre. Le 4 cylindres va bien avec la transmission manuelle (dont la sélection est lente et délicate) alors que le V6, plus étoffé, complète bien la boîte automatique, enfin, la fougue du turbo procure (au-dessus de 2500 tr/mn) un agrément de conduite digne de ses prédécesseurs.
• **Freinage: 50%**
Les arrêts sont plus faciles à doser, plus courts et plus équilibrés que par le passé, mais nous n'avons aucun rapport sur la longévité des garnitures qui était le problème des modèles précédents.
• **Consommation: 60%**
Peu de différence entre les deux moteurs qui deviennent gloutons dès qu'on les sollicite fortement
• **Habitabilité: 50%**
Si la longueur totale est plus courte que celle du modèle précédent, les autres dimensions ont progressé pour permettre à 4 et parfois 5 personnes de voyager confortablement, grâce à des dégagements bien calculés.

POINTS FAIBLES

• **Prix/équipement: 40%**
Bien qu'elles ne soient pas données, leur prix est plus compétitif que par le passé.
• **Dépréciation: 40%**
Les Saab ont toujours perdu plus de valeur que les autres modèles de leur catégorie et il est trop tôt pour savoir si les derniers modèles suivront cette tendance.

CONCLUSION

• **Moyenne générale: 67.0 %**
Rajeunie, cette famille de voitures propose les critères Saab sous un jour plus réaliste à tous points de vue. ☺

CARACTÉRISTIQUES & PRIX

Modèles	Versions	Carrosseries/ Sièges	Volume cabine l.	Volume coffre l.	Cx	Empat. mm	Long x larg x haut. mm x mm x mm	Poids à vide kg	Capacité Remorq. max. kg	Susp. av/ar	Freins av/ar	Direction type	Diamètre braquage m	Tours volant b à b.	Réser. essence l.	Pneus d'origine	Mécaniques d'origine	PRIX $ CDN. 1994
SAAB		**Garantie: 3 ans / 60 000 km; mécanique: 6 ans / 120 000 km; corrosion perforation: 6 ans / 160 000 km.**																
900	S	déc. 2 p.4	2322	283	0.36	2600	4637x1711x1435	-	NR	i/sr	d/d/ABS	crém.ass.	10.8	3.7	68.0	195/60VR15	L4/2.3/M5	**43 995**
900	SE	déc. 2 p.4	2322	283	0.36	2600	4637x1711x1435	1447	NR	i/sr	d/d/ABS	crém.ass.	10.8	3.7	68.0	155/60VR15	V6/2.5/M5	**50 995**
900	Turbo	déc. 2 p.4	2322	283	0.36	2600	4637x1711x1435	1424	NR	i/sr	d/d/ABS	crém.ass.	10.8	3.7	68.0	205/50ZR16	L4T/2.0/M5	**-**
900	S	cpé. 2 p.4	2577	679	0.30	2600	4637x1711x1436	1356	1600	i/sr	d/d/ABS	crém.ass.	10.8	3.7	68.0	195/60VR15	L4/2.3/M5	**27 295**
900	SE	cpé. 2 p.4	2577	679	0.30	2600	4637x1711x1436	1374	1600	i/sr	d/d/ABS	crém.ass.	10.8	3.7	68.0	195/60VR15	V6/2.5/M5	**34 995**
900	Turbo	cpé. 2 p.4	2577	679	0.30	2600	4637x1711x1436	1365	NR	i/sr	d/d/ABS	crém.ass.	10.8	3.7	68.0	205/50ZR15	L4T/2.0/M5	**-**
900	base	ber. 5p.5	2577	451	0.30	2600	4637x1711x1436	1360	1600	i/sr	d/d/ABS	crém.ass.	11.1	3.0	68.0	195/60R15	L4/2.3/M5	**25 695**
900	base	ber. 5p.5	2577	451	0.30	2600	4637x1711x1436	1385	1600	i/sr	d/d/ABS	crém.ass.	11.1	3.0	68.0	195/60R15	L4/2.3/A4	**30 795**
900	SE	ber. 5p.5	2577	451	0.30	2600	4637x1711x1436	1420	1600	i/sr	d/d/ABS	crém.ass.	11.1	3.0	68.0	195/60R15	V6/2.5/M5	**36 695**
900	SE	ber. 5p.5	2577	451	0.30	2600	4637x1711x1436	1495	1600	i/sr	d/d/ABS	crém.ass.	11.1	3.0	68.0	195/60R15	V6/2.5/A4	**39 155**

Voir la liste complète des prix 1995 à partir de la page 393.

Dans l'attente d'un rafraîchissement...

Après le renouvellement de la 900, on s'attend à ce que la 9000 fasse elle aussi peau neuve car cela fait plus de dix ans qu'elle promène sa silhouette particulière. La grosse Saab se dote finalement du V6 qui va lui offrir une nouvelle dimension et une nouvelle clientèle...

Les 9000 continuent d'être proposées en berlines 4 et 5 portes avec moteur 2.3L atmosphérique, Turbo ou V6 de 3.0L qui fait son apparition cette année offert en option sur tous les modèles, accompagné d'un régulateur de traction en série. La boîte mécanique est en série et l'automatique à 4 rapports en option. Les différentes finitions sont CS, CSE, Aero, CDE.

POINTS FORTS

• Sécurité: 90%
La rigidité de la structure des 9000 a été améliorée de 25% lors des retouches apportées à la CS. Elles résistent donc mieux aux tests de collision et le comportement en est amélioré d'autant. Le montage en série de deux coussins gonflables à l'avant et de ceintures à trois points d'ancrage maintient leur indice élevé.

• Poste de conduite: 90%
L'ergonomie a toujours été particulièrement soignée chez Saab et la 9000 ne fait pas exception avec son volant ajustable de manière télescopique, dont la jante épaisse permet une bonne prise. Les instruments et les principales commandes sont bien disposés, mais plusieurs d'entre-elles requièrent une certaine habitude. Le conducteur est confortablement installé, mais la visibilité est meilleure sur la 4 portes que sur le hatchback dont la lunette inclinée s'obscurcit rapidement lorsqu'il pleut.

• Technique: 80%
Leur carrosserie monocoque en acier, qui a été retouchée sur le modèle CDE, possède une finesse aérodynamique moyenne et diffère par leur coffre qui est séparé (CD) ou à hayon (CS). La suspension avant est indépendante alors que l'essieu arrière est toujours rigide. Les différents réglages ont été révisés afin de procurer un meilleur confort de roulement. Le freinage possède quatre disques avec un ABS de troisième génération. Le moteur 4 cylindres est pourvu de deux arbres d'équilibrage visant à annuler les vibrations. Il

DONNÉES

Catégorie: berlines de luxe et sportives tractées.
Classe : 7

HISTORIQUE

Inauguré en: 1984 2.0L 5 p.
Modifié en: 1985: S; 1988: CD 4 p. & SPG; 1993:CS.
Fabriqué à: Trollhattan, Suède.

INDICES

	9000	9000Tbo
Sécurité:	90 %	90 %
Satisfaction:	85 %	80 %
Dépréciation:	50 %	52 %
Assurance:	4.8% (1 545 $)	3.9 % (1 775 $)
Prix de revient au km:	0.62 $	

NOMBRE DE CONCESSIONNAIRES

Au Québec: 10

VENTES AU QUÉBEC

Modèle	1992	1993	Résultat	Part de marché
9000	73	100	+27 %	ND

PRINCIPAUX MODÈLES CONCURRENTS

ACURA Legend, ALFA ROMEO 164, AUDI A6, BMW série 5, MERCEDES 300, VOLVO 940.

ÉQUIPEMENT

SAAB 9000	CS Tbo	CSE	Aero Tbo	CDE
Boîte automatique:	O	O	O	O
Régulateur de vitesse:	O	S	S	S
Direction assistée:	S	S	S	S
Freins ABS:	S	S	S	S
Climatiseur:	S	S	S	S
Coussin gonflable:	S	S	S	S
Garnitures en cuir:	O	S	S	S
Radio MA/MF/ K7:	S	S	S	S
Serrures électriques:	S	S	S	S
Lève-vitres électriques:	S	S	S	S
Volant ajustable:	S	S	S	S
Rétroviseurs ext. ajustables:	S	S	S	S
Essuie-glace intermittent:	S	S	S	S
Jantes en alliage léger:	S	S	S	S
Toit ouvrant:	O	O	S	S
Système antivol:	S	S	S	S

S : standard; O : optionnel; - : non disponible

COULEURS DISPONIBLES

Extérieur: Blanc, Noir, Bleu, Rouge, Gris, Argent,
Intérieur: Gris, Beige, Noir, Tan.

ENTRETIEN

Première révision: 5 000 km
Fréquence: 10 000 km
Prise de diagnostic: Oui

QUOI DE NEUF EN 1995 ?

- Nouveau moteur V6 de 3.0L optionnel sur tous les modèles et livré en série avec un régulateur de traction.
- Retouches esthétiques aux parties avant/arrière de la CD.
- Nouveaux: les ajustements pour une suspension plus confortable, le régulateur de vitesse, le système de colonne de direction ajustable, les systèmes d'alarme et de son.
- Nouvelles teintes de carrosserie.

Modèles/ versions *: de série	Type / distribution soupapes / carburation	Cylindrée cc	Puissance ch @ tr/mn	Couple lb.pi @ tr/mn	Rapport volumét.	Roues motrices / transmissions	Rapport de pont	Accélér. 0-100 km/h s	400 m D.A. s	1000 m D.A. s	Freinage 100-0 km/h m	Vites. maxi. km/h	Accélér. latérale G	Niveau sonore dBA	Consommation l./100km Ville	Consommation l./100km Route	Carburant Octane
base	L4* 2.3 DACT-16-IE	2290	150 @ 5500	156 @ 3800	10.1:1	avant-M5*	4.45	8.5	16.0	31.6	37	200	0.78	66	12.8	8.0	R 87
						avant-A4	4.28	9.8	16.9	32.0	39	190	0.78	66	13.8	8.1	R 87
Turbo	L4* 2.3T DACT-16-IE	2290	200 @ 5000	243 @ 2000	8.5:1	avant-M5*	4.45	7.8	15.0	28.4	36	220	0.82	67	12.4	7.8	R 87
				221 @ 2000	8.5:1	avant-A4	4.28	8.3	15.9	29.1	38	200	0.80	67	13.8	8.6	R 87
Aero	L4* 2.3 DACT-16-IE	2290	225 @ 5500	246 @ 1800	9.25:1	avant-M5	ND										
option	V6 3.0 ACC-16-IE	2962	210 @ 6200	200 @ 3300	10.8:1	avant-A4	ND										

a un rendement élevé, grâce à une distribution à DACT et 16 soupapes, un système d'allumage direct particulier à Saab. La version suralimentée est pourvue d'un turbo Garrett T3 avec un échangeur air-air. Un moteur V6 de 3.0L dérivé du 2.5L installé dans la 900 et provenant lui aussi de chez Opel est offert en option sur tous les modèles. Il se signale par son admission variable (VIM), selon le régime, l'ordinateur fait passer, grâce à une valve, le mélange carburé par l'un de trois conduits de différentes longueurs afin d'accorder la fréquence d'injection qui assure un rendement maximal.

• Satisfaction: 80%
Malgré le coût et la fréquence de certaines opérations sur des pièces d'usure, la garantie et la robustesse des Saab satisfont la plupart des propriétaires.

• Accès: 80%
Il est facile de s'installer dans une Saab 9000, dont les portes sont bien dimensionnées et la hauteur intérieure suffisante.

• Sièges: 80%
Ils maintiennent et soutiennent parfaitement, toutefois nous avons préféré les garnitures de tissu au rembourrage plus moelleux, à celles en cuir plus glissantes et plus fermes.

• Qualité & finition: 80%
L'assemblage des Saab est soigné et leur finition méticuleuse. Leurs garnitures de cuir, remarquables et leur équipement très complet, les rangent parmi les modèles de grand luxe, ce que leurs prix confirment.

• Assurance: 80%
À cause de leur prix d'achat, leur prime est plus élevée que celle de leurs concurrentes directes.

• Habitabilité: 80%
Il est difficile d'admettre que les 9000 soient classées comme grandes voitures aux côtés des Chevrolet Caprice, des Ford Crown Victoria et récemment des Chrysler New Yorker. Pourtant les généreux dégagements de leur cabine permettent bel et bien d'accueillir 5 personnes.

• Coffre: 80%
Il est plus vaste sur la version à hayon à deux volumes qui est extensible que sur la trois volumes où il n'est pas transformable. Toutefois les vérins du hayon devraient être mieux calibrés car il est lourd et difficile à manipuler.

• Suspension: 70%
Bien qu'elle soit ferme, elle n'est pas inconfortable, car son amortissement efficace et son amplitude bien contrôlée lui permettent d'absorber les dénivellations de la chaussée.

• Performances: 70%
Celles du 2.3L atmosphérique sont plus vivantes avec la boîte manuelle qu'avec l'automatique dont les deux premiers rapports sont trop courts pour profiter du couple. La suralimentation donne des ailes à la 9000 dont les accélérations sont nettement plus brillantes, la puissance et le couple étant abondants. Dommage que la lenteur de la synchronisation de la boîte manuelle ajoute au temps de réponse du turbo, et que le second rapport soit aussi grincheux. Nous ne pourrons pas commenter les performances du nouveau moteur V6, n'ayant pu l'essayer à temps avant d'aller sous presse.

• Comportement: 70%
Il est plus sportif sur l'Aero dont les règlages sont différents, sinon le train arrière ne participe pas à la mise en appui, ce qui rend les autres 9000 maladroites sur tracés sinueux où sa motricité peut désormais être améliorée par un contrôleur de traction.

• Commodités: 70%
Ils comprennent une grande boîte à gants, des vide-poches de portières et des évidements pratiqués sur la console centrale.

• Direction: 70%
Précise et bien assistée, elle manque de vivacité, car elle est trop démultipliée, ce qui ajoute à l'inertie en courbe.

• Freinage: 60%
Il est puissant et son dosage est précis mais le système ABS est sensible aux défauts du revêtement et les pertes d'adhérence allongent les distances d'arrêt.

• Niveau sonore: 60%
Discrets à vitesse constante, les moteurs signalent leur présence à la moindre accélération.

• Consommation: 50%
Elle est à la mesure des performances et de la cylindrée, mais s'élève rapidement au rythme des performances.

POINTS FAIBLES

• Prix/équipement: 20%
Malgré leur équipement complet, leur prix élevé constitue le principal handicap des Saab qui ne sont pas dans le marché.

• Dépréciation: 40%
Une Turbo ne vaut pas bien cher après l'expiration de la garantie car personne ne veut remplacer un turbo après 100 000 km. Si les autres versions perdent moins, elles n'en constituent pas pour autant une bonne affaire.

CONCLUSION

• Moyenne générale: 69.0 %
La Saab 9000 est une bonne voiture, mais elle coûte cher à entretenir et à faire rouler, et il faut vraiment vouloir affirmer sa personnalité pour céder à ses charmes. ☺

CARACTÉRISTIQUES & PRIX

Modèles	Versions	Carrosseries/ Sièges	Volume cabine l.	Volume coffre l.	Cx	Empat. mm	Long x larg x haut. mm x mm x mm	Poids à vide kg	Capacité Remorq. max. kg	Susp. av/ar	Freins av/ar	Direction type	Diamètre braquage m	Tours volant b à b.	Réser. essence l.	Pneus d'origine	Mécaniques d'origine	PRIX $ CDN. 1994
SAAB		**Garantie générale: 3 ans / 60 000 km; mécanique 6 ans / 120 000 km; corrosion perforation: 6 ans / 160 000 km.**																
9000	CS	ber. 5 p.5	2916	510	0.36	2672	4761x1764x1420	1410	907	i/r	d/d/ABS	crém.ass.	10.9	3.0	66.0	195/65TR15	L4/2.3/M5	**32 095**
9000	CSE	ber. 5 p.5	2916	679	0.34	2672	4661x1764x1420	1460	907	i/r	d/d/ABS	crém.ass.	10.9	3.0	66.0	205/60ZR15	L4T/2.3/M5	**46 145**
9000	Aero	ber. 4 p.5	2916	510	0.36	2672	4780x1764x1420	1455	NR	i/r	d/d/ABS	crém.ass.	10.9	3.0	66.0	195/65VR15	L4T/2.3/M5	**47 995**
9000	CDE	ber. 4 p.5	2916	679	0.34	2672	4780x1764x1420	1440	NR	i/r	d/d/ABS	crém.ass.	10.9	3.0	66.0	195/65VR15	L4T/2.3/M5	**45 995**

Voir la liste complète des prix 1995 à partir de la page 393.

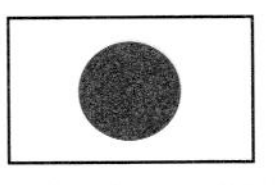

Retour à la case départ...

Au moment de redéfinir sa position sur le marché, Subaru a découvert que la plupart de ses clients étaient surtout attaché à la traction intégrale, qu'aucun autre constructeur n'offrait dans ce créneau. Dorénavant l'accent sera donc mis sur ce mode de transmission plutôt que sur la traction.

L'Impreza qui a remplacé la Loyale est offerte cette année sous la forme d'un coupé 2 portes, d'une berline et d'une familiale à 4 portes en 2 ou 4 roues motrices. Leur mécanique commune est constituée d'un 4 cylindres de 1.8L avec la boîte manuelle à 5 vitesses en série ou automatique à 3 rapports en option.

POINTS FORTS

• Comportement: 80%
En nette amélioration, l'Impreza est plus à l'aise en courbe que l'était la Loyale. Le roulis est marqué et il débouche sur un sous-virage avec la traction avant, alors que l'intégrale est neutre plus longtemps pour se comporter, à la limite, comme une propulsion. C'est l'équipement pneumatique qui limite le plus les évolutions de ces voitures qui feraient certainement mieux si leurs pneus étaient mieux proportionnés. Sur chaussée glissante la transmission intégrale démontre un équilibre et une motricité supérieurs, d'autant que la suspension est plus rigide et les pneus plus gros.

• Direction: 80%
Elle est pratiquement parfaite, à la fois précise, bien démultipliée, et facile à doser, de plus la maniabilité est satisfaisante, grâce à un diamètre de braquage court.

• Consommation: 80%
Bien que ce type de moteur ait toujours été reconnu comme plus gourmand que la moyenne, elle demeure raisonnable.

• Satisfaction: 80%
Les premiers propriétaires d'Impreza semblent plus satisfaits que l'étaient ceux de la Loyale, surtout en ce qui concerne la qualité de certains accessoires électriques.

• Qualité & finition: 70%
L'assemblage est rigoureux, la finition soignée, mais la présentation comme l'apparence de certains matériaux fait bon marché et certaines couleurs intérieures sont pour le moins bizarres.

DONNÉES

Catégorie: berlines et familiales compactes tractées ou intégrales.
Classe : 3

HISTORIQUE

Inauguré en: 1993
Modifié en: 1994: coupé.
Fabriqué à: Gunma & Yajima, Japon.

INDICES

Sécurité: 80 %
Satisfaction: 80 %
Dépréciation: 28 % (1 an)
Assurance: 7.0 % (974 $)
Prix de revient au km: 0.32 $

NOMBRE DE CONCESSIONNAIRES

Au Québec: 29

VENTES AU QUÉBEC

Modèle	1992	1993	Résultat	Part de marché
Subaru	2 977	2 268	-23.8 %	ND

PRINCIPAUX MODÈLES CONCURRENTS

CHEVROLET Cavalier , DODGE-PLYMOUTH Neon, Colt, EAGLE Summit, FORD-MERCURY Escort-Tracer, FORD Contour, HONDA Civic 4 p., HYUNDAI Elantra, MAZDA Protegé, MERCURY Mystique, SATURN, TOYOTA Corolla, VOLKSWAGEN Golf-Jetta.

ÉQUIPEMENT

SUBARU Impreza	L	LS
Boîte automatique:	O	O
Régulateur de vitesse:	-	O
Direction assistée:	O	S
Freins ABS:	S	S
Climatiseur:	S	S
Coussin gonflable:	-	S
Garnitures en cuir:	-	-
Radio MA/MF/ K7:	S	S
Serrures électriques:	-	O
Lève-vitres électriques:	-	O
Volant ajustable:	-	O
Rétroviseurs ext. ajustables:	S	S
Essuie-glace intermittent:	S	S
Jantes en alliage léger:	O	S
Toit ouvrant:	-	
Système antivol:	-	

S : standard; O : optionnel; - : non disponible

MEMO

- Équipement-couleurs
- Correction 1
- Correction 2
- Correction 3

COULEURS DISPONIBLES

Extérieur: Gris foncé, Blanc, Rubis, Argent, Bleu.
Intérieur: Gris, Bleu.

ENTRETIEN

Première révision: 5 000 km
Fréquence: 12 000 km
Prise de diagnostic: Non

QUOI DE NEUF EN 1995 ?

- Coupé 2 portes introduit fin 94.

	MOTEURS					TRANSMISSION		PERFORMANCES									
Modèles/ versions *: de série	Type / distribution soupapes / carburation	Cylindrée cc	Puissance ch @ tr/mn	Couple lb.pi @ tr/mn	Rapport volumét.	Roues motrices / transmissions	Rapport de pont	Accélér. 0-100 km/h s	400 m D.A. s	1000 m D.A. s	Freinage 100-0 km/h m	Vites. maxi. km/h	Accélér. latérale G	Niveau sonore dBA	Consommation l./100km Ville	Consommation l./100km Route	Carburant Octane
4x2	H4* 1.8 SACT-8-IMP	1820	110 @ 5600	110 @ 4400	9.5 :1	avant - M5*	3.900	12.6	18.5	33.7	40	160	0.70	67	9.5	6.8	R 87
						avant - A3	4.110	13.3	19.4	34.8	42	155	0.70	67	9.9	7.2	R 87
4x4	H4* 1.8 SACT-8-IMP	1820	110 @ 5600	110 @ 4400	9.5 :1	avant - M5*	4.110	13.2	18.4	34.2	41	155	0.70	67	10.5	7.7	R 87
						avant - A3	4.110	14.0	19.0	35.3	44	150	0.70	67	10.9	8.1	R 87

• Sécurité: 70%
La résistance de la coque a été améliorée par la pose de renforts. La présence d'un coussin gonflable du côté du conducteur et de ceintures à trois points aux autres places assure une bonne protection aux occupants.

• Poste de conduite: 70%
La position de conduite la plus confortable est rapide à trouver et la visibilité est bonne bien que l'on soit assis bas et que la ceinture de caisse soit haute. Le tableau de bord n'est pas très ergonomique car la console en retrait et les commandes de la radio ou du chauffage sont loin de la main, toutefois celles regroupées autour du volant tombent bien sous les doigts. Les instruments sont simples, en nombre suffisant et faciles à consulter.

• Technique: 70%
Monocoque, la carrosserie en acier de l'Impreza a été établie à partir de la plate-forme plus large de la Legacy. Sa suspension est indépendante de type McPherson aux quatre roues et le freinage est mixte sur le modèle de base mais à 4 disques avec ABS standard sur la LS à 4 roues motrices. La transmission intégrale est de type «à la demande» et on ne peut l'utiliser que lorsque l'adhérence fait défaut, comme sur la neige ou sous la pluie, sinon il faut la débrayer avec le risque de l'endommager. Le moteur 4 cylindres à plat en H constitue l'une des originalités de ces voitures dont la ligne est plus contemporaine par son dessin que par son efficacité aérodynamique puisque son coefficient est de 0.35.

• Accès: 70%
Il est plus difficile de prendre place à l'arrière où la forme de la découpe du toit et l'espace disponible pour les jambes sont plus comptés qu'à l'avant.

• Sièges: 70%
Bien qu'ils soient encore fermes, ils sont mieux galbés du moins à l'avant, car la banquette n'a aucun relief et ne permet ni un bon maintien, ni un bon soutien lombaire.

• Suspension: 70%
Elle est très réussie par sa capacité d'absorption des défauts de faible et moyenne amplitudes car elle réagit plus durement aux gros défauts de la route.

• Coffre: 60%
Son volume est suffisant, mais on peut escamoter le dossier de la banquette pour disposer de plus d'espace et il est facilement accessible le hayon descendant au ras du pare-chocs.

• Freinage: 60%
Son dosage est très précis, et son équilibre surprenant, surtout sans ABS. Quant à son endurance, elle est étonnante sur une japonaise, mais les distances d'arrêt sont encore longues.

• Commodités: 60%
Les rangements sont en nombre et en volume suffisants et le chauffage arrive désormais jusqu'aux places arrière.

• Prix/équipement: 50%
Si les versions LS sont coûteuses pour ce qu'elles offrent, les L semblent mieux positionnées, alors qu'il n'y a pas grand chose dans les modèles de base.

POINTS FAIBLES

• Assurance: 30%
Les Impreza sont relativement chères à assurer car leur indice reflète la méfiance des assureurs quant à leur remise en état.

• Habitabilité: 30%
Quatre personnes pourront y prendre place car la largeur et la hauteur sont généreuses, toutefois la longueur manque à l'arrière où l'espace pour les jambes est limité.

• Performances: 30%
Les performances de l'Impreza ne sont pas plus excitantes que celles de la Loyale. Le moteur offre un couple intéressant, mais sa puissance est très moyenne et il est bruyant à l'accélération et vibrant au ralenti. Les accélérations comme les reprises sont plus longues que la moyenne, surtout avec la transmission automatique qui permet une sélection manuelle et un frein-moteur intéressant.

• Niveau sonore: 40%
À vitesse de croisière la mécanique est discrète et seuls les bruits de roulement, tributaires du revêtement, peuvent troubler la quiétude de l'habitacle.

• Dépréciation: 40%
Elle demeure plus forte que la moyenne car Subaru est encore considéré comme un constructeur marginal, de plus la qualité de ses produits n'a pas toujours été parfaite et a laissé quelques clients insatisfaits.

CONCLUSION

• Moyenne générale: 60.5 %
L'Impreza est une voiture toute simple qui est originale dans sa catégorie par sa traction intégrale qui est unique et qu'elle propose à un prix compétitif. 😐

CARACTÉRISTIQUES & PRIX

Modèles	Versions	Carrosseries/ Sièges	Volume cabine l.	Volume coffre l.	Cx	Empat. mm	Long x larg x haut. mm x mm x mm	Poids à vide kg	Poids Remorque max. kg	Susp. av/ar	Freins av/ar	Direction type	Diamètre braquage m	Tours volant b à b.	Réser. essence l.	Pneus d'origine	Mécaniques d'origine	PRIX $ CDN. 1994
SUBARU		**Garantie: générale: 3 ans / 60 000 km; mécanique: 5 ans / 100 000 km; corrosion et antipollution: 5 ans / kilométrage illimité.**																
Impreza	4x2	ber. 4p.4	2492	310	0.38	2520	4370x1705x1400	1055	454	i/i	d/t	crém.ass.	10.2	3.2	50.0	165/80HR13	H4/1.8/M5	**12 995**
Impreza	4x2	fam. 4p.4	2492	720	0.40	2520	4370x1705x1400	1091	454	i/i	d/t	crém.ass.	10.2	3.2	50.0	165/80HR13	H4/1.8/M5	**13 695**
Impreza	4x4	ber. 4p.4	2492	310	0.38	2520	4370x1705x1400	1134	454	i/i	d/t	crém.ass.	10.2	3.2	50.0	175/70HR14	H4/1.8/M5	**15 695**
Impreza	4x4	fam. 4p.4	2492	720	0.40	2520	4370x1705x1400	1170	454	i/i	d/t	crém.ass.	10.2	3.2	50.0	175/70HR14	H4/1.8/M5	**16 295**
Impreza	4x2 L	ber. 4p.4	2492	310	0.38	2520	4370x1705x1400	1055	454	i/i	d/t	crém.ass.	10.2	3.2	50.0	165/80HR13	H4/1.8/M5	**16 995**
Impreza	4x2 L	fam. 4p.4	2492	720	0.40	2520	4370x1705x1400	1091	454	i/i	d/t	crém.ass.	10.2	3.2	50.0	165/80HR13	H4/1.8/M5	**16 795**
Impreza	4x4 L	ber. 4p.4	2492	310	0.38	2520	4370x1705x1400	1134	454	i/i	d/t	crém.ass.	10.2	3.2	50.0	175/70HR14	H4/1.8/M5	**16 995**
Impreza	4x4 L	fam. 4p.4	2492	720	0.40	2520	4370x1705x1400	1170	454	i/i	d/t	crém.ass.	10.2	3.2	50.0	175/70HR14	H4/1.8/M5	**17 595**
Impreza	4x2 LS	ber. 4p.4	2492	310	0.38	2520	4370x1705x1400	1055	454	i/i	d/t	crém.ass.	10.2	3.2	50.0	165/80HR13	H4/1.8/M5	**19 995**
Impreza	4x4 LS	ber. 4p.4	2492	310	0.38	2520	4370x1705x1400	1134	454	i/i	d/t	crém.ass.	10.2	3.2	50.0	175/70HR14	H4/1.8/M5	**20 795**
Impreza	4x4 LS	fam. 4p.4	2492	720	0.40	2520	4370x1705x1400	1170	454	i/i	d/t	crém.ass.	10.2	3.2	50.0	175/70HR14	H4/1.8/M5	**21 395**
Impreza	4x2	cpé. 2p.4	2390	315	0.38	2520	4370x1705x1410	ND	454	i/i	d/t	crém.ass.	10.2	3.2	50.0	175/70HR14	H4/1.8/M5	-
Impreza	4x4	cpé. 2p.4	2390	315	0.38	2520	4370x1705x1410	ND	454	i/i	d/t	crém.ass.	10.2	3.2	50.0	175/70HR14	H4/1.8/M5	-

Voir la liste complète des prix 1995 à partir de la page 393.

Orpheline...

La malheureuse petite Justy n'a jamais eu de succès, même a l'époque où elle était dans le coup. Elle avait pourtant l'avantage d'être la seule mini-compacte à offrir une traction intégrale, ce qui aurait dû lui conférer une grande notoriété dans les contrées enneigées.

La petite Justy est une grande méconnue qui n'a jamais eu le succès qu'elle mérite, malgré les originalités techniques qu'elle est la seule à offrir dans sa catégorie. Elle n'est plus disponible que sous la forme d'une carrosserie à 5 portes avec hayon en finition unique GL à traction intégrale. Le moteur est un trois cylindres de 1.2L couplé à une transmission manuelle à cinq vitesses avec traction sur les quatre roues à la demande.

POINTS FORTS

• **Prix/équipement:** **90%**
L'équipement de la GL est assez complet pour cette catégorie, et à ce niveau de prix, on ne peut pas tout avoir...

• **Consommation:** **90%**
Elle est un peu plus forte que la moyenne avec la transmission intégrale, mais ce n'est pas cher payer un supplément de sécurité.

• **Technique:** **80%**
La Justy est une monocoque en acier dont les suspensions sont indépendantes aux 4 roues et le freinage à disques et tambours. Sa ligne, qui n'a pas changé depuis des années, n'offre pas la meilleure finesse aérodynamique, mais cet aspect est secondaire sur une voiture appelée à circuler principalement dans les zones urbaines. La traction est intégrale à la demande et il suffit d'enfoncer le bouton placé sur le dessus du pommeau du sélecteur pour rendre le train arrière propulseur. Ce dispositif qui peut rester verrouillé sur pavé sec ou humide, lui donne un sérieux avantage pour circuler pendant la période hivernale, lorsque la chaussée est glissante et fait d'elle le plus petit véhicule à quatre roues motrices commercialisé en Amérique du Nord. Son moteur 3 cylindres de 1.2L à 9 soupapes ne date pas d'hier et ne lui procure pas un rapport poids/puissance favorable avec une marque de 12.7 kg/ch. La seule transmission disponible en 1995 est manuelle à 5 vitesses, car l'automatique à variation continue a heureusement disparu.

DONNÉES

Catégorie: berlines mini-compactes tractées ou intégrales.
Classe : 2

HISTORIQUE

Inauguré en: 1983
Modifié en: 1986: 1.2L; 1987: ECVT.
Fabriqué à: Gunma, Japon.

INDICES

Sécurité: 60 %
Satisfaction: 80 %
Dépréciation: 67 %
Assurance: 9.5 % (864 $)
Prix de revient au km: 0.30 $

NOMBRE DE CONCESSIONNAIRES

Au Québec: 29

VENTES AU QUÉBEC

Modèle	1992	1993	Résultat	Part de marché
Subaru	2 977	2 268	-23.8 %	ND

PRINCIPAUX MODÈLES CONCURRENTS

FORD Aspire, GEO Metro, HYUNDAI Accent, PONTIAC Firefly, SUZUKI Swift.

ÉQUIPEMENT

SUBARU Justy	GL
Boîte automatique:	-
Régulateur de vitesse:	-
Direction assistée:	O
Freins ABS:	-
Climatiseur:	O
Coussin gonflable:	-
Garnitures en cuir:	-
Radio MA/MF/ K7:	O
Serrures électriques:	-
Lève-vitres électriques:	-
Volant ajustable:	-
Rétroviseurs ext. ajustables:	-
Essuie-glace intermittent:	S
Jantes en alliage léger:	-
Toit ouvrant:	-
Système antivol:	-

S : standard; O : optionnel; - : non disponible

COULEURS DISPONIBLES

Extérieur: Argent, Rouge, Blanc, Lavande.
Intérieur: Gris.

ENTRETIEN

Première révision: 5 000 km
Fréquence: 12 000 km
Prise de diagnostic: Non

QUOI DE NEUF EN 1995 ?

- Seule la version GL 4RM 5 portes avec boîte manuelle 5 vitesses est disponible pour 1995.

	MOTEURS				TRANSMISSION			PERFORMANCES										
Modèles/ versions *: de série	Type / distribution soupapes / carburation	Cylindrée cc	Puissance ch @ tr/mn	Couple lb.pi @ tr/mn	Rapport volumét.	Roues motrices / transmissions	Rapport de pont	Accélér. 0-100 km/h s	400 m D.A. s	1000 m D.A. s	Freinage 100-0 km/h m	Vites. maxi. km/h	Accélér. latérale G	Niveau sonore dBA	Consommation l.100km Ville	Consommation l.100km Route	Carburant Octane
GL	L3* 1.2 SACT-9-IEMP	1189	73 @ 5600	71 @ 2800	9.1 :1	avant/4-M5*	4.80	12.8	18.8	35.7	44	150	0.67	70	8.3	6.7	R 87

Satisfaction: 80%
La Justy satisfait dans une grande proportion ceux qui l'on choisie. En plus de quelques problèmes de freins ses propriétaires déclarent qu'elle est toujours sensible à la corrosion.

• Qualité & finition: 70%
Si l'assemblage est robuste et la qualité des matériaux acceptable, la présentation et la finition font plutôt utilitaires, surtout les matières plastiques luisantes qui composent le tableau de bord.

• Poste de conduite: 70%
Le conducteur est bien installé au volant de la Justy d'où la visibilité est bonne et où le tableau de bord, simple et anguleux, contient les principales informations nécessaires à la conduite, tandis que les commandes sont disposées de manière conventionnelle. La sélection de la boîte manuelle est précise, la commande d'embrayage bien dosée, et le volant bien situé.

• Sécurité: 60%
Comme toutes les petites voitures, la Justy est vulnérable aux collisions, et aucun coussin gonflable n'est proposé, seulement des ceintures à trois points d'ancrage, mais la traction intégrale peut être considérée comme un plus.

• Commodités: 60%
Les rangements comptent une boîte à gants de bonne taille, des vide-poches de porte et une tablette constituée par le dessus du tableau de bord.

• Accès: 50%
Il sera plus compliqué à des personnes corpulentes de s'installer à l'arrière où les portes sont étroites et les dégagements réduits.

• Sièges: 50%
Par rapport à certaines de ses concurrentes la Justy offre des sièges qui, faute d'être bien galbés, sont au moins honnêtement rembourrés.

• Suspension: 50%
Malgré les petites roues, l'empattement court et son manque de débattement, le roulement n'est pas aussi inconfortable qu'on pourrait l'imaginer à priori.

POINTS FAIBLES

• Habitabilité: 20%
Son format très compact limite son volume habitable surtout aux places arrière où l'espace pour les jambes et la tête est compté, toutefois quatre personnes de taille moyenne pourront s'y asseoir pour de courts trajets.

• Performances: 30%
Elles ne sont suffisantes que pour circuler en ville car sur la route les longues étapes sont fastidieuses. Avec la boîte manuelle, la mécanique parait plus vive sur les premiers rapports mais le moteur, ancien et peu volumineux, a du mal à faire face à la musique sur la version à quatre roues motrices, qui est plus lourde.

• Niveau sonore: 30%
Si à vitesse de croisière le moteur se calme un peu, ce sont les bruits de vent et de roulement qui prennent le relais pour maintenir une ambiance sonore peu harmonieuse.

• Dépréciation: 30%
Il sera préférable de l'user jusqu'au bout parce qu'elle ne vaut pas grand chose au-delà de trois ans.

• Coffre: 30%
Le coffre ne contient pas grand chose lorsque la banquette est utilisée, mais on dispose de plus d'espace dès que l'on abaisse son dossier divisé en deux parties.

• Assurance: 40%
Proportionnellement, elle est chère à assurer, mais son modeste prix donne une prime abordable.

• Comportement: 40%
Avec sa forme carrée qui la rend sensible aux vents latéraux, ses petits pneus maigrichons et ses suspensions simplistes, la Justy a besoin de la traction intégrale pour se tirer d'affaire.

• Freinage: 40%
Progressif, stable et endurant, ces qualités surprennent sur une voiture japonaise, mais son efficacité est insuffisante pour assurer des arrêts courts.

• Direction: 40%
Floue au centre car trop démultipliée, elle n'est pas assistée et il faut «mouliner» pour la stationner en ville où sa maniabilité est satisfaisante et lui permet de se faufiler facilement.

CONCLUSION

• Moyenne générale: 52.5 %
Au prix où elle est vendue, cette petite Subaru est loin d'être une panacée, mais elle fera une bonne seconde voiture à vocation principalement urbaine car elle est robuste et fiable, à condition de l'équiper de pneumatiques permettant l'hiver de tirer le meilleur parti de sa traction intégrale. ☹

SUGGESTIONS DES PROPRIÉTAIRES

-Chauffage et ventilation plus efficaces.
-Un coffre plus volumineux.
-Une meilleure insonorisation.
-Une télécommande de trappe de réservoir d'essence.
-Une meilleure étanchéité.
-Moins de fuites d'huile.

CARACTÉRISTIQUES & PRIX

Modèles	Versions	Carrosseries/ Sièges	Volume cabine l.	Volume coffre l.	Cx	Empat. mm	Long x larg x haut. mm x mm x mm	Poids à vide kg	Poids Remorque max. kg	Susp. av/ar	Freins av/ar	Direction type	Diamètre braquage m	Tours volant b à b.	Réser. essence l.	Pneus d'origine	Mécaniques d'origine	PRIX $ CDN. 1994
SUBARU		**Garantie: générale: 3 ans / 60 000 km; mécanique: 5 ans / 100 000 km; corrosion et antipollution: 5 ans / kilométrage illimité.**																
Justy	GL4RM	ber. 5 p.4	2236	280	0.39	2286	3696x1534x1360	927	NR	i/i	d/t	crém.	9.0	4.3	35.0	165/65R13	L3/1.2/M5	**10 195**

Voir la liste complète des prix 1995 à partir de la page 393.

Plus ça change et plus c'est pareil...

On peut dire que Subaru est d'un conservatisme forcené car il n'a pas saisi l'occasion du renouvellement de son modèle-vedette, la Legacy pour lui donner un peu d'avance sur la concurrence qui est déjà rendue plus loin. Un autre rendez-vous manqué.

La Legacy est le modèle qui se vend le mieux chez Subaru. Aussi au moment de lui donner un coup de jeunesse, on a joué de prudence afin de ne pas effaroucher les clients que cette marque japonaise a tant de mal à aller chercher. La dernière cuvée est proposée sous la forme de berlines et familiales à traction avant ou intégrale encore équipées d'un moteur à 4 cylindres de 2.2L atmosphérique, le turbocompressé n'étant pas disponible, du moins pour le moment. La transmission manuelle est livrée en série et l'automatique en option. Les différentes finitions sont L, LS, et LSi.

POINTS FORTS

• Satisfaction: 95%
Leur fiabilité égale celle d'autres Japonaises et certains propriétaires signalent des petits problèmes plus agaçants que sérieux.

• Sécurité: 90%
La structure a été notablement renforcée et deux coussins d'air protègent les occupants des places avant. Pourtant le freinage ABS, considéré comme un luxe, n'équipe en série que les modèles LS et LSi.

• Technique: 80%
On ne peut pas dire que les lignes de la nouvelle Legacy soient d'une folle hardiesse car elle passe complètement inaperçue et n'a qu'une finesse aérodynamique moyenne. La plate-forme dérivée du modèle précédent a été retravaillée. Ses principales dimensions ont été allongées, mais le poids a été revu à la baisse et les suspensions, indépendantes aux quatre coins, ont été retravaillées pour offrir une plus grande amplitude. Les freins sont à quatre disques sur toutes les versions, mais ventilés à l'avant avec ABS sur les LS & LSi. Le moteur reste le «boxer», le seul 4 cylindres sur le marché à être encore disposé à plat à pistons opposés avec 4 soupapes par cylindre et un seul arbre à cames par rangée de cylindres. Sa puissance et son couple ont été améliorés, ce qui prouve l'attachement de Subaru à ce type de propulseur. Les modèles tractés peuvent recevoir un régulateur de

DONNÉES

Catégorie: berlines et familiales compactes tractées ou intégrales.
Classe : 4

HISTORIQUE

Inauguré en: 1989
Modifié en: -
Fabriqué à: Gunma, Japon.

INDICES

Sécurité: 90 %
Satisfaction: 94 %
Dépréciation: 60 %
Assurance: 5.5 % (1 091 $)
Prix de revient au km: 0.40 $

NOMBRE DE CONCESSIONNAIRES

Au Québec: 29

VENTES AU QUÉBEC

Modèle	1992	1993	Résultat	Part de marché
Subaru	2 977	2 268	- 23. 8 %	ND

PRINCIPAUX MODÈLES CONCURRENTS

BUICK Skylark, CHRYSLER Cirrus-Stratus, HONDA Accord, MAZDA 626, MITSUBISHI Galant, NISSAN Altima, OLDSMOBILE Achieva, PONTIAC Grand Am, TOYOTA Camry, VOLKSWAGEN Passat.

SUBARU Legacy Berline Familiale	ÉQUIPEMENT base Brighton	 L+	 LS	 LSi
Boîte automatique:	O	O	O	S
Régulateur de vitesse:	O	S	S	S
Direction assistée:	S	S	S	S
Freins ABS:	O	O	S	S
Climatiseur:	O	S	S	S
Coussins gonflables (2):	S	S	S	S
Garnitures en cuir:	-	-	-	S
Radio MA/MF/ K7:	O	S	S	S
Serrures électriques:	O	S	S	S
Lève-vitres électriques:	O	S	S	S
Volant ajustable:	S	S	S	S
Rétroviseurs ext. ajustables:	S	S	S	S
Essuie-glace intermittent:	S	S	S	S
Jantes en alliage léger:	-	O	S	S
Toit ouvrant:	-	O	S	S
Système antivol:	-	-	-	-

S : standard; O : optionnel; - : non disponible

COULEURS DISPONIBLES

Extérieur: Blanc, Argent, Saphir, Rubis, Vert, Taupe, Épinette perlée.
Intérieur: Gris, Taupe.

ENTRETIEN

Première révision: 5 000 km
Fréquence: 12 000 km
Prise de diagnostic: Non

QUOI DE NEUF EN 1995 ?

- **Tout nouveau modèle pour 1995.**
- **Suppression du moteur Turbo.**
- **Traction avant disponible avec traction asservie.**

MOTEURS						TRANSMISSION		PERFORMANCES									
Modèles/ versions *: de série	Type / distribution soupapes / carburation	Cylindrée cc	Puissance ch @ tr/mn	Couple lb.pi @ tr/mn	Rapport volumét.	Roues motrices / transmissions	Rapport de pont	Accélér. 0-100 km/h s	400 m D.A. s	1000 m D.A. s	Freinage 100-0 km/h m	Vites. maxi. km/h	Accélér. latérale G	Niveau sonore dBA	Consommation l.100km Ville	Route	Carburant Octane
4x2	H4* 2.2 SACT-16-IESPM	2212	135 @ 5400	140 @ 4400	9.5 :1	avant - M5*	3.45	11.0	17.2	32.3	44	180	0.76	67	9.7	6.5	R 87
						avant - A4	3.45	12.2	18.7	34.8	45	175	0.76	67	10.4	7.0	R 87
4x4	H4* 2.2 SACT-16-IEPM	2212	135 @ 5400	140 @ 4400	9.5 :1	avant - M5*	3.90	11.0	17.2	32.3	44	180	0.76	67	11.0	7.7	R 87
						avant - A4	3.90	12.2	18.7	34.8	45	175	0.76	67	10.6	7.6	R 87

traction électronique (FWD/TCS), alors que la traction intégrale est permanente avec la boîte manuelle et active avec l'automatique qui répartit le couple à l'aide de capteurs électroniques couplés à l'ABS. La transmission automatique a été révisée dans le but de rendre les changements de rapport plus doux.

• Accès: 80%
Il n'est pas difficile de prendre place dans ces modèles dont la longueur et le degré d'ouverture des portes sont suffisants, d'autant que la place est généreuse pour les jambes à l'arrière.

• Qualité & finition: 75%
Bien que la présentation générale soit très anonyme, la construction semble solide, la qualité des matériaux honnête et la finition soignée.

• Poste de conduite: 70%
Bien que rajeuni, le tableau de bord n'exprime pas plus d'originalité que le reste du véhicule. Les instruments sont d'une lecture facile et les commandes usuelles. La visibilité est excellente et la position de conduite la plus efficace rapide à trouver puisque la colonne de direction est ajustable en série.

• Suspension: 70%
Son confort est plus évident que la traction soit sur les roues avant ou sur les quatre car la suspension est flexible, mieux amortie et les roues ont une plus grande amplitude et absorbent mieux les défauts du revêtement.

• Direction: 70%
Précise et bien dosée, sa démultiplication est un peu forte, bien que cela ne nuise pas vraiment à la maniabilité car le diamètre de braquage est assez court.

• Commodités: 70%
Comme rangements on dispose d'une boîte à gants qui n'est pas énorme, d'évidements sur la console et de vide-poches de portière en nombre suffisant.

• Assurance: 60%
La prime est réaliste grâce aux possibilités des versions intégrales durant la saison hivernale.

• Consommation: 60%
Raisonnable en usage normal sur les tractions avant, elle grimpe vite sur les Turbo intégrales si l'on maintient un rythme soutenu.

• Niveau sonore: 60%
Malgré la bonne rigidité de la caisse, les bruits de vent, de roulement et de moteur sont encore trop présents et demandent une insonorisation plus efficace.

• Sièges: 60%
Ce ne sont pas des champions de l'ergonomie car leurs formes sont évasives et leur rembourrage plutôt ferme rappelle de sinistre mémoire celui des anciens modèles de la marque.

• Coffre: 60%
Celui des berlines est logeable et la soute des familiales est vaste et pratique, avec un volume de près d'un mètre cube. Ils sont tous deux faciles d'accès.

• Comportement: 60%
Bien que le régulateur de traction des deux roues motrices soit efficace, il ne l'est pas autant que la traction intégrale en ce qui a trait à la motricité, car l'adhérence est optimale dès que le système est enclenché et ce, quel que soit l'état de la route, pour peu que les pneus soient de qualité. Le roulis, un peu plus marqué sur les premières, ne perturbe pas la mise en appui en virage à condition que la vitesse ne soit pas excessive. Dans le second cas la neutralité dure plus longtemps.

• Habitabilité: 60%
L'augmentation des dimensions de base a bénéficié au volume habitable qui est plus généreux aux places arrière qui disposent de plus de longueur et de largeur.

• Prix/équipement: 50%
Celui des traction avant L est compétitif, à équipement égal, avec celui de leurs concurrentes, mais les quatre roue motrices LSi font plutôt payer cher cet avantage. L'équipement de série est intéressant puisque même les versions les moins chères sont pourvues de commodités qui, ailleurs, sont facturées en option.

• Performances: 50%
On n'a jamais l'impression de disposer réellement de 135 ch car le moteur est rugueux et semble toujours à bout de souffle. Toutefois les accélérations sont meilleures que les reprises, les deux premiers rapports de la boîte manuelle étant plus courts. Il faut signaler que la sélection de cette dernière est aussi imprécise que hasardeuse , ce qui est inconcevable à notre époque...

POINTS FAIBLES

• Freinage: 40%
Malgré la présence de quatre disques le résultat n'est pas impressionnant car lors des arrêts subits les distances sont longues mais rectilignes avec ou sans l'ABS. Pourtant la pédale demeure difficile à doser précisément.

• Dépréciation: 40%
Bien qu'elle se situe dans la normale du marché elle est supérieure à la plupart des modèles de cette catégorie, qui sont plus en demande.

CONCLUSION

• Moyenne générale: 65.0 %
Améliorée sur certains points par rapport aux précédentes, on ne voit pas ce qui pourrait inciter à acheter une Legacy si ce n'est sa transmission intégrale... ☺

CARACTÉRISTIQUES & PRIX

Modèles	Versions	Carrosseries/ Sièges	Volume cabine l.	Volume coffre l.	Cx	Empat. mm	Long x larg x haut. mm x mm x mm	Poids à vide kg	Poids Remorque max. kg	Susp. av/ar	Freins av/ar	Direction type	Diamètre braquage m b à b.	Tours volant	Réser. essence l.	Pneus d'origine	Mécaniques d'origine	PRIX $ CDN. 1995
SUBARU		**Garantie: générale: 3 ans / 60 000 km; mécanique: 5 ans / 100 000 km; corrosion et antipollution: 5 ans / kilométrage illimité.**																
Legacy	base 4x2	ber. 4 p.4/5	-	356	-	2630	4595x1715x1405	1166	907	i/i	d/d	crém.ass.	10.6	3.2	60.0	185/70HR14	H4/2.2/M5	**17 995**
Legacy	Brit 4x2	fam.4 p.4/5	-	1022	-	2630	4670x1715x1450	1311	907	i/i	d/d	crém.ass.	10.6	3.2	60.0	185/70HR14	H4/2.2/M5	**19 995**
Legacy	L+ 4x4	ber. 4 p.4/5	-	356	-	2630	4595x1715x1405	1250	907	i/i	d/d	crém.ass.	10.6	3.2	60.0	185/70HR14	H4/2.2/A4	**22 995**
Legacy	Brit 4x4	fam.4 p.4/5	-	1022	-	2630	4670x1715x1450	1293	907	i/i	d/d	crém.ass.	10.6	3.2	60.0	185/70HR14	H4/2.2/A4	**22 995**
Legacy	LS 4x4	ber. 4 p.4/5	-	356	-	2630	4595x1715x1405	1374	907	i/i	d/d	crém.ass.	10.6	3.2	60.0	195/60HR14	H4/2.2/M5	**28 195**
Legacy	LS 4x4	fam.4 p.4/5	-	1022	-	2630	4670x1715x1450	1415	907	i/i	d/d/ABS	crém.ass.	10.6	3.2	60.0	195/60HR14	H4/2.2/A4	**28 995**
Legacy	LSi 4x4	ber. 4 p.4/5	-	356	-	2630	4595x1715x1405	1381	907	i/i	d/d/ABS	crém.ass.	10.6	3.2	60.0	195/60HR14	H4/2.2/A4	**29 995**
Legacy	LSi 4x4	fam.4 p.4/5	-	1022	-	2630	4670x1715x1450	1422	907	i/i	d/d/ABS	crém.ass.	10.6	3.2	60.0	195/60HR14	H4/2.2/A4	**30 795**

Pari audacieux...

Il ne faut pas se fier aux apparences car Subaru, qui est connu comme un fabricant on ne peut plus conservateur, a été pris de la folie des grandeurs en lançant le projet SVX sur lequel il compte plus du point de vue image et réputation que ventes pures.

Voulant sans doute diversifier sa production dans un secteur où le profit est plus élevé, Subaru s'est aventuré à produire un coupé sportif exotique. Bien que les deux premières années n'aient pas été concluantes, le constructeur japonais continue de tenter sa chance afin d'établir une nouvelle niche porteuse de profits,.. quand le produit se vend. En ce moment la conjoncture économique ne favorise pas ce genre de modèles qui commencent à être nombreux sur le marché et dont la plupart sont mieux établis que le SVX.

POINTS FORTS

• Technique: 90%
La ligne de la carrosserie, qui ne manque pas de personnalité, fut amorcée par Giugiaro et terminée par les stylistes de Fuji au Japon. Elle est, pour le moins, originale surtout en ce qui concerne le traitement de la partie vitrée latérale qui s'inspire de celui des voitures de compétition. Le profil est efficace, puisque le coefficient aérodynamique "descend" à 0.29... La coque autoporteuse est réalisée en acier dont certains panneaux sont galvanisés. La suspension est à 4 roues indépendantes et les freins à disque aux 4 roues avec système antiblocage en série. On retrouve au niveau de la transmission la technique dans laquelle Subaru a investi depuis de nombreuses années et qui l'a fait connaître puisque le SVX possède une traction intégrale et un moteur à plat. Ce dernier est un six cylindres en H de 3.3L à DACT et 4 soupapes par cylindre développant 230 ch, grâce à un turbo et à un dispositif d'injection baptisé «Iris», qui améliore le mélange carburé et le couple à bas régime. La transmission intégrale, permanente, utilise un différentiel à viscocoupleur monté entre les roues arrière. La boîte automatique offre 3 modes de fonctionnement: «normal», «puissance» et «manuel» ce qui permet soit une sélection automatique normale, soit de monter les rapports un par un comme une boîte manuelle mais sans l'aide d'un embrayage.

• Sécurité: 90%
Si la structure semble plus rigide, deux coussins gonflables protègent les places avant, et les horripilantes ceintures motorisées sont remplacées par d'autres à 3 points d'ancrage.

• Satisfaction: 80%
Le nombre d'unités vendues et les commentaires reçus sont peu nombreux mais assez pour dégager un pourcentage d'utilisateurs très satisfaits de 82 %.

• Qualité & finition: 80%
La présentation intérieure est aussi originale que celle de la carrosserie, et mis à part le choix d'un simili-daim pour décorer le tableau de bord et la couleur bizarre des garnitures, l'assemblage est méticuleux et la finition soignée, cependant le faux bois jure un peu.

• Poste de conduite: 80%
Il est facile de trouver rapidement la meilleure position de conduite possible car le siège maintient bien et son ajustement lombaire est efficace tandis que la colonne de direction est ajustable.
Les différents instruments et commandes sont bien regroupés et faciles à utiliser. L'organisation de la console est ergonomique car la main du conducteur peut atteindre sans difficulté les principaux

DONNÉES

Catégorie: coupés sportifs à traction intégrale.
Classe : GT

HISTORIQUE

Inauguré en: 1989
Modifié en: Commercialisé en 1991.
Fabriqué à: Gunma, Japon

INDICES

Sécurité: 90 %
Satisfaction: 80 %
Dépréciation: 50 %
Assurance: 6.5 % (2 423 $)
Prix de revient au km: 0.80 $

NOMBRE DE CONCESSIONNAIRES

Au Québec: 29

VENTES AU QUÉBEC

Modèle	1992	1993	Résultat	Part de marché
Subaru	2 977	2 268	- 23. 8 %	

PRINCIPAUX MODÈLES CONCURRENTS

ACURA Legend coupé, CHEVROLET Corvette, DODGE Stealth R/T Turbo, MAZDA RX-7, NISSAN 300 ZX, TOYOTA Supra.

ÉQUIPEMENT

SUBARU	SVX
Boîte automatique:	S
Régulateur de vitesse:	S
Direction assistée:	S
Freins ABS:	S
Climatiseur:	S
Coussins gonflables (2):	S
Garnitures en cuir:	S
Radio MA/MF/ K7:	S
Serrures électriques:	S
Lève-vitres électriques:	S
Volant ajustable:	S
Rétroviseurs ext. ajustables:	S
Essuie-glace intermittent:	S
Jantes en alliage léger:	S
Toit ouvrant:	S
Système antivol:	-

S : standard; O : optionnel; - : non disponible

COULEURS DISPONIBLES

Extérieur: Blanc, Rouge, Vert, Bleu.
Intérieur: Gris,Beige.

ENTRETIEN

Première révision: 5 000 km
Fréquence: 12 000 km
Prise de diagnostic: Non

QUOI DE NEUF EN 1995 ?

- Deux coussins gonflables montés en série.
- Sièges avant chauffants.
- Un système de ceintures de sécurité à 3 points remplace le système motorisé.

MOTEURS					TRANSMISSION			PERFORMANCES										
Modèles/ versions *: de série	Type / distribution soupapes / carburation	Cylindrée cc	Puissance ch @ tr/mn	Couple lb.pi @ tr/mn	Rapport volumét.	Roues motrices / transmissions	Rapport de pont	Accélér. 0-100 km/h s	400 m D.A. s	1000 m D.A. s	Freinage 100-0 km/h m	Vites. maxi. km/h	Accélér. latérale G	Niveau sonore dBA	Consommation l.0%0km Ville	Consommation Route	Carburant Octane
SVX	H6*3.3 DACT-24-IESPM	3318	230 @ 4500	228 @ 4400	10.0 :1	toutes - A4	3.545	9.0	16.5	29.6	42	230	0.87	67	13.5	8.6	R 87

accessoires. La visibilité est bonne grâce à l'importante surface vitrée, mais les parties fixes des fenêtres et la lunette arrière se salissent rapidement et rendent claustrophobe.

• **Sièges: 80%**
Bien conçus ils maintiennent aussi efficacement qu'ils soutiennent, même aux places arrière.

• **Comportement: 80%**
Bien que la version nord-américaine ne dispose pas comme ailleurs du dispositif à 4 roues directrices, le comportement routier est performant grâce à la traction intégrale et à l'équipement pneumatique bien dimensionné. Mais encore une fois nous nous interrogeons sur la rigidité de la caisse qui émet de drôles de bruits au niveau des portes lorsque la chaussée est imparfaite, et au même moment on constate que la mise en appui devient floue en virage à cause d'un mauvais guidage du train avant.

• **Direction: 80%**
Elle est directe, précise, rapide et bien dosée, le volant à jante épaisse offre une bonne prise, mais sur chaussée dégradée, mais les roues transmettent parfois des chocs jusqu'au volant.

• **Performances: 70%**
Elles sont décevantes car le poids de l'ensemble est élevé. Nombre de coupés de cette catégorie accélèrent de 0 à 100 km/h en 5 à 7.0 secondes alors que le SVX ne descend pas en dessous de 9 secondes. Les reprises sont à l'avenant et il manque de punch pour qu'on puisse le qualifier de modèle exotique.

• **Accès: 70%**
Il est plus aisé de prendre place à l'avant qu'à l'arrière, bien que le dossier du siège avant droit dégage suffisamment d'espace pour limiter les contorsions.

• **Suspension: 60%**
Elle n'est pas franchement inconfortable, mais elle est ferme et transmet toutes les imperfections de la route.

• **Assurance: 60%**
Le prix et le taux plus élevé que la moyenne donnent une prime rondelette qui devrait faire réfléchir les indécis.

• **Commodités: 60%**
Les rangements comprennent une petite boîte à gants, un coffret sur la console centrale et des petits vide-poche de portière. La radio est recouverte d'un cache protecteur permettant de la soustraire à la convoitise des voleurs.

• **Niveau sonore: 60%**
Très bas à vitesse de croisière sur autoroute, le crépitement saccadé de ce type de moteur est bien filtré, toutefois les pneus raisonnent sourdement sur l'asphalte au passage des joints de dilatation.

• **Dépréciation: 50%**
La valeur de revente se maintient raisonnablement malgré le manque d'engouement à son égard.

• **Freinage: 50%**
Il est très ordinaire en terme d'efficacité car les distances d'arrêt sont plutôt longues, mais il est facile à moduler, stable et endurant.

POINTS FAIBLES

• **Prix/équipement: 10%**
Pour investir 40 000 dollars dans un SVX, il faut avoir le coup de foudre, mais l'équipement complet justifie une bonne partie du prix demandé.

• **Coffre: 30%**
Plus profond que spacieux, il manque de largeur à cause des importants puits de suspension. Pourtant l'échancrure de son ouverture permet d'y accéder facilement.

• **Habitabilité: 40%**
Pour un véhicule à vocation sportive, l'habitacle est plus spacieux que la moyenne, cependant les formes du toit ne permettent pas de le cataloguer comme 4 places, mais plutôt comme un 2+2 car à l'arrière l'espace en hauteur et en longueur est limité.

• **Consommation: 40%**
Elle est relativement forte, surtout si l'on maintient un rythme élevé.

CONCLUSION

• **Moyenne générale: 63.0 %**
Avec le temps on s'habitue au SVX, et il ne serait pas surprenant qu'il devienne à la mode pour peu que son prix baisse de 10 000 dollars, sinon le Dodge Stealth constitue un bien meilleur investissement-plaisir... 😐

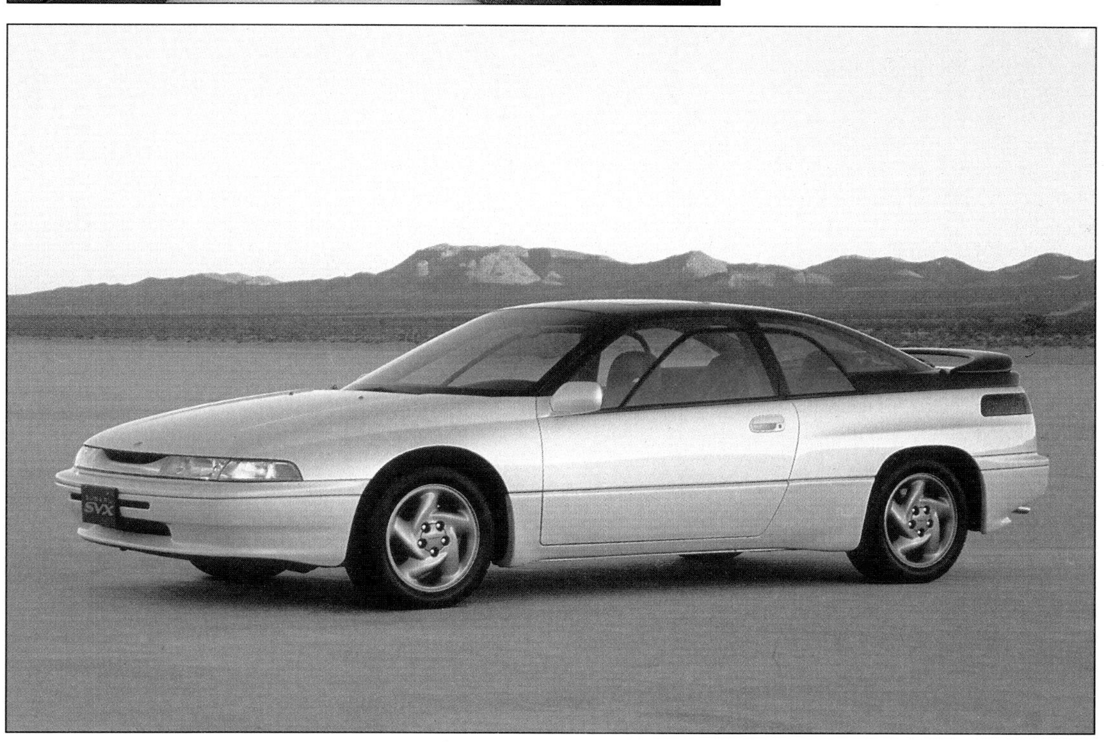

CARACTÉRISTIQUES & PRIX

Modèles	Versions	Carrosseries/ Sièges	Volume cabine l.	Volume coffre l.	Cx	Empat. mm	Long x larg x haut. mm x mm x mm	Poids à vide kg	Poids Remorque max. kg	Susp. av/ar	Freins av/ar	Direction type	Diamètre braquage m	Tours volant b à b.	Réser. essence l.	Pneus d'origine	Mécaniques d'origine	PRIX $ CDN. 1994
SUBARU		**Garantie: générale: 3 ans / 60 000 km; mécanique: 5 ans / 100 000 km; corrosion et antipollution: 5 ans / kilométrage illimité.**																
SVX		cpé. 2p.2+2	2407	233	0.29	2610	4652x1770x1300	1625	NR	i/i	d/d/ABS	crém.ass.	11.0	3.1	70.0	225/50VR16	H6/3.3/A4	**44 995**

Voir la liste complète des prix 1995 à partir de la page 393.

SUZUKI / GEO
PONTIAC

Sidekick, Sunrunner, Tracker

Pour la frime...

Ces petits véhicules sport-utilitaires ont connu un succès fou ces dernières années, plus à cause de leur frimousse sympathique que de leur capacité à se frayer un chemin dans la jungle. On les rencontre plus souvent dans le centre des grandes villes que par monts et par vaux.

Les Suzuki Sidekick, Geo Tracker et Pontiac Sunrunner sont identiques à quelques détails d'équipement près, mais seul le Geo est proposé en version à deux roues motrices, alors que les Sidekick sont des 4x4 et seul le Sidekick est proposé en familiale à 4 portes. Les Suzuki sont offerts en version courte 2 portes avec toit mou en finitions JA, JX et JLX, ou toit dur fixe en finitions JA & JX, ou allongée 4 portes à toit dur fixe en finitions JX et JLX et les Geo sont proposés avec toit dur ou mou de base ou LSi.

POINTS FORTS

• **Poste de conduite:** **80%**
Le conducteur est bien installé car le siège maintient aussi bien latéralement que longitudinalement et le soutien lombaire n'est pas mauvais. La visibilité est meilleure sur les versions à toit rigide, car la capote comporte des angles morts importants et le tableau de bord est aussi bien organisé pour les instruments que pour les commandes. Toutefois celles ouvrant le capot-moteur et la trappe du réservoir d'essence sont bien cachées.

• **Technique:** **80%**
Afin de ménager un rapport puissance-poids plus favorable, la carrosserie monocoque en acier est réalisée en tôle mince. L'efficacité aérodynamique n'est pas celle d'une petite voiture, mais elle est meilleure que celle de la Jeep conventionnelle. Toutes les versions disposent désormais d'un freinage antiblocage des roues arrière, mais la direction n'est assistée en série que sur les modèles à quatre portes. La suspension est à roues indépendantes à l'avant avec essieu rigide à l'arrière et ressorts hélicoïdaux. Le moteur des modèles 2 portes est un 4 cylindres de 1.6L à 8 soupapes avec transmission manuelle ou automatique, tandis que le 4 portes a une culasse à 2 arbres à cames et 16 soupapes qui améliore sa puissance de 15%. Toutefois la majorité des propriétaires trouve cette puissance insuffisante et voudrait disposer d'un 2.0L offrant du couple et de la puissance à régime normal pour diminuer à la fois le bruit et la consommation.

• **Prix/équipement:** **80%**
Avec le temps, ces véhicules sont devenus très chers, et en comparant leurs prix avec ceux d'un véritable Jeep ou d'une automobile, on sera surpris d'autant que l'équipement est proportionnel au déboursé.

• **Satisfaction:** **80%**
Peu de problèmes si ce n'est la fragilité de la capote et la rouille qui gagne vite du terrain lorsqu'elle s'est déclarée.

• **Accès:** **70%**
Il n'est pas aisé de prendre place à l'arrière, même sur la version allongée dont les portes sont étroites et la garde-au-sol élevée.

• **Sièges:** **70%**
Ils maintiennent convenablement parce qu'ils sont bien galbés, mais un rembourrage un peu plus moelleux ne ferait de tort à personne.

• **Qualité & finition:** **70%**
La présentation intérieure est agréable, même sur les versions de base, et l'assemblage aussi précis que la finition est méticuleuse; pourtant on aimerait que certains détails soient plus soignés comme

DONNÉES

Catégorie: véhicules à usages multiples propulsés ou intégraux.
Classe : utilitaires

HISTORIQUE

Inauguré en: 1989
Modifié en: 1991: version 4 p.;1992: moteur 16V.
Fabriqué à: Ingersoll, Ontario, Canada.

INDICES

		2 p.	4 p.	
Sécurité:		35 %	40 %	
Satisfaction:		80 %	85%	
Dépréciation:		58 %	62 %	
Assurance:	(1 201 $)	8.5 %	7.0 %	(1 201 $)
Prix de revient au km:		0.36 $	0.36 %	

NOMBRE DE CONCESSIONNAIRES

Au Québec: Suzuki 38

VENTES AU QUÉBEC

Modèle	1992	1993	Résultat	Part de marché
Sidekick	ND	ND	ND	-
Tracker				

PRINCIPAUX MODÈLES CONCURRENTS

JEEP YJ.

ÉQUIPEMENT

SUZUKI Sidekick 4RM				JA	JX	JLX
GEO Tracker/ Sunrunner	**2RM**	**4RM**	**LSi/GT**			
Boîte automatique:	O	O	O	O	O	O
Régulateur de vitesse:	O	O	O	-	-	S
Direction assistée:	O	O	S	O	S	S
Freins ABS:	O	S	S	S	S	S
Climatiseur:	-	O	O	-	O	S
Coussin gonflable:	-	-	-	-	-	-
Garnitures en cuir:	S	S	S	-	-	-
Radio MA/MF/ K7:	O	O	O	O	O	S
Serrures électriques:	-	-	S	-	-	S
Lève-vitres électriques:	-	-	S	-	-	S
Volant ajustable:	O	O	O	-	-	S
Rétroviseurs ext. ajustables:	-	O	S	-	-	S
Essuie-glace intermittent:	S	S	S	S	S	S
Jantes en alliage léger:	-	-	-	O	S	S
Toit ouvrant:		-	-	-	-	-
Système antivol:	-			S	S	S

S : standard; O : optionnel; - : non disponible

COULEURS DISPONIBLES

Extérieur: Bleu, Magenta, Blanc, Noir, Rouge; Bleu, Vert métallique.
Intérieur: Gris.

ENTRETIEN

Première révision: 5 000 km
Fréquence: 10 000 km
Prise de diagnostic: Non

QUOI DE NEUF EN 1995 ?

- Nouveau toit souple qui se monte et se démonte plus facilement (2p.)
- 4 cylindres de base plus puissant (2p.).
- Nouvelles roues en aluminium sur la version JLX (4p.).

MOTEURS						TRANSMISSION		PERFORMANCES									
Modèles/ versions *: de série	Type / distribution soupapes / carburation	Cylindrée cc	Puissance ch @ tr/mn	Couple lb.pi @ tr/mn	Rapport volumét.	Roues motrices / transmissions	Rapport de pont	Accélér. 0-100 km/h s	400 m D.A. s	1000 m D.A. s	Freinage 100-0 km/h m	Vites. maxi. km/h	Accélér. latérale G	Niveau sonore dBA	Consommation l.100km Ville	Consommation l.100km Route	Carburant Octane
1) 2p. JA	L4* 1.6 SACT-8-IE	1590	80 @ 5400	94 @ 3300	8.9 :1	arr./4 - M5*	5.12	13.5	18.8	34.6	46	140	0.77	72	9.9	7.8	R 87
						arr./4 - A3	4.62	15.5	20.0	38.8	48	135	0.76	72	10.4	8.8	R 87
2) 2p.-4p.	L4* 1.6 DACT-16-IEMP	1590	95 @ 5600	98 @ 4000	9.5 :1	arr./4 - M5*	5.12	13.3	18.0	34.2	50	145	0.78	70	10.1	8.2	R 87
						arr./4 - A4	4.30	15.5	19.5	38.4	56	140	0.77	70	10.5	8.2	R 87

1) 2 portes 2) option 2 portes & de série 4RM

Sidekick, Sunrunner, Tracker

es doublures d'ailes qui pourraient être plus importantes afin d'éviter que la boue s'incruste dans les interstices du châssis et de la carrosserie favorisant ainsi l'arrivée de la rouille.

• Consommation: 70%
Elle n'est pas économique même en usage normal et la comparaison avec d'autres concurrents fera réfléchir.

• Direction: 60%
Imprécise au centre, car trop démultipliée (3.5 tr) quand elle est manuelle, mais douce et bien dosée lorsqu'elle est assistée.

• Suspension: 50%
Ces petits sport-utilitaires sont de véritables machines à secouer et mieux vaut éviter les mauvais chemins.

• Commodités: 50%
Les rangements sont moins nombreux sur les modèles économiques que sur les luxueux qui reçoivent des vide-poches de porte.

• Comportement: 50%
Il n'est pas vraiment dangereux, mais il faut rester vigilant car ces véhicules ne sont pas des automobiles, et il vaut mieux aborder les virages serrés avec prudence. De plus elles sont sensibles au vent latéral et aux joints de dilatation. Hors route la garde-au-sol (200mm) n'est pas toujours suffisante et il est facile de se «planter». Le Tracker 4x2 est plus sûr que les 4x4 et se comporte comme une voiture de sport car, sur tracé sinueux, son habileté est démoniaque entre des mains expertes.

• Sécurité: 50%
Elle demeure un point délicat sur ce type de véhicules car sa structure est vulnérable malgré l'ajout de renforts notamment dans les portes, et les blessures infligées aux mannequins des tests de collisions faisaient apparaître des blessures à la tête les coussins gonflables n'étant offerts qu'en option.

POINTS FAIBLES

• Niveau sonore: 10%
Le moteur, les pneus et le vent s'entendent à merveille pour donner un concert permanent.

• Coffre: 25%
Il est réduit à sa plus simple expression lorsque les places arrière sont utilisées sur les versions courtes, la soute du 4 portes est spacieuse et modulable grâce au dossier divisé de la banquette.

• Freinage: 20%
Il manque encore de mordant, car les distances d'arrêt sont longues, mais la présence de l'ABS sur les roues arrière le stabilise en cas d'urgence.

• Performances: 30%
Malgré les moteurs plus puissants elles sont languissantes sur les 4x4 qui sont plus lourds et même sur le modèle à 4 portes. La souplesse due à une bonne démultiplication de la transmission est appréciable en terrain difficile. C'est différent sur le Tracker 4x2 qui est plus vif et très amusant à piloter.

• Habitabilité: 30%
Deux adultes de taille normale seront confortablement installés à l'avant, mais à l'arrière, seule la familiale offre deux véritables places dont la hauteur et la longueur sont suffisantes.

• Assurance: 45%
Les 4x4 sont toujours plus chers à assurer, et particulièrement ces véhicules qui s'adressent majoritairement à des jeunes.

• Dépréciation: 40%
Elle a augmenté depuis que le marché est saturé d'un grand nombre d'entre eux.

CONCLUSION

• Moyenne générale: 53.0 %
Intéressants par leur polyvalence, ces engins sont à la fois des automobiles, des utilitaires et des véhicules de loisirs. ☹

CARACTÉRISTIQUES & PRIX

Modèles	Versions		Carrosseries/ Sièges	Empat. mm	Long x larg x haut. mm x mm x mm	Poids à vide kg	Poids Remorque max. kg	Susp. av/ar	Freins av/ar	Direction type	Diamètre braquage m	Tours volant b à b.	Réser. essence l.	Pneus d'origine	Mécaniques d'origine	PRIX $ CDN. 1994
SUZUKI			**Garantie générale: 3 ans / 60 000 km.**													
Sidekick	JA	court TM	déc. 3 p.4	2200	3620x1630x1654	1101	454	i/r	d/t/ABS	ecr.	9.8	3.8	42.0	205/75R15	L4/1.6/M5	**13 695**
Sidekick	JX	court TM	déc. 3 p.4	2200	3620x1630x1654	1129	454	i/r	d/t/ABS	ecr.	9.8	3.8	42.0	205/75R15	L4/1.6/M5	**15 995**
Sidekick	JLX	court TM	déc. 3 p.4	2200	3620x1630x1654	1142	454	i/r	d/t/ABS	ecr.	9.8	3.8	42.0	205/75R15	L4/1.6/M5	**17 995**
Sidekick	JA	court TD	ber. 3 p.4	2200	3620x1630x1654	-	454	i/r	d/t/ABS	ecr.	9.8	3.8	42.0	205/75R15	L4/1.6/M5	**13 395**
Sidekick	JX	court TD	ber. 3 p.4	2200	3620x1630x1654	-	454	i/r	d/t/ABS	ecr.	9.8	3.8	42.0	205/75R15	L4/1.6/M5	**15 095**
Sidekick	JX	long TD	ber. 4 p.4	2480	4030x1635x1690	1215	454	i/r	d/t/ABS	ecr.ass.	10.8	3.45	55.0	205/75R15	L4/1.6/M5	**16 495**
Sidekick	JLX	long TD	ber. 4 p.4	2480	4030x1635x1690	1238	454	i/r	d/t/ABS	ecr.ass.	10.8	3.45	55.0	205/75R15	L4/1.6/M5	**19 695**
Sidekick	JLX	long TD	ber. 4 p.4	2480	4030x1635x1690	1251	454	i/r	d/t/ABS	ecr.ass.	10.8	3.45	55.0	205/75R15	L4/1.6/A4	**20 795**
GEO/PONTIAC			**Garantie générale: 3 ans / 60 000 km.**													
Tracker/Sunrunner		2RM court	déc.3 p.2/4	2200	3620x1630x1633	1019	454	i/r	d/t/ABS	ecr.	9.8	3.8	42.0	195/75R15	L4/1.6/M5	**16 095**
Tracker/Sunrunner		4RM court	déc.3 p.2/4	2200	3620x1630x1654	1089	454	i/r	d/t/ABS	ecr.	9.8	3.8	42.0	205/75R15	L4/1.6/M5	**13 495**
Tracker/Sunrunner		4RM court	ber.3 p.4	2200	3620x1630x1654	1108	454	i/r	d/t/ABS	ecr.ass.	9.8	3.45	42.0	205/75R15	L4/1.6/M5	**13 750**

Voir la liste complète des prix 1995 à partir de la page 393.

Swift / Metro / Firefly

Mini-voitures pour mini-budgets...

Très populaires auprès des jeunes conducteurs, ces petites voitures viennent d'être redessinées sous une apparence plus moderne, mais sur des bases proches de celles des précédentes. Au cosmétique se joint lasécurité puisqu'elles sont plus rigides et pourvues de coussins d'air.

Créés par Suzuki qui les produit aussi pour GM ces véhicules sont identiques, à leur motorisation et à quelques détails d'équipement près. Les Swift-Metro-Firefly changent d'apparence pour 1995 dans un style jeune et agréable. Les Swift sont proposées en carrosseries 3 et 4 portes de base à moteur 3 cylindres de 1.0L et DLX avec moteur 1.3L. Au Canada comme aux États-Unis, Geo commercialise les Metro de base ou LSi en berlines 3, et 4 portes. Tous les modèles reçoivent en série une transmission manuelle à 5 vitesses et en option une automatique à 3 rapports.

POINTS FORTS

• **Consommation:** **100%**
Elles demeurent les modèles à essence les plus économiques du marché nord-américain, puisqu'elles se contentent de 6 à 7 litres aux 100 km selon le moteur et la transmission.

• **Prix/équipement:** **90%**
Ces petites autos ne coûtent pas très cher et c'est pourquoi elles constituent bien souvent une première voiture pour des jeunes et si leur équipement est succinct, il offre toutefois l'essentiel. Les berlines 4 portes constituent un choix fort judicieux.

• **Sécurité:** **80%**
Malgré un travail de rigidification, les tests de collision ne sont pas favorables aux mini-voitures dont la structure est frêle et la tôlerie mince. C'est le prix à payer pour bénéficier d'un rendement économique, mais au moins cette année ces modèles sont équipés en série de deux coussins d'air aux places avant.

• **Satisfaction:** **75%**
Pas de gros problèmes mais certains propriétaires se disent agacés par le manque de qualité de certains accessoires et le défraîchissement rapide de ces modèles.

• **Technique:** **70%**
Leur carrosserie de type monocoque en acier comporte une suspen-

DONNÉES

Catégorie: berlines mini-compactes tractées.
Classe : 2

HISTORIQUE

Inauguré en: 1984: Forsa 3 p. 3 cyl.
Modifié en: 1987: Forsa 4 p.; 1988: Swift 4 cyl.
Fabriqué à: Kosai, Japon & Ingersoll, Ontario, Canada.

INDICES

	Swift	Metro
Sécurité:	40 %	40 %
Satisfaction:	90 %	85 %
Dépréciation:	62 %	65 %
Assurance:	14 %	12 %
Prix de revient au km:	0.29 $	0.29 $

NOMBRE DE CONCESSIONNAIRES

Au Québec: Suzuki 38

VENTES AU QUÉBEC

Modèle	1992	1993	Résultat	Part de marché
Suzuki Swift	ND			
Geo Metro	6 697	7 696	+ 13.0 %	8.8 %

PRINCIPAUX MODÈLES CONCURRENTS

FORD Aspire, Hyundai Accent 3p, SUBARU Justy, .

ÉQUIPEMENT

SUZUKI Swift	**Hbk**	**DLX**				
GEO Metro			**base**	**LSi**		
PONTIAC Firefly					**base**	**SE**
Boîte automatique:	O	O	O	O	O	O
Régulateur de vitesse:	-	-	-	-	-	-
Direction assistée:	-	S	-	S	-	S
Freins ABS:	-	S	O	O	O	O
Climatiseur:	O	O	O	O	O	O
Coussins gonflables:	S	S	S	S	S	S
Garnitures en cuir:	-	-	-	-	-	-
Radio MA/MF/ K7:	O	O	O	O	O	O
Serrures électriques:	-	-	-	O	-	O
Lève-vitres électriques:	-	-	-	-	-	-
Volant ajustable:	-	-	-	-	-	-
Rétroviseurs ext. ajustables:	-	-	-	-	-	-
Essuie-glace intermittent:	S	S	S	S	S	S
Jantes en alliage léger:	-	-	-	-	-	-
Toit ouvrant:	-	-	-	-	-	-
Système antivol:	O	O	-	-	-	-

S : standard; O : optionnel; - : non disponible

COULEURS DISPONIBLES

Extérieur: Blanc, Rouge, Bleu, Noir, Gris Vert, Magenta.
Intérieur: Gris, Noir.

ENTRETIEN

Première révision: 5 000 km
Fréquence: 10 000km
Prise de diagnostic: Non

QUOI DE NEUF EN 1995 ?

- Tout nouveau modèle en 1995 livré avec deux coussins d'air aux places avant.
- Suppression de la berline 5 portes.

Modèles/ versions *: de série	Type / distribution soupapes / carburation	Cylindrée cc	Puissance ch @ tr/mn	Couple lb.pi @ tr/mn	Rapport volumét.	Roues motrices / transmissions	Rapport de pont	Accélér. 0-100 km/h s	400 m D.A. s	1000 m D.A. s	Freinage 100-0 km/h m	Vites. maxi. km/h	Accélér. latérale G	Niveau sonore dBA	Consommation l.0%0km Ville	Consommation Route	Carburant Octane
1)	L3* 1.0 SACT-6-IE	993	55 @ 5700	58 @ 3300	9.5 :1	avant - M5*	4.39	13.8	19.3	37.2	48	145	0.71	70	5.4	4.3	R 87
						avant - A3	4.02	15.0	20.0	38.5	49	140	0.71	70	6.4	5.4	R 87
2)	L4* 1.3 SACT-8-IE	1298	70 @6000	74 @ 3500	9.5 :1	avant - M5*	3.79	13.0	18.8	36.4	51	160	0.75	68	6.4	4.9	R 87
						avant - A3	3.61	14.0	19.5	37.5	58	150	0.75	68	7.7	6.3	R 87

1) base 2) Swift Hbk & DLX Firefly SE, Metro LSi

Swift / Metro / Firefly

sion indépendante aux quatre roues inspirée de l'épure de McPherson, ainsi qu'un freinage à disques et tambours, mais le dispositif antiblocage n'est disponible qu'en option. Leurs nouvelles silhouettes sont agréables à contempler et elles ont le mérite de concilier une allure moderne, une finesse aérodynamique honnête, et un encombrement réduit.

• Qualité & finition: 70%
L'assemblage est soigné mais certains matériaux sont fragiles, les peintures minces, la présentation intérieure est terne, et la finition fait très utilitaire, de plus les rossignols n'y sont pas rares.

• Poste de conduite: 60%
La position du conducteur est basse mais aussi satisfaisante que la visibilité et l'instrumentation, qui, bien que simplifiée au maximum, donne l'essentiel des informations. Les commandes sont conventionnelles et bien disposées, mais celles situées sur la console sont loin de la main.

• Accès: 60%
Il reste plus facile de s'installer à l'avant de ces mini-voitures qu'à l'arrière, soit que les portes sont étroites (4 p.) soit que la hauteur et la largeur manquent (3 p.).

• Sièges: 60%
Sans vrai galbe, ils maintiennent peu latéralement, mais leur support lombaire est honnête aux places avant, alors qu'à l'arrière les banquettes sont plates, leur assise et leur dossier étant courts.

• Suspension: 60%
Si elle ne réagit pas trop durement aux défauts de la route, elle manque d'amplitude et marque sèchement le passage des saignées surtout en charge.

• Direction: 60%
Moins imprécise, elle reste cependant trop démultipliée, ce qui rend ces petites voitures plus «pointues» à conduire sur chaussée mouillée. Bien que le diamètre de braquage soit court la maniabilité souffre du nombre de tours de volant.

• Commodités: 50%
Sur les versions luxueuses on dispose de vide-poches de portière, d'évidements sur la console en plus de la petite boîte à gants commune à tous les modèles.

POINTS FAIBLES

• Assurance: 15%
La prime est relativement très chère, parce que l'indice élevé compense pour le petit prix de ces voitures.

• Freinage: 30%
Acceptable en usage normal, il manque d'efficacité lors des arrêts d'urgence, et les trajectoires deviennent floues car les roues bloquent très rapidement sans ABS.

• Coffre: 30%
Très réduit sur le modèle hatchback, lorsque la banquette arrière est utilisée, mais il peut être agrandi en abaissant le dossier. Celui des berlines communique aussi avec l'habitacle ce qui permet d'y remiser des objets encombrants.

• Habitabilité: 35%
Elle est surprenante compte tenu de l'encombrement de ces véhicules, particulièrement sur les versions à 4 portes qui sont de véritables petites berlines n'ayant plus rien à voir avec les éconoboîtes. Toutefois les occupants des places arrière ne devront pas être trop grands.

• Dépréciation: 35%
Comme la vogue est aux compactes ces mini perdent beaucoup de leur valeur après trois ans.

• Comportement: 40%
S'il reste foncièrement sous-vireur il n'est pas dangereux, mais il faut être prudent quand le vent souffle latéralement car ces petites voitures y sont encore sensibles, mais moins que les précédentes. Sur mauvaise route on se sent moins vulnérable qu'avec le modèle précédent et l'augmentation du périmètre de base a apporté une meilleure stabilité.

Niveau sonore: 40%
Le bruit du moteur prime sur ceux de roulement et de vent, car l'insonorisation n'est pas très poussée.

CONCLUSION

• Moyenne générale: 53.0%
Remises au goût du jour ces bébés-voitures vont continuer de séduire les amateurs d'économies et les mini-budgets.

SUGGESTIONS DES PROPRIÉTAIRES

(modèle précédent)

-Meilleure qualité générale (pneus, peinture, garnitures de freins, finition, accessoires).
-Comportement plus neutre.
-Une direction plus précise.
-Insonorisation plus efficace.
-De meilleures performances.
-Une banquette arrière plus conforable.
-Un freinage plus puissant.

CARACTÉRISTIQUES & PRIX

Modèles	Versions	Carrosseries/ Sièges	Volume cabine l.	Volume coffre l.	Cx	Empat. mm	Long x larg x haut. mm x mm x mm	Poids à vide kg	Poids Remorque max. kg	Susp. av/ar	Freins av/ar	Direction type	Diamètre braquage m	Tours volant b à b.	Réser. essence l.	Pneus d'origine	Mécaniques d'origine	PRIX $ CDN. 1994
SUZUKI		**Garantie générale: 3 ans / 80 000 km; corrosion perforation: 5 ans / kilométrage illimité.**																
Swift	Hbk	ber. 3 p.4	2288	238	-	2365	3795x1590x1390	820	NR	i/i	d/t	crém.	9.60	3.7	40.0	155/80R13	L4/1.3/M5	**7 995**
Swift	DLX	ber. 3 p.4	2288	238	-	2365	3795x1590x1390	820	NR	i/i	d/t	crém.	9.60	3.7	40.0	155/80R13	L4/1.3/M5	**9 495**
Swift	base	ber. 4 p.4	2596	292	-	2365	4165x1590x1400	879	NR	i/i	d/t	crém.	9.60	3.6	40.0	155/80R13	L4/1.3/M5	**9 995**
GEO		**Garantie générale: 3 ans / 80 000 km; corrosion perforation: 5 ans / kilométrage illimité.**																
Metro	base	ber. 3 p.4	2288	238	-	2365	3795x1590x1390	820	NR	i/i	d/t	crém.	9.60	3.7	40.0	155/80R13	L3/1.0/M5	**8 995**
Metro	LSi	ber. 3 p.4	2288	238	-	2365	3795x1590x1390	820	NR	i/i	d/t	crém.	9.60	3.7	40.0	155/80R13	L3/1.0/M5	-
Metro	base	ber. 4 p.4	2596	292	-	2365	4165x1590x1400	879	NR	i/i	d/t	crém.	9.60	3.6	40.0	155/80R13	L4/1.3/M5	**9 695**
Metro	LSi	ber. 4 p.4	2596	292	-	2365	4165x1590x1400	879	NR	i/i	d/t	crém.	9.60	3.6	40.0	155/80R13	L4/1.3/M5	-
PONTIAC		**Garantie générale: 3 ans / 80 000 km; corrosion perforation: 5 ans / kilométrage illimité.**																
Firefly	base	ber. 3 p.4	2288	238	-	2365	3795x1590x1390	820	NR	i/i	d/t	crém.	9.60	3.7	40.0	155/80R13	L3/1.0/M5	-
Firefly	SE	ber. 3 p.4	2288	238	-	2365	3795x1590x1390	820	NR	i/i	d/t	crém.	9.60	3.7	40.0	155/80R13	L3/1.0/M5	-
Firefly	base	ber. 4 p.4	2596	292	-	2365	4165x1590x1400	879	NR	i/i	d/t	crém.	9.60	3.6	40.0	155/80R13	L4/1.3/M5	-
Firefly	SE	ber. 4 p.4	2596	292	-	2365	4165x1590x1400	879	NR	i/i	d/t	crém.	9.60	3.6	40.0	155/80R13	L4/1.3/M5	-

Voir la liste complète des prix 1995 à partir de la page 393.

Plus américaine que nippone...

Pour 1995 Toyota renouvelle les deux extrémités de sa gamme. En bas la Tercel, en haut l'Avalon qui vient prendre la place de la défunte Cressida. Il s'agit d'une grande berline dont la mission première est d'emporter six personnes sur deux banquettes comme les américaines d'autrefois.

Depuis le retrait de la Cressida en 1992, la gamme Toyota était dépourvue de modèle de prestige. Ce n'était pas si grave puisque les clients pouvaient toujours aller faire un tour chez Lexus pour trouver un modèle de luxe. Toutefois il existe une marche entre Toyota et Lexus que certains ne voulaient pas gravir pour des raisons évidentes de budget. Pour créer son haut de gamme Toyota devait le concevoir à l'intérieur du marché nord-américain auquel il était destiné et utiliser des éléments connus, puisqu'il devait être fabriqué sur le continent. Ils n'eurent pas à chercher bien loin, car la Camry est construite à Georgetown, Kentucky, le bureau de style est en Californie et l'ingénierie dans le Michigan et l'Arizona. C'est ainsi qu'est née l'Avalon. Elle sera offerte sous la forme unique d'une berline 5/6 places de base XL ou de luxe XLS.

POINTS FORTS

• Technique: 90%
Partant de la plate-forme de la Camry les ingénieurs allongèrent son empattement de 100 mm , sa longueur de 60 mm afin de disposer d'un soubassement permettant de construire une berline plus vaste que la Camry, pouvant accueillir 6 personnes dans le cas où une banquette serait disposée à l'avant. La carrosserie de l'Avalon est monocoque en acier dont certaines parties sont galvanisées. Du côté mécanique on retrouve le V6 de 3.0L de la Camry qui après de légères retouches fournit 4 ch de plus. La transmission est automatique à 4 rapports et les freins à disque aux quatre roues. Comme sur la Camry les trains avant/arrière sont soutenus par des sous-châssis qui permettent d'isoler la coque des trépidations de la route.

• Sécurité: 90%
Inutile de préciser que la structure est d'une rigidité extrême et que l'habitacle est protégé par une cage de profilés métalliques tandis que deux coussins gonflables protègent les places avant.

• Niveau sonore: 90%
Il est aussi bas que dans des grande limousines grâce à des mesures destinées à éliminer le plus de bruits et de vibrations.

• Accès: 80%
C'est sans problème que l'on accède à la cabine dont les portes sont longues et s'ouvrent suffisamment pour ne pas gêner les personnes corpulentes ou de grande taille.

• Qualité/finition: 80%
Toyota s'est bien gardé d'aller jusqu'au raffinement des Lexus, c'est tout juste si le grain du plastique qui compose le tableau de bord ressemble à celui de la gamme de luxe. Comme toujours chez Toyota, l'assemblage est très rigoureux, la finition soignée et la qualité des matériaux sans reproche. On pourrait peut-être reprocher le garnissage du coffre à bagages qui a la classe que celui d'une Tercel...

• Poste de conduite: 80%
Le conducteur découvre rapidement la position la plus adéquate et la visibilité qui est bonne tout autour. Le tableau de bord est abrité par une vaste visière au fond de laquelle les instruments sont bien disposés. Toutes les commandes sont à portée de la main, sauf le frein

DONNÉES

Catégorie: berlines tractées de grand format.
Classe : 6

HISTORIQUE

Inauguré en: 1995
Modifié en: -
Fabriqué à: Georgetown, Kentuky, Etats-Unis.

INDICES

Sécurité: 90 %
Satisfaction: ND
Dépréciation: ND
Assurance: ND
Prix de revient au km: 0.52 $

NOMBRE DE CONCESSIONNAIRES

Au Québec: 67

VENTES AU QUÉBEC

Modèle	1992	1993	Résultat	Part de marché
Avalon	Nouveau modèle sur le marché.			

PRINCIPAUX MODÈLES CONCURRENTS

ACURA Legend, CHEVROLET Caprice, CHRYSLER LH & LHS, FORD Taurus & Crown Victoria, GM Série B & H, MAZDA Millenia, NISSAN Maxima

ÉQUIPEMENT

TOYOTA Avalon	XL	XLS
Transmission automatique:	S	S
Régulateur de vitesse:	S	S
Direction assistée:	S	S
Freins ABS:	O	S
Climatiseur:	S	S
Coussin gonflable:	S	S
Garnitures en cuir:	-	O
Radio MA/MF/ K7:	S	S
Serrures électriques:	S	S
Lève-vitres électriques:	S	S
Volant ajustable:	S	S
Rétroviseurs ext. ajustables:	S	S
Essuie-glace intermittent:	S	S
Jantes en alliage léger:	O	S
Toit ouvrant:	O	O
Système antivol:	-	S

S : standard; O : optionnel; - : non disponible

COULEURS DISPONIBLES

Extérieur: Blanc, Noir, Rubis, Vert, Prune, Rouge, Platine, Beige.
Intérieur: Noir, Quartz,

ENTRETIEN

Première révision: 6 000 km
Fréquence: 6 000 km
Prise de diagnostic: Oui

QUOI DE NEUF EN 1995 ?

- Tout nouveau modèle sur le marché.

Modèles/ versions *: de série	Type / distribution soupapes / carburation	MOTEURS Cylindrée cc	Puissance ch @ tr/mn	Couple lb.pi @ tr/mn	Rapport volumét.	TRANSMISSION Roues motrices / transmissions	Rapport de pont	PERFORMANCES Accélér. 0-100 km/h s	400 m D.A. s	1000 m D.A. s	Freinage 100-0 km/h m	Vites. maxi. km/h	Accélér. latérale G	Niveau sonore dBA	Consommation l./100km Ville	Consommation l./100km Route	Carburant Octane
Avalon	V6 3.0 DACT-24-IEPM	2995	192 @ 5200	210 @ 4400	10.5 :1	avant - A4	3.625	8.7	16.8	29.0	38	200	0.80	64	11.8	7.6	M 89

le stationnement actionné au ied. Cela fait tout drôle de re-rouver un sélecteur de vitesse ous le volant d'une telle voiture.

Sièges: 80%
ls maintiennent relativement ien, alors qu'ils ne sont pas très albés et ,une fois n'est pas cou-ume, il semble que la banquette oit plus sculptée et retienne nieux.

Suspension: 80%
Elle est très élaborée car la qua-té du comportement ne nuit pas celle du confort. La voiture ab-orbe des dénivellations impor-antes sans bousculer les occu-ants.

Habitabilité: 75%
Même si trois personnes ne peu-ent prétendre s'asseoir en avant, es principaux dégagements de a cabine sont généreux dans outes les directions et l'on se ent très à l'aise avec beaucoup 'espace pour la tête et les jam-es en arrière.

Performances: 75%
Avec un rapport poids/puissance le 7.5 kg/ch, il n'y a rien d'éton-ant à ce que l'Avalon accélère le 0 à 100 km/h en un peu plus de .5 secondes et couvre le quart le mile en16.8 s. Le moteur est rompt à réagir et il ne se fait pas rier pour monter en régime. La oîte automatique le seconde ien, la sélection des rapports se aisant en douceur. Toutefois ous nous plaindrons du fait que orsqu'on rétrograde manuelle-nent, le frein-moteur soit quasi bsent et on a la désagréable impression d'être en roue libre.

Coffre: 70%
possède une grande capacité, nais comme nous le disions plus aut sa garniture fait bon marché t son ouverture est un peu étri-uée, même si son échancrure escend jusqu'au ras du pare-hocs.

Comportement: 70%
Très équilibrée, l'Avalon n'est ja-nais en perdition dans un virage erré, car son roulis est bien con-rôlé de même que son cabrage u sa plongée. Elle n'a jamais l'attitude excessive et ne dédai-ne pas d'être menée rondement. Sa stabilité en ligne droite comme en courbe est excellente.

• Direction: 70%
C'est sans doute le point qui nous a le moins séduit, car bien qu'elle soit précise et assez rapide, elle est comme morte car on ne sent pas les réactions du véhicule et son assistance un peu forte en est peut-être la cause.

• Commodités: 70%
Les rangements ne manquent pas car en plus de la boîte à gants de grande taille, on trouve des vide-poches dans les portes avant et dans le dossier des sièges avant dont l'accoudoir escamotable contient encore un coffret qui pourra accueillir un téléphone cellulaire.

• Freinage: 60%
Pour une voiture de son format, l'Avalon freine très bien, de manière stable et rectiligne et les arrêts sont courts puisqu'ils se situent en dessus des 40 mètres et leur endurance est très honorable.

• Consommation: 60%
En conduite normale la moyenne se situe aux alentours de 12 litres ce qui n'a rien d'exagéré pour une voiture de ce format, capable de performances remarquables sans artifice.

POINTS FAIBLES

• Prix/équipement: 30%
La XL est la moins luxueuse des deux Avalon. Par rapport à la XL elle n'a droit ni aux garnitures de cuir, ni au système antivol, ni à l'ABS qui est optionnel. Son prix se situe entre celui de la plus luxueuse des Camry et celui de la Lexus ES300.

CONCLUSION

• Valeur moyenne: 73.5%
Si du côté esthétique l'Avalon ne dit pas grand chose, elle est beaucoup plus éloquente au chapitre des performances et du confort car elle est aujourd'hui la plus américaine des japonaises. ☺

CARACTÉRISTIQUES & PRIX

Modèles	Versions	Carrosseries/ Sièges	Volume cabine l.	Volume coffre l.	Cx	Empat. mm	Long x larg x haut. mm x mm x mm	Poids à vide kg	Capacité Remorq. max. kg	Susp. av/ar	Freins av/ar	Direction type	Diamètre braquage m	Tours volant b à b.	Réser. essence l.	Pneus d'origine	Mécaniques d'origine	PRIX $ CDN. 1994
TOYOTA		Garantie générale: 3 ans / 60 000 km; mécanique: 5 ans / 100 000 km; corrosion: 5 ans / kilométrage illimité; sans aucun déductible ou frais de transfert.																
Avalon	XL	ber.4 p.5/6	2987	436	0.31	2720	4831x1785x1424	1480	907	i/i	d/d	crém.ass.	11.46	ND	70.0	205/65R15	V6/3.0/A4	-
Avalon	XLS	ber.4 p.5/6	2987	436	0.31	2720	4831x1785x1424	1490	907	i/i	d/d/ABS	crém.ass.	11.46	ND	70.0	205/65R15	V6/3.0/A4	-

Voir la liste complète des prix 1995 à partir de la page 393.

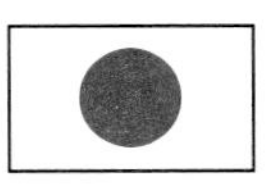

Standard mondial...

Depuis sa dernière mise à jour, la Camry est devenue un standard mondial en matière de voitur compacte. À vrai dire elle fait aussi de l'œil aux intermédiaires lorsqu'elle est équipée de so moteur V6, ce qui lui permet de jouer et de gagner sur les deux tableaux.

Les modèle compacts connaissent un succès phénoménal qui est à la veille de supplanter celui qu'ont connu les sous-compactes suite aux embargo pétroliers dans les années 70. Dans sa version à 4 cylindres, la Camry affronte la Honda Accord, tandis que la V6 fait jeu égal avec les Ford-Mercury Taurus-Sable, des modèles qui se disputent le titre de voiture la plus vendue aux États-Unis. Les Camry existent en berline ou familiale à 4 portes et coupé deux portes, en versions de base, LE, V6 et V6LE.

POINTS FORTS

• Satisfaction: 90%
Elle atteint un niveau élevé qui a fait la réputation de la marque.

• Sécurité: 90%
Malgré les renforts qui rigidifient la structure, la présence de deux coussins gonflables à l'avant et des ceintures à 3 points d'ancrage, il reste à faire de ce côté-là pour atteindre la cote maximale.

• Technique: 80%
La ligne de la Camry n'a rien de révolutionnaire, pourtant son aérodynamique est efficace, puisque son coefficient varie entre 0.31 et 0.33. Monocoque en acier, sa suspension est indépendante aux 4 roues selon le principe de McPherson avec barres stabilisatrices et amortisseurs à gaz. Le freinage est à disque et tambour avec le moteur 4 cylindres et à 4 disques avec le V6. Pour une meilleure isolation des bruits et des vibrations les trains avant et arrière sont portés par des faux-châssis isolés de la coque par des éléments en caoutchouc. D'autre part la coque est enduite de divers matériaux insonorisants en certains points stratégiques, afin d'éviter toutes résonances néfastes. La carrosserie, les portes et les capots ont été nervurés pour accroître leur rigidité et leur résistance. Le moteur de base est un 4 cylindres de 2.2L donnant 125 ch et le V6 est un nouveau 3.0L de 188 ch. Les deux moteurs disposent au choix d'une transmission manuelle à 5 vitesses en série ou automatique à gestion électroniquement en option.

• Qualité & finition: 80%
L'assemblage est minutieux et la finition méticuleuse, mais les matières plastiques n'ont pas une apparence très riche et la présentation intérieure est plutôt terne.

• Poste de conduite: 80%
La visibilité est excellente, car les angles morts sont réduits, même sur la familiale dont la lunette est plus étroite. Le conducteur est assez bien installé du fait des ajustements combinés du siège et de la colonne de direction. Les instruments sont faciles à consulter,` alors que les commandes tombent au bout des doigts. Toutefois certains interrupteurs sont difficiles à atteindre lorsque le siège est avancé.

• Accès: 80%
Le volume habitable a permis de favoriser l'accès, car les portes sont bien dimensionnées et elles s'ouvrent largement.

• Suspension: 80%
Elle constitue, avec l'insonorisation, le plus gros gain de cette génération car elle absorbe bien les défauts de la route grâce à son débattement plus grand et à ses amortisseurs mieux calibrés.

• Assurance: 80%

DONNÉES

Catégorie: berlines compactes (4 cyl.) & intermédiaires (V6) tractées.
Classe : 4 & 5

HISTORIQUE

Inauguré en: 1983
Modifié en: 1986: V6 2.6L; 1988: transmission intégrale.
Fabriqué à: Georgetown, KY, États-Unis & Isustumi, Japon.

INDICES

		L4	V6	
Sécurité:		92 %	92 %	
Satisfaction:		92 %	92 %	
Dépréciation:		57.5 %	56 %	
Assurance:	(864 $)	4.6 %	4.2 %	(975 $)
Prix de revient au km:		0.40 $	0.45 $	

NOMBRE DE CONCESSIONNAIRES

Au Québec: 67

VENTES AU QUÉBEC

Modèle	1992	1993	Résultat	Part de march
Camry	6 914	5 129	- 25.9 %	-

PRINCIPAUX MODÈLES CONCURRENTS

BUICK Skylark & Regal, CHEVROLET Lumina, CHRYSLER Cirrus- Stratu & LH, FORD Taurus-Sable, Contour-Mystique, HONDA Accord, HYUNDA Sonata, MAZDA 626, NISSAN Maxima & Altima, OLDSMOBILE Achieva Cutlass Supreme, PONTIAC Grand Am & Grand Prix, SUBARU Legacy VOLKSWAGEN Passat.

ÉQUIPEMENT

TOYOTA Camry	DX	LE	SE	XLE
Boîte automatique:	O	S	O	S
Régulateur de vitesse:	O	S	S	S
Direction assistée:	O	S	O	S
Freins ABS:	O	O	O	S
Climatiseur:	O	S	S	S
Coussins gonflables (2):	S	S	S	S
Garnitures en cuir:	-	O	O	O
Radio MA/MF/ K7:	O	S	S	S
Serrures électriques:	O	S	S	S
Lève-vitres électriques:	O	S	S	S
Volant ajustable:	-	S	O	S
Rétroviseurs ext. ajustables:	O	S	S	S
Essuie-glace intermittent:	S	S	S	S
Jantes en alliage léger:	-	O	S	S
Toit ouvrant:	-	O	O	O
Système antivol:	-	-	-	-

S : standard; O : optionnel; - : non disponible

COULEURS DISPONIBLES

Extérieur: Blanc, Argent, Noir, Bordeaux, Rouge, Beige, Émeraude,Taupe Champagne.
Intérieur: Gris Taupe, Chêne.

ENTRETIEN

Première révision: 6 000 km
Fréquence: 6 000 km
Prise de diagnostic: Oui

QUOI DE NEUF EN 1995 ?

- Le coupé 4 cylindres LE est disponible avec boîte manuelle 5 vitesses
- Nouveau design des sièges sur toutes les versions LE.
- Nouveaux enjoliveurs pour les versions LE sport.
- Sièges avec ajustements électriques en série (SE, XLE).

MOTEURS						TRANSMISSION					PERFORMANCES							
Modèles/ versions *: de série	Type / distribution soupapes / carburation	Cylindrée cc	Puissance ch @ tr/mn	Couple lb.pi @ tr/mn	Rapport volumét.	Roues motrices / transmissions	Rapport de pont	Accélér. 0-100 km/h s	400 m D.A. s	1000 m D.A. s	Freinage 100-0 km/h m	Vites. maxi. km/h	Accélér. latérale G	Niveau sonore dBA	Consommation l.0%0km Ville	Route	Carbura Octane
base	L4*2.2 DACT-16-IEPM	2164	125 @ 5400	145 @ 4400	9.5 :1	avant - M5	3.94	11.0	18.2	32.3	42	175	0.78	67	10.4	6.9	R 87
						avant - A4	3.73	11.8	18.6	32.8	44	170	0.78	67	11.3	7.9	R 87
V6	V6 3.0 DACT-24-IEPM	2995	188 @ 5200	203 @ 4400	9.6 :1	avant - A4	3.42	9.5	17.6	29.8	45	190	0.80	66	11.8	7.6	M 89

ien que chère, elle s'inscrit dans ı moyenne de la catégorie.

Commodités: 80%
es rangements sont nombreux, ratiques et bien disposés et la limatisation est aussi bien répartie que facile à ajuster.

Comportement: 70%
:n ligne droite comme en grande ourbe, les Camry vont comme ur des rails, peu sensibles au ent latéral. Avec sa suspension lus ferme la version Sport est ncore plus à l'aise sur tracé sineux. La caisse roule progresivement dans les virages serés, mais sans excès, ce qui lui ermet d'afficher longtemps une ttitude neutre.

irection: 70%
ouce à basse vitesse, elle deıeure un peu trop légère lorsque ı vitesse augmente, mais sans en perdre de sa précision, ni de a vivacité, et sa démultiplication ermet une bonne maniabilité. on assistance trop forte a pourınt tendance à gommer toute ensation de la route et réclame ne attention soutenue.

Coffre: 60%
acile d'accès, il est spacieux et eut s'agrandir en abaissant les ossiers de la banquette. Quant la soute de la familiale elle est aste et ses formes régulières ermettent d'y loger beaucoup e choses.

Performances: 60%
:lles n'ont pas vraiment proressé, car si le nouveau V6 est ensiblement plus puissant, le oids est à la hausse. Elles perıettent de réaliser de belles acélérations, tandis que les repries sont plus placides surtout vec le 4 cylindres et la boîte utomatique où elles sont carréıent lymphatiques.

Sièges: 60%
s ne sont pas assez confortales, car trop mal galbés et mal embourrés pour assurer un bon outien lors des longues étapes.

Consommation: 60%
;i le 4 cylindres est plus sobre ur les trajets urbains, sur autooute à vitesse de croisière le V6 se révèle peu gourmand.

• Niveau sonore: 60%
C'était l'un des plus bas enregistrés sur une voiture de grande série mais il semble qu'il soit plus élevé aujourd'hui. Toutefois, lors des fortes accélérations, le 4 cylindres révèle sa présence et le V6 fait entendre un mugissement agaçant vers 2500 tr/mn.

• Prix/équipement: 50%
La bonne réputation de ces modèles maintient les prix hauts, ce qui n'a pas empêché les Camry de se vendre comme des petits pains chauds. L'équipement est plus complet sur les versions LE que sur le modèle de base assez dépouillé.

• Habitabilité: 50%
Les dégagements sont généreux, y compris la hauteur sous plafond avec toit ouvrant, et les places arrière offrent beaucoup d'espace pour les jambes, même lorsque les sièges avant sont reculés loin. Dans la familiale on peut obtenir en option une troisième banquette escamotable qui ajoute deux places à contresens, pour les enfants.

POINTS FAIBLES

• Freinage: 40%
Il reste perfectible, malgré ses progrès, car les distances d'arrêt sont longues (entre 42 et 45 m) avec ou sans ABS, mais dans le second cas les roues ne bloquent pas lors des arrêts brutaux.

• Dépréciation: 40%
Elle est en train de chuter par suite du grand nombre de modèles qui encombrent le marché de l'occasion.

CONCLUSION

• Moyenne générale: 68.0 %
La Camry a créé le standard de la voiture familiale de taille mi-compacte, mi-intermédiaire, dont nombre de concurrents tentent de s'inspirer, mais grand sans succès. ☺

CARACTÉRISTIQUES & PRIX

Modèles	Versions	Carrosseries/ Sièges	Volume cabine l.	Volume coffre l.	Cx	Empat. mm	Long x larg x haut. mm x mm x mm	Poids à vide kg	Poids Remorque max. kg	Susp. av/ar	Freins av/ar	Direction type	Diamètre braquage m	Tours volant b à b.	Réser. essence l.	Pneus d'origine	Mécaniques d'origine	PRIX $ CDN. 1994
TOYOTA		**Garantie générale: 3 ans / 60 000 km; mécanique 5 ans / 100 000 km; corrosion: 5 ans / kilométrage illimité; sans aucun déductible ou frais de transfert.**																
Camry	Dx	cpé.2 p.4	2755	419	0.32	2620	4770x1770x1320	1320	907	i/i	d/t	crém.ass.	10.8	3.06	70.0	195/70R14	L4/2.2/M5	-
Camry	Dx	ber.4 p.5	2755	419	0.32	2620	4770x1770x1400	1330	907	i/i	d/t	crém.ass.	10.8	3.06	70.0	195/70R14	L4/2.2/M5	**18 778**
Camry	LE	cpé.2 p.4	2755	419	0.32	2620	4770x1770x1395	1390	907	i/i	d/t	crém.ass.	10.8	3.06	70.0	195/70R14	L4/2.2/A4	-
Camry	LE	ber.4 p.5	2755	419	0.32	2620	4770x1770x1400	1400	907	i/i	d/t	crém.ass.	10.8	3.06	70.0	195/70R14	L4/2.2/A4	**23 058**
Camry	LE	fam.4 p.5	2841	1146	0.32	2620	4810x1770x1430	1460	907	i/i	d/t	crém.ass.	10.8	3.06	70.0	195/70R14	L4/2.2/A4	**25 298**
Camry	SE	cpé.2 p.4	2755	419	0.33	2620	4770x1770x1395	1490	907	i/i	d/d/ABS	crém.ass.	11.2	2.98	70.0	205/60VR15	V6/3.0/A4	-
Camry	SE	ber.4 p.5	2755	419	0.33	2620	4770x1770x1400	1455	907	i/i	d/d/ABS	crém.ass.	11.2	2.98	70.0	205/60VR15	V6/3.0/A4	**24 398**
Camry	XLE	fam.4 p.5	2841	1146	0.32	2620	4810x1770x1430	1544	907	i/i	d/d/ABS	crém.ass.	10.8	2.98	70.0	205/60VR15	V6/3.0/A4	**27 668**

Voir la liste complète des prix 1995 à partir de la page 393.

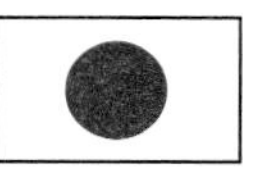

Sport tranquille...

Rénové l'an dernier, le coupé Celica a retrouvé une apparence sympathique et agressive qui le fai reconnaître au premier coup d'œil. Ciblé pour une clientèle moyenne, il est offert avec de mécaniques raisonnables et économiques allant bien avec le climat social de notre décennie.

La Toyota Celica en est à sa sixième génération et par certains aspects elle s'inspire de sa grande sœur la Supra. Sa ligne est revenue à la normale après avoir expérimenté des tendances futuristes plus ou moins heureuses sur l'avant-dernière génération. La ligne des deux nouvelles carrosseries, un coupé deux portes ST et un coupé trois portes GT est particulièrement réussie. Ces voitures diffèrent très peu visuellement, car la partie arrière est traitée de manière quasiment identique et il faut regarder attentivement pour différencier le modèle à hayon du modèle à coffre séparé.

POINTS FORTS

- **Satisfaction: 95%**
La Celica a toujours battu des records de fiabilité et de durabilité, bien que ce genre d'automobile soient le plus souvent malmenées par leurs sportifs proprios.
- **Sécurité: 90%**
La structure des dernières Celica a été rigidifiée pour mieux résister aux impacts et deux coussins gonflables assurent la protection des occupants des places avant.
- **Technique: 80%**
La carrosserie monocoque en acier des nouvelles Celica est 10% plus légère que celle du modèle qu'elle remplace, ce qui ne l'empêche pas d'être 20% plus rigide. Comme la Camry et la Supra, la Celica est équipée de deux faux-châssis supportant les suspensions avant-arrière, afin d'isoler la coque des bruits et vibrations en provenance directe des trains de roulement. La suspension arrière a été à la fois renforcée et simplifiée, les voies élargies et les points de fixation des éléments améliorés. Une valve rotative montée sur le circuit d'assistance améliore la «franchise» de la direction dès que l'on tourne le volant. Les freins sont mixtes sur le ST et à quatre disques sur le GT, mais le dispositif antiblocage n'est proposé qu'en option. La cylindrée du moteur du ST a été portée de 1.6 à 1.8L et la puissance a gagné

DONNÉES

Catégorie: coupés sportifs tractés.
Classe : 3S

HISTORIQUE

Inauguré en: 1971
Modifié en: 1977, 1981, 1985 (traction); 1989:Tbo 4x4; 1990.
Fabriqué à: Tahara, Japon.

INDICES

Sécurité: 90 %
Satisfaction: 95 % (ancien modèle)
Dépréciation: 20 % (1 an)
Assurance: 6.4 % (1 308 $)
Prix de revient au km: 0.43 $

NOMBRE DE CONCESSIONNAIRES

Au Québec: 67

VENTES AU QUÉBEC

Modèle	1992	1993	Résultat	Part de marché
Célica	448	175	- 61 %	1.44 %

PRINCIPAUX MODÈLES CONCURRENTS

ACURA Integra, EAGLE Talon, CHEVROLET Camaro, DODGE Stealth, FORD Mustang, FORD Probe, HONDA Prelude, MAZDA MX-3 & MX6, NISSAN 240SX, PONTIAC Firebird, TOYOTA MR2, VOLKSWAGEN Corrado.

ÉQUIPEMENT

TOYOTA Celica	Liftabck ST	Liftback GT
Boîte automatique:	O	O
Régulateur de vitesse:	O	O
Direction assistée:	O	O
Freins ABS:	O	O
Climatiseur:	O	O
Coussin gonflable:	S	S
Garnitures en cuir:	-	O
Radio MA/MF/ K7:	O	S
Serrures électriques:	O	S
Lève-vitres électriques:	O	S
Volant ajustable:	-	O
Rétroviseurs ext. ajustables:	S	S
Essuie-glace intermittent:	S	S
Jantes en alliage léger:	-	O
Toit ouvrant:	-	-
Système antivol:	-	-

S : standard; O : optionnel; - : non disponible

COULEURS DISPONIBLES

Extérieur: Blanc, Noir, Rouge, Cramoisi, Turquoise,Jaune, Bleu, Argent.
Intérieur: Bleu, Gris.

ENTRETIEN

Première révision: 6 000 km
Fréquence: 6 000 km
Prise de diagnostic: Oui

QUOI DE NEUF EN 1995 ?

- Nouveau modèle décapotable en vente aux États-Unis seulement..

MOTEURS						TRANSMISSION		PERFORMANCES									
Modèles/ versions *: de série	Type / distribution soupapes / carburation	Cylindrée cc	Puissance ch @ tr/mn	Couple lb.pi @ tr/mn	Rapport volumét.	Roues motrices / transmissions	Rapport de pont	Accélér. 0-100 km/h s	400 m D.A. s	1000 m D.A. s	Freinage 100-0 km/h m	Vites. maxi. km/h	Accélér. latérale G	Niveau sonore dBA	Consommation l.0%0km Ville	Consommation Route	Carbura Octane
Liftback	L4* 1.8-DACT-16-IE	1762	110 @ 5600	115 @ 2800	9.5 :1	avant - M5*	4.058	9.5	17.5	32.8	42	180	0.87	68	8.7	6.4	R 87
						avant - A4	2.821	10.6	18.2	33.4	44	170	0.87	68	9.2	6.7	R 87
GT	L4* 2.2-DACT-18-IE	2164	135 @ 5400	145 @ 4400	9.5 :1	avant - M5*	4.176	9.0	16.5	31.5	45	200	0.87	68	10.3	7.4	R 87
						avant - A4	4.176	10.2	17.3	32.0	44	190	0.87	68	10.4	7.3	R 87

ch, tandis que celui du GT de-
eure identique à ce qu'il était
ur l'ancien modèle.

Consommation: 80%
lle est très raisonnable même
rsqu'on soutient un rythme
evé. En respectant les limites
gales il est possible de brûler
oins de 8 litres aux 100 km, ce
ui est remarquable pour ce type
e voiture.

Qualité/finition: 80%
algré la fadeur de la présenta-
on intérieure, l'assemblage est
ussi strict que la finition, mais la
ualité des matériaux fait très
rdinaire.

Poste de conduite: 80%
est bien organisé autour d'un
bleau de bord inspiré en moins
xacerbé du Supra, dont la partie
entrale de la console est orien-
e vers le pilote, pour mettre les
ommandes qui s'y trouvent à
ortée de sa main. La position de
onduite est confortable, la visi-
ilité satisfaisante, même si la
nette est un peu étroite parce
ue très inclinée. Les instruments
ont bien regroupés et les com-
andes conventionnelles.

Direction: 80%
ien dosée elle est moyennement démultipliée, mais assez incisive pour procurer un contrôle rapide et précis. Avec un diamètre de braquage raisonnable la maniabilité l'est tout autant.

• Dépréciation: 80%
Au bout de la première année la dernière Celica a perdu moins que la moyenne de ses rivales, il faut dire qu'elle est la championne de la fiabilité et que cela paie.

• Performances: 70%
Bien que les résultats chiffrés aient été légèrement inférieurs avec le moteur de base, c'est lui qui donne le plus de caractère sportif à la Celica. Ses accélérations jusqu'à 100 km/h sont très proches de celles du 2.0L de la GT et on ne sent pas grande différence dans d'autres circonstances, au point qu'on se demande si c'était vraiment nécessaire de proposer deux moteurs aussi proches. Le Turbo de 175 ch vendu ailleurs aurait fait toute une différence.

• Comportement: 70%
Cette Celica est amusante à conduire parce que ses réactions sont franches et dépourvues de malice. Poussée un peu elle va révéler un caractère sous-vireur après une longue période de neutralité. Équipée d'un V6 elle procurerait un plaisir proche de celui que délivre le Corrado qui est la référence de la catégorie.

• Sièges: 70%
Bien que leur présentation ne soit pas très attrayante, ils offrent un bon confort, même à l'arrière où ils sont bien sculptés pour des places de secours.

• Commodités: 70%
Le côté pratique n'a pas été négligé car malgré la présence d'un coussin d'air à droite, la boîte à gants a une bonne contenance et elle est complétée par un coffret-accoudoir sur la console centrale, deux vide-poches de portière et des évidements ici et là.

• Accès: 65%
Il n'est pas beaucoup plus compliqué de prendre place à l'arrière, si ce n'est que la garde-au-toit y est plus limitée.

• Suspension: 60%
Ferme mais pas trop, elle n'est jamais désagréable, même sur mauvais revêtements.

• Assurance: 60%
La prime de la Celica se situe dans la moyenne des coupés sportifs et peut être considérée comme normale dans les circonstances.

• Freinage: 50%
Il est aussi décevant sur les deux modèles qui enregistrent des résultats semblables, par son manque de mordant à l'attaque et les longues distances d'arrêt en situation d'urgence. Toutefois, il freine droit et la résistance à l'échauffement des plaquettes est satisfaisante.

• Niveau sonore: 50%
L'allègement de la carrosserie se traduit par une structure plus mince donc plus résonnante et le fait que les matériaux insonorisants sont en moindre quantité. Le niveau de bruit n'est pas rédhibitoire, mais il est toujours présent et persistant.

• Prix/équipement: 50%
Si elles ne sont pas données, les Celica ne manquent toutefois pas d'arguments pour justifier le petit sacrifice financier qu'elles demandent. La fiabilité, l'agrément de conduite, le confort et le côté pratique, ne feront pas hésiter longtemps.

POINTS FAIBLES

• Habitabilité: 40%
Sa modestie n'est pas vraiment un défaut puisque comme le coffre elle tient à la forme particulière de ce type de véhicule. Toutefois la hauteur et la longueur sont plus limitées à l'arrière.

• Coffre: 40%
Si son volume initial est bien suffisant, il peut s'agrandir encore par l'escamotage du dossier de la banquette, mais son seuil élevé complique singulièrement la manipulation des bagages lourds.

CONCLUSION

• Valeur moyenne: 68.0 %
La Celica est redevenue ce qu'elle a toujours été, une voiture de sport populaire procurant un bon agrément de conduite, un usage pratique pour un rendement économique. Et pour une fois c'est le le modèle le moins cher qui remporte nos suffrages... ☺

CARACTÉRISTIQUES & PRIX

odèles	Versions	Carrosseries/ Sièges	Volume cabine l.	Volume coffre l.	Cx	Empat. mm	Long x larg x haut. mm x mm x mm	Poids à vide kg	Poids Remorque max. kg	Susp. av/ar	Freins av/ar	Direction type	Diamètre braquage m	Tours volant b à b.	Réser. essence l.	Pneus d'origine	Mécaniques d'origine	PRIX $ CDN. 1994
OYOTA		**Garantie générale: 3 ans / 60 000 km; mécanique 5 ans / 100 000 km; corrosion: 5 ans / kilométrage illimité; sans aucun déductible ou frais de transfert.**																
elica Liftback ST		cpé.2p.2+2	-	459	0.32	2540	4425x1750x1290	1095	454	i/i	d/t/ABS	crém.ass.	10.39	2.9	60.0	185/70R14	L4/1.6/M5	**21 438**
elica Liftback GT		cpé.3p.2+2	-	459	0.32	2540	4425x1750x1290	1170	454	i/i	d/d/ABS	crém.ass.	10.39	2.9	60.0	205/55R15	L4/2.2/M5	**22 598**
		Modèle vendu seulement aux Etats-unis																
elica décapotable		déc. 2p.2+2	-	459	0.32	2540	4425x1750x1290	1249	NR	i/i	d/d/ABS	crém.ass.	10.39	2.9	60.0	205/55R15	L4/2.2/M5	-

Voir la liste complète des prix 1995 à partir de la page 393.

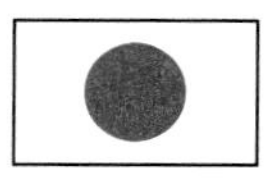

La voiture mondiale...

La Corolla reste encore à ce jour la seule voiture mondiale. Vendue dans 54 contrées, fabriqué dans plusieurs pays sur les 5 continents, elle est le stéréotype du véhicule qui solutionne l problème de transport du plus grand nombre de familles sur la terre. On a tendance à l'oublier..

Si la Corolla est la compacte la plus populaire dans le monde, la Prizm offre la meilleure qualité perceptible aux États-Unis si l'on en croit les études de J.D. Power. Ces voitures de taille moyenne sont identiques à certains détails d'équipement près. La Corolla qui en est à sa septième génération est l'une des voitures les plus vendues dans le monde. Elle est offerte sous la forme de berlines et familiales à 4 portes en finitions de base ou LE, alors que la Prizm n'est disponible qu'en berlines en finitions de base et LSi. Cette dernière est commercialisée uniquement aux États-Unis par la division Geo de General Motors qui les fabrique à Fremont en Californie. Les versions de base sont mues par un 4 cylindres à DACT et 16 soupapes de 1.6L délivrant 105 ch, alors que les LE/LSi et la familiale ont un 1.8L donnant 115 ch.

POINTS FORTS

• Sécurité: **90%**
La coque a été renforcée en de nombreux endroits dont les portes, afin de mieux résister aux collisions. Mais c'est la présence de deux coussins gonflables (le second étant optionnel) aux places avant qui amène cet indice au maximum. Notons que les baudriers des ceintures des sièges avant sont ajustables en hauteur.

• Satisfaction: **90%**
La fiabilité et la durabilité découlent du soin apporté à la conception, à l'assemblage et à la finition qui atteint un niveau unique.

• Qualité & finition: **80%**
La présentation intérieure est simple, nette et fonctionnelle, le plastique du tableau de bord a une belle apparence, de même que le tissu, qui garnit les sièges et les portes. L'assemblage et la finition sont ajustés et la partie frontale de la carrosserie est protégée par un enduit souple évitant que la peinture s'écaille sous l'impact des petits graviers.

• Poste de conduite: **80%**
Quand la colonne de direction est ajustable la position de conduite est

DONNÉES

Catégorie: berlines et familiales compactes tractées.
Classe : 3

HISTORIQUE

Inauguré en: 1966
Modifié en: 1970-74-79-83-93.
Fabriqué à: Cambridge, Ont., Canada, Fremont, CA, É-U.

INDICES

Sécurité: 90 %
Satisfaction: 90 %
Dépréciation: 50 %
Assurance: 5.5 % (864 $)
Prix de revient au km: 0.32 $

NOMBRE DE CONCESSIONNAIRES

Au Québec: 67

VENTES AU QUÉBEC

Modèle	1992	1993	Résultat	Part de march
Corolla	8 461	5 126	- 39.5 %	5.8 %

PRINCIPAUX MODÈLES CONCURRENTS

CHEVROLET Cavalier, DODGE-PLYMOUTH Colt-Neon, EAGLE Summi FORD Escort, HONDA Civic 4p., HYUNDAI Elantra, MAZDA Protegé, NIS SAN Sentra, PONTIAC Sunfire, SATURN SL1 & SL2, SUBARU Impreza VOLKSWAGEN Jetta.

ÉQUIPEMENT

TOYOTA Corolla berline	**base**	**DX**	**LE**		
TOYOTA Corolla familiale		**DX**			
GEO Prizm				**base**	**LSi**
Boîte automatique:	O	O	O	O	O
Régulateur de vitesse:	O	O	S	O	O
Direction assistée:	O	S	S	O	O
Freins ABS:	O	O	O	S	S
Climatiseur:	O	O	O	S	O
Coussins gonflables (2):	S	S	S	S	S
Garnitures en cuir:	-	-	-	-	-
Radio MA/MF/ K7:	O	O	O	O	O
Serrures électriques:	-	-	S	O	O
Lève-vitres électriques:	O	O	O	O	O
Volant ajustable:	-	O	S	O	S
Rétroviseurs ext. ajustables:	-	O	O	O	O
Essuie-glace intermittent:	O	O	S	O	O
Jantes en alliage léger:	-	-	O	-	O
Toit ouvrant:	-	O	O	-	O
Système antivol:	-	-	-	-	-

S : standard; O : optionnel; - : non disponible

COULEURS DISPONIBLES

Extérieur: Blanc, Rouge, Beige, Vert, Taupe.
Intérieur: Corolla: Bleu, Gris, Taupe. Prizm: Gris clair & foncé.

ENTRETIEN

Première révision: 6 000 km
Fréquence: 6 000 km
Prise de diagnostic: Oui

QUOI DE NEUF EN 1995 ?

- Garde-boue aux couleurs harmonisées.
- Système de son de meilleure qualité dans la familiale.

MOTEURS						TRANSMISSION					PERFORMANCES							
Modèles/ versions *: de série	Type / distribution soupapes / carburation	Cylindrée cc	Puissance ch @ tr/mn	Couple lb.pi @ tr/mn	Rapport volumét.	Roues motrices / transmissions	Rapport de pont	Accélér. 0-100 km/h s	400 m D.A. s	1000 m D.A. s	Freinage 100-0 km/h m	Vites. maxi. km/h	Accélér. latérale G	Niveau sonore dBA	Consommation l.100km Ville	Consommation l.100km Route	Carbura Octane
1)	L4* 1.6 DACT-16-IE	1587	105 @ 5800	100 @ 4800	9.5 :1	avant - M5*	3.722	11.0	17.6	32.2	41	175	0.76	65	8.3	6.3	R 87
						avant - A3	3.526	11.9	18.2	33.0	40	170	0.76	65	9.1	7.3	R 87
2)	L4 1.8 DACT-16-IE	1762	105 @ 5200	117 @ 2800	9.5 :1	avant - M5*	3.722	9.8	16.5	30.4	45	180	0.78	67	8.1	6.4	R 87
						avant - A4	2.821	11.0	18.3	32.7	43	175	0.78	67	8.8	6.5	R 87

1) base berline Corolla/Prizm 2) berline Corolla LE & familiale, Prizm LSi

Corolla-Prizm

adéquate, bien que le siège des versions luxueuses offre un maintien et un soutien supérieurs à celui du modèle de base. La visibilité est excellente sous tous les angles et l'ergonomie soignée. Le tableau de bord aux formes arrondies intègre une console centrale orientée vers le conducteur ce qui rend les commandes de la radio et de la climatisation facilement accessibles. Les principales commandes sont rassemblées autour du volant dont la jante épaisse tombe bien en main et selon la version, l'instrumentation est regroupée dans 3 ou 4 cadrans bien visibles.

• **Consommation: 80%**
Elle est raisonnable, compte tenu du format plus étoffé de ces modèles, car elle dépasse rarement 10 litres aux 100 km.

• **Prix/équipement: 80%**
Ces voitures sont devenues coûteuses surtout lorsque l'on considère que leur équipement est plutôt limité et que la liste des options est longue et inclut des éléments sécuritaires qui devraient être livrés en série.

• **Assurance: 75%**
L'indice et le prix élevés donnent une prime relativement chère pour une voiture aussi conservatrice orientée grand public.

• **Technique: 70%**
La ligne de la dernière édition de ces voitures est plus aérodynamique, sans qu'elle brise aucun record avec un coefficient de 0.33 pour les berlines et 0.36 pour la familiale. La carrosserie monocoque en acier possède une suspension indépendante aux quatre roues basée sur le principe de McPherson. La géométrie du train avant est calculée pour procurer une meilleure stabilité et un comportement plus neutre en courbe. Les freins sont mixtes et le dispositif ABS seulement disponible en option, alors que la direction n'est assistée que sur les versions luxueuses.

• **Suspension: 70%**
Elle est plus douce et absorbe mieux les défauts de la route, comme la Camry bien que ses trains avant-arrière ne soient pas portés par des faux-châssis.

• **Accès: 70%**
On embarque facilement dans chacune des deux carrosseries dont les portes et la hauteur sous plafond sont suffisantes, même aux places arrière.

• **Sièges: 70%**
Ceux des versions LE/LSi offrent un maintien et un soutien plus efficaces que ceux du modèle de base moins galbés et dont le rembourrage plus mince est moins moelleux.

• **Niveau sonore: 70%**
Les Corolla-Prizm sont désormais plus silencieuses puisque, grâce à leur rigidité et leur insonorisation efficaces, leur niveau sonore égale celui de voitures plus coûteuses et plus sophistiquées.

• **Commodités: 70%**

GEO Prizm LSi

TOYOTA Corolla LE

Les rangements, en nombre suffisant, comprennent une grande boîte à gants, des vide-poches de porte (LE/LSi) et des évidements sur la console centrale.

• **Direction: 70%**
La manuelle n'est pas agréable comparée à l'assistée qui est douce et précise, mais trop démultipliée ce qui oblige à mouliner lors de manœuvres de stationnement.

• **Comportement: 60%**
Il s'est amélioré, car les Corolla tiennent mieux la route que par le passé, de nouveaux ajustements améliorent la stabilité directionnelle et l'habileté en virage. Les Corolla-Prizm sont plus faciles à placer sur une trajectoire et leur mise en appui est plus franche. Il en résulte une neutralité plus longue avant que le sous-virage apparaisse progressivement.

• **Coffre: 50%**
Le volume cargo est aussi facile à utiliser sur la berline que sur la familiale, le coffre comme la soute ayant des formes simples faciles à exploiter et il peut être agrandi en escamotant tout ou partie du dossier de la banquette.

• **Habitabilité: 50%**
Ces voitures accueillent 4 adultes en tout confort, car la longueur et la hauteur sont bien calculées, toutefois une cinquième personne ne se sentira pas à l'aise longtemps au milieu de la banquette arrière.

• **Dépréciation: 50%**
On retrouve une bonne partie de l'investissement initial lors de la revente car les Corolla-Prizm sont rares et chères sur le marché de l'occasion.

POINTS FAIBLES

• **Performances: 40%**
Les deux moteurs se différencient au niveau du couple plus important sur le 1.8L, qui favorise les reprises à bas régime, sinon leurs performances sont très voisines. Les accélérations ne sont pas foudroyantes, car le rapport poids-puissance s'établit exactement à la moyenne, avec 10 kg/ch pour le 1.6L et 9.5 pour le 1.8L.

• **Freinage: 45%**
Étant donné que les roues avant bloquent immédiatement lors des arrêts d'urgence, on ne comprend pas que Toyota considère le système antiblocage des freins comme un luxe à s'offrir en option. Bien que les distances d'arrêt soient légèrement plus courtes qu'auparavant, elles sont encore trop longues pour une voiture ne pesant qu'une tonne.

CONCLUSION

• **Moyenne générale: 68.0 %**
Agréables à regarder, à utiliser et à revendre, les Corolla/Prizm font partie des quelques meilleures voitures au monde. ☺

CARACTÉRISTIQUES & PRIX

Modèles	Versions	Carrosseries/ Sièges	Volume cabine l.	Volume coffre l.	Cx	Empat. mm	Long x larg x haut. mm x mm x mm	Poids à vide kg	Poids Remorque max. kg	Susp. av/ar	Freins av/ar	Direction type	Diamètre braquage m	Tours volant b à b.	Réser. essence l.	Pneus d'origine	Mécaniques d'origine	PRIX $ CDN. 1994
TOYOTA		**Garantie générale: 3 ans / 60 000 km; mécanique 5 ans / 100 000 km;corrosion perforation:5 ans / kilométrage illimité.**																
Corolla	base	ber.4 p.4/5	2531	360	0.33	2465	4370x1685x1360	1055	NR	i/i	d/t	crém.	9.8	4.09	50.0	175/65R14	L4/1.6/M5	**14 798**
Corolla	LE	ber.4 p.4/5	2531	360	0.33	2465	4370x1685x1360	1085	NR	i/i	d/t	crém.ass.	9.8	3.35	50.0	185/65R14	L4/1.8/M5	**16 888**
Corolla	base	fam.4 p.4/5	2580	889	0.36	2465	4370x1684x1405	1100	NR	i/i	d/t	crém.ass.	9.8	3.35	50.0	185/65R14	L4/1.8/M5	**16 808**
GEO		**Commercialisé seulement aux États-Unis.**																
Prizm	base	ber.4 p.4/5	2531	360	0.33	2465	4370x1685x1360	1065	NR	i/i	d/t	crém.ass.	9.8	3.35	50.0	175/65R14	L4/1.6/M5	-
Prizm	LSi	ber.4 p.4/5	2531	360	0.33	2465	4370x1684x1330	1070	NR	i/i	d/t	crém.ass.	9.8	3.35	50.0	185/65R14	L4/1.8/M5	-

Voir la liste complète des prix 1995 à partir de la page 393.

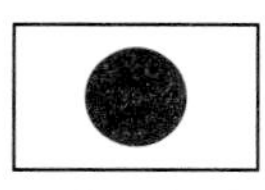

Globe-trotter...

Où que l'on aille dans le monde, surtout si l'endroit est reculé et difficilement accessible, on rencontrera inmanquablement un Land Cruiser. Dans bien des pays il a pris la relève des Land Rover et c'est le véhicule idéal pour planifier un tour du monde, ou une ballade à la campagne...

En Amérique du Nord, le Land Cruiser est uniquement commercialisé aux États-Unis où il s'en est vendu près de 8962 exemplaires en 1993. Sans être aussi volumineux que les Suburban de GM, sa taille est impressionnante comparée au 4Runner qui semble être son bébé... Il est vendu uniquement sous la forme d'une familiale à 4 portes dont le hayon s'ouvre en deux parties. Il est proposé en finition unique à laquelle peuvent se greffer quelques ensembles optionnels.

POINTS FORTS

• Satisfaction: 90%
D'après ses propriétaires, le Land Cruiser «marche comme une horloge» et ne donne aucun souci majeur.

• Habitabilité: 80%
La place ne manque pas à bord du Land Cruiser grâce aux généreuses dimensions de cet engin. Cinq personnes peuvent normalement y prendre place, et huit lorsqu'une troisième banquette, optionnelle, est installée dans la soute. Si les dégagements en hauteur et en largeur sont largement suffisants, l'espace est plus juste en longueur entre les sièges, surtout si ceux de l'avant sont reculés loin.

• Soute: 80%
Bien que son accès ne soit pas des plus aisés, étant donné la manière dont le hayon s'ouvre, sa contenance est remarquable, et si elle peut être agrandie en repliant la banquette médiane, il reste de l'espace pour quelques bagages, même lorsqu'une troisième banquette y est installée.

• Qualité & finition: 80%
Soignée, la présentation générale est celle d'un utilitaire qui n'a rien à voir avec le luxe d'un Range Rover ou d'un Grand Cherokee, même avec l'option des sièges garnis de cuir.

• Accès: 80%
Même sans marchepied il n'est pas trop difficile de monter à bord car plusieurs poignées ont été disposées à cet effet, mais il n'est pas très facile d'accéder à la troisième banquette.

• Sièges: 70%
Assez bien rembourrés, ils ne maintiennent pas suffisamment de manière latérale, mais sont équipés d'appuie-tête, même aux places arrière.

• Suspension: 70%
La présence d'essieux rigides ne se fait pas trop sentir, car le débattement des roues permet d'absorber les dénivellations les plus importantes. Tout juste peut-on se plaindre d'une trépidation en provenance du train avant, qui disparaît comme par magie lorsque le véhicule est chargé.

• Poste de conduite: 70%
Il ressemble en plus grand à celui des camionnettes compactes ou du 4Runner, avec son tableau de bord massif dans lequel la plupart de commandes et des contrôles sont installés sous une grande visière. Le conducteur est bien installé, même si le siège est trop large pour maintenir latéralement. Les instruments sont regroupés dans deux cadrans bien lisibles, et les principales commandes sont disposées de manière ergonomique à l'exception de celles de la climatisation, sous

DONNÉES

Catégorie: véhicules tout terrain à usage multiple à traction intégrale.
Classe : utilitaires

HISTORIQUE

Inauguré en: 1951
Modifié en: 1980, 1990: carrosserie.
Fabriqué à: Hino, Japon.

INDICES

Sécurité: 75 %
Satisfaction: 88 %
Dépréciation: 57 %
Assurance: 4.5 % (1 308 $)
Prix de revient au km: 0.48 $

NOMBRE DE CONCESSIONNAIRES

Au Québec: 67

VENTES AU QUÉBEC

Modèle	1992	1993	Résultat	Part de marché
	Modèle vendu seulement aux Etats-Unis			

PRINCIPAUX MODÈLES CONCURRENTS

GMC Suburban, ISUZU Trooper, JEEP Grand Cherokee, LAND ROVER Range Rover-Discovery, MITSUBISHI Montero.

ÉQUIPEMENT

TOTYOTA Land Cruiser	base
Boîte automatique:	S
Régulateur de vitesse:	O
Direction assistée:	S
Freins ABS:	O
Climatiseur:	S
Coussin gonflable:	O
Garnitures en cuir:	O
Radio MA/MF/ K7:	S
Serrures électriques:	O
Lève-vitres électriques:	O
Volant ajustable:	S
Rétroviseurs ext. ajustables:	O
Essuie-glace intermittent:	S
Jantes en alliage léger:	O
Toit ouvrant:	O
Système antivol:	S

S : standard; O : optionnel; - : non disponible

COULEURS DISPONIBLES

Extérieur: Blanc, Rouge, Vert, Bleu, Beige, Argent, Gris foncé.
Intérieur: Bleu, Gris.

ENTRETIEN

Première révision: 6 000 km
Fréquence: 6 000 km
Prise de diagnostic: Oui

QUOI DE NEUF EN 1995 ?

- Pas de changement majeur.

Modèles/ versions *: de série	MOTEURS Type / distribution soupapes / carburation	Cylindrée cc	Puissance ch @ tr/mn	Couple lb.pi @ tr/mn	Rapport volumét.	TRANSMISSION Roues motrices / transmissions	Rapport de pont	PERFORMANCES Accélér. 0-100 km/h s	400 m D.A. s	1000 m D.A. s	Freinage 100-0 km/h m	Vites. maxi. km/h	Accélér. latérale G	Niveau sonore dBA	Consommation l./100km Ville	Consommation l./100km Route	Carburant Octane
L-Cruiser	L6* 4.5 DACT-24-IE	4477	212 @ 4600	275 @ 3200	9.0: 1	toutes - A4	4.100	11.8	18.4	34.8	45	170	0.72	67	23.0	19.0	R 87

le volant, de la radio et du sélecteur de la boîte de transfert qui sont éloignées. Le blocage des différentiels central, avant ou arrière, constitue un équipement sophistiqué peu commun (en option). Il est activé par un simple interrupteur situé au tableau de bord.

• Technique: 70%
Le Land Cruiser est constitué d'une carrosserie en acier fixée sur un châssis en échelle du même métal comportant 6 traverses. Les essieux avant-arrière sont rigides, maintenus par des bras longitudinaux, suspendus par des ressorts hélicoïdaux (deux à l'avant, 4 à l'arrière) et stabilisés par deux barres antiroulis. Le moteur est un six cylindres en ligne de 4.5L à double arbre à cames en tête et 24 soupapes, développant 212 ch, couplé à une boîte de vitesses automatique à 4 rapports. La transmission est intégrale à plein temps et les différentiels avant-arrière sont blocables.

• Sécurité: 70%
La structure de cet utilitaire est très rigide tant en torsion qu'en flexion, mais on ne trouve aucun coussin gonflable et la sécurité des occupants est assurée par des ceintures à trois points d'ancrage rétractables à toutes les places, et disposées de manière à faciliter l'utilisation de sièges d'enfants. Des renforts sont inclus dans les portes, afin de résister à toute intrusion latérale.

• Commodités: 70%
Les rangements comptent une grande boîte à gants, des vide-poches de portière et le conducteur dispose d'un repose-pied.

• Direction: 60%
Son assistance bien dosée et sa précision honnête permettent un guidage précis, toutefois sa forte démultiplication et son rayon de braquage plus grand que la moyenne limitent la maniabilité.

• Performances: 50%
Malgré son poids (2 300 kg) ce mastodonte accélère de façon décente, mais les reprises sont plus laborieuses surtout en charge. Le gros six cylindres ne manque pas de couple et il est capable de remorquer (en série) 5 000 lb sans sourciller.

POINTS FAIBLES

• Consommation: 00%
Ce loft ambulant ne marche malheureusement pas à l'eau car il peut engloutir plus de 20 litres aux 100 km en terrain difficile.

• Comportement: 40%
Que ce soit sur route ou sur piste le gros Toyota va comme sur des rails, les quatre roues motrices et le débattement de la suspension aidant. Bien sûr en virage serré il est plus maladroit et le slalom n'est pas sa tasse de thé, mais il surprend par la rapidité de ses réactions et l'assurance de sa stabilité, car même sur chemins cahoteux ses écarts sont faibles et pas dangereux. Hors route, ses capacités de franchissement sont limitées par ses porte-à-faux importants, la roue de secours disposée sous le plancher à l'arrière et son gabarit qui ne lui permet pas de se glisser n'importe où.

• Freinage: 40%
Les quatre disques et l'ABS montés en option assurent des arrêts nettement plus courts et plus stables que l'équipement mixte livré en série. Le dosage de la pédale est progressif et la résistance à l'échauffement normale.

• Niveau sonore: 40%
Si ce n'était le bruit des gros pneus et des filets d'air autour du pare-brise au-dessus de 110 km/h, la mécanique est discrète et à vitesse de croisière, le Land Cruiser n'est pas plus bruyant qu'une mini-fourgonnette.

• Prix/équipement: 40%
Comme tous les véhicules spécialisés, le Land Cruiser est coûteux et son équipement complet, mais sans fioriture.

• Assurance: 40%
Malgré l'importance de la prime, on peut la considérer comme normale pour un véhicule de cette nature et de cette valeur.

• Dépréciation: 40%
Selon l'état résultant d'un usage plus ou moins intensif, il garde une bonne valeur de revente.

CONCLUSION

• Moyenne générale: 59.0 %
Le Land Cruiser est à la fois le refuge des familles en quête de sécurité et le moyen de locomotion préféré des globe-trotters du monde entier. 😐

CARACTÉRISTIQUES & PRIX

Modèles	Versions	Carrosseries/ Sièges	Empat. mm	Long x larg x haut. mm x mm x mm	Poids à vide kg	Poids Remorque max. kg	Susp. av/ar	Freins av/ar	Direction type	Diamètre braquage m	Tours volant b à b.	Réser. essence l.	Pneus d'origine	Mécaniques d'origine	PRIX $ CDN. 1994
TOYOTA	**Commercialisé seulement aux États-Unis.**														
Land Cruiser	base	fam.5p. 5/7	2850	4780x1930x1859	2159	2268	r/r	d/t	bil.ass.	12.31	3.4	95.0	275/70R16	L6/4.5/A4	**ND**

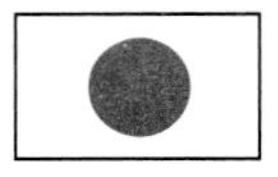

Greffe vitale...

Toyota essaie de maintenir le succès de sa fourgonnettes Previa jusqu'à l'année prochaine où apparaîtra sa remplaçante dérivée de la Camry. Pour palier au manque de puissance, il lui a greffé un compresseur, mais le vrai problème vient de sa conception générale qui est dépassée..

La Previa est la fourgonnette d'origine nippone qui a connu le plus de succès, grâce à l'originalité de sa ligne futuriste et de ses aménagements pratiques. Pourtant ses ventes baissent à mesure que son prix augmente, à lcause de la force du Yen. En 1995 elle continue d'être proposée sous la forme d'un mono volume à 4 portes équipé d'un moteur 4 cylindres de 2.4L avec boîte automatique à 4 rapports en mode propulsion ou traction intégrale en finitions de base ou LE. Toutefois pour ceux qui désirent plus de puissance, un moteur avec compresseur donnant 16 ch supplémentaire est offert en option.

POINTS FORTS

• **Habitabilité:** **100%**
S'il n'est pas vraiment modulable, l'habitacle est spacieux et les sièges disposés de manière conventionnelle. Pourtant il n'est pas facile de passer de l'avant à l'arrière de la cabine.

• **Accès:** **90%**
Les portières sont bien dimensionnées, mais la coulissante et le hayon sont lourds et difficiles à manœuvrer.

• **Sécurité:** **90%**
La présence de deux coussins gonflables et de ceintures à rétracteur permet de garantir aux occupants une niveau de protection satisfaisant, mais la structure de ce genre de véhicule est plus vulnérable aux collisions que d'autres, surtout dans la partie frontale.

• **Satisfaction:** **90%**
La fiabilité légendaire de Toyota fait des heureux parmi les propriétaires, qui justifient ainsi le déboursé supplémentaire.

• **Soute:** **80%**
Le hayon dégage entièrement son accès et elle peut contenir une bonne quantité de bagages et sans qu'il soit nécessaire de replier latéralement les deux parties de la dernière banquette, on peut y remiser des objets encombrants.

• **Sièges:** **80%**
Ils maintiennent aussi bien qu'ils soutiennent, mais leur rembourrage est ferme. Le dossier des banquettes est inclinable en série, permettant de réaliser une couchette de façon rapide et pratique.

• **Qualité & finition:** **80%**
L'assemblage fait robuste et la finition soignée, bien que certains plastiques aient une apparence bon marché.

• **Poste de conduite:** **80%**
Malgré l'importance du passage de la roue gauche, la position du conducteur et la visibilité sont bonnes, car la surface vitrée et les rétroviseurs sont largement dimensionnés (mais ils ne sont pas ajustables de l'intérieur en série). La planche de bord est ergonomique et pratique, malgré son dessin original. Les instruments sont lisibles et les commandes bien localisées.

• **Suspension:** **80%**
Elle absorbe bien les défauts de la route, car l'amortissement est bien calibré et le débattement suffisant.

• **Assurance:** **80%**
Bien que sa coque soit plus difficile à réparer que d'autres en cas d'impact, son indice égale celui de ses concurrentes.

DONNÉES

Catégorie: fourgonnettes compactes propulsées ou intégrales.
Classe : utilitaires

HISTORIQUE

Inauguré en: 1990
Modifié en: -
Fabriqué à: Kariya, Japon.

INDICES

Sécurité: 95 %
Satisfaction: 89 %
Dépréciation: 48 %
Assurance: 4.2 % (975 $)
Prix de revient au km: 0.48 $

NOMBRE DE CONCESSIONNAIRES

Au Québec: 67

VENTES AU QUÉBEC

Modèle	1992	1993	Résultat	Part de marché
Previa	1 304	773	- 40.8 %	-

PRINCIPAUX MODÈLES CONCURRENTS

CHEVROLET Lumina, DODGE-PLYMOUTH Caravan-Voyager, FORD Aerostar-Windstar, PONTIAC Trans Sport, MAZDA MPV, MERCURY Villager, NISSAN Axxess et Quest, VOLKSWAGEN Eurovan.

ÉQUIPEMENT

TOYOTA Previa	Dx	2RM LE	Dx	4RM LE	4RM S/C
Boîte automatique:	S	S	S	S	S
Régulateur de vitesse:	O	S	O	S	S
Direction assistée:	S	S	S	S	S
Freins ABS:	O	O	O	O	O
Climatiseur:	S	S	S	S	S
Coussins gonflables (2):	S	S	S	S	S
Garnitures en cuir:	-	O	-	O	O
Radio MA/MF/ K7:	S	S	S	S	S
Serrures électriques:	O	S	O	S	S
Lève-vitres électriques:	O	S	O	S	S
Volant ajustable:	S	S	S	S	S
Rétroviseurs ext. ajustables:	S	S	S	S	S
Essuie-glace intermittent:	S	S	S	S	S
Jantes en alliage léger:	-	O	-	O	O
Toit ouvrant (2):	-	O	-	-	O
Système antivol:	O	O	O	O	S

S : standard; O : optionnel; - : non disponible

COULEURS DISPONIBLES

Extérieur: Blanc, Bourgogne, Rouge, Beige, Turquoise, Vert.
Intérieur: Bleu, Gris, Moka.

ENTRETIEN

Première révision: 6 000 km
Fréquence: 6 000 km
Prise de diagnostic: Oui

QUOI DE NEUF EN 1995 ?

- Nouveau moteur avec compresseur apportant 16 ch de plus.

Modèles/ versions *: de série	MOTEURS Type / distribution soupapes / carburation	Cylindrée cc	Puissance ch @ tr/mn	Couple lb.pi @ tr/mn	TRANSMISSION Rapport volumét.	Roues motrices / transmissions	Rapport de pont	PERFORMANCES Accélér. 0-100 km/h s	400 m D.A. s	1000 m D.A. s	Freinage 100-0 km/h m	Vites. maxi. km/h	Accélér. latérale G	Niveau sonore dBA	Consommation l./100km Ville	Consommation l./100km Route	Carburant Octane
2x4	L4* 2.4 DACT-16-IE	2438	138 @ 5000	161 @ 5000	9.3 :1	arrière - A4	4.3	12.5	18.7	34.6	46	170	0.71	66	13.5	9.8	R 87
4x4	L4* 2.4 DACT-16-IE	2438	138 @ 5000	161 @ 5000	9.3 :1	arr./4 - A4	4.3	13.2	19.5	36.2	43	165	0.73	66	13.5	10.4	R 87
4x4 S/C	L4* 2.4 DACT-16-IE	2438	154 @ 4000	201 @ 3600	8.9 :1	arr./4 - A4	3.73	-	-	-	-	-	-	-	13.5	10.4	R 87

Technique: 70%
)'abord créée pour le marché aponais, l'implantation mécanique de la Previa dérive de celle es camionnettes de la marque. nstallé en position centrale-avant, le moteur transmet son ouvoir aux roues arrière via un ntique essieu rigide. Il s'agit d'un cylindres incliné à 75 degrés de .4L à DACT et 16 soupapes éveloppant 138 ch en version tmosphérique et 154 avec l'aide 'un compresseur, disposé direcement sous les sièges avant, ce ui complique quelque peu son ccessibilité. La forme très profiée de la carrosserie monocoque n acier lui confère une bonne fficacité aérodynamique, puisue son coefficient est de 0.35 0.34 avec l'aileron arrière). La uspension est indépendante à avant, à ressorts hélicoïdaux aux uatre coins et la version intérale possède un différentiel cenal à viscocouplage.

Direction: 70%
:lle est précise et bien dosée, et rocure une bonne sensation du evêtement, mais sa démultipliation un peu forte complique la tenue au vent et la maniabilité qui n'est que moyenne.

• **Niveau sonore: 60%**
Supportable à vitesse de croisière, il grimpe lors des accélérations et s'accompagne dès 80 km/h, de bruits éoliens.

• **Commodités: 60%**
Les rangements sont bien distribués et le couvercle de la boîte à gants peut faire office d'écritoire. Quant aux deux climatiseurs, ils ne sont pas de trop pour tempérer l'ambiance de cette véranda sur quatre roues...

• **Consommation: 50%**
Elle correspond à celle d'un V6 de 3.0L, le bruit et les vibrations en plus et l'agrément en moins.

• **Dépréciation: 50%**
Elle est plus faible que d'autres car la demande reste forte et les prix se maintiennent haut.

POINTS FAIBLES

• **Comportement: 30%**
Le survirage est moins fort sur la version intégrale que sur la propulsion, qui est la plus pointue à conduire lorsque les conditions ne sont pas idéales. Les mouvements de la carrosserie sont bien contrôlés, mais elle est très sensible au vent latéral.

• **Freinage: 30%**
Si les simples ralentissements sont progressifs, les arrêts soudains entraînent le blocage rapide des roues avant et la forte plongée du capot. Les quatre disques et l'ABS proposés en option ne sont pas un luxe, car la longueur des arrêts excède la plupart du temps la moyenne.

• **Performances: 30%**
Les rapports courts de la transmission automatique permettent des accélérations et des reprises décentes , mais le moteur 4 cylindres, même avec compresseur, n'est pas à la hauteur, particulièrement sur la version à 4 roues motrices au poids plus élevé. La majorité des propriétaires souhaite disposer d'un V6 de 3.0L qui ne sera pas disponible avant la refonte de la Previa, dont la prochaine génération prévue pour 1996 sera basée sur la plateforme et la mécanique de la Camry.

• **Prix/équipement: 30%**
Très chère surtout avec la transmission intégrale, son équipement n'est pas très généreux et il faut recourir aux groupes d'options pour plus de raffinement.

CONCLUSION

• **Moyenne générale: 67.0 %**
La Previa est devenue trop chère pour jouer un rôle dans cette catégorie, car il lui manque deux choses vitales: la traction avant et un moteur V6. ☺

SUGGESTIONS DES PROPRIÉTAIRES

-Un prix plus aboradable.
-Un moteur V6 de 3.0L.
-Porte coulissante moins dure.
-Essuie-glace plus efficaces.
-Des rétroviseurs moins bruyants.
-Un climatiseur plus puissant.

CARACTÉRISTIQUES & PRIX

Modèles	Versions		Carrosseries/ Sièges	Empat. mm	Long x larg x haut. mm x mm x mm	Poids à vide kg	Poids Remorque max. kg	Susp. av/ar	Freins av/ar	Direction type	Diamètre braquage m	Tours volant b à b.	Réser. essence l.	Pneus d'origine	Mécaniques d'origine	PRIX $ CDN. 1994
TOYOTA	Garantie générale: 3 ans / 60 000 km; mécanique: 5 ans / 100 000 km; corrosion perforation: 5 ans / kilométrage illimité.															
Previa	base	4x2	fgn.4p. 5/7	2865	4760x1800x1745	1640	1587	i/r	d/t	crém.ass.	11.3	3.5	75.0	215/65R15	L4/2.4/A4	**24 748**
Previa	LE	4x2	fgn.4p. 5/7	2865	4760x1800x1745	1694	1587	i/r	d/d	crém.ass.	11.3	3.5	75.0	215/65R15	L4/2.4/A4	**29 478**
Previa	base	4x4	fgn.4p. 5/7	2865	4760x1800x1755	1739	1587	i/r	d/t	crém.ass.	11.3	3.5	75.0	215/65R15	L4/2.4/A4	**29 178**
Previa	LE	4x4	fgn.4p. 5/7	2865	4760x1800x1755	1794	1587	i/r	d/d	crém.ass.	11.3	3.5	75.0	215/65R15	L4/2.4/A4	**33 488**
Previa	LE S/C	4x4	fgn.4p. 5/7	2865	4760x1800x1755	1857	1587	i/r	d/d	crém.ass.	11.3	3.5	75.0	215/65R15	L4C/2.4/A4	-

Voir la liste complète des prix 1995 à partir de la page 393.

Vanité...

Dans tous les états-majors des constructeurs automobiles, il y a des cerveaux qui pensent que leu marque se porterait mieux si elle produisait l'une des voitures les plus rapides au monde. C'est un image qui coûte très cher et ne satisfait pas le public qui lui rêve de performances et de prix plu accessibles.

La Supra a été reconditionnée l'an dernier. Elle est aujourd'hui devenue une véritable Gran Turismo à la japonaise, proposée en versions de base à moteur atmosphérique ou Turbo aux États-Unis et uniquement Turbo au Canada, avec boîte mécanique en série ou automatique en option.

POINTS FORTS

• Performances: 95%
Elles constituent l'attrait principal de la Supra car la puissance annoncée est bien disponible et elle arrive de façon progressive. Les chiffres sont évocateurs, car ils sont très proches de ceux réalisés au volant de modèles plus exotiques, d'autant qu'ils sont obtenus sans stresser la mécanique. Accélérer de 0 à 100 km/h en plus ou moins 5 secondes n'est pas encore courant sur des voitures de grande série et personne ne pourra expérimenter la vitesse maximale de 280 km/h, car la Supra est volontairement bridée à 250 km/h. La simplicité technique a guidé ses concepteurs qui ont repoussé la traction intégrale ou assistée pour se contenter d'un différentiel Torsen pour faire passer le message.

• Satisfaction: 90%
Les Supra roulent longtemps et en bon état, ce qui satisfait un grand nombre de propriétaires.

• Technique: 90%
La performance pure est le seul objectif de la dernière Supra. Son style, qui se veut musclé et fonctionnel, n'est pas d'une grande originalité et la présence d'un aileron façon «Road Runner» n'arrange rien. Pourtant malgré les pneus et les prises d'air importants, la carrosserie a un bon rendement aérodynamique puisque le cœfficient varie de 0.31 à 0.32. La carrosserie monocoque en acier (avec capot avant en aluminium) comporte des suspensions indépendantes sophistiquées à double bras triangulaires sur les quatre roues intégrant des géométries antiplongée à l'avant comme à l'arrière. La direction est à assistance variable en fonction de la vitesse et des contraintes

DONNÉES

Catégorie: coupés de grand tourisme propulsés.
Classe : GT

HISTORIQUE

Inauguré en: 1978
Modifié en: 1985 et 1993: refonte.
Fabriqué à: Tahara, Japon.

INDICES

Sécurité: 90 %
Satisfaction: 88 % (ancien modèle)
Dépréciation: 40 % (2 ans)
Assurance: 3.6 % (2 117 $)
Prix de revient au km: 0.80 $

NOMBRE DE CONCESSIONNAIRES

Au Québec: 67

VENTES AU QUÉBEC

Modèle	1992	1993	Résultat	Part de march
Supra	23	13	- 43.5 %	ND

PRINCIPAUX MODÈLES CONCURRENTS

ACURA NSX, CHEVROLET Corvette, DODGE Stealth R/T Turbo, MAZD RX-7, NISSAN 300 ZX, PORSCHE 911, 928.

ÉQUIPEMENT

TOYOTA Supra	base	Turbo
Boîte automatique:	O	O
Régulateur de vitesse:	S	S
Direction assistée:	S	S
Freins ABS:	S	S
Climatiseur:	S	S
Coussin gonflable:	S	S
Garnitures en cuir:	O	O
Radio MA/MF/ K7:	S	S
Serrures électriques:	S	S
Lève-vitres électriques:	S	S
Volant ajustable:	S	S
Rétroviseurs ext. ajustables:	S	S
Essuie-glace intermittent:	S	S
Jantes en alliage léger:	S	S
Toit ouvrant:	O	S
Système antivol:	S	S

S : standard; O : optionnel; - : non disponible

COULEURS DISPONIBLES

Extérieur: Blanc, Argent, Noir, Rouge, Bleu.
Intérieur: Tissu: Noir. Cuir: Noir ou Ivoire.

ENTRETIEN

Première révision: 6 000 km
Fréquence: 6 000 km
Prise de diagnostic: Oui

QUOI DE NEUF EN 1995 ?

- **Aucun changement majeur.**

Modèles/ versions *: de série	Type / distribution soupapes / carburation	Cylindrée cc	Puissance ch @ tr/mn	Couple lb.pi @ tr/mn	Rapport volumét.	Roues motrices / transmissions	Rapport de pont	Accélér. 0-100 km/h s	400 m D.A. s	1000 m D.A. s	Freinage 100-0 km/h m	Vites. maxi. km/h	Accélér. latérale G	Niveau sonore dBA	Consommation l./100km Ville	Consommation l./100km Route	Carbura Octane
	MOTEURS					TRANSMISSION		PERFORMANCES									
base	L6* 3.0 DACT-24-IE	2997	220 @ 5800	210 @ 4800	10.0 :1	arrière - M5*	4.272	7.0	15.5	27.7	38	240	0.95	65	13.0		
						arrière - A4	4.272	7.8	16.2	28.6	40	235	0.95	65	13.0		
Turbo	L6T* 3.0 DACT-24-IE	2997	320 @ 5600	315 @ 4000	8.5 :1	arrière - M6	3.133	5.0	13.5	26.3	39	250+	0.96	66	13.6	8.9	S 91
						arrière - A4	3.769	5.7	13.9	26.8	41	250+	0.96	66	12.8	9.0	S 91

+ limitée

et les freins sont à disques ventilés de gros diamètre avec dispositif ABS amélioré par la présence d'un capteur d'accélération latérale qui permet de réduire les distances d'arrêt en virage. Les pneus Michelin de grade Z, spécialement mis au point, chaussent des jantes en alliage léger de 17 pouces.
Le cœur de la dernière Supra est son six cylindres en ligne de 3.0L à DACT et 24 soupapes à alimentation atmosphérique ou turbocompressée grâce à deux turbos séquentiels. La puissance maximale de cette version est de 320 ch contre 230 pour l'atmosphérique. Cette dernière reçoit une transmission manuelle à 5 vitesses alors que la Turbo dispose d'une Getrag à 6 rapports. Toutes deux peuvent être équipées en option d'une automatique à 4 vitesses, et le différentiel à glissement limité est de type Torsen.

• Sécurité: 90%
La rigidité de la coque est devenue le souci primordial des concepteurs de ce genre de modèles, car outre le bon comportement structurel en cas de collision, elle améliore aussi la sécurité active. Deux coussins gonflables et l'ABS sont livrés en série.

• Qualité / finition: 90%
Le moins que l'on puisse dire c'est que la présentation générale manque d'imagination. Pourtant l'assemblage est méticuleux et la finition soignée. Cependant les matières plastiques manquent nettement de classe pour une voiture de ce prix.

• Assurance: 90%
Proportionnellement avantageuse, la prime représente pourtant une somme rondelette.

• Comportement: 90%
La grande qualité de la Supra vient de son équilibre général et de la progressivité de ses réactions qui ne surprennent jamais le conducteur et du fait qu'avant d'afficher une tendance au survirage, la tenue de route reste neutre longtemps. Elle rappelle beaucoup par ses réactions la Porsche 928, le poids en moins...

• Poste de conduite: 80%
L'environnement du conducteur est très ergonomique et il suffit d'avancer la main pour trouver à gauche comme à droite tout ce qui est nécessaire au contrôle du véhicule. La vaste console centrale est bien organisée et les instruments regroupés dans trois cadrans tombent naturellement sous les yeux. La commande la plus originale est le sélecteur de la transmission automatique dont la forme est très fonctionnelle, tandis que le frein à main est bien localisé et que le volant offre une bonne prise, mais aussi un aspect d'une banalité affligeante.

• Direction: 80%
Bien que la Supra ne soit pas vraiment agile, du fait de son poids et de son encombrement, elle reste précise à guider, car l'assistance est bien dosée. Peut-être aurait-on souhaité une démultiplication moindre pour une réaction plus rapide, sinon la maniabilité est tout à fait correcte.

• Suspension: 70%
Contrairement à d'autres voitures du même type, celle de la Supra nous a semblée presque trop douce, trop confortable, trop civilisée, sans que cela nuise pour autant à son caractère.

• Niveau sonore: 60%
L'insonorisation efficace et la rigidité de l'ensemble lui confèrent le silence d'une berline cossue à vitesse de croisière.

Freinage: 60%
Aussi puissant que facile à commander, il permet d'arrêter les 1500 kg de la Supra en plus ou moins 40 m ce qui est fort sécuritaire, d'autant que la résistance des garnitures à l'échauffement est excellente.

• Dépréciation: 60%
Elle est forte, compte tenu de la somme investie, car à ce prix-là les clients ne se bousculent pas.

• Accès: 50%
Les larges portes permettent de s'installer plus facilement à l'avant, qu'à l'arrière où les dégagements sont limités.

• Sièges: 50%
Malgré leurs multiples ajustements ils ne procurent pas un maintien latéral aussi satisfaisant que leur soutien lombaire. C'est incroyable que ce soit précisément l'accessoire le plus important dont la conception ait été négligée à ce point.

POINTS FAIBLES

• Prix/équipement: 00%
Malgré toute ses qualités le Supra est beaucoup trop cher, et sa présentation trop banale pour justifier un tel investissement.

• Habitabilité: 20%
La cabine n'offre réalistement que deux places car aucun être humain normalement constitué ne pourra jamais s'installer sur la banquette arrière.

• Coffre: 30%
Comme toujours sur ce genre de véhicule, il ne contient pas grand chose par manque de hauteur.

• Consommation: 45%
Raisonnable à allure légale, elle dépend essentiellement du poids du pied droit du pilote.

CONCLUSION

Valeur moyenne: 62.0%
Après le flop de la RX-7, le marché n'avait peut-être pas besoin d'un autre super-coupé inabordable. Le Dodge Stealth et le Nissan 300ZX doivent leur succès à leur prix, pas à leurs performances... 😐

CARACTÉRISTIQUES & PRIX

Modèles	Versions	Carrosseries/ Sièges	Volume cabine l.	Volume coffre l.	Cx	Empat. mm	Long x larg x haut. mm x mm x mm	Poids à vide kg	Poids Remorque max. kg	Susp. av/ar	Freins av/ar	Direction type	Diamètre braquage m	Tours volant b à b.	Réser. essence l.	Pneus d'origine	Mécaniques d'origine	PRIX $ CDN. 1994
TOYOTA		**Garantie générale: 3 ans / 60 000 km; mécanique: 5 ans / 100 000 km; corrosion perforation: 5 ans / kilométrage illimité.**																
Supra	base	cpé.2p.2+2	1968	286	0.31	2550	4515x1810x1265	1456	NR	i/i	d/d/ABS	crém.ass.	10.9	3.0	70.0	225/50ZR16	L6/3.0/M5	-
Supra	base	cpé.2p.2+2	1968	286	0.31	2550	4515x1810x1265	1481	NR	i/i	d/d/ABS	crém.ass.	10.9	3.0	70.0	225/50ZR16	L6/3.0/A4	-
Supra	Turbo	cpé.2p.2+2	1968	286	0.32	2550	4515x1810x1265	1590	NR	i/i	d/d/ABS	crém.ass.	10.9	3.0	70.0	235/45ZR17 255/40ZR17 (ar)	L6T/3.0/M5	-
Supra	Turbo	cpé.2p.2+2	1968	286	0.32	2550	4515x1810x1265	1594	NR	i/i	d/d/ABS	crém.ass.	10.9	3.0	70.0	235/45ZR17 255/40ZR17 (ar)	L6T/3.0/A4	-

Crise de croissance...

Comme les enfants, les automobiles n'arrêtent pas de grandir et la dernière Tercel n'échappe pas à ce phénomène, qui forcera un jour au l'autre les constructeurs à introduire des modèles plus petits pour constituer des bas de gammes de la classe des mini-compactes.

Si le coupé Paseo ne change pas en 1995, la Tercel adopte une nouvelle carrosserie et le moteur plus puissant qui équipait déjà le Paseo. Sans vouloir porter de jugement sur la ligne de la nouvelle venue, elle semble avoir toujours existé et fait plus penser à celle d'une ancienne Ford Escort qu'à celle d'une célèbre allemande... La Tercel est disponible en berline 3 volumes à 2 et 4 portes et un coupé 3 volumes à 2 portes le Paseo. Ce dernier est vendu dans un niveau de finition unique, alors que la Tercel existe en versions S et DX.

POINTS FORTS

• Prix/équipement: T: 90%;P: 80%
Bien qu'elles soient toujours plus chères que la moyenne, ces voitures justifient plus leur prix par l'excellente réputation de leur fiabilité et leur durabilité que par la richesse de leur équipement qui est pourtant en progrès.

Satisfaction 85%
Si le nombre de propriétaires très satisfaits est moins élevé que pour d'autres modèles de la marque, il fait pourtant des envieux chez les constructeur domestiques...

• Sécurité: 80%
La fourniture en série de deux coussins gonflables et de ceintures à rétracteur permet de compenser pour la vulnérabilité de structure de ces petites voitures qui ont toutefois été rigidifiées sur les dernières Tercel.

• Consommation: 80%
Bien que ces modèles ne soient pas les plus économiques du marché, leur rendement est honnête compte tenu de leur format qui est plus généreux et de leurs prestations satisfaisantes.

• Qualité & finition: 70%
La présentation intérieure s'est nettement améliorée car les matières plastiques ont une apparence plus riche et ne sentent plus mauvais. L'assemblage est demeuré rigoureux et la finition soignée, et l'ambiance de voiture économique à tout prix qui caractérisait le modèle précédent a disparu.

• Poste de conduite: 70%
Bien que la colonne de direction ne soit pas ajustable, le conducteur trouve rapidement une bonne position de conduite et le tableau de bord est simple mais bien présenté et bien organisé. L'instrumentation est facile à déchiffrer et les commandes, conventionnelles bien disposées. La visibilité est meilleure sur la Tercel que sur le Paseo dont la hauteur de la poupe et la présence de l'aileron réduisent la vue vers l'arrière.

• Suspension: 70%
L'amortissement plus consistant et l'amplitude plus généreuse des roues confèrent à ces petites voitures un confort de roulement plus caractéristique des compactes que des sous-compactes.

• Accès: T: 70%; P: 50%
Il est devenu plus facile d'accéder à la banquette arrière de la Tercel 2 portes que du Paseo qui manque de hauteur.

• Niveau sonore: T: 60%; P: 50%
Il a été amélioré sur la Tercel, car si le moteur se fait entendre lors des

DONNÉES

Catégorie: berlines et coupés sous-compacts tractés.
Classe : 3

HISTORIQUE

Inauguré en: 1978
Modifié en: 1982, 1987, 1991, 1995.
Fabriqué à: Takaoka, Japon.

INDICES

Sécurité: 90 %
Satisfaction: 85 %
Dépréciation: 53 %
Assurance: 7.0 % (740 $)
Prix de revient au km: 0.30 $

NOMBRE DE CONCESSIONNAIRES

Au Québec: 67

VENTES AU QUÉBEC

Modèle	1992	1993	Résultat	Part de marché
Tercel	10 012	8 029	- 20.0 %	9.2 %
Paseo	1 266	526	- 58.5 %	4.3 %

PRINCIPAUX MODÈLES CONCURRENTS

Tercel: DODGE Colt, HONDA Civic Hbk, GEO Metro (4p.) HYUNDAI Accent, MAZDA 323 Hbk, NISSAN Sentra, VW Golf.
Paseo: FORD Escort GT, HONDA Civic SI & Del Sol, HYUNDAI Scoupe, MAZDA MX-3(1.6L) 323, SATURN SC1.

ÉQUIPEMENT

	TOYOTA Tercel S	TOYOTA Tercel DX	TOYOTA Paseo base
Boîte automatique:	-	O	O
Régulateur de vitesse:	-	O	O
Direction assistée:	-	O	O
Freins ABS:	O	O	O
Climatiseur:	O	O	O
Coussins gonflables (2):	S	S	S
Garnitures en cuir:	-	-	-
Radio MA/MF/ K7:	O	O	O
Serrures électriques:	-	-	-
Lève-vitres électriques:	-	-	-
Volant ajustable:	-	-	-
Rétroviseurs ext. ajustables:	-	S	S
Essuie-glace intermittent:	S	S	S
Jantes en alliage léger:	-	-	O
Toit ouvrant:	-	-	O
Système antivol:	-	-	-

S : standard; O : optionnel; - : non disponible

COULEURS DISPONIBLES

Extérieur: Tercel: Blanc, Argent, Rouge, Vert, Rubis.
Paseo: Blanc,Rouge, Noir,Vert, Rubis.
Intérieur: Noir, Gris.

ENTRETIEN

Première révision: 6 000 km
Fréquence: 6 000 km
Prise de diagnostic: Oui

QUOI DE NEUF EN 1995 ?

- Plus que deux versions de la Tercel S et DX, la LS disparait.
- Moteur 1.5L plus puissant.

Modèles/ versions *: de série	MOTEURS Type / distribution soupapes / carburation	Cylindrée cc	Puissance ch @ tr/mn	Couple lb.pi @ tr/mn	Rapport volumét.	TRANSMISSION Roues motrices / transmissions	Rapport de pont	PERFORMANCES Accélér. 0-100 km/h s	400 m D.A. s	1000 m D.A. s	Freinage 100-0 km/h m	Vites. maxi. km/h	Accélér. latérale G	Niveau sonore dBA	Consommation l./100km Ville	Consommation l./100km Route	Carburant Octane
Tercel	L4* 1.5 DACT-16-IE	1497	93 @ 5400	100 @ 4400	9.4 :1	avant - M4*	3.52	11.5	18.2	34.1	42	160	0.75	68	7.0	5.4	R 87
						avant - M5*	3.72	11.0	18.0	33.7	44	165	0.75	68	7.6	5.5	R 87
						avant - A3/A4	2.82	13.5	18.6	36.5	45	160	0.75	68	7.6	6.3	R 87
Paseo	L4* 1.5 SACT-16-IE	1497	100 @ 6400	91 @ 3200	9.4 :1	avant - M5*	3.94	10.5	17.3	33.0	44	170	0.77	68	7.8	5.7	R 87
						avant - A4	2.82	10.8	17.7	33.5	46	165	0.77	68	9.2	6.5	R 87

ıccélérations et des reprises, les ›ruits aérodynamiques et de rouement sont moins prononcés que ;ur le modèle précédent.

Direction: 60%
.a manuelle livrée en série est ourde à faible allure, elle s'allège ɿuand la vitesse augmente mais ;a démultiplication prononcée la end floue au centre. Assistée en ;érie, celle du Paseo est plus lirecte, plus précise et mieux losée, bref plus agréable.

Commodités: 60%
ɔeu nombreux, les rangements :omprennent une boîte à gants, les vide-poches de porte et des ›videments sur le tableau de bord ;ur les versions luxueuses.

Sièges: 60%
ls offrent un soutien et un main-'en convenables car leur relief et eur rembourrage ont été amélio-és.

Technique: 60%
.a carrosserie monocoque en ıcier, dont certaines parties sont ıalvanisées, possède une sus-›ension de type McPherson à avant et un essieu de torsion à arrière. La direction est manuelle t le freinage est mixte en série et on est surpris de ne pas trouver le système ABS, même en op-on. Les lignes simples affichent ésormais une bonne efficacité ιérodynamique puisque le coef-cient de la Tercel est de 0.32 et .33 pour le Paseo.

Comportement: T: 55%; P: 60%
.a Tercel est devenue beaucoup ›lus stable, car son roulis est ıoins marqué. Plus franche et ›lus prompte, elle est presque evenue si amusante à conduire u'on se demande ce que le Pa-eo peut bien apporter de plus, si e n'est son allure sportive.

Assurance: 50%
es Tercel-Paseo ne coûtent pas lus cher à assurer que les autres ous-compactes ce qui les dési-nent d'emblée comme un achat ıtéressant pour de jeunes auto-ıobilistes, toujours pénalisés par ›s compagnies d'assurances.

Les performances: 50%
:lles sont désormais aussi inté-›ssantes avec la boîte manuelle, qu'avec l'automatique, surtout en charge. Les quelques chevaux supplémentaires, font la différence mais on a pas encore affaire à des «dragsters». Les accélérations sont plus franches avec la boîte manuelle dont la sélection est aussi rapide que précise, qu'avec l'automatique dont la sélection et l'étagement sont satisfaisants.

NOUVEAUTÉ 1995

TOYOTA Tercel

TOYOTA Paseo

POINTS FAIBLES

• **Coffre: T: 30%; P: 20%**
Logeable compte tenu de leur taille, il est possible d'améliorer leur contenance en abaissant le dossier de la banquette arrière. Toutefois l'ouverture étriquée de celui du Paseo rend difficile la manipulation des bagages.

• **Habitabilité: T: 35%; P: 30%**
Quatre adultes de bonne taille seront à l'aise dans la Tercel dont l'espace pour les jambes et la hauteur a été accru à l'arrière, ce qui n'est pas le cas du Paseo qui lui, n'accueillera que deux adultes et deux enfants.

• **Freinage: 40%**
Son dosage et son endurance sont adéquats, et son efficacité est en progrès malgré le fait que les roues avant bloquent rapidement et ce qui allonge les distances d'arrêt.

• **Dépréciation: 45%**
Elles conservent une bonne valeur de revente et les occasions sont aussi rares que coûteuses...

CONCLUSION

• **Moyenne générale:**
T: 61.0 %; P: 58.5 %
Plus étoffée, la Tercel monte tranquillement à l'assaut de la Corolla car elle n'est plus la petite voiture qu'elle a déjà été. Toutefois son confort et ses performances y gagnent beaucoup, de même que son agrément de conduite. 😐

SUGGESTIONS DES PROPRIÉTAIRES
(modèle précédent)
-Des sièges avant qui reculent plus loin et soutiennent mieux.
-Améliorer la visibilité vers l'arrière du Paseo, pour pouvoir mieux évaluer sa longueur.
-Des roues plus grosses.

CARACTÉRISTIQUES & PRIX

ɿodèles	Versions	Carrosseries/ Sièges	Volume cabine l.	Volume coffre l.	Cx	Empat. mm	Long x larg x haut. mm x mm x mm	Poids à vide kg	Poids Remorque max. kg	Susp. av/ar	Freins av/ar	Direction type	Diamètre braquage m	Tours volant b à b.	Réser. essence l.	Pneus d'origine	Mécaniques d'origine	PRIX $ CDN. 1994
ТOYOTA		**Garantie générale: 3 ans / 60 000 km; mécanique: 5 ans / 100 000 km; corrosion: 6 ans / kilométrage illimité.**																
Tercel	S	ber.2 p.4/5	2277	263	0.32	2380	4120x1660x1350	889	NR	i/si	d/t	crém.	9.6	3.8	45.0	155/80R13	L4/1.5/M5	**9 618**
Tercel	DX	ber.2 p.4/5	2277	263	0.32	2380	4120x1660x1350	900	NR	i/si	d/t	crém.	9.6	3.8	45.0	155/80R13	L4/1.5/M5	**11 018**
Tercel	DX	ber.4 p.4/5	2294	263	0.32	2380	4120x1660x1350	914	NR	i/si	d/t	crém.	9.6	3.8	45.0	155/80R13	L4/1.5/M5	**11 218**
Paseo	man.	cpé.2 p.2+2	2186	218	0.33	2380	4145x1655x1275	939	NR	i/si	d/t	crém.ass.	9.9	2.7	45.0	185/65R14	L4/1.5/M5	**14 698**
Paseo	autom.	cpé.2 p.2+2	2186	218	0.33	2380	4145x1655x1275	980	NR	i/si	d/t	crém.ass.	9.9	2.7	45.0	185/65R14	L4/1.5/A4	**15 648**

Voir la liste complète des prix 1995 à partir de la page 393.

Le plus fiable...

Le 4Runner peut se vanter d'être aux antipodes de ses concurrents nord-américains car faute d'être comme eux, endimanché, suréquipé et tape-à-l'œil, il fait plutôt figure de besogneux efficace mais effacé. Par contre, il a ce que les autres n'ont pas: une fiabilité à toute épreuve.

Après les mini-fourgonnettes, les véhicules dits sport-utilitaires à 4 portes constituent l'un des segments les plus dynamiques du marché où le 4Runner tenait une bonne position, car l'arrivée de nouveaux concurrents lui a fait perdre beaucoup de ventes. Il n'existe qu'en une seule carrosserie à quatre portes en finition unique SR5, avec transmission à 4RM avec moteur 4 cylindres de 2.4L ou V6 de 3.0L, et boîte manuelle à 5 vitesses en série, ou automatique à 4 rapports en option, ou en 2RM avec moteur V6 et boîte automatique seulement.

POINTS FORTS

- **Satisfaction:** 95%
Il est sans aucun doute le sport-utilitaire le plus fiable du marché, car ses propriétaires ne tarissent pas d'éloges à son sujet.
- **Qualité & finition:** 80%
La présentation intérieure est plus celle d'un utilitaire que d'une automobile, même si l'assemblage et la finition sont soignés et la qualité des matériaux satisfaisante.
- **Poste de conduite:** 80%
Identique à celui des camionnettes, le tableau de bord est bien organisé, avec ses instruments lisibles et les principales commandes bien disposées. La position élevée du conducteur lui procure une bonne visibilité et la position de conduite idéale est facile à trouver.
- **Technique:** 70%
Le 4Runner est directement issu de la camionnette compacte de Toyota, c'est-à-dire que la carrosserie en acier est fixée sur un châssis en échelle à cinq traverses du même métal. La suspension avant, dont les articulations sont situées au-dessus de l'axe du châssis, est indépendante avec barres de torsion tandis qu'à l'arrière l'essieu est rigide suspendu par des ressorts à lames. Le freinage est mixte et le dispositif antiblocage agit sur les roues arrière avec le moteur 4 cylindres et sur les quatre roues avec le V6 où il ne fonctionne qu'en mode propulsion, et s'annule lorsque le train avant est enclenché.

DONNÉES

Catégorie: véhicules tout terrain à usages multiples à 2 ou 4RM.
Classe : utilitaires

HISTORIQUE

Inauguré en: 1985
Modifié en: 1988: moteur V6; 1989: nouvelle carrosserie.
Fabriqué à: Tahara, Japon.

INDICES

Sécurité: 70 %
Satisfaction: 94 %
Dépréciation: 48%
Assurance: 6.0 % (1 308 $)
Prix de revient au km: 0.48 $

NOMBRE DE CONCESSIONNAIRES

Au Québec: 67

VENTES AU QUÉBEC

Modèle	1992	1993	Résultat	Part de marché
4 Runner	1 124	743	-34.3 %	5.7 %

PRINCIPAUX MODÈLES CONCURRENTS

CHEVROLET Blazer, FORD Explorer, ISUZU Rodeo & Trooper, GMC Jimmy, JEEP Cherokee-Grand Cherokee, NISSAN Pathfinder, SUZUKI Sidekick 4 p

TOYOTA 4Runner SR5	ÉQUIPEMENT base	V6	V6 4RM	Limited
Boîte automatique:	O	O	O	O
Régulateur de vitesse:	O	O	O	S
Direction assistée:	S	S	S	S
Freins ABS:	S	S	S	S
Climatiseur:	O	O	O	S
Coussin gonflable:	-	-	-	-
Garnitures en cuir:	O	O	O	O
Radio MA/MF/ K7:	O	O	S	S
Serrures électriques:	O	O	O	S
Lève-vitres électriques:	O	O	O	S
Volant ajustable:	O	S	S	S
Rétroviseurs ext. ajustables:	O	O	O	S
Essuie-glace intermittent:	S	S	S	S
Jantes en alliage léger:	O	S	O	O
Toit ouvrant:	-	O	O	O
Système antivol:	-	-	-	-

S : standard; O : optionnel; - : non disponible

COULEURS DISPONIBLES

Extérieur: Blanc, Beige, Étain, Noir, Grenat, Vert, Bleu.
Intérieur: Tissu: Bleu, Gris. Cuir: Chêne.

ENTRETIEN

Première révision: 6 000 km
Fréquence: 6 000 km
Prise de diagnostic: Oui

QUOI DE NEUF EN 1995 ?

- Édition «Limited» SR5 V6.

Modèles/ versions *: de série	MOTEURS Type / distribution soupapes / carburation	Cylindrée cc	Puissance ch @ tr/mn	Couple lb.pi @ tr/mn	Rapport volumét.	TRANSMISSION Roues motrices / transmissions	Rapport de pont	PERFORMANCES Accélér. 0-100 km/h s	400 m D.A. s	1000 m D.A. s	Freinage 100-0 km/h m	Vites. maxi. km/h	Accélér. latérale G	Niveau sonore dBA	Consommation l./100km Ville	Route	Carbura Octane
base 4x4	L4* 2.4 SACT-8-IE	2367	116 @ 4800	140 @ 2800	9.3 :1	arr./4 - M5*	4.100	13.0	19.7	35.8	46	160	0.69	67	12.5	10.2	R 87
V6 4x2	V6* 3.0 SACT-12-IE	2959	150 @ 4800	180 @ 3400	9.0 :1	arrière -A4	3.900	10.0	16.8	31.8	61	170	0.70	66	13.6	11.3	R 87
V6 4x4	V6* 3.0 SACT-12-IE	2959	150 @ 4800	180 @ 3400	9.0 :1	arr./4 - M5*	4.300	10.5	17.5	32.6	50	165	0.72	66	16.2	12.2	R 87
						arr./4 - A4	4.556	11.7	18.8	34.0	55	160	0.72	66	17.4	13.5	R 87

Sièges: 70%
On est mieux installé à l'avant où les sièges maintiennent mieux que la banquette qui est trop plate. Toutefois son rembourrage est consistant.

Habitabilité: 70%
Quatre personnes y seront plus à l'aise que la cinquième qui s'installera provisoirement au milieu de la banquette arrière où il manque d'espace pour les jambes.

Soute: 70%
Le volume de la soute est vaste et relativement accessible, malgré la garde-au-sol importante et la partie basse du hayon qui ne s'abaisse que lorsque la glace de la custode a été complètement escamotée.

Sécurité: 70%
Plutôt que d'offrir des garnitures en cuir, Toyota ferait bien d'équiper le 4Runner de coussins gonflables, car si sa structure résiste bien aux impacts (75%), la protection des passagers est médiocre et celle du conducteur carrément mauvaise.

Assurance: 70%
Le prix et l'indice élevés donnent une prime assez épicée...

• Direction: 70%
Si elle ne transmet aucun choc en provenance des roues, elle ne «téléphone» pas non plus l'état de la chaussée car sa forte assistance convient mieux à la conduite en tout terrain que sur route, où elle est trop sensible. Pourtant, malgré sa démultiplication importante, ses réactions sont assez rapides et précises.

• Commodités: 60%
Les rangements comprennent une grande boîte à gants, un évidement au tableau de bord, des vide-poches de portière et un coffret de console centrale.

• Suspension: 60%
Elle surprend par ses bonnes manières, malgré la présence d'un essieu rigide et de ressorts à lames, car les amortisseurs absorbent efficacement les défauts du chemin.

• Consommation: 50%
Elle n'est jamais économique car sa moyenne s'établit entre 13 et 15 l/100 km avec le V6.

• Accès: 50%
Il n'est pas aisé d'embarquer dans le 4Runner, car les portes sont étroites, surtout à l'arrière où l'espace pour les jambes est insuffisant et l'importance de la garde-au-sol nécessiterait la présence de marche-pieds en plus des poignées de maintien déjà installées aux endroits stratégiques.

• Dépréciation: 50%
Elle est moins forte que celle de certains de ses concurrents, ce qui permet de retrouver une partie de son investissement.

• Niveau sonore: 50%
L'insonorisation est efficace pour un utilitaire et ce sont les bruits de pneus et de vent qui dominent ceux de la mécanique.

POINTS FAIBLES

• Freinage: 30%
Alors qu'en circulation normale son dosage et sa précision ne sont pas criticables, la distance des arrêts d'urgence est très longue et quatre disques ainsi qu'un ABS total monté en série permettraient d'améliorer cette situation qui est préoccupante.

• Comportement: 30%
Malgré la garde-au-sol importante, la tenue en courbe est surprenante car la motricité reste efficace, même sur revêtement dégradé ou humide. En ligne droite, elle est imperturbable car le vent latéral a peu d'effet sur la trajectoire. Grâce à ses dimensions compactes, sa confortable garde-au-sol et ses porte-à-faux réduits, le 4Runner est très efficace hors-route, où ses capacités de franchissement surclassent celles de bon nombre de ses concurrents, malgré la présence de la roue de secours remisée sous le plancher à l'arrière.

• Performances: 40%
La version à moteur 4 cylindres et boîte manuelle est plus vivante à conduire, malgré son rapport poids-puissance peu favorable compensé par le rapport court de son différentiel. Si le V6 est plus onctueux, il manque de couple à bas régime et sa présence ne se justifie que pour évoluer en terrain accidenté. La version à deux roues motrices est plus légère donc plus agréable à conduire.

• Prix/équipement: 40%
La mode ou la traction hivernale, ne sont pas des excuses suffisantes pour acquérir un tel véhicule, dont le prix est indécent pour le peu d'équipement ou de gadgets qu'il inclut d'origine.

CONCLUSION

• Moyenne générale: 60.0 %
Le 4Runner reste le choix de ceux qui veulent rouler l'esprit tranquille quelle que soit la nature des chemins et l'importance du budget nécessaire à faire rouler ce passe-partout.

SUGGESTIONS DES PROPRIÉTAIRES

-Des coussins gonflables.
-Des freins plus puissants.
-Des marchepieds.
-Un prix plus abordable.
-Un 6 cylindres plus économique et ayant plus de couple.
-Un hayon arrière plus pratique.
-Un équipement plus complet.
-Une finition plus luxueuse.

CARACTÉRISTIQUES & PRIX

Modèles		Versions	Carrosseries/ Sièges	Empat. mm	Long x larg x haut. mm x mm x mm	Poids à vide kg	Poids Remorque max. kg	Susp. av/ar	Freins av/ar	Direction type	Diamètre braquage m	Tours volant b à b.	Réser. essence l.	Pneus d'origine	Mécaniques d'origine	PRIX $ CDN. 1994
TOYOTA		**Garantie générale: 3 ans / 60 000 km; mécanique: 5 ans / 100 000 km; corrosion: 6 ans / kilométrage illimité.**														
4Runner	4x4	SR5	fam. 2p. 4/5	2625	4490x1690x1710	1730	1587	i/r	d/t/ABS ar.	bil.ass.	11.4	3.9	65.0	225/75R15	L4/2.4/M5	**22 948**
4Runner	4x2	V6-SR5	fam. 2p. 4/5	2625	4490x1690x1710	-	1587	i/r	d/t/ABS ar.	bil.ass.	11.4	3.9	65.0	225/75R15	V6/3.0/M5	**26 658**
4Runner	4x4	V6-SR5	fam. 2p. 4/5	2625	4490x1690x1710	1871	1587	i/r	d/t/ABS ar.	bil.ass.	11.4	3.9	65.0	225/75R15	V6/3.0/A4	**28 008**
4Runner	4x4	V6-SR5	fam. 4p. 4/5	2625	4490x1690x1710	1896	1587	i/r	d/t/ABS ar.	bil.ass.	11.4	3.9	65.0	225/75R15	V6/3.0/A4	**28 588**

Voir la liste complète des prix 1995 à partir de la page 393.

Boudées..?

Il semble que les camionnettes Toyota soient moins populaires qu'à une certaine époque. Le cours du Yen et la concurrence locale y sont sans doute pour quelque chose, mais dans le cas de la T100, si ses ventes se sont améliorées, elles partaient il est vrai de pas grand chose...

Les camionnettes compactes et la T100 de Toyota partagent plus de choses que les apparences ne le laissent supposer. Elles sont offertes en traction à 2 et 4 roues motrices, avec moteur à 4 ou 6 cylindres et transmission manuelle en série ou automatique en option. Les niveaux de finition sont de base ou SR5. Si la compacte offre le choix de carrosserie avec caisse standard, sans caisse, cabine simple ou allongée (Xtracab), la T100 ne dispose que d'une cabine et d'une caisse uniques.

POINTS FORTS

• **Satisfaction:** 85%
Peu de plaintes, si ce n'est pour des problèmes mineurs découlant souvent d'une utilisation abusive.
• **Qualité & finition:** 80%
Ces camionnettes jouissent d'une bonne réputation de robustesse et de durabilité, qu'elles doivent à leur mode de construction et de finition rigoureux.
• **Technique:** 80%
Ces utilitaires sont bâtis à partir d'un châssis en échelle en acier à cinq traverses sur lequel la cabine est assujettie. La suspension avant est à triangles et barres de torsion, tandis qu'à l'arrière l'essieu rigide est suspendu par des ressorts à lames. Les versions à 4RM bénéficient de la suspension avant indépendante Hi Trac à barres de torsion dont les fixations sont situées au-dessus du châssis pour les protéger lorsque le véhicule circule hors route et pour les mêmes raisons le moteur, la boîte de transfert et le réservoir de carburant sont protégés par des patins métalliques. Les freins sont mixtes et le dispositif ABS, en option sur les versions de base, est original par le fait qu'il fonctionne de manière hydraulique plutôt qu'électronique. Le moteur équipant les modèles de base est un 4 cylindres de 2.4L de 116 ch (2.7L et 150 ch pour le T100), alors que celui des SR5 est un V6 de 3.0L fournissant 150 ch.

TOYOTA T100

DONNÉES

Catégorie: camionnettes compactes propulsées ou intégrales.
Classe : utilitaires

HISTORIQUE

Inauguré en: 1977, 1993:T100
Modifié en: 1983, 1989: révisions.
Fabriqué à: Tahara & Hino, Japon.

INDICES

Sécurité: 75 %
Satisfaction: 85 %
Dépréciation: 52 %
Assurance: 4x2: 6.3 % (975 $) 4x4 & T100: 1 100 -1 200 $
Prix de revient au km: 0.36 $

NOMBRE DE CONCESSIONNAIRES

Au Québec: 67

VENTES AU QUÉBEC

Modèle	1992	1993	Résultat	Part de marché
Camionnette	1 163	826	- 29.0 %	7.4 %
T100	25	284	+ 1 136 %	2.4 %

PRINCIPAUX MODÈLES CONCURRENTS

DODGE Dakota, FORD Ranger, CHEVROLET S-10, GMC Sonoma, ISUZU, MAZDA B, NISSAN Costaud.

ÉQUIPEMENT

	TOYOTA Camionnette base	TOYOTA Camionnette SR5	TOYOTA T100 base	TOYOTA T100 V6
Boîte automatique:	O	O	O	O
Régulateur de vitesse:	O	O	O	O
Direction assistée:	O	O	O	O
Freins ABS:	O	S (V6)	O	O
Climatiseur:	O	S (V6)	O	O
Coussin gonflable gauche:	O	S	S	S
Garnitures en cuir:	-	-	-	-
Radio MA/MF/ K7:	O	O	O	O
Serrures électriques:	-	O	-	-
Lève-vitres électriques:	-	O	-	-
Volant ajustable:	-	S (V6)	-	O
Rétroviseurs ext. ajustables:	O	O	O	O
Essuie-glace intermittent:	-	O	-	O
Jantes en alliage léger:	-	O	-	O
Toit ouvrant:	-	O (V6)	-	-
Système antivol:	-	-	-	-

S : standard; O : optionnel; - : non disponible

COULEURS DISPONIBLES

Extérieur: Blanc, Argent, Noir, Grenat, Vert, Bleu, Beige, Rouge.
Intérieur: Gris, Bleu, Chêne.

ENTRETIEN

Première révision: 6 000 km
Fréquence: 6 000 km
Prise de diagnostic: Oui

QUOI DE NEUF EN 1995 ?

- **Nouveau moteur V6 3.4L (T100).**
- **Coussin gonflable de série côté conducteur (T100).**
- **Freins ABS disponibles pour les versions 2 ou 4 RM (T100).**
- **Camionnettes 4x4 offertes seulement en version allongée avec moteur six cylindres.**

Modèles/ versions *: de série	MOTEURS Type / distribution soupapes / carburation	Cylindrée cc	Puissance ch @ tr/mn	Couple lb.pi @ tr/mn	Rapport volumét.	TRANSMISSION Roues motrices / transmissions	Rapport de pont	PERFORMANCES Accélér. 0-100 km/h s	400 m D.A. s	1000 m D.A. s	Freinage 100-0 km/h m	Vites. maxi. km/h	Accélér. latérale G	Niveau sonore dBA	Consommation l./100km Ville	Consommation l./100km Route	Carburant Octane
base	L4* 2.4 SACT-8-IE	2366	116 @ 4800	140 @ 2800	9.3 :1	arr./4 - M5*	3.583	12.5	19.5	35.5	46	150	0.69	69	10.6	7.9	R 87
						arr./4 - A4	3.727	13.0	19.2	36.6	51	145	0.69	69	11.2	9.4	R 87
SR5	V6* 3.0 SACT-12-IE	2958	150 @ 4800	180 @ 3400	9.0 :1	arr./4 - M5*	3.417	9.5	17.3	30.5	48	165	0.70	67	15.1	10.7	R 87
						arr./4 - A4	3.417	11.0	18.0	31.8	50	160	0.70	67	13.2	9.7	R 87
T-100 base	L4* 2.7 DACT-16-IE	2693	150 @ 4800	177 @ 4000	9.5 :1	ar./4 - M5	3.615	ND							13.5	11.5	R 87
	V6* 3.4 DACT-24-IE	3378	190 @ 4800	220 @ 3400	9.6 :1	ar./4 - M5	3.769	11.8	18.5	34.7	45	170	0.75	67	13.8	10.7	R 87
						ar./4 - A4	3.769	13.0	19.5	35.8	48	165	0.75	67	13.5	10.7	R 87

• **Sécurité: 75%**
Ces camionnettes ne font pas mieux que leurs concurrentes, et si la structure et le passager ne souffrent que moyennement en cas de collision, au moins le conducteur est désormais protégé par un coussin gonflable.
• **Direction: 70%**
Sa forte démultiplication l'avantage hors route, mais la dessert sur route où elle est légère et sensible à vitesse de croisière.
• **Poste de conduite: 70%**
La banquette des modèles de base n'offre pas un maintien latéral ni un soutien lombaire aussi efficaces que les sièges individuels, et les ajustements entre le volant et le pédalier sont moins précis du fait que son dossier n'est pas inclinable. Celle des T100 SR5 est nettement plus confortable car mieux galbée. La visibilité est satisfaisante, l'instrumentation facile à lire, et les commandes disposées de manière habituelle. Notons celle du frein à main qui est plus pratique que la commande au pied. Enfin la sélection de la boîte manuelle est franche et précise, mais la course de la pédale d'embrayage trop longue.
• **L'accès: 70%**
Il est moins pénible de s'installer aux places avant, même des 4x4 à la garde-au-sol plus élevée, qu'à l'arrière de l'Xtracab.

• **Prix/équipement: 70%**
La réputation de durabilité de ces camionnettes se paie cher, pour le peu d'équipement et de confort qu'elles contiennent et elles ont du mal à faire face à la concurrence sur ce point.
• **Sièges: 70%**
La banquette est moins confortable que les sièges individuels ou celle de la T100 de luxe dont le confort est surprenant.
• **Suspension: 60%**
Douce sur bonne route avec les 4x2 ou lorsque la caisse est chargée, le train arrière devient intenable à vide dès que le revêtement se dégrade ou ondule.
• **Niveau sonore: 50%**
Les versions de base sont moins silencieuses que les SR5 dont l'insonorisation est aussi soignée que celle d'une automobile et le moteur V6 plus discret.
• **Consommation: 50%**
Tributaire de la charge et de la vitesse, elle ne sont pas plus économiques que d'autres.
• **Performances: 50%**
Nerveux et bien secondés par la boîte manuelle aux rapports courts, les 4 cylindres ne sont pas aussi souples que le V6 dont le couple plus généreux s'harmonise mieux à la transmission automatique. Toutefois, les performances sont sensibles à la charge et au mode de traction, car le couple des deux moteurs est parfois un peu limité. Toyota devrait revenir à un 6 cylindres en ligne, plus puissant à bas régime qu'un V6 moins encombrant mais mieux adapté aux automobiles.

TOYOTA T100

POINTS FAIBLES

• **Habitabilité: 30%**
Si la cabine de base offre assez d'espace pour deux personnes sur la compacte et trois sur la T100, l'Xtracab est plus spacieuse, mais moins que celle de la Kingcab de Nissan ou de la Spacecab d'Isuzu, et le volume arrière sera mieux utilisé comme soute à bagages que pour accueillir des passagers, les strapontins ne pouvant être utilisés que par de jeunes enfants.
• **Comportement: 30%**
Il est surprenant car ces utilitaires sont aussi stables en ligne droite qu'en virage, à partir du moment où le revêtement est de bonne qualité et la caisse un tant soit peu chargée. Sinon, sur route dégradée et humide, le train arrière sautille sans arrêt, nuisant à la motricité et à la linéarité des trajectoires. Les gros pneus des 4x4 sont plus à l'aise dans la boue que sur la route, où ils ôtent toute précision au guidage comme au freinage et rebondissent beaucoup sur les défauts du revêtement rendant les trajectoires parfois imprévisibles.
• **Soute: 30%**
Si la cabine normale ne peut contenir aucun bagage, celle de l'Xtracab correspond au coffre d'une voiture mini-compacte.
• **Freinage: 30%**
Bien qu'il soit facile à doser, il manque de mordant et les distances d'arrêt sont longues. L'ABS sur les roues arrière ne sert qu'à stabiliser les trajectoires, car dès que les roues avant bloquent, on perd tout contrôle de la direction.
• **Commodités: 40%**
Seules les SR5 peuvent prétendre offrir des rangements pratiques, qui se réduisent à une simple boîte à gants sur les autres modèles.
• **Assurance: 40%**
Elles sont aussi chères à assurer qu'à acheter...
• **Dépréciation: 40%**
Le prix des usagées dépend beaucoup de leur degré d'utilisation comme utilitaires.

CONCLUSION

• **Moyenne générale: 56.0 %**
Les camionnettes compactes ont plus de chances vis-à-vis de leurs rivales nord-américaines, que la T100 qui fait de la figuration, car elle n'a finalement ni la polyvalence, ni la puissance, ni le côté pratique de ses concurrentes domestiques.

CARACTÉRISTIQUES & PRIX

Modèles	Versions	Carrosseries/ Sièges	Empat. mm	Long x larg x haut. mm x mm x mm	Poids à vide kg	Poids Remorque max. kg	Susp. av/ar	Freins av/ar	Direction type	Diamètre braquage m	Tours volant b à b.	Réser. essence l.	Pneus d'origine	Mécaniques d'origine	PRIX $ CDN. 1994
TOYOTA		**Garantie générale: 3 ans / 60 000 km; mécanique: 5 ans / 100 000 km; corrosion perforation: 6 ans / kilométrage illimité.**													
Camionnettte 2x4	caisse courte	cam. 2 p.2	2616	4434x1689x1544	1220	1587	i/r	d/t	bil.	10.67	4.2	65.0	195/75R14	L4/2.4/M5	**11 818**
Camionnettte 2x4	XCab.	cam. 2 p.4	3096	4905x1689x1549	1403	1587	i/r	d/t	bil.ass.	12.58	3.6	73.0	205/75R14	V6/3.0/A4	**14 798**
Camionnettte 4x4	XCab.	cam. 2 p.4	3096	4905x1689x1709	1712	1587	i/r	d/t	bil.ass.	13.19	3.9	73.0	225/75R15	V6/3.0/A4	**22 078**
Camionnettte 4x4	XCab.SR5V6	cam. 2 p.4	3096	4905x1689x1745	1730	1587	i/r	d/t	bil.ass.	13.19	3.9	73.0	225/75R15	V6/3.0/A4	**23 768**
TOYOTA		**Garantie générale: 3 ans / 60 000 km; mécanique: 5 ans / 100 000 km; corrosion perforation: 6 ans / kilométrage illimité.**													
T100	2x4	base cam. 2p. 3	3094	5311x1910x1694	1505	1814	i/r	d/t	crém.ass.	11.49	3.84	90.8	215/75R15	L4/2.7/M5	-
T100	2x4	SR5 cam. 2p. 3	3094	5311x1910x1694	1520	1814	i/r	d/t	crém.ass.	11.49	3.84	90.8	215/75R15	L4/2.7/M5	-
T100	2x4	base cam. 2p. 3	3094	5311x1910x1780	1555	2358	i/r	d/t	crém.ass.	13.2	3.28	90.8	235/75R15	V6/3.0/M5	-
T100	2x4	SR5 cam. 2p. 3	3094	5311x1910x1780	1569	2358	i/r	d/t	crém.ass.	13.2	3.28	90.8	235/75R15	V6/3.0/A4	-
T100	4x4	base cam. 2p. 3	3094	5311x1910x1780	1757	2268	i/r	d/t	crém.ass.	13.2	3.28	90.8	235/75R15	V6/3.0/M5	-
T100	4x4	SR5 cam. 2p. 3	3094	5311x1910x1780	1789	2268	i/r	d/t	bil.ass.	13.2	3.28	90.8	235/75R15	V6/3.0/A4	-

Voir la liste complète des prix 1995 à partir de la page 393.

Toujours en tête...

Avec le Corrado VR6 Volkswagen tient le meilleur coupé sportif de classe moyenne. S'il était mièvre avec le 4 cylindres, il a acquis une belle maturité avec le V6 qui lui procure un agrément de conduite hors-pair que lui envient bien des rivaux et non des moindres tel le Porsche 968...

Le coupé Corrado de VW ne se vend pas aussi bien que la majorité des chroniqueurs automobiles le souhaiterait. Il faut dire que le contexte économique ne favorise pas tellement les voitures de luxe et de sport et c'est sans doute ce qui explique sa disgrâce.
Il s'agit d'un coupé 3 portes deux volumes en finition unique VR6 équipé d'un moteur V6 2.8L avec transmission manuelle en série ou automatique en option.

POINTS FORTS

• Sécurité: 90%
Très rigide, la structure résiste bien aux tests de collision et en plus des ceintures à trois points d'ancrage, deux coussins d'air sont installés aux places avant, complétant ainsi la protection des occupants.

• Assurance: 90%
Relativement abordable pour des propriétaires de plus de 25 ans, la prime découragera ceux qui n'ont pas encore atteint cet âge.

• Performances: 90%
Le moteur V6 a beaucoup de brio, car il a de la puissance et du couple à pratiquement tous les régimes et ne demande qu'à tourner rapidement jusqu'à ce que le limiteur arrête la fête aux alentours de 6500 tr/mn. L'excellent rapport poids-puissance explique la vélocité qui lui permet de passer de 0 à 100 km/h en moins de 7 secondes et d'atteindre une vitesse maximale de 225 km/h. Bref, son tempérament vif rend ce petit bolide plus amusant à conduire qu'une Porsche 968!

• Technique: 80%
Il fut conçu à partir d'une plate-forme de Golf/Jetta dont il conserve la suspension indépendante de type McPherson à l'avant et semi-indépendante à essieu de torsion à l'arrière. La coque autoporteuse en acier a des formes trapues très efficaces sur le plan aérodynamique puisque son cœfficient n'est que de 0.32. Pour réduire la portance de la partie arrière, un aileron mobile sort automatiquement à partir de 85 km/h et revient à sa position initiale à moins de 20 km/h afin de

DONNÉES

Catégorie: coupés sportifs compacts tractés.
Classe : 3 S

HISTORIQUE

Inauguré en: 1988
Modifié en: 1990: importation en Amérique du Nord.
Fabriqué à: Osnabrück (chez Karmann), Allemagne.

INDICES

Sécurité: 90 %
Satisfaction: 85 %
Dépréciation: 40 % (2 ans)
Assurance: 5.1 % (1 429 $)
Prix de revient au km: 0.47 $

NOMBRE DE CONCESSIONNAIRES

Au Québec: 57

VENTES AU QUÉBEC

Modèle	1992	1993	Résultat	Part de marché
Corrado	150	108	-28 %	0.9 %

PRINCIPAUX MODÈLES CONCURRENTS

EAGLE Talon TSi, DODGE Stealth, FORD Mustang, FORD Probe, HONDA Prelude, MAZDA MX-3 & MX-6, TOYOTA Celica.

ÉQUIPEMENT

VOLKSWAGEN Corrado	VR6
Boîte automatique:	O
Régulateur de vitesse:	S
Direction assistée:	S
Freins ABS:	S
Climatiseur:	S
Coussin gonflable:	S
Garnitures en cuir:	O
Radio MA/MF/ K7:	S
Serrures électriques:	S
Lève-vitres électriques:	S
Volant ajustable:	S
Rétroviseurs ext. ajustables:	S
Essuie-glace intermittent:	S
Jantes en alliage léger:	S
Toit ouvrant:	-
Système antivol:	-

S : standard; O : optionnel; - : non disponible

COULEURS DISPONIBLES

Extérieur: Blanc, Rouge, Noir, Jaune, Vert, Bourgogne.
Intérieur: Tissu: Gris. Cuir: Noir, Noir-Beige.

ENTRETIEN

Première révision: 5 000 km
Fréquence: 6 mois/10 000 km
Prise de diagnostic: Oui

QUOI DE NEUF EN 1995 ?

- Deux coussins gonflables et un système antivol sont montés en série.

MOTEURS						TRANSMISSION					PERFORMANCES						
Modèles/ versions *: de série	Type / distribution soupapes / carburation	Cylindrée cc	Puissance ch @ tr/mn	Couple lb.pi @ tr/mn	Rapport volumét.	Roues motrices / transmissions	Rapport de pont	Accélér. 0-100 km/h s	400 m D.A. s	1000 m D.A. s	Freinage 100-0 km/h m	Vites. maxi. km/h	Accélér. latérale G	Niveau sonore dBA	Consommation l./100km Ville	Route	Carburant Octane
VR6	V6* 2.8 DACT-12-IE	2792	178 @5800	177 @ 4200	10.0 :1	avant - M5*	3.64	7.0	15.2	26.8	39	225	0.86	68	13.0		
						avant - A4	4.15	8.0	16.0	27.2	40	220	0.85	68	14.0		

ıe pas entraver la visibilité à travers la lunette. Le 6 cylindres en / est de type étroit puisque les :ylindres forment un angle de ›eulement 15º, permettant d'utili›er une seule culasse pour les ‹eux bancs de cylindres et d'ob›enir des cotes d'encombrement ninimales. C'est ce qui a permis ‹e l'installer facilement à la place ‹u 4 cylindres original. Enfin le ›électeur de la boîte manuelle ›st actionné par câbles, ce qui ›ermet de contourner le moteur.

Qualité & finition: 80%
Toujours fabriqué en Allemagne e Corrado est solide et bien fini et ;i sa présentation intérieure est ugubre, les matériaux sont de ›onne qualité.

Poste de conduite: 80%
‹ est facile de trouver rapidement a meilleure position de conduite ›t la visibilité est bonne vers avant et les côtés, tandis que ›ers l'arrière, la lunette étroite et aileron, (lorsqu'il est sorti), ré‹uisent le champ de vision. Le ableau de bord est typiquement /W avec ses cadrans analogi‹ues bien lisibles et ses com›andes simples et robustes. On ıote toutefois l'absence d'un re›ose-pied.

• Comportement: 80%
La rigidité de la coque, la suspension sportive et le centre de gravité placé bas gratifient le Corrado d'un équilibre exemplaire en toutes circonstances. En virage sa neutralité est prolongée par les paliers autocorrecteurs du train arrière, qui rendent les roues légèrement directrices. Il s'inscrit avec agilité et de manière incisive dans les virages sans perdre son aplomb.

• Direction: 80%
Pratiquement idéale pour ce type de voiture, elle est précise et rapide à souhait et son dosage bien calibré renseigne en permanence sur l'état de la route.

• Commodités: 80%
Les rangements se composent d'une petite boîte à gants, un grand évidement dans la console, des vide-poches de portière et deux tablettes sous le tableau de bord.

• Sièges: 80%
Ils sont traditionnellement fermes, comme toujours chez Volkswagen, mais leurs bourrelets latéraux maintiennent bien et le soutien lombaire est efficace.

• Satisfaction: 80%
Les véhicules encore fabriqués en Allemagne comme le Corrado ont une meilleure réputation que ceux assemblés au Mexique...

• Suspension: 70%
Ferme sans être aussi raide qu'on pourrait le craindre sur un coupé sportif et d'origine allemande, elle ne laisse toutefois rien ignorer des défauts de la route.

• Assurance: 70%
Relativement abordable pour des propriétaires de plus de 25 ans, la prime découragera ceux qui ne les ont pas encore.

• Accès: 70%
Il n'est pas aussi facile d'atteindre la banquette que de s'installer à l'avant, à cause de la faible hauteur du toit.

• Coffre: 60%
Petit lorsque les places arrière sont occupées, son plancher n'est pas vraiment plat car la roue de secours y tient de la place. Si on peut l'agrandir en abaissant le dossier de la banquette, son seuil élevé complique la manipulation des bagages.

• Freinage: 50%
Malgré la présence de quatre disques, son poids important et l'ABS monté en série empêchent le Corrado de freiner aussi court que la première version essayée. Les arrêts d'urgence sont parfaitement rectilignes et l'endurance des garnitures excellente.

• Consommation: 50%
Elle n'est pas exagérée, même lorsqu'on soutient un rythme rapide, car elle se maintient autour de 12.5 l/100 km.

• Dépréciation: 50%
Elle est inférieure à celle d'autres modèles VW qui connaissent un déclin de popularité, dû à leur «qualité mexicaine».

• Niveau sonore: 50%
L'insonorisation est trop efficace car on a du mal entendre le rugissement évocateur du moteur lors des accélérations.

POINTS FAIBLES

• Habitabilité: 30%
Si l'on tient compte du format compact de ce coupé, son volume habitable permet d'asseoir quatre personnes avec assez d'espace pour la tête et les jambes à l'arrière.

• Prix / équipement: 40%
Bien que le Corrado soit cher, il constitue un meilleur achat que l'infâme Porsche 968, car malgré sa traction avant, il procure un plaisir qui justifie l'investissement.

CONCLUSION

• Moyenne générale: 67.5 %
Rien ne va plus chez Volkswagen qui n'est même plus capable de vendre ce qu'il a de bon. Le Corrado est le plus inspiré des coupés sportifs actuellement disponibles et il n'est pas fabriqué au Mexique. Quelle chance! ☺

SUGGESTIONS DES PROPRIÉTAIRES

-Phares plus puissants.
-Service moins indépendant.
-Protection hivernale efficace.
-Pneus plus larges.
-Modifier l'aileron arrière.

CARACTÉRISTIQUES & PRIX

Modèles	Versions	Carrosseries/ Sièges	Volume cabine l.	Volume coffre l.	Cx	Empat. mm	Long x larg x haut. mm x mm x mm	Poids à vide kg	Capacité Remorq. max. kg	Susp. av/ar	Freins av/ar	Direction type	Diamètre braquage m	Tours volant b à b.	Réser. essence l.	Pneus d'origine	Mécaniques d'origine	PRIX $ CDN. 1994
VOLKSWAGEN		**Garantie générale: 3 ans / 60 000 km; mécanique: 5 ans / 100 000 km; antipollution: 5 ans / 80 000 km; corrosion perforation: 6 ans.**																
Corrado	V6	cpé.3 p.4	2265	425	0.32	2470	4046x1690x1310	1274	454	i/i	d/d/ABS	crém.ass.	10.48	3.17	70.0	205/50R15	V6/2.8/M5	**29 050**
Corrado	V6	cpé.3 p.4	2265	425	0.32	2470	4046x1690x1310	1294	454	i/i	d/d/ABS	crém.ass.	10.48	3.17	70.0	205/50R15	V6/2.8/A4	**30 070**

Voir la liste complète des prix 1995 à partir de la page 393.

En panne de moteur...

L'Eurovan connaîtrait un plus grand succès si elle était proposée avec un moteur adéquat. C problème n'est pas nouveau car ce fut aussi celui de tous les modèles précédents. Seulement VW a tellement tardé à se reconvertir au V6 qu'il n'en fabrique pas assez pour en équiper l'Eurovan

L'Eurovan est commercialisée en versions familiale courte à 5 et 7 places en finitions CL et GL, ou allongée à 10 places en GL seulement. Il existe aussi des versions commerciales vitrées ou non, des camionnettes à cabine simple ou double et, bien entendu, le fameux fourgon de camping unique en son genre dans la gamme d'un constructeur d'automobiles. Les Eurovan sont pourvues en série d'un moteur à essence à 5 cylindres de 2.5L avec transmission manuelle à 5 vitesses ou automatique à 4 rapports en option, alors que le moteur Diesel développant 110 ch est en option sur toutes les versions avec transmission manuelle uniquement.

POINTS FORTS

- **Habitabilité:** 100%
La cabine est assez vaste pour permettre à 7 personnes d'y séjourner et de circuler à l'aise entre les bancs, et la version à 10 places est un véritable autobus.
- **Accès:** 100%
Il est facile de grimper à bord, car les ouvertures sont largement dimensionnées et la hauteur intérieure importante.
- **Soute:** 90%
On peut y entasser facilement un nombre considérable de bagages sans avoir à replier la banquette arrière.
- **Qualité & finition:** 80%
L'assemblage et la finition sont dans la tradition de Volkswagen, la qualité des matériaux est excellente, mais la présentation générale est plus celle d'un utilitaire que d'une mini-fourgonnette.
- **Satisfaction:** 80%
La véritable qualité allemande a encore ses adeptes, même à prix fort en autant que le produit est fiable et durable.
- **Technique:** 80%
Malgré son dessin soigné, la carrosserie monocoque en acier a une allure plutôt utilitaire ce qui ne l'empêche pas d'être aérodynamique-

DONNÉES

Catégorie: fourgonnettes compactes tractées.
Classe : utilitaires

HISTORIQUE

Inauguré en: 1990
Modifié en: 1992: importé en Amérique du Nord;1993: moteur Diesel.
Fabriqué à: Allemagne.

INDICES

Sécurité: 60 %
Satisfaction: 80 %
Dépréciation: 57 %
Assurance: 4.8 % (1091 $)
Prix de revient au km: 0.42 $

NOMBRE DE CONCESSIONNAIRES

Au Québec: 57

VENTES AU QUÉBEC

Modèle	1992	1993	Résultat	Part de march
Eurovan	571	670	+ 14.8 %	1.9 %

PRINCIPAUX MODÈLES CONCURRENTS

CHEVROLET Lumina, CHEVROLET Astro, CHRYSLER Town & Countr DODGE Caravan, FORD Aerostar, Windstar, MAZDA MPV, MERCUR Villager, NISSAN Quest, PLYMOUTH Voyager, PONTIAC Trans Spor TOYOTA Previa.

ÉQUIPEMENT

VOLKSWAGEN Eurovan	CV	GL	Transporter
Boîte automatique:	O	O	O
Régulateur de vitesse:	O	S	O
Direction assistée:	S	S	S
Freins ABS:	O	O	O
Climatiseur:	O	O	O
Coussin gonflable:	O	O	-
Garnitures en cuir:	-	-	-
Radio MA/MF/ K7:	S	S	O
Serrures électriques:	S	S	S
Lève-vitres électriques:	S	S	-
Volant ajustable:	-	O	O
Rétroviseurs ext. ajustables:	S	S	S
Essuie-glace intermittent:	S	S	S
Jantes en alliage léger:	O	O	-
Toit ouvrant:	-	-	-
Système antivol:	-	-	-

S : standard; O : optionnel; - : non disponible

COULEURS DISPONIBLES

Extérieur: Blanc, Bleu, Gris, Rouge, Vert, Brun, Bordeau, Beige, Argent.
Intérieur: Gris, Bleu, Beige.

ENTRETIEN

Première révision: 5 000 km
Fréquence: 6 mois/10 000 km
Prise de diagnostic: Non

QUOI DE NEUF EN 1995 ?

- **Deux coussins gonflables offert en option.**
- **Vitres électriques de série (CV).**
- **Entrées éclairées (CV).**

Modèles/ versions *: de série	MOTEURS Type / distribution soupapes / carburation	Cylindrée cc	Puissance ch @ tr/mn	Couple lb.pi @ tr/mn	Rapport volumét.	TRANSMISSION Roues motrices / transmissions	Rapport de pont	PERFORMANCES Accélér. 0-100 km/h s	400 m D.A. s	1000 m D.A. s	Freinage 100-0 km/h m	Vites. maxi. km/h	Accélér. latérale G	Niveau sonore dBA	Consommation l./100km Ville	Consommation l./100km Route	Carburan Octane
base	L5* 2.5 SACT-8-IE	2459	110 @ 4500	140 @ 2200	8.5 :1	avant - M5*	4.62	14.5	18.3	36.6	48	160	0.73	68	13.8	10.1	R 87
						avant - A4	4.56	15.5	19.8	37.8	51	155	0.73	68	13.5	11.1	R 87
Diesel	L5* 2.4 SACT-8-I	2370	77 @ 3700	154 @1800	22.5: 1	avant - M5*	-	ND									

ıent très efficace puisque son œfficient est de 0.36. Le groupe ropulseur est disposé de maière transversale au-dessus des oues motrices, ce qui permet de égager la cabine et d'améliorer comportement par un meilleur entrage des masses. La susension, indépendante aux 4 oues, est sophistiquée et basée ur un système à doubles fourhettes avec barres de torsion ongitudinales à l'avant. Le freiage est à disque et tambour en érie, mais à quatre disques avec BS en option.

Assurance: 80%
.a version Diesel est la moins hère à assurer, mais la prime es «essence» se situe dans la noyenne de cette catégorie.

Rangements: 80%
.'Eurovan GL est le champion du nonde du vide-poches car il y en à profusion ce qui permettra ux enfants d'y cacher leurs tréors.

Poste de conduite: 70%
nstallé comme dans un autobus, conducteur y voit bien sous ous les angles. Le tableau de ord est simple et fonctionnel et es commandes, comme les conôles, faciles à utiliser. L'ensemle est ergonomique, mais les ccoudoirs des fauteuils sont néessaires pour être maintenu.

Sièges: 70%
.eur galbe procure un maintien t un soutien efficaces, et les anquettes possèdent des acoudoirs individuels, mais leur embourrage n'a rien de moeleux et sur mauvaise route c'est ouvent désagréable.

Suspension: 70%
Sa souplesse lui permet d'absorer les irrégularités de la route, nais les mouvements de la carosserie sont bien contrôlés. Ce ont les saignées transversales ui occasionnent des ruades inempestives ...

Direction: 60%
Elle est très floue au centre parce ue trop démultipliée, sa reversiilité est faible et son assistance arfois insuffisante.

Sécurité: 50%
Du fait de leur structure moins homogène et malgré de nombreux renforts, les fourgonnettes sont plus vulnérables que les automobiles en cas de collision . La protection des occupants repose sur des ceintures à trois points de fixation, car les deux coussins gonflables ne sont proposés qu'en option. Mentionnons cependant la présence d'appuietête à toutes les places.

POINTS FAIBLES

• **Performances: 10%**
Les 100 ch du moteur 5 cylindres ont bien du mal à entraîner le poids respectable de l'ensemble qui peut dépasser jusqu'à deux tonnes, soit un rapport poids/puissance de 19 kg/ch. Même remarque avec le Diesel dont le couple est légèrement supérieur, mais dont les accélérations et les reprises sont très longues et certains dépassements demandent beaucoup d'anticipation. Une fois lancé l'Eurovan maintient une vitesse de croisière élevée, mais la consommation s'en ressent fortement.

• **Freinage: 30%**
La pédale est spongieuse à commander et c'est regrettable car il est puissant, stable et son endurance excellente.

• **Prix/équipement: 30%**
La version de base offre un équipement des plus limités alors que celui de la GL est plus complet et plus raffiné. À noter: le chauffeliquide de lave-glace et les rétroviseurs chauffants très utiles en conduite hivernale.

• **Comportement: 40%**
Il est rassurant, malgré la hauteur de la carrosserie et la souplesse de sa suspension qui est indépendante et particulièrement bien adaptée. Le roulis est bien contrôlé et la mise en trajectoire aussi aisée en grandes courbes qu'en virages serrés, vu la faiblesse des performances. En ligne droite il est sensible au vent latéral, mais ce n'est rien à côté de ses prédécesseurs. En hiver son équilibre sur chaussée glissante est impressionnant.

• **Niveau sonore: 40%**
La cabine résonne de nombreux bruits de mécanique, de roulement et de vent quand elle ne fait pas office d'amplificateur.

• **Consommation: 40%**
Elle est moins élevée avec la transmission automatique, mais équivaut à celle d'un moteur V6 de 3.0L, sans en avoir les performances. La Diesel est la reine de l'économie, mais elle requiert une certaine philosophie pour s'habituer à ce type de conduite.

• **Dépréciation: 40%**
La réputation de Volkswagen est à la baisse, car la dépréciation est devenue aussi forte que celle de ses rivales.

CONCLUSION

• **Moyenne générale: 62.0 %**
L'Eurovan est plus destiné à des familles nombreuses, qu'à des gens seuls recherchant un véhicule polyvalent. Tant qu'il ne sera pas offert avec un moteur V6, il vaudra mieux regarder ailleurs que de rouler frustré.

CARACTÉRISTIQUES & PRIX

Modèles	Versions	Carrosseries/ Sièges	Cx	Empat. mm	Long x larg x haut. mm x mm x mm	Poids à vide kg	Capacité Remorq. max. kg	Susp. av/ar	Freins av/ar	Direction type	Diamètre braquage m	Tours volant b à b.	Réser. essence l.	Pneus d'origine	Mécaniques d'origine	PRIX $ CDN. 1994
VOLKSWAGEN	**Garantie générale: 3 ans / 60 000 km; mécanique: 5 ans / 100 000 km; antipollution: 6 ans / 80 000 km; corrosion perforation: 6 ans.**															
Eurovan	GL	frg.4p.5/7	0.36	2920	4740x1840x1920	1730	907	i/i	d/t	crém.ass.	11.7	3.5	80.0	205/65R15	L5/2.5/M5	**27 545**
Eurovan	GL Diesel	frg.4p.5/7	0.36	2920	4740x1840x1920	1750	907	i/i	d/t	crém.ass.	11.7	3.5	80.0	205/65R15	L5D/2.4/M5	**27 545**
Eurovan	Camper	frg.4p.4	0.36	2920	4740x1840x1970	2140	907	i/i	d/t	crém.ass.	11.7	3.5	80.0	205/65R15	L5/2.5/M5	**33 505**
Eurovan	CV Diesel	frg.4p.5/7	0.36	2920	4740x1840x1970	2140	907	i/i	d/t	crém.ass.	11.7	3.5	80.0	205/65R15	L5D/2.4/M5	**31 735**

Voir la liste complète des prix 1995 à partir de la page 393.

VOLKSWAGEN Golf-Jetta

Le fond du baril...

On ne peut pas dire que les choses aillent très bien pour Volkswagen par les temps qui courent. Les Golf et Jetta constituent le meilleur exemple d'un excellent produit dont la crédibilité a été sapé par une course au profit. Leur qualité et leur fiabilité s'améliorent, mais le mal est fait...

Renouvelées il y a deux ans, les Golf/Jetta n'ont pas retrouvé l'engouement que le public leur manifestait dans les années 80. Les Golf sont des berlines 3 et 5 portes (hayon) ou décapotable à deux portes, offertes en 3 niveaux de finition: CL, GL et décapotable. La Jetta est une berline à 4 portes disponible en CL et GL et GLX. Les CL sont équipées du moteur 1.8L, alors que les GL et décapotable reçoivent le 2.0L et la GLX le V6 de 2.8L. Le Diesel reste offert en option sur les GL, car VW réalise encore une bonne partie de ses ventes canadiennes avec ce type de moteur à faible taux de pollution.

POINTS FORTS

• Comportement: 80%
Les Golf-Jetta surprennent encore par leur stabilité, car leurs roues semblent soudées à la route, et elles ne transmettent aucun choc, tout en renseignant quand même sur la nature du revêtement. Elles sont neutres en virages serrés car l'essieu arrière offre une mise en appui franche et le roulis est bien contrôlé. On sera moins emphatique à propos de la GLX trop puissante pour ses possibilités et qui n'est pas à mettre entre toutes les mains, pour son côté pointu, particulièrement sur chaussée humide. Trop souple, la suspension provoque des mouvements de caisse qui sont incompatibles avec l'équilibre.

• Direction: 80%
À la fois douce et précise, elle a perdu un peu de sa rapidité, mais son assistance est bien dosée et sa maniabilité excellente, sauf sur la GLX où elle est trop légère et souffre d'un fort effet de couple qui la rend parfois délicate à maîtriser.

• Poste de conduite: 80%
Le tableau de bord est familier, mais ses formes sont plus arrondies et son cloisonnement moins rigoureux. Le bloc d'instruments est compact et bien organisé ce qui permet une lecture facile, les cadrans étant clairement lisibles. Les principales commandes sont standardisées et tombent au bout des doigts et le volant offre une bonne prise. Le conducteur trouve assez vite la meilleure position de conduite grâce aux réglages simples du siège et de la colonne de direction qui est ajustable en option. La visibilité est excellente malgré l'épaisseur des montants de la lunette, et les rétroviseurs bien disposés.

• Technique: 80%
Les dernières Golf-Jetta ressemblent beaucoup aux précédentes, excepté pour la partie avant plus bulbeuse incluant des phares ovales et les formes générales plus arrondies. La carrosserie, monocoque en acier, offre un meilleur profil aérodynamique, puisque son cœfficient est passé de 0.34 à 0.32. La géométrie du train avant, dont les roues sont indépendantes selon l'épure de McPherson, est dite à stabilisation automatique avec déport négatif. À l'arrière VW a perfectionné son essieu de torsion, dont la voie se règle automatiquement pour compenser le sous-virage avec effet directionnel induit. Les freins sont mixtes sur les CL/GL, à 4 disques et ABS sur la GLX.

• Satisfaction: 80%
La fiabilité n'est pas revenue au niveau de celle des Japonaises et nombre de fans sont déçus.

• Coffre: 80%

DONNÉES

Catégorie: berlines et décapotables sous-compactes tractées.
berlines compactes tractées (Jetta).
Classe : 3S & 3

HISTORIQUE

Inauguré en: 1974: Rabbit; 1975: GTi & Jetta; 1985: Golf.
Modifié en: 1985 & 1993 : carrosserie.
Fabriqué à: Mexico:Golf/Jetta;décapotable: Osnabrück, Allemagne.

INDICES

	Golf	Jetta
Sécurité:	65 %	70 % (sans coussind'air)
Satisfaction:	79 %	77 %
Dépréciation:	43.5 %	45 % (2 ans)
Assurance:	(1 091 $)9.0 %	7.6 % (1 201 $)
Prix de revient au km:	0.30 $	0.32 $

NOMBRE DE CONCESSIONNAIRES

Au Québec: 57

VENTES AU QUÉBEC

Modèle	1992	1993	Résultat	Part de marché
Golf	4 789	4 437	- 7.4 %	5.0 %
Jetta	4 689	3 659	- 22.0 %	5.6 %

PRINCIPAUX MODÈLES CONCURRENTS

Golf: DODGE Colt, HONDA Civic Hbk, HYUNDAI Accent, MAZDA 323 NISSAN Sentra, TOYOTA Tercel.
Jetta: ACURA Integra 4p.,CHEVROLET Cavalier, CHRYSLER Neon, FORD Escort-Contour, HONDA Civic 4p., HYUNDAI Elantra, MAZDA Protegé MERCURY Mystique, PONTIAC Sunfire, SATURN SL1 &SL2, SUBARU Impreza, TOYOTA Corolla.

ÉQUIPEMENT

VOLKSWAGEN Golf	**CL**	**GL**		**Diesel**	**Déc.**
VOLKSWAGEN Jetta	**CL**	**GL**	**GLX**		
Boîte automatique:	O	O	O	-	O
Régulateur de vitesse:	O	O	S	O	O
Direction assistée:	S	S	S	S	S
Freins ABS:	-	-	S	O	O
Climatiseur:	O	O	S	O	O
Coussins gonflables (2):	-	O	S	O	S
Garnitures en cuir:	-	-	O	-	-
Radio MA/MF/ K7:	O	S	S	S	S
Serrures électriques:	S	S	S	S	S
Lève-vitres électriques:	O	O	S	O	O
Volant ajustable:	-	O	S	O	S
Rétroviseurs ext. ajustables:	S	S	S	S	S
Essuie-glace intermittent:	S	S	S	S	S
Jantes en alliage léger:	-	S	S	O	S
Toit ouvrant:	O	O	S	O	-
Système antivol:	S	S	S	S	S

S : standard; O : optionnel; - : non disponible

COULEURS DISPONIBLES

Extérieur: Blanc, Gris, Bleu, Rouge, Argent, Noir, Vert , Suède, Violet, Mûre
Intérieur: Gris.

ENTRETIEN

Première révision: 5 000 km
Fréquence: 6 mois/10 000 km
Prise de diagnostic: Oui

QUOI DE NEUF EN 1995 ?

- Nouvelles versions Jetta GLX et Golf GTi avec moteur V6.
- Nouvelle Golf Cabriolet.

Modèles/ versions *: de série	Type / distribution soupapes / carburation	Cylindrée cc	Puissance ch @ tr/mn	Couple lb.pi @ tr/mn	Rapport volumét.	Roues motrices / transmissions	Rapport de pont	Accélér. 0-100 km/h s	400 m D.A. s	1000 m D.A. s	Freinage 100-0 km/h m	Vites. maxi. km/h	Accélér. latérale G	Niveau sonore dBA	Consommation l./100km Ville	Consommation l./100km Route	Carburant Octane
	MOTEURS					**TRANSMISSION**		**PERFORMANCES**									
CL	L4* 1.8 SACT-8-IE	1781	90 @ 5250	106 @ 2500	9.0 :1	avant - M5*	3.67	12.6	18.5	33.5	39	175	0.80	67	9.3	6.6	R 87
Diesel	L4*T 1.9 SACT-8-PI	1896	75 @ 4200	107 @ 2400	22.5 :1	avant - M5*	3.67	15.5	20.7	37.0	40	165	0.79	68	7.2	5.8	D #2
GL	L4* 2.0 SACT-8-IE	1984	115 @ 5400	121 @ 3200	10.4 :1	avant - M5*	3.67	10.5	16.2	32.5	37	195	0.81	67	10.0	6.9	R 87
& cabrio						avant - A4	4.22	12.0	17.0	33.3	41	190	0.81	67	11.6	8.1	R 87
GLX	V6* 2.8 DACT-24-IESMP	2792	172 @ 5800	173 @ 4200	10.0 :1	avant - M5*	3.39	7.7	-	-	-	220	-	-	12.5	11.8	R 87
						avant - A4	3.63	ND									

Plus logeable et plus accessible qu'auparavant, sa capacité peut être augmentée en rabattant les dossiers séparés de la banquette arrière (60/40). Quant à celui de la Jetta il est dangereux de s'y pencher sous peine de souffrir de vertige.

• Sécurité: 70%
La coque a été sérieusement rigidifiée par des renforts incorporés en des endroits stratégiques afin d'améliorer la protection des occupants en cas de collision. Quant aux coussins gonflables, ils ne sont montés en série que sur la décapotable et la GLX.

• Qualité/finition: 70%
Les Golf-Jetta vendues en Amérique du Nord ne sont pas fabriquées en Allemagne, comme la décapotable, mais au Mexique et les problèmes de qualité qu'ils ont connu ont porté un sérieux coup à la crédibilité de VW.

• Sièges: 70%
Ils maintiennent mieux latéralement, mais le soutien lombaire est plus efficace sur les GL et GLX que sur le CL. Les appuie-tête des places arrière ajoutent la sécurité au confort.

• Suspension: 70%
Relativement souple, elle absorbe les défauts de la route avec une certaine douceur car son amplitude lui permet d'encaisser sans peine les défauts de la route.

• Consommation: 70%
Normale pour leur cylindrée, seule la version Diesel a droit au qualificatif d'économique.

• Accès: 60%
il n'est pas facile d'accéder à l'arrière des Golf à deux portes dont le dossier du siège se bascule, mais dont le coussin ne coulisse pas vers l'avant pour libérer suffisamment d'espace.

• Performances: 60%
Grâce à un échelonnement judicieux de leur transmission, les performances du moteur de base, du Diesel et du V6 sont plus impressionnantes que celles du 2.0L qui équipe les GL et qui est sans joie. Bien que le V6 permette une conduite très inspirée (par le risque de contraventions), nous n'avons pas retrouvé les sensations éprouvées en Europe au volant le la Golf VR6.

• Commodités: 60%
De larges vide-poches de portière, un évidement dans la console centrale, des étagères sous le tableau de bord et un coffret à cassettes bien situé constituent les principaux rangements.

• Prix/équipement: 60%
Les Golf/Jetta demeurent plus chères que leurs concurrentes à équipement égal, c'est-à-dire avec peu de choses, puisque les principaux éléments de sécurité sont facturés en option. La GLX est toute équipée, mais son prix frôle les 30 000 $! Faut le faire...

• Dépréciation: 50%
Elle est plus forte que prévue, car elles sont moins en demande.

• Freinage: 50%
Les arrêts de détresse s'effectuent sur des distances moyennes de 40 m ce qui semble être la norme actuelle et le dispositif antiblocage fonctionne bien, même sur revêtement bosselé.

• Niveau sonore: 50%
Malgré la rigidité de la caisse et sa ligne efficace, il reste élevé à cause des bruits mécaniques.

• Habitabilité: 50%
Elle n'a pas beaucoup progressé en terme de volume, par rapport au modèle précédent, mais les principaux dégagements dispensent assez d'espace pour les jambes et la tête.

POINTS FAIBLES

• Assurance: 40%
Les nombreux vols ont fait grimper la prime de ces voitures nettement au-dessus de celle de leurs concurrentes.

CONCLUSION

• Moyenne générale: 65.5 %
Seules la qualité et la fiabilité ramèneront la confiance que ces modèles n'auraient jamais dû perdre... ☺

CARACTÉRISTIQUES & PRIX

Modèles	Versions	Carrosseries/ Sièges	Volume cabine l.	Volume coffre l.	Cx	Empat. mm	Long x larg x haut. mm x mm x mm	Poids à vide kg	Capacité Remorq. max. kg	Susp. av/ar	Freins av/ar	Direction type	Diamètre braquage m	Tours volant b à b.	Réser. essence l.	Pneus d'origine	Mécaniques d'origine	PRIX $ CDN. 1994
VOLKSWAGEN		**Garantie générale: 3 ans / 60 000 km; mécanique: 5 ans / 100 000 km; antipollution: 5 ans / 80 000 km; corrosion perforation: 6 ans.**																
Golf	CL	ber. 3 p.5	2492	495	0.32	2475	4020x1695x1425	1117	454	i/si	d/t	crém.ass.	9.95	3.2	55.0	175/70R13	L4/1.8/M5	**12 295**
Golf	CL	ber. 5 p.5	2492	495	0.32	2475	4020x1695x1425	1146	454	i/si	d/t	crém.ass.	9.95	3.2	55.0	175/70R13	L4/1.8/M5	**12 795**
Golf	GL	ber. 3 p.5	2492	495	0.32	2475	4020x1695x1425	1173	454	i/si	d/t	crém.ass.	9.95	3.2	55.0	185/60R14	L4/2.0/M5	**14 495**
Golf	GL	ber. 5 p.5	2492	495	0.32	2475	4020x1695x1425	1210	454	i/si	d/t	crém.ass.	9.95	3.2	55.0	185/60R14	L4/2.0/M5	**14 495**
Golf	GL Diesel	ber. 3 p.5	2492	495	0.32	2475	4020x1695x1425	1005	454	i/si	d/t	crém.ass.	9.95	3.2	55.0	185/60R14	L4D/1.9/M5	**14 495**
Golf	GL Diesel	ber. 5 p.5	2492	495	0.32	2475	4020x1695x1425	1030	454	i/si	d/t	crém.ass.	9.95	3.2	55.0	185/60R14	L4D/1.9/M5	**14 995**
Golf	Cabriolet	déc. 2 p.5	2140	270	0.38	2475	4078x1695x1400	1335	NR	i/si	d/t	crém.ass.	9.95	3.2	55.0	195/60HR14	L4/2.0/M5	**ND**
Jetta	CL	ber.4p.5	2492	550	0.32	2475	4404x1695x1426	1170	454	i/si	d/d	crém.ass.	9.95	3.2	55.0	185/60HR14	L4/1.8/M5	**16 215**
Jetta	GL	ber.4p.5	2492	550	0.32	2475	4404x1695x1426	1217	454	i/si	d/d	crém.ass.	9.95	3.2	55.0	185/60HR14	L4/2.0/M5	**18 995**
Jetta	GL Diesel	ber.4p.5	2492	550	0.32	2475	4404x1695x1426	1254	454	i/si	d/d	crém.ass.	9.95	3.2	55.0	185/60HR14	L4D/1.9/M5	**17 555**
Jetta	GLX	ber.4p.5	2492	550	0.34	2471	4404x1695x1426	1330	454	i/si	d/d/ABS	crém.ass.	10.41	3.17	55.0	205/50HR15	V6/2.8/M5	**ND**

Voir la liste complète des prix 1994 à partir de la page 393.

Cure de jouvence...

La Passat vient de subir une remise à l'heure qui s'imposait. La plupart de ses défauts majeurs on[t] été corrigés et elle est aujourd'hui au mieux de sa forme. Reste à faire passer le message, car i[l] ne suffit pas d'avoir de bons produits, encore faut-il savoir les vendre, et ce n'est qu'une questio[n] d'attitude.

La Passat a plus de vingt ans durant lesquels elle s'est vendue à 6.2 millions d'exemplaires dans le monde. La quatrième génération qui a été récemment présentée est offerte en berline ou familiale à 4 portes, en 2 finitions : GLS de base à moteur Diesel et GLX avec V6. La transmission de série de la GLS est manuelle et celle de la GLX automatique, offerte en option sur la GLS. La carrosserie a été retouchée de manière esthétique sur la partie frontale et de façon pratique par un réaménagement du volume de la cabine et du coffre.

POINTS FORTS

• Sécurité: 90%
La Passat est maintenant pleinement sécuritaire, car en plus de la pose de nombreux renforts, y compris dans les portes, deux coussins d'air protègent les occupants des places avant.

• Technique: 80%
La carrosserie monocoque en acier a une bonne efficacité aérodynamique puisque son cœfficient de traînée varie de 0.31 à 0.33 selon le modèle. Sa ligne particulière se distingue nettement des produits japonais stéréotypés, par le fait qu'elle ne possède pas de calandre. La suspension avant est de type McPherson et les roues directrices ont un déport négatif visant à réduire l'amorce du sous-virage. À l'arrière, les roues sont semi-indépendantes avec un essieu de torsion monté sur des paliers autocorrecteurs, qui procurent un léger effet de braquage induit sous la force latérale, facilitant la mise en trajectoire et stabilisant le véhicule lors des changements de voie rapides. Le moteur de la GLS est un Diesel de 1.9L donnant 75 ch et celui de la GLX le même V6 qui équipe déjà le Corrado et la Jetta GLX.

• Comportement: 80%
Les Passat affichent une excellente tenue de route grâce au compromis intelligent de sa suspension qui, malgré sa souplesse, génère peu de roulis permettant un bon cœfficient d'accélération latérale (0.83).

• Qualité & finition: 80%
Comme la plupart des voitures fabriquées en Allemagne, la Passat dégage une forte impression de robustesse et d'homogénéité. La présentation intérieure est moins austère qu'auparavant et les matériaux sont de bonne qualité.

• Poste de conduite: 80%
Le tableau de bord est compact et ergonomique avec ses contrôles lisibles et ses commandes bien disposées. Le sélecteur de la boîte manuelle, commandé par câbles, est d'une grande douceur et sa précision est convenable. La position de conduite la plus efficace est facile à trouver et la visibilité satisfaisante, sauf vers l'arrière de la berline, où la lunette a une forme particulière.

• Direction: 80%
Elle autorise un guidage très précis, car elle est aussi bien assistée que démultipliée et la maniabilité est normale.

• Accès: 80%
Il est aisé de prendre place à bord les portes étant bien proportionnées et la garde-au-toit suffisante.

• Sièges: 80%
Bien formés, ils procurent un maintien et un soutien adéquats, et leur

DONNÉES

Catégorie: berlines et familales compactes tractées.
Classe : 4

HISTORIQUE

Inauguré en: 1973
Modifié en: 1980,1988: renouvellement.
Fabriqué à: Emden, Allemagne.

INDICES

Sécurité: 90 %
Satisfaction: 73 %
Dépréciation: 57.5 %
Assurance: 4.8 % (1 308 $)
Prix de revient au km: 0. 40 $

NOMBRE DE CONCESSIONNAIRES

Au Québec: 57

VENTES AU QUÉBEC

Modèle	1992	1993	Résultat	Part de marché
Passat	1 877	1 332	- 29.1 %	3.7 %

PRINCIPAUX MODÈLES CONCURRENTS

BUICK Skylark, CHRYSLER Cirrus-Stratus HONDA Accord, MAZDA 626 NISSAN Altima, OLDSMOBILE Achieva, PONTIAC Grand Am, SUBAR[U] Legacy, TOYOTA Camry.

ÉQUIPEMENT

VOLKSWAGEN Passat	GLS	GLX
Boîte automatique:	-	O
Régulateur de vitesse:	S	S
Direction assistée:	S	S
Freins ABS:	S	S
Climatiseur:	S	S
Coussins gonflables (2):	S	S
Garnitures en cuir:	O	O
Radio MA/MF/ K7:	S	S
Serrures électriques:	S	S
Lève-vitres électriques:	S	S
Volant ajustable:	S	S
Rétroviseurs ext. ajustables:	S	S
Essuie-glace intermittent:	S	S
Jantes en alliage léger:	S	S
Toit ouvrant:	O	O
Système antivol:	S	S

S : standard; O : optionnel; - : non disponible

COULEURS DISPONIBLES

Extérieur: Blanc, Rouge, Bleu, Vert, Gris, Noir, Mauve.
Intérieur: Gris, Noir, Bleu, Beige.

ENTRETIEN

Première révision: 5 000 km
Fréquence: 6 mois/10 000 km
Prise de diagnostic: Oui

QUOI DE NEUF EN 1995 ?

- Retouches esthétiques à la carrosserie.
- Amélioration du volume habitable et du coffre.
- Niveau de sécurité accru.
- Élimination des moteurs à essence 4 cylindres.

MOTEURS						TRANSMISSION					PERFORMANCES							
Modèles/ versions *: de série	Type / distribution soupapes / carburation	Cylindrée cc	Puissance ch @ tr/mn	Couple lb.pi @ tr/mn	Rapport volumét.	Roues motrices / transmissions	Rapport de pont	Accélér. 0-100 km/h s	400 m D.A. s	1000 m D.A. s	Freinage 100-0 km/h m	Vites. maxi. km/h	Accélér. latérale G	Niveau sonore dBA	Consommation l./100km Ville	Consommation l./100km Route	Carburan[t] Octane
GLS diesel	L4* 1.9 SACT-16-IE	1896	75 @ 4400	100 @ 2400	22.5 :1	avant - M5*	3.94	17.8	23.1	37.6	40	165	0.80	68	7.9	5.9	D
GLX VR6	V6* 2.8 DACT-12-IES	2792	172 @ 5800	177 @ 4200	10.0 :1	avant - M5*	3.39	8.5	15.8	29.0	39	225	0.83	66	12.5	8.6	R 87
						avant - A4	3.70	10.3	16.7	30.0	40	220	0.83	66	14.4	8.7	M 89

rembourrage semble moins dur que par le passé.

• Assurance: 75%
L'indice est moyen, mais le prix à la hausse donne une prime qui l'est tout autant.

• Satisfaction: 75%
Bien qu'ils soient fabriqués en Allemagne par une compagnie responsable, les problèmes rencontrés avec les dispositifs électroniques du système d'injection et de gestion de la boîte automatique, ont fait chuter la cote de popularité de ces modèles.

• Habitabilité: 70%
Bien que spacieux, l'habitacle n'accueillera confortablement que 4 adultes mais en dépannage, un cinquième pourra prendre place à l'arrière.

• Coffre: 70%
Aussi logeable sur la berline que sur la familiale, son ouverture a été améliorée pour faciliter la manutention des bagages.

• Commodités: 70%
Les rangements sont aussi nombreux que pratiques et bien disséminés dans l'habitacle.

• Suspension: 70%
Plus moelleuse qu'auparavant, son débattement lui permet d'absorber efficacement les dénivelations de la route. Toutefois, les pneus marquent encore brutalement le passage des saignées transversales.

• Consommation: 70%
Le V6 est infiniment plus gourmand que le Diesel, tout en demeurant raisonnable compte tenu de ses prestations et du poids non négligeable de la demoiselle.

• Niveau sonore: 60%
L'insonorisation a été améliorée de diverses manières, au point que la version Diesel n'est pas beaucoup plus bruyante que celle à essence.

• Performances: 60%
Le moteur Diesel semble plein d'entrain, mais le chronomètre dément cette impression puisqu'il faut un peu moins de 20 secondes pour passer de 0 à 100 km/h. Il offre toutefois un couple intéressant qui favorise les reprises, même en charge. Le choix est maintenant plus facile, car les économes opteront pour ce dernier et les sportifs pour le V6 qui apporte une dimension différente à la Passat. Puissant, tout en étant souple, il procure des accélérations et des reprises dynamiques, mais pas autant que sur le Corrado qui est beaucoup plus léger.

• Freinage: 50%
Il se montre aussi efficace que facile à doser et l'ABS lui procure un équilibre rassurant. Moins dure au contact, la pédale est plus progressive et plus facile à doser.

POINTS FAIBLES

• Prix/équipement: 40%
Le prix des Passat est moins compétitif qu'il l'était au moment de son introduction. La richesse de l'équipement de série explique en partie cette hausse qui risque de freiner les ventes.

• Dépréciation: 40%
Tout ceux qui ont eu des Passat de troisième génération ont payé cher leur confiance en VW, car les nombreux ennuis qu'elles ont connus, ont fait chuter le prix.

CONCLUSION

• Moyenne générale: 70.0 %
Volkswagen a un urgent besoin de retrouver la confiance que de nombreux fanatiques avaient en ses produits. Ce n'est pas un accident si la Passat et les GolfJetta ont connu autant de problèmes de fiabilité. Cela résulte d'un abaissement de la qualité, dans le but d'améliorer les profits, ou de la négligence apportée à les régler rapidement pour éviter qu'ils se propagent. On a déjà connu ce climat de détresse chez Audi il y a quelques années et, comme par hasard, c'était sous le règne du Dr. Piech qui dirige aujourd'hui Volkswagen... ☺

SUGGESTIONS DES PROPRIÉTAIRES

-Améliorer la fiabilité.
-Des roues de 15 pouces sur la GLS.
-Boîte manuelle trop longue.
-Meilleure visibilité arrière.
-Une présentation plus luxueuse.

CARACTÉRISTIQUES & PRIX

Modèles	Versions	Carrosseries/ Sièges	Volume cabine l.	Volume coffre l.	Cx	Empat. mm	Long x larg x haut. mm x mm x mm	Poids à vide kg	Capacité Remorq. max. kg	Susp. av/ar	Freins av/ar	Direction type	Diamètre braquage m	Tours volant b à b.	Réser. essence l.	Pneus d'origine	Mécaniques d'origine	PRIX $ CDN. 1994
VOLKSWAGEN		**Garantie générale: 3 ans / 60 000 km; mécanique: 5 ans / 100 000 km; antipollution: 5 ans / 80 000 km; corrosion perforation: 6 ans.**																
Passat	GLS Diesel	ber. 4 p.5	2705	495	0.32	2625	4605x1720x1430	1350	907	i/si	d/d/ABS	crém.ass.	10.4	3.33	70.0	195/60R14	L4D/1.9/M5	**26 495**
Passat	GLS Diesel	fam. 5 p.5	2810	465	0.36	2625	4595x1720x1485	1370	907	i/si	d/d/ABS	crém.ass.	11.6	3.33	70.0	195/60R14	L4D/1.9/M5	**27 495**
Passat	GLX VR6	ber. 4 p.5	2705	495	0.32	2625	4605x1720x1430	1447	907	i/si	d/d/ABS	crém.ass.	10.4	3.08	70.0	215/50R15	V6/2.8/M5	**29 495**
Passat	GLX VR6	fam. 5 p.5	2810	465	0.36	2625	4595x1720x1485	1477	907	i/si	d/d/ABS	crém.ass.	11.6	3.08	70.0	215/50R15	V6/2.8/M5	**30 495**

Voir la liste complète des prix 1995 à partir de la page 393.

Cendrillon suédoise...

Cette traction avant dont Volvo ne voulait pas est en train de lui sauver la vie. Après avoir attend longtemps pour se rendre à l'évidence, Volvo a finalement plongé et c'est désormais l'histoire d'u succès. Comme quoi il n'y a que les imbéciles qui ne changent pas d'avis...

La 850 continue de prouver que Volvo a eu raison de changer son fusil d'épaule au sujet de la traction car ses ventes se maintiennent, même si Volvo ignore combien il en vend réellement. Elles continuent d'être offertes en berlines ou familiales à quatre portes en trois finitions avec moteur 5 cylindres de 2.4L. L'année 1995 voit l'arrivée d'une version GLE qui constituera le bas de gamme avec un moteur à 10 soupapes, la GLT atmosphérique à 20 soupapes et la Turbo à moteur 2.3L. Les boîtes de vitesses sont manuelle en série ou automatique en option, sauf la Turbo qui n'est livrée qu'avec l'automatique.

POINTS FORTS

• Sécurité: 90%

La structure de la 850 est caractérisée par l'implantation à l'avant de deux longerons superposés et d'une véritable cage qui protège autant des chocs frontaux, arrière, latéraux que des tonneaux. Une traverse rigidifie le plancher arrière sous la banquette et un caisson fermé, placé entre les sièges avant, doit absorber l'énergie d'un impact latéral pour éviter qu'il se transmette à d'autres parties de la carrosserie. Les portes sont munies d'un rail et d'un coussinage destinés à diminuer les effets du choc sur les occupants, tandis que les deux coussins d'air avant sont fournis d'origine et que les ceintures sont à surtension.

• Satisfaction: 90%

Les propriétaires apprécient les efforts que fait Volvo pour améliorer son produit et son service, mais cela coûte encore cher.

• Technique: 80%

La carrosserie de la 850 ne rompt pas avec la tradition puisque son apparence comporte tous les attributs traditionnels de la marque qui ont fait le succès des 240 et des 700 avant elle. C'est une monocoque en acier dont le poids est distribué selon le rapport 60/40. La suspension avant s'inspire de l'épure de McPherson, alors qu'à l'arrière l'assemblage est baptisé «Delta Link». C'est un train semi-indépendant fonctionnant selon le principe des barres de torsion, selon une

DONNÉES

Catégorie: berlines et familiales de luxe tractées.
Classe : 7

HISTORIQUE

Inauguré en: 1992
Modifié en: Importée en 1993.1994: familiale et Turbo.
Fabriqué à: Gand, Belgique & Torslanda, Suède

INDICES

Sécurité: 90 %
Satisfaction: 90 %
Dépréciation: 33% (2 ans)
Assurance: (1 308 $) base 3.8 % 3.7 % (1 429 $) turbo
Prix de revient au km: 0.62 $

NOMBRE DE CONCESSIONNAIRES

Au Québec: 12

VENTES AU QUÉBEC

Modèle	1992	1993	Résultat	Part de marché
Volvo	ND			

PRINCIPAUX MODÈLES CONCURRENTS

ACURA Vigor, AUDI A4, INFINITI J30, LEXUS ES300, MERCEDES BENZ clase C, NISSAN Maxima, SAAB 900.

ÉQUIPEMENT

VOLVO 850	GLE	GLT	Turbo
Boîte automatique:	O	O	S
Régulateur de vitesse:	O	S	S
Direction assistée:	S	S	S (autom.)
Freins ABS:	S	S	S
Climatiseur:	O	S	S
Coussins gonflables (2):	S	S	S
Garnitures en cuir:	O	O	S
Radio MA/MF/ K7:	S	S	S
Serrures électriques:	S	S	S
Lève-vitres électriques:	S	S	S
Volant ajustable:	S	S	S
Rétroviseurs ext. ajustables:	S	S	S
Essuie-glace intermittent:	S	S	S
Jantes en alliage léger:	S	S	S
Toit ouvrant:	O	S	S
Système antivol:	S	S	S

S : standard; O : optionnel; - : non disponible

COULEURS DISPONIBLES

Extérieur: Noir, Blanc, Rouge, Bleu, Vert, Argent, Graphite, Gris, Sable, Sarcelle.
Intérieur: Bleu, Taupe, Gris.

ENTRETIEN

Première révision: 16 000 km; Tbo : 8 000 km
Fréquence: 16 000 km; Tbo : 8 000 km
Prise de diagnostic: Oui

QUOI DE NEUF EN 1995 ?

- **Nouveau modèle 960 à l'esthétique, au moteur et au train arrière différents.**
- **Coussins gonflables latéraux.**
- **Nouvelle version de base à moteur 10 soupapes de 138 ch.**
- **Pare-chocs, poignées de porte, bas de caisse de la même couleur que la carrosserie.**
- **Porte-gobelets pour passagers avant et arrière.**

	MOTEURS					TRANSMISSION		PERFORMANCES									
Modèles/ versions *: de série	Type / distribution soupapes / carburation	Cylindrée cc	Puissance ch @ tr/mn	Couple lb.pi @ tr/mn	Rapport volumét.	Roues motrices / transmissions	Rapport de pont	Accélér. 0-100 km/h s	400 m D.A. s	1000 m D.A. s	Freinage 100-0 km/h m	Vites. maxi. km/h	Accélér. latérale G	Niveau sonore dBA	Consommation l./100km Ville	Route	Carburant Octane
GLE	L5* 2.4 DACT-10-IEPM	2435	138 @ 5400	152 @3600	10.0 :1	avant - M5	4.00	ND									
						avant - A4	2.74	ND									
GLT	L5* 2.4 DACT-20-IEPM	2435	168 @ 6200	162 @3300	10.5 :1	avant - M5	4.00	8.9	16.5	30.0	37	205	0.78	66	11.7	7.6	R 87
						avant - A4	2.74	9.6	17.0	31.5	39	200	0.78	66	11.9	7.9	R 87
Turbo	L5T* 2.3 DACT-20-IEPM	2319	222 @ 5200	221 @2100	8.5 :1	avant - M5	2.54	7.6	15.6	28.7	40	235	0.80	68	12.1	8.2	M 89

géométrie qui contrôle l'amplitude et la flexibilité et auquel une barre antiroulis est incorporée. Les freins sont à disque aux quatre roues, contrôlés par un dispositif ABS et une soupape d'équilibrage entre les circuits avant/arrière. Le moteur 5 cylindres est modulaire entre le 4 et le 6 avec lesquels il partage certains éléments. Il est monté transversalement et bénéficie d'un dispositif d'alimentation particulier mis au point par Volvo sous l'appellation VVIS.

• Qualité & finition: 80%
L'assemblage fait très solide et de nombreux détails démontrent un souci de qualité. La présentation intérieure est sévère, mais le choix de couleurs est intéressant, la qualité des matériaux bonne et la finition méticuleuse.

• Poste de conduite: 80%
La position de conduite idéale est facile à trouver grâce aux multiples réglages du siège et du volant ajustable dans les deux axes. La visibilité est excellente sous tous les angles et les rétroviseurs latéraux sont bien dimensionnés. Le conducteur trouve toute l'information nécessaire dans le tableau de bord typiquement Volvo. Les instruments sont nombreux et clairs, et les commandes bien disposées, à l'exception de celle du régulateur de vitesse et des interrupteurs de vitres et rétroviseurs placées sur la console centrale. Il faudrait inverser la position de la radio, dont on se sert plus souvent, avec celle du climatiseur.

• Accès: 80%
Il n'est pas compliqué de s'installer à bord car les portes ouvrent large et sont bien dimensionnées.

• Sièges: 80%
Ils soutiennent confortablement la partie lombaire, mais l'on apprécierait un maintien latéral plus évident surtout avec les garnitures en cuir.

• Suspension: 80%
Elle est moelleuse et isole bien des défauts de la route, bien que l'on perçoive parfois, selon le revêtement, des vibrations en provenance du train.

• Direction: 80%
Rapide et précise, son assistance est toutefois un peu forte dans certaines circonstances, mais la maniabilité est favorisée par le diamètre de braquage court.

• Assurance: 80%
La prime est très réaliste, compte tenu du prix et de l'indice basé sur une clientèle sage.

• Performances: 75%
Le rapport poids-puissance est plus favorable, sur les GLT et Turbo qu'avec le moteur à 10 soupapes qui manque de souffle et préfère la transmission manuelle. Il présente au moins l'avantage d'être plus économique, on ne peut pas tout avoir! Les accélérations sont plus rapides que les reprises avec le 20 soupapes mais c'est le Turbo qui rappelle le plus les 740, par la fougue de ses accélérations et la puissance de ses reprises due à son couple étonnant. C'est un vrai régal que d'enfoncer l'accélérateur, car le temps de réponse est réduit au minimum.

• Comportement: 65%
Il est très sain quelle que soit la nature du revêtement, et le vent latéral a peu d'influence sur la trajectoire, mais la souplesse et l'amplitude de la suspension provoquent un roulis non négligeable qui accélère l'apparence du sous-virage selon la vitesse.

• Habitabilité: 65%
La cabine accueille quatre adultes et un jeune enfant au centre de la banquette arrière, où un siège spécial a été incorporé à l'accoudoir central. Les dégagements sont bien calculés et il y a assez d'espace pour la tête et les jambes.

• Commodités: 65%
Les rangements comptent une boîte à gants et un coffret situé sous l'accoudoir central à l'avant. Mais les vide-poches situés au bas des portes avant ne sont pas des plus pratiques.

• Niveau sonore: 60%
Le groupe propulseur, la suspension avant et la direction sont installés sur un sous-châssis indépendant qui isole la cabine des vibrations. L'ambiance feutrée n'est troublée que par le bruit des pneus au passage des saignées transversales, ou du moteur lors des fortes accélérations.

• Coffre: 60%
Plus court et plus haut que d'ordinaire, il est très logeable même lorsque les places arrière sont occupées, mais on peut l'agrandir en rabattant le dossier de la banquette en deux parties (60/40), et une trappe à skis est aménagée dans l'accoudoir central.

• Freinage: 60%
Il est très efficace en terme de distance et aussi facile à doser en usage normal que lors des arrêts d'urgence où l'ABS joue parfaitement son rôle.

• Consommation: 60%
La consommation est à l'unisson des performances qui sont celles d'un moteur V6.

• Dépréciation: 60%
En pleine lune de miel la valeur de revente se maintient au-dessus le la moyenne.

POINTS FAIBLES

• Prix/équipement: 30%
Abordable en version de base, la 850 fait payer plus cher son tempérament sportif.

CONCLUSION

• Moyenne générale: 71.0 %
Avec la 850 Volvo tient «sa poule aux œufs d'or», pourvu que ça dure...

CARACTÉRISTIQUES & PRIX

Modèles	Versions	Carrosseries/ Sièges	Volume cabine l.	Volume coffre l.	Cx	Empat. mm	Long x larg x haut. mm x mm x mm	Poids à vide kg	Capacité Remorq. max. kg	Susp. av/ar	Freins av/ar	Direction type	Diamètre braquage m	Tours volant b à b.	Réser. essence l.	Pneus d'origine	Mécaniques d'origine	PRIX $ CDN. 1994
VOLVO		**Garantie générale: 4 ans / 80 000 km; corrosion: 8 ans / kilométrage illimité; antipollution: 5 ans / 80 000 km.**																
850	GLE	ber. 4p. 5	2747	416	0.32	2664	4661x1760x1415	1466	454	i/si	d/d/ABS	crém.ass.	10.21	3.2	73.0	195/60VR15	L5/2.4/M5	**29 095**
850	GLE	fam. 5p. 5	2747	1050	0.34	2664	4710x1760x1445	1516	454	i/si	d/d/ABS	crém.ass.	10.21	3.2	73.0	195/60VR15	L5/2.4/M5	**30 095**
850	GLT	ber. 4p. 5	2747	416	0.32	2664	4661x1760x1415	1466	454	i/si	d/d/ABS	crém.ass.	10.21	3.2	73.0	195/60VR15	L5/2.4/M5	**35 295**
850	GLT	fam. 5p. 5	2747	1050	0.34	2664	4710x1760x1445	1516	454	i/si	d/d/ABS	crém.ass.	10.21	3.2	73.0	195/60VR15	L5/2.4/M5	**36 595**
850	Turbo	ber. 4p. 5	2747	416	0.32	2664	4661x1760x1415	1487	454	i/si	d/d/ABS	crém.ass.	10.51	3.2	73.0	205/50ZR16	L5T/2.3/A4	**40 095**
850	Turbo	fam. 5p. 5	2747	1050	0.34	2664	4710x1760x1445	1536	454	i/si	d/d/ABS	crém.ass.	10.51	3.2	73.0	205/50ZR16	L5T/2.3/A4	**40 995**

Voir la liste complète des prix 1994 à partir de la page 393.

Jet set...

Volvo vient de revamper sa 960 afin qu'elle puisse désormais faire partie du Gotha mondial de l'automobile. Si sa carrosserie possède encore le même format que les modèles plus modestes, son contenu a été mis à niveau et elle possède aujourd'hui tous les attributs d'une vraie voiture de luxe.

La série 900 constitue le haut de gamme du constructeur suédois. Elle se compose de trois berlines à 4 portes et de trois familiales à 5 portes en trois versions selon la mécanique qui les anime. Les 944 et 945 sont pourvues d'un 4 cylindres 2.3L atmosphérique à SACT alors que les 944 et 945 Turbo ont repris le flambeau des anciennes 744 et 745. Les 964 et 965, qui ont subi cette année de profonde retouches, sont équipées d'un nouveau 6 cylindres en ligne à 24 soupapes de 3.0L. Tous ces modèles sont livrés d'origine avec une transmission automatique à 4 rapports. En 1995 la 960 reçoit une nouveau train arrière à roues indépendantes à bras multiples et des retouches de carrosseries importantes.

POINTS FORTS

• Sécurité: 90%

Les grosses Volvo résistent bien aux impacts frontaux et latéraux, parce que leur structure est l'une des plus rigides et que les portes ainsi que le plancher et le toit comprennent des renforts importants. Deux sacs gonflables, des ceintures à rétraction et un siège d'enfant intégré à l'accoudoir central arrière équipent en série toutes les 900.

• Technique: 80%

La carrosserie monocoque en acier a des suspensions indépendantes à l'avant et un essieu rigide à l'arrière, excepté la berline 960 dont les quatre roues sont indépendantes. Le moteur à 4 cylindres est une vieille connaissance héritée de la série 700, tandis que le 6 cylindres en ligne, plus moderne, en est à sa deuxième génération. Avec ce moteur, Volvo rejoint le club des BMW et des Mercedes qui ont toujours privilégié ce type de propulseur pour sa simplicité, son équilibre et son couple élevé à bas régime. C'est à l'efficacité de ses tubulures et à la centrale Motronic de Bosch, qui gère allumage et carburation, qu'il doit sa puissance et son taux de compression élevé. Il est associé à la transmission automatique à contrôle électronique qui fonctionne selon 3 modes: E pour économie, S pour sport et W

DONNÉES

Catégorie: berlines et familiales de luxe propulsées.
Classe : 7

HISTORIQUE

Inauguré en: 1990: série 900 4 cyl.
Modifié en: 1992: moteur L6.
Fabriqué à: Torslanda, Suède & Halifax, Canada.

INDICES

Sécurité: 90 %
Satisfaction: 90 %
Dépréciation: 48 %
Assurance: 940 (1 201 $) 3.7 % 3.7 % (1 545 $) 960
Prix de revient au km: 0.62 $

NOMBRE DE CONCESSIONNAIRES

Au Québec: 12

VENTES AU QUÉBEC

Modèle	1992	1993	Résultat	Part de marché
Volvo	ND	-	-	-

PRINCIPAUX MODÈLES CONCURRENTS

ACURA Legend, ALFA ROMEO 164, AUDI A6, BMW 525, LEXUS ES300, INFINITI J30, MAZDA Millenia, MERCEDES classe C, NISSAN Maxima, SAAB 9000.

ÉQUIPEMENT

VOLVO	940	940 Tbo	960
Boîte automatique:	S	S	S
Régulateur de vitesse:	S	S	S
Direction assistée:	S	S	S (autom.)
Freins ABS:	S	S	S
Climatiseur:	S	S	S
Coussins gonflables (2):	S	S	S
Garnitures en cuir:	O	O	S
Radio MA/MF/ K7:	S	S	S
Serrures électriques:	S	S	S
Lève-vitres électriques:	S	S	S
Volant ajustable:	O	O	S
Rétroviseurs ext. ajustables:	S	S	S
Essuie-glace intermittent:	S	S	S
Jantes en alliage léger:	O	O	S
Toit ouvrant:	O	O	S
Système antivol:	-	-	S

S : standard; O : optionnel; - : non disponible

COULEURS DISPONIBLES

Extérieur: Noir, Blanc, Rouge, Bleu, Argent, Graphite, Gris, Taupe, Sarcelle, Sable, Améthyste, Vert.
Intérieur: Noir, Bleu, Gris, Beige.

ENTRETIEN

Première révision: 16 000 km
Fréquence: 16 000 km
Prise de diagnostic: Oui

QUOI DE NEUF EN 1995 ?

- **Coussins gonflables latéraux.**
- **Pare-chocs, poignées de porte et bas de caisse de la méme couleur que la carrosserie.**
- **Porte-gobelets pour passagers avant et arrière.**

MOTEURS					TRANSMISSION						PERFORMANCES						
Modèles/ versions *: de série	Type / distribution soupapes / carburation	Cylindrée cc	Puissance ch @ tr/mn	Couple lb.pi @ tr/mn	Rapport volumét.	Roues motrices / transmissions	Rapport de pont	Accélér. 0-100 km/h s	400 m D.A. s	1000 m D.A. s	Freinage 100-0 km/h m	Vites. maxi. km/h	Accélér. latérale G	Niveau sonore dBA	Consommation l./100km Ville	Consommation l./100km Route	Carburant Octane
940	L4* 2.3 SACT-8-IE	2316	114 @ 5400	136 @ 2150	9.8 :1	arrière - A4*	4.10	12.0	18.5	35.2	38	180	0.74	67	12.1	7.9	R 87
940 Turbo	L4T* 2.3 SACT-8-IE	2316	162 @ 4800	195 @ 3450	8.7 :1	arrière - A4*	4.10	8.8	16.8	29.6	40	200	0.76	67	12.1	8.7	R 87
960	L6* 3.0 DACT-24-IE	2922	181 @ 5200	199 @ 4100	10.7 :1	arrière - A4*	3.73	9.0	17.2	30.0	37	200	0.78	66	13.8	8.6	R 87

pour hiver. Alors que les deux premiers diffèrent par la longueur des changements de rapports, le dernier annule l'automatisme et maintient le rapport engagé comme une manuelle. Le freinage est à 4 disques avec ABS sur tous ces modèles. La carrosserie dérive de celle de la série 700 qui a été rigidifiée et retouchée cosmétiquement afin de la rendre plus aérodynamique et plus contemporaine. Celle des 960 arbore maintenant une partie frontale plus fine «à la 850».

• Sièges: 80%
Ils maintiennent et soutiennent efficacement, à l'avant comme à l'arrière, et l'inspiration nordique de leur rembourrage est satisfaisante bien que du genre raide.

• Suspension: 80%
Elle souligne moins sèchement les défauts de la route sur la dernière 960 qui fait preuve d'une souplesse appréciable.

• Qualité & finition: 80%
Les Volvo tirent leur réputation de la solidité de leur constitution et de la robustesse de leur assemblage, de la qualité des matériaux et de la rigueur de finition, traditionnelles de cette marque. Mais seule la 960 peut prétendre au statut de voiture de luxe.

• Poste de conduite: 80%
La position de conduite la plus confortable est rapide à trouver et elle s'accompagne d'une excellente visibilité malgré la présence d'appuie-tête aux places arrière. Le tableau de bord est un classique Volvo, tellement il ressemble à celui des anciennes 700. Massif, il est bien organisé car les instruments sont faciles à déchiffrer et les commandes familières.

• Satisfaction: 80%
En nette hausse par rapport à celle de la série 700, la fiabilité s'est vraiment améliorée sur de nombreux points.

• Performances: 70%
Elles sont très conservatrices avec le moteur de base puisqu'elles rappellent celles des anciennes 240, tandis que le Turbo a un tempérament de feu, et à la limite il est trop fougueux pour la

constitution du châssis et de son antique train arrière. Le 6 cylindres est de velours et ses accélérations ne font sourire que celui qui pousse l'accélérateur.

• Coffre: 70%
Plus spacieux, il est aussi plus accessible à cause de la découpe de son ouverture qui descend jusqu'au ras du pare-chocs.

• Direction: 70%
Trop démultipliée pour être rapide, elle est douce et précise et son court diamètre de braquage lui procure une excellente maniabilité.

• Commodités: 70%
Les rangements comprennent une boîte à gants de bonne taille, des vide-poches de portière, un évidement et un coffret sur la console centrale.

• Accès: 70%
Il est facile d'embarquer dans ces voitures de taille intermédiaire, dont les portes sont suffisamment longues et la forme de toit bien conçue à l'arrière.

• Habitabilité: 65%
Elle reste celle des 700, sauf en ce qui concerne la hauteur intérieure, plus importante grâce au nouveau dessin du toit.

• Niveau sonore: 60%
Les bruits dominants proviennent surtout de la mécanique, des roues et des courants d'air qui pourraient être plus discrets sur les 940, alors que l'ambiance est plus feutrée sur les 960.

• Assurance: 60%
Parce qu'à l'image de leurs clients, ces modèles sont conservateurs et le taux, comme leur prix, est raisonnable.

Freinage: 55%
Puissant, progressif et équilibré son endurance est excellente même si on en abuse.

• Consommation: 50%
Compte tenu des performances et du poids de ces voitures, la dépense en carburant est réaliste car elle dépasse rarement 13 l aux 100 km.

• Dépréciation: 50%
Moins forte que la moyenne depuis que la fiabilité s'est améliorée, mais l'entretien et les pièces sont coûteux une fois que la garantie est terminée, de plus le réseau est limité.

• Comportement: 50%
Il reste tributaire de l'antique train arrière rigide sur les versions qui en sont encore équipées, tandis que le nouveau montage multibras de la 960 est beaucoup plus stable en toutes circonstances et sa motricité supérieure à celle des 940. Que ce soit avec la Turbo ou la 960, la remise des gaz sur chaussée glissante demande toujours un certain tact.

POINTS FAIBLES

• Prix/équipement: 30%
Ce sont les 940 qui ont plus de difficultés à justifier leur prix car il est difficile de les considérer comme des voitures de luxe à l'instar de la 960. La 940 de base est aussi banale que rustique et poussive et, malgré certaines qualités, nombre de concurrentes japonaises sont plus évoluées et plus efficaces. Ces modèles sont toutefois relativement bien équipés, particulièrement la 960.

CONCLUSION

• Moyenne générale: 67.0 %
Si le seul agrément de la 940 de base est d'afficher un prix abordable, la 940 Turbo et la 960 justifient beaucoup mieux leur statut de sportive et de luxueuse. La 960 devrait néanmoins arborer un format plus important.

CARACTÉRISTIQUES & PRIX

Modèles	Versions	Carrosseries/ Sièges	Volume cabine l.	Volume coffre l.	Cx	Empat. mm	Long x larg x haut. mm x mm x mm	Poids à vide kg	Capacité Remorq. max. kg	Susp. av/ar	Freins av/ar	Direction type	Diamètre braquage m	Tours volant b à b.	Réser. essence l.	Pneus d'origine	Mécaniques d'origine	PRIX $ CDN. 1994
VOLVO		**Garantie générale: 4 ans / 80 000 km; corrosion: 8 ans / kilométrage illimité; antipollution: 5 ans / 80 000 km.**																
944	GLE	ber.4 p.5	2662	470	0.35	2770	4870x1760x1410	1455	907	i/i	d/d/ABS	crém.ass.	9.8	3.5	75.0	185/65R15	L4/2.3/A4	**27 595**
945	GLE	fam.5 p.5	2690	1112	0.35	2770	4808x1760x1435	1489	907	i/r	d/d/ABS	crém.ass.	9.8	3.5	75.0	185/65R15	L4/2.3/A4	**28 595**
944	Turbo	ber.4 p.5	2662	470	0.35	2770	4870x1760x1410	-	907	i/i	d/d/ABS	crém.ass.	9.8	3.5	75.0	185/65R15	L4T/2.3/A4	**29 495**
945	Turbo	fam.5 p.5	2690	1112	0.35	2770	4808x1760x1435	-	907	i/r	d/d/ABS	crém.ass.	9.8	3.5	75.0	185/65R15	L4T/2.3/A4	**30 495**
964	SE	ber.4 p.5	2662	470	0.35	2770	4872x1750x1438	1597	907	i/i	d/d/ABS	crém.ass.	9.7	3.5	80.0	205/55VR16	L6/3.0/A4	**40 995**
965	SE	fam.5 p.5	2690	1112	0.35	2770	4862x1750x1463	1638	907	i/i	d/d/ABS	crém.ass.	9.7	3.5	80.0	195/65HR15	L6/3.0/A4	**42 495**

Voir la liste complète des prix 1995 à partir de la page 393.

AIDEZ-NOUS À AMÉLIORER ENCORE CARNET DE ROUTE

EN NOUS FAISANT PART DE VOS COMMENTAIRES

-Dans le but d'améliorer sans cesse la qualité de l'information, la façon dont elle est présentée et d'inaugurer de nouvelles chroniques, nous faisons appel à vos critiques, afin de rester les meilleurs dans notre domaine.

- Classez dans l'ordre ce que vous aimez le plus dans Carnet de Route:

1) ______

2) ______

3) ______

4) ______

5) ______

- Que devrions-nous, selon vous, améliorer ou ajouter à Carnet de Route ?

1) ______

2) ______

3) ______

4) ______

5) ______

- Qu'aimeriez-vous trouver sur la couverture de Carnet de Route?

1) ______

2) ______

3) ______

4) ______

5) ______

- Autres suggestions:

- ______

- ______

- ______

Complétez, découpez et renvoyez cette page à
CARNET DE ROUTE: Télécopieur: (514) 441 20-76

Nom:______

Adresse:______ App.______

Ville:______ Province:______

Code postal:______

Tél: ( )______

PARTICIPEZ À LA RÉDACTION DE CARNET DE ROUTE
EN DEVENANT L'UN DE NOS ESSAYEURS

Complétez la fiche suivante concernant votre automobile personnelle et renvoyez-la nous afin que nous puissions tenir compte de votre expérience dans nos commentaires,
MARQUE: ....Modèle:...........................
Année:.............................Neuve:................Usagée:..............
Finition:...........................Options:..
Nombre de kilomètres au compteur:....................................
Moteur:...........................Transmission:......................................
Consommation en ville: ....
sur route:.................
Combien vous a-t-elle coûté à l'achat?......................................
- **Pour quelles raisons avez-vous choisi ce modèle** ?
....
....
- **Qu'aimez-vous le plus dans votre automobile** ?
1)...
2)...
3)...
4)...
5)...
- **Qu'aimez-vous le moins** ?
1)...
2)...
3)...
4)...
5)...
- **Quelles améliorations voudriez-vous y voir apporter** ?
1)...
2)...
3)...
4)...
5)...
- **Comment jugez-vous sa conduite** ?
les performances..
la direction...
le freinage..
les commandes et contrôles..............................
- **Comment jugez-vous son confort** ?
l'habitabilité..
les sièges...
la suspension..
le bruit..
la climatisation..
- **Que pensez-vous de la qualité de l'assemblage et de la finition**?
-Excellente............................
-Bonne..................................
-Médiocre.............................
-Mauvaise.............................

- **Votre voiture a-t-elle connu des problèmes mécaniques**?
-Non....................................
-Oui....................................
-Si oui, de quelle sorte ?
....
....
....
....
....
- **Avez-vous été satisfait du travail de votre concessionnaire** ?
-Oui.......................................
-Non.......................................
- **Comment jugez-vous la garantie du constructeur** ?
-Excellente................................
-Bonne.....................................
-Médiocre.................................
-Mauvaise.................................
- **Comment jugez-vous la qualité du service de votre concessionnaire?**
-Excellente...............................
-Bonne....................................
-Médiocre................................
-Mauvaise................................
- **Possédez-vous une autre automobile** ?
-Non................Oui................
-Si oui Marque:...............................Modèle..........................
- **Si c'était à refaire, achèteriez-vous le même modèle** ?
....
- **Votre prochaine voiture sera-t-elle de la même marque**?
....
- **Dans quelle tranche d'âge vous situez-vous** ?
-16-30 ans:..............................
-31-40 ans:..............................
-41-50 ans..............................
-51 et plus:..............................

Complétez, découpez et renvoyez ce rapport d'essai à
CARNET DE ROUTE

Télécopieur: (514) 441 20-76

Nom:______________________________
Adresse:_____________________ App.______
Ville:______________ Province:______________
Code postal:____________________
Tél: (   )________________

LE BILAN COMPARATIF PAR CATÉGORIE

LES MEILLEURS ACHATS EN 1995

Comme chaque année, l'équipe de Carnet de Route a mis plus de cinquante modèles à l'épreuve et a soigneusement relevé les paramètres dont l'ensemble constitue la valeur de chaque véhicule. Les différents essayeurs ont confronté leurs impressions et analysé les résultats chiffrés que les appareils de mesure leur ont donnés.

Les véhicules sont classés dans des catégories précises qui correspondent à la fois à leur format global et à celui de leur mécanique. Leurs prestations sont notées selon un système que nous avons mis au point au cours des années.

Quatre-vingt-dix pour cent de ces notes sont attribuées sur la base d'éléments mathématiques irréfutables qui donnent à chaque véhicule une chance égale. La compilation de ces notes donne un résultat en pourcentage qui permet d'évaluer et de comparer les différents modèles les uns par rapport aux autres.

Le système se compense de lui-même. Ainsi, une fourgonnette gagne en habitabilité et accessibilité ce qu'elle perd en performances ou en comportement, et inversement pour un coupé sportif.

Aucun système n'est parfait, mais le nôtre est particulièrement sévère. Il ne faut donc pas s'étonner de l'écart qu'il peut y avoir entre le commentaire subjectif de l'essayeur et le pointage qui peut refléter une réalité plus mathématique. L'impression que donne la conduite d'un certain modèle peut être plus ou moins influencée par de nombreux éléments, alors que la notation analyse plus froidement la réalité.

S'il est aisé de mesurer les dimensions ou le volume d'une cabine, il est difficile de quantifier la qualité des matériaux qui garnissent les sièges ou le moelleux d'une suspension. De même, il n'y a pas de critères clairement définis pour évaluer la qualité d'un assemblage ou d'une finition.

Voir page 8 le barème de notation et les explications connexes.

Mini-compactes de classe 2 de moins de 12 500 dollars

1ère FORD Aspire 57.5%

2 ième GEO Metro 53.0%

3 ième SUBARU Justy 52.5%

Modèles	10 20 30 40 50 60 70 80 90 100%
FORD Aspire	IIIIIIIIIIIIIIIIIIIIIIIIIIIIIIIIIIIIIIIIIIIIIIIIIIIIIIIII 57.5%
GEO Metro & SUZUKI Swift	IIIIIIIIIIIIIIIIIIIIIIIIIIIIIIIIIIIIIIIIIIIIIIIIIIIII 53.0%
SUBARU Justy	IIIIIIIIIIIIIIIIIIIIIIIIIIIIIIIIIIIIIIIIIIIIIIIIIIII 52.5%

Sous-compactes de classe 3 S de 12 500 à 15 000 dollars

1ère MAZDA 323 64.0 %

2 ième HONDA Civic 63.4%

3 ième TOYOTA Tercel 61.0 %

Modèles	%
MAZDA 323	64.0%
HONDA Civic	63.4%
TOYOTA Tercel	61.0%
DODGE Colt & MITSUBISHI Mirage	60.5%
HYUNDAI Accent	59.0%

Compactes de classe 3 de 15 000 à 17 500 dollars

1ère TOYOTA Corolla 68.0 %

2 ième VW Golf 65.5 %

3 ième MAZDA Protegé 64.0%
NISSAN Sentra 64.0%
SATURN SL 64.0%

Modèles	%
TOYOTA Corolla	68.0%
VW Golf	65.5%
MAZDA Protegé	64.0%
NISSAN Sentra	64.0%
SATURN SL	64.0%
HONDA Civic 4p.	63.4%
DODGE Neon	61.0%
SUBARU Impreza	60.5%
CHEVROLET Cavalier & PONTIAC Sunfire	60.5%
FORD Escort	60.0%
HYUNDAI Elantra	60.0%

Compactes de classe 4 de 17 500 à 25 000 dollars

1ère CHRYSLER Cirrus 70.0 %

1ère VW Passat 70.0 %

3 ième HONDA Accord 68.5 %

Modèles	10 20 30 40 50 60 70 80 90 100%
CHRYSLER Cirrus	70.0%
VW Passat	70.0%
HONDA Accord	68.5%
INFINITI G20	68.5%
TOYOTA Camry 4 cyl.	68.0%
MITSUBISHI Galant	67.5%
SAAB 900	67.0%
FORD Contour / MERCURY Mystique	66.5%
ACURA Integra 4p.	66.0%
MAZDA 626	66.0%
SUBARU Legacy	65.0%
NISSAN Altima	63.0%
HYUNDAI Sonata	63.0%
BUICK Skylark / PONTIAC Grand Am / CHEVROLET Corsica/OLDSMOBILE Achieva	58.0%
DODGE Spirit / PLYMOUTH Acclaim	54.0%

Intermédiaires de classe 5 de 25 000 à 27 500 dollars

1ère CHRYSLER LH 70.0 %

2 ième TOYOTA Camry 68.0%

3 ième FORD Taurus 62.7 %

Modèles	10 20 30 40 50 60 70 80 90 100%
CHRYSLER Concorde / DODGE Intrepid & EAGLE Vision	70.0%
TOYOTA Camry	68.0%
FORD Taurus MERCURY Sable	62.7%
BUICK Regal & CHEVROLET Lumina &	60.0%
OLDSMOBILE Cutlass Supreme & PONTIAC Grand Prix BUICK Century	54.0%
OLDSMOBILE Cutlass Ciera	

Grand format de classe 6 de 27 500 à 30 000 dollars

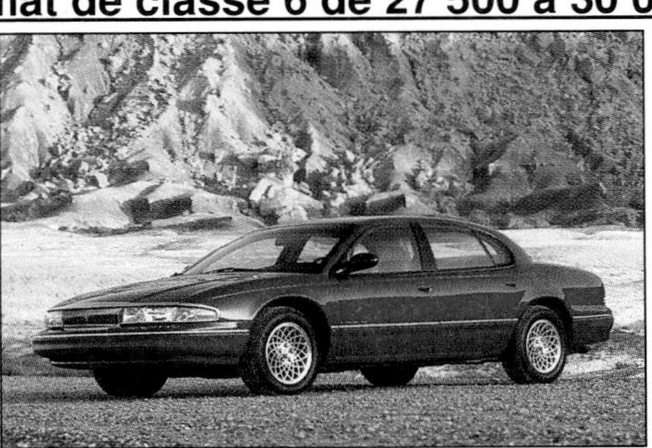

1ère CHRYSLER New Yorker/LHS 69.0 %

2 ième GM série H 66.5 %

3 ième GM série B 62.0 %

Modèles	10 20 30 40 50 60 70 80 90 100%
CHRYSLER New Yorker	69.0%
BUICK Le Sabre & OLDSMOBILE 88 & PONTIAC Bonneville	66.5%
BUICK Roadmaster & CHEVROLET Caprice	62.0%
FORD Crown Victoria & MERCURY Grand Marquis	59.0%

Berlines de luxe de classe 7 de 30 000 à 50 000 dollars

1ère NISSAN Maxima 73.0 %

2 ième LEXUS ES300 72.5 %

3 ième VOLVO 850 71.0 %

Modèles	10 20 30 40 50 60 70 80 90 100%
NISSAN Maxima	73.0%
LEXUS ES300	72.5%
VOLVO 850	71.0%
OLDSMOBILE Aurora	69.0%
SAAB 9000	69.0%
MAZDA Millenia	68.0%
MERCEDES classe C	68.0%
ACURA Vigor	66.5%
ALFA ROMEO 164	66.0%
AUDI A4	65.5%
CADILLAC De Ville	65.5%
INFINITI J30	65.0%
MITSUBISHI Diamante	64.5%
LINCOLN Continental	64.0%
BMW série 3	61.0%

Non classée: TOYOTA Avalon.

LES MEILLEURS ACHATS EN 1995

Berlines de luxe de classe 7 de 50 000 à 75 000 dollars

1ère LEXUS LS400 74.0 %

2 ième MERCEDES E 70.0 %

3 ième INFINITI Q45 69.0 %

10 20 30 40 50 60 70 80 90 100%

Modèles	
LEXUS LS400	74.0%
MERCEDES classe E	70.0%
INFINITI Q45	69.0%
ACURA Legend	68.5%
BMW série 5	68.0%
CADILLAC Seville	66.5%
AUDI A6	66.0%
JAGUAR XJ6	64.0%

Coupés sportifs de classe 3 S de 15 000 à 25 000 dollars

1ère MAZDA MX3 65.0 %

2 ième HONDA del Sol 64.5 %

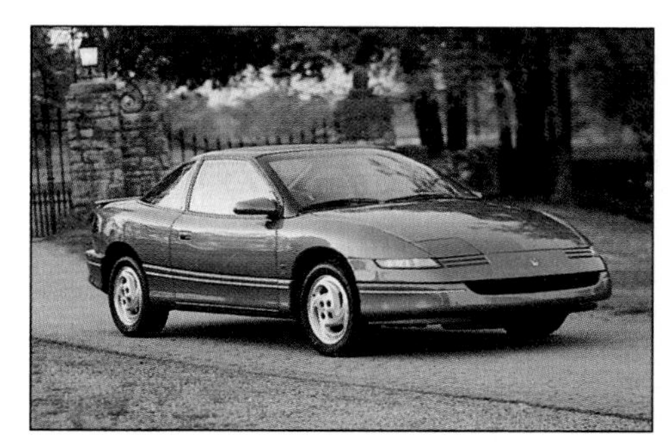

3 ième SATURN SC 64.0 %

10 20 30 40 50 60 70 80 90 100%

Modèles	
MAZDA MX3	65.0%
HONDA del sol	64.5%
SATURN SC	64.0%
TOYOTA Paseo	58.5%
MAZDA Miata	56.5%
HYUNDAI Scoupe	56.0%

Coupés sportifs de classe S de 25 000 à 35 000 dollars

1ère TOYOTA Celica 68.0 %

2 ième VW Corrado 67.5 %

3 ième ACURA Integra 66.0 %

Modèles	10 20 30 40 50 60 70 80 90 100%
TOYOTA Celica	68.0%
VW Corrado	67.5%
ACURA Integra	66.0%
MAZDA MX-6	66.0%
MITSUBISHI Eclipse &EAGLE Talon	65.0%
FORD Mustang	65.0%
FORD Probe	64.0%
BUICK Regal, CHEVROLET Monte Carlo OLDSMOBILE Cutlass, PONTIAC Grand Prix	63.0%
HONDA Prelude	60.5%
FORD T-Bird, MERCURY Cougar	60.0%
CHEVROLET Camaro & PONTIAC Firebird	56.0%

Coupés sportifs GT de 35 000 à 80 000 dollars

1ère LEXUS SC400 70.0 %

2 ième DODGE Stealth 66.5 %

3 ième NISSAN 300ZX 63.0 %

Modèles	10 20 30 40 50 60 70 80 90 100%
LEXUS SC400	70.0%
DODGE Stealth & MITSUBISHI 3000 GT	66.5%
NISSAN 300ZX	63.0%
TOYOTA Supra	62.0%
ACURA NSX	61.5%
MAZDA RX-7	61.5%
CHEVROLET Corvette	56.5%

Camionnettes compactes de 15 000 à 35 000 dollars

1ère CHEVROLET S-10 58.5 %

2ième NISSAN Costaud 56.0%
& TOYOTA & T100 56.0 %

3 ième FORD Ranger 53.0%
& MAZDA B 53.0 %

Modèles	10 20 30 40 50 60 70 80 90 100%
CHEVROLET S-10	58.5%
TOYOTA Camionnette & T100	56.0%
NISSAN Costaud	56.0%
FORD Ranger	53.0%
MAZDA série B	
DODGE Dakota	52.0%

Tout terrain de 15 000 à 35 000 dollars

1ère JEEP Gd Cherokee 64.0 %

2 ième ISUZU Trooper 61.0 %

3 ième TOYOTA 4Runner 60.0 %

Modèles	10 20 30 40 50 60 70 80 90 100%
JEEP Grand Cherokee	64.0%
ISUZU Trooper	61.0%
TOYOTA 4Runner	60.0%
NISSAN Pathfinder	59.5%
TOYOTA Land Cruiser	59.0%
CHEVROLET Blazer	58.5%
MITSUBISHI Montero	57.0%
FORD Explorer &	56.5%
ISUZU Rodeo	55.0%
MAZDA Navajo	
GEO Tracker&	53.0%
SUZUKI Sidekick	
JEEP Cherokee	52.5%
JEEP YJ-Wrangler	44.5%

LES MEILLEURS ACHATS EN 1995

Catégorie des fourgonnettes de 12 500 à 35 000 dollars

2 ième TOYOTA Previa 67.0 %

1ères
CHRYSLER Town & Country
DODGE Caravan
PLYMOUTH Voyager
67.5 %

3 ième VW Eurovan 62.0 %

Modèles	10 20 30 40 50 60 70 80 90 100%
CHRYSLER Town & Country DODGE Caravan / PLYMOUTH Voyager	67.5%
TOYOTA Previa	67.0%
FORD Windstar	62.0%
VW Eurovan	62.0%
MAZDA MPV	59.0%
CHEVROLET Lumina / PONTIAC Trans Sport & OLDSMOBILE Silhouette	61.0%
MERCURY Villager & NISSAN Quest	60.0%
FORD Aerostar	56.7%
CHEVROLET Astro	56.0%

LA MEILLEURE RECRUE DE L'ANNÉE 1995

PALMARÈS DES NOUVEAUTÉS 1995

NISSAN Maxima	**73.0%**
CHRYSLER Cirrus	70.0%
OLDSMOBILE Aurora	69.0%
VOLVO 960	67.0%
FORD Contour	66.5%
SUBARU Legacy	65.0%
EAGLE Talon	65.0%
MAZDA 323/Protegé	64.0%
CHEVROLET Monte Carlo	63.0%
NISSAN 240SX	63.0%
BUICK Riviera	62.5%
FORD Windstar	62.5%
DODGE Neon	61.0%
CHEVROLET Lumina	60.0%
HYUNDAI Accent	59.0%
CHEVROLET Blazer	58.5%
FORD Explorer	56.5%
CHEVROLET Cavalier & PONTIAC Sunfire	53.0%
GEO Metro	53.0%
Non classées:	
TOYOTA Avalon	73.5%
JAGUAR XJ6/12	64.0%
TOYOTA Tercel	61.0%

NISSAN Maxima

Notre choix s'est porté cette année sur la Nissan Maxima plutôt que sur la Toyota Avalon pour la simple raison que nous avons pu essayer en longuement toutes les versions ce qui n'a pas été le cas avec les voitures non classées ici. La Maxima offre un excellent rapport prix-agrément-fonctionnalité même sur la version la plus abordable.
Voir l'essai routier p. 314-315.

TOUS LES PRIX 1995

ATTENTION. Les prix indiqués ci-après sont donnés à titre indicatif et s'entendent comme suit:

Prix mini: le plus bas prix négociable.
Prix moyen: moyenne provinciale de vente du modèle.
Prix maxi: prix de détail suggéré par le constructeur.

ACURA

Integra	RS	ber. 3p.	L4/1.8/M5	16 430	17 210	17 995
	LS	ber. 3p.	L4/1.8/M5	21 175	22 185	23 195
	RS	ber. 4p.	L4/1.8/M5	17 750	18 520	19 295
	LS	ber. 4p.	L4/1.8/M5	21 235	22 415	23 595
	GS-R	cpé.3p.	L4/1.8/M5	23 665	24 980	26 295

• **Frais de transport et préparation: 595 $**

Legend	L	ber. 4p.	V6/3.2/A4	43 135	45 265	47 400
	LS	ber. 4p.	V6/3.2/A4	46 775	49 085	51 400
	LS	cpé. 2p.	V6/3.2/M6	47 320	49 660	52 000

• **Frais de transport et préparation: 795 $**

NSX		cpé. 2p.	V6/3.0/M5	75 590	80 755	85 900

Frais de transport et préparation: 795 $

Vigor	GS	ber. 4p.	L5/2.5/M5	29 970	31 635	33 300

Frais de transport et préparation: 595 $

AUDI

A4 (90)	Sport	ber. 4p.	V6/2.8/A4	31 590*	33 345*	35 100*
Quattro	Sport	ber. 4p.	V6/2.8/M5	34 875*	36 810*	38 750*
	Cabrio.	ber. 2p.	V6/2.8/A4	49 410*	52 155*	54 900*

Frais de transport et préparation: 1 050 $

A6 (100)	*CS	ber. 4p.	V6/2.8/A4	43 425*	45 835*	48 250*
*Quat.	(S4)S6	ber. 4p.	L5T/2.2/M5	51 835*	55 367*	58 900*
	Quat.CS	fam. 4p.	V6/2.8/A4	52 715*	56 305*	59 900*

Frais de transport et préparation: 1 050 $

BMW

318	i	ber. 4p.	L4/1.8/M5	26 445	27 670	28 900
	i	déc.2p.	L4/1.8/M5	35 990	38 445	40 900
	is	cpé. 2p.	L4/1.8/M5	27 360	28 630	29 900
	ti	ber. 3p.	L4/1.8/M5	22 875	23 935	25 000
320	i	ber. 4p.	L4/2.0/M5	30 710	32 805	34 900
325	i	ber. 4p.	L6/2.5/M5	36 870	39 385	41 900
	is	cpé. 2p.	L6/2.5/M5	38 632	41 266	43 900
	i	déc. 2p.	L6/2.5/M5	47 430	50 665	53 900

Frais de transport et préparation: 490 $

525	i	ber. 4p.	L6/2.5/M5	47 425	50 160	52 900
530	i	ber. 4p.	V8/3.0/M5	54 566	57 567	60 900
540i		ber. 4p.	V8/4.0/A5	59 975	63 440	66 900

Frais de transport et préparation: 590 $

740	i	ber. 4p.	V8/4.0/A5	70 310	75 105	79 900

Frais de transport et préparation: 590 $

840	Ci	cpé. 2p.	V8/4.0/M5	86 245	91 225	96 200

Frais de transport et préparation: 590 $

BUICK

Century	Custom	ber. 4p.	V6/3.0/A4	20 540	22 115	23 690
	Special	sedan.4p.	V6/3.0/A4	19 200	21 420	21 635
	Custom	fam. 5p.	V6/3.0/A4	20 310	21 600	22 885

Frais de transport: 760 $

Le Sabre	base	ber. 4p.	V6/3.8/A4	23 525	25 330	27 135
	Ltd	ber. 4p.	V6/3.8/A4	26 170	28 180	30 185

Frais de transport: 870 $

Park Avenue		ber. 4p.	V6/3.8/A4	30 515	33 065	35 615
	Ultra	ber. 4p.	V6/3.8/A4	34 740	37 570	40 400

Frais de transport: 870 $

Regal	Cust.	cpé. 2p.	V6/3.1/A4	20 230	21 780	23 335
	Cust.	ber. 4p.	V6/3.1/A4	20 580	22 160	23 735
	Ltd	ber. 4p.	V6/3.8/A4	22 165	23 865	25 565
	GSport	cpé. 2p.	V6/3.8/A4	23 005	24 770	26 535
	GSport	ber. 4p.	V6/3.8/A4	23 450	25 250	27 050

Frais de transport: 760 $

Riviera		cpé. 2p.	V6/3.8/A4	32 580	35 300	38 025

• **Frais de transport: 870 $**

Roadmaster						
	De base	ber. 4p.	V8/5.7/A4	27 250	29 340	31 430
	Estate	fam. 5p.	V8/5.7/A4	29 060	31 290	33 515
	Ltd	ber. 4p.	V8/5.7/A4	28 480	30 660	32 845
	Ltd Estate	fam. 5p.	V8/5.7/A4	29 625	31 895	34 170

• **Frais de transport: 870 $**

Skylark	Cust.	cpé. 2p.	V6/3.1/A4	17 055	18 045	19 035
	Cust.	ber. 4p.	V6/3.1/A4	17 055	18 045	19 035
	Ltd	cpé. 2p	L4/2.3/A4	18 700	19 890	21 010
	Ltd	ber. 4p.	V6/3.1/A4	18 765	19 925	21 085
	GS	cpé. 2p.	V6/3.1/A4	19 730	20 950	22 170
	GS	ber. 4p.	V6/3.1/A4	19 800	21 020	22 245

• **Frais de transport: 595 $**

CADILLAC

De Ville	base	ber. 2p.	V8/4.9/A4	39 120	42 250	45 385
	Concours	ber. 4p.	V8/4.9/A4	46 085	49 260	52 440

• **Frais de transport: 870 $**

Fleetwood	De base	ber. 4p.	V8/5.7/A4	38 705	41 805	44 910
	Brougham	ber. 4p.	V8/5.7/A4	40 520	43 865	47 010

• **Frais de transport: 870 $**

Eldorado	coupe	cpé. 2p.	V8/4.6/A4	43 415	46 410	49 405
	Touring	ber. 2p.	V8/4.6/A4	45 200	47 190	51 435

• **Frais de transport: 870 $**

Seville	SLS	ber. 4p.	V8/4.6/A4	46 855	50 085	53 315
	STS	ber. 4p.	V8/4.6/A4	48 015	51 325	54 635

• **Frais de transport: 870 $**

CHEVROLET

Beretta	Base,	cpé. 2p.	L4/2.2/M5	14 560	15 315	16 075
	Z26	cpé. 2p.	V6/3.1/M5	17 860	18 900	19 940

• **Frais de transport: 595 $**

Camaro	RS	cpé. 3p.	V6/3.4/M5	16 480	17 420	18 360
	RS	déc. 2p.	V8/5.7/M5	22 780	24 080	25 375
	Z28	déc. 2p.	V8/5.7/A4	20 240	21 395	22 550
	Z28	cpé. 2p.	V8/5.7/M6	25 880	27 355	28 830

• **Frais de transport: 655 $**

Caprice	Classic	ber. 4p.	V8/4.3/A4	21 170	22790	24 415
	Classic	fam. 5p.	V8/5.7/A4	24 345	26 210	28 080

• **Frais de transport: 870 $**

Cavalier	Base	cpé. 2p.	L4/2.2/M5	10 740	11 170	11 595
	Base	ber. 4p.	L4/2.2/M5	11 200	11 650	12 095
	LS	ber. 4p.	L4/2.2/M5	13 580	14 290	14 995

• **Frais de transport: 595 $**

Corsica	De Base	ber. 4p.	L4/2.2/A3	14 930	15 710	16 485

• **Frais de transport: 595 $**

Corvette	LT1	cpé. 3p.	V8/5.7/M6	38 980	42 510	46 040
	LT1	déc. 2p.	V8/5.7/M6	46 165	49 820	53 480
	ZR1	cpé. 2p.	V8/5.7/M6	73 565	79 395	85 225

• **Frais de transport: 795 $**

Impala	SS	ber. 4p.	V8/5.7/A4	24 330	26 145	27 965

• **Frais de transport: 870 $**

Lumina	base	ber. 4p.	V6/3.1/A4	16 830	18 090	19 348
	LS sed.	ber. 2p.	V6/3.1/A4	17 875	19 210	20 548

• **Frais de transport: 760 $**

TOUS LES PRIX 1995

*Prix 1994

Modèle	Finition	Type	Mécanique	Prix $ can. mini	moyen	maxi
Lumina APV Ut.						
	De base	fam. 5p.	V6/3.1/A3	19 615	20 730	21 850
	De base	cargo .	V6/3.1/A4	17 260	18 245	19 230
• **Frais de transport**: **745 $**						
Monte Carlo						
	LS	cpé. 2p.	V6/3.1/A4	18 640	20 070	21 498
	Z34	cpé. 2p.	V6/3.4/A4	20 460	22 030	23 598
• **Frais de transport**: **760 $**						

CHRYSLER

Modèle	Finition	Type	Mécanique	mini	moyen	maxi
Cirrus	LX	ber. 4p.	V6/2.5/A4	19 465	20 730	21 995
	LXi	ber. 4p.	V6/2.5/A4	22 120	23 555	24 995
• **Frais de transport**: **695 $**						
Concorde		ber. 4p.	V6/3.3/A4	21 175	22 545	23 920
• **Frais de transport et préparation**: **760 $**						
Intrepid		ber. 4p.	V6/3.3/A4	18 205	19 355	20 510
	ES	ber. 4p.	V6/3.3/A4	21 390	22 785	24 180
• **Frais de transport et préparation**: **760 $**						
Le Baron	GTC	déc. 2p.	V6/3.0/A4	20 960	22 290	23 615
• **Frais de transport et préparation**: **625 $**						
New-Yorker		ber. 4p.	V6/3.5/A4	26 255	28 470	30 680
LHS		ber. 4p.	V6/3.5/A4	30 910	33 570	36 225
• **Frais de transport et préparation**: **760 $**						
Town & Country						
	4x2	fam. 4p.	V6/3.3/A4	31 240	33 335	35 430
	4x4	fam. 4p.	V6/3.3/A4	32 950	35 180	37 405
• **Frais de transport et préparation**: **810 $**						

DODGE

Modèle	Finition	Type	Mécanique	mini	moyen	maxi
Caravan	base	fam. 4p.	L4/2.5/M5	16 055	17 030	18 010
	SE	fam. 4p.	L4/2.5/A3	17 700	18 805	19 910
	LE	fam. 4p.	V6/3.3/A3	22 250	23 695	25 140
	ES	fam. 4p.	V6/3.3/A3	23 785	25 345	26 905
• **Frais de transport et préparation**: **810 $**						
Neon	Highline	cpé. 2 p.	L4/2.0/M5	12 245	12 700	13 150
	Sport	cpé 2 p.	L4/2.0/M5	14 705	15 375	16 045
	De base	ber. 4p.	L4/2.0/M5	10 875	11 255	11 640
	Highline	ber. 4p.	L4/2.0/M5	12 245	12 700	13 150
	Sport	ber. 4p.	L4/2.0/M5	14 505	15 160	15 820
• **Frais de transport et préparation**: **600 $**						
Grand Caravan						
	De base	fam 4p.	V6/3.0/A4	18 895	20 090	21 290
	SE	fam. 4p.	V6/3.3/A4	19 370	20 600	21 835
	SE 4x4	fam. 4p.	V6/3.3/A4	23 780	25 340	26 900
	LE	fam. 4p.	V6/3.3/A4	23 340	24 865	26 390
	LE 4x4	fam. 4p.	V6/3.3/A4	25 880	27 600	29 320
	ES	fam. 4p.	V6/3.3/A4	24 870	26 515	28 160
	Es 4x4	fam .4p.	V6/3.3/A4	27 280	29 105	30 935
• **Frais de transport et préparation**: **810 $**						
Spirit	base	ber. 4p.	L4/2.5/M5	15 080	15 750	16 425
• **Frais de transport et préparation**: **600 $**						
Stealth	R/T	cpé. 3p.	V6/3.0/M5	30 175	32 320	34 465
	R/TTbo	cpé. 3p.	V6T/3.0/M5	41 705	44 860	48 015
• **Frais de transport et préparation**: **600 $**						
Viper		déc. 2p.	V10/8.0/M6	67 630	71 765	77 900
• **Frais de transport et préparation**: **800 $**						

DODGE (Importées)

Modèle	Finition	Type	Mécanique	mini	moyen	maxi
Colt	base	cpé. 2p.	L4/1.5/M5	11 225	11 610	11 995
	GL	cpé. 2p.	L4/1.5/M5	11 970	12 425	12 885
• **Frais de transport et préparation**: **415 $**						

DODGE (Utilitaires)

Modèle	Finition	Type	Mécanique	mini	moyen	maxi
Dakota 4x2						
	court	cam. 2p.	L4/2.5/M5	13 085	13 180	13 275
	long	cam. 2p.	L4/2.5/M5	14 260	14 755	15 255
	ClubCab	cam. 2p.	L4/2.5/M5	15 850	16 470	17 090
Dakota 4x4						
	courte	cam. 2p.	V6/3.9/M5	16 405	17 035	17 670
	longue	cam. 2p.	V6/3.9/M5	16 785	17 445	18 110
	Club Cab	cam. 2p.	V6/3.9/M5	19 034	19 865	20 700
• **Frais de transport et préparation**: **660 $**						
Ram1500 4x2						
	WScourt cab rég	cam. 2p.	V6/3.9/M5	14 130	14 960	15 790
	LT court cab rég	cam. 2p.	V6/3.9/M5	15 510	16 765	18 025
	ST court cab rég	cam. 2p.	V8/5.2/M5	16 085	17 400	18 715
	ST court cab all	cam. 2p.	V8/5.2/M5	18 170	19 675	21 185
Laramie SLT long cab all			V8/5.9/M5	21 275	23 085	24 900
Power Ram 4x4						
1500						
base court		cam. 2p.	V8/5.2/M5	18 715	19 790	20 865
long		cam. 2p.	V8/5.2/M5	19 230	20 350	21 475
ST long		cam. 2p.	V8/5.2/M5	19 805	20 985	22 165
Laramie SLT		cam. 2p.	V8/5.9/M5	22 655	24 115	25 575
2500						
ST long cab all		cam. 2p.	V8/5.9/M5	22 665	24 580	26 500
Laramie SLT long cab all			V8/5.9/M5	25 200	27 365	29 535
3500						
base		cam. 2p.	V8/5.9/M5	23 020	24 390	25 765
ST		cam. 2p.	V8/5.9/M5	24 015	25 480	26 950
SLT		cam. 2p.	V8/5.9/M5	26 240	27 925	29 615
• **Frais de transport et préparation**: **870 $**						

EAGLE

Modèle	Finition	Type	Mécanique	mini	moyen	maxi
Summit	DL	cpé. 2p.	L4/1.5/M5	11 225	11 610	11 995
	ES	cpé. 2p.	L4/1.5/M5	11 970	12 425	12 885
	DL	fam. 4p.	L4/1.8/M5	16 900	17 725	18 555
	LX	fam. 4p.	L4/2.4/M5	19 000	19 875	20 750
	T.I.	fam. 4p.	L4/2.4/M5	20 440	21 415	22 395
• **Frais de transport et préparation**: **415 $**						
Talon						
	ESI	cpé. 3p.	L4/2.0/M5	18 915	19 170	19 425
	TSI 4RM	cpé. 3p.	L4T/2.0/M5	26 420	27 390	28 360
• **Frais de transport et préparation**: **650 $**						
Vision	ESi	ber. 4p.	V6/3.3/A4	21 125	21 765	22 410
	TSi	ber. 4p.	V6/3.5/A4	24 760	25 680	26 605
• **Frais de transport et préparation**: **760 $**						

FORD

Modèle	Finition	Type	Mécanique	mini	moyen	maxi
Aerostar 4x2						
	XLTcourt	frg. 4p.	V6/3.0/A4	17 875	19 035	20 195
	XLT long	frg. 4p.	V6/3.0/A4	20 350	21 670	22 995
Aerostar 4x4						
	XLT long	frg. 4p.	V6/4.0/A4	21 235	22 615	23 995
• **Frais de transport et préparation**: **845 $**						
Aspire	base	ber. 3p.	L4/1.3/M5	9 845	10 170	10 495
Aspire		ber. 5p.	L4/1.3/M5	10 335	10 665	10 995
	SE	ber. 3p.	L4/1.3/M5	10 675	11 035	11 395
• **Frais de transport et préparation**: **660 $**						
Escort	LX	cpé. 3p.	L4/1.9/M5	11 920	12 455	12 995
	LX	ber. 5p.	L4/1.9/M5	12 325	12 890	13 455
	LX	fam. 5p.	L4/1.9/M5	12 325	12 890	13 455
	GT	ber. 3p.	L4/1.8/M5	13 380	13 785	14 295
• **Frais de transport et préparation**: **660 $**						
Contour	GL	ber. 4p.	L4/2.3/M5	15 530	16 210	16 895
	LX	ber. 4p.	L4/2.3/M5	16 340	17 065	17 795
	SE	ber. 4p.	V6/2.5/M5	18 135	18 965	19 795
• **Frais de transport et préparation**: **720 $**						
Crown Victoria						
	S	ber. 4p.	V8/4.6/A4	21 300	22 245	23 195
	base	ber. 4p.	V8/4.6/A4	22 015	23 005	23 995
	LX	ber. 4p.	V8/4.6/A4	23 545	24 620	25 695
• **Frais de transport et préparation**: **900 $**						
Mustang	Base	cpé. 2p.	V6/3.8/M5	15 485	16 140	16 795
	Base	déc. 2p.	V6/3.8/M5	25 130	26 310	27 495
	GT	cpé. 3p.	V8/5.0/M5	18 775	19 935	21 095
	GT	déc. 3p.	V8/5.0/A4	24 425	26 060	27 695
• **Frais de transport et préparation**: **680 $**						
Probe		cpé. 3p.	L4/2.2/M5	15 910	16 600	17 295
	SE	cpé. 3p.	L4/2.2/M5	18 720	19 555	20 395
	GT	cpé. 3p.	V6/2.5/M5	19 275	20 135	20 995
• **Frais de transport et préparation**: **720 $**						
Taurus	GL	ber. 4p.	V6/3.0/A4	17 960	19 125	20 295
	GL	fam. 5p.	V6/3.8/A4	17 960	19 125	20 295
	LX	ber. 4p.	V6/3.0/A4	20 735	22 115	23 495
	LX	fam. 5p.	V6/3.8/A4	20 735	22 115	23 495
	SE	ber. 4p.	V6/3.0/A4	17 960	19 125	20 295
	SHO	ber. 4p.	V6/3.0/M5	26 980	28 835	30 695
• **Frais de transport et préparation**: **785 $**						
T-bird	LX	cpé. 2p.	V6/3.8/A4	20 160	21 325	22 495

TOUS LES PRIX 1995

Modèle	Finition	Type	Mécanique	Prix $ can. mini	moyen	maxi
	SC	cpé. 2p.	V6C/3.8/M5	25 160	26 675	28 195

• Frais de transport et préparation: 800 $

Modèle	Finition	Type	Mécanique	mini	moyen	maxi
Windstar	base	frg. 4p.	V6/3.0/A4	18 315	19 455	20 595
	GL	frg. 4p.	V6/3.0/A4	19 885	21 140	22 395
	LX	frg. 4p.	V6/3.8/A4	22 565	24 030	25 495

• Frais de transport et préparation: 850 $

FORD (Utilitaires)

Modèle	Finition	Type	Mécanique	mini	moyen	maxi
Bronco	XL	fam. 2p.	L6/4.9/M5	22 185	23 140	24 095
	XLT	fam. 2p.	L6/4.9/M5	24 070	25 130	26 195
	E.B.	fam. 2p.	L6/4.9/M5	27 210	28 450	29 695

• Frais de transport et préparation: 900 $

Modèle	Finition	Type	Mécanique	mini	moyen	maxi
Explorer 4x2 (prix 1994)						
	*XL	fam. 2p.	V6/4.0/M5	18 950	20 120	21 295
Explorer 4x4						
	*XLT	fam. 4p.	V6/4.0/M5	24 365	25 980	27 595
	*Ltd	fam. 4p.	V6/4.0/M5	31 235	33 365	35 495

• Frais de transport et préparation: 700 $

Modèle	Finition	Type	Mécanique	mini	moyen	maxi
Camionnettes 4x2						
F 250 XL cab. rég.		cam. 2p.	V8/5.0/M5	16 565	17 930	19 295
F 250 XLT cab.all.		cam. 2p.	V8/5.0/M5	19 995	21 695	23 695
Camionnettes 4x4						
F 250 XL cab rég		cam. 2p.	V8/5.0/M5	20 330	22 060	23 795
F 250 XL cab. all.		cam. 2p.	V8/5.0/M5	21 920	23 805	25 695

• Frais de transport et préparation: 850 $

Modèle	Finition	Type	Mécanique	mini	moyen	maxi
Ranger 4x2 (prix 1994)						
	XL R.C	cam. 2p.	L4/2.3/M5	11 310	11 800	12 295

• Frais de transport et préparation: 850 $

GE0

Modèle	Finition	Type	Mécanique	mini	moyen	maxi
Metro	De base	a hayon. 3p.	L3/1.0/M5	9 260	9 630	9 995
	LSI	a hayon 3p.	L3/1.0/M5	9 490	9 670	10 245
	De base	ber. 4p.	L4/1.3/M5	10 185	10 820	10 995
	LSI	ber. 4p.	L4/1.3/M5	10 415	10 830	11 245

• Frais de transport: 500 $

Modèle	Finition	Type	Mécanique	mini	moyen	maxi
Tracker 4x2						
	Toit mou	déc. 2p.	L4/1.6/M5	12 085	12 315	13 020
Tracker 4x4						
	Toit mou	déc. 2p.	L4/1.6/M5	13 880	14 420	14 955
	Toit mou LSI			15 770	16 380	16 990
	Toit dur	ber. 2p.	L4/1.6/M5	13 780	14 315	14 845
	Toit dur LSI			15 670	16 275	16 880

• Frais de transport: 500 $

Chevrolet/GMC (Utilitaires)

Modèle	Finition	Type	Mécanique	mini	moyen	maxi
Astro 4x2						
	Cargo	frg. 4p.	V6/4.3/A4	19 540	20 655	21 770
	pass.	frg. 4p.	V6/4.3/A4	20 130	21 280	22 425
Astro	4x4					
		frg. 4p.	V6/4.3/A4	22 240	23 510	24 775

• Frais de transport: 820 $

Modèle	Finition	Type	Mécanique	mini	moyen	maxi
Jimmy	4x2					
	SL	fam. 3p.	V6/4.3/M5	20 410	21 570	22 740
	SL	fam. 5p.	V6/4.3/M5	21 200	22 410	25 465
	SLS	fam. 3p.	V6/4.3/M5	22 860	24 160	25 465
	SLS	fam 5p.	V6/4.3/M5	24 540	25 940	27 340
	SLT	fam 5p.	V6/4.3/M5	26 850	28 380	29 915
Jimmy	4x4					
	SL	fam. 3p.	V6/4.3/M5	22 255	23 525	24 795
	SLE	fam. 5p.	V6/4.3/M5	23 250	24 575	25 905
	SLS	fam. 3p.	V6/4.3/M5	25 050	26 480	27 910
	SLS	fam. 5p.	V6/4.3/M5	26 585	28 100	29 620
	SLT	fam. 5p.	V6/4.3/M5	28 780	30 415	32 050

• Frais de transport: 670 $

Modèle	Finition	Type	Mécanique	mini	moyen	maxi
Camionnettes S-10 4x2						
cab. rég. de base		cam. 2p.	L4/2.2/M5	12 560	12 980	13 400
cab. all. LS		cam. 2p.	L4/2.2/M5	14 235	16 065	15 895
cab. rég. SS		cam. 2p.	V6/4.3/A4	16 505	17 465	18 430
Camionnettes T-10 4x4						
cab. rég de base		cam. 2p.	V6/4.3/M5	17 290	17 875	18 465
cab. all. LS		cam. 2p.	V6/4.3/M5	18 530	19 610	20 690

• Frais de transport: 660 $

Modèle	Finition	Type	Mécanique	mini	moyen	maxi
Blazer	4x2	fam. 2p.	V6/4.3/M5	20 345	21 505	22 665
		fam. 4p.	V6/4.3/M5	21 135	22 340	23 545
Blazer	4x4	fam. 2p.	V6/4.3/M5	22 050	22 310	24 565
		fam. 4p.	V6/4.3/M5	23 045	24 360	25 675

• Frais de transport: 670 $

Camionnettes *Toutes ces versions sont disponibles en finitons Cheyenne, Sierra et Silverado.

Modèle	Finition	Type	Mécanique	mini	moyen	maxi
4x2						
C-1500court cab all		cam. 2p.	V6/4.3/M5	17 230	18 515	19 805
C-1500long cab all.		cam. 2p.	V8/5.0/M5	18 100	19 450	20 805
C-1500court cab rég		cam. 2p.	V8/5.0/M5	14 835	15 650	16 470
C-2500 court cab.all.		cam. 2p.	V8/5.0/M5	19 105	20 530	21 960
C-2500 long cab all		cam. 2p.	V8/5.0/M5	20 165	21 670	23 175
4x4						
K-1500 court cab reg.		cam. 2p.	V6/4.3/M5	17 925	19 260	20 600
K-1500 long cab rég		cam. 2p.	V8/5.0/M5	18 185	19 540	20 900
K-1500 court cab all		cam. 2p.	V8/5.7/M5	19 580	21 040	22 505
K-1500 long cab all		cam. 2p.	V8/5.7/M5	20 450	21 975	23 505
K-2500 long cab rég		cam. 2p.	V8/5.7/M5	18 495	19 875	21 260
K-2500 court cab all		cam. 2p.	V8/5.7/M5	20 935	22 495	24 060

• Frais de transport: 870 $

Modèle	Finition	Type	Mécanique	mini	moyen	maxi
Tahoe	De base	fam. 3p.	V8/5.7/A4	22 650	24 340	26 035
	LS	fam. 3p.	V8/5.7/A4	26 835	28 840	30 840

• Frais de transport: 670 $

Modèle	Finition	Type	Mécanique	mini	moyen	maxi
Safari	4X2					
De base cargo		frg. 4p.	V6/4.3/A4	19 540	20 655	21770
SLX passagers		frg. 4p.	V6/4.3/A4	20 130	21 280	22 425
SLE passagers		frg. 4p.	V6/4.3/A4	22 310	23 580	24 855
SLT passagers		frg. 4p.	V6/4.3/A4	24 740	26 150	27 560
Safari	4X4					
SLX passagers		frg. 4p.	V6/4.3/A4	22 240	23 510	24 775
SLE passagers		frg. 4p.	V6/4.3/A4	24 420	25 810	27 205
SLT passagers		frg. 4p.	V6/4.3/A4	26 940	28 475	30 010

• Frais de transport: 820 $

Modèle	Finition	Type	Mécanique	mini	moyen	maxi
Suburban						
C1500	2RM SL	fam. 5p.	V8/5.7/A4	22 190	23 845	25 500
C1500	2RM SLE	fam. 5p.	V8/5.7/A4	27 875	29 955	32 040
C2500	2RM SL	fam. 5p.	V8/5.7/A4	23 145	24 870	26 600
C2500	2RM SLE	fam. 5p.	V8/5.7/A4	28 820	30 970	33 125
K1500	4RM SL	fam. 5p.	V8/5.7/A4	24 595	26 430	28 270
K1500	4RM SLE	fam. 5p.	V8/5.7/A4	30 285	32 545	34 810
K2500	4RM SL	fam. 5p.	V8/5.7/A4	25 490	27 395	29 300
K2500	4RM SLE	fam. 5p.	V8/5.7/A4	31 170	33 495	35 825

*Les versions Cheyenne sont identiques en prix aux modeles SL et les versions Silverado sont identiques aux modeles SLE.

• Frais de transport: 870 $

HONDA

Modèle	Finition	Type	Mécanique	mini	moyen	maxi
Accord						
Coupe	LX	ber. 3p.	L4 2.2 M5	17 530	18 460	19 395
	LX	ber. 3p.	L4/2.2/A4	18 650	19 520	20 395
	EX-R	ber. 3p.	L4/2.2/M5	23 405	24 550	25 695
	EX-R	ber. 3p.	L4/2.2/A4	24 305	25 500	26 695
Berline	LX	ber. 4p.	L4 2.2 M5	18 290	19 140	19 995
	LX	ber. 4p.	L4/2.2/A4	19 190	20 090	20 995
	EX	ber. 4p.	L4/2.2/M5	20 355	21 325	22 295
	EX	ber. 4p.	L4/2.2/A4	21 255	22 275	23 295
	*EX	ber. 4p.	V6 2.7 A4	n.d.	n.d.	n.d.
	EX	fam. 5p.	L4/2.2/A4	22 690	23 790	24 895
	EX-R	ber. 4p.	L4/2.2/M5	24 125	25 310	26 495
	EX-R	ber. 4p.	L4/2.2/A4	25 025	26 260	27 495
	*EX-R	ber. 4p.	V6 2.7 A4	n.d.	n.d.	n.d.

• Frais de transport et préparation: 695 $

Modèle	Finition	Type	Mécanique	mini	moyen	maxi
Civic	CX	ber. 3p.	L4/1.5/M5	10 315	10 655	10 995
	CX	ber. 3p.	L4/1.5/A4	11 405	11 780	12 155
	SI	ber. 3p.	L4/1.6/M5	15 515	16 255	16 995
	SI	ber. 3p.	L4/1.6/A4	16 425	17 210	17 995
	LX	ber. 4p.	L4/1.5/M5	12 775	13 385	13 995
	LX	ber. 4p.	L4/1.5/A4	13 690	14 340	14 995
	EX	ber. 4p.	L4/1.5/M5	15 240	15 965	16 695
	EX	ber. 4p.	L4/1.5/A4	16 155	16 925	17 695

• Frais de transport et préparation: 695 $

Modèle	Finition	Type	Mécanique	mini	moyen	maxi
Del Sol	Si	cpé. 2p.	L4/1.6/M5	17 980	18 840	19 695
	Si	cpé. 2p.	L4/1.6/A4	18 890	19 790	20 695
	vtec	cpé. 2p.	L4 1.6 M5	20 720	21 705	22 695

• Frais de transport et préparation: 695 $

Modèle	Finition	Type	Mécanique	mini	moyen	maxi
Prelude	SR	cpé. 2p.	L4/2.3/M5	23 515	24 855	26 195
	SR	cpé. 2p.	L4/2.3/A4	24 410	25 800	27 195
	SR-V	cpé. 2p.	L4/2.2/M5	25 935	27 415	28 895

• Frais de transport et préparation: 695 $

TOUS LES PRIX 1995

*Prix 1994

HYUNDAI

Modèle	Finition	Type	Mécanique	Prix $ can. mini	moyen	maxi
Accent	L	ber. 3p.	L4/1.5/M5	8 455	8 725	8 995
	L	ber. 3p.	L4/1.5/A4	9 115	9 405	9 695
	GL	ber. 3p.	L4/1.5/M5	9 585	9 890	10 195
	GL	ber. 3p.	L4/1.5/A4	10 240	10 565	10 895
	L	ber. 4p.	L4/1.5/M5	9 395	9 695	9 995
	L	ber. 4p.	L4/1.5/A4	10 055	10 375	10 695
	GL	ber. 4p.	L4/1.5/M5	10 055	10 375	10 695
	GL	ber. 4p.	L4/1.5/A4	10 710	11 050	11 395
• Frais de transport et préparation: 795 $						
Elantra	GL	ber. 4p.	L4/1.6/M5	11 220	11 705	12 195
	GL	ber. 4p.	L4/1.8/A4	12 300	12 835	13 370
	GLS	ber. 4p.	L4/1.8/M5	13 060	13 625	14 195
	GLS	ber. 4p.	L4/1.8/A4	13 840	14 440	15 045
• Frais de transport et préparation: 795 $						
Scoupe	de base	cpé. 2p.	L4/1.5/M5	11 125	11 610	12 095
	de base	cpé. 2p.	L4/1.5/A4	11 770	12 280	12 795
	LS	cpé. 2p.	L4/1.5/M5	12 415	12 955	13 495
	LS	cpé. 2p.	L4/1.5/A4	13 060	13 625	14 195
• Frais de transport et préparation: 795 $						
Sonata						
	GL	ber. 4p.	L4/2.0/M5	13 745	14 520	15 295
	GL	ber. 4p.	L4/2.0/A4	14 580	15 405	16 230
	GL	ber. 4p.	V6/3.0/A4	15 540	16 415	17 295
	GLS	ber. 4p.	L4/2.0/A4	16 985	17 840	18 695
	GLS	ber. 4p.	V6/3.0/A4	17 625	18 660	19 695
• Frais de transport et préparation: 795 $						

INFINITI

Modèle	Finition	Type	Mécanique	mini	moyen	maxi
G20	base	ber. 4p.	L4/2.0/M5	23 930*	25 185*	26 440*
	G-20T	ber. 4p.	L4/2.0/M5	24 835*	26 135*	27 440*
• Frais de transport et préparation: sans frais						
J-30		ber. 4p.	V6/3.0/A4	40 275*	42 635*	45 000*
	J-30t	ber. 4p.	V6/3.0/A4	42 960*	45 480*	48 000*
• Frais de transport et préparation: sans frais						
Q45	base	ber. 4p.	V8/4.5/A4	63 360*	67 680*	72000*
• Frais de transport et préparation: sans frais						

ISUZU

Modèle	Finition	Type	Mécanique	mini	moyen	maxi
Rodeo						
	S 4x4	fam. 5p.	L4/2.6/M5	20 435*	21 325*	22 215*
	LS 4x4	fam. 5p.	V6/3.1/M5	23 470*	24 560*	25 560*
Trooper						
	S	fam. 5p.	V6/3.2/M5	23 630*	24 725*	25 825 *
	LS	fam. 5p.	V6/3.2/A4	30 250*	31 835*	33 425 *
• Frais de transport et préparation: 525 $						

JAGUAR

Modèle	Finition	Type	Mécanique	mini	moyen	maxi
XJ6	Sovereign	ber. 4p.	L6/4.0/A4	66 000	70 500	75 000
	Vanden Plas	ber. 4p.	L6/4.0/A4	73 040	78 020	83 000
XJR super charged		ber.4p.	L6C/4.0/A4	74 800	79 900	85 000
XJ12	base	ber. 4p.	V12/6.0/A4	84 480	90 240	96 000
• Frais de transport et préparation: sans frais						
XJS	4.0L	cpé. 2p.	L6/4.0/M5	65 030	73 630	73 900
	6.0L	cpé. 2p.	V12/6.0/A4	80 870	86 385	91 900
XJS	4.0L	déc. 2p.	L6/4.0/A4	74 360	79 430	84 500
	6.0L	déc. 2p.	V12/6.0/A4	92 310	98 605	104 900
• Frais de transport et préparation: sans frais						

JEEP

Modèle	Finition	Type	Mécanique	mini	moyen	maxi
Cherokee 4x2						
	base	fam. 2p.	L4/2.5/M5	16 515	17 030	17 555
	base	fam. 4p.	L4/2.5/M5	18 290	18 940	19 590
	Sport	fam. 2p.	L6/4.0/M5	17 920	18 570	19 225
	Sport	fam. 4p.	L6/4.0/M5	19 685	20 470	21 260
	Country	fam. 2p.	L6/4.0/M5	20 830	21 730	22 630
	Country	fam. 4p.	L6/4.0/M5	22 785	23 875	24 965
Cherokee 4x4						
	SE	fam. 2p.	L6/4.0/M5	18 450	19 110	19 775
	SE	fam. 4p.	L6/4.0/M5	19 575	20 265	20 955
	Sport	fam. 2p.	L6/4.0/M5	19 950	20 695	21 445
	Sport	fam. 4p.	L6/4.0/M5	20 970	21 795	22 625
	Country	fam. 2p.	L6/4.0/A4	22 115	23 055	23 995
	Country	fam. 4p.	L6/4.0/A4	24 070	25 200	26 330
• Frais de transport et préparation: 670 $						
Grand Cherokee 4x2						
	SE	fam. 4p.	L6/4.0/M5	26 425	27 390	28 355
	Laredo	fam. 4p.	L6/4.0/A4	27 645	27 585	29 530
	Limited	fam. 4p.	L6/4.0/A4	32 340	33 640	34 940
Grand Cherokee 4x4						
	SE	fam. 4p.	L6/4.0/M5	27 410	28 330	29 255
	Laredo	fam. 4p.	L6/4.0/A4	28 425	29 425	30 430
	Limited	fam. 4p.	L6/4.0/A4	33 600	34 940	36 280
• Frais de transport et préparation: 670						
YJ	SE	t.t. 2p.	L4/2.5/M5	16 480	17 080	17 680
	Sahara	t.t. 2p.	L4/2.5/M5	19 260	20 070	20 880
• Frais de transport et préparation: 670						

LEXUS

Modèle	Finition	Type	Mécanique	mini	moyen	maxi
ES300	base	ber. 4p.	V6/3.0/A4	39 335	42 015	44 700
• Frais de transport et préparation: 795						
GS300	base	ber. 4p.	L6/3.0/A4	54 315	59 105	63 900
• Frais de transport et préparation: 795						
LS400	base	ber. 4p.	V8/4.0/A4	64 515	70 205	75 900
SC400	base	cpé. 2p.	V8/4.0/A4	61 285	66 690	72 100
• Frais de transport et préparation: 795						

LINCOLN

Modèle	Finition	Type	Mécanique	mini	moyen	maxi
Continental (prix 1994)						
	Executive	ber. 4p.	V6/3.8/A4	35 635	38 065	40 495
	SE	ber. 4p.	V6/3.8/A4	34 050	36 370	38 695
	Signature	ber. 4p.	V6/3.8/A4	36 690	39 190	41 695
• Frais de transport et préparation: 895						
Mark VIII		ber. 2p.	V8/4.6/A4	44 885	47 390	49 895
• Frais de transport et préparation: 895						
Town Car						
	Executive	ber. 4p.	V8/4.9/A4	38 270	40 780	43 295
	Signature	ber. 4p.	V8/4.9/A4	39 950	42 570	45 195
	Cartier	ber. 4p.	V8/4.9/A4	42 440	44 815	47 195
• Frais de transport et préparation: 895						

MAZDA

Modèle	Finition	Type	Mécanique	mini	moyen	maxi
323	S	ber. 3p.	L4/1.6/M5	10 000	10 310	10 620
	GS	ber. 3p.	L4/1.5/M5	13 230	13 770	14 310
	LS	ber. 3p.	L4/1.8/M5	13 515	14 520	15 530
• Frais de transport et préparation: 500						
Protegé	S	ber. 4p.	L4/1.8/M5	12 820	13 395	13 970
	LX	ber. 4p.	L4/1.8/M5	16 000	16 555	17 110
	ES	ber. 4p.	L4/1.8/M5	17 130	17 775	18 420
• Frais de transport et préparation: 500						
626 Cronos						
	DX	ber. 4p.	L4/2.0/M5	17 330*	18 260*	19 195*
	DX	ber. 4p.	L4/2.0/A4	18 175*	19 160*	20 145*
	LX	ber. 4p.	L4/2.0/M5	19 905*	20 975*	22 050*
	LX	ber. 4p.	L4/2.0/A4	20 750*	21 875*	23 000*
	LX	ber. 4p.	V6/2.5/M5	21 825*	23 015*	24 205*
	LX	ber. 4p.	V6/2.5/A4	22 670*	23 910*	25 155*
	ES	ber. 4p.	V6/2.5/M5	25 685*	27 065*	28 450*
	ES	ber. 4p.	V6/2.5/A4	26 530*	27 965*	29 400*
• Frais de transport et préparation: 500 $						
MX-6 Mystère						
	RS	cpé. 2p.	L4/2.0/M5	19 150*	20 180*	21 210*
	RS	cpé. 2p.	L4/2.0/A4	20 040*	21 125*	22 210*
	LS	cpé. 2p.	V6/2.5/M5	22 665*	23 885*	25 105*
	LS	cpé. 2p.	V6/2.5/A4	23 555*	24 830*	26 105*
• Frais de transport et préparation: 500 $						
Miata						
	MX-5	déc. 2p.	L4/1.8/M5	19 325*	20 195*	21 070*
	MX-5	déc. 2p.	L4/1.8/A4	21 160*	22 180*	23 205*
• Frais de transport et préparation: 500 $						
Millenia						
	de base	ber. 4p.	V6/2.5/A4	32 120	34 310	36 500
	S (Miller)	ber. 4p.	V6/2.3/A4	37 310	39 855	42 400
• Frais de transport et préparation: 500 $						
MX-3 -Precidia						
	RS	cpé. 3p.	L4/1.6/M5	14 635*	15 290*	15 945*
	RS	cpé. 3p.	L4/1.6/A4	15 450*	16 160*	16 870*
	GS	cpé. 3p.	V6/1.8/M5	16 870*	17 625*	18 380*
	GS	cpé. 3p.	V6/1.8/A4	17 685*	18 495*	19 305*
• Frais de transport et préparation: 500 $						
929-Serenia						
	base	ber. 4p.	V6/3.0/A4	35 480*	38 390*	41 300 *

TOUS LES PRIX 1995

Frais de transport et préparation: 500 $

Modèle	Finition	Type	Mécanique	Prix $ can. mini	moyen	maxi
RX-7						
	base	cpé. 2p.	R2/1.3/M5	40 175*	42 725*	45 280*
	Touring	cpé. 2p.	R2/1.3/M5	42 800*	45 090*	47 380 *
	Premium	cpé. 2p.	R2/1.3/M5	44 750*	47 175*	49 605*

Frais de transport et préparation: 500 $

Modèle	Finition	Type	Mécanique	mini	moyen	maxi
Camionnettes 4x2						
B-2300						
base cais. cour.		cam. 2p.	L4/2.3/M5	11 090*	11 430*	11 775*
Se cais. cour.		cam. 2p.	L4/2.3/M5	12 200*	12 890*	13 585*
base cais. long.		cam. 2p.	L4/2.3/M5	11 285*	11 915*	12 550*
Se cais.long.		cam. 2p.	L4/2.3/M5	12 465*	13 170*	13 875*
base cab. all.		cam. 2p.	L4/2.3/M5	13 015*	13 765*	14 520*
B-3000						
base cais. cour.		cam. 2p.	V6/3.0/M5	11 945	12 335	12 730
SE cais. cour.		cam. 2p.	V6/3.0/M5	13 575	14 345	15 120
base cais. long.		cam. 2p.	V6/3.0/M5	12 195	12 880	13 570
SE cais. long.		cam. 2p.	V6/3.0/M5	13 945	14 735	15 525
base cab. all.		cam. 2p.	V6/3.0/M5	13 900	14 705	15 510
SE cab. all.		cam. 2p.	L4/2.3/M5	15 245	16 135	17 030
B-4000						
base cais. cour.		cam. 2p.	V6/4.0/M5	12 300	12 725	13 150
SE cais. cour.		cam. 2p.	V6/4.0/M5	13 935	14 735	15 540
base cais long.		cam. 2p.	V6/4.0/M5	12 555	13 270	13 990
Se cais. long.		cam. 2p.	V6/4.0/M5	14 305	15 125	15 945
base cab. all.		cam. 2p.	V6/4.0/M5	14 255	15 090	15 930
Se cab. all.		cam. 2p.	V6/4.0/M5	15 825	16 765	17 705

Frais de transport et préparation: 900 $

Modèle	Finition	Type	Mécanique	mini	moyen	maxi
Camionnettes 4x4						
B-2300						
base cais. cour.		cam. 2p.	L4/2.3/M5	15 630	16 165	16 705
B-3000						
SE cais. cour.		cam. 2p.	V6/3.0/M5	17 710	18 765	19 825
base cab. all.		cam. 2p.	V6/3.0/M5	17 450	18 495	19 545
SE cab all.		cam. 2p	V6/3.0/M5	19 375	20 555	21 735
B 4000						
base cais. cour.		cam. 2p.	V6/4.0/M5	16 365	16 960	17 553
SE cais. cour.		cam. 2p.	V6/4.0/M5	18 035	19 120	20 210
base cab all.		cam .2p.	V6/3.0/M5	17 820	18 900	19 980
Se cab all.		cam. 2p.	V6/3.0/M5	19 610	20 815	22 020

Frais de transport et préparation: 900 $

Modèle	Finition	Type	Mécanique	mini	moyen	maxi
MPV 4x2						
De base	5 pl.	fam. 4p.	L4/2.6/A4	19 910	20 730	21 555
LX	7 pl.	fam. 4p.	V6/3.0/A4	23 025	24 745	26 490
LX	8 pl.	fam. 4p.	V6/3.0/A4	24 700	26 005	27 310
LTD	7 pl.	fam. 4p.	V6/3.0/A4	30 420	32 025	33 635
MPV 4x4						
De base	7 pl.	fam. 4p.	V6/3.0/A4	25 665	27 055	28 445
LX	7 pl.	fam. 4p.	V6/3.0/A4	27 090	28 575	30 060
LTD	7pl.	fam. 4p.	V6/3.0/A4	33 525	35 365	37 205

Frais de transport et préparation: 500 $

MERCEDES BENZ

Modèle	Finition	Type	Mécanique	mini	moyen	maxi
Série C	220 SE	ber. 4p.	L4/2.2/M5	31 495	33 245	34 995
	220	ber. 4p.	L4/2.2/M5	37 075	39 135	41 195
	280	ber. 4p.	L6/2.8/M5	43 875	46 310	48 750

Frais de transport et préparation: 750 $

Modèle	Finition	Type	Mécanique	mini	moyen	maxi
Série E						
	300 D	ber. 4p.	L6D/3.0/A4	50 395	53 195	55 995
	320 E	ber. 4p.	L6/3.2/A4	54 855	57 900	60 950
	320	fam. 5p.	L6/3.2/A4	60 795	64 172	67 550
	320 E	déc. 2p.	L6/3.2/A4	82 410	88 030	93 650
	320 CE	cpé. 2p.	L6/3.2/A4	71 150	76 000	80 850
	420	ber. 4p.	V8/4.2/A4	64 195	68 570	72 950

Frais de transport et préparation: 750 $

Modèle	Finition	Type	Mécanique	mini	moyen	maxi
Série S						
	320	ber. 4p.	L6/3.2/A5	78 320	83 660	89 000
	350 SD	ber. 4p.	L6TD/3.5/A4	78 320	83 660	89 000
	420 S	ber. 4p.	V8/4.2/A4	87 910	93 905	99 900
	500 S	ber. 4p.	V8/5.0/A4	109 910	117 405	124 900
	500 S	cpé 2p.	V8/5.0/A4	114 310	122 105	129 900
	600 S	ber. 4p.	V12/6.0/A4	145 645	158 505	171 350
	600 S	cpé 2p.	V12/6.0/A4	149 725	162 935	176 150

Frais de transport et préparation: 750 $

Modèle	Finition	Type	Mécanique	mini	moyen	maxi
Série SL						
	320 SL	déc. 2p.	L6/3.2/A5	87 560	93 530	99 500
	500 SL	déc. 2p.	V8/5.0/A4	105 695	114 295	122 900
	600 SL	déc 2p.	V12/6.0/A4	130 290	140 895	151 500

• Frais de transport et préparation: 750 $

MERCURY

Modèle	Finition	Type	Mécanique	mini	moyen	maxi
Cougar	XR7	cpé. 2p.	V8/5.0/A4	19 810	20 950	22 095

• Frais de transport et préparation: 800 $

Modèle	Finition	Type	Mécanique	mini	moyen	maxi
Mystique	GS	ber. 4p.	L4/2.0/M5	15 910	16 600	17 295
	LS	ber. 4p.	V6/2.5/M5	19 000	19 845	20 695

• Frais de transport et préparation: 720 $

Modèle	Finition	Type	Mécanique	mini	moyen	maxi
Sable	GS	ber. 4p.	V6/3.0/A4	18 775	19 985	21 195
	GS	fam. 5p.	V6/3.0/A4	18 775	19 985	21 195
	LS	ber. 4p.	V6/3.0/A4	21 375	22 785	24 195
	LS	fam. 4p.	V6/3.0/A4	21 375	22 785	24 195
	LTS	ber. 4p.	V6/3.8/A4	21 375	22 785	24 195

• Frais de transport et préparation: 785 $

Modèle	Finition	Type	Mécanique	mini	moyen	maxi
G-Marquis	GS	ber. 4p.	V8/4.6/A4	23 390	24 440	25 495
	LS	ber. 4p.	V8/4.6/A4	24 400	25 495	26 595

• Frais de transport et préparation: 900 $

Modèle	Finition	Type	Mécanique	mini	moyen	maxi
Villager	GS	frg. 4p.	V6/3.0/A4	19 875	21 135	22 395
	LS	frg. 4p.	V6/3.0/A4	23 690	25 240	26 795
	Nautica	frg. 4p.	V6/3.0/A4	25 250	26 920	28 595

• Frais de transport et préparation: 810 $

NISSAN

Modèle	Finition	Type	Mécanique	mini	moyen	maxi
Altima	XE	ber. 4p.	L4/2.4/M5	17 315	18 050	18 790
	XE	ber. 4p.	L4/2.4/A4	18 200	19 000	19 790
	GXE	ber. 4p.	L4/2.4/M5	19 375	20 380	21 390
	GXE	ber. 4p.	L4/2.4/A4	20 265	21 325	22 390
	SE	ber. 4p.	L4/2.4/M5	21 520	22 705	23 890
	SE	ber. 4p.	L4/2.4/A4	22 410	23 650	24 890
	GLE	ber.4p.	L4 2.4 A4	24 670	26 030	27 390

• Frais de transport et préparation: 895 $

Modèle	Finition	Type	Mécanique	mini	moyen	maxi
Sentra	DLX	cpé. 2p.	L4/1.6/M5	11 545	11 765	11 990
	XE	cpé. 2p.	L4/1.6/M5	12 710	13 100	13 490
	DLX	ber. 4p.	L4/1.6/M5	11 950	12 320	12 690
	DLX	ber. 4p.	L4/1.6/A4	13 070	13 515	13 960
	XE	ber. 4p.	L4/1.6/M5	13 410	14 900	14 390
	XE	ber. 4p	L4/1.6/A4	14 240	14 790	15 340
	GXE	ber. 4p.	L4/1.6/M5	16 115	16 800	17 490

• Frais de transport et préparation: 895 $

Modèle	Finition	Type	Mécanique	mini	moyen	maxi
Maxima	GXE	ber. 4p.	V6/3.0/M5	23 090	24 290	25 490
	GXE	ber. 4p.	V6 3.0 A4	24 055	25 320	26 590
	SE	ber. 4p.	V6/3.0/M5	25 425	26 910	28 390
	SE	ber. 4p.	V6/3.0/A4	26 390	27 940	29 490
	GLE	ber. 4p.	V6 3.0 A4	27 305	28 900	30 490

• Frais de transport et préparation: 895 $

Modèle	Finition	Type	Mécanique	mini	moyen	maxi
240 SX	Coupe SE		L4/2.4M5	21 400	22 445	23 490
			L4/2.4A4	22 280	23 385	24 490
	Coupe LE		L4/2.4M5	23 995	25 240	26 490
			L4/2.4A4	24 875	26 180	27 490

• Frais de transport et préparation: 895 $

Modèle	Finition	Type	Mécanique	mini	moyen	maxi
300 ZX	base	cpé. 3p.	V6/3.0/M5	46 265	47 180	48 090
	base	cpé. 3p.	V6/3.0/A4	47 160	48 130	49 090
	Turbo	cpé. 3p.	V6/3.0/M5	53 110	54 100	55 090
	Turbo	cpé. 3p.	V6/3.0/A4	54 005	55 050	56 090
	2+2	cpé. 3p.	V6/3.0/M5	48 775	49 435	50 590
	2+2	cpé. 3p.	V6/3.0/A4	49 670	50 630	51 590
	déc	cpé. 3p.	V6/3.0/M5	53 110	54 100	55 090

• Frais de transport et préparation: 895 $

Modèle	Finition	Type	Mécanique	mini	moyen	maxi
Axxess	XE	fam. 5p.	L4/2.4/M5	17 510	18 150	18 790
	XE	fam. 5p.	L4/2.4/A4	18 395	19 095	19 790
	SE	fam. 5p.	L4/2.4/M5	18 695	19 490	20 290
	SE	fam. 5p.	L4/2.4/A4	19 580	20 435	21 290

• Frais de transport et préparation: 895 $

Modèle	Finition	Type	Mécanique	mini	moyen	maxi
Quest	XE	fam. 5p.	V6/3.0/A4	23 345	23 670	23 990
	GXE	fam. 5p.	V6/3.0/A4	26 110	27 550	28 990

• Frais de transport et préparation: 895 $

Modèle	Finition	Type	Mécanique	mini	moyen	maxi
Pathfinder	XE	fam. 2p.	V6/3.0/M5	23 090	24 290	25 490
	XE	fam. 2p.	V6/3.0/A4	24 155	25 575	26 990
	SE	fam. 5p.	V6/3.0/M5	28 000	29 545	31 090
	SE	fam. 5p.	V6/3.0/A4	29 065	30 680	32 290
	LE	fam. 5p.	V6/3.0/A4	26 920	28 400	29 890

• Frais de transport et préparation: 895 $

Modèle	Finition	Type	Mécanique	mini	moyen	maxi
Camionnettes Costaud 2RM						
	De base	cam. 2p.	L4/2.4/M5	11 545	11 770	11 990

Modèle	Finition	Type	Mécanique	Prix $ can. mini	moyen	maxi
	XE	cam. 2p.	L4/2.4/M5	12 050	12 420	12 790
K.cab	XE	cam. 2p.	L4/2.4/M5	13 965	14 475	14 990
K.cab	XE	cam. 2p.	L4/2.4/A4	14 865	15 425	15 990
K.cab	SE-V6	cam. 2p.	V6/3.0/M5	17 035	17 760	18 490
K.cab	SE-V6	cam. 2p.	V6/3.0/A4	17 935	18 710	19 490
Costaud 4x4						
Caisse ord.	XE	cam. 2p.	L4/2.4/M5	16 575	17 280	17 990
K.cab	XE V6	cam. 2p.	V6/3.0/M5	19 760	20 725	21 690
K.cab	SE V6	cam. 2p.	V6/3.0/A4	20 835	21 860	22 890
• Frais de transport et préparation: 895 $						

OLDSMOBILE

Modèle	Finition	Type	Mécanique	mini	moyen	maxi
Cutlass Ciera	S	ber. 4p.	V6/3.1/A4	19 490	20 725	21 960
• Frais de transport: 760 $						
Cutlass Cruiser	S	fam 5p.	V6/3.1/A4	20 320	21 610	22 895
• Frais de transport: 760 $						
Cutlass Suprême	De base	cpé. 2p.	V6/3.1/A4	20 575	22 150	23 730
	De base	ber. 4p.	V6/3.1/A4	20 860	22 460	24 060
	De base	déc. 2p.	V6/3.1/A4	27 635	29 755	31 875
	SL	déc. 2p.	V6/3.4/A4	27 945	30 085	32 230
• Frais de transport: 760 $						
98-Regency	base	ber. 4p.	V6/3.8/A4			
	Elite	ber. 4p.	V6/3.8/A4	29 605	31 815	34 025
• Frais de transport: 870 $						
88-Royale	base	ber. 4p.	V6/3.8/A4	23 600	25 410	27 220
	LS	ber. 4p.	V6/3.8/A4	26 450	28 480	30 510
	LSS	ber. 4p.	V6/3.8/A4	27 565	29 680	31 795
• Frais de transport: 870 $						
Achieva	S	ber. 2p.	L4/2.3/M5	16 025	16 960	17 895
	SC	ber. 2p.	L4/2.3/M5	18 680	19 770	20 860
	S	ber. 4p.	L4/2.3/M5	16 005	16 940	17 870
	SL	ber. 4p.	L4/2.3/A4	18 495	19 570	20 650
• Frais de transport: 595 $						
Aurora	sedan	ber. 4p.	V8/4.0/A4	35 915	38 715	41 520
• Frais de transport: 870 $						

PLYMOUTH

Modèle	Finition	Type	Mécanique	mini	moyen	maxi
Acclaim		ber. 4p.	L4/2.5/M5	15 080	15 750	16 425
• Frais de transport et préparation: 625 $						
Colt	base	cpé. 2p.	L4/1.5/M5	11 225	11 610	11 995
	GL	cpé. 2p.	L4/1.5/M5	11 970	12 425	12 885
• Frais de transport et préparation: 415 $						
Neon	Highline	cpé. 2p.	L4/2.0/M5	12 245	12 700	13 150
	Sport	cpé. 2p.	L4/2.0/M5	14 705	15 375	16 045
	De base	ber. 4p.	L4/2.0/M5	10 875	11 255	11 640
	Highline	ber. 4 p.	L4/2.0/M5	12 245	12 700	13 150
	Sport	ber. 4p.	L4/2.0/M5	14 405	15 160	15 280
• Frais de transport et préparation: 600 $						
Voyager	base	fam. 4p.	L4/2.5/M5	16 055	17 030	18 010
	SE	fam. 4p.	L4/2.5/M5	17 700	18 805	19 910
	LE	fam. 4p.	V6/3.0/A3	22 250	23 695	25 140
• Frais de transport et préparation: 810 $						
Grand Voyager	base	fam. 4p.	V6/3.3/A4	18 895	20 090	21 290
	SE	fam. 4p.	V6/3.3/A4	19 370	20 600	21 835
	SE 4x4	fam. 4p.	V6/3.3/A4	23 780	25 340	26 900
	LE	fam. 4p.	V6/3.3/A4	23 340	24 865	26 390
	LE 4x4	fam. 4p.	V6/3.3/A4	25880	27 600	29 320
• Frais de transport et préparation: 810 $						

PONTIAC

Modèle	Finition	Type	Mécanique	mini	moyen	maxi
Bonneville	SE	ber. 4p.	V6/3.8/A4	23 325	25 115	26 905
	SSE	ber. 4p.	V6/3.8/A4	27 735	29 860	32 160
	SSEI	ber. 4p.	V6C/3.8/A4	29 005	32 230	33 455
• Frais de transport: 870 $						
Firebird	base	cpé. 3p.	V6/3.4/M5	17 105	18 080	19 056
	base	déc. 3p.	V6/3.4/M5	24 800	26 210	27 625
	Formula	cpé. 3p.	V8/5.7/M6	21 705	22 940	24 180
	Formula	déc. 3p.	V8/5.7/A4	28 365	29 980	31 600
Trans am	GTA	cpé. 2p.	V8/5.7/M6	23 330	24 660	25 990
	GTA	déc. 3p.	V8/5.7/A4	30 275	32 000	33 730
• Frais de transport: 655 $						
Firefly	base	cpé. 3p.	L3/1.0/M5	9 255	9 625	9 995
	SE	cpé. 3p.	L3/1.0/M5	10 185	10 590	10 995
	base	ber. 4p.	L4/1.3/M5	9 490	9 870	10 245
	SE	ber. 4p.	L4/1.3/M5	10 415	10 830	11 245
• Frais de transport: 500 $						
Grand Am	SE	cpé. 2p.	L4/2.3/M5	15 025	15 900	16 775
	SE	ber. 4p.	L4/2.3/M5	15 115	15 995	16 875
	GT	cpé. 2p.	L4/2.3/M5	17 425	18 440	19 460
	GT	ber. 4p.	L4/2.3/M5	17 520	18 540	19 565
• Frais de transport: 595 $						
Grand-Prix	SE	cpé. 2p.	V6/3.1/A3	20 375	21 940	23 500
	SE	ber. 4p.	V6/3.1/A3	19 485	20 980	22 475
	GT	ber. 4p.	V6/3.4/M5	21 870	23 545	25 225
	GTP	cpé. 2p.	V6/3.4/M5	22 320	24 030	25 745
• Frais de transport: 760 $						
Sunfire		cpé. 2p.	L4/2.0/M5	11 385	11 840	12 295
		ber. 4p.	L4/2.0/M5	11 850	12 320	12 795
		déc. 2p.	L4/2.0/M5	ND	ND	ND
• Frais de transport: 595 $						
Sunrunner						
2RM Toit mou		déc. 2p.	L4/1.6/M5	12 085	12 550	13 020
4RM GT toit dur		déc. 2p.	L4/1.6/M5	15 670	16 275	16 880
4RM Toit mou		déc. 2p.	L4/1.6/M5	13 880	14 415	14 955
4RM Toit dur		déc. 2p.	L4/1.6/M5	13 780	14 310	14 845
4RM GT toit mou		déc. 2p.	L4/1.6/M5	15 770	16 380	16 990
• Frais de transport: 500 $						
Trans Sport	SE	fam. 5p.	V6/3.1/A3	19 590	21 090	22 595
• Frais de transport: 745 $						

PORSCHE

Modèle	Finition	Type	Mécanique	mini	moyen	maxi
911 Carrera 2		cpé. 2p.	H6/3.0/M5	84 390	90 145	95 900
		cpé. 2p.	H6/3.6/M6	78 850	84 225	89 600
		déc. 2p.	H6/3.6/M6	89 320	95 410	101 500
RS america		cpé. 2p.	H6/3.6/M5	69 435	74 165	78 900
	Turbo	cpé. 2p.	H6/3.6/M5	128 655	137 425	146 200
		cpé. 2p.	H6/3.6/Tiptro			
• Frais de transport et préparation: 1050 $						
928	GTS	cpé. 2p.	V8/5.4/M5	101 815*	108755*	115 700*
• Frais de transport et préparation: 1050 $						
968		cpé. 2p.	L4/3.0M6	53 910*	56 905*	59 900*
		déc. 2p.	L4/3.0M6	68 940*	73 670*	76 600*
• Frais de transport et préparation: 1050 $						

SAAB

Modèle	Finition	Type	Mécanique	mini	moyen	maxi
900 S		ber. 3p.	L4/2.3 /M5	25 055	26 175	27 295
		ber. 5p.	L4/2.3 /M5	24 780	25 890	26 995
		déc.3p.	L4T/2.0 /M5	39 715	41 855	43 995
900 SE		ber. 3p	L4T/2.0 /M5	31 770	33 380	34 995
		ber. 5p	V6/2.5/M5	31 315	32 905	34 495
		déc.3p.	L4T/2.0 /M5	46 935	48 965	50 995
• Frais de transport et préparation: 845 $						
9000	Aero	ber. 4p.	L4T/2.3/M5	42 925	45 460	47 995
	CDE	ber. 4p.	V6/3.0/M5	40 345	42 380	45 995
	CS	ber. 4p.	L4T/2.3/M5	31 575	33 785	35 995
	CSE	ber. 4p.	L4T/2.3/A4	40 565	43 405	46 245
• Frais de transport et préparation: 845 $						

SATURN

Modèle	Finition	Type	Mécanique	mini	moyen	maxi
Saturn	SL	ber. 4p.	L4/1.9/M5	10 950	11 470	11 995
	SL1	ber. 4p.	L4/1.9/M5	12 230	12 810	13 395
	SL2	ber. 4p.	L4/1.9/M5	13 780	14 435	15 095
	SC 1	cpé. 2p.	L4/1.9/M5	13 180	13 805	14 435
	SC 2	cpé. 2p.	L4/1.9/M5	15 680	16 425	17 175
	SW1	fam. 4p.	L4/1.9/M5	12 190	13 040	13 895
	SW2	fam. 4p.	L4/1.9/M5	14 365	15 050	15 735
• Frais de transport et préparation: 400 $						

SUBARU

Modèle	Finition	Type	Mécanique	mini	moyen	maxi
Impreza	4x2					
	L	cpé 2p.	H4/1.8/M5	16 555	17 275	17 995
	L	cpé 2p	H4/1.8/A4	17 385	18 140	18 895

TOUS LES PRIX 1995

Modèle	Finition	Type	Mécanique	Prix $ can.		
				mini	moyen	maxi
Impreza 4x4						
	L	cpé. 2p.	H4/1.8/M5	18 120	18 905	19 695
	L	cpé 2p.	H4/1.8/A4	18 845	19 720	20 595
	L	fam. 5p.	H4/1.8/M5	14 991*	15 643*	16 295*
	LS	fam. 5p.	H4/1.8/A4	19 684*	20 540*	21 395*
	L	ber. 4p.	H4/1.8/M5	14 439*	15 067*	15 695*
	LS	ber. 4p.	H4/1.8/A4	19 135*	19 965*	20 795*
• Frais de transport et préparation: 695 $						
Justy 4x4						
	GL	ber. 5 p.	L3/1.2 /M5	11 495	11 995	12 495
• Frais de transport et préparation: 695 $						
Legacy 4x2						
		ber. 4p.	H4/2.2/M5	16 555	17 275	17 995
	L	ber. 4p.	H4/2.2/M5	20 695	21 845	22 995
	L	fam. 5p.	H4/2.2/A4	21 415	22 605	23 795
Legacy 4x4						
	L	ber. 4p.	H4/2.2/M5	22 225	23 460	24 695
	LS	ber. 4p.	H4/2.2/M5	25 375	26 785	28 195
	LSi	ber. 4p.	H4/2.2/M5	26 395	28 195	29 995
	brighton	fam. 5p.	H4/2.2/M5	18 395	19 195	19 995
	LS	fam. 5p.	H4/2.2/M5	25 515	27 255	28 995
	LSi	fam. 5p.	H4/2.2/M5	27 100	28 945	30 795
• Frais de transport et préparation: 695 $						
SVX						
		cpé 3p.	H6/3.3/A4	39 145	42 070	44 995
• Frais de transport et préparation: 695 $						
SUZUKI						
Swift	Hbk	ber. 3p.	L4/1.3/M5	9 730	10 110	10 495
	DLX	ber. 3p.	L4/1.3/M5	10 375	10 785	11 195
• Frais de transport et préparation: 300 $						
Sidekick	Toit souple					
	JA	déc. 2p.	L4/1.6/M5	13 460	13 975	14 495
	JX	déc. 2p.	L4/1.6/M5	15 780	16 390	16 995
	JLX	déc. 2p.	L4/1.6/M5	17 635	18 315	18 995
Sidekick 4 portes						
	JX	fam. 4p.	L4/1.6/M5	16 245	16 870	17 495
	JLX	fam. 4p.	L4/1.6/M5	19 400	20 145	20 895
• Frais de transport et préparation: 400 $						
TOYOTA						
Camionettes 4x2						
	T-100	cam. 2p.	V6/3.0/M5	19 070	19 800	20 528
Camionettes 4x4						
	T-100	cam. 2p.	V6/3.0/M5	20 370	21 150	21 928
• Frais de transport et préparation: 695 $						
Camionettes 4x2						
	rég	cam. 2p.	L4/2.4/M5	12 360	12 715	13 068
	Xtra cab	cam. 2p.	L4/2.4/M5	14 915	15 305	16 278
Camionettes 4x4						
	rég	cam. 2p.	L4/2.4/M5	19 505	20 525	21 548
	Xtra cab	cam. 2p.	V6/3.0/M5	20 380	21 450	22 518
	SR5 V6	cam. 2p.	V6/3.0/M5	23 250	24 470	25 688
Avalon	XL	ber. 4p.	V6/3.0/A4	28 110	29 584	31 058
	XLS	ber. 4p.	V6/3.0/A4	31 190	32 825	34 458
• Frais de transport et préparation: 695 $						
Camry	base	cpé. 2p.	L4/2.2/M5	18 225	19 010	19 798
	LE	cpé. 2p.	L4/2.2/A4	21 635	22 770	23 908
	LE V6	cpé. 2p.	V6/3.0/A4	25 415	26 765	28 118
	base	ber. 4p.	L4/2.2/M5	18 815	19 625	20 438
	LE	fam. 4p.	L4/2.2/A4	25 030	26 345	27 658
	LE	ber. 4p.	L4/2.2/A4	22 150	23 315	24 478
	V6	ber. 4p.	V6/3.0/A4	22 105	23 095	24 088
	LE V6	ber. 4p.	V6/3.0/A4	25 975	27 360	28 748
	LE V6	fam. 4p.	V6/3.0/A4	27 990	29 485	30 978
• Frais de transport et préparation: 695 $						
Celica	base	cpé. 2p.	L4/1.6/M5	21 020	21 990	22 958
	GT	cpé. 3p.	L4/2.2/M5	21 865	23 010	24 158
	GT-S	cpé. 3p.	L4/2.2/M5	26 315	27 930	29 548
• Frais de transport et préparation: 695 $						
Corolla	base	ber. 4p.	L4/1.6/M5	12 240	12 615	12 988
	DX	ber. 4p.	L4/1.6/M5	14 475	14 975	15 478
	LE	ber. 4p.	L4/1.6/M5	15 700	16 335	16 968

Modèle	Finition	Type	Mécanique	Prix $ can.		
				mini	moyen	maxi
	base	fam. 5p.	L4/1.6/M5	17 045	17 835	18 628
• Frais de transport et préparation: 695 $						
Paseo		cpé. 2p.	L4/1.5/M5	14 940	15 585	16 228
		cpé. 2p.	L4/1.5/A4	15 815	16 495	17 178
• Frais de transport et préparation: 695 $						
4Runner	SR5	fam. 4p.	L4/2.4/M5	22 765	23 745	24 728
4Runner	SR5 V6	fam 4p.	V6/3.0/M5	26 025	27 305	28 588
• Frais de transport et préparation: 695 $						
Previa 4X2						
	base	fam. 4p.	L4/2.4/A4	25 070	26 275	27 478
	LE	fam. 4p.	L4/2.4/A4	29 005	30 395	31 788
Previa 4X4						
	LE	fam. 4p.	L4C/2.4/A4	35 145	36 830	38 518
• Frais de transport et préparation: 695 $						
Supra		cpé. 2p.	V6T/3.0/M6	61 520	64 875	68 228
		cpé. 2p.	V6T/3.0/A4	60 260	63 545	66 828
• Frais de transport et préparation: 695 $						
Tercel	S	ber. 2p.	L4/1.5/M4	10 470	10 735	10 998
	Dx	ber. 2p.	L4/1.5/M5	11 275	11 590	11 908
	Dx	ber. 4p.	L4/1.5/M5	11 470	11 905	12 118
• Frais de transport et préparation: 695 $						
VOLKSWAGEN						
Corrado	VR-6	cpé. 2p.	V6/2.8/M5	28 515	29 755	30 995
• Frais de transport et préparation: 675 $						
Eurovan	Cargo	fam. 4p.	L5/2.4D/M5	19 525	20 260	20 995
	Cargo	fam. 4p.	L5/2.5/A4	20 455	21 225	21 995
	GLS	fam. 4p.	L5/2.5/M5	26 500	27 495	28 495
	GLS	fam. 4p.	L5/2.4D/M5	26 500	27 495	28 495
	Camper	fam. 4p.	L5/2.4D/M5	32 195	33 595	34 995
	Camper	fam. 4p.	L5/2.5/M5	34 035	35 515	36 995
• Frais de transport et préparation: 675 $						
Golf	CL	ber. 3p.	L4/1.8/M5	12 820	13 155	13 495
	CL	ber. 5p.	L4/1.9TD/M5	15 035	15 515	15 995
	GL	ber. 5p.	L4/2.0/M5	15 035	15 515	15 995
	GTI	ber. 3p.	L4/2.0/M5	17 200	17 845	18 495
	GTI	ber. 3p.	V6/2.8/M5	22 875	24 435	25 995
	Cabrio.	ber. 2p.	L4/2.0/M5	23 050	24 770	6 495
• Frais de transport et préparation: 675 $						
Jetta	GL	ber. 4p.	L4/2.0/M5	17 475	18 235	18 995
	GL	ber. 4p.	L4/1.9TD/M5	17 475	18 235	18 995
	GLX	ber. 4p.	V6/2.8/M5	24 355	26 175	27 995
• Frais de transport et préparation: 675 $						
Passat	GLS	ber. 4p.	L4/1.9TD/M5	22 970	24 730	26 495
	GLS	fam. 5p.	L4/1.9TD/M5	23 840	25 665	27 495
	GLX	ber. 4p.	V6/2.8/M5	25 570	27 530	29 495
	GLX	fam. 5p.	V6/2.8/M5	26 440	28 715	30 495
• Frais de transport et préparation: 675 $						
VOLVO						
854	O	ber. 4p.	L5/2.4/M5	26 185	27 140	29 095
	A	ber. 4p.	L5/2.4/A4	26 995	28 495	29 995
	OS	ber. 4p.	L5/2.4/M5	26 730	28 715	29 700
	AS	ber. 4p.	L5/2.4/A4	27 235	28 915	30 600
	GTOS	ber. 4p.	L5/2.4/M5	31 060	33 175	35 295
	GTAS	ber. 4p.	L5/2.4/A4	31 850	34 025	36 195
	To	ber. 4p.	L5/2.3/M5	34 405	36 750	39 095
	T	ber. 4p.	L5/2.3/A4	35 195	37 195	39 995
855	O	fam. 5p.	L5/2.4/M5	26 785	28 440	30 095
	A	fam. 5p.	L5/2.4/A4	27 585	29 290	30 995
	OS	fam. 5p.	L5/2.4/M5	27 325	29 010	30 700
	AS	fam. 5p.	L5/2.4/A4	28 125	29 860	31 600
	GTOS	fam. 5p.	L5/2.3/M5	31 940	34 115	36 295
	GTAS	fam. 5p.	L5/2.3/A4	32 730	34 960	37 195
• Frais de transport et préparation: 695 $						
944		ber. 4p.	L4/2.3/A4	24 835	24 970	27 595
	TS	ber. 4p.	L4T/2.3/A4	27 365	29 055	30 750
945		fam. 5p.	L4/2.3/A4	25 735	27 165	28 595
	TS	fam. 5p.	L4T/2.3/A4	28 255	30 000	31 750
• Frais de transport et préparation: 695 $						
964		ber. 4p.	L6/3.0/A4	35 665	38 330	40 995
965		fam. 5p.	L6/3.0/A4	37 405	40 200	42 995
• Frais de transport et préparation: 695 $